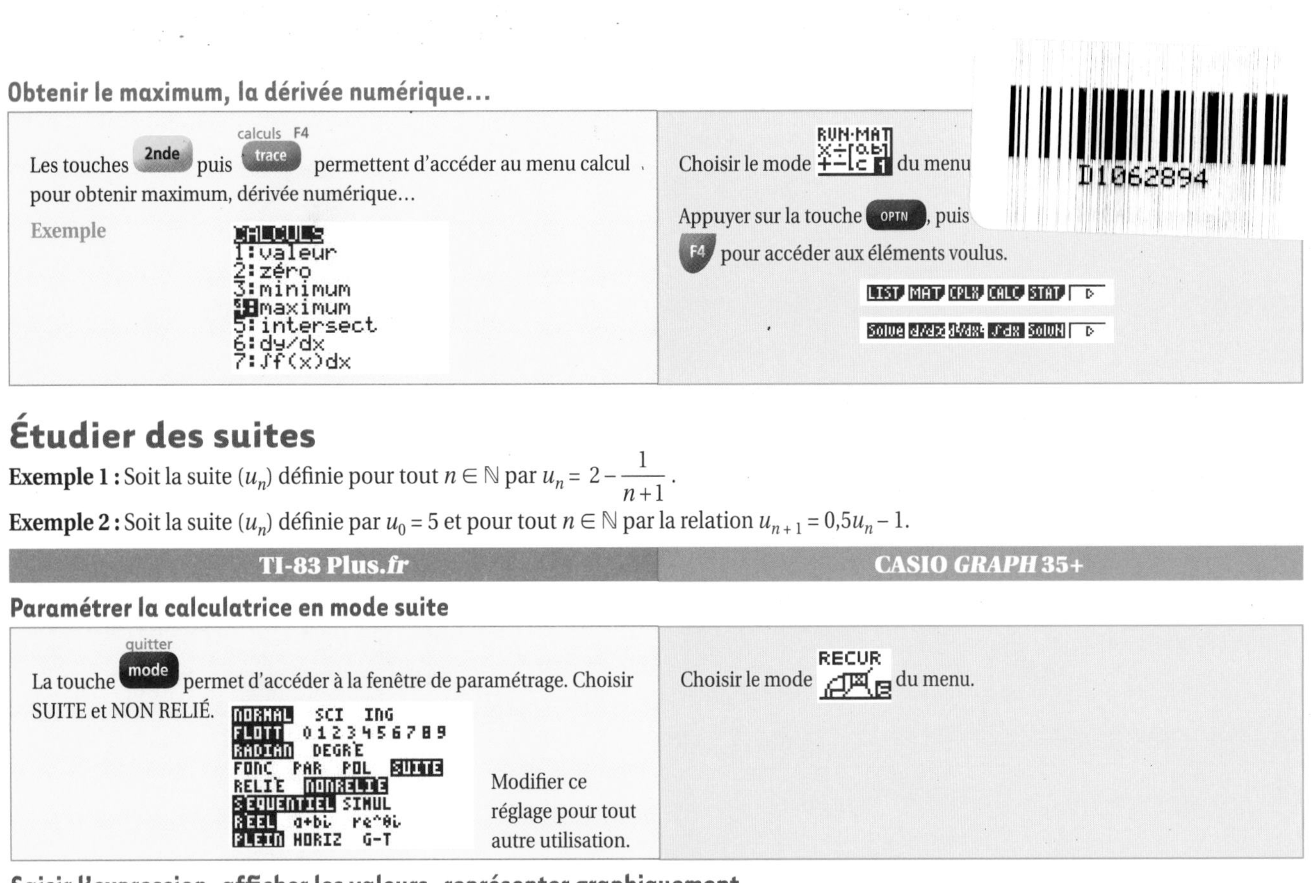

Obtenir le maximum, la dérivée numérique…

Les touches 2nde puis trace (calculs F4) permettent d'accéder au menu calcul pour obtenir maximum, dérivée numérique…

Exemple

Choisir le mode RUN·MAT du menu.

Appuyer sur la touche OPTN, puis F4 pour accéder aux éléments voulus.

Étudier des suites

Exemple 1 : Soit la suite (u_n) définie pour tout $n \in \mathbb{N}$ par $u_n = 2 - \dfrac{1}{n+1}$.

Exemple 2 : Soit la suite (u_n) définie par $u_0 = 5$ et pour tout $n \in \mathbb{N}$ par la relation $u_{n+1} = 0{,}5u_n - 1$.

TI-83 Plus.fr	CASIO *GRAPH* 35+

Paramétrer la calculatrice en mode suite

La touche mode (quitter) permet d'accéder à la fenêtre de paramétrage. Choisir SUITE et NON RELIÉ.

Modifier ce réglage pour tout autre utilisation.

Choisir le mode RECUR du menu.

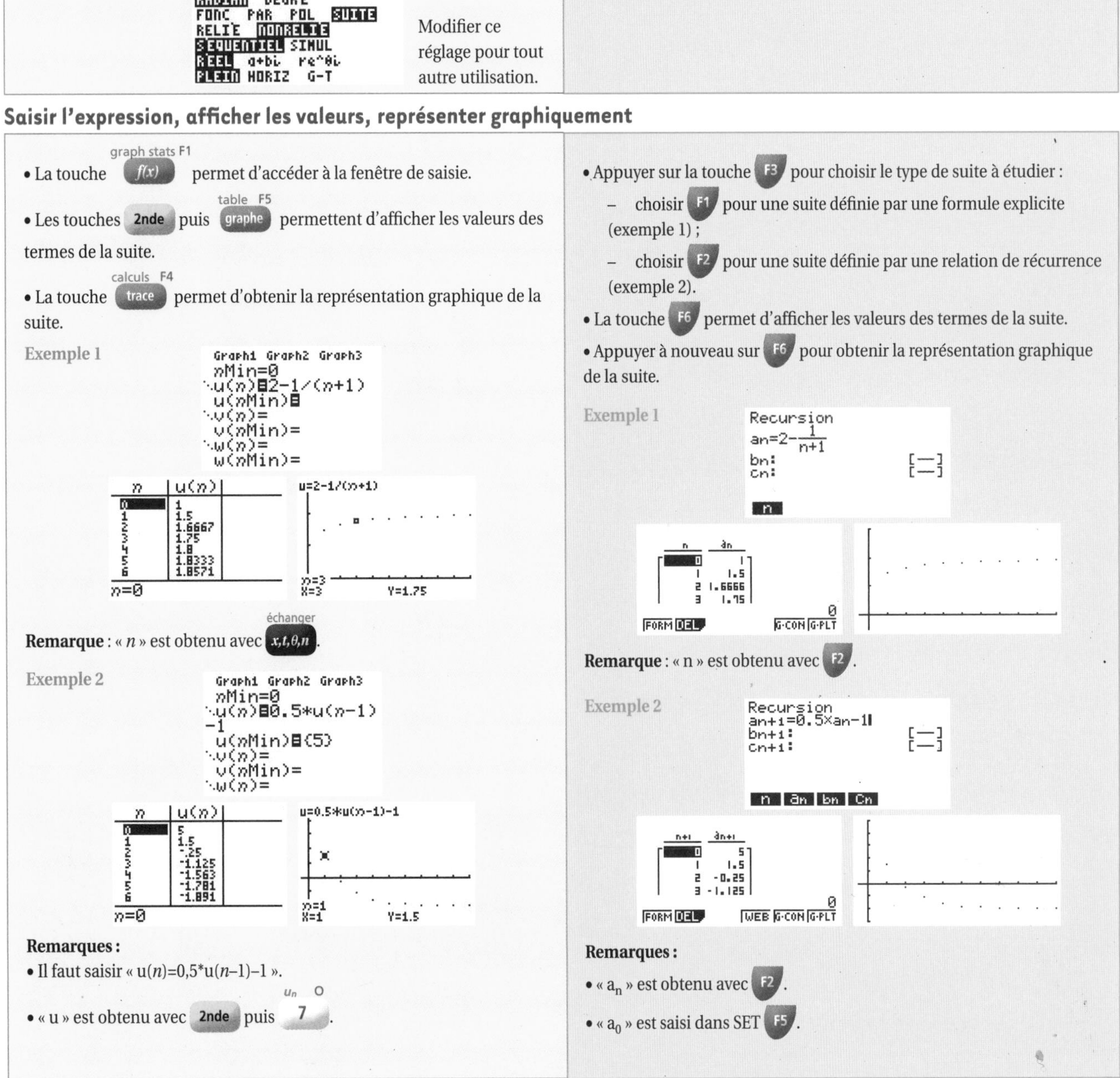

Saisir l'expression, afficher les valeurs, représenter graphiquement

• La touche f(x) (graph stats F1) permet d'accéder à la fenêtre de saisie.

• Les touches 2nde puis graphe (table F5) permettent d'afficher les valeurs des termes de la suite.

• La touche trace (calculs F4) permet d'obtenir la représentation graphique de la suite.

Exemple 1

n	u(n)
0	1
1	1.5
2	1.6667
3	1.75
4	1.8
5	1.8333
6	1.8571

Remarque : « *n* » est obtenu avec x,t,θ,n (échanger).

Exemple 2

n	u(n)
0	5
1	1.5
2	-.25
3	-1.125
4	-1.563
5	-1.781
6	-1.891

Remarques :

• Il faut saisir « u(*n*)=0,5*u(*n*–1)–1 ».

• « u » est obtenu avec 2nde puis 7 (u_n).

• Appuyer sur la touche F3 pour choisir le type de suite à étudier :

– choisir F1 pour une suite définie par une formule explicite (exemple 1) ;

– choisir F2 pour une suite définie par une relation de récurrence (exemple 2).

• La touche F6 permet d'afficher les valeurs des termes de la suite.

• Appuyer à nouveau sur F6 pour obtenir la représentation graphique de la suite.

Exemple 1

n	an
0	1
1	1.5
2	1.6666
3	1.75

Remarque : « n » est obtenu avec F2.

Exemple 2

n+1	an+1
0	5
1	1.5
2	-0.25
3	-1.125

Remarques :

• « a_n » est obtenu avec F2.

• « a_0 » est saisi dans SET F5.

Faire des statistiques

Exemple : Voici la répartition des notes à un devoir :

Note	10	12	14	15	17	20
Nombre d'élèves	2	3	5	4	3	1

TI-83 Plus.*fr*	CASIO *GRAPH* 35+
La touche listes stats permet d'accéder au menu des statistiques.	Choisir le mode STAT du menu.

Entrer des données

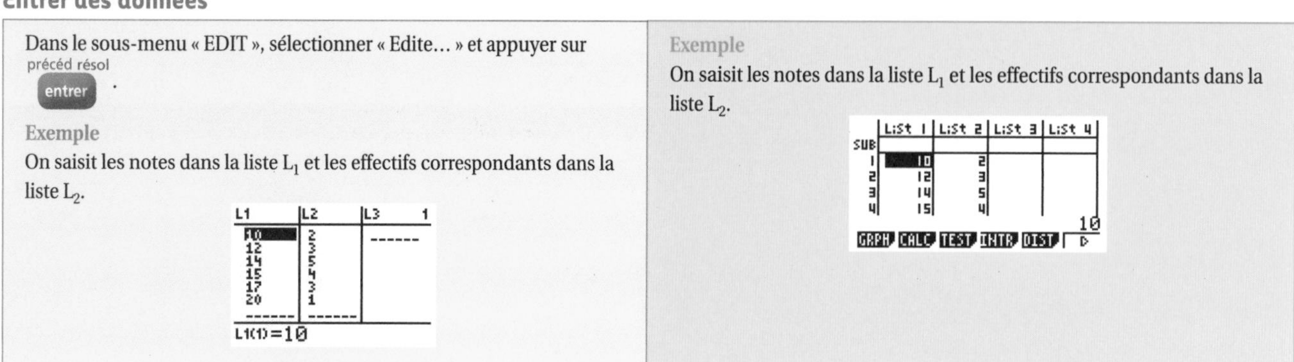

Dans le sous-menu « EDIT », sélectionner « Edite… » et appuyer sur précéd résol entrer .

Exemple

On saisit les notes dans la liste L_1 et les effectifs correspondants dans la liste L_2.

Exemple

On saisit les notes dans la liste L_1 et les effectifs correspondants dans la liste L_2.

Calculer les paramètres : effectif total, moyenne, médiane, quartiles, écart-type

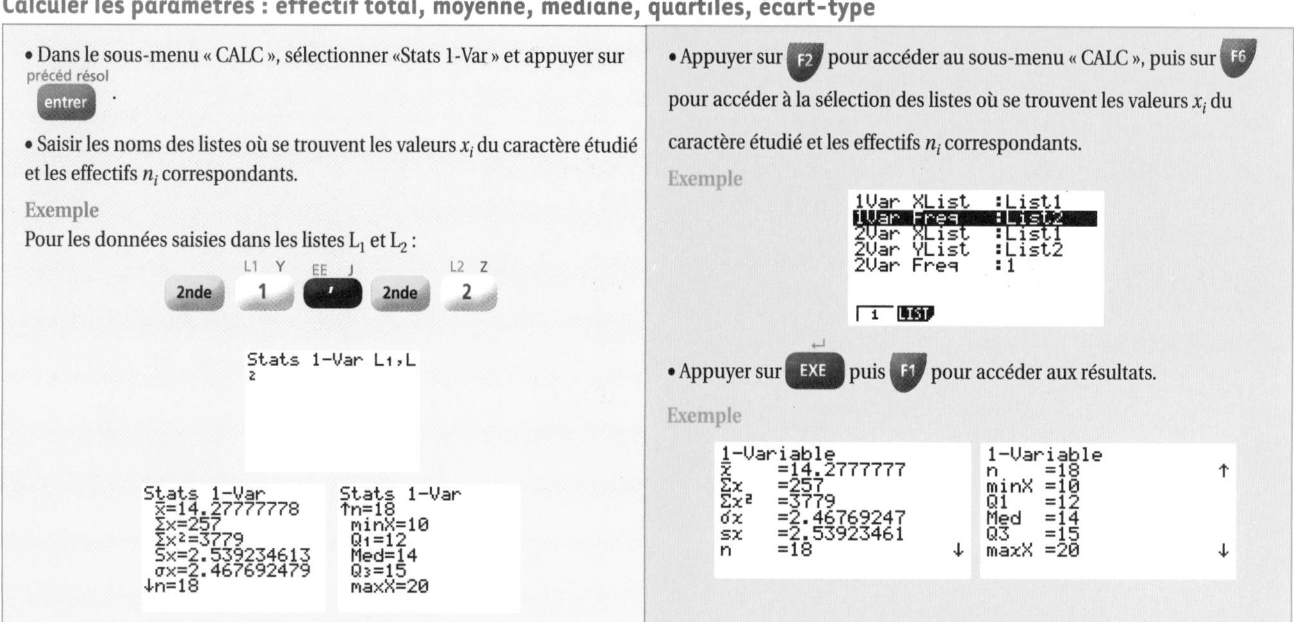

- Dans le sous-menu « CALC », sélectionner «Stats 1-Var » et appuyer sur précéd résol entrer .
- Saisir les noms des listes où se trouvent les valeurs x_i du caractère étudié et les effectifs n_i correspondants.

Exemple

Pour les données saisies dans les listes L_1 et L_2 :

- Appuyer sur F2 pour accéder au sous-menu « CALC », puis sur F6 pour accéder à la sélection des listes où se trouvent les valeurs x_i du caractère étudié et les effectifs n_i correspondants.

Exemple

- Appuyer sur EXE puis F1 pour accéder aux résultats.

Exemple

Représenter le diagramme en boîte correspondant

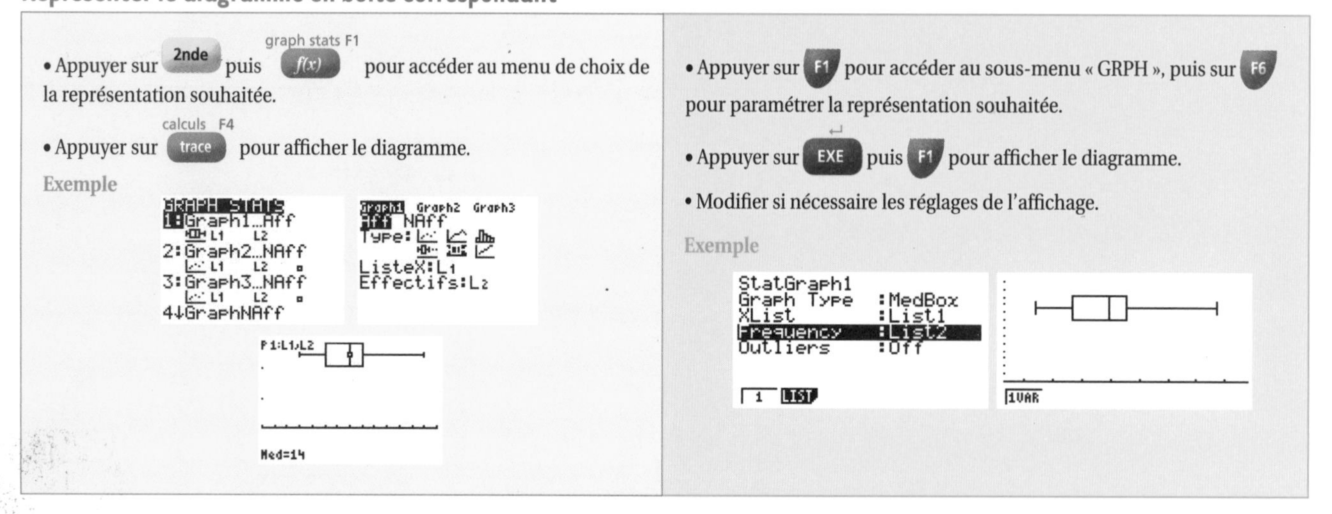

- Appuyer sur 2nde puis graph stats F1 f(x) pour accéder au menu de choix de la représentation souhaitée.
- Appuyer sur calculs F4 trace pour afficher le diagramme.

Exemple

- Appuyer sur F1 pour accéder au sous-menu « GRPH », puis sur F6 pour paramétrer la représentation souhaitée.
- Appuyer sur EXE puis F1 pour afficher le diagramme.
- Modifier si nécessaire les réglages de l'affichage.

Exemple

COLLECTION ODYSSÉE

MATHÉMATIQUES 1re S

NOUVEAU PROGRAMME

Sous la direction de

Éric SIGWARD
IA-IPR de mathématiques de l'académie de Strasbourg

Auteurs

François BRISOUX
Professeur de mathématiques au lycée Frédéric Kirschleger de Munster

Christian BRUCKER
Professeur de mathématiques au lycée Théodore Deck de Guebwiller

Isabelle SANCHEZ
Professeur de mathématiques au lycée Bartholdi de Colmar

Pierre SCHWARTZ
Professeur de mathématiques au lycée international de Strasbourg

Et pour les pages « Culture Maths » :

Pascal GUELFI, professeur au lycée Henri Poincaré de Nancy
Roman IKONICOFF

Les auteurs remercient chaleureusement
Cécile BARDIN et **Gwenaëlle FAYARD** pour leur contribution.

Avant-propos

Vous voici en classe de première scientifique.

Ce manuel vous aidera à assurer les bases nécessaires pour la suite de vos études de mathématiques en série scientifique et à acquérir les notions indispensables au raisonnement et à la compréhension.

Les chapitres de ce manuel sont composés de plusieurs rubriques :

- Une ouverture de chapitre avec un QCM pour faire le point sur vos acquis afin de bien aborder le chapitre.
- Des Activités introductrices qui vous permettront de réinvestir les notions étudiées dans les classes antérieures, paliers indispensables pour la compréhension des nouveaux outils.
- Le Cours qui contient des définitions, des propriétés démontrées et illustrées d'exemples.
- Les Savoir-faire qui vous aideront à résoudre les exercices d'application en vous guidant à l'aide de méthodes générales.
- De nombreux **Travaux pratiques** :
  - utilisant l'outil informatique TP TICE
  - qui vous initieront à la pratique algorithmique TP Algorithmique
  - qui comprennent des questions plus ouvertes TP Problème ouvert
- Des pages de CULTURE MATHS pour vous familiariser avec l'histoire et les applications des mathématiques et POUR ALLER PLUS LOIN.
- De nombreux Exercices d'application, dont certains plus spécifiquement centrés sur le raisonnement logique et la restitution des connaissances.
- Une page pour Se tester sur... le chapitre avec un QCM et des exercices pour être PRÊT POUR LE CONTRÔLE.
- De nombreux Problèmes dont certains issus de la vie courante ou d'autres disciplines scientifiques. Certains de ces problèmes sont proposés en langue étrangère (, , ou).

Raisonnement signale une remarque ou un exercice ayant plus particulièrement trait au raisonnement logique.

Notation signale une remarque sur une notation mathématique.

Vocabulaire signale une remarque sur le vocabulaire mathématique.

www. signale des QCM interactifs, des figures dynamiques, des captures d'écran de calculatrices et des fichiers réalisés sous différents formats de logiciels disponibles en complément sur le site www.odyssee-hatier.com.

Vous trouverez par ailleurs des pages sur le raisonnement logique et l'algorithmique en début de manuel.

Nous espérons que ce manuel répondra à vos attentes et que vous y trouverez les éléments essentiels pour consolider votre culture mathématique.

Les auteurs

© HATIER, PARIS 2011 - ISBN : 978-2-218-95346-0

Achevé d'imprimer par Rotolito Lombarda a Seggiano di Pioltello - Italie

Dépôt légal : 95346-0/01 - Avril 2011

SOMMAIRE

Utilisation de *GeoGebra* en analyse et statistiques

TABLE DES CONTENUS

PROGRAMME DE LA CLASSE DE 1RE SCIENTIFIQUE (EXTRAITS)

Bulletin officiel spécial n° 9 du 30 septembre 2010.

1. Analyse

Contenus	Capacités attendues
Second degré Forme canonique d'une fonction polynôme de degré deux. Équation du second degré, discriminant. Signe du trinôme.	• Déterminer et utiliser la forme la plus adéquate d'une fonction polynôme de degré deux en vue de la résolution d'un problème : développée, factorisée, canonique.
Étude de fonctions Fonctions de référence $x \mapsto \sqrt{x}$ et $x \mapsto \|x\|$. Sens de variation des fonctions $u + k$, λu, $\sqrt{u}$ et $\frac{1}{u}$, la fonction u étant connue, k étant une fonction constante et λ un réel.	• Connaître les variations de ces deux fonctions et leur représentation graphique. ▣ Démontrer que la fonction racine carrée est croissante sur $[0 ; +\infty[$. ▣ Justifier les positions relatives des courbes représentatives des fonctions $x \mapsto x$, $x \mapsto x^2$ et $x \mapsto \sqrt{x}$. • Exploiter ces propriétés pour déterminer le sens de variation de fonctions simples.
Dérivation Nombre dérivé d'une fonction en un point. Tangente à la courbe représentative d'une fonction dérivable en un point. Fonction dérivée. Dérivée des fonctions usuelles : $x \mapsto \sqrt{x}$, $x \mapsto \frac{1}{x}$ et $x \mapsto x^n$ (n entier naturel non nul). Dérivée d'une somme, d'un produit et d'un quotient. Lien entre signe de la dérivée et sens de variation. Extremum d'une fonction.	• Tracer une tangente connaissant le nombre dérivé. • Calculer la dérivée de fonctions. • Exploiter le sens de variation pour l'obtention d'inégalités.
Suites Modes de génération d'une suite numérique. Suites arithmétiques et suites géométriques. Sens de variation d'une suite numérique. Approche de la notion de limite d'une suite à partir d'exemples.	• Modéliser et étudier une situation à l'aide de suites. ◇ Mettre en œuvre des algorithmes permettant : – d'obtenir une liste de termes d'une suite ; – de calculer un terme de rang donné. ▣ Établir et connaître les formules donnant $1 + 2 + \ldots + n$ et $1 + q + \ldots + q^n$. • Exploiter une représentation graphique des termes d'une suite.

2. Géométrie

Contenus	Capacités attendues
Géométrie plane Condition de colinéarité de deux vecteurs : $xy' - yx' = 0$. Vecteur directeur d'une droite. Équation cartésienne d'une droite. Expression d'un vecteur du plan en fonction de deux vecteurs non colinéaires.	▣ Utiliser la condition de colinéarité pour obtenir une équation cartésienne de droite. • Déterminer une équation cartésienne de droite connaissant un vecteur directeur et un point. • Déterminer un vecteur directeur d'une droite définie par une équation cartésienne. • Choisir une décomposition pertinente dans le cadre de la résolution de problèmes.
Trigonométrie Cercle trigonométrique. Radian. Mesure d'un angle orienté, mesure principale.	• Utiliser le cercle trigonométrique, notamment pour : – déterminer les cosinus et sinus d'angles associés ; – résoudre dans $\mathbb{R}$ les équations d'inconnue x : $\cos x = \cos a$ et $\sin x = \sin a$.
Produit scalaire dans le plan Définition, propriétés. Vecteur normal à une droite. Applications du produit scalaire : calculs d'angles et de longueurs ; formules d'addition et de duplication des cosinus et sinus.	• Calculer le produit scalaire de deux vecteurs par différentes méthodes : – projection orthogonale ; – analytiquement ; – à l'aide des normes et d'un angle ; – à l'aide des normes. • Choisir la méthode la plus adaptée en vue de la résolution d'un problème. • Déterminer une équation cartésienne de droite connaissant un point et un vecteur normal. • Déterminer un vecteur normal à une droite définie par une équation cartésienne. ▣ Déterminer une équation de cercle défini par son centre et son rayon ou par son diamètre. ▣ Démontrer que : $\cos(a - b) = \cos a \cos b + \sin a \sin b$

3. Statistiques et probabilités

Contenus	Capacités attendues
Statistique descriptive, analyse de données Caractéristiques de dispersion : variance, écart-type. Diagramme en boîte.	• Utiliser de façon appropriée les deux couples usuels qui permettent de résumer une série statistique : (moyenne, écart-type) et (médiane, écart interquartile). • Étudier une série statistique ou mener une comparaison pertinente de deux séries statistiques à l'aide d'un logiciel ou d'une calculatrice.
Probabilités Variable aléatoire discrète et loi de probabilité. Espérance, variance et écart-type.	• Déterminer et exploiter la loi d'une variable aléatoire. • Interpréter l'espérance comme valeur moyenne dans le cas d'un grand nombre de répétitions.
Modèle de la répétition d'expériences identiques et indépendantes à deux ou trois issues. Épreuve de Bernoulli, loi de Bernoulli. Schéma de Bernoulli, loi binomiale (loi du nombre de succès). Coefficients binomiaux, triangle de Pascal. Espérance, variance et écart-type de la loi binomiale.	• Représenter la répétition d'expériences identiques et indépendantes par un arbre pondéré. • Utiliser cette représentation pour déterminer la loi d'une variable aléatoire associée à une telle situation. • Reconnaître des situations relevant de la loi binomiale. • Calculer une probabilité dans le cadre de la loi binomiale. ▣ Démontrer que $\binom{n}{k}+\binom{n}{k+1}=\binom{n+1}{k+1}$. • Représenter graphiquement la loi binomiale. • Utiliser l'espérance d'une loi binomiale dans des contextes variés.
Échantillonnage Utilisation de la loi binomiale pour une prise de décision à partir d'une fréquence.	• Exploiter l'intervalle de fluctuation à un seuil donné, déterminé à l'aide de la loi binomiale, pour rejeter ou non une hypothèse sur une proportion.

Algorithmique

En seconde, les élèves ont conçu et mis en œuvre quelques algorithmes. Cette formation se poursuit tout au long du cycle terminal.
Dans le cadre de cette activité algorithmique, les élèves sont entraînés à :
- décrire certains algorithmes en langage naturel ou dans un langage symbolique ;
- en réaliser quelques-uns à l'aide d'un tableur ou d'un programme sur calculatrice ou avec un logiciel adapté ;
- interpréter des algorithmes plus complexes.

Aucun langage, aucun logiciel n'est imposé.
L'algorithmique a une place naturelle dans tous les champs des mathématiques et les problèmes posés doivent être en relation avec les autres parties du programme (analyse, géométrie, statistiques et probabilités, logique), mais aussi avec les autres disciplines ou le traitement de problèmes concrets.
À l'occasion de l'écriture d'algorithmes et programmes, il convient de donner aux élèves de bonnes habitudes de rigueur et de les entraîner aux pratiques systématiques de vérification et de contrôle.

Instructions élémentaires (affectation, calcul, entrée, sortie).
Les élèves, dans le cadre d'une résolution de problèmes, doivent être capables :
- d'écrire une formule permettant un calcul ;
- d'écrire un programme calculant et donnant la valeur d'une fonction ;
- ainsi que les instructions d'entrées et sorties nécessaires au traitement.

Boucle et itérateur, instruction conditionnelle
Les élèves, dans le cadre d'une résolution de problèmes, doivent être capables de :
- programmer un calcul itératif, le nombre d'itérations étant donné ;
- programmer une instruction conditionnelle, un calcul itératif, avec une fin de boucle conditionnelle.

Notations et raisonnement mathématiques

Cette rubrique, consacrée à l'apprentissage des notations mathématiques et à la logique, ne doit pas faire l'objet de séances de cours spécifiques mais doit être répartie sur toute l'année scolaire.
En complément des objectifs rappelés ci-dessous, un travail sur la notion d'équivalence doit naturellement être mené en série scientifique (propriété caractéristique, raisonnement par équivalence).

Notations mathématiques
Les élèves doivent connaître les notions d'élément d'un ensemble, de sous-ensemble, d'appartenance et d'inclusion, de réunion, d'intersection et de complémentaire et savoir utiliser les symboles de base correspondants : $\in$, $\subset$, $\cup$, $\cap$ ainsi que la notation des ensembles de nombres et des intervalles.
Pour le complémentaire d'un ensemble A, on utilise la notation des probabilités $\overline{A}$.

Pour ce qui concerne le raisonnement logique, les élèves sont entraînés, sur des exemples, à :
- utiliser correctement les connecteurs logiques « et », « ou » et à distinguer leur sens des sens courants de « et », « ou » dans le langage usuel ;
- utiliser à bon escient les quantificateurs universel, existentiel (les symboles $\forall$, $\exists$ ne sont pas exigibles) et à repérer les quantifications implicites dans certaines propositions et, particulièrement, dans les propositions conditionnelles ;
- distinguer, dans le cas d'une proposition conditionnelle, la proposition directe, sa réciproque, sa contraposée et sa négation ;
- utiliser à bon escient les expressions « condition nécessaire », « condition suffisante » ;
- formuler la négation d'une proposition ;
- utiliser un contre-exemple pour infirmer une proposition universelle ;
- reconnaître et utiliser des types de raisonnement spécifiques : raisonnement par disjonction des cas, recours à la contraposée, raisonnement par l'absurde.

Raisonnement logique

Le raisonnement logique n'est pas propre aux mathématiques ; il intervient au quotidien, dans les décisions que l'on prend, les gestes que l'on fait…

Le raisonnement le plus courant est l'implication : « *Si le feu est rouge alors je dois m'arrêter.* » Mais il existe de nombreuses autres façons de s'assurer d'un résultat.

Par exemple, supposons que lorsqu'il pleut je prends toujours un parapluie. En conséquence, lorsque je me promène sans parapluie, on peut en conclure qu'il ne pleut pas : c'est logique !

Tous ces raisonnements sont utilisés en mathématiques pour démontrer un résultat. Vous trouverez dans ces pages tous les outils du raisonnement logique que vous pouvez utiliser pour démontrer.

1 Les connecteurs logiques : et, ou

Dans le langage usuel, le mot « ou » signifie le plus souvent un choix exclusif, comme « fromage ou dessert ». On parle de « ou » **exclusif**.

En mathématiques, le mot « ou » propose un choix qui n'est pas exclusif : « un élément appartient à A ou B » ne signifie pas « cet élément appartient soit à A, soit à B » mais « cet élément appartient **au moins** à A ou à B » ; dans ce cas, il peut appartenir soit à A, soit à B, soit aux deux ensembles. On parle alors de « ou » **inclusif.**

EXEMPLE

Considérons la phrase : « Tous les élèves de la chorale ou du cours de danse participent au spectacle. »

Dans cette phrase, le « ou » est inclusif : il inclut aussi les élèves qui participent à la fois à la chorale et au cours de danse.

L'intersection de deux ensembles A et B est l'ensemble des éléments qui appartiennent à A **et** à B.
On note cette intersection $A \cap B$.
La **réunion** de deux ensembles A et B est l'ensemble des éléments qui appartiennent à A **ou** à B.
On note cette réunion $A \cup B$.

EXEMPLE 1

Reprenons l'exemple précédent. On note A l'ensemble des élèves de la chorale et B l'ensemble des élèves du cours de danse.
$A \cup B$ est la partie colorée. Elle contient $A \cap B$.

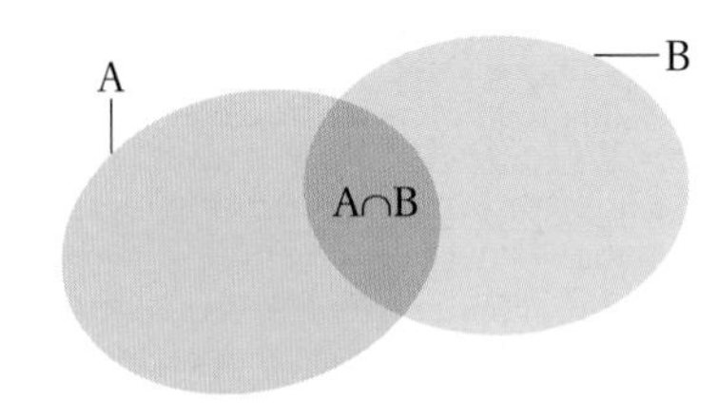

EXEMPLE 2

Dans la famille des parallélogrammes, en notant A l'ensemble des rectangles et B l'ensemble des losanges, on a :
- $A \cap B$ est l'ensemble des carrés ;
- $A \cup B$ contient les rectangles non carrés, les losanges non carrés et les carrés.

Les quantificateurs : pour tout, quel que soit, il existe

Les quantificateurs permettent de connaître le domaine de validité d'une propriété.

Ils sont donc essentiels pour savoir dans quel cas une propriété peut s'appliquer.

REMARQUE Les quantificateurs sont intéressants pour donner un contre-exemple.
Par exemple, la proposition « tout parallélogramme a ses diagonales de longueurs différentes » est fausse car il existe des parallélogrammes dont les diagonales ont même longueur.

EXEMPLES

- On considère les trois affirmations suivantes :

« **Tout** parallélogramme dont les diagonales sont de même longueur est un rectangle. »

« **Quel que soit** x, x^2 est positif ou nul. »

« **Tous** les ans, Noël est en décembre. »

Dans ces trois affirmations, on énonce une **propriété universelle**, vraie pour tous les parallélogrammes, pour tout nombre réel x, pour chaque année.

- On considère les trois affirmations suivantes :

« **Il existe** des parallélogrammes dont les diagonales sont de même longueur. »

« **Il existe** des réels x tels que $x^2 > 100$. »

« **Il existe** des années où il ne neige pas. »

Dans ces trois affirmations, on énonce une propriété vraie sur des exemples mais qui n'est pas universelle.

ATTENTION ! Les quantificateurs sont essentiels dans une proposition mais ils sont souvent implicites : il faut donc veiller à les repérer.

EXEMPLES

- « Un parallélogramme dont les diagonales sont de même longueur est un rectangle. »
Le quantificateur implicite est « **tout** ».
- « Un parallélogramme peut avoir des diagonales de même longueur. »
Le quantificateur implicite est « **il existe** ».

Les deux quantificateurs « tout » et « il existe » sont souvent liés lorsqu'il s'agit d'énoncer le contraire d'une proposition.

EXEMPLES

- Le contraire de la proposition « **Toutes** les fenêtres sont fermées » est la proposition « **Il existe** une fenêtre (au moins) d'ouverte ».
- Le contraire de la proposition « **Tous** les carrés sont des losanges » est la proposition « **Il existe** des losanges qui ne sont pas carrés ».

3 Implication, réciproque, contraposée et équivalence

ATTENTION !
Le sens de lecture de l'implication est essentiel.

Le principe même du raisonnement mathématique est **l'implication** (propriété directe) : un fait en implique un autre, une hypothèse entraîne une conclusion.

Une propriété et sa **réciproque** ne sont pas toujours équivalentes.
Une propriété et sa **contraposée** sont équivalentes.

EXEMPLES

Supposons que la propriété P suivante soit toujours vraie : « Si je suis habillé en bleu alors je suis heureux. »

- La **réciproque** de la propriété P est : « Si je suis heureux alors je suis habillé en bleu. »
Cette propriété n'est pas nécessairement vraie car il y a peut-être d'autres raisons d'être heureux.
- La **contraposée** de la propriété P est : « Si je ne suis pas heureux alors je ne suis pas habillé en bleu. »
Cette propriété est nécessairement vraie, car si j'étais habillé en bleu, je serais heureux, or je ne suis pas heureux, donc je ne peux pas être habillé en bleu.

En notant A et B deux propositions, nonA et nonB leurs propositions contraires, on peut résumer les relations entre ces propositions ainsi :

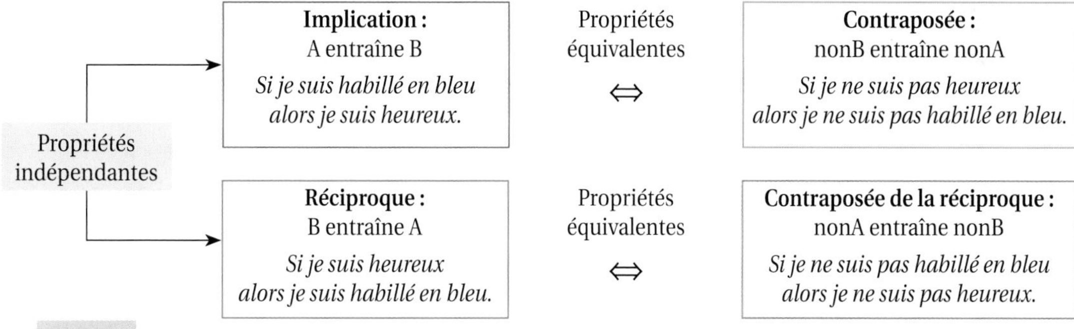

REMARQUE

La propriété « Si je suis habillé en bleu alors je suis heureux » n'est pas équivalente à « Si je ne suis pas habillé en bleu alors je ne suis pas heureux », bien que l'on confonde souvent leur sens par un raisonnement trop hâtif.

Lorsqu'une propriété et sa réciproque sont simultanément vraies, on dit que la propriété est une **équivalence**.

EXEMPLES

- La propriété « Un quadrilatère est un carré **si et seulement si** il est losange et rectangle » peut se décliner en deux propriétés :
– propriété directe : « Si un quadrilatère est un carré alors il est losange et rectangle. »
– propriété réciproque : « Si un quadrilatère est losange et rectangle alors c'est un carré. »
- Les égalités $x^2 = 9$ et $x = 3$ ne sont pas équivalentes : si $x = 3$ alors $x^2 = 9$ mais la réciproque est fausse car si $x^2 = 9$ alors $x = 3$ ou $x = -3$.

Les outils du raisonnement dans la démonstration

a. Le contre-exemple

Le contre-exemple s'utilise pour démontrer qu'une proposition n'est pas toujours vraie.

EXEMPLES

• TOM. – Aujourd'hui, on fabrique tout en Chine !
LYDIA. – C'est faux : mon sac a été fabriqué en France.

• « Un quadrilatère dont les diagonales sont de même longueur est un rectangle. »
Cette affirmation est fausse si les diagonales ne se coupent pas en leur milieu.
La figure ci-contre est un contre-exemple.

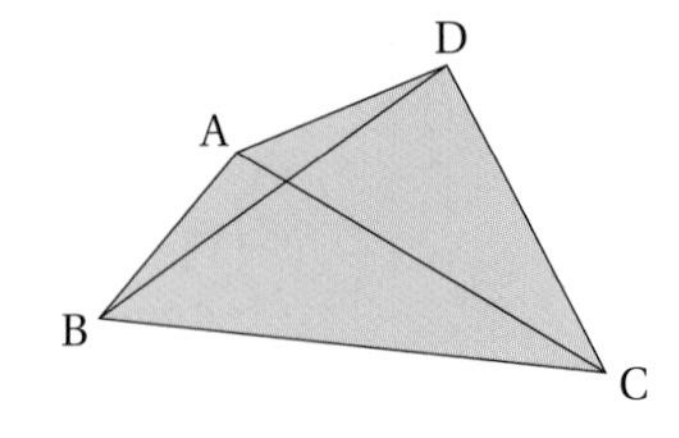

• « L'expression $x^2 - x$ est positive ou nulle pour tout réel x. »
Cette phrase est fausse car pour $x = \frac{1}{2}$ on a $\left(\frac{1}{2}\right)^2 - \frac{1}{2} = -\frac{1}{4} < 0$.

b. Le raisonnement par l'absurde

Le raisonnement par l'absurde consiste à émettre comme hypothèse le contraire du résultat escompté. Si cela conduit à un résultat absurde (ou faux) alors on aura démontré que le résultat attendu était juste.

EXEMPLE

S'il existe un nombre réel x solution de l'équation $x^2 + 1 = 0$ alors $x^2 = -1$, ce qui est impossible car un carré est toujours positif.
Donc l'équation $x^2 + 1 = 0$ n'a pas de solution.

c. Le raisonnement par contraposée

Le raisonnement par contraposée consiste à montrer la contraposée de la proposition car elle est équivalente à celle-ci. On suppose le contraire du résultat escompté, et l'on démontre le contraire de l'hypothèse initiale.

EXEMPLES

• « Dans ma classe tous les élèves font de l'espagnol. Tu ne fais pas espagnol donc tu n'es pas dans ma classe. »

• *Démontrons la propriété suivante :* « Si un entier n a un carré pair alors n est pair. »
Il est équivalent de démontrer sa contraposée : « Si un entier n est impair alors n a un carré impair. »
Supposons donc que n est impair. Il existe alors un entier k tel que $n = 2k + 1$.
On obtient : $n^2 = (2k + 1)^2 = 4k^2 + 4k + 1 = 2(2k^2 + 2k) + 1$
n^2 est alors un nombre impair.
La contraposée de la propriété étant vraie, la propriété est aussi vraie.

d. Le raisonnement par disjonction des cas

Le raisonnement par disjonction des cas s'utilise lorsque la démonstration dépend de la situation mais que l'on peut démontrer la proposition en traitant les différents cas séparément.

EXEMPLES

• « Que je vienne à pied ou en bus, je serai en retard : si je prends le bus, je serai pris dans les bouchons, si je viens à pied, je mettrai trop longtemps. »

• *Démontrons la propriété suivante :* « Pour tout entier naturel n, $n^2 + 3n$ est pair. »
n est un nombre entier. Il est soit pair, soit impair.
– Supposons tout d'abord que n est impair. Il existe donc un entier k tel que $n = 2k + 1$.
On obtient : $n^2 + 3n = (2k + 1)^2 + 3(2k + 1) = 4k^2 + 4k + 1 + 6k + 3 = 4k^2 + 10k + 4 = 2(2k^2 + 5k + 2)$
$n^2 + 3n$ est donc un nombre pair.
– Supposons maintenant que n est pair. Il existe donc un entier k tel que $n = 2k$.
On obtient : $n^2 + 3n = (2k)^2 + 3(2k) = 4k^2 + 6k = 2(2k^2 + 3k)$
$n^2 + 3n$ est donc un nombre pair.
En conclusion, quel que soit l'entier naturel n, $n^2 + 3n$ est pair.

Algorithmique

A. Introduction

1 Définition et exemples

Un algorithme est une liste finie de processus élémentaires, appelés instructions élémentaires, amenant à la résolution d'un problème.

Voici quelques algorithmes déjà rencontrés au cours de votre scolarité.

- **L'algorithme de la division euclidienne**

C'est une suite finie d'instructions qui calculent le quotient et le reste de la division de deux entiers.

- **L'algorithme d'Euclide**

C'est une suite finie de divisions euclidiennes aboutissant au calcul du PGCD de deux entiers.
En effet, pour déterminer le PGCD de deux entiers, on applique l'algorithme ci-dessous.

```
Entrée :                    Deux entiers naturels a et b.
Traitement des données :    Tant que b > 0 faire :
                                Affecter r au reste de la division
                                euclidienne de a par b.
                                Affecter a à la valeur de b.
                                Affecter b à la valeur de r.
                             Fin de tant que
Sortie :                     Afficher a.
```

EXEMPLE

Calculons le PGCD de 946 et 444 :

Dividende	Diviseur	Reste	Quotient
946	444	58	2
444	58	38	7
58	38	20	1
38	20	18	1
20	18	2	1
18	2	0	9

Le PGCD de 946 et 444 est donc 2, dernier reste non nul obtenu dans la succession des divisions euclidiennes.

- **Des algorithmes de constructions géométriques**

EXEMPLE 1 *Partager un segment en cinq parties égales*

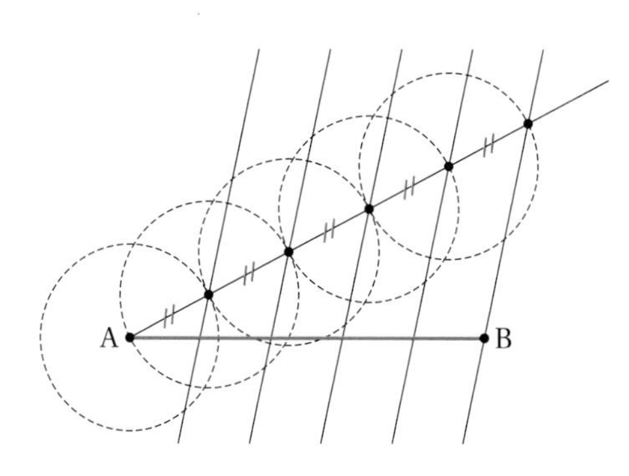

On donne un segment [AB].

On trace une demi-droite quelconque passant par le point A et pas par B.

On reporte sur cette dernière cinq segments de même longueur.

On trace le segment joignant B à l'extrémité du 5e segment.

Les parallèles à ce segment passant par les points placés sur la demi-droite découpent le segment [AB] en 5 segments de même longueur.

EXEMPLE 2 *Le flocon de Koch* (Niels Fabian Helge von Koch, 1870 - 1924)

Sur un triangle équilatéral (étape 1), on partage chaque côté en trois parties égales et on construit un triangle équilatéral ayant pour base le segment central (étape 2).
En réitérant ce procédé sur chaque côté, on obtient une figure de plus en plus complexe (étape 3, …, étape 6, …) : le flocon de Koch.

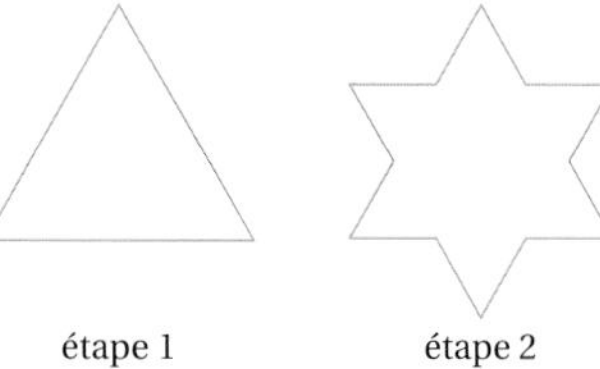
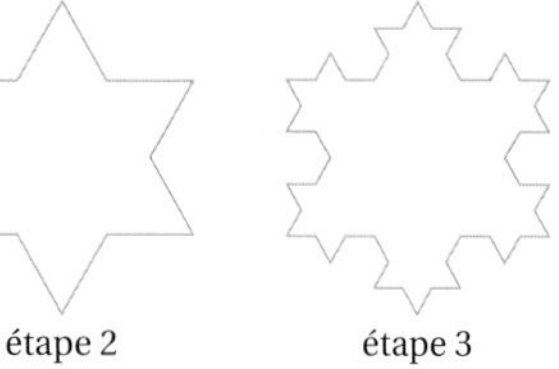
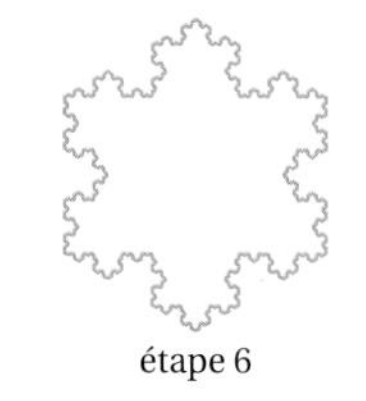

étape 1 étape 2 étape 3 … étape 6

2 Langage et structure d'un algorithme

▸ Voir p. IV le tableau de correspondance entre les différentes syntaxes utilisées.

Un algorithme peut être décrit en langage « naturel », mais on utilise dans la plupart des cas un langage plus précis adapté aux instructions utilisées : on parle alors de langage de programmation.

Les exemples d'algorithmes de ce manuel sont écrits dans plusieurs environnements : le langage naturel, le langage de programmation Python, le langage des calculatrices les plus courantes (TI et Casio), la syntaxe des tableurs, ainsi que les syntaxes des logiciels Xcas et Scilab.

REMARQUES
- Sous Python, les versions antérieures et postérieures à la version 3 présentent quelques différences de syntaxe, notamment pour l'utilisation de l'opérateur de division (▸ **voir p. IV**).
- Sous Scilab, nous utiliserons dans ce manuel certaines fonctions disponibles du module « lycée ».

De façon générale, on peut considérer trois étapes dans un algorithme :

1. L'entrée des données
Dans cette étape figure la lecture des données qui seront traitées au cours de l'algorithme. Dans un programme, ces données peuvent être saisies au clavier ou bien être lues dans un fichier annexe.

2. Le traitement des données
C'est le cœur de l' algorithme. Il est constitué d'une suite d'instructions, parmi lesquelles les différentes opérations sur les données, qui permettent de résoudre le problème.

3. La sortie des résultats
C'est le résultat obtenu qui peut être affiché à l'écran ou enregistré dans un fichier.

B. Les instructions

1 L'affectation

Une des instructions fondamentales est l'**affectation** d'une valeur à une variable.

L'affectation consiste à attribuer une valeur à une variable.

Les valeurs prises par les variables sont, par exemple, des nombres entiers, des nombres décimaux, des chaînes de caractères, des listes, des tableaux, des graphiques, ...

L'affectation se traduit de différentes manières selon le langage. Par exemple, si une variable A doit être affectée de la valeur 3, on écrit en langage naturel : « A **prend la valeur** 3. »

Ce que l'on écrit :

Xcas	Python ou Scilab	TI ou CASIO
A:=3	A = 3	3 → A

EXEMPLE

On suppose que trois variables a, b et c possèdent respectivement les valeurs initiales 1, 2 et 3 et on considère la suite des affectations en langage Python ci-dessous.

▸ Voir p. IV pour la syntaxe des instructions et les symboles des opérations en langage Python.

```
a,b,c=1,2,3
a=2*b+5
c=b**2-a
a=c
b,c=c,b
```

Pour déterminer les valeurs prises par a, b et c à la suite de ces affectations, on exécute pas à pas la succession des instructions, ici en indiquant dans un tableau les valeurs successives prises par les trois variables.

	a	*b*	*c*
Affectation 1	1	2	3
Affectation 2	9	2	3
Affectation 3	9	2	–5
Affectation 4	–5	2	–5
Affectation 5	–5	–5	2

REMARQUES
- L'affectation d'une variable efface toute valeur antérieurement affectée.
- En Python, on peut effectuer des affectations simultanées (cf. 1re ligne de l'exemple ci-dessus).
- La dernière ligne a pour effet d'échanger les contenus des variables b et c.

2 Instruction conditionnelle

En algorithmique, on est très souvent amené à effectuer des instructions sous certaines conditions.

Il s'agit, par exemple, d'effectuer des instructions qui dépendent, la plupart du temps, de la comparaison de deux valeurs affectées à deux variables.

Ces relations de comparaison sont $<, >, \leqslant, \geqslant, =, \neq$ (respectivement <, >,<=, >=, ==, != en Python).

Il est possible d'imbriquer plusieurs tests conditionnels les uns dans les autres.

En langage naturel, une instruction conditionnelle peut se formuler par :

« Si ... alors ... ; sinon ... »

ce qui se traduit par :

Python	Scilab	TI	CASIO

if *condition* :
instructions
else :
instructions
	if *condition* **then**
	instructions
	else
	instructions
	end
		If *condition*
		Then *instructions*
		Else *instructions*
		End
			If *condition*
			Then *instructions*
			Else *instructions*
			IfEnd

EXEMPLE *La suite de Syracuse*

Considérons l'algorithme en langage naturel suivant :

Entrée :	Un entier naturel a.
Traitement et Sortie :	Si a est pair alors on affiche la valeur $a \div 2$. Si a est impair alors on affiche la valeur $3a+1$.

ATTENTION !
Il ne faut pas confondre l'égalité et l'affectation.
En Python, « = » est le symbole d'affectation, « = = » est celui de l'égalité (▸ voir p. IV).

Cet algorithme peut, par exemple, se traduire par :

Python*

```
a=input("a=")
if a%2==0 :
    a=a/2
else:
    a=3*a+1
print a
```

Scilab**

```
1 a=input("a=")
2 if reste(a,2)=0 then
3     a=a/2
4 else
5     a=3*a+1
6 end
7 afficher(a)
```

TI

```
PROGRAM:SYRACUSE
:Input A
:If A-2*ent(A/2)
=0
:Then
:A/2→A
:Else
:3*A+1→A
:End
:Disp A
```

CASIO

```
======SYRACUSE======
"A"?→A↵
If A-2×Int (A÷2)=0↵
Then A÷2→A↵
Else 3×A+1→A↵
IfEnd↵
A◢
TOP BTM SRC MENU A⇔a CHAR
```

* En Python, « a%2 » désigne le reste de la division euclidienne de l'entier a par 2.

** Sous Scilab, « reste (a, b) » retourne le reste de la division euclidienne de a par b.

REMARQUE

Dans la plupart des langages, les blocs d'instructions doivent être délimités par des symboles spécifiques.
En Python et avec Scilab, ces délimiteurs de blocs sont repérés par les sauts de ligne et les indentations (décalage par rapport à la marge).
En Python, la ligne d'en-tête d'un bloc d'instructions se termine toujours par « : ».

3 Répétition en boucle

En algorithmique, on peut être amené à répéter un bloc d'instructions tant qu'une condition reste vérifiée.

En langage naturel, une répétition en boucle peut se formuler par : « Tant que … », traduit par **while** dans la plupart des langages.

Si la condition qui suit la ligne d'en-tête contenant l'instruction **while** est vérifiée, alors le programme exécute toutes les instructions du bloc qui suit, sinon le bloc est entièrement ignoré.

EXEMPLE 1

Déterminons la liste des carrés et cubes des entiers de 1 à 20.

Python*

```
n=1
while n<=20:
    print (n,n**2,n**3)
    n=n+1
```

Scilab

```
1 n=1
2 while n<=20
3     afficher([n ,n^2,n^3])
4     n=n+1
5 end
```

TI

```
PROGRAM:CARRCUB
:1→N
:While N≤20
:Disp N,N^2,N^3
:Pause
:N+1→N
:End
```

CASIO

```
======CARRCUB ======
1→N↵
While N≤20↵
N◢
N^2◢
N^3◢
N+1→N↵
WhileEnd
TOP BTM SRC MENU A↔a CHAR
```

* En Python, « a**b » désigne le nombre a^b.

EXEMPLE 2 *La suite de Fibonacci*

La suite de Fibonacci est une suite de nombres, dont les deux premiers sont égaux à 1 et chaque terme suivant est égal à la somme des deux termes qui le précèdent.
Les premiers termes de cette suite sont : 1 ; 1 ; 2 (=1+1) ; 3 (=1+2) ; 5 (=2+3) ; 8 (=3+5) ; 13 (=5+8) ; …

Écrivons un programme qui prend un entier n en entrée et affiche les n premiers termes de cette suite.

Python*

```
n=input("n=")
a,b,c=1,0,0
while c<=n:
    a,b,c=b,a+b,c+1
    print b,
```

Scilab

```
1  n=input("n=")
2  a=1
3  b=0
4  c=0
5  while c<n
6      u=a+b
7      a=b
8      b=u
9      afficher(u)
10     c=c+1
11 end
```

TI

```
PROGRAM:FIBO
:Input N
:1→U
:0→V
:0→I
:While I<N
:U+V→W
:V→U
:W→V
:I+1→I
:Disp W
:End
```

CASIO

```
======FIBO    ======
?→N↵
1→U↵
0→V↵
0→I↵
While I<N↵
U+V→W↵
V→U↵
W→V↵
I+1→I↵
W◢
WhileEnd
TOP BTM SRC MENU A↔a CHAR
```

* En Python, la virgule après l'instruction *print* permet d'afficher les résultats sur une même ligne.

4 Boucle itérative

L'autre moyen de répéter des instructions peut se réaliser à l'aide de l'instruction **for**.

La boucle **for** parcourt dans l'ordre les éléments d'une séquence quelconque.
La syntaxe est la suivante :

Python	Scilab	TI	CASIO
for *variable* **in** *sequence* : *actions*	**for** *variable=debut* : *fin* *actions* **end**	**For** (*variable, début, fin*) *Actions* **End**	**For** *début* → *variable* **to** *fin* *Actions* **Next**

EXEMPLE 1

Calculons la somme des entiers de 1 à 200.

Python*

```
S=0
for i in range(201):
    S=S+i
print S
```

Scilab

```
1 S=0
2 for i=1:200
3     S=S+i
4 end
5 afficher(S)
```

TI

```
PROGRAM:SOMME
:0→S
:For(I,1,200)
:S+I→S
:End
:Disp S
:█
```

CASIO

```
======SOMME    ======
0→S↵
For 1→I To 200↵
S+I→S↵
Next↵
S◢
TOP BTM SRC MENU A↔a CHAR
```

* En Python, *range*(201) désigne la séquence des entiers 0,1,..., 200.
Plus généralement, si a et b sont des entiers (avec $a < b$), *range*(a, b) désigne la séquence des entiers n vérifiant $a \leqslant n < b$.

EXEMPLE 2

Simulons 100 expériences qui consistent à lancer 10 000 fois un dé équilibré et à relever la fréquence d'apparition du 6.

Python*

```
#import de toutes les fonctions
#du module random

from random import*

for i in range(100):
    L=[int(6*random())+1 for j in range(10000)]
    N=0
    for k in range(10000):
        if L[k]==6:
            N=N+1
    f=1.*N/10000
    print(f)
```

Scilab

```
1 //tirage_entier(N,a,b) simule un tirage
2 //de N entiers compris entre a et b (a≤b).
3 //frequence(i,L) calcule la fréquence de i
4 //dans la suite des nombres L.
5 for i=1:100
6     T=tirage_entier(10000,1,6)
7     f=frequence(6,T)
8     afficher(f)
9 end
```

* En Python : • *random*() renvoie un nombre aléatoire de l'intervalle [0 ; 1[;
• *int* est la fonction partie entière : pour un nombre réel x, *int*(x) est le plus grand entier n qui vérifie : $n \leqslant x < n+1$.

REMARQUES

• Dans un programme, il est conseillé d'insérer des commentaires afin d'expliciter le rôle de certaines variables ou d'un bloc d'instructions. Ces commentaires sont précédés du symbole « # » en Python et de « // » en Scilab et Xcas.
• Le module « lycée » de Scilab contient de nombreuses fonctions prédéfinies utiles, et tout particulièrement dans le domaine des statistiques et des probabilités.

C. Fonctions ou procédures

Afin de faciliter la lecture d'un programme complexe, on peut le décomposer en sous-programmes plus simples à lire et interpréter. Ces mêmes sous-programmes peuvent, de plus, être utilisés plusieurs fois dans le programme initial. Il peut alors être intéressant de définir de nouvelles instructions pour la construction d'un programme. Les syntaxes pour définir une fonction sont les suivantes :

Python	Scilab	Xcas
def nomdelafonction(paramètres) : instructions	**function** y=f(x) y=... **endfunction**	*nomdelafonction* :=**proc**(paramètres) *Instructions* **end** ;

Dans la suite du programme, l'appel à cette fonction s'effectuera simplement par son nom suivi des paramètres entre parenthèses, de la même manière qu'un appel à une fonction prédéfinie du langage.

EXEMPLE 1 La fonction **distance** suivante calcule la distance entre deux points donnés par leurs coordonnées dans un repère orthonormal.

* L'instruction *return* de Python renvoie la valeur calculée par la fonction.

Python*

```
from math import sqrt
'import de la fonction racine carrée'
'(qui se trouve dans le module math)'

def distance(xa,ya,xb,yb):
    return sqrt((xb-xa)**2+(yb-ya)**2)
```

Scilab

```
1 function d=distance(xa,ya,xb,yb)
2     d=sqrt((xb-xa)^2+(yb-ya)^2)
3 endfunction
```

Xcas

```
dist:=proc(xa,ya,xb,yb)
sqrt((xb-xa)^2+(yb-ya)^2)
end;
```

EXEMPLE 2 Reprenons l'exemple de la suite de Syracuse (exemple du paragraphe B ❷) et cherchons à obtenir des termes consécutifs de cette suite.

La fonction **syracuse** qui prend en argument un entier u et renvoie le terme suivant de la suite calculé selon la règle décrite. On constate en calculant un certain nombre de termes de cette suite, que l'on obtient toujours la suite périodique ..., 4, 2, 1, 4, 2,...

La fonction **vol** prend en entrée un entier naturel u et renvoie la liste des termes consécutifs de la suite jusqu'à ce que l'un d'eux prenne une première fois la valeur 1 et affiche alors également le nombre de termes calculés, appelé *temps de vol*.

L'algorithme est :

```
Entrée :            Un entier u.
Initialisation :    Le temps de vol est initialisé à 1.
Traitement :        Tant que le terme u est différent de 1
                          u prend la valeur égale au terme suivant
                          de la suite de syracuse.
                          Le temps de vol est augmenté d'une unité.
                          Afficher u.
                    Fin tant que
Sortie :            Afficher le temps de vol.
```

Les programmes en Python et Scilab correspondants sont :

Python

```
def syracuse(u):
    a=u
    if a%2==0:
        a=a/2
    else:
        a=3*a+1
    return a

def vol(u):
    print u,
    n=1
    while syracuse(u)<>1:
        u=syracuse(u)
        n=n+1
        print u,
    print 1, "le temps de vol est",n
```

Scilab**

```
1  function a=syracuse(u)
2      if reste(u,2)=0 then
3          a=u/2;
4      else
5          a=3*u+1;
6      end
7  endfunction
8
9  function v=vol(u)
10     afficher(u)
11     n=1
12     while syracuse(u)<>1
13         u=syracuse(u)
14         n=n+1
15         afficher(u)
16     end
17 v=n
18 afficher("le temps de vol est "+string(n))
19 endfunction
```

** Dans le programme Scilab, on a transformé la valeur de l'entier n en chaîne de caractères afin d'éviter l'inversion de l'ordre des termes à l'affichage.

D. Module « tortue »

Il est possible d'importer des modules dans Python.

Un module particulièrement intéressant est le module « turtle » qui permet de réaliser des figures géométriques en déplaçant, à l'aide de commandes, le curseur qui laisse une trace derrière lui.

Les principales fonctions de ce module sont les suivantes :

Instruction	Action
reset()	Efface l'écran.
goto(x,y)	Se déplace au point de coordonnées $(x ; y)$.
forward(l)	Avance d'une longueur *l*.
backward(l)	Recule d'une longueur *l*.
left(a)	Tourne à gauche de *a* degrés.
right(a)	Tourne à droite de *a* degrés.
up()	Lève le crayon traceur.
down()	Abaisse le crayon.

La syntaxe pour importer toutes les fonctions du module « turtle » est *from turtle import**.

EXEMPLES

- La suite des instructions suivantes dessine un carré de côté 100 :

  forward(100) ; left(90) ; forward(100) ; left(90) ; forward(100) ; left(90) ; forward(100) ; left(90).

On l'écrira plus simplement à l'aide d'une boucle :

```
for i in range (4):
    forward(100)
    left(90)
```

- On peut bien entendu créer de nouvelles procédures qui pourront être appelées ultérieurement dans d'autres procédures.

Définissons par exemple la procédure **carre** qui prendra la longueur du côté en argument :

```
def carre(c):
    for i in range(4):
        forward(c)
        left(90)
```

L'exécution de carre(100) provoquera l'ouverture d'une fenêtre graphique dans laquelle se dessinera un carré de côté 100 :

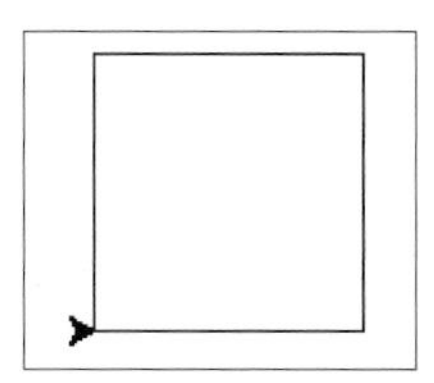

- On peut ainsi réaliser des dessins géométriques plus complexes :

```
def tournecarre(n):
    i=0
    while i<n:
        carre(150)
        left(360/n)
        i=i+1
```

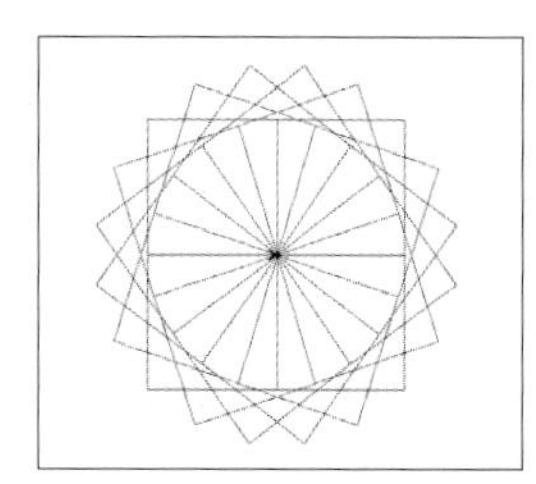

Flamingo (1974), Alexander Calder (1898 - 1976), acier peint - hauteur 16 m (Federal Center Plaza, Chicago).

ANALYSE

QCM Pour bien commencer

Pour chaque question, indiquer la (les) bonne(s) réponse(s).

CORRIGÉ P. 342 

1 La fonction f est définie sur $\mathbb{R}$ par :

$$f(x) = x^2 - 13x + 36$$

a. On peut dire que, pour tout réel x, $f(x)$ est égal à :

A $(x+6)^2 - 13x$

B $\left(x - \frac{13}{2}\right)^2 - \frac{25}{4}$

C $(x - 6{,}5)^2 - 78{,}25$

D 24

b. On cherche à factoriser l'expression de $f(x)$. On obtient :

A $f(x) = x(x-13) + 36$ B $f(x) = (x-6)^2 - x$

C $f(x) = (9 + 4{,}4x)(4 - 3{,}4x)$ D $f(x) = (x-9)(x-4)$

2 L'équation $3(2x-5)(-4x+1) = 0$ est équivalente à :

A $x = \frac{1}{3}$ ou $x = \frac{5}{2}$ ou $x = \frac{1}{4}$. B $x = \frac{5}{2}$ ou $x = \frac{1}{4}$.

C $x = \frac{5}{2}$ et $x = \frac{1}{4}$. D $x = \frac{2}{5}$ ou $x = 4$.

3 L'équation $(2x-3)^2 - 4 = 0$:

A a deux solutions : $\frac{1}{2}$ et $\frac{5}{2}$.

B a deux solutions : $-\frac{1}{2}$ et $\frac{7}{2}$.

C a une seule solution : $\frac{5}{2}$.

D n'a pas de solution.

4 L'équation $(2x-1)^2 + 9 = 0$:

A a deux solutions : -4 et 5.

B a deux solutions : -1 et 2.

C a une seule solution : -1.

D n'a pas de solution.

5 La courbe ci-contre représente une fonction f définie sur l'intervalle $[-2\,;4]$.

a. L'équation $f(x) = 0$:

A a une seule solution : 2.

B a deux solutions : 1 et 3.

C a trois solutions : 1, 2 et 3.

D n'a pas de solution.

b. L'ensemble des solutions de l'inéquation $f(x) > 0$ est :

A l'intervalle $]0\,;4]$.

B l'intervalle $[-2\,;1[$.

C la réunion d'intervalles $[-2\,;1] \cup [3\,;4]$.

D la réunion d'intervalles $[-2\,;1[\cup]3\,;4]$.

6 La fonction g est définie sur $\mathbb{R}$ par :

$$g(x) = \frac{1}{2}(x-2)^2 + 1$$

Parmi les courbes suivantes, laquelle est celle de la fonction g ?

A 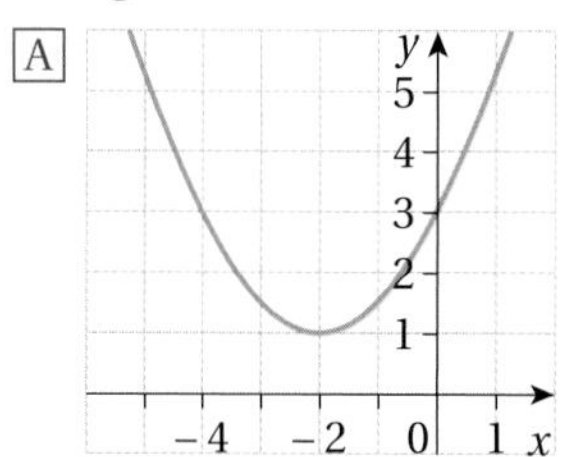

B 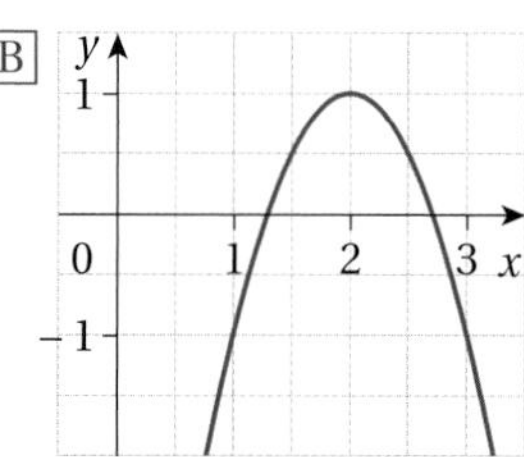

C 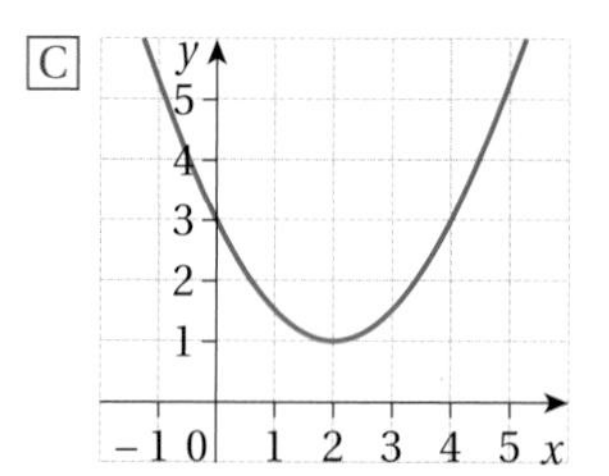

D 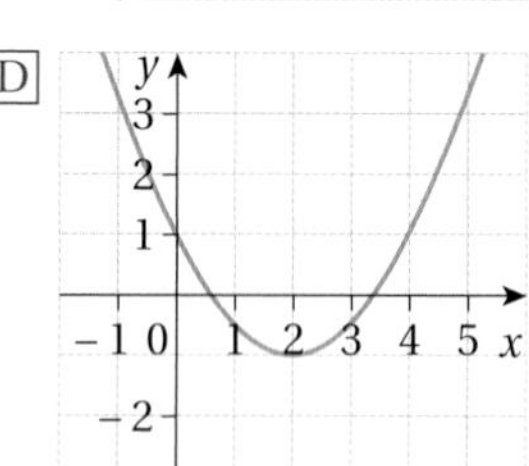

7 Soit h la fonction définie sur $\mathbb{R}$ par :

$$h(x) = 2(7x-6)(2-3x)$$

Le tableau donnant le signe de h est :

A

x	$-\infty$		$\frac{6}{7}$		$\frac{2}{3}$		$+\infty$
$h(x)$		$-$	0	$+$	0	$-$	

B

x	$-\infty$		$\frac{2}{3}$		$\frac{6}{7}$		$+\infty$
$h(x)$		$-$	0	$+$	0	$-$	

C 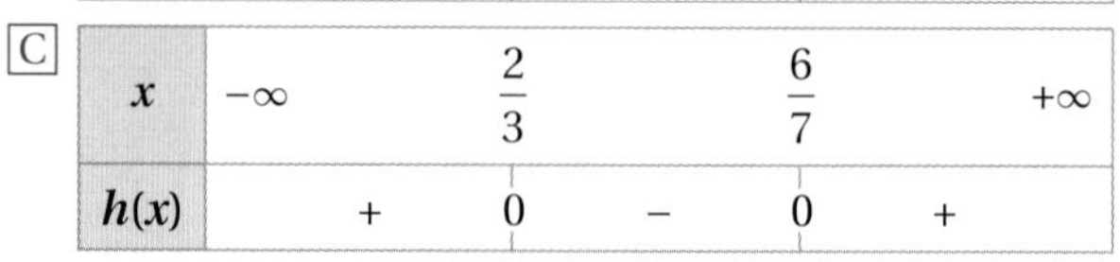

x	$-\infty$		$\frac{2}{3}$		$\frac{6}{7}$		$+\infty$
$h(x)$		$+$	0	$-$	0	$+$	

D 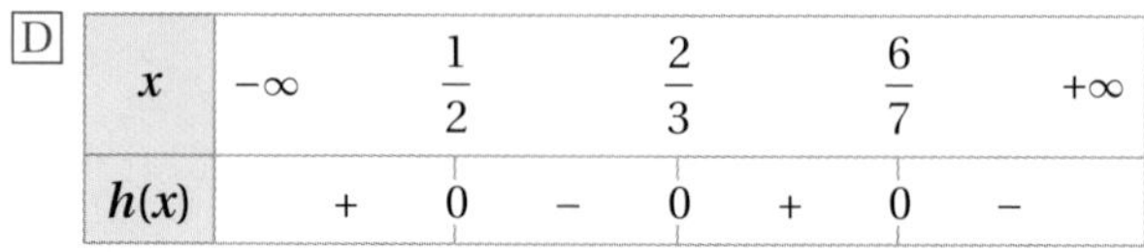

x	$-\infty$		$\frac{1}{2}$		$\frac{2}{3}$		$\frac{6}{7}$		$+\infty$
$h(x)$		$+$	0	$-$	0	$+$	0	$-$	

Second degré

Aquarium Oceanogràfic, Valence (Espagne).
Architectes : Santiago Calatrava, Félix Candela, 2002.

L'Oceanogràfic de Valence est à ce jour le plus grand aquarium d'Europe. Sa forme de nénuphar lui est donnée par ses couvertures en béton blanc basées sur des paraboles.

Le chapitre en bref

Réinvestir

- Fonction carré
- Fonctions polynômes de degré 2

Découvrir

- Forme canonique d'un trinôme
- Résolution d'une équation du second degré
- Signe d'un trinôme

1 Représentation graphique d'un trinôme

Réinvestir : Utiliser la représentation graphique de la fonction carré et les translations.
Découvrir : Faire le lien entre les différentes formes d'un trinôme et sa représentation graphique.

Soit f la fonction carré ; elle est définie sur $\mathbb{R}$ par $f(x) = x^2$.
Dans le repère orthogonal $(O ; \vec{i}, \vec{j})$, sa courbe représentative, notée $\mathcal{P}$, est une parabole.

1 Fonctions du type $x \mapsto ax^2$

On considère les fonctions f_1, f_2, f_3, f_4 et f_5 définies sur $\mathbb{R}$ par :

$$f_1(x) = 2x^2 ; \quad f_2(x) = \frac{1}{4}x^2 ; \quad f_3(x) = -\frac{1}{3}x^2 ; \quad f_4(x) = -x^2 \quad \text{et} \quad f_5(x) = -4x^2,$$

et leurs représentations graphiques respectives $\mathcal{C}_1$, $\mathcal{C}_2$, $\mathcal{C}_3$, $\mathcal{C}_4$ et $\mathcal{C}_5$.

a. À l'aide d'un grapheur d'un logiciel de géométrie dynamique ou de la calculatrice, construire dans un même repère la parabole $\mathcal{P}$, puis les courbes $\mathcal{C}_1$, $\mathcal{C}_2$, $\mathcal{C}_3$, $\mathcal{C}_4$ et $\mathcal{C}_5$.

b. Montrer que ces six courbes admettent un même axe de symétrie Δ.

COUP DE POUCE

Soit f une fonction définie sur $\mathbb{R}$ et $\mathcal{C}$ sa courbe représentative dans un repère orthogonal. Pour démontrer que $\mathcal{C}$ est symétrique par rapport à l'axe des ordonnées, il *suffit* de prouver que, pour tout réel x, $f(-x) = f(x)$.

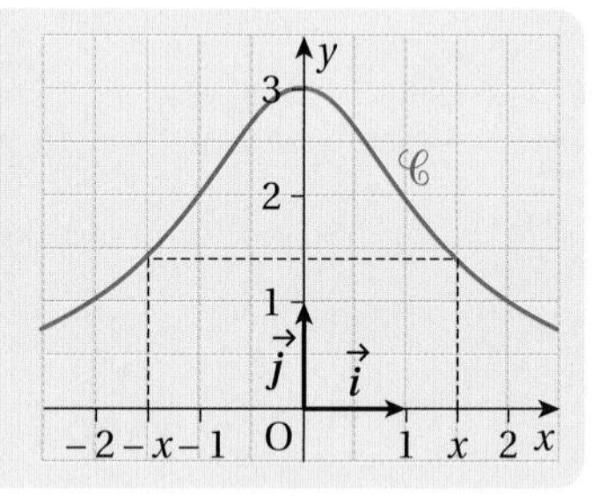

c. Comment peut-on obtenir $\mathcal{C}_4$ à partir de $\mathcal{P}$?

d. Décrire l'allure des courbes suivant les valeurs du coefficient a.

REMARQUE Les courbes $\mathcal{C}_1$, $\mathcal{C}_2$, $\mathcal{C}_3$, $\mathcal{C}_4$ et $\mathcal{C}_5$ sont des paraboles. Le **sommet** de chacune de ces paraboles est le point d'intersection de la courbe avec son axe de symétrie. $\mathcal{C}_1$, $\mathcal{C}_2$, $\mathcal{C}_3$, $\mathcal{C}_4$, $\mathcal{C}_5$ et $\mathcal{P}$ ont donc pour sommet l'origine O du repère. Modifier la valeur du réel a permet de changer la « courbure » de la parabole.

2 Fonctions du type $x \mapsto a(x - \alpha)^2 + \beta$

Soit les fonctions g_1, g_2 et g_3 définies sur $\mathbb{R}$ par :

$$g_1(x) = (x-3)^2 + 2 ; \quad g_2(x) = (x+2)^2 - 1 \quad \text{et} \quad g_3(x) = -2(x+1)^2 - 3,$$

de représentations graphiques respectives $\mathcal{C}'_1$, $\mathcal{C}'_2$ et $\mathcal{C}'_3$.

a. Construire dans un même repère la parabole $\mathcal{P}$ et la courbe $\mathcal{C}'_1$.

b. Quelle propriété de symétrie possède la courbe $\mathcal{C}'_1$?

c. Comment peut-on obtenir $\mathcal{C}'_1$ à partir de $\mathcal{P}$?
En déduire la nature de $\mathcal{C}'_1$ et les coordonnées de son sommet.

d. En utilisant les réponses de la question **2 c**, expliquer comment on peut construire la courbe $\mathcal{C}'_2$ à partir de $\mathcal{P}$.

e. Construire $\mathcal{C}'_3$.
On peut obtenir $\mathcal{C}'_3$ à partir de $\mathcal{P}$ par un changement de courbure suivi d'une translation.
Déterminer cette translation et les coordonnées du sommet de $\mathcal{C}'_3$.

f. La fonction g_4 est définie sur $\mathbb{R}$ par $g_4(x) = a(x - \alpha)^2 + \beta$. La parabole représentant g_4 a pour sommet le point S de coordonnées $(2 ; -1)$ et passe par le point A de coordonnées $(3 ; 3)$.
Utiliser les réponses aux questions précédentes pour déterminer les réels a, α et β.

3 Fonctions du type $x \mapsto ax^2 + bx + c$

a. On considère la fonction h définie sur $\mathbb{R}$ par $h(x) = 3x^2 - 6x + 5$.
Déterminer des réels a, α et β tels que, pour tout réel x, $h(x) = a(x - \alpha)^2 + \beta$.
En déduire les coordonnées du sommet et une équation de l'axe de symétrie de la parabole représentant h. Décrire comment construire cette dernière à partir de la parabole $\mathcal{P}$.

b. **Cas général**
Soit h la fonction définie sur $\mathbb{R}$ par $h(x) = ax^2 + bx + c$, avec a, b et c trois réels donnés ($a \neq 0$).
Déterminer des réels α et β tels que, pour tout réel x, $h(x) = a(x - \alpha)^2 + \beta$.
En déduire les coordonnées du sommet et une équation de l'axe de symétrie de la parabole.

2 Forme canonique d'un trinôme

Découvrir : La forme canonique d'un trinôme et son utilisation dans la détermination d'extremum, la factorisation et la résolution d'équations.

Partie A : Étude d'un exemple « historique »

▶ CULTURE MATHS, p. 44

Le mathématicien arabe du IXe siècle Muhammad Ibn Musa, surnommé Al-Khwarizmi, a posé et résolu géométriquement le problème suivant :

« Trouver un nombre tel que le carré et dix racines égalent 39 unités. »

On peut traduire cet énoncé par l'équation (E) : $x^2 + 10x = 39$, soit $x^2 + 10x - 39 = 0$.

1 Méthode algébrique : en modifiant le membre de gauche de l'équation (E), on va obtenir une équation que l'on sait résoudre.
En considérant $x^2 + 10x$, on reconnaît le début du développement de $(x + 5)^2$. En effet, on a $(x + 5)^2 = x^2 + 10x + 25$. On en déduit que $x^2 + 10x = (x + 5)^2 - 25$. Ainsi, l'équation (E) est équivalente à $(x + 5)^2 - 25 - 39 = 0$, c'est-à-dire $(x + 5)^2 - 64 = 0$ (E').
On dit que $(x + 5)^2 - 64$ est la **forme canonique** de $x^2 + 10x - 39$.
Factoriser le premier membre de (E'), puis résoudre l'équation.

2 Méthode géométrique : la résolution proposée par Al-Khwarizmi s'appuie sur la figure ci-contre où ABCD est un carré de côté inconnu, noté x ($x > 0$), CFIG est un carré de côté 5, DCGH et CBEF sont des rectangles.

H G I
5
D C F
x
A x B 5 E

a. En considérant les aires, expliquer pourquoi l'équation (E) peut s'écrire : $(x + 5)^2 - 25 = 39$.
b. Quelle est la valeur de x calculée par Al-Khwarizmi ?
c. Quel type d'équation peut-on résoudre grâce à cette méthode ?

3 Résoudre l'équation $x^2 + 12x = 85$ en utilisant la méthode algébrique vue à la question **1**.

Partie B : Autres exemples d'utilisation de la forme canonique

1 Soit f et g les fonctions définies sur $\mathbb{R}$ par $f(x) = x^2 - 5x + 6$ et $g(x) = x^2 - 6x + 13$.
a. En utilisant la méthode vue dans la **Partie A**, déterminer les formes canoniques de $f(x)$ et de $g(x)$. En déduire le minimum sur $\mathbb{R}$ de la fonction f et celui de la fonction g.
b. Factoriser $f(x)$ puis résoudre l'équation $f(x) = 0$.
c. Pourquoi l'équation $g(x) = 0$ n'a-t-elle pas de solution ?

2 Soit h et i les fonctions définies sur $\mathbb{R}$ par $h(x) = 2x^2 - x - 10$ et $i(x) = -3x^2 - 3x + 7$.
a. Déterminer les formes canoniques de $h(x)$ et de $i(x)$.
En déduire l'extremum sur $\mathbb{R}$ de la fonction h et celui de la fonction i.
b. Résoudre les équations $h(x) = 0$ et $i(x) = 0$.

3 Vérifier les résultats trouvés aux questions **1** et **2** de la **Partie B** en traçant les représentations graphiques des fonctions f, g, h et i à l'aide d'une calculatrice graphique.

A. Étude des fonctions polynômes de degré 2

1 Fonction polynôme de degré 2

DÉFINITION

Une **fonction polynôme de degré 2** est une fonction f définie sur $\mathbb{R}$ par :

$$f(x) = ax^2 + bx + c$$

où a, b et c sont des nombres réels donnés avec $a \neq 0$.
Les réels a, b et c sont les **coefficients** de la fonction f.

Une fonction polynôme de degré 2 est aussi appelée **fonction trinôme du second degré,** ou plus simplement **trinôme du second degré**. Par abus de langage, on peut écrire « le trinôme $ax^2 + bx + c$ » pour désigner la fonction trinôme du second degré $x \mapsto ax^2 + bx + c$.

EXEMPLES

- La fonction f définie sur $\mathbb{R}$ par $f(x) = -3x^2 + 5x - \sqrt{7}$ est une fonction polynôme de degré 2. Ses coefficients sont $a = -3$, $b = 5$ et $c = -\sqrt{7}$.
- La fonction g définie sur $\mathbb{R}$ par $g(x) = (x - 1)(2x + 3)$ est une fonction polynôme de degré 2. En effet, pour tout réel x, on a $g(x) = 2x^2 + x - 3$. Ses coefficients sont $a = 2$, $b = 1$ et $c = -3$.
- La fonction h définie sur $\mathbb{R}$ par $h(x) = (x + 1)^2 - x^2$ n'est pas une fonction polynôme de degré 2. En effet, pour tout réel x, on a $h(x) = 2x + 1$. $h(x)$ ne peut pas s'écrire sous la forme $ax^2 + bx + c$, avec $a \neq 0$.

REMARQUES

- Une **fonction polynôme du premier degré** est une fonction f définie sur $\mathbb{R}$ par $f(x) = ax + b$ où a et b sont des nombres réels donnés avec $a \neq 0$.
Il s'agit donc d'une fonction affine non constante.
Les fonctions $x \mapsto -2x + 3$ et $x \mapsto \frac{3}{4}x$, définies sur $\mathbb{R}$, sont des polynômes du premier degré.
- Une **fonction polynôme de degré *n*** est une fonction f définie sur $\mathbb{R}$ par :

$$f(x) = a_n x^n + a_{n-1} x^{n-1} + \ldots + a_2 x^2 + a_1 x + a_0$$

où a_n, a_{n-1}, …, a_2, a_1 et a_0 sont des nombres réels donnés avec $a_n \neq 0$.
La fonction $x \mapsto x^4 + 5x^3 - 2x + 3$, définie sur $\mathbb{R}$, est une fonction polynôme de degré 4.

2 Forme canonique

PROPRIÉTÉ-DÉFINITION

Pour toute fonction polynôme f de degré 2 définie sur $\mathbb{R}$ par $f(x) = ax^2 + bx + c$ avec $a \neq 0$, on peut trouver deux nombres réels α et β tels que, pour tout réel x :

$$f(x) = a(x - \alpha)^2 + \beta$$

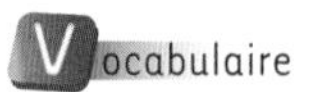

L'écriture $a(x - \alpha)^2 + \beta$ est la **forme canonique** du trinôme $ax^2 + bx + c$.

EXEMPLE

Soit f la fonction définie sur $\mathbb{R}$ par $f(x) = 2x^2 - 12x + 3$.
Pour tout réel x, $f(x) = 2(x^2 - 6x) + 3$.
On remarque que $x^2 - 6x$ est le début du développement de $(x - 3)^2$.
On a donc $x^2 - 6x = (x - 3)^2 - 9$, d'où $f(x) = 2((x - 3)^2 - 9) + 3$.
En développant, on obtient $f(x) = 2(x - 3)^2 - 18 + 3 = 2(x - 3)^2 - 15$.
Cette dernière expression est la forme canonique de $f(x)$. Dans ce cas, on a $\alpha = 3$ et $\beta = -15$.

NOTE
Cette démonstration repose sur le même principe que l'exemple de recherche de forme canonique précédent.

▶ Savoir-faire 2
Déterminer la forme canonique et l'extremum d'un trinôme, p. 30

▶ Savoir-faire 3
Déterminer et utiliser la forme la plus adéquate d'un trinôme pour résoudre un problème, p. 31

▶ Savoir-faire 4
Contrôler ses résultats à l'aide d'un logiciel de calcul formel, p. 32

DÉMONSTRATION

Soit f la fonction polynôme de degré 2 définie sur $\mathbb{R}$ par $f(x) = ax^2 + bx + c$ avec $a \neq 0$.

Comme $a \neq 0$, on peut écrire, pour tout réel x, $f(x) = ax^2 + bx + c = a\left(x^2 + \dfrac{b}{a}x\right) + c$.

Or $x^2 + \dfrac{b}{a}x$ est le début du développement de $\left(x + \dfrac{b}{2a}\right)^2$.

En effet, $\left(x + \dfrac{b}{2a}\right)^2 = x^2 + \dfrac{b}{a}x + \left(\dfrac{b}{2a}\right)^2$.

On en déduit : $x^2 + \dfrac{b}{a}x = \left(x + \dfrac{b}{2a}\right)^2 - \left(\dfrac{b}{2a}\right)^2$.

En effectuant le remplacement dans l'expression de $f(x)$, on a : $f(x) = a\left(\left(x + \dfrac{b}{2a}\right)^2 - \dfrac{b^2}{4a^2}\right) + c$.

D'où, en développant : $f(x) = a\left(x + \dfrac{b}{2a}\right)^2 - \dfrac{b^2}{4a} + c = a\left(x + \dfrac{b}{2a}\right)^2 - \dfrac{b^2 - 4ac}{4a}$.

En posant $\alpha = -\dfrac{b}{2a}$ et $\beta = -\dfrac{b^2 - 4ac}{4a}$, on obtient, pour tout réel x : $ax^2 + bx + c = a(x - \alpha)^2 + \beta$. ■

REMARQUE Quand on connaît la forme canonique d'un trinôme du second degré f, on peut assez aisément en déduire son maximum ou son minimum.
Supposons par exemple que $f(x) = a(x - \alpha)^2 + \beta$ avec $a > 0$.
On a alors, pour tout réel x, $f(x) \geqslant \beta$ car $a(x - \alpha)^2$ est un nombre positif.
Or $f(\alpha) = a(\alpha - \alpha)^2 + \beta = \beta$.
Ainsi, pour tout réel x, $f(x) \geqslant f(\alpha)$.
f admet donc un minimum en α. Ce minimum vaut β.

3 Variations

NOTE
Cette propriété est établie dans l'exercice 58 p. 85 du chapitre 2 et dans le cours du chapitre 3 (D4 p. 102).

PROPRIÉTÉ

Soit f une fonction polynôme de degré 2 définie sur $\mathbb{R}$ par $f(x) = ax^2 + bx + c$ avec $a \neq 0$.
Les variations de f sont données par les tableaux suivants.

- **Si $a > 0$**

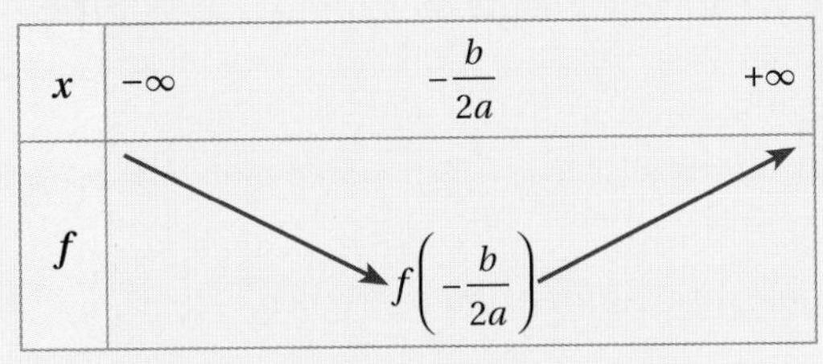

f admet un minimum en $-\dfrac{b}{2a}$.

- **Si $a < 0$**

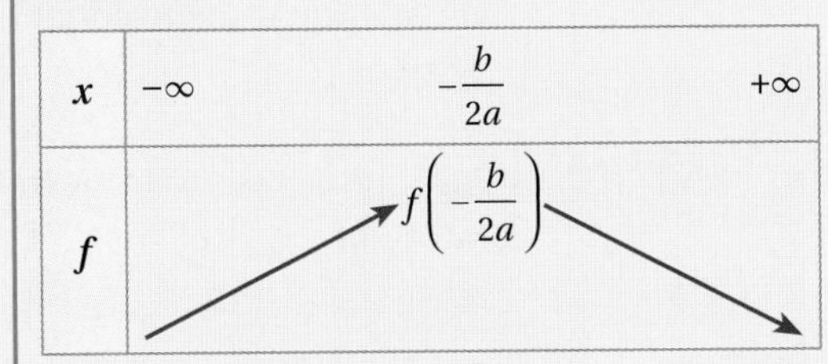

f admet un maximum en $-\dfrac{b}{2a}$.

EXEMPLE

Soit g la fonction définie sur $\mathbb{R}$ par $g(x) = x^2 - 4x + 2$. Ici, on a $a = 1$, $b = -4$ et $c = 2$.

Ainsi $-\dfrac{b}{2a} = 2$ et $g\left(-\dfrac{b}{2a}\right) = g(2) = -2$.

On en déduit le tableau de variations de g :

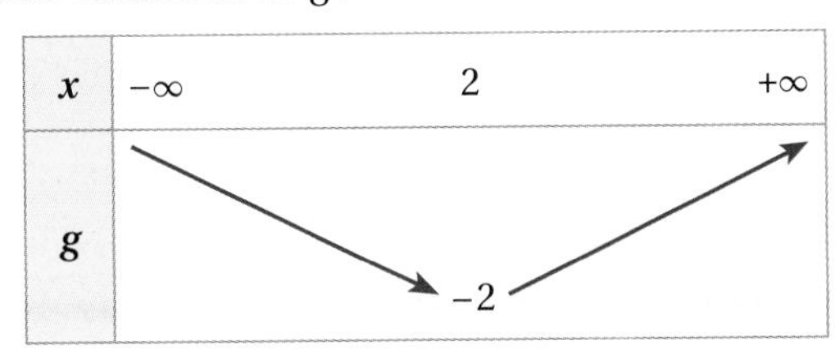

4 Courbe représentative

Soit f une fonction polynôme de degré 2, définie sur $\mathbb{R}$ par $f(x) = ax^2 + bx + c$, avec $a \neq 0$.
Dans un repère orthogonal $(O ; \vec{i}, \vec{j})$ du plan, la courbe représentative de f est une **parabole**. On dit que la parabole a pour équation $y = ax^2 + bx + c$.
On appelle **sommet** de la parabole le point S de la courbe d'abscisse $-\frac{b}{2a}$: il correspond au maximum ou au minimum sur $\mathbb{R}$ de la fonction f.
La parabole a pour **axe de symétrie** la droite d'équation $x = -\frac{b}{2a}$, parallèle à l'axe des ordonnées.

▶ Savoir-faire 1
Construire la représentation graphique d'un trinôme, p. 30

• **Si $a > 0$**

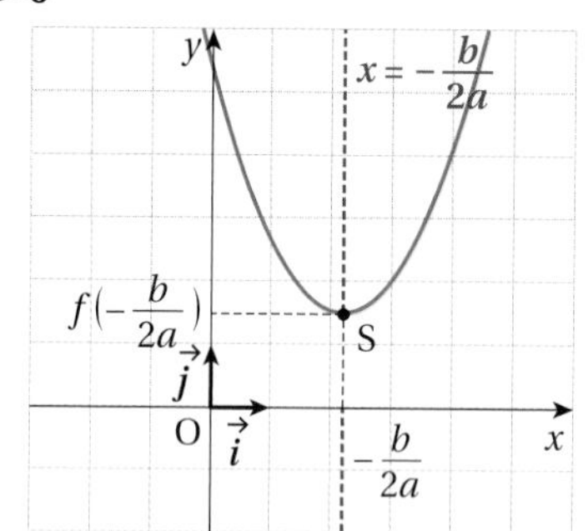

La parabole est « tournée vers le haut ».

• **Si $a < 0$**

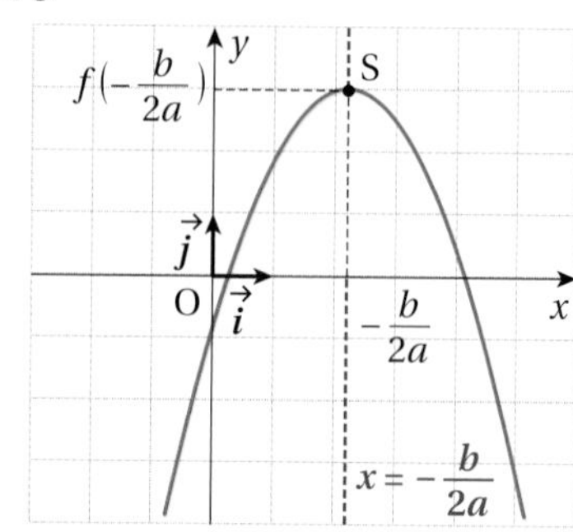

La parabole est « tournée vers le bas ».

B. Équations du second degré et factorisation du trinôme

1 Équation du second degré

DÉFINITION

Une **équation du second degré**, d'inconnue x, est une équation qui peut s'écrire sous la forme $ax^2 + bx + c = 0$ où a, b et c sont des nombres réels donnés, avec $a \neq 0$.
Une solution de cette équation est appelée **racine** du trinôme $ax^2 + bx + c$.

2 Résolution

DÉFINITION

Notation

Le nombre réel $b^2 - 4ac$ est appelé **discriminant** du trinôme $ax^2 + bx + c$.
Il est noté Δ (se lit « delta »).

PROPRIÉTÉ

Soit Δ le discriminant du trinôme $ax^2 + bx + c$.

- Si $\mathbf{\Delta > 0}$, alors l'équation $ax^2 + bx + c = 0$ a deux solutions distinctes :

$$x_1 = \frac{-b - \sqrt{\Delta}}{2a} \quad \text{et} \quad x_2 = \frac{-b + \sqrt{\Delta}}{2a}$$

- Si $\mathbf{\Delta = 0}$, alors l'équation $ax^2 + bx + c = 0$ a une unique solution : $x_0 = \frac{-b}{2a}$.

On dit que x_0 est une racine double du trinôme.

- Si $\mathbf{\Delta < 0}$, alors l'équation $ax^2 + bx + c = 0$ n'a pas de solution.

REMARQUE

Lorsque les nombres réels a et c sont de signes contraires, le produit $4ac$ est strictement négatif. Le discriminant Δ est donc strictement positif ; l'équation $ax^2 + bx + c = 0$ a deux solutions distinctes.

DÉMONSTRATION

Soit f la fonction polynôme de degré 2 définie sur $\mathbb{R}$ par $f(x) = ax^2 + bx + c$ (avec $a \neq 0$).
On a vu précédemment (cf. démonstration de la partie **A2**) que, pour tout réel x, on a :

$$f(x) = a\left(x+\frac{b}{2a}\right)^2 - \frac{b^2-4ac}{4a}$$

En posant $\Delta = b^2 - 4ac$, on obtient : $f(x) = a\left(x+\frac{b}{2a}\right)^2 - \frac{\Delta}{4a} = a\left(\left(x+\frac{b}{2a}\right)^2 - \frac{\Delta}{4a^2}\right)$.

- Si **$\Delta > 0$,** alors $\frac{\Delta}{4a^2}$ est le carré de $\frac{\sqrt{\Delta}}{2a}$. On peut écrire : $f(x) = a\left(\left(x+\frac{b}{2a}\right)^2 - \left(\frac{\sqrt{\Delta}}{2a}\right)^2\right)$.

En factorisant, on obtient : $f(x) = a\left(x+\frac{b}{2a}+\frac{\sqrt{\Delta}}{2a}\right)\left(x+\frac{b}{2a}-\frac{\sqrt{\Delta}}{2a}\right)$.

Puisque $a \neq 0$, l'équation $f(x) = 0$ équivaut à : $x+\frac{b}{2a}+\frac{\sqrt{\Delta}}{2a}=0$ ou $x+\frac{b}{2a}-\frac{\sqrt{\Delta}}{2a}=0$.

Ainsi, cette équation a deux solutions distinctes : $x_1 = \frac{-b-\sqrt{\Delta}}{2a}$ et $x_2 = \frac{-b+\sqrt{\Delta}}{2a}$.

- Si **$\Delta = 0$,** alors $f(x) = a\left(x+\frac{b}{2a}\right)^2$. Puisque $a \neq 0$, l'équation $f(x) = 0$ équivaut à $x + \frac{b}{2a} = 0$.

Elle a donc une unique solution : $x_0 = \frac{-b}{2a}$.

- Si **$\Delta < 0$,** alors, comme $a \neq 0$, l'équation $f(x) = 0$ est équivalente à : $\left(x+\frac{b}{2a}\right)^2 = \frac{\Delta}{4a^2}$.

Or $\frac{\Delta}{4a^2} < 0$, et le carré $\left(x+\frac{b}{2a}\right)^2$ ne peut pas être strictement négatif.

L'équation n'a donc pas de solution. ■

FACTORISATION DU TRINÔME

La démonstration précédente montre que dans le cas où **Δ est positif**, il est possible d'écrire $f(x)$ sous la forme d'un **produit de deux polynômes du premier degré** :

- lorsque **$\Delta > 0$**, on a, pour tout réel x, $f(x) = a(x - x_1)(x - x_2)$;
- lorsque **$\Delta = 0$**, on a, pour tout réel x, $f(x) = a(x - x_0)^2$.

On ne sait pas réaliser une telle factorisation lorsque $\Delta < 0$.

EXEMPLES

- *Résoudre l'équation* $2x^2 + 5x - 3 = 0$.

C'est une équation du type $ax^2 + bx + c = 0$, avec $a = 2$, $b = 5$ et $c = -3$.
On calcule Δ, le discriminant du trinôme $2x^2 + 5x - 3$: $\Delta = b^2 - 4ac = 5^2 - 4 \times 2 \times (-3) = 49$.
Comme $\Delta > 0$, l'équation a deux solutions distinctes :

$$x_1 = \frac{-b-\sqrt{\Delta}}{2a} = \frac{-5-\sqrt{49}}{2\times 2} = -3 \quad \text{et} \quad x_2 = \frac{-b+\sqrt{\Delta}}{2a} = \frac{-5+\sqrt{49}}{2\times 2} = \frac{1}{2}$$

On a alors, pour tout réel x, $2x^2 + 5x - 3 = 2(x+3)\left(x-\frac{1}{2}\right) = (x+3)(2x-1)$.

- *Résoudre l'équation* $3x^2 - 4x + \frac{4}{3} = 0$.

On calcule Δ, le discriminant du trinôme $3x^2 - 4x + \frac{4}{3}$: $\Delta = b^2 - 4ac = (-4)^2 - 4 \times 3 \times \frac{4}{3} = 0$.

Comme $\Delta = 0$, l'équation a une seule solution : $x_0 = \frac{-b}{2a} = \frac{-(-4)}{2\times 3} = \frac{2}{3}$.

On a alors, pour tout réel x, $3x^2 - 4x + \frac{4}{3} = 3\left(x-\frac{2}{3}\right)^2$.

- *Résoudre l'équation* $x^2 + x + \frac{1}{2} = 0$.

On calcule Δ, le discriminant du trinôme $x^2 + x + \frac{1}{2}$: $\Delta = b^2 - 4ac = 1^2 - 4 \times 1 \times \frac{1}{2} = -1$.
Comme $\Delta < 0$, l'équation n'a pas de solution.

▶ Savoir-faire 5
Résoudre une équation du second degré, p. 33

▶ Savoir-faire 6
Factoriser un trinôme pour résoudre une équation, p. 33

C. Signe du trinôme

PROPRIÉTÉ

Soit f une fonction polynôme de degré 2 définie sur $\mathbb{R}$ par $f(x) = ax^2 + bx + c$ avec $a \neq 0$, et Δ le discriminant du trinôme $ax^2 + bx + c$.

- Si $\boldsymbol{\Delta > 0}$, alors, x_1 et x_2 étant les racines du trinôme telles que $x_1 < x_2$, $f(x)$ est du signe de a si et seulement si $x \in]-\infty\,;x_1[\cup]x_2\,;+\infty[$.
- Si $\boldsymbol{\Delta = 0}$, alors $f(x)$ est du signe de a si et seulement si $x \neq \dfrac{-b}{2a}$.
- Si $\boldsymbol{\Delta < 0}$, alors, pour tout réel x, $f(x)$ est du signe de a.

Autrement dit :

$f(x)$ est du signe de a, sauf entre les racines lorsqu'il y en a (c'est-à-dire quand $\Delta \geqslant 0$).

DÉMONSTRATION

- Si $\boldsymbol{\Delta > 0}$, alors, pour tout réel x, $f(x) = a(x - x_1)\,(x - x_2)$ où x_1 et x_2 sont les racines du trinôme (avec $x_1 < x_2$).

On construit le tableau de signes :

x	$-\infty$		x_1		x_2		$+\infty$
$x - x_1$		$-$	0	$+$	|	$+$	
$x - x_2$		$-$	|	$-$	0	$+$	
$(x - x_1)\,(x - x_2)$		$+$	0	$-$	0	$+$	
$a(x - x_1)\,(x - x_2)$		Signe de a	0	Signe de $-a$	0	Signe de a	

On a établi : $f(x)$ est du signe de a si et seulement si $x \in]-\infty\,;x_1[\cup]x_2\,;+\infty[$.

- Si $\boldsymbol{\Delta = 0}$, alors, pour tout réel x, $f(x) = a(x - x_0)^2$, avec $x_0 = \dfrac{-b}{2a}$. Le carré $(x - x_0)^2$ est strictement positif pour $x \neq x_0$ et il s'annule en x_0. Ainsi, $f(x)$ est du signe de a si et seulement si $x \neq \dfrac{-b}{2a}$.
- Si $\boldsymbol{\Delta < 0}$, alors $\dfrac{\Delta}{4a^2} < 0$. On en déduit que, pour tout réel x, $\left(x + \dfrac{b}{2a}\right)^2 - \dfrac{\Delta}{4a^2} > 0$.

Or $f(x) = a\left(\left(x + \dfrac{b}{2a}\right)^2 - \dfrac{\Delta}{4a^2}\right)$, donc le signe de $f(x)$ est celui de a. ■

EXEMPLES

- Soit f la fonction définie sur $\mathbb{R}$ par $f(x) = 2x^2 + 5x - 3$. Étudions le signe de $f(x)$.

D'après le premier exemple de la partie **B2**, les racines de ce trinôme sont -3 et $\dfrac{1}{2}$. Le coefficient a est strictement positif. La propriété donnant le signe du trinôme permet d'écrire que si $x \in \left]-\infty\,;-3\right[\cup \left]\dfrac{1}{2}\,;+\infty\right[$ alors $f(x) > 0$, et si $x \in \left]-3\,;\dfrac{1}{2}\right[$ alors $f(x) < 0$.

La présentation de ce résultat peut aussi se faire sous forme de tableau :

x	$-\infty$		-3		$\frac{1}{2}$		$+\infty$
$f(x)$		$+$	0	$-$	0	$+$	

Il est intéressant de procéder à une vérification du résultat en traçant la représentation graphique de f, par exemple à l'aide d'une calculatrice graphique.

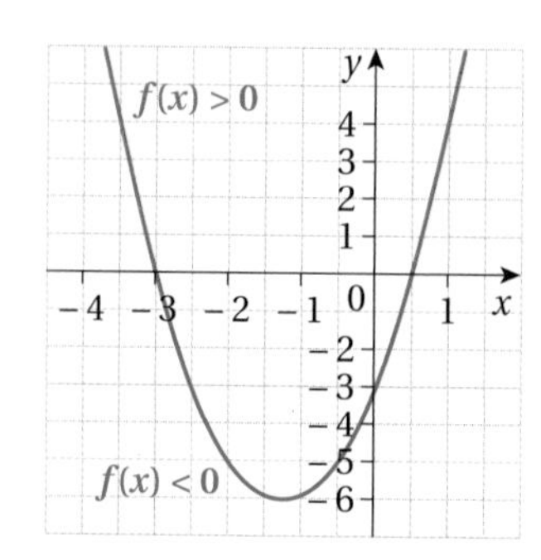

- Soit g la fonction définie sur $\mathbb{R}$ par $g(x) = -x^2 + x - 1$. Le nombre $g(x)$ peut-il être positif ?

On calcule le discriminant de ce trinôme :

$$\Delta = 1 - 4 \times (-1) \times (-1) = -3$$

Puisque $\Delta < 0$, on peut en déduire que, pour tout réel x, $g(x) < 0$ (ici, a vaut -1), donc ce nombre ne peut être positif.

La construction de la courbe, par exemple à l'aide d'une calculatrice graphique, confirme ce résultat. En effet, on constate que la parabole est entièrement située au-dessous de l'axe des abscisses.

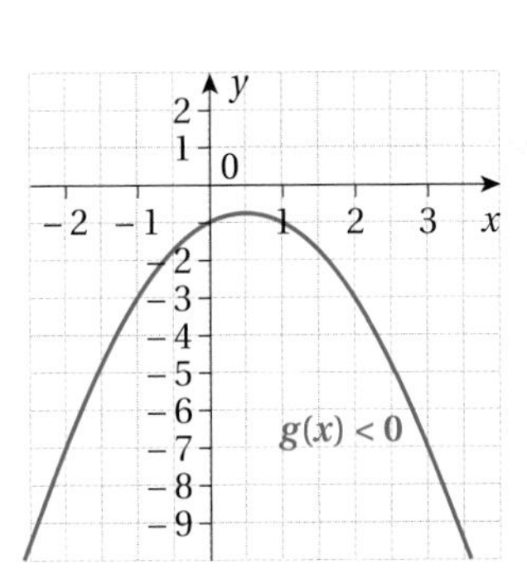

▶ Savoir-faire 7
Étudier le signe d'un trinôme, en déduire les solutions d'une inéquation, p. 34

D. Tableau récapitulatif

Soit f une fonction polynôme de degré 2 définie sur $\mathbb{R}$ par :

$$f(x) = ax^2 + bx + c \text{ (avec } a \neq 0\text{)},$$

et $\Delta = b^2 - 4ac$ le discriminant du trinôme $ax^2 + bx + c$.

Le tableau suivant donne les différentes situations possibles suivant les valeurs des réels a et Δ.

		$\Delta > 0$	$\Delta = 0$	$\Delta < 0$
Solutions de l'équation $f(x) = 0$		Deux solutions distinctes : $x_1 = \frac{-b-\sqrt{\Delta}}{2a}$ et $x_2 = \frac{-b+\sqrt{\Delta}}{2a}$	Une seule solution : $x_0 = \frac{-b}{2a}$	Pas de solution.
Forme factorisée de $f(x)$		$f(x) = a(x - x_1)(x - x_2)$	$f(x) = a(x - x_0)^2$	Pas de factorisation.
$a > 0$	Courbe	y, x, O, $\vec{i}$, $\vec{j}$, x_1, x_2, $\frac{-b}{2a}$, S	y, x, O, $\vec{i}$, $\vec{j}$, S, $\frac{-b}{2a}$	y, x, O, $\vec{i}$, $\vec{j}$, S, $\frac{-b}{2a}$
	Signe de $f(x)$	x : $-\infty$ x_1 x_2 $+\infty$; $f(x)$: + 0 − 0 +	x : $-\infty$ x_0 $+\infty$; $f(x)$: + 0 +	x : $-\infty$ $+\infty$; $f(x)$: +
$a < 0$	Courbe	y, x, O, $\vec{i}$, $\vec{j}$, S, x_2, x_1, $\frac{-b}{2a}$	y, x, O, $\vec{i}$, $\vec{j}$, $\frac{-b}{2a}$, S	y, x, O, $\vec{i}$, $\vec{j}$, $\frac{-b}{2a}$, S
	Signe de $f(x)$	x : $-\infty$ x_2 x_1 $+\infty$; $f(x)$: − 0 + 0 −	x : $-\infty$ x_0 $+\infty$; $f(x)$: − 0 −	x : $-\infty$ $+\infty$; $f(x)$: −

Savoir-faire

Savoir-faire 1 — *Construire la représentation graphique d'un trinôme*

ÉNONCÉ Soit f la fonction définie sur $\mathbb{R}$ par $f(x) = -2x^2 + 10x - 7$. Construire la représentation graphique de f.

SOLUTION

La fonction f est un trinôme du second degré, donc sa courbe représentative est une parabole $\mathscr{P}$.
Avec les notations usuelles, on a : $a = -2$, $b = 10$ et $c = -7$.
a est négatif, donc la parabole est tournée « vers le bas ».
Le sommet S de la parabole $\mathscr{P}$ a pour abscisse :

$$-\frac{b}{2a} = -\frac{10}{2\times(-2)} = \frac{5}{2}$$

Son ordonnée est : $f\left(\frac{5}{2}\right) = -2\left(\frac{5}{2}\right)^2 + 10\times\frac{5}{2} - 7 = \frac{11}{2}$

On obtient le tracé ci-contre.

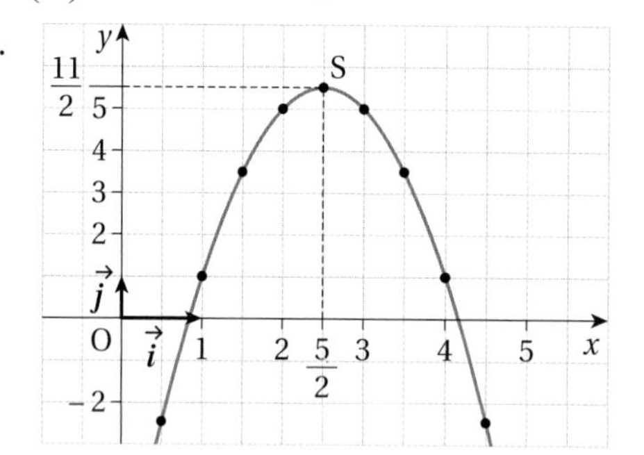

MÉTHODE

- Connaître l'allure de la parabole permet de bien choisir la « fenêtre » du tracé.
- Si $a < 0$, la parabole est tournée « vers le bas ». Si $a > 0$, la parabole est tournée « vers le haut ». La parabole a pour axe de symétrie la droite d'équation $x = -\frac{b}{2a}$. On utilise cet axe de symétrie pour placer rapidement des points de la parabole.

▸ Exercices 14 à 17 p. 47

Savoir-faire 2 — *Déterminer la forme canonique et l'extremum d'un trinôme*

ÉNONCÉ Une des trajectoires d'une balle de tennis est modélisée par la fonction f définie sur $[0 ; 18]$ par :

$$f(x) = -0{,}007\,84x^2 + 0{,}015\,68x + 2{,}5$$

$f(x)$ est la hauteur de la balle (en mètres) en fonction de x, l'abscisse de la position de la balle (en mètres).

a. Tracer la représentation graphique de f à l'aide d'une calculatrice graphique.

b. Déterminer la forme canonique de $f(x)$. En déduire la hauteur maximale atteinte par la balle.

SOLUTION

a.

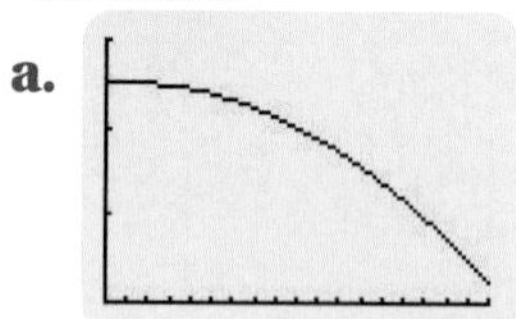

b. $f(x) = -0{,}007\,84x^2 + 0{,}015\,68x + 2{,}5 = -0{,}007\,84(x^2 - 2x) + 2{,}5$
$= -0{,}007\,84[(x-1)^2 - 1] + 2{,}5 = -0{,}007\,84(x-1)^2 + 2{,}507\,84$

c. Pour tout réel x, $-0{,}007\,84(x-1)^2 \leqslant 0$.
Ainsi, sur l'intervalle $[0 ; 18]$, $f(x) \leqslant 2{,}507\,84$.
La hauteur maximale atteinte par la balle est environ 2,51 m.
De plus $f(1) = 2{,}507\,84$, donc ce maximum est atteint pour $x = 1$.

MÉTHODE

b. La forme canonique du trinôme est :

$$f(x) = a(x-\alpha)^2 + \beta$$

où a, α et β sont des réels ($a \neq 0$).
Pour l'obtenir, on peut commencer par factoriser le coefficient a dans les deux premiers termes de la forme développée :

$$ax^2 + bx + c = a\left(x^2 + \frac{b}{a}x\right) + c$$

On reconnaît par ailleurs que :

$$x^2 + \frac{b}{a}x = \left(x + \frac{b}{2a}\right)^2 - \left(\frac{b}{2a}\right)^2$$

▸ Exercices 9 à 11 p. 46 et 47

Savoir-faire 3 Déterminer et utiliser la forme la plus adéquate d'un trinôme pour résoudre un problème

ÉNONCÉ Soit f la fonction définie sur $\mathbb{R}$ par $f(x) = (x+1)(3x-2) - 5(x+1)^2$.

1. a. Déterminer la forme développée et réduite de $f(x)$.

b. Déterminer une forme factorisée de $f(x)$.

c. Déterminer la forme canonique de $f(x)$.

2. Répondre aux questions suivantes en choisissant la forme de $f(x)$ qui paraît la plus adéquate.

a. Calculer les images par f de 0 ; –1 ; $\frac{2}{3}$ et $\sqrt{5}$.

b. Trouver l'extremum de f sur $\mathbb{R}$.

c. Résoudre l'équation $f(x) = 0$.

d. Résoudre l'inéquation $f(x) \leqslant 0$.

SOLUTION

1. a. $f(x) = (x+1)(3x-2) - 5(x+1)^2$
$= 3x^2 - 2x + 3x - 2 - 5(x^2 + 2x + 1)$
$= -2x^2 - 9x - 7$

b. $f(x) = (x+1)(3x-2) - 5(x+1)^2$
$= (x+1)[(3x-2) - 5(x+1)]$
$= (x+1)(-2x-7)$

c. $f(x) = -2x^2 - 9x - 7$
$$= -2\left[\left(x+\frac{9}{4}\right)^2 - \left(\frac{9}{4}\right)^2\right] - 7$$
$$= -2\left(x+\frac{9}{4}\right)^2 + \frac{25}{8}$$

2. a. $f(0) = -2 \times 0^2 - 9 \times 0 - 7 = -7$

$f(-1) = -2 \times (-1)^2 - 9 \times (-1) - 7 = 0$

REMARQUE Pour ce calcul, les trois formes conviennent.

$$f\left(\frac{2}{3}\right) = -2\times\left(\frac{2}{3}\right)^2 - 9\times\frac{2}{3} - 7 = -\frac{125}{9}$$

$$f\left(\sqrt{5}\right) = -2\times\left(\sqrt{5}\right)^2 - 9\times\sqrt{5} - 7 = -17 - 9\sqrt{5}$$

b. Pour tout réel x, $-2\left(x+\frac{9}{4}\right)^2 \leqslant 0$. Ainsi, pour tout x réel, $f(x) = -2\left(x+\frac{9}{4}\right)^2 + \frac{25}{8} \leqslant \frac{25}{8}$.

De plus $f\left(-\frac{9}{4}\right) = \frac{25}{8}$, donc le maximum de f est $\frac{25}{8}$. Il est atteint pour $x = -\frac{9}{4}$.

c. $f(x) = 0$ équivaut à $(x+1)(-2x-7) = 0$, c'est-à-dire $x = -1$ ou $x = -\frac{7}{2}$.

d. $f(x) \leqslant 0$ équivaut à $(x+1)(-2x-7) \leqslant 0$.

On construit un tableau de signes :

x	$-\infty$		$-\frac{7}{2}$		-1		$+\infty$
$x+1$		–		–	0	+	
$-2x-7$		+	0	–		–	
$(x+1)(-2x-7)$		–	0	+	0	–	

On en déduit que les solutions de $f(x) \leqslant 0$ sont les réels de $\left]-\infty ; -\frac{7}{2}\right] \cup \left[-1 ; +\infty\right[$.

MÉTHODE

1. b. On reconnaît un facteur commun.

c. ▸ Savoir-faire 2 p. 30

2. a. Pour calculer l'image d'un nombre par f, la forme développée de $f(x)$ est souvent la plus adaptée.

b. La forme canonique du trinôme f permet de déterminer immédiatement son extremum sur $\mathbb{R}$.

c. et **d.** Pour résoudre l'équation $f(x) = 0$ et l'inéquation $f(x) \leqslant 0$ (ou $f(x) < 0$, $f(x) \geqslant 0$, $f(x) > 0$), la forme la plus adéquate est la forme factorisée de $f(x)$.

▸ Exercices 12 et 13 p. 47

Savoir-faire 4 Contrôler ses résultats à l'aide d'un logiciel de calcul formel 

ÉNONCÉ Soit f la fonction définie sur $\mathbb{R}$ par :

$$f(x) = (x + 1)(3x - 2) - 5(x + 1)^2$$

À l'aide d'un logiciel de calcul formel, vérifier les réponses aux questions suivantes données au Savoir-faire 3.

1. a. Déterminer la forme développée et réduite de $f(x)$.

b. Déterminer une forme factorisée de $f(x)$.

c. Déterminer la forme canonique de $f(x)$.

2. a. Calculer les images par f de 0 ; -1 ; $\frac{2}{3}$ et $\sqrt{5}$.

[...]

c. Résoudre l'équation $f(x) = 0$.

d. Résoudre l'inéquation $f(x) \leqslant 0$.

SOLUTION

En utilisant le logiciel de calcul formel Xcas, on obtient :

1	f(x):=(x+1)*(3*x-2)-5*(x+1)^2
	$x \to (x+1)\cdot(3\cdot x-2)-5\cdot(x+1)^2$
2	developper(f(x))
	$(-2)\cdot x^2-9\cdot x-7$
3	factoriser(f(x))
	$(-(x+1))\cdot(2\cdot x+7)$
4	forme_canonique(f(x))
	$(-2)\cdot(x+\frac{9}{4})^2+\frac{25}{8}$
5	f(0),f(-1),f(2/3)
	$(-7,\ 0,\ \frac{-125}{9})$
6	f(sqrt(5))
	$(\sqrt{5}+1)\cdot(3\cdot\sqrt{5}-2)-5\cdot(\sqrt{5}+1)^2$
7	simplifier(f(sqrt(5)))
	$(-9)\cdot\sqrt{5}-17$
8	resoudre(f(x)=0)
	$[\frac{-7}{2},\ -1]$
9	resoudre(f(x)<=0))
	$[x<=(\frac{-7}{2}),\ x>=(-1)]$

REMARQUE

On peut aussi utiliser une calculatrice :

$\text{solve}(-2\cdot x^2-9\cdot x-7=0,x)$	$x=\frac{-7}{2}$ or $x=-1$
$\text{solve}(-2\cdot x^2-9\cdot x-7\leq 0,x)$	$x\leq\frac{-7}{2}$ or $x\geq -1$
$\text{factor}(-2\cdot x^2-9\cdot x-7)$	$-(x+1)\cdot(2\cdot x+7)$

MÉTHODE

Dans Xcas, le menu « Scolaire Seconde » permet d'accéder à la plupart des commandes utiles en calcul formel :

Scolaire	Tortue
Seconde ▶	developper
Premiere ▶	factoriser
Terminale ▶	factoriser_entier
Programme ▶	forme_canonique
	gauche
	droit
	normal
	resoudre
	resoudre_systeme_lineaire
	simplifier
	substituer
	table_fonction
	graphe
	droite

Il est important de comprendre la forme des réponses données aux résolutions des lignes 8 et 9 :

- la réponse à l'instruction 8 signifie que les solutions de l'équation $f(x) = 0$ sont $-\frac{7}{2}$ et -1.
- la réponse à l'instruction 9 signifie que les solutions sont les réels inférieurs ou égaux à $-\frac{7}{2}$ et les réels supérieurs ou égaux à -1.

▶ Exercices 12 et 13 p. 47

Savoir-faire 5 Résoudre une équation du second degré

ÉNONCÉ Résoudre les équations suivantes.

1. a. $2x^2 - 3 = 0$ **b.** $x^2 + 19 = 12$ **c.** $x^2 - 4x = 0$

2. a. $6x^2 - x - 1 = 0$ **b.** $16x^2 - 8x + 13 = 0$ **c.** $2x^2 - 10x + \frac{25}{2} = 0$

SOLUTION

1. a. $2x^2 - 3 = 0$ si et seulement si $x^2 = \frac{3}{2}$.
L'équation a donc deux solutions :

$$x_1 = -\sqrt{\frac{3}{2}} \text{ et } x_2 = \sqrt{\frac{3}{2}}$$

b. $x^2 + 19 = 12$ si et seulement si $x^2 = -7$.
Ainsi l'équation n'admet pas de solution.

c. L'équation $x^2 - 4x = 0$ est équivalente à $x(x - 4) = 0$.
Elle a donc deux solutions : 0 et 4.

2. a. C'est une équation du type $ax^2 + bx + c = 0$ avec $a = 6$, $b = -1$ et $c = -1$.
On calcule le discriminant de $6x^2 - x - 1$:

$$\Delta = b^2 - 4ac = (-1)^2 - 4 \times 6 \times (-1) = 25$$

Comme $\Delta > 0$, l'équation a deux solutions distinctes :

$$x_1 = \frac{-b - \sqrt{\Delta}}{2a} = \frac{1 - \sqrt{25}}{2 \times 6} = -\frac{1}{3}$$

et $$x_2 = \frac{-b + \sqrt{\Delta}}{2a} = \frac{1 + \sqrt{25}}{2 \times 6} = \frac{1}{2}$$

b. On calcule le discriminant de $16x^2 - 8x + 13$:

$$\Delta = (-8)^2 - 4 \times 16 \times 13 = -768$$

$\Delta < 0$ donc l'équation n'a pas de solution.

c. On calcule le discriminant de $2x^2 - 10x + \frac{25}{2}$:

$$\Delta = (-10)^2 - 4 \times 2 \times \frac{25}{2} = 0$$

$\Delta = 0$ donc l'équation a une seule solution : $x_0 = \frac{-b}{2a} = \frac{10}{4} = \frac{5}{2}$

▶ Exercices 22 à 26 p. 48

MÉTHODE

1. Quand l'équation du second degré $ax^2 + bx + c = 0$ est incomplète (c'est-à-dire $b = 0$ ou $c = 0$) il est inutile de calculer le discriminant Δ : une résolution plus rapide est possible.

2. Dans le cas général, on calcule le discriminant et on utilise les formules données dans la propriété du paragraphe B❷ du cours p. 26.

Une vérification à l'aide d'une calculatrice graphique permet dans la plupart des cas de vérifier les calculs. Voici, par exemple, le tracé de la courbe représentant la fonction $x \mapsto 6x^2 - x - 1$ et la valeur approchée d'une des solutions de **2a** obtenue à l'aide de l'instruction « zéro » d'une TI-83 Plus (appuyer sur les touches 2nde trace 2) :

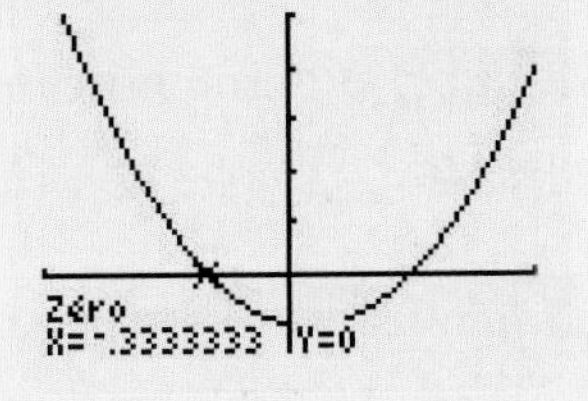

Savoir-faire 6 Factoriser un trinôme pour résoudre une équation

ÉNONCÉ **a.** Factoriser les expressions $x^2 + x - 2$ et $-3x^2 - 5x + 2$.

b. Résoudre l'équation (E) : $\frac{1}{x^2 + x - 2} - \frac{2x}{-3x^2 - 5x + 2} = 0$.

SOLUTION

a. Le discriminant du trinôme $x^2 + x - 2$ est $\Delta = 1^2 - 4 \times 1 \times (-2) = 9$

et ses racines sont $x_1 = \frac{-1 - \sqrt{9}}{2} = -2$ et $x_2 = \frac{-1 + \sqrt{9}}{2} = 1$.

On a donc $x^2 + x - 2 = (x + 2)(x - 1)$.

Le discriminant du trinôme $-3x^2 - 5x + 2$ est $\Delta = (-5)^2 - 4 \times (-3) \times 2 = 49$

et ses racines sont $x_1 = \frac{5 - \sqrt{49}}{2 \times (-3)} = \frac{1}{3}$ et $x_2 = \frac{5 + \sqrt{49}}{2 \times (-3)} = -2$.

On a donc $-3x^2 - 5x + 2 = -3(x + 2)\left(x - \frac{1}{3}\right) = (x + 2)(1 - 3x)$.

MÉTHODE

a. Lorsque le discriminant d'un trinôme $ax^2 + bx + c$ est positif, on peut écrire ce dernier sous la forme factorisée $a(x - x_1)(x - x_2)$, où x_1 et x_2 sont les racines du trinôme (éventuellement égales).

b. L'équation (E) est : $\dfrac{1}{x^2+x-2}-\dfrac{2x}{-3x^2-5x+2}=0.$

Soit : $\dfrac{1}{(x+2)(x-1)}-\dfrac{2x}{(x+2)(1-3x)}=0$

$\dfrac{(1-3x)-2x(x-1)}{(x+2)(x-1)(1-3x)}=0$

D'où : $\dfrac{-2x^2-x+1}{(x+2)(x-1)(1-3x)}=0$

Les valeurs -2, $\dfrac{1}{3}$ et 1 annulent le dénominateur.

On résout (E) sur $\mathbb{R}$ privé de $\left\{-2\,;\,\dfrac{1}{3}\,;\,1\right\}$. (E) équivaut alors à $-2x^2-x+1=0$.

Le discriminant du trinôme $-2x^2-x+1$ est $\Delta=(-1)^2-4\times(-2)\times 1=9$ et ses racines sont :

$$x_1=\frac{1-\sqrt{9}}{2\times(-2)}=\frac{1}{2}\quad\text{et}\quad x_2=\frac{1+\sqrt{9}}{2\times(-2)}=-1$$

Les solutions de l'équation (E) sont donc les réels -1 et $\dfrac{1}{2}$.

▶ Exercice 54 p. 50

b. En factorisant les dénominateurs des deux quotients du membre de gauche, on parvient à trouver un dénominateur commun plus simple.
Les « valeurs interdites » sont alors directement lisibles.

Savoir-faire 7 *Étudier le signe d'un trinôme, en déduire les solutions d'une inéquation*

ÉNONCÉ Résoudre les inéquations suivantes :

a. $-6x^2-10x+3<-4+x$ **b.** $\dfrac{3x-13}{x^2+x+1}\leqslant -1$

SOLUTION

a. L'inéquation $-6x^2-10x+3<-4+x$ équivaut à $-6x^2-11x+7<0$.

Le discriminant du trinôme $-6x^2-11x+7$ est :

$$\Delta=(-11)^2-4\times(-6)\times 7=289$$

Ses racines sont :

$$x_1=\frac{11-\sqrt{289}}{2\times(-6)}=\frac{1}{2}\quad\text{et}\quad x_2=\frac{11+\sqrt{289}}{2\times(-6)}=-\frac{7}{3}$$

Le coefficient de x^2 est négatif, donc le trinôme $-6x^2-11x+7$ est négatif à l'extérieur des racines et positif entre les racines. L'ensemble des solutions de l'inéquation est donc $\left]-\infty\,;\,-\dfrac{7}{3}\right[\cup\left]\dfrac{1}{2}\,;\,+\infty\right[$.

MÉTHODE

a. On rassemble tous les termes dans le membre de gauche de manière à pouvoir utiliser le résultat du cours sur le signe d'un trinôme. Dans le cas général, on détermine les racines du trinôme grâce à la méthode du discriminant.

b. On rassemble tous les termes dans le membre de gauche puis, après une mise au même dénominateur, on étudie le signe du quotient. Ici, le numérateur et le dénominateur sont des trinômes.

b. L'inéquation $\dfrac{3x-13}{x^2+x+1}\leqslant -1$ est équivalente à : $\dfrac{3x-13}{x^2+x+1}+1\leqslant 0$, soit $\dfrac{x^2+4x-12}{x^2+x+1}\leqslant 0$.

Le discriminant du trinôme x^2+x+1 est $\Delta=1^2-4\times 1\times 1=-3$ ainsi $\Delta<0$.

Le coefficient de x^2 est positif, donc le trinôme x^2+x+1 est strictement positif sur $\mathbb{R}$.

Le quotient $\dfrac{x^2+4x-12}{x^2+x+1}$ est donc du signe du trinôme $x^2+4x-12$.

Le discriminant de ce dernier est $\Delta'=64$. Ses racines sont :

$$x_1=\frac{-4-\sqrt{64}}{2}=-6\quad\text{et}\quad x_2=\frac{-4+\sqrt{64}}{2}=2$$

Le coefficient de x^2 est positif, donc le trinôme $x^2+4x-12$ est positif à l'extérieur des racines et négatif entre les racines. Les solutions de l'inéquation sont les réels de $[-6\,;\,2]$.

▶ Exercices 58 à 61 p. 50

Travaux pratiques

TICE 1 Paraboles et équations

Objectifs : • Utiliser un logiciel de géométrie dynamique pour faire le lien entre la forme d'un trinôme et sa représentation graphique.
• Conjecturer le nombre de solutions d'une équation du second degré.

Partie A : Forme canonique

On considère la fonction f définie sur $\mathbb{R}$ par $f(x) = a(x - \alpha)^2 + \beta$, où a, α et β sont des réels (avec $a \neq 0$).

1 À l'aide de *GeoGebra*, créer trois curseurs a, α et β prenant leurs valeurs dans l'intervalle $[-10 ; 10]$, puis la fonction f définie par $f(x) = a(x - \alpha)^2 + \beta$ et le point S de coordonnées $(\alpha ; \beta)$.

2 Que se passe-t-il lorsque l'on modifie uniquement le paramètre a ? le paramètre α ? le paramètre β ?

3 À l'aide du graphique, déterminer une condition sur a, α et β pour que l'équation $f(x) = 0$ admette deux solutions ; une solution ; aucune solution.
Dans ce dernier cas, de quoi dépend le signe de $f(x)$?

Partie B : Forme développée

On considère la fonction f définie sur $\mathbb{R}$ par $f(x) = ax^2 + bx + c$, où a, b et c sont des réels (avec $a \neq 0$).

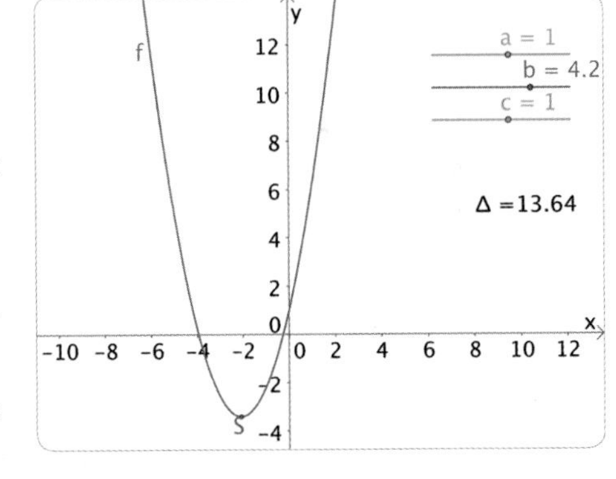

1 Créer trois curseurs a, b et c prenant leurs valeurs dans l'intervalle $[-10 ; 10]$, puis la fonction f définie par $f(x) = ax^2 + bx + c$ et le nombre $\Delta = b^2 - 4ac$.

2 On fixe $b = 2$ et $c = 1$.
a. Déterminer graphiquement pour quelles valeurs de a l'équation $f(x) = 0$ a deux solutions ; une solution ; aucune solution.
b. Vérifier cette conjecture par le calcul en considérant le signe de Δ.

3 On fixe $a = 1$ et $b = -4$.
a. Déterminer graphiquement pour quelles valeurs de c l'équation $f(x) = 0$ a deux solutions ; une solution ; aucune solution.
b. Vérifier cette conjecture par le calcul.

4 On prend a et c de signes différents.
a. Déterminer graphiquement le nombre de solutions de l'équation $f(x) = 0$.
b. Vérifier cette conjecture par le calcul.

5 On prend maintenant $a = 1$ et $c = 1$.
a. Déterminer graphiquement pour quelles valeurs de b l'équation $f(x) = 0$ a deux solutions ; une solution ; aucune solution. Vérifier cette conjecture par le calcul.
b. Placer le sommet S de la parabole (on pourra saisir : « S=(–b/(2a),f(–b/(2a))) », puis activer la trace du point S.
c. Sur quelle courbe semble se déplacer le point S lorsque b décrit l'intervalle $[-10 ; 10]$? Démontrer cette conjecture.

TP TICE 2

Deux disques dans un carré

Objectifs : • Utiliser un logiciel de géométrie dynamique pour conjecturer une propriété d'extremum.
• Utiliser les variations d'un trinôme pour démontrer la conjecture.

ABCD est un carré de côté 1.

On construit les cercles $\mathcal{C}_1$ et $\mathcal{C}_2$, entièrement inclus dans le carré, tels que :

- les points E et G, centres respectifs de $\mathcal{C}_1$ et $\mathcal{C}_2$, sont sur la diagonale [AC] ;
- les cercles sont tangents extérieurement en I ;
- les droites (AB) et (AD) sont tangentes au cercle $\mathcal{C}_1$;
- les droites (CB) et (CD) sont tangentes au cercle $\mathcal{C}_2$.

On appelle $\mathcal{A}$ la somme des aires des disques délimités par les cercles $\mathcal{C}_1$ et $\mathcal{C}_2$.

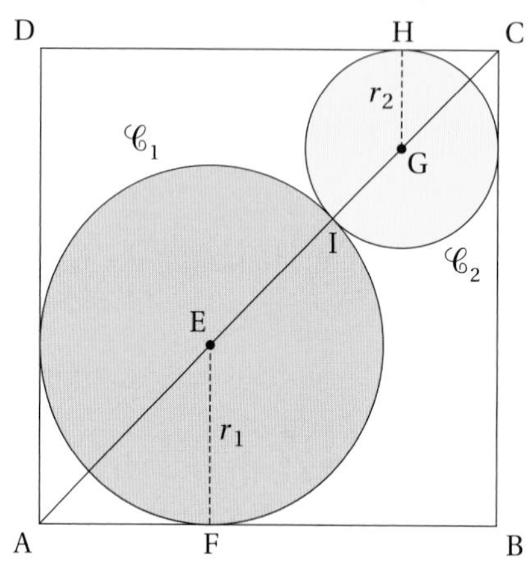

L'objectif du TP est de conjecturer les positions des points E et G sur le segment [AC] pour lesquelles les valeurs maximale et minimale de l'aire $\mathcal{A}$ sont atteintes, puis de démontrer cette conjecture.

1 On appelle r_1 et r_2 les rayons des cercles $\mathcal{C}_1$ et $\mathcal{C}_2$.

a. Montrer que $r_1\sqrt{2} + r_1 + r_2 + r_2\sqrt{2} = \sqrt{2}$.

Que peut-on en déduire pour la somme $r_1 + r_2$?

b. Par des considérations géométriques, montrer que les valeurs maximale et minimale que peut prendre le rayon d'un des cercles sont $\frac{1}{2}$ et $\frac{3-2\sqrt{2}}{2}$.

2 On utilisera un logiciel de géométrie dynamique.

a. Définir dans un repère orthonormé les points A(0 ; 0) et B(1 ; 0), puis compléter le carré ABCD.

b. Placer un point E sur la diagonale [AC] puis tracer le cercle $\mathcal{C}_1$ de centre E tangent au côté [AB]. Définir le point I, intersection du cercle $\mathcal{C}_1$ et du segment [EC].

c. Construire la perpendiculaire à la droite (AC) passant par le point I ; elle coupe la droite (DC) en K.

Le centre de $\mathcal{C}_2$, s'il existe, appartient à la bissectrice de l'angle $\widehat{IKC}$. Pourquoi ?

Le construire.

d. Faire afficher la somme $\mathcal{A}$ des aires des disques délimités par les cercles $\mathcal{C}_1$ et $\mathcal{C}_2$.

Placer le point $T(r_1 ; \mathcal{A})$ et afficher sa trace.

Conjecturer les positions de E, et les valeurs de r_1 associées, pour lesquelles les valeurs maximale et minimale de l'aire $\mathcal{A}$ sont atteintes.

3 On pose $x = r_1$ et on considère la fonction f donnant l'aire $\mathcal{A}$ en fonction de x.

Déterminer le domaine de définition de f puis démontrer la conjecture du **2 d.**

TICE 3 Une famille de droites bien connue

Objectifs :
- Utiliser un logiciel de géométrie dynamique.
- Construire une famille de droites.
- Utiliser les propriétés des paraboles pour déterminer l'enveloppe de cette famille.

On retrouve dans de nombreux cahiers d'écolier la construction ci-contre, obtenue en traçant des segments dont les extrémités, situées sur deux axes, sont décalées à chaque étape d'une unité. Réalisée avec soin, cette construction laisse apparaître une courbe très régulière.

Le but de ce TP est d'utiliser un logiciel de géométrie dynamique (*GeoGebra*) pour construire une figure de ce type, modifiable, afin de conjecturer la nature de la courbe qui apparaît.

Dans un second temps, on procèdera à l'étude plus détaillée d'un cas particulier.

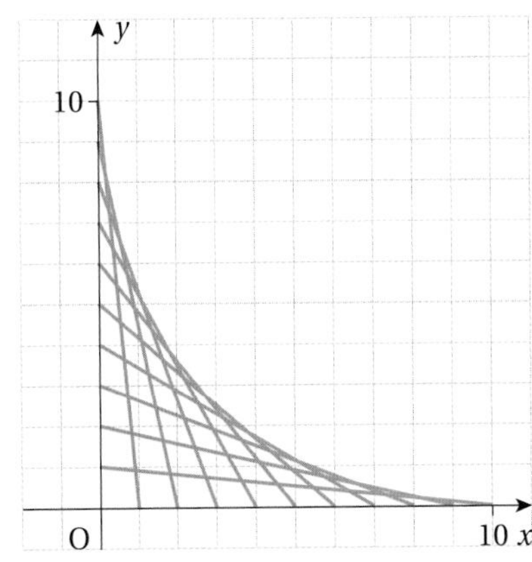

1 a. Afin de définir deux segments et, sur chacun de ces segments, des points régulièrement espacés, on construit 4 points dans le plan nommés C, D, E et F.
On définit les vecteurs $\vec{u} = \overrightarrow{CD}$ et $\vec{v} = \overrightarrow{EF}$, puis on écrit dans le champ de saisie les instructions suivantes :

A=Séquence[C+i u/20, i, 0, 20]
B=Séquence[E+i v/20, i, 0, 20]
Séquence[Droite[Elément[A, i],Elément[B, i]], i, 1, 21]

b. Modifier les positions des points C, D, E et F.
Que constate-t-on lorsque les droites (CD) et (EF) sont parallèles ? Et dans le cas contraire ?

c. On se place maintenant dans la situation où les droites (CD) et (EF) ne sont pas parallèles.
Conjecturer la nature de la courbe qui apparaît au « bord » du réseau formé par les droites.

2 a. Placer les points C, D, E et F pour que leurs coordonnées respectives soient (–10 ; 10), (0 ; 0), (0 ; 0) et (10 ; 10).

b. On suppose que la courbe enveloppée par le réseau de droites est une parabole de sommet S(0 ; 5) associée à la fonction f, polynôme du second degré.
Donner l'écriture canonique de $f(x)$.

c. À l'aide de l'icône , créer un curseur a pouvant varier sur l'intervalle [–0,5 ; 0,5], le pas (ou incrément) étant fixé à 0,01.
Entrer dans le champ de saisie : « f(x)=a*x^2+5 ».
En manipulant le curseur a, déterminer la valeur du coefficient a telle que la courbe représentative de f soit la courbe recherchée.
Conclure.

TP TICE 4

Parabole passant par trois points

Objectifs :
- Utiliser un tableur pour effectuer des calculs répétitifs.
- Découvrir une méthode d'interpolation.
- Démontrer la validité de cette méthode dans un cas simple.

Soit $(O ; \vec{i}, \vec{j})$ un repère orthogonal du plan. On considère A, B et C trois points non alignés du plan, de coordonnées respectives $(x_A ; y_A)$, $(x_B ; y_B)$ et $(x_C ; y_C)$. On cherche à déterminer un trinôme f défini sur $\mathbb{R}$ tel que sa représentation graphique $\mathcal{P}$ passe par les trois points A, B et C.

1 La méthode des différences divisées

a. Que se passe-t-il si les réels x_A, x_B et x_C ne sont pas distincts deux à deux ?

La méthode des « différences divisées » permet de déterminer le trinôme f. Mettons-la en œuvre pour déterminer un trinôme dont la courbe représentative passe par les points A(–1 ; 14), B(2 ; 2) et C(5 ; 44).

b. Construire, à l'aide d'un tableur, le tableau suivant, calculant les nombres d_1, d_2 et e_1 :

	A	B	C	D
1	**Abscisses des points**	x_A	x_B	x_C
2	**Ordonnées des points**	y_A	y_B	y_C
3	**Différences divisées d'ordre 1**	$d_1 = \dfrac{y_B - y_A}{x_B - x_A}$	$d_2 = \dfrac{y_C - y_B}{x_C - x_B}$	
4	**Différences divisées d'ordre 2**	$e_1 = \dfrac{d_2 - d_1}{x_C - x_A}$		

REMARQUE Il est intéressant ici d'utiliser un *tableur formel* qui donne les valeurs exactes des quotients (le tableur intégré au logiciel Xcas par exemple).

c. Soit f le trinôme défini par $f(x) = y_A + d_1(x - x_A) + e_1(x - x_A)(x - x_B)$. Ajouter dans le tableau construit précédemment la ligne suivante qui calcule les images par f des réels x_A, x_B et x_C :

6	**Vérification**	$f(x_A)$	$f(x_B)$	$f(x_C)$

COUP DE POUCE

- Sur un tableur classique, on peut saisir dans la case B6 : « =$B2+$B3*(B1-$B1)+$B4*(B1-$B1)*(B1-$C1) », puis faire glisser cette formule en C6 et D6.
- Sur un tableur formel, on peut saisir dans la case B5 : « =simplifier(B2+B3*(x-B1)+B4*(x-B1)*(x-C1)) », puis dans la case B6 : « =substituer($B5,x=(B1)) » et enfin glisser cette formule en C6 et D6.

Que constate-t-on ? Répondre au problème posé.

2 Deux exemples

a. Déterminer un trinôme g défini sur $\mathbb{R}$ tel que :

$$g(-2) = -\frac{29}{6}, \quad g(1) = \frac{5}{12} \quad \text{et} \quad g\left(\frac{4}{3}\right) = \frac{4}{9}.$$

b. On sait que la fonction S définie sur $\mathbb{N}$ par $S(n) = 1 + 2 + 3 + 4 + \ldots + n$ est un trinôme du second degré.

Déterminer ce trinôme. Vérifier sur quelques exemples que le résultat trouvé convient.

3 Démonstration dans un cas particulier

On considère les points $A(0 ; y_A)$, $B(1 ; y_B)$ et $C(2 ; y_C)$. Montrer que la représentation graphique du trinôme f défini à la question 1c passe par les points A, B et C.

Algorithmique

▶ Fiches Algorithmique p. 11

1 Résoudre une équation du second degré

Objectifs :
- Construire un programme permettant de résoudre une équation du second degré de manière approchée ; en connaître les limites.
- Travailler les structures conditionnelles : « Si… alors… sinon… »

On souhaite résoudre l'équation $ax^2 + bx + c = 0$, où a, b et c sont des nombres réels donnés, avec $a \neq 0$.
L'algorithme suivant, traduit en langage machine (**fig. a** et **b**), permet de trouver une valeur approchée des solutions de cette équation.

```
PROGRAM:TRINOME
:Prompt A,B,C
:B²-4AC→D
:Disp "DELTA=",D

:If D<0
:Disp "PAS DE SO
LUTION"
:If D=0
:Disp "UNE SOLUT
ION:", -B/(2A)
:If D>0
:Then
:(-B-√(D))/(2A)→
E
:(-B+√(D))/(2A)→
F
:Disp "DEUX SOLU
TIONS:",E,F
:End
```

fig. a. Avec la TI-83 Plus.

```
======TRINOME ======
"A"?→A:"B"?→B:"C"?→C↵
B²-4AC→D↵
"DELTA=":D◢
If D<0↵
Then "PAS DE SOLUTION
"↵
IfEnd↵
If D=0↵
Then "UNE SOLUTION:"↵
-B÷(2A)◢
IfEnd↵
If D>0↵
Then "DEUX SOLUTIONS:
"↵
(-B-√D)÷(2A)→E↵
(-B+√D)÷(2A)→F↵
E◢
F◢
IfEnd↵
```

fig. b. Avec la Casio *Graph* 35+.

1 Traduire cet algorithme en langage naturel.

2 Saisir cet algorithme sur la calculatrice et le tester sur les équations suivantes (vues au Savoir-faire 5 p. 33) :

a. $6x^2 - x - 1 = 0$

b. $16x^2 - 8x + 13 = 0$

c. $2x^2 - 10x + \dfrac{25}{2} = 0$

3 Tester cet algorithme avec les valeurs $a = 0$, $b = 2$ et $c = 1$.
Que constate-t-on ?
Modifier le programme de manière à envisager cette situation (on pourra, par exemple, faire afficher un message d'avertissement et stopper le programme).

4 Proposer une amélioration de l'algorithme en utilisant judicieusement des conditions imbriquées (instructions If… then… else…).

5 Tester le programme pour résoudre l'équation $x^2 - (10^{16} + 1)x + 10^{16} = 0$.
Les solutions données par la calculatrice sont-elles correctes ? Si non, trouver algébriquement les solutions de l'équation et expliquer le phénomène observé.

REMARQUE À l'aide d'une calculatrice ou d'un logiciel permettant le calcul formel, on obtient une réponse exacte en utilisant l'instruction **solve** (résoudre) :

▪ solve($x^2 - x - 1 = 0$, x)

$x = \dfrac{-(\sqrt{5} - 1)}{2}$ or $x = \dfrac{\sqrt{5} + 1}{2}$

TP

Algorithmique

▶ Fiches Algorithmique p. 11

Algorithme de Horner

Objectifs : • Étudier des algorithmes permettant d'évaluer un polynôme en un point.
• Comparer l'efficacité de deux algorithmes.

Considérons le polynôme P de degré 4 défini sur $\mathbb{R}$ par $P(x) = 6x^4 - 5x^3 + 4x^2 - 3x + 2$.
Pour calculer $P(x)$ pour un réel donné, par exemple $x = 3$, on peut d'abord, de manière « naïve », effectuer au moins trois multiplications pour évaluer x^2, x^3 et x^4, puis quatre autres multiplications pour évaluer $6x^4$, $5x^3$, $4x^2$, $3x$; on effectue enfin quatre additions pour obtenir $6x^4 - 5x^3 + 4x^2 - 3x + 2$. Le coût en opérations de ce calcul est donc de sept multiplications et quatre additions.
On peut aussi remarquer que $P(x)$ peut s'écrire $P(x) = 2 - 3x + 4x^2 - 5x^3 + 6x^4$, d'où :

$$P(x) = 2 + x(-3 + 4x - 5x^2 + 6x^3) = 2 + x(-3 + x(4 - 5x + 6x^2)) = 2 + x(-3 + x(4 + x(-5 + 6x)))$$

On effectue alors les calculs en commençant par les parenthèses les plus internes. On calcule successivement $a = -5 + 6x$, $b = 4 + xa$, $c = -3 + xb$ et $d = 2 + xc$, qui est le résultat cherché. On a effectué ainsi quatre multiplications et quatre additions, soit un gain de trois multiplications, opérations coûteuses en temps de calcul.
Cette dernière méthode est appelée **algorithme de Horner**, du nom d'un mathématicien anglais, William George Horner (1786 - 1837), qui l'a décrite dans l'un de ses articles.

1 Voici deux algorithmes.

❶

```
Entrée :          Demander le degré du polynôme et l'affecter à la variable n.
                  Demander la liste des coefficients du polynôme et l'affecter
                  à la liste L.
                  Demander un nombre x0 et l'affecter à la variable x.

Initialisation :  Affecter à la variable r la valeur L(1).

Traitement :      Pour i allant de 2 à n+1
                       Affecter à la variable r la valeur r+x^(i-1)L(i).
                  Fin_du_pour

Sortie :          Afficher la valeur de la variable r.
```

❷

```
Entrée :          Demander le degré du polynôme et l'affecter à la variable n.
                  Demander la liste des coefficients du polynôme et l'affecter
                  à la liste L.
                  Demander un nombre x0 et l'affecter à la variable x.

Initialisation :  Affecter à la variable r la valeur L(n+1).

Traitement :      Pour i allant de n à 1
                       Affecter à la variable r la valeur rx+L(i).
                  Fin_du_pour

Sortie :          Afficher la valeur de la variable r.
```

Que réalisent ces algorithmes ? À quelle méthode correspond chacun d'eux ?

2 On traduit l'algorithme **❷** en langage calculatrice :

```
PROGRAM:HORNER
:Prompt N,L1,X
:L1(N+1)→R
:For(I,N,1,-1)
:R*X+L1(I)→R
:End
:Disp "RESULTAT"
,R
```

fig. a. Avec la TI-83 Plus.

fig. b. Avec la Casio *Graph* 35+.

a. Programmer cet algorithme, puis le tester avec $P(x) = 3 - 5x + 7x^2 - 2x^3 + 0{,}1x^4 - 5x^5$ et $x_0 = 4$, la liste des coefficients étant saisie sous la forme **{3,-5,7,-2,0.1,-5}**.
b. Déterminer le nombre d'additions et de multiplications effectuées pour le calcul de $P(4)$ à l'aide de cet algorithme.

3 a. Programmer l'algorithme **1** sur la calculatrice.
b. Tester cet algorithme avec $P(x) = 3 - 5x + 7x^2 - 2x^3 + 0{,}1x^4 - 5x^5$ et $x_0 = 4$.
c. Déterminer le nombre d'additions et de multiplications effectuées pour le calcul de $P(4)$ à l'aide de cet algorithme.

4 On souhaite comparer l'efficacité des algorithmes **1** et **2** sur un exemple nécessitant de longs calculs.
On considère le polynôme P défini par $P(x) = 102 + 101x + 100x^2 + 99x^3 + \ldots + 3x^{99} + 2x^{100}$.
a. Tester, en chronométrant les temps d'exécution, les deux algorithmes pour le calcul de $P(2)$. (On pourra saisir la liste des coefficients sous la forme **suite(103-J,J,1,101,1)** ou **Seq(103-J,J,1,101,1)**.)
b. Déterminer le nombre d'additions et de multiplications effectuées pour le calcul de $P(2)$ à l'aide de chacun de ces algorithmes. Conclure.

Algorithmique  Aire sous la parabole 

▶ Fiches Algorithmique p. 11

Objectifs : • Utiliser deux approches différentes pour déterminer une valeur approchée d'une aire.
• Conjecturer une propriété des paraboles.

Soit f la fonction $x \mapsto 0{,}5x^2$ définie sur $\mathbb{R}$ et $\mathcal{P}$ sa représentation graphique dans un repère orthonormé d'origine O.
Soit a un réel non nul. On appelle A le point de la parabole $\mathcal{P}$ d'abscisse a, et A' et A'' les projetés orthogonaux du point A sur l'axe des abscisses et sur l'axe des ordonnées. On cherche alors à comparer l'aire du rectangle OA'AA'' et l'aire du domaine $\mathcal{D}$ (représenté en rose sur la figure ci-contre), situé dans ce rectangle et au-dessous de $\mathcal{P}$. L'unité d'aire est celle du carré de côté 1 unité.
Les **Parties A** et **B** sont indépendantes.

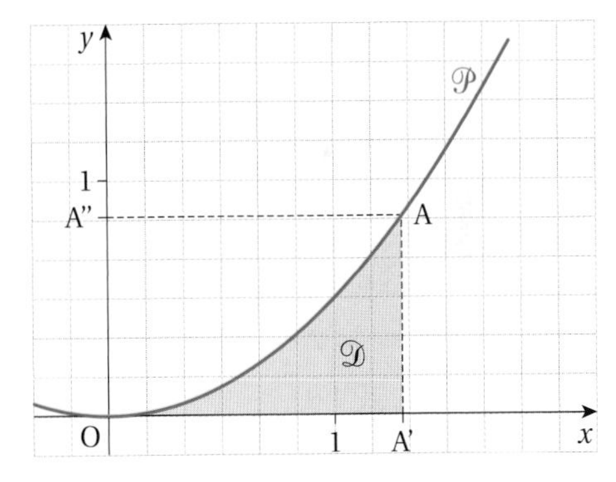

Partie A : la méthode de Monte-Carlo

1 **Étude du cas $a = 1$**
a. Montrer qu'un point M de coordonnées $(x\,;y)$ appartient au domaine $\mathcal{D}$ si et seulement si $0 \leqslant x \leqslant 1$ et $0 \leqslant y < 0{,}5x^2$.
b. La méthode consiste alors à tirer au hasard deux nombres x et y dans l'intervalle $[0\,;1]$; si $y < 0{,}5x^2$, le point $M(x\,;y)$ appartient au domaine $\mathcal{D}$ et est dessiné en vert, sinon il est dessiné en rouge. La probabilité d'obtenir un point vert est égale au rapport des aires du domaine $\mathcal{D}$ et du rectangle OA'AA''.
Proposer un algorithme qui permet de simuler cette expérience.
c. Voici un algorithme programmé avec Xcas .
Que représentent les variables n et s ? Qu'effectue cet algorithme ?
d. Programmer cet algorithme et le faire fonctionner plusieurs fois pour $n = 100$, puis pour $n = 1\,000$, etc. Que constate-t-on ?
e. Quelle conjecture peut-on faire sur le quotient de l'aire du rectangle OA'AA'' par l'aire du domaine $\mathcal{D}$ défini en **1** a ?

```
MonteCarlo(n):={
  local j,a,b,s;
  s:=0;
  erase
  rectangle(point(0,0),point(1,0),0.5);
  plotfunc(0.5*x^2,x=0..1,couleur=noir);
  pour j de 1 jusque n faire
    a:=rand(0,1);
    b:=rand(0,0.5);
    si b<0.5*a^2 alors
      point(a,b,couleur=vert);
      s:=s+1;
      sinon
      point(a,b,couleur=rouge);
      fsi;
  fpour;
  afficher(n/s);
 return evalf(n/s);
}:;
```

2 Étude du cas général

a. On suppose que le réel a est strictement positif.
Modifier le programme de la question 1c de manière à l'adapter à la nouvelle situation.

b. Programmer cet algorithme et le faire fonctionner plusieurs fois pour $n = 100$, puis pour $n = 1\,000$, etc. Quelle conjecture peut-on faire sur le quotient de l'aire du rectangle OA'AA'' par l'aire du domaine $\mathscr{D}$?

c. Quelle propriété de la parabole permet d'en déduire une conjecture dans le cas où $a < 0$?

Partie B : la méthode des trapèzes

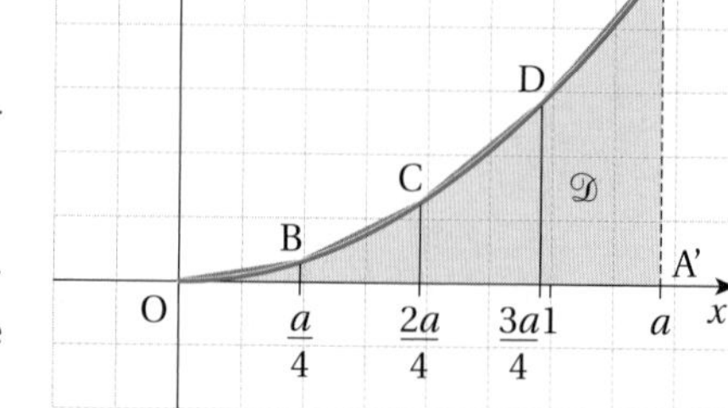

Pour obtenir une valeur approchée de l'aire du domaine $\mathscr{D}$, on peut utiliser la méthode suivante, illustrée par la figure ci-contre obtenue dans le cas où $n = 4$:

- on partage l'intervalle $[0\,;a]$ en n intervalles égaux de même longueur $\frac{a}{n}$;

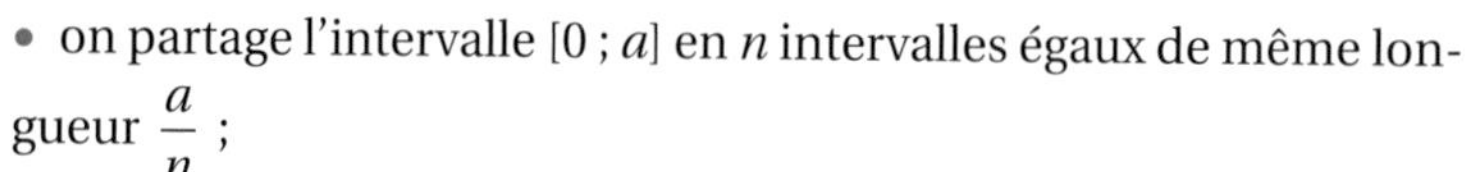

- sur chacun de ces n intervalles, on « remplace » la courbe représentative de la fonction f par un segment de droite qui coïncide avec les valeurs de f aux extrémités de l'intervalle ;
- la somme des aires des trapèzes (ou triangles) ainsi obtenus est une valeur approchée de l'aire du domaine $\mathscr{D}$.

1 Étude du cas $a = 1$

a. Pour appliquer la méthode dans le cas où $n = 4$, on partage l'intervalle $[0\,;1]$ en 4 intervalles égaux de longueur $\frac{1}{4}$. Montrer que $\mathscr{A}_1$, la somme des aires du triangle et des trois trapèzes obtenus, vaut $\frac{11}{64}$.

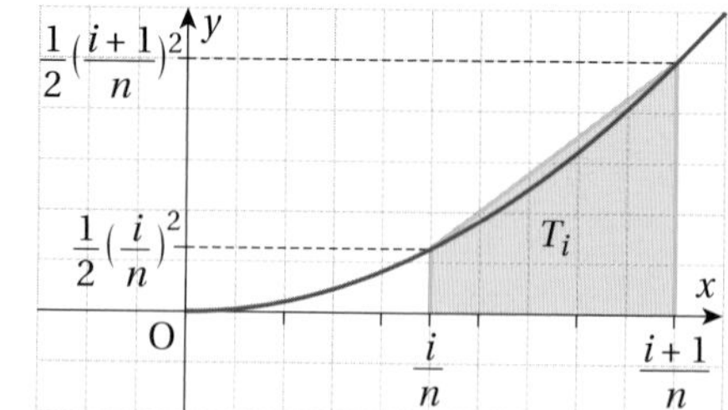

b. On partage maintenant l'intervalle $[0\,;1]$ en n intervalles. Pour tout entier naturel i strictement inférieur à n, on appelle T_i le trapèze construit sur l'intervalle $\left[\frac{i}{n}\,;\frac{i+1}{n}\right]$. Exprimer l'aire de T_i en fonction des entiers i et n.

c. Voici un algorithme programmé avec Xcas.
Que représente la variable s ?
Expliquer la méthode utilisée pour calculer s.

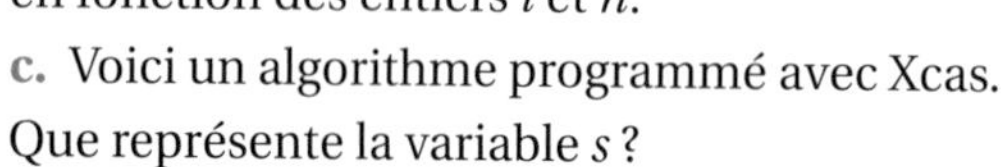

```
Trapezes(n):={
  local s,t,j;
  t:=0;
  pour j de 0 jusque n-1 faire
    t:=t+(1/2*(j/n)^2+1/2*((j+1)/n)^2);
  fpour;
  s:=1/(2n)*t
  afficher("aire des trapèzes =",s);
  q:=1/2*1^3/s;
  afficher("aire du rectangle / aire des trapèzes =",q);
  return evalf(q);
}:;
```

d. Programmer cet algorithme et le tester pour $n = 4$.

e. Faire fonctionner cet algorithme pour $n = 10$, $n = 100$, etc. Que constate-t-on ?

f. Quelle conjecture peut-on faire sur le quotient de l'aire du rectangle OA'AA'' par l'aire du domaine $\mathscr{D}$?

2 Étude du cas général

a. On suppose que a est un réel non nul. Modifier l'algorithme de la question 1c de manière à l'adapter à la nouvelle situation.

b. Programmer cet algorithme et le faire fonctionner pour $n = 100$, puis pour $n = 1\,000$, etc.
Quelle conjecture peut-on faire sur le quotient de l'aire du rectangle OA'AA'' par l'aire du domaine $\mathscr{D}$?

Un résultat

Le géomètre et astronome grec Apollonius de Pergé (~262 – ~180 av J.-C.) a utilisé la méthode de la quadrature de la parabole (méthode d'Archimède) pour démontrer que, pour toute parabole $\mathscr{P}$ de sommet O, l'aire du domaine $\mathscr{D}$ situé entre la courbe et l'axe des abscisses vaut le tiers de l'aire du rectangle OA'AA''.

Ce résultat peut se démontrer en classe de Terminale, en utilisant un calcul d'intégrale.

Problème ouvert 1 Aire maximale

On souhaite confectionner des bredele* en forme de secteur circulaire à l'aide d'un emporte-pièce de périmètre 20 cm.
Déterminer le rayon et l'angle du secteur de manière à rendre l'aire des bredele maximale.

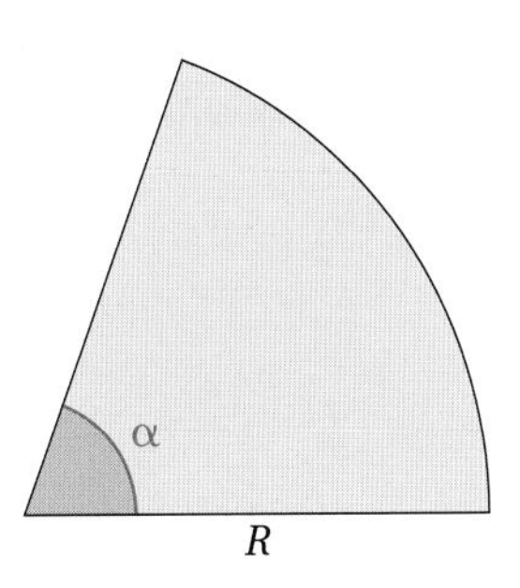

* Nom alsacien donné à de petits gâteaux sucrés, souvent confectionnés à l'occasion des fêtes de fin d'année.

Problème ouvert 2 En peignant le mur

Simon et Juliette doivent repeindre un mur. S'ils travaillaient ensemble, ils mettraient 36 minutes pour le faire. En travaillant seul, Simon aurait besoin d'une demi-heure de plus que Juliette pour accomplir cette même tâche.
Combien de temps faudrait-il à Simon pour repeindre le mur en travaillant seul ?

Problème ouvert 3 Jardin triangulaire

Rose possède un jardin en forme de triangle ABC, rectangle en B, avec BA = 30 m et BC = 40 m.
Elle y a tracé une allée large de 2 m telle que les trois parties restantes (un triangle rectangle, un trapèze rectangle et un rectangle) ont la même aire.
Déterminer les longueurs SC, ST, BR, BP, AQ et UE.

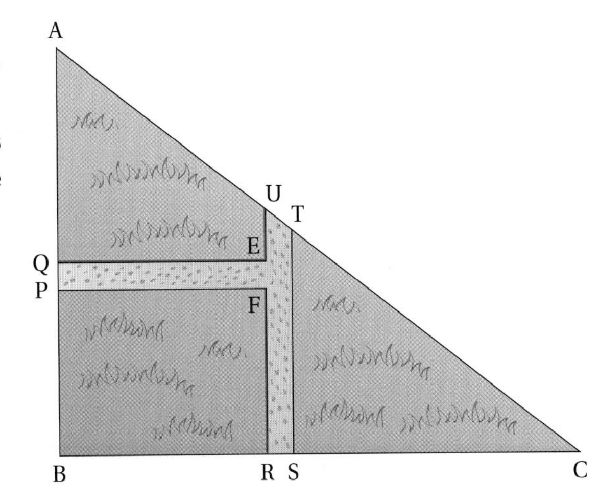

POUR ALLER PLUS LOIN

Le problème de la duplication du carré chez les Grecs

Les Grecs se posaient la question de la duplication de l'aire d'un carré, soit $x^2 = 2$. Ils ont su prouver qu'une éventuelle solution de cette équation n'était ni un entier ni un rationnel ($x = \sqrt{2}$)… ce qui les a profondément choqués ! Une légende dit qu'un mathématicien de l'école du philosophe Pythagore – peut-être Hippase (vers –430) – se noya dans la mer Égée quand il découvrit l'irrationalité de la solution. Voici le raisonnement des pythagoriciens (–550) pour démontrer que $x^2 = 2$ n'a pas de solution (rationnelle).

ABC est rectangle et isocèle en A. Ses côtés [AB] et [AC] mesurent 1, le théorème de Pythagore assure donc que :

$$BC = \sqrt{AB^2 + AC^2} = \sqrt{1^2 + 1^2} = \sqrt{2}$$

On construit A_1 sur le segment [BC] de telle sorte que $BA_1 = BA$. On construit alors la tangente en A_1 à l'arc de cercle de centre B : $\overset{\frown}{AA_1}$; elle rencontre la droite (AC) en B_1. On dispose alors d'un nouveau triangle rectangle et isocèle : A_1B_1C.

Le processus qui a conduit de ABC à A_1B_1C s'applique alors à A_1B_1C lui même pour fournir le triangle A_2B_2C puis A_3B_3C, A_4B_4C… comme sur la figure ci-dessous.

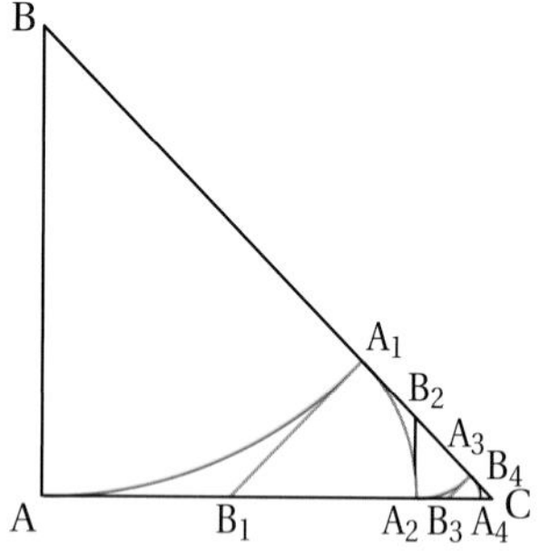

Les pythagoriciens raisonnent alors comme suit. Si le segment [BC] avait pour longueur un nombre rationnel $\frac{p}{q}$ (avec p et q entiers strictement positifs), on aurait :

$$A_1C = BC - BA_1 = \frac{p}{q} - 1, \text{ soit } A_1C = A_1B_1 = AB_1 = \frac{p}{q} - 1.$$

D'où $B_1C = AC - AB_1 = 1 - \left(\frac{p}{q} - 1\right) = 2 - \frac{p}{q} = \frac{(2q-p)}{q}$.

Ainsi le nouveau triangle rectangle isocèle A_1B_1C possède, en commun avec l'ancien triangle rectangle isocèle ABC, la propriété suivante : « son hypoténuse mesure un nombre entier de fois la fraction $\frac{1}{q}$. » De même, les triangles rectangles isocèles A_2B_2C puis A_3B_3C, A_4B_4C… ont tous cette propriété. Par ailleurs, les hypoténuses deviennent de plus en plus petites et le processus n'a pas de fin, ce qui est impossible car l'hypoténuse ne peut être plus petite que $\frac{1}{q}$ par hypothèse.

Pythagore et la représentation de l'arithmétique. Détail de *L'École d'Athènes*, fresque de Raphaël, 1511.

Comment le carré est devenu une équation

Les équations du second degré ont représenté pendant des millénaires un vrai défi intellectuel, aboutissant à l'invention au XIXe siècle de la théorie des fonctions polynomiales de degré n quelconque (du type $x \mapsto a_nx^n + a_{n-1}x^{n-1} + \ldots + a_1x + a_0$). De fait, l'étude véritablement mathématique de ces équations démarre chez les Grecs au VIe siècle av. J.-C., mais sous un éclairage géométrique : la résolution d'une telle équation s'exprime alors comme une construction à la règle et au compas, accompagnée d'un raisonnement mêlant les longueurs (nombres simples) et les aires (produits de nombres). Par exemple, on se demande quelle est la longueur du côté d'un carré (inconnue x) qui, associé à deux rectangles adjacents d'aire $5x$, forme une aire totale de 39 – ce que nous écririons $x^2 + 10x = 39$. La solution consiste à ajouter un carré de côté 5 (**figure**), pour que l'ensemble forme un grand carré (soit $x^2 + 10x + 25 = 64$). Ce grand carré a une aire de 64 : son côté vaut donc 8. Or, par construction, il vaut aussi $5 + x$, d'où $x = 3$. Quant à la solution négative $x = -13$, elle est ignorée car : où a-t-on vu une longueur négative ?

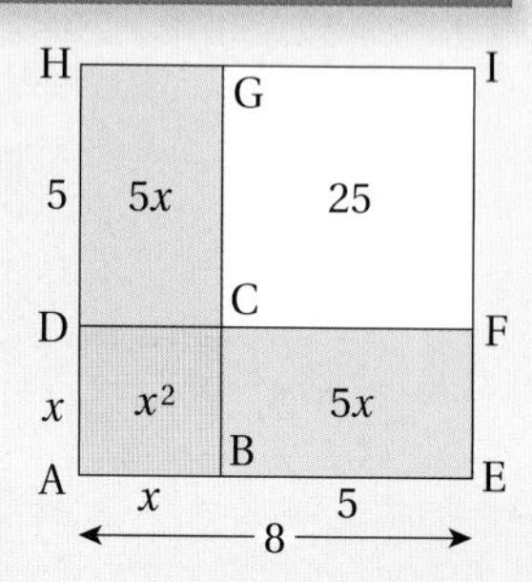

Babyloniens : premières traces

Une tablette babylonienne en écriture cunéiforme, datée de 1800 av. J.-C., décrit une méthode de résolution d'une équation du 2^d degré.
On peut traduire le problème ainsi : « *J'ai additionné sept fois le côté de mon carré et onze fois la surface, [et cela donne]* $6\,1/4$. »
La question implicite posée est : quelle est la longueur de mon carré ?
Cela correspond à l'équation $11x^2 + 7x = 6{,}25$
(soit $ax^2 + bx + c = 0$ avec $a = 11$; $b = 7$ et $c = -6{,}25$).
Voici la résolution proposée :

« *Tu multiplieras 11 par* $6\,1/4$. »	(soit $-ac = 68\,3/4$.)
« *Tu multiplieras* $3\,1/2$ *par* $3\,1/2$. »	(soit $b^2/4 = 12\,1/4$.)
« *Tu ajouteras à* $68\,3/4$. »	(soit $b^2/4 - ac = 81$.)
« *C'est le carré de 9.* »	(soit $\sqrt{b^2/4 - ac} = 9$.)
« *Tu soustrairas* $3\,1/2$. »	(soit $-b/2 + \sqrt{b^2/4 - ac} = 5\,1/2$.)
« *Que poser qui, multiplié par 11 donne* $5\,1/2$? »	(soit $\dfrac{-b/2 + \sqrt{b^2/4 - ac}}{a} = 1/2$.)
« *Le côté du carré est* $1/2$. »	

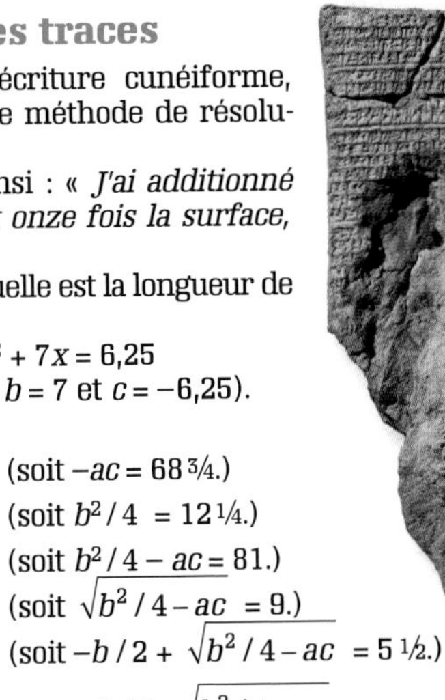

Tablette babylonienne (British Museum n°13 901).

Représentation d'Al-Khwarizmi sur un timbre commémoratif russe (1983).

Al-Khwarizmi

Voici comment Al-Khwarizmi décrit le calcul de la solution positive de l'équation $x^2 + 10x = 39$: « *Quant aux carrés et aux racines qui égalent le nombre, c'est comme tu dis : un carré et dix de ses racines égalent 39 dirhams. Sa résolution consiste à diviser les racines par 2, on trouve donc 5 dans ce problème ; au carré on trouvera 25 qu'on ajoute à 39 pour obtenir 64. Tu en prends alors la racine qui est 8. Tu en retranches la moitié du nombre des racines qui était 5, tu trouves 3. C'est la racine du carré que tu cherches.* »
Ce que l'on écrit aujourd'hui :

$$\begin{aligned} x^2 + 10x - 39 &= (x+5)^2 - 25 - 39 \\ &= (x+5)^2 - 64 \\ &= (x+5)^2 - 8^2 \\ &= (x+5-8)(x+5+8) \\ &= (x-3)(x+13) \end{aligned}$$

De la géométrie grecque à l'algèbre arabe

De l'étude de ces équations, les Grecs tirent une conclusion forte, toujours valable : elles n'ont de solution que si la valeur de $b^2 - 4ac$, le "discriminant", est positive – et dans l'esthétique des Grecs, elle doit être le carré d'un entier ou d'un rationnel (▶ Pour aller plus loin). Ainsi, le mathématicien Diophante, vers –250, fait l'étude des cas où le discriminant est un carré d'entier… ce qui inspirera un savant perse de Bagdad, Al-Khwarizmi, vers 820, époque de l'apogée des sciences arabes (du IXe au XVe siècle). Dans son livre *Abrégé du calcul par la restauration et la comparaison*, Al-Khwarizmi – dont le nom latinisé, Algoritmi, donnera le terme "algorithme" – introduit de grandes innovations : la notation décimale et le zéro, inspirés des Indiens, et l'idée de dissocier les équations de leur référence géométrique (▶ encadré). Par là, Al-Khwarizmi inaugure l'algèbre c'est-à-dire l'étude des équations pour elles-mêmes.

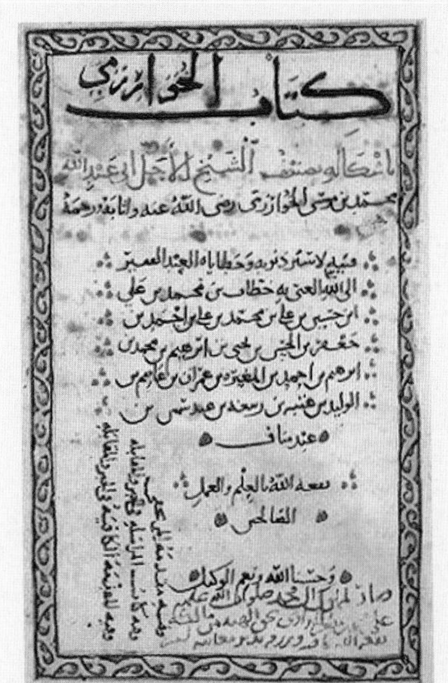
كتاب الخوارزمي

Première page de l'*Abrégé du calcul par la restauration et la comparaison* d'Al-Khwarizmi. Le terme arabe pour "restauration" est "al-jabr" qui donnera "algèbre".

Nombres négatifs et imaginaires

Le Perse donne ainsi des procédures de calcul générales de six types d'équations : $ax^2 = bx$, $ax^2 = c$, $bx = c$, $ax^2 + bx = c$, $ax^2 + c = bx$, $ax^2 = bx + c$. Une telle multiplicité s'explique par le problème des nombres négatifs : on n'en est pas encore à admettre leur existence isolée dans une équation (par exemple, $x^2 - 2x = -1$). Ce n'est qu'en 1629 que le Français Albert Girard les fera entrer de plain-pied dans la discipline. Et ce n'est pas la seule innovation ! Le troisième degré, qui a cédé dès 1545 au génie du médecin italien Jérôme Cardan grâce à une réduction à deux équations du second degré, a fait apparaître des carrés négatifs, par exemple $a^2 = -9$! Cela oblige les mathématiciens à inventer de nouveaux nombres, dits "imaginaires", ayant une telle propriété : ce seront les Nombres complexes, que vous rencontrerez en Terminale. Dans la foulée, les équations de degré quatre sont résolues par Ludovico Ferrari, élève de Cardan.

Al-Khwarizmi dissocie les équations de leur référence géométrique. Par là, il inaugure l'Algèbre.

Bref, les progrès s'accumulent au XVIIe siècle. Et au XVIIIe siècle on découvre qu'une équation de degré n a n racines (parfois imaginaires). Se pose alors une question : peut-on résoudre toute équation de degré n par une méthode générale, comme avec le 2^d degré ? Évariste Galois y répondra en 1832, juste avant de mourir à l'âge de 21 ans dans un duel amoureux : non, il ne peut y avoir de méthode générale de résolution d'équations de degré 5 et au-delà. Pour aboutir à cette conclusion, Galois a esquissé une théorie des équations polynomiales. Ses écrits sont encore une source d'inspiration aujourd'hui.

Exercices d'application

Fonctions polynômes de degré 2

POUR LES EXERCICES 1 À 3

Parmi les expressions proposées, reconnaître les trinômes du second degré. Dans ce cas, préciser leurs coefficients.

1 **a.** $6x^2 - 2x + 7$ **b.** $2x - 4$ **c.** $3x^2 - 2x$ **d.** $\dfrac{x^2 + 7x - 2}{3}$

2 **a.** $(2x - 1)(7 - x)(4x + 2)$ **b.** $2\left(x - \dfrac{2}{3}\right)^2 - 5$ **c.** $x(x + 1)(x + 2) - x^3$ **d.** $\dfrac{x^3 - 2x}{x}$

3 **a.** $2x^2 - \sqrt{x} + 1$ **b.** $x^2 - x\sqrt{5} - 3$ **c.** $\dfrac{x - 7}{-2x^2 + 3x + 4}$ **d.** $x(x + 1)(x - 1) - x^3$

4 Soit la fonction f définie sur $\mathbb{R}$ par :

$$f(x) = 3x^3 - 4x^2 - 25x + 42$$

a. Développer, réduire et ordonner $(x + 3)(ax^2 + bx + c)$.

b. Déterminer des réels a, b et c tels que :

$$f(x) = (x + 3)(ax^2 + bx + c)$$

5 Déterminer la forme canonique de chaque trinôme.

a. $x^2 - 6x + 2$ **b.** $4x^2 - 3$ **c.** $3x^2 - 12x + 21$ **d.** $-x^2 + 4x - 3$

6 Déterminer la forme canonique de chaque trinôme.

a. $x^2 - 6x + 9$ **b.** $2x^2 + x + 1$ **c.** $-3x^2 + x$ **d.** $2x^2 - 4x\sqrt{2} - 7$

7 À l'aide du graphique ci-dessous, déterminer les fonctions trinômes f, g et h.

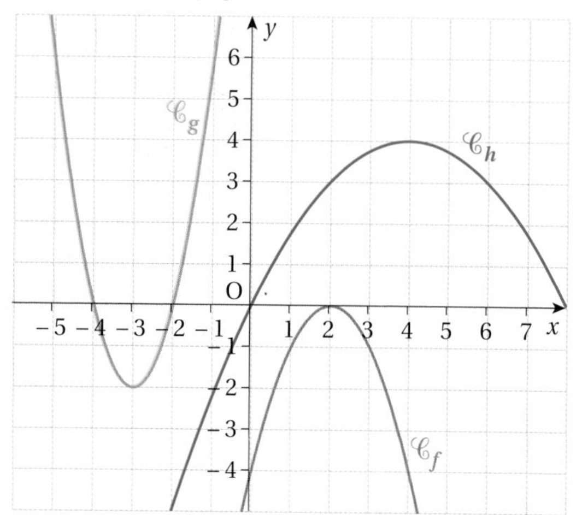

8 Dans chaque cas, déterminer un trinôme ayant le tableau de variations donné.

a.

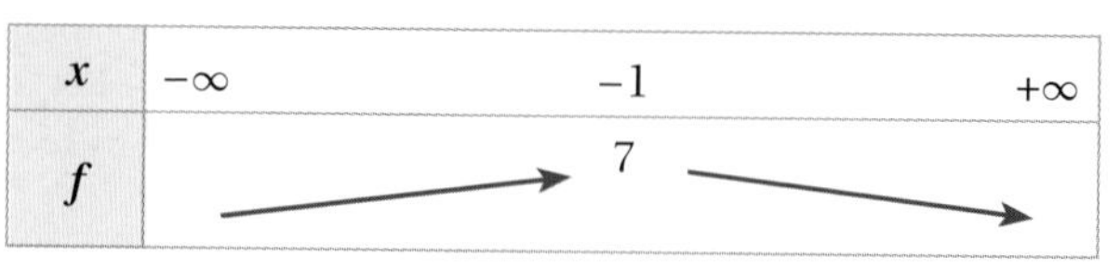

x	$-\infty$		-1		$+\infty$
f		↗	7	↘	

b.

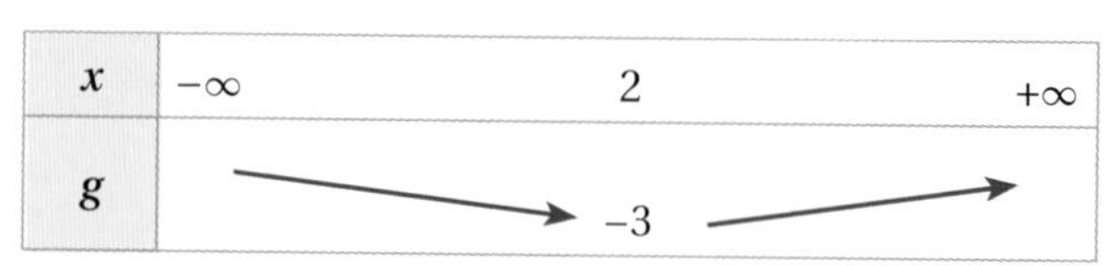

x	$-\infty$		2		$+\infty$
g		↘	-3	↗	

9 Sur un segment [AB] de longueur 10, on place un point M puis on construit les carrés de côtés respectifs [AM] et [MB]. On note x la longueur AM, et $\mathscr{A}(x)$ la somme des aires des deux carrés.

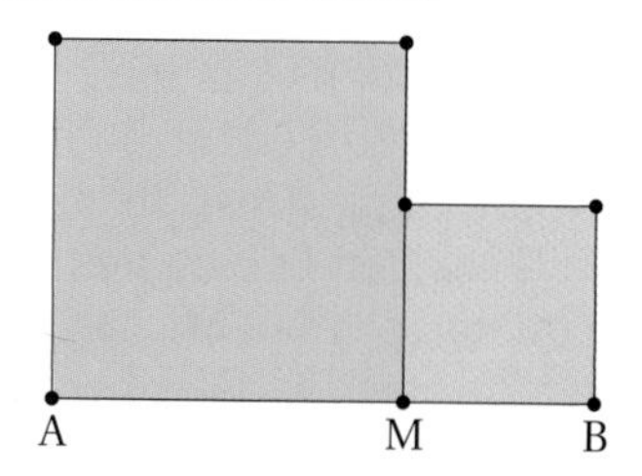

a. Déterminer $\mathscr{A}(x)$, puis en donner la forme canonique.

b. Déterminer la position du point M sur le segment [AB] telle que l'aire $\mathscr{A}(x)$ soit minimale.

Savoir-faire 2 p. 30

10 Un canon est mis en place sur un terrain plat. Son angle de tir avec le sol est α, et il lance des projectiles à une vitesse v_0 (en m.s^{-1}).

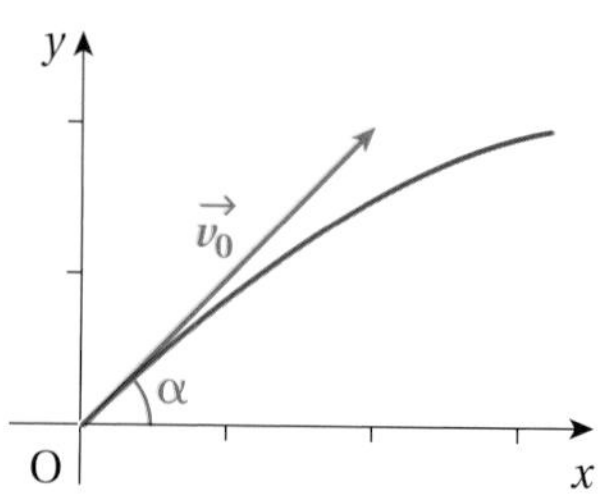

La résistance de l'air étant négligée, un calcul physique établit que la trajectoire de chacun de ses projectiles est donnée par la fonction f définie par :

$$f(x) = -\frac{g}{2(v_0 \cos\alpha)^2}x^2 + x\tan\alpha \quad \text{où } g = 10 \text{ m.s}^{-2}.$$

On considère un projectile lancé à la vitesse $v_0 = 400$ m.s^{-1}, l'angle de tir étant $\alpha = 45°$.

a. Déterminer $f(x)$.

b. Déterminer une forme factorisée et la forme canonique de $f(x)$.

c. Quelle est la hauteur maximale atteinte par le projectile ?

d. À quelle distance du canon le projectile retombe-t-il sur le sol ?

11 Un éleveur de chiens souhaite fabriquer pour ses chiots un enclos rectangulaire le long de sa maison.

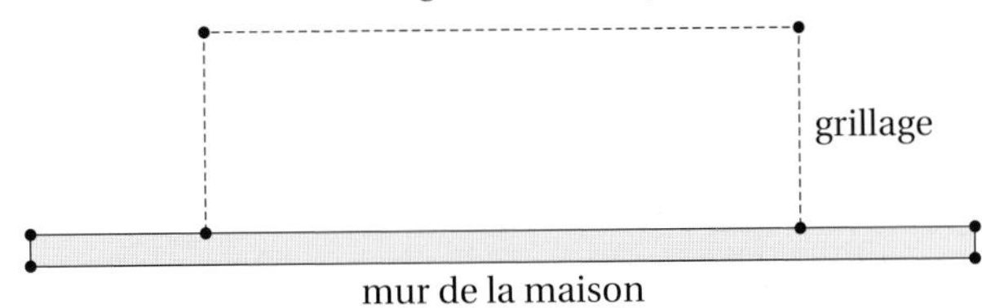

Pour cela, il dispose de 20 mètres de grillage. Quelle est l'aire maximale de l'enclos qu'il peut ainsi construire ?

12 Soit f la fonction définie sur $\mathbb{R}$ par :

$$f(x) = (x-3)^2 - (3x-2)^2$$

1. a. Déterminer la forme développée et réduite de $f(x)$.

b. Déterminer une forme factorisée de $f(x)$.

c. Déterminer la forme canonique de $f(x)$.

2. Répondre aux questions suivantes en choisissant la forme de $f(x)$ qui paraît la plus adéquate pour résoudre le problème posé.

a. Calculer les images par f de 0 ; 5 ; $\frac{3}{8}$ et $1+\sqrt{2}$.

b. Trouver l'extremum de f sur $\mathbb{R}$.

c. Résoudre l'équation $f(x) = 0$.

d. Résoudre l'équation $f(x) = 5$.

e. Résoudre l'inéquation $f(x) \leqslant 0$.

f. Tracer l'allure de la courbe représentative de f.

COUP DE POUCE

On pourra vérifier les résultats obtenus à l'aide d'un logiciel de calcul formel.

▶ Savoir-faire 3 et 4 p. 31 et 32

13 Soit g la fonction définie sur $\mathbb{R}$ par :

$$g(x) = 4(x-1)^2 - 3(x^2 - x - 1)$$

1. a. Déterminer la forme développée et réduite de $g(x)$.

b. Déterminer la forme canonique de $g(x)$.

Peut-on factoriser $g(x)$?

2. Répondre aux questions suivantes en choisissant la forme de $g(x)$ qui paraît la plus adéquate pour résoudre le problème posé.

a. Calculer les images par g de 0 ; 3 et $\sqrt{2}+\sqrt{3}$.

b. Trouver l'extremum de g sur $\mathbb{R}$.

c. Résoudre l'équation $g(x) = 0$.

d. Résoudre l'inéquation $g(x) \geqslant 0$.

e. Tracer l'allure de la courbe représentative de g.

COUP DE POUCE

On pourra vérifier les résultats obtenus à l'aide d'un logiciel de calcul formel.

14 Construire les représentations graphiques des fonctions trinômes suivantes.

a. $f : x \mapsto -x^2 + 4x - 3$ **b.** $g : x \mapsto x^2 + x + \frac{9}{4}$

c. $h : x \mapsto 2x^2 - 6x - 1$

▶ Savoir-faire 1 p. 30

15 Construire les représentations graphiques des fonctions trinômes suivantes.

a. $f : x \mapsto x^2 - 6x + 3$ **b.** $g : t \mapsto 2t^2 - 5t$

c. $h : x \mapsto \frac{1}{2}x^2 - 3x + 1$

16 On sait qu'une parabole $\mathcal{P}$ d'équation $y = ax^2 + bx + c$ passe par les points A(0 ; 3), B(1 ; 5) et C(2 ; 15).

a. Écrire un système de trois équations d'inconnues a, b et c traduisant le fait que les points A, B et C appartiennent à la parabole $\mathcal{P}$.

b. Résoudre ce système.

c. Tracer la parabole $\mathcal{P}$.

17 Reprendre l'exercice **16** avec les points :

$$A\left(1 ; -\frac{3}{2}\right), B(2 ; -6) \text{ et } C\left(3 ; -\frac{25}{2}\right).$$

18 Dans chaque cas, déterminer le tableau de variations de la fonction f.

a. $f(x) = x^2 + 6x + 10$ **b.** $f(x) = -\frac{1}{3}x^2 + 2x - 5$

c. $f(x) = 2x^2 - \pi$

19 Soit f un polynôme de degré 2 tel que $f(11) = 181$ et, pour tout réel x, $x^2 - 2x + 2 \leqslant f(x) \leqslant 2x^2 - 4x + 3$.

L'objectif de l'exercice est de déterminer $f(x)$.

a. On pose $g(x) = x^2 - 2x + 2$ et $h(x) = 2x^2 - 4x + 3$.

Déterminer les formes canoniques de $g(x)$ et $h(x)$.

b. En déduire que, pour tout réel x, $f(x) \geqslant 1$.

Déterminer $f(1)$.

c. Compléter le raisonnement suivant :

« Le minimum de f sur $\mathbb{R}$ est ... ; il est atteint en ... .

Ainsi $f(x)$ peut s'écrire sous la forme :

$f(x) = a(x - ...)^2 + ...$, où a est une constante réelle ... . »

d. Calculer la constante a.

En déduire la forme développée de $f(x)$.

20 Une soucoupe volante doit trouver son chemin à travers un ciel étoilé en passant au-dessus des étoiles rouges et au-dessous des étoiles vertes.

Les étoiles rouges A, B, C et D ont pour coordonnées : (20 ; 90), (50 ; 40), (120 ; 70) et (180 ; 50).

Les étoiles vertes E, F, G et H ont pour coordonnées : (40 ; 110), (70 ; 70), (150 ; 170) et (170 ; 150).

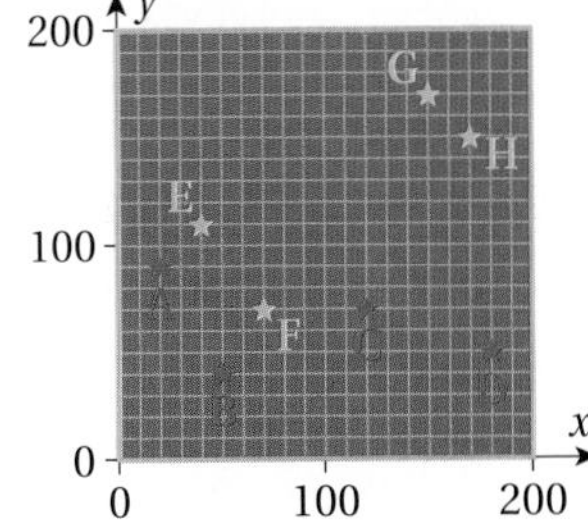

Le point de départ de la soucoupe est sur le côté gauche du carré orange et son point d'arrivée est sur le côté droit de ce carré. La trajectoire de la soucoupe est donnée par la fonction f définie sur l'intervalle $[0 ; 200]$.

Déterminer une expression de $f(x)$ qui convienne, en n'utilisant que les opérations $+$, $-$, $\times$ et $\div$ (les parenthèses sont autorisées).

D'après un exercice du CIJM (Comité international de jeux mathématiques).

21 **Algorithmique**

Le câble supérieur d'un pont suspendu présente la forme d'une parabole.

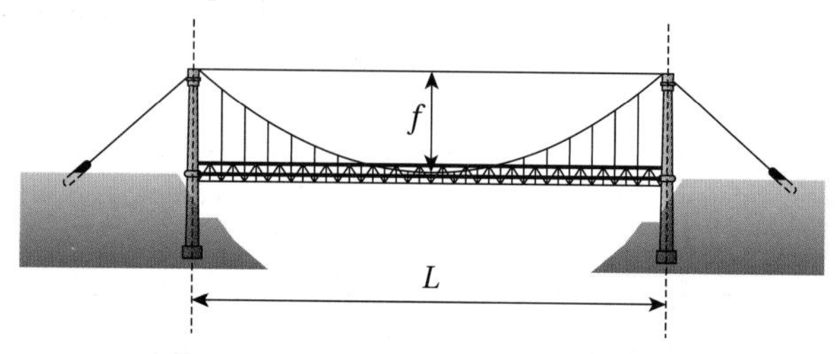

Dans une encyclopédie en ligne, on lit que, pour les ponts de petite et moyenne portée, la flèche f est en général égale au neuvième de la longueur L du pont.

a. Après avoir choisi un repère adapté, trouver une équation de la parabole dans le cas où $L = 360$ m.

b. Le programme suivant, écrit en langage Python, permet d'obtenir une valeur approchée de la longueur d'un des câbles du pont. Lequel ? Justifier la réponse.

```
from math import *
def f(x):
    return 1/810.0*x**2
def lgueurparabole (n):
  longueur=0.0
  pas=360/n
  x1=-180
  y1=f(x1)
  while x1<180 :
    x2=x1+pas
    y2=f(x2)
    longueur=longueur+sqrt(pas**2+(y2-y1)**2)
    x1=x2
    y1=y2
  return longueur
```

c. Les suspentes sont les tiges verticales reliant le tablier du pont aux câbles porteurs. Ces suspentes sont placées tous les 20 mètres, de chaque côté du tablier. Écrire un algorithme, en langage naturel ou machine, qui calcule la longueur totale des suspentes (on considère que le sommet de la parabole est au niveau du tablier).

Équations du second degré et factorisation du trinôme

22 Résoudre les équations suivantes en utilisant les formules du cours.

a. $x^2 + 5x - 6 = 0$

b. $x^2 + x + 2 = 0$

c. $-2x^2 + 3x + 4 = 0$

d. $4x^2 - 12x + 9 = 0$

23 Résoudre les équations suivantes.

a. $x^2 - 9x + 20 = 0$

b. $2x^2 - 7x = 0$

c. $3t^2 - 4t - 4 = 0$

d. $-u^2 - 4 = 0$

▶ Savoir-faire 5 p. 33

24 Déterminer les racines des trinômes suivants.

a. $x^2 - \dfrac{35}{12}x + \dfrac{3}{2}$ **b.** $2x^2 - 20x + 50$

c. $-\dfrac{x^2}{2} + x + 4$ **d.** $2x^2 - x + 1$

25 Résoudre les équations suivantes.

a. $2x^2 - 2x\sqrt{5} + 3 = 0$ **b.** $3x^2 + 2x\sqrt{6} - 1 = 0$

c. $4x^2 - 2x\sqrt{3} + 3 = 0$ **d.** $x^2 - x - \dfrac{1}{2} = 0$

26 On considère l'équation (E) :

$$-2x^2 + (2\sqrt{5} - 1)x + \sqrt{5} = 0$$

a. Résoudre (E).

b. Montrer que $(1 + 2\sqrt{5})^2 = 21 + 4\sqrt{5}$.

En déduire une expression simplifiée des solutions de l'équation (E).

Pour les exercices 27 à 29

On donne les équations respectives de deux paraboles $\mathcal{P}$ et $\mathcal{P}'$.

a. Déterminer les éventuels points d'intersection des paraboles $\mathcal{P}$ et $\mathcal{P}'$ avec l'axe des abscisses.

b. Déterminer les éventuels points d'intersection de $\mathcal{P}$ et $\mathcal{P}'$.

27 $\mathcal{P} : y = x^2 - 6x + 8$ et $\mathcal{P}' : y = \dfrac{1}{3}(-x^2 + 2x + 8)$.

28 $\mathcal{P} : y = -2x^2 - 8x - 5$ et $\mathcal{P}' : y = 4x^2 + 4x + 1$.

29 $\mathcal{P} : y = x^2 - 6x + 10$ et $\mathcal{P}' : y = -2x^2 + 18x - 39$.

30 Résoudre les équations suivantes en utilisant la méthode la plus adaptée.

a. $(3x - 5)(x + 14) = 0$ **b.** $3x^2 - 12 = 0$

c. $3x^2 + 3x - 126 = 0$ **d.** $(x + 3)(7x - 1) = x + 3$

e. $\dfrac{1}{3}x^2 + x - \dfrac{1}{2} = 0$ **f.** $x^3 - 5x^2 + 3x = 0$

g. $10k^2 - 49k + 51 = 0$

h. $(4x - 7)(x - 5) + (x - 3)^2 = (x + 2)^2$

31 On considère le trinôme suivant :

$$(m + 3)x^2 + 2(3m + 1)x + (m + 3)$$

Pour quelles valeurs de m a-t-il une racine double ? Calculer alors la valeur de cette racine.

32 On considère le trinôme suivant :

$$x^2 - (2m + 3)x + m^2$$

Pour quelle valeur de m a-t-il une racine double ? Calculer alors la valeur de cette racine.

33 On considère l'équation suivante :

$$(4m + 1)x^2 - 4mx + m - 3 = 0$$

Pour quelle(s) valeur(s) de m admet-elle des solutions distinctes ?

34 On considère l'équation $2x^2 - (m + 2)x + m - 2 = 0$.

a. Calculer m pour que l'une des solutions soit égale à 3.

b. En déduire l'autre solution de l'équation.

35 Chacune des courbes ci-dessous est la représentation graphique d'une fonction f définie sur $\mathbb{R}$ par :

$$f(x) = ax^2 + bx + c$$

a.

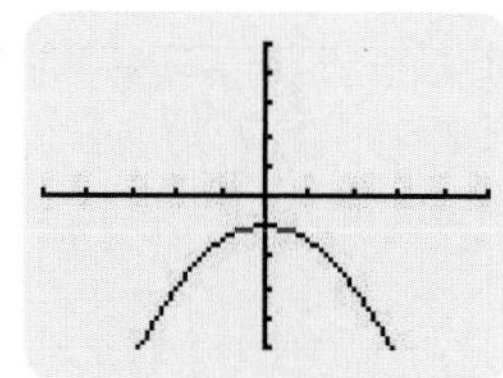

b.

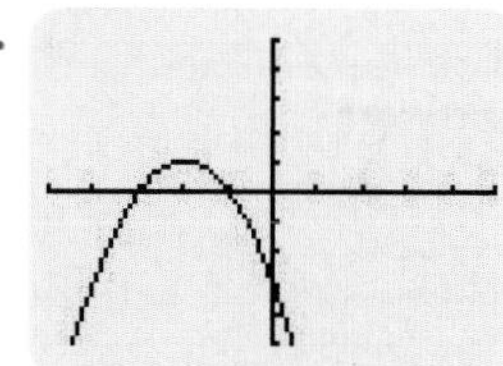

c.

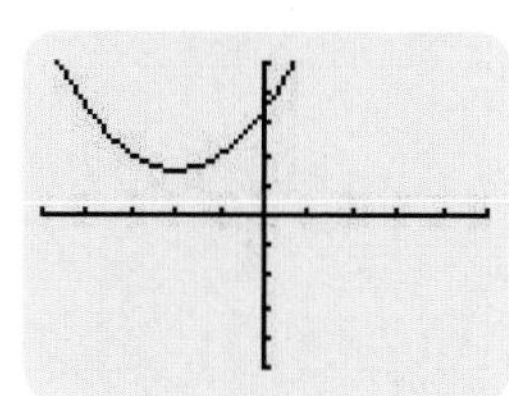

d.

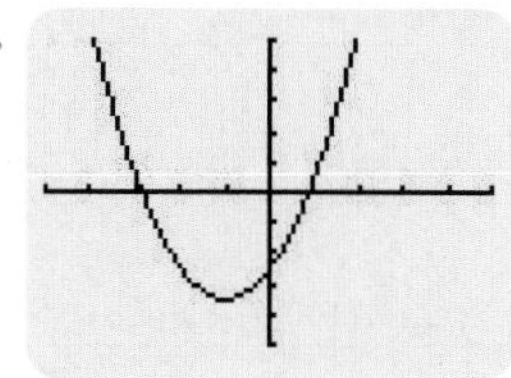

e.

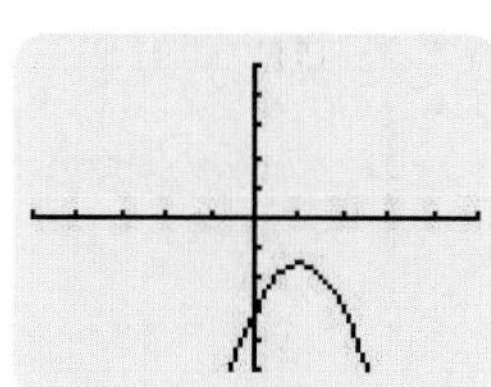

f.

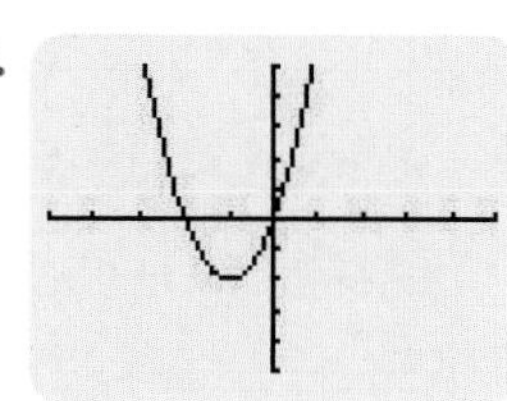

g.

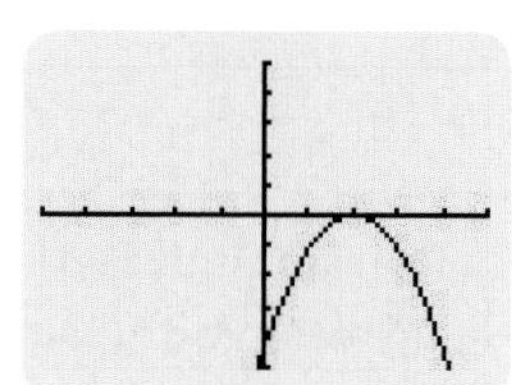

h.

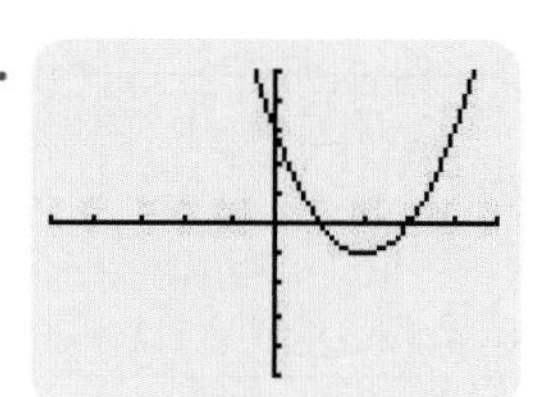

1. Dans chaque cas, déterminer graphiquement les signes des réels a et c, ainsi que celui de Δ, le discriminant du trinôme.

2. Décrire une méthode permettant de trouver le signe de b, puis déterminer ce signe dans chacun des cas proposés (on pourra, par exemple, considérer le sommet des paraboles).

36 On prolonge de 12 cm un des côtés de l'angle droit d'un triangle isocèle rectangle. La longueur de l'hypoténuse du triangle obtenu est égale à cinq fois celle du triangle initial.
Déterminer les dimensions du triangle initial.

37 La somme du quadruple de la moitié et du carré de a est égale à 100.
Combien vaut a ?

38 Six entiers naturels consécutifs sont tels que le produit des deux plus petits nombres est égal au triple de la somme des quatre plus grands.
Déterminer ces six entiers.

39 Un fermier possède deux champs rectangulaires de même aire. Le grand côté du premier mesure 350 mètres de plus que son petit côté. Le second champ est moins long de 225 mètres que le premier ; son petit côté mesure 200 mètres.
Déterminer les dimensions des deux champs.

40 Un automobiliste se rend de Colmar à Nancy, villes distantes de 150 km. Au retour, sa vitesse moyenne est supérieure de 25 km.h^{-1} à celle qu'il a réalisée à l'aller.
Déterminer ces deux vitesses sachant qu'il a roulé pendant cinq heures.

41 Résoudre les équations suivantes.

a. $x + \dfrac{1}{x} = 3$ **b.** $\dfrac{4}{x-1} - \dfrac{3}{x-2} = -1$

c. $\dfrac{2x+m}{x} - \dfrac{2x}{x+m} = 2$, où m est un réel donné.

42 Résoudre les équations suivantes.

a. $\dfrac{x^2 - x + 1}{x^2 - 2x + 2} = \dfrac{x+4}{x+2}$ **b.** $\dfrac{1}{x^2 - 9} + \dfrac{14}{x-3} = -3$

43 Résoudre les équations suivantes en posant le changement d'inconnue $X = x^2$.

a. $x^4 - 16x^2 + 39 = 0$

b. $3x^4 - 4x^2 - 4 = 0$

c. $16x^4 - 24x^2 + 9 = 0$

44 Résoudre les équations suivantes par changement d'inconnue.

a. $2(\cos x)^2 - 7\cos x + 3 = 0$

b. $\dfrac{6}{(x-2)^2} - \dfrac{11}{x-2} - 7 = 0$

c. $5x + 7\sqrt{x} - 6 = 0$

45 Résoudre les systèmes d'équations suivants.

a. $\begin{cases} x + y = 3 \\ xy = -70 \end{cases}$ **b.** $\begin{cases} x + y = 12 \\ xy = 36 \end{cases}$

c. $\begin{cases} x + y = 4 \\ xy = 5 \end{cases}$ **d.** $\begin{cases} x + y = 126 \\ xy = 3569 \end{cases}$

46 Un champ rectangulaire a pour périmètre 338 m et pour aire 6 328 m^2.
Déterminer les dimensions du champ.

47 **a.** À l'aide de la calculatrice, tracer les représentations graphiques des fonctions $x \mapsto 7 - x$ et $x \mapsto 2\sqrt{x-4}$.

b. Résoudre graphiquement l'équation $7 - x = 2\sqrt{x-4}$.

c. Résoudre par le calcul l'équation $7 - x = 2\sqrt{x-4}$.

48 Reprendre l'exercice **47** avec les fonctions $x \mapsto x$ et $x \mapsto \sqrt{2x+2}$.

49 Résoudre l'équation $\frac{x-\sqrt{x+1}}{x+\sqrt{x+1}} = \frac{11}{5}$.

Pour les exercices 50 et 51

Écrire, quand c'est possible, les trinômes proposés sous forme d'un produit de deux polynômes de degré 1.

50 **a.** $2x^2 - 10x + 12$ **b.** $3x^2 + 7x + 2$
c. $4x^2 + 4x - 8$ **d.** $3x^2 - 2x\sqrt{3} + 1$

51 **a.** $25x^2 - 70x + 49$ **b.** $2x^2 - 5x + 4$
c. $x^2 - x - 1$ **d.** $x^2 + (\sqrt{2} + \sqrt{3})x + \sqrt{6}$

52 Mettre le polynôme $f(x) = x^3 - 3x^2 + 2x$ sous forme d'un produit de trois polynômes de degré 1.

53 Soit la fonction f définie sur $\mathbb{R}$ par :
$$f(x) = 4x^3 + 9x^2 - 16x - 36$$
a. Développer, réduire et ordonner $(x + 2)(ax^2 + bx + c)$.
b. Déterminer des réels a, b et c tels que :
$$f(x) = (x + 2)(ax^2 + bx + c)$$
c. Écrire $f(x)$ sous la forme d'un produit de trois polynômes de degré 1.

54 **a.** Factoriser les expressions $x^2 - x - 6$ et $2x^2 + 3x - 2$.
b. Résoudre l'équation $\frac{2}{x^2-x-6} + \frac{x}{2x^2+3x-2} = 0$.

Savoir-faire 6 p. 33

Signe du trinôme

55 Soit f la fonction définie sur $\mathbb{R}$ par :
$$f(x) = 10x^2 - 11x + 3$$
a. Construire la représentation graphique de f à l'aide de la calculatrice.
b. Conjecturer le signe de f sur $\mathbb{R}$.
c. Calculer le discriminant du trinôme.
Le résultat est-il cohérent avec la conjecture ?
d. Construire, par le calcul, le tableau de signes de f.

56 Construire le tableau de signes de chacun des trinômes suivants.
a. $-2x^2 + 8x - 6$ **b.** $\frac{8}{49}x^2 - \frac{4}{21}x + \frac{1}{18}$
c. $-x^2 + 3x - 5$ **d.** $2x^2 - 5x + 1$

57 En choisissant la méthode la plus adaptée, construire le tableau de signes de chacun des trinômes suivants.
a. $(5x - 3)(2 - x)$
b. $(x + 1)^2 - 4(x + 2)^2$
c. $(2x + 1)(x - 3) - (6x^2 + 3x)$
d. $-(x + 2)^2 - 3$

Pour les exercices 58 à 60

1. Résoudre chacune des inéquations.
2. Vérifier graphiquement le résultat à l'aide de la calculatrice.

58 **a.** $5x^2 + 2x - 3 \leqslant 0$ **b.** $(2x + 3)(3x - 12) < 0$
c. $3x^2 - x + 1 > 0$ **d.** $-5x^2 + 19x + 4 \geqslant 0$

Savoir-faire 7 p. 34

59 **a.** $4x^2 + 3x - 20 > -2(x^2 + x - 18)$
b. $3x + 14 + \frac{15}{x} \leqslant 0$
c. $(3x - 2)^2 > (x + 1)^2$

60 **a.** $(x^2 - 4)(x^2 - 4x + 3) \geqslant 0$
b. $\frac{3-4x^2-11x}{x^2-7x+10} < 0$ **c.** $\frac{7x-10}{5x-17} \geqslant \frac{25(x+2)}{10x^2-49x+51}$

Coup de pouce

a., **b.** et **c.** Utiliser un tableau de signes.

61 Résoudre les inéquations suivantes.
a. $\frac{x+4}{2x-3} + \frac{2x-3}{x+4} \geqslant 0$ **b.** $\frac{1}{x-1} + \frac{1}{x-9} > \frac{1}{x}$
c. $\frac{5}{x+7} - \frac{2}{2x-1} > \frac{7}{9(x-1)}$

62 **a.** Déterminer les positions relatives de la droite d d'équation $y = 2x + 1$ et de la parabole $\mathcal{P}$ d'équation $y = 2x^2 - 9x + 13$.
b. Vérifier graphiquement le résultat obtenu en traçant la droite d et la parabole $\mathcal{P}$ à l'aide de la calculatrice.

63 **a.** Tracer à l'aide de la calculatrice les paraboles $\mathcal{P}$ d'équation $y = x^2 + 4x - 1$ et $\mathcal{P}'$ d'équation $y = -x^2 + x + 4$.
b. Étudier graphiquement les positions relatives des paraboles $\mathcal{P}$ et $\mathcal{P}'$.
c. Retrouver ces résultats par le calcul.

64 Soit f la fonction définie par :
$$f(x) = \frac{2(x^2-1)}{x^2+2x+2}$$
et $\mathcal{C}_f$ sa courbe représentative.
a. Déterminer l'ensemble de définition de la fonction f.
b. Tracer la courbe $\mathcal{C}_f$ sur l'écran de la calculatrice. Décrire la position de $\mathcal{C}_f$ par rapport aux droites d'équations $y = -2$ et $y = 4$.
c. Montrer que, pour tout x, on a l'encadrement :
$$-2 \leqslant f(x) \leqslant 4$$
d. Calculer $f\left(\frac{\sqrt{5}-3}{2}\right)$.
Montrer que le minimum de f est $1 - \sqrt{5}$.

Raisonnement logique

▸ Fiches Raisonnement logique p. 8 à 10

65 Vrai ou faux ?

Pour chaque affirmation, indiquer si elle est vraie ou fausse ; justifier.

On considère une fonction f définie sur $\mathbb{R}$ par :

$$f(x) = ax^2 + bx + c$$

avec $a \neq 0$, et Δ le discriminant du trinôme f.

a. Si pour tout réel x, $f(x) \leqslant 0$, alors $\Delta < 0$.
b. Si pour tout réel x, $f(x) < 0$, alors $\Delta < 0$.
c. Si $\Delta < 0$, alors pour tout réel x, $f(x) < 0$.
d. Si f a deux racines opposées, alors $b = 0$.
e. Si $a + b + c = 0$, alors 1 est racine de f.
f. Si $-a - b + c = 0$, alors -1 est racine de f.
g. Si $c = 0$, alors 0 est racine de f.
h. S'il existe un réel α tel que $af(\alpha)$ est strictement négatif, alors le trinôme f a deux racines distinctes.

66 Vrai ou faux ?

Pour chaque affirmation, indiquer si elle est vraie ou fausse ; justifier.

a. La somme de deux polynômes de degré 2 est un polynôme de degré 2.
b. Une droite et une parabole d'équation $y = ax^2 + bx + c$ peuvent avoir trois points d'intersection.
c. Pour $m \geqslant 2$, l'équation $x^4 - (m + 1)x^2 + m = 0$ admet quatre solutions distinctes.

67 Réciproque, contraposée

La fonction f est un trinôme du second degré de discriminant Δ.

On considère la proposition (P_1) suivante :

« S'il existe deux réels x_1 et x_2 tels que $f(x_1)f(x_2) < 0$, alors $\Delta > 0$. »

1. a. Énoncer la contraposée (P_2) de la proposition (P_1).
b. La proposition (P_2) est-elle vraie ? Justifier.
c. La proposition (P_1) est-elle vraie ? Justifier.

2. a. Énoncer la réciproque (P_3) de la proposition (P_1).
b. La proposition (P_3) est-elle vraie ? Justifier.

68 Réciproque, contraposée

La fonction f est définie sur $\mathbb{R}$ par :

$$f(x) = ax^2 + bx + c$$

avec $a \neq 0$.

On considère la proposition (P_1) suivante :

« Si $ac < 0$, alors l'équation $f(x) = 0$ a deux solutions distinctes. »

1. La proposition (P_1) est-elle vraie ? Justifier.

2. a. Énoncer la contraposée (P_2) de la proposition (P_1).
b. La proposition (P_2) est-elle vraie ? Justifier.

3. a. Énoncer la réciproque (P_3) de la proposition (P_1).
b. La proposition (P_3) est-elle vraie ? Justifier.

69 Trinôme ?

a. La fonction f définie sur $\mathbb{R}$, telle que $f(1) = f(4) = f(5) = 0$, peut-elle être une fonction polynôme de degré 2 ? Justifier la réponse en citant la propriété utilisée.
b. La fonction g définie sur $\mathbb{R}$, telle que $g(1) = g(4) = g(5) = 3$, peut-elle être une fonction polynôme de degré 2 ? Justifier la réponse.

Restitution des connaissances

70 Soit f la fonction trinôme définie par $f(x) = ax^2 + bx + c$ (avec $a \neq 0$), et Δ le discriminant du trinôme f.

1. On appelle x_1 et x_2 les deux racines, éventuellement confondues, du trinôme f ; on pose $S = x_1 + x_2$ et $P = x_1x_2$. Démontrer les égalités suivantes :

$$S = -\frac{b}{a} \quad \text{et} \quad P = \frac{c}{a}.$$

2. Applications

a. Connaissant la racine x_1, calculer la seconde racine x_2 de chacun des trinômes suivants.
i) $f(x) = 3x^2 - 14x + 8$ avec $x_1 = 4$.
ii) $f(x) = 7x^2 + 23x + 6$ avec $x_1 = -3$.
iii) $f(x) = mx^2 + (2m + 1)x + 2$ avec $x_1 = -2$.

b. Pour chacun des trinômes suivants, trouver une racine x_1 entière, comprise entre -2 et 2, puis en déduire la deuxième racine. (On dit que x_1 est une **racine évidente** du trinôme.)
i) $f(x) = 2x^2 + 11x - 13$ **ii)** $f(x) = -3x^2 - 5x + 2$ **iii)** $f(x) = x^2 + (1 - \sqrt{5})x - \sqrt{5}$

Se tester sur... le second degré

CORRIGÉ P. 342

Pour chaque question, indiquer la (les) bonne(s) réponse(s).

Fonctions polynômes de degré 2

71 La forme canonique de $f : x \mapsto -3x^2 + 3x + 1$ est :

A $-3\left(x-\frac{1}{2}\right)^2+\frac{5}{2}$ B $-3\left(x+\frac{1}{2}\right)^2+\frac{7}{4}$

C $-3\left(x-\frac{1}{2}\right)^2+\frac{7}{4}$

72 La forme canonique de $f : x \mapsto x^2 + 4$ est :

A $(x-2)^2 + 4x$ B $(x+2)^2 - 4x$ C $x^2 + 4$

Équations du second degré

73 Le discriminant du trinôme $-x^2 + 3x - 2$ est :

A 1 B 9 C 17

74 L'équation $3x^2 - 4\sqrt{3}x + 4 = 0$ a :

A aucune solution. B une solution.

C deux solutions.

75 L'équation $2x^2 - 4x + 1 = 0$ a pour solutions :

A $\frac{2-\sqrt{2}}{2}$ et $\frac{2+\sqrt{2}}{2}$. B $2-\sqrt{2}$ et $2+\sqrt{2}$.

C $1-\sqrt{2}$ et $1+\sqrt{2}$.

76 L'équation $5x^2 - mx - 1 = 0$, où m est un réel donné, a :

A aucune solution. B une solution.

C deux solutions.

Signe du trinôme

77 L'expression $-x^2 - 9x - 20$ est strictement positive pour :

A aucun réel x. B tout réel x de $]-5 ; -4[$.

C tout réel x.

78 L'équation $-x^4 + x^2 - 1 = 0$ a :

A aucune solution. B deux solutions.

C quatre solutions.

79 L'ensemble des solutions de l'inéquation $-x^2 + x + 6 > 0$ est :

A $]-\infty ; -2[\cup]3 ; +\infty[$ B $]-2 ; 3[$ C $\{-2 ; 3\}$

80 La fonction $x \mapsto -x^2 - x$:

A a pour maximum $\frac{1}{4}$. B a pour minimum $\frac{1}{4}$.

C est toujours négative.

81 La parabole ci-contre est la courbe représentative de la fonction f définie par :

A $f(x) = -2x^2 + 7x - 5$

B $f(x) = -2x^2 + 8x - 9$

C $f(x) = 2x^2 + 9x - 5$

D $f(x) = -2x^2 - 4x - 9$

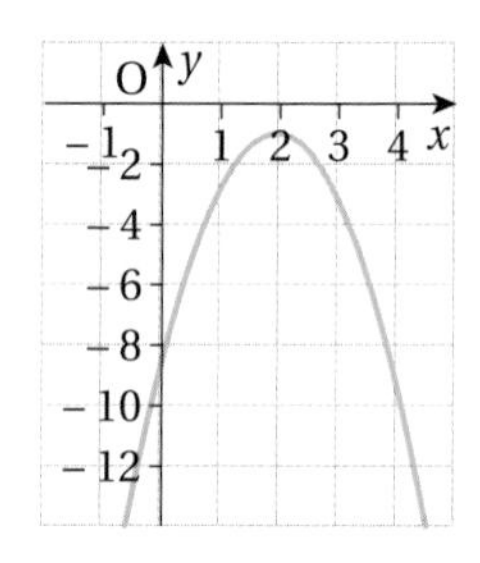

PRÊT POUR LE CONTRÔLE ?

82 Soit f la fonction définie sur $\mathbb{R}$ par :

$$f(x) = -4x^2 + 4x + 2$$

a. Donner la forme canonique du trinôme f.

b. Démontrer, en utilisant cette forme canonique, que la fonction f admet un maximum et déterminer la valeur de ce maximum.

c. Donner le tableau de variations de la fonction f.

d. Tracer l'allure de la courbe représentative de f.

83 Résoudre les équations et inéquations suivantes dans $\mathbb{R}$.

a. $x^2 - 7x + 30 = 0$ **b.** $x^2 + 2x = \frac{7}{9}$

c. $x^2 - 4x + 7 = 0$ **d.** $9x^2 - 6x\sqrt{2} + 2 = 0$

e. $3x^4 - 5x^2 - 2 = 0$ (On pourra poser $X = x^2$.)

f. $3x^2 + 10x + 7 < 0$ **g.** $-x^2 + 3x + 3 \leqslant 0$

84 Soit g la fonction définie sur $\mathbb{R}$ par :

$$g(x) = 6x^3 - x^2 - 5x + 2$$

a. Déterminer trois réels a, b et c tels que, pour tout réel x, $g(x) = (3x-2)(ax^2 + bx + c)$.

b. Résoudre l'équation $g(x) = 0$.

c. Résoudre l'inéquation $g(x) \geqslant 0$.

85 Soit h la fonction définie sur $\mathbb{R}$ par :

$$h(x) = x^2 - ax + 3$$

où a est un nombre réel.

Déterminer la (les) valeur(s) de a pour la(les)quelle(s) :

a. h admet deux racines distinctes.

b. h admet une racine double.

c. h n'admet pas de racine.

d. le minimum de h est strictement inférieur à -1.

Problèmes

86 Nombre d'or

Le *format* d'un rectangle de longueur L et de largeur ℓ ($L \geqslant \ell$) est le quotient $\dfrac{L}{\ell}$.

Deux rectangles de même format sont dits *semblables*.

Soit ABCD un rectangle de longueur $L = \text{AB}$ et de largeur $\ell = \text{AD}$. On dit que ce rectangle est un rectangle d'or s'il a le même format que le rectangle EBCF obtenu en retirant le carré de côté [AD].

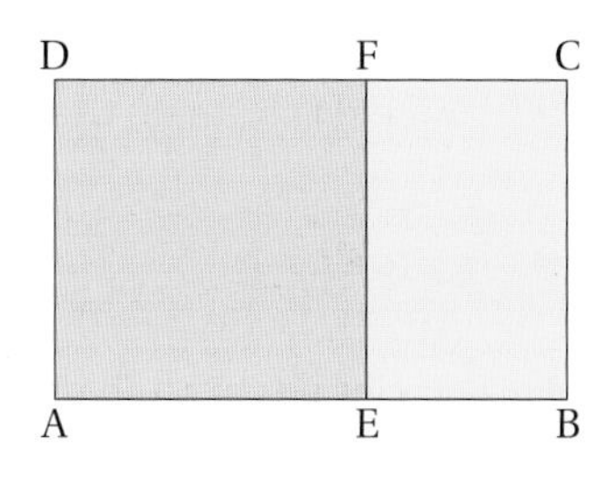

On pose $\Phi = \dfrac{L}{\ell}$.

a. Démontrer que si ABCD est un rectangle d'or, alors on a l'égalité $\dfrac{L}{\ell} = \dfrac{\ell}{L - \ell}$. En déduire que $\Phi^2 = \Phi + 1$.

b. Déterminer la valeur exacte de Φ, puis une valeur approchée à 10^{-3} près. Le nombre Φ est appelé *nombre d'or*.

87 Intersection d'une droite et d'une parabole — TICE

Le plan est rapporté à un repère orthogonal. Le réel m étant fixé, on définit la droite d_m d'équation $y = 2x + m$.

On considère la parabole $\mathcal{P}$ d'équation $y = x^2 + 6x + 6$.

On se propose de rechercher l'intersection de la parabole $\mathcal{P}$ et des droites d_m, puis d'étudier un ensemble de points lié à ces intersections.

1. Tracer la parabole $\mathcal{P}$ à l'aide de *GeoGebra*.

2. À l'aide de l'icône [a=2], créer un curseur permettant de faire varier le réel m, puis tracer la droite d_m.

3. À l'aide du graphique, déterminer pour quelles valeurs de m la droite d_m et la parabole $\mathcal{P}$ ont :

a. deux points d'intersection ;

b. exactement un point d'intersection (dont on donnera les coordonnées) ;

c. aucun point d'intersection.

4. Retrouver par le calcul les résultats obtenus à la question **3**.

5. Dans le cas où la droite d_m et la parabole $\mathcal{P}$ ont deux points d'intersection A et B, on définit le point C, milieu du segment [AB].

a. Lorsque m varie dans $\mathbb{R}$, à quel ensemble le point C semble-t-il appartenir ?

b. Déterminer par le calcul l'ensemble décrit par le point C lorsque m décrit $\mathbb{R}$ (on pourra, dans un premier temps, exprimer les coordonnées des points A et B en fonction de m).

88 Golf

Bei einem Golfspiel kann sich die Flugbahn des Golfballs durch eine Parabel annähern lassen. Die Abbildung zeigt eine solche Parabel.

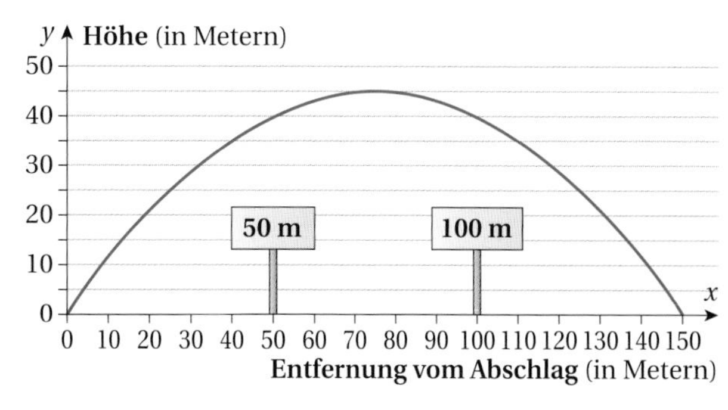

a. Welche maximale Höhe erreicht der Golfball?
Wie weit fliegt er?

b. Eine der folgenden Funktionsgleichungen gehört zu der oben dargestellten Parabel:

[A] $y = -0{,}008x^2 + 45$ [B] $y = -0{,}008x^2 + 1{,}2x$

[C] $y = 0{,}008x^2 - 1{,}2x$

Durch welche Kriterien können die beiden Funktionsgleichungen, die die Bahn nicht beschreiben, ausgeschlossen werden?

c. Eine andere Flugbahn wird durch die Gleichung $y = x(0{,}6 - 0{,}005x)$ beschrieben.

- In welcher Entfernung vom Abschlag landet der Golfball bei dieser Bahn?
- Welche Höhe hat der Golfball erreicht, wenn er sich genau über der 50 m – Markierung befindet?
- Über welcher Markierung befindet sich der Ball ein zweites Mal in dieser Höhe?

Begründen Sie Ihre Antworten.

89 Cercle et racines

Le plan est muni d'un repère orthonormé $(\text{O}\,;\vec{i},\vec{j})$.

a et b sont deux réels donnés, et R et S sont les points de coordonnées respectives $(0\,;1)$ et $(a\,;b)$. Soit T un point de l'axe des abscisses.

Démontrer l'équivalence suivante :

« Le point T appartient au cercle de diamètre [RS] *si et seulement si* l'abscisse de T est solution de l'équation $x^2 - ax + b = 0$. »

90 Fuites d'eau

Un récipient cylindrique vertical de 4 m de hauteur est rempli d'eau. Sur ce cylindre, on a percé trois trous identiques A, B et C. Ces trous sont situés sur une même verticale, respectivement à 1, 2 et 3 mètres du sol.

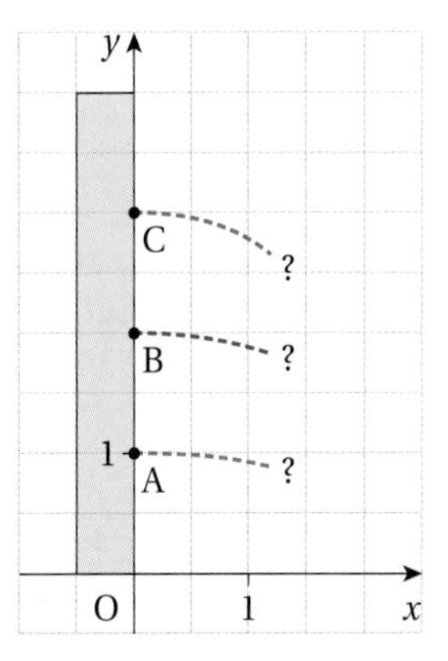

On cherche à connaître les trajectoires des jets d'eau au départ de l'expérience, et l'ordre de leurs points de chute par rapport à la base du récipient. Pour cela, on se place dans le repère orthonormé d'origine O à la base du récipient, l'unité correspondant à 1 m.

a. À l'instant $t = 0$, on débouche un trou.
La trajectoire théorique des premières gouttes est donnée par :

$$y = h - \frac{1}{2}gt^2 \text{ et } x = t\sqrt{2gH}$$

où g est la constante liée à l'accélération de la pesanteur, h la hauteur du trou et H la hauteur de la colonne d'eau au-dessus du trou.
Exprimer y en fonction de x.

b. Tracer dans un même repère les trajectoires des premières gouttes d'eau sortant par les trous A, B et C.

c. Dans quel ordre sont rangés leurs points de chute ? Vérifier par le calcul.

Sangaku

Les **sangaku** sont des énigmes géométriques japonaises peintes sur des tablettes de bois, puis accrochées dans les temples bouddhistes et les autels shintoïstes. Les figures proposées sont souvent très esthétiques mais cachent parfois des problèmes redoutables.

Les problèmes 91 et 92 en sont deux exemples.

91 Sangaku 1 — Problème ouvert

Dans un cercle $\mathscr{C}$ de centre O et de rayon $R = 50$ est inscrit un triangle équilatéral ABC. On appelle D le milieu du segment [AB], et on construit le triangle équilatéral DEF dont les sommets sont sur le cercle $\mathscr{C}$. Le point H est le milieu du segment [EF].
Déterminer le côté a du triangle DEF.

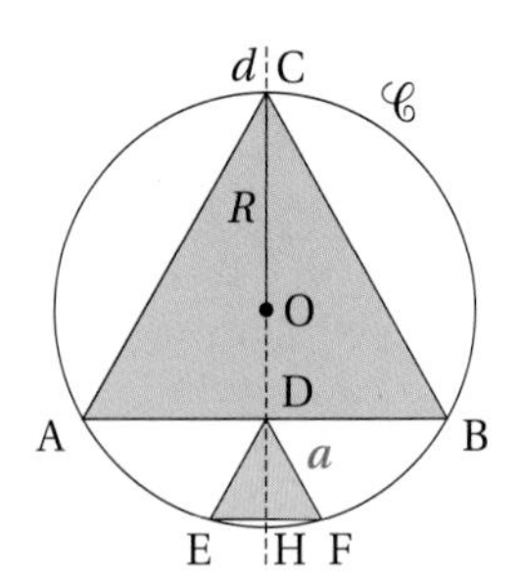

92 Sangaku 2 — Problème ouvert

Deux cercles de rayon R, de centres respectifs O_1 et O_2, sont tangents à la droite Δ. Comme indiqué sur la figure suivante, un carré de côté a, « posé » sur la droite Δ, touche les deux cercles.

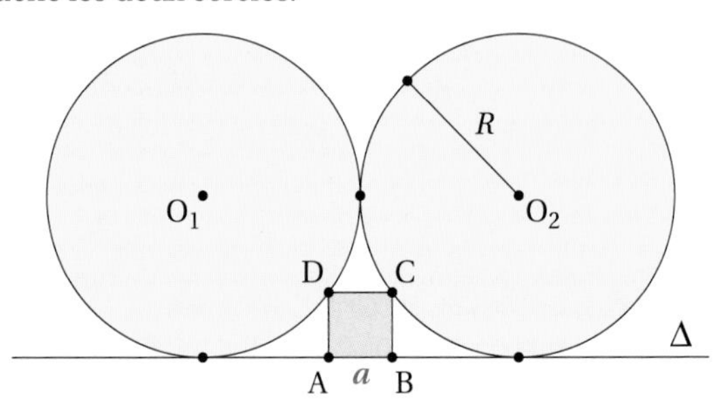

Exprimer a en fonction de R.

93 Une belle marge

Marc achète sur Internet un téléphone portable qu'il revend ensuite au prix de 459 euros. Son gain sur la vente, exprimé en pourcentage du prix d'achat P, est exactement égal à ce prix d'achat.
Déterminer P.

94 Le juste prix

Un numéro spécial du journal du lycée, destiné à financer une sortie scolaire, va bientôt paraître. Il faut en déterminer le prix de vente. Les jeunes rédacteurs réalisent une enquête dont les résultats sont les suivants.
Si le journal est vendu 1 euro, il s'en vendra 600 exemplaires.
Pour chaque augmentation du prix de 5 centimes, 40 exemplaires de moins seront vendus ; inversement, pour chaque baisse de prix de 5 centimes, 40 exemplaires de plus seront vendus.
Sachant que le coût de la fabrication d'un exemplaire est de 45 centimes, quel prix de vente choisir pour maximiser le bénéfice ?
Quel est alors le bénéfice réalisé ?

95 Un problème difficile

Un problème difficile, par Nikolaï Bogdanov-Belsky (1895).

a. Trouver toutes les suites de 5 entiers consécutifs tels que la somme des carrés des trois premiers nombres soit égale à la somme des carrés des deux derniers nombres.

b. En déduire par un calcul mental le résultat de :

$$\frac{10^2+11^2+12^2+13^2+14^2}{365}$$

96 Dans un triangle

Le périmètre d'un triangle rectangle vaut 30, et la somme des carrés de ses côtés 338.
Déterminer les longueurs de ses trois côtés.

97 Two turkeys

"Together these two turkeys weigh twenty pounds," said the butcher. "The little fellow sells for two cents a pound more than the big bird."
Mrs. Smith bought the little one for 82 cents and Mrs. Brown paid $2,96 for the big turkey.
How much did each turkey weigh?

D'après Sam Loyd (1841 - 1911)

98 En groupe

Un groupe d'étudiants a loué un car pour 60 euros en tout. Quatre étudiants tombent malades ; la participation individuelle de ceux qui restent augmente alors de 2,50 euros.
Combien d'étudiants y avait-il initialement dans le groupe ?

99 Pavé droit

Un pavé droit est tel que sa hauteur mesure 2 cm de plus que sa largeur et 3 cm de moins que sa longueur.
Calculer les dimensions du pavé droit sachant que son aire latérale vaut 180 cm^2.

100 Différences

La différence de deux nombres est 50. La différence du produit et de la somme de ces deux nombres est également 50.
Déterminer le plus petit des deux nombres.

101 Triangle et rectangle

Sandra dispose d'un triangle rectangle en papier, dont les côtés de l'angle droit mesurent 8 cm et 6 cm.
Elle souhaiterait y découper un rectangle dont deux côtés reposent sur les côtés de l'angle droit du triangle.
Déterminer l'aire maximale d'un rectangle ainsi obtenu.

102 À la recherche des cubes 

On cherche à déterminer les nombres **entiers** naturels n tels que la quantité $n^3 + 87n - 287$ soit le cube d'un entier positif. Répondre aux questions suivantes en utilisant un logiciel de calcul formel.

1. Montrer que l'équation $n^3 + 87n - 287 = n^3$ n'a pas de solutions entières.

2. Dans chaque cas, déterminer les valeurs des entiers naturels n et m vérifiant l'égalité $n^3 + 87n - 287 = m^3$.
a. $m = n + 1$ **b.** $m = n + 2$ **c.** $m = n - 1$ **d.** $m = n - 2$

```
1 f(x):=x^3+87*x-287
        x ->x^3+87·x-287
2 287/87.0
        3.29885057471
3 developper(f(x)-(x+1)^3)
        0-3·x^2+84·x-288
4 resoudre(-3*x^2+84*x-288=0)
        [4, 24]
```

3. On suppose maintenant que $m = n + p$, avec $p \geqslant 3$.
a. Montrer que le discriminant de l'équation du second degré obtenue peut s'écrire :

$$\Delta = -3p^4 - 522p^2 - 3\,444(p-3) - 2\,763$$

b. En déduire le signe de Δ, puis le nombre de solutions de l'équation.

4. On considère enfin le cas $m = n - p$, avec $p \geqslant 3$.
a. Montrer que le discriminant de l'équation du second degré obtenue peut s'écrire :

$$\Delta = -3[(p^3 + 7p^2 + 223p + 413)(p-7) + 368]$$

En déduire le signe de Δ dans le cas où $p \geqslant 7$.
b. Évaluer Δ et $\sqrt{\Delta}$ dans les cas $p = 3$, $p = 4$, $p = 5$ et $p = 6$.
c. En déduire le nombre de solutions de l'équation du second degré.

5. Conclure.

103 Équation particulière Algorithmique

1. Si x est un entier naturel, on note $P(x)$ le produit de ses chiffres. Démontrer par un raisonnement que 12 est l'unique entier naturel x compris entre 0 et 99 tel que $x^2 - 10x - 22 = P(x)$.

2. Pour résoudre ce problème, Samuel a saisi le programme ci-contre sur sa calculatrice.

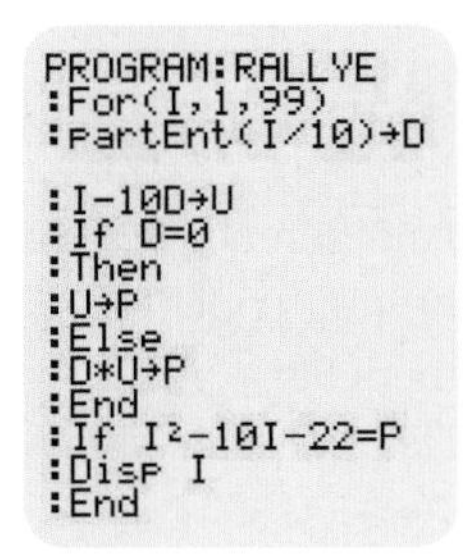

a. Expliquer le fonctionnement de ce programme, sachant que l'instruction `partEnt(x)` désigne la partie entière du nombre x, c'est-à-dire le plus grand nombre entier inférieur ou égal à x (par exemple, `partEnt`(5.73)= 5).

b. Samuel lance son programme qui lui renvoie l'unique valeur 12. Samuel a-t-il démontré le résultat demandé ?

104 Simplification d'écriture 1

Si x est un nombre réel, le seul nombre réel dont le cube est égal à x s'appelle la racine cubique de x et se note $\sqrt[3]{x}$.

Par exemple : $\sqrt[3]{1000} = 10 = 2 \times 5 = \sqrt[3]{8} \times \sqrt[3]{125}$.

On définit $\alpha = \sqrt[3]{\sqrt{5}+2} - \sqrt[3]{\sqrt{5}-2}$.

a. Montrer que $\alpha^3 + 3\alpha - 4 = 0$.

b. Montrer qu'il existe trois réels a, b et c tels que, pour tout réel x : $x^3 + 3x - 4 = (x-1)(ax^2 + bx + c)$.

c. En déduire que α est un nombre entier.

105 Simplification d'écriture 2

On suppose qu'il existe un seul nombre réel a qui peut s'écrire sous la forme suivante : $a = 2 + \cfrac{15}{2 + \cfrac{15}{2 + \cfrac{15}{2 + \ldots}}}$

Déterminer la valeur de a.

COUP DE POUCE

On pourra chercher une équation dont a est solution.

106 Carrelage

On souhaite carreler le sol d'une salle carrée avec des carreaux carrés, blancs ou gris, tous de même dimension. Le motif est constitué de deux carrés blancs et deux rectangles gris. Le plus grand carré blanc a, sur chacun de ses côtés, exactement huit carreaux de plus que le plus petit.

Sachant qu'on utilise en tout 1 000 carreaux blancs, déterminer le nombre de carreaux gris nécessaires.

107 Aire d'un parallélogramme

On considère un rectangle ABCD et quatre points I, J, K et L situés respectivement sur les côtés [AB], [BC], [CD] et [DA], tels que AI = BJ = CK = DL.

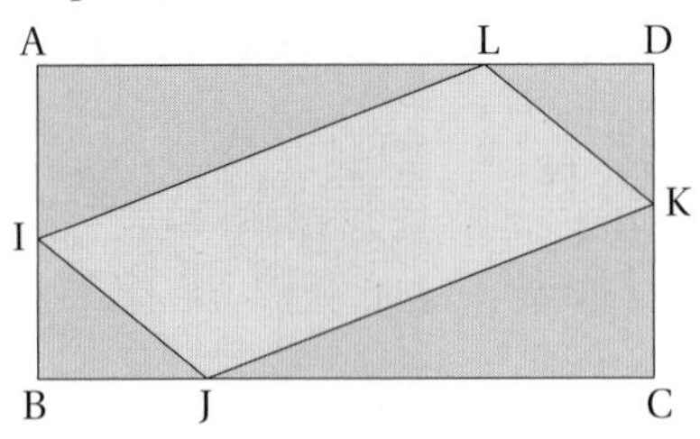

1. Démontrer que le quadrilatère IJKL est un parallélogramme.

2. Déterminer la position du point I sur le côté [AB] pour que l'aire du parallélogramme IJKL soit minimale dans chacun des cas suivants.

a. BC = 2AB

b. BC = 3AB

108 Orthocentre TICE

Dans le plan, ABC est un triangle quelconque. On note K le centre de son cercle circonscrit et H son orthocentre. On s'intéresse au lieu $\mathscr{L}$ des points H quand C se déplace sur une droite parallèle à la droite (AB).

1. a. Faire une figure avec un logiciel de géométrie dynamique, faisant apparaître les points A et B, le point C sur une droite parallèle à la droite (AB), le triangle ABC, le point H et le point K.

Afficher la trace du point H quand C varie sur la parallèle à (AB).

Faire une conjecture concernant la nature du lieu $\mathscr{L}$ des points H.

b. Vérifier à l'aide du logiciel (la vérification par le calcul n'est pas demandée ici) l'égalité (E) :

$$\overrightarrow{KH} = \overrightarrow{KA} + \overrightarrow{KB} + \overrightarrow{KC}$$

2. À partir de cette question, le plan est rapporté à un repère orthonormé $(O\,;\vec{i}, \vec{j})$. Les points A et B sont donnés par leurs coordonnées : A(–1 ; 1) et B(1 ; 1). Le point C est sur l'axe des abscisses, et a pour abscisse un réel x.

a. Demander à nouveau le lieu $\mathscr{L}$ des points H.

b. Quelle en serait une équation ?

3. Vérifier la conjecture émise à la question **2b** en traçant le lieu des points H grâce à son équation.

4. a. Montrer que le point K appartient à la médiatrice du segment [AB] ; en déduire l'abscisse du point K.

b. Montrer l'égalité KB = KC.

En déduire que K a pour coordonnées $\left(0\,; \dfrac{2-x^2}{2}\right)$.

c. À l'aide de l'égalité (E) donnée à la question **1**, déduire les coordonnées de H puis l'équation du lieu ($\mathscr{L}$).

D'après Épreuve pratique du baccalauréat – expérimentation, 2007.

109 Deux courbes qui se frôlent TICE

Il s'agit de déterminer, dans certains cas particuliers, les conditions pour qu'une parabole et un cercle soient tangents l'un à l'autre (c'est-à-dire qu'ils aient un point commun en lequel leurs tangentes respectives sont identiques).

Le plan est rapporté au repère orthonormé $(O~;~\vec{i}, \vec{j})$.
Soit r un nombre réel strictement positif.
On considère la parabole $\mathscr{P}$ d'équation $y = x^2 - 3$ et le cercle $\mathscr{C}$ de centre O et de rayon r.

1. Un peu d'exploration

a. À l'aide d'un logiciel de géométrie dynamique construire la parabole $\mathscr{P}$ et le cercle $\mathscr{C}$.

b. Conjecturer le nombre de points communs à la parabole $\mathscr{P}$ et au cercle $\mathscr{C}$ en fonction du nombre réel r.

c. Donner une valeur approchée du (des) rayon(s) r tel(s) que la parabole $\mathscr{P}$ et le cercle $\mathscr{C}$ soient tangents (voir figure ci-dessous) et donner dans ce cas une valeur approchée des coordonnées des points de tangence observés.

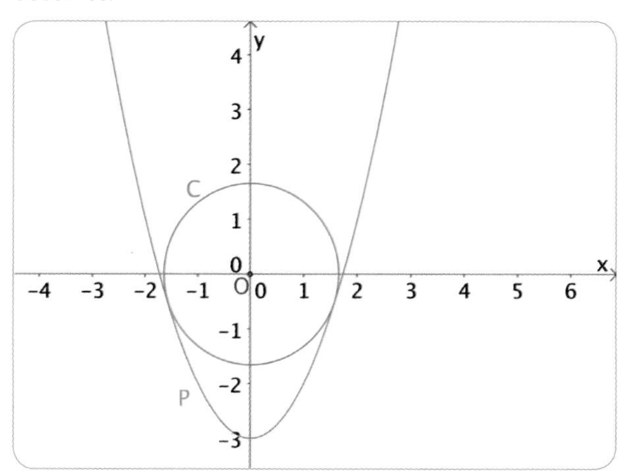

On suppose dans la suite de cette étude que $0 \leqslant r \leqslant 3$.

2. Un peu de calcul

a. Montrer que le point M de coordonnées $(x~;~y)$ appartient au cercle $\mathscr{C}$ si et seulement si $x^2 + y^2 = r^2$.

b. Écrire un système (S) d'équations vérifié par les coordonnées x et y des points communs à la parabole $\mathscr{P}$ et au cercle $\mathscr{C}$ lorsqu'ils existent.

c. En déduire qu'alors x est solution d'une équation (E) « bicarrée », c'est-à-dire de la forme $ax^4 + bx^2 + c = 0$, et pour laquelle on explicitera les valeurs de a, b et c.

3. Un peu de justification

a. Discuter du nombre de points d'intersection du cercle et de la parabole lorsque $0 < r < 3$ et faire le lien avec le nombre de solutions de l'équation (E).

b. Caractériser les cas de tangence et en déduire la valeur du rayon r, ainsi que les coordonnées des points communs à la parabole $\mathscr{P}$ et au cercle $\mathscr{C}$, dans ce cas.

110 Aire maximale d'un triangle TICE

Le plan est muni d'un repère orthonormé et $\mathscr{C}$ est la parabole d'équation $y = x^2$.
Sur $\mathscr{C}$, on considère le point fixe A d'abscisse a, réel strictement positif, et un point M dont l'abscisse x appartient à l'intervalle $[0~;~a]$.
On cherche la position de M pour laquelle l'aire du triangle OMA est maximale.

1. a. On fixe $a = 3$.
Avec un logiciel de géométrie dynamique, conjecturer la position de M qui rend l'aire du triangle OMA maximale.

b. La conjecture est-elle confirmée pour d'autres valeurs de a ?

2. Soit f la fonction qui, à tout x de $[0~;~a]$, associe l'aire du triangle OMA.

a. Déterminer l'expression de $f(x)$.

b. Étudier les variations de f et en déduire la position de M pour laquelle l'aire est maximale ainsi que la valeur de l'aire maximale.

D'après Épreuve pratique du baccalauréat - expérimentation, 2009.

111 Avec des probabilités

On dispose de deux boîtes B_1 et B_2 et contenant des boules blanches et des boules noires, indiscernables au toucher.
La boîte B_1 contient n boules noires et 1 boule blanche ; la boîte B_2 contient n boules noires et 3 boules blanches (n est un entier naturel supérieur ou égal à 1).
On tire au hasard une boule dans la boîte B_1 puis on tire au hasard une boule dans la boîte B_2.

a. Reproduire et compléter l'arbre de probabilité suivant, permettant de décrire cette expérience aléatoire.

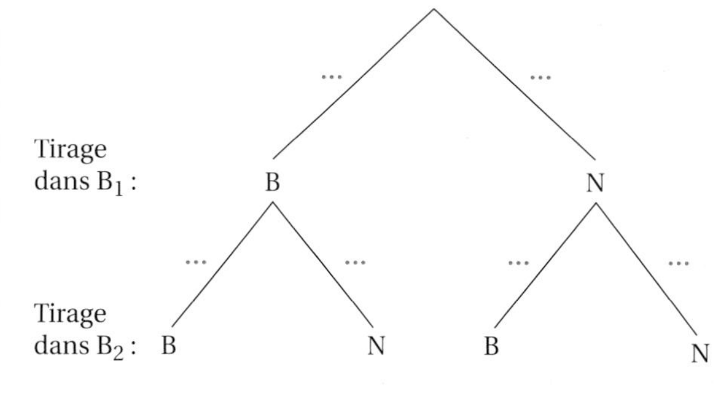

b. Déterminer l'entier n tel que la probabilité de tirer successivement deux boules blanches soit égale à 1/120.

c. Déterminer l'entier n tel que la probabilité de tirer successivement deux boules noires soit égale à 25/32.

d. Déterminer les valeurs de n pour lesquelles la probabilité de tirer successivement deux boules blanches est strictement inférieure à 1/1 000.

QCM Pour bien commencer

Pour chaque question, indiquer la (les) bonne(s) réponse(s).

CORRIGÉ P. 342 

1 Soit f une fonction définie sur l'intervalle $[-4\,;8]$ dont les variations sont données dans le tableau suivant.

x	-4	-1	0	5	8
f	2 ↘	1 ↗	3 ↘	-1 ↗	0

On peut affirmer que :

A $f(-3) \geqslant f(-2)$.

B il existe $x \in [-4\,;8]$ tel que $f(x) < -1$.

C pour tout $x \in [-4\,;0]$, $f(x) > 0$.

D si $-4 \leqslant x \leqslant -0{,}5$ alors $1 \leqslant f(x) \leqslant 3$.

2 Soit f la fonction carré $x \mapsto x^2$.

On peut affirmer que :

A pour tous réels a et b, si $a \leqslant b$ alors $f(a) \leqslant f(b)$.

B pour tous réels a et b négatifs, si $a < b$ alors $f(a) - f(b) > 0$.

C il existe un intervalle sur lequel f n'est ni croissante, ni décroissante.

D $f(-3) > f(2)$.

3 Soit f la fonction inverse $x \mapsto \dfrac{1}{x}$.

On peut affirmer que :

A pour tous réels a et b non nuls, si $a \leqslant b$ alors $f(a) \geqslant f(b)$.

B pour tous réels a et b strictement négatifs, si $a < b$ alors $f(a) > f(b)$.

C il existe un intervalle sur lequel f est croissante.

D $f(-7) < f(6)$.

4 Soit a et b deux réels tels que $2 < a < b$. On a alors :

A $\dfrac{1}{a-2} < \dfrac{1}{b-2}$ B $\dfrac{1}{a-2} > \dfrac{1}{b-2}$

C $(2-a)^2 < (2-b)^2$ D $(2-a)^2 > (2-b)^2$

5 Soit a et b deux réels positifs.

On peut affirmer que :

A $\sqrt{a}$ est positif. B $\left(\sqrt{a}\right)^2 = a$

C $\sqrt{a} \times \sqrt{b} = \sqrt{ab}$ D $\sqrt{a} + \sqrt{b} = \sqrt{a+b}$

6 Le domaine de définition de la fonction $x \mapsto \sqrt{4-x^2}$ est :

A $[0\,;2]$ B $]-\infty\,;-2[\,\cup\,]2\,;+\infty[$ C $[-2\,;2]$ D $\mathbb{R}$

7 Soit f la fonction $x \mapsto \dfrac{4x+1}{3-2x}$.

a. Le domaine de définition de f est :

A $\left]-\infty\,;-\dfrac{1}{4}\right[\cup \left]-\dfrac{1}{4}\,;+\infty\right[$ B $\left]-\infty\,;\dfrac{3}{2}\right[\cup \left]\dfrac{3}{2}\,;+\infty\right[$

C $\mathbb{R} \setminus \left\{-\dfrac{3}{2}\right\}$ D $]-\infty\,;0[\,\cup\,]0\,;+\infty[$

b. Parmi les courbes suivantes, laquelle est celle de la fonction f ?

A

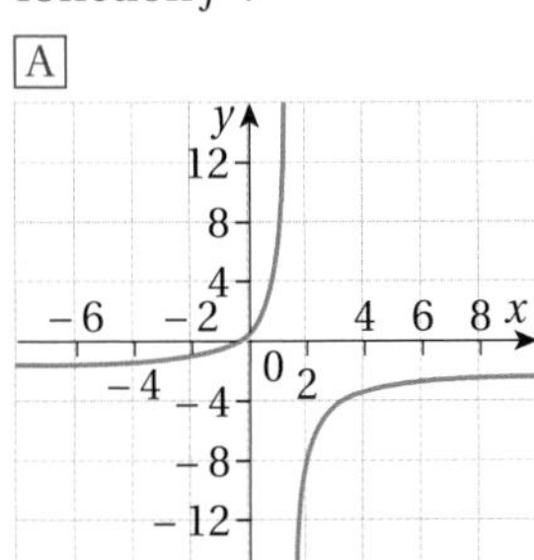

B

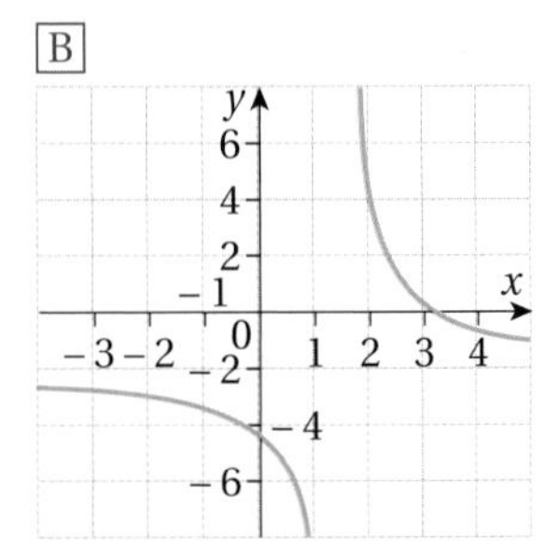

C

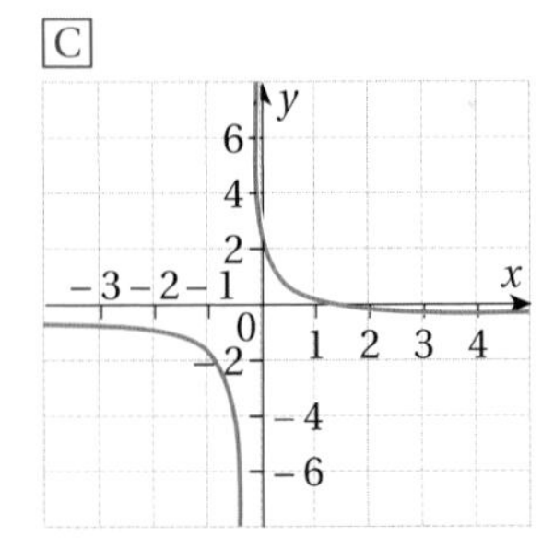

D

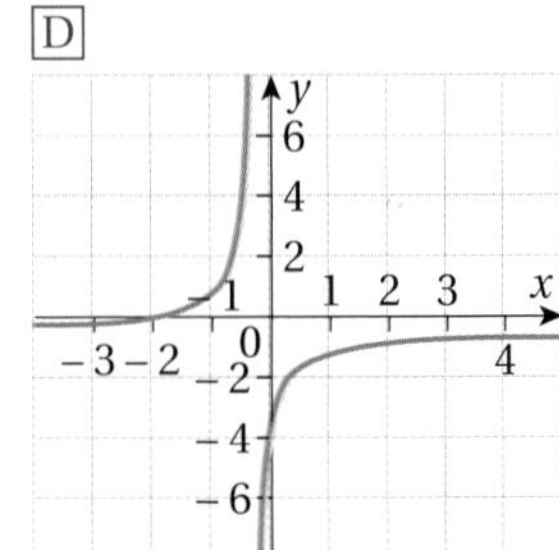

8 Les fonctions f et g sont définies sur l'intervalle $[-1\,;4]$.

Leurs courbes $\mathscr{C}_f$ et $\mathscr{C}_g$ sont représentées sur le graphique ci-contre.

a. L'inéquation $f(x) < g(x)$ a pour ensemble de solutions :

A $]0\,;3[$

B $]-1\,;0[$

C $[-1\,;0[\,\cup\,]3\,;4]$

D $]-\infty\,;0[\,\cup\,]3\,;+\infty[$

b. On peut affirmer que :

A sur l'intervalle $]0\,;3[$, $\mathscr{C}_f$ est au-dessus de $\mathscr{C}_g$.

B sur l'intervalle $]2\,;7[$, $\mathscr{C}_g$ est au-dessus de $\mathscr{C}_f$.

C sur l'intervalle $[1\,;2]$, $\mathscr{C}_g$ est au-dessous de $\mathscr{C}_f$.

D les courbes $\mathscr{C}_f$ et $\mathscr{C}_g$ ont deux points d'intersection.

Étude de fonctions

2

En 1608, Galilée qui travaillait sur la théorie du mouvement découvrit, grâce à l'utilisation astucieuse d'un plan incliné, que la trajectoire d'un projectile était parabolique.
Les magnifiques jets d'eau de ce bassin en sont une belle illustration.

Le chapitre en bref

Réinvestir

- Fonctions carré et inverse
- Variations d'une fonction

Découvrir

- Fonctions racine carrée et valeur absolue
- Sens de variation des fonctions $u + k$, ku, $\sqrt{u}$ et $\frac{1}{u}$

Activités

1 Fonctions racine carrée et valeur absolue

Réinvestir : Variations d'une fonction.
Découvrir : • La fonction racine carrée.
• La fonction valeur absolue.

1 Fonction racine carrée

Soit f la fonction définie sur $[0\,;+\infty[$ par :

$$f(x) = \sqrt{x}$$

a. Construire la représentation graphique de f sur l'écran de la calculatrice.
Conjecturer le sens de variation de f sur $[0\,;+\infty[$.

b. Démontrer que, quels que soient les réels a et b tels que $0 \leqslant a < b$, on a :

$$f(b)-f(a)=\frac{b-a}{\sqrt{b}+\sqrt{a}}$$

En déduire le sens de variation de f sur $[0\,;+\infty[$.
Dresser son tableau de variations.

c. Dans un même repère orthonormé $(\text{O}\,;\vec{i},\vec{j})$, construire la courbe $\mathscr{C}$, représentation graphique de f, et la courbe $\mathscr{P}$, représentation graphique de la fonction g définie sur $[0\,;+\infty[$ par $g(x)=x^2$.

d. Démontrer que, pour tous réels x et y, les points $\text{M}(x\,;y)$ et $\text{M}'(y\,;x)$ sont symétriques par rapport à la droite Δ d'équation $y=x$.

e. Démontrer que $\text{M}(x\,;y) \in \mathscr{C}$ équivaut à $\text{M}'(y\,;x) \in \mathscr{P}$.

f. Que peut-on en déduire pour les courbes $\mathscr{C}$ et $\mathscr{P}$?

2 Fonction valeur absolue

Soit g la fonction définie sur $\mathbb{R}$ par :

$$g(x)=\begin{cases} x \text{ si } x \geqslant 0 \\ -x \text{ si } x \leqslant 0 \end{cases}$$

La fonction g est appelée **fonction valeur absolue** et on note : $g(x)=|x|$.
($|x|$ se lit « valeur absolue de x ».)

a. Construire la représentation graphique de g sur l'écran de la calculatrice.
Décrire l'allure de la courbe obtenue et conjecturer le sens de variation de g sur $\mathbb{R}$.

COUP DE POUCE

La valeur absolue est nommée abs ou Abs sur la plupart des calculatrices et des logiciels.
• Sur TI-83 Plus.*fr*, on peut la trouver en naviguant dans le menu **math** puis NUM.
• Sur Casio *Graph* 35+, on peut la trouver par **OPTN**, puis onglet NUM.

b. En considérant successivement la fonction g sur les intervalles $]-\infty\,;0]$ et $[0\,;+\infty[$, déterminer le sens de variation de g sur $\mathbb{R}$. Dresser son tableau de variations.

c. Comparer $g(x)$ et $g(-x)$.
Quelle propriété de la courbe représentative de g peut-on en déduire ?

2 Fonctions associées $u + k$, ku, $\sqrt{u}$ et $\frac{1}{u}$

Réinvestir : Les fonctions de référence et les manipulations de base des logiciels et calculatrices.
Découvrir : Les fonctions associées $u + k$, ku, $\sqrt{u}$ et $\frac{1}{u}$ à l'aide d'un logiciel de géométrie dynamique.

Soit u la fonction définie sur $[-4 ; 4]$ par $u(x) = 0{,}5x^2 + 1$.
On souhaite utiliser un logiciel de géométrie dynamique (ici *GeoGebra*) ou la calculatrice pour tracer les courbes représentatives, puis comparer les variations, de u et de certaines fonctions associées à u.

1 Fonction $u + k$

a. Soit k un réel et f la fonction définie sur $[-4 ; 4]$ par $f(x) = u(x) + k$. Construisons la courbe représentative de u pour en déduire celle de f point par point (on choisit ici $k = 2$).

- **Avec *GeoGebra* :**

– dans la ligne de saisie, entrer l'expression **u(x)=Function[0.5x^2+1,−4,4]** ;
– créer un curseur **a** avec le bouton a=2, allant de −4 à 4 avec un pas de 0,04 (on pourra « élargir » le curseur afin d'en faciliter la manipulation) ;
– dans la ligne de saisie, taper **M = (a, u(a))** afin de créer un point M sur la courbe de u, puis **N = (a, u(a) + 2)**, N étant le point sur la courbe de f de même abscisse que M ;
– construire le vecteur $\overrightarrow{MN}$, par exemple avec le bouton ;
– activer la trace du point N (clic droit sur N) ;

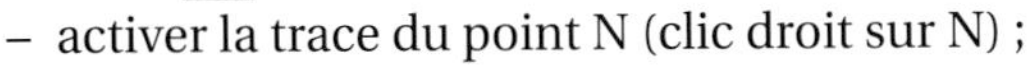

– manipuler le curseur de manière à faire apparaître la courbe de f.

- **Avec une calculatrice :**

TI-83 Plus.*fr*

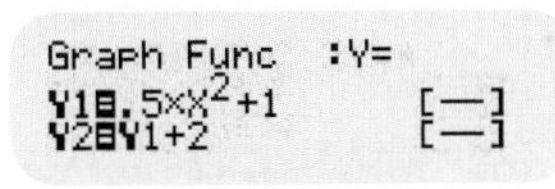

Casio *Graph* 35+

b. Quelles sont les coordonnées du vecteur $\overrightarrow{MN}$?
c. Comment peut-on obtenir la courbe de f à partir de celle de u ?
d. Reprendre les questions **a** à **c** avec d'autres valeurs de k.
On pourra tracer toutes les courbes simultanément à l'écran.

2 Fonction ku

a. Construire, à l'aide d'un logiciel ou de la calculatrice, les courbes représentatives des fonctions $x \mapsto 2u(x)$, $x \mapsto 0{,}5u(x)$, $x \mapsto -u(x)$ et $x \mapsto -3u(x)$.
b. Comparer les sens de variation de ces fonctions avec celui de u.
c. Soit k un réel non nul et f_k la fonction définie sur $\mathbb{R}$ par $f_k(x) = ku(x)$.
Construire le tableau de variations de f_k en distinguant deux cas.

3 Fonctions $\sqrt{u}$ et $\frac{1}{u}$

a. Construire, à l'aide d'un logiciel ou de la calculatrice, les courbes représentatives des fonctions $f : x \mapsto \sqrt{u(x)}$ et $g : x \mapsto \dfrac{1}{u(x)}$.
b. Comparer les sens de variation de ces fonctions avec celui de u.
c. Reprendre les questions **3 a** et **b** en considérant la fonction u définie sur $[-4 ; 4]$ par $u(x) = 2x + 3$, en indiquant les domaines de définition des fonctions f et g.
d. Même question que la précédente avec $u(x) = x^3 + 3x^2$.
e. Conjecturer le lien qui existe entre le sens de variation de u et celui des fonctions f et g.

A. La fonction carré et la fonction inverse

1 Sens de variation d'une fonction (rappel)

DÉFINITIONS

Soit f une fonction définie sur un intervalle I.

- Dire que f est **croissante sur I** (respectivement **strictement croissante sur I**) signifie que, pour tous réels a et b de I, si $a < b$ alors $f(a) \leqslant f(b)$ (respectivement si $a < b$ alors $f(a) < f(b)$).
- Dire que f est **décroissante sur I** (respectivement **strictement décroissante sur I**) signifie que, pour tous réels a et b de I, si $a < b$ alors $f(a) \geqslant f(b)$ (respectivement si $a < b$ alors $f(a) > f(b)$).
- Dire que f est **constante sur I** signifie que, pour tous réels a et b de I, $f(a) = f(b)$.

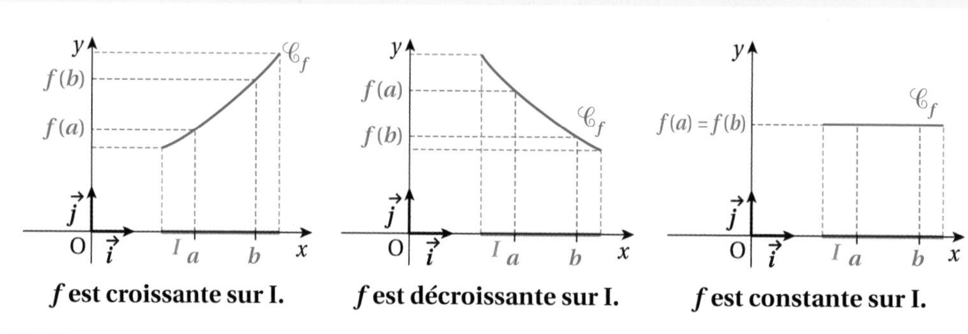

***f* est croissante sur I.** ***f* est décroissante sur I.** ***f* est constante sur I.**

REMARQUE

On peut retenir que :

- une fonction croissante conserve l'ordre (autrement dit, $f(a)$ et $f(b)$ sont dans le même ordre que a et b) ;
- une fonction décroissante renverse l'ordre (autrement dit, $f(a)$ et $f(b)$ sont dans l'ordre contraire de celui de a et b).

▶ Savoir-faire 1
Établir le sens de variation d'une fonction à l'aide des définitions, p. 70

DÉFINITION

Soit f une fonction définie sur un intervalle I.

Dire que f est **monotone sur I** signifie que f est croissante sur I ou décroissante sur I.

2 Fonction carré

DÉFINITION

La **fonction carré** est la fonction f définie sur $\mathbb{R}$ par $f(x) = x^2$.

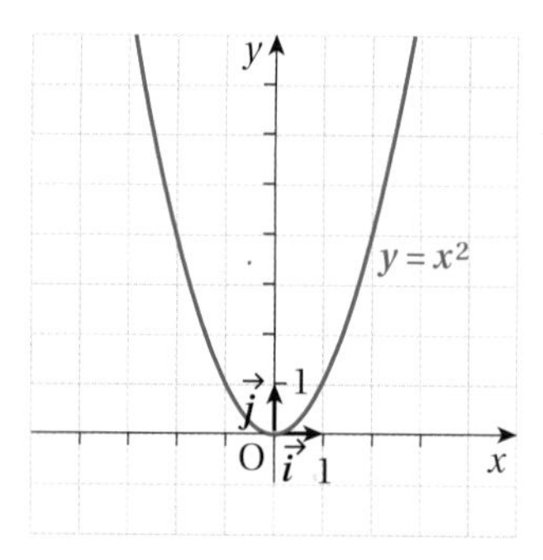

Sa représentation graphique est la **parabole** d'équation $y = x^2$, de sommet O(0 ; 0).

PROPRIÉTÉ

La fonction carré est strictement décroissante sur $]-\infty\ ;\ 0]$ et strictement croissante sur $[0\ ;\ +\infty[$.

DÉMONSTRATION

Soit f la fonction carré. Pour a et b réels, on a : $f(b) - f(a) = b^2 - a^2 = (b - a)(b + a)$.

- Si $0 \leqslant a < b$ alors les nombres $(b - a)$ et $(b + a)$ sont strictement positifs ; leur produit est donc strictement positif. On en déduit que $f(b) - f(a) > 0$, puis $f(b) > f(a)$.

La fonction f est donc strictement croissante sur $[0 ; +\infty[$.

- Si $a < b \leqslant 0$ alors $(b - a)$ est strictement positif et $(b + a)$ est strictement négatif ; leur produit est donc strictement négatif. On en déduit que $f(b) - f(a) < 0$, puis $f(b) < f(a)$.

La fonction f est donc strictement décroissante sur $]-\infty ; 0]$. ■

TABLEAU DE VARIATIONS :

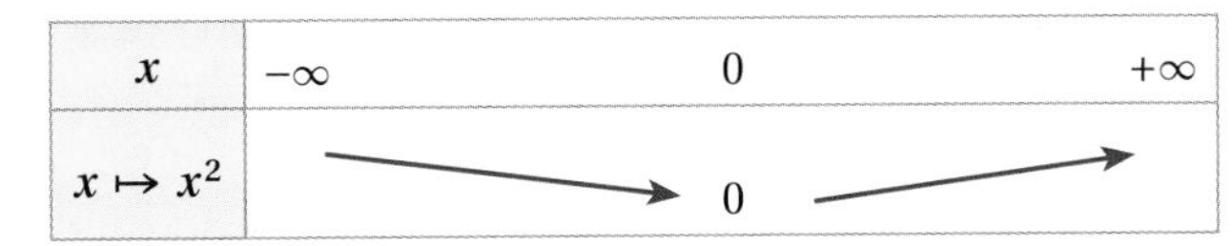

x	$-\infty$	0	$+\infty$
$x \mapsto x^2$	↘	0	↗

REMARQUE Les variations de la fonction carré peuvent se traduire ainsi :

- les carrés de deux nombres positifs sont rangés dans le même ordre que ces nombres (autrement dit, a et b étant deux réels positifs, $a < b$ équivaut à $a^2 < b^2$) ;
- les carrés de deux nombres négatifs sont rangés dans l'ordre contraire de celui de ces nombres (autrement dit, a et b étant deux réels négatifs, $a < b$ équivaut à $a^2 > b^2$).

3 Fonction inverse

DÉFINITION

La **fonction inverse** est la fonction f définie sur $\mathbb{R} \setminus \{0\}$ par $f(x) = \dfrac{1}{x}$.

Sa représentation graphique est l'**hyperbole** d'équation $y = \dfrac{1}{x}$.

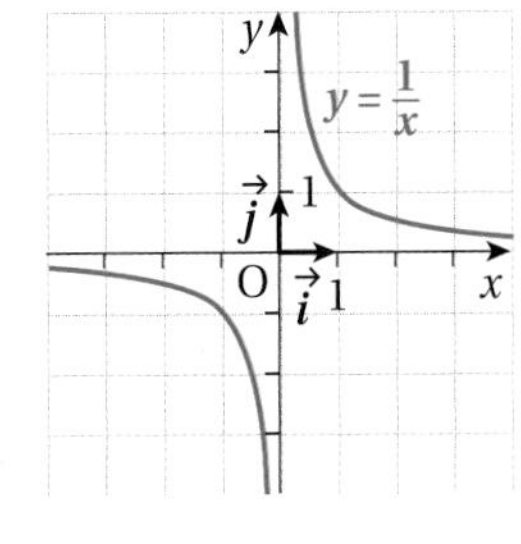

PROPRIÉTÉ

La fonction inverse est strictement décroissante sur $]-\infty ; 0[$ et strictement décroissante sur $]0 ; +\infty[$.

DÉMONSTRATION

Soit f la fonction inverse. Pour a et b réels non nuls, on a : $f(b) - f(a) = \dfrac{1}{b} - \dfrac{1}{a} = \dfrac{a - b}{ab}$.

- Si $0 < a < b$ alors $a - b$ est strictement négatif et ab est strictement positif ; leur quotient est donc strictement négatif. On en déduit que $f(b) - f(a) < 0$, puis $f(b) < f(a)$.

La fonction f est donc strictement décroissante sur $]0 ; +\infty[$.

- Si $a < b < 0$ alors $a - b$ est strictement négatif et ab est strictement positif ; leur quotient est donc strictement négatif. On en déduit que $f(b) - f(a) < 0$, puis $f(b) < f(a)$.

La fonction f est donc strictement décroissante sur $]-\infty ; 0[$. ■

TABLEAU DE VARIATIONS :

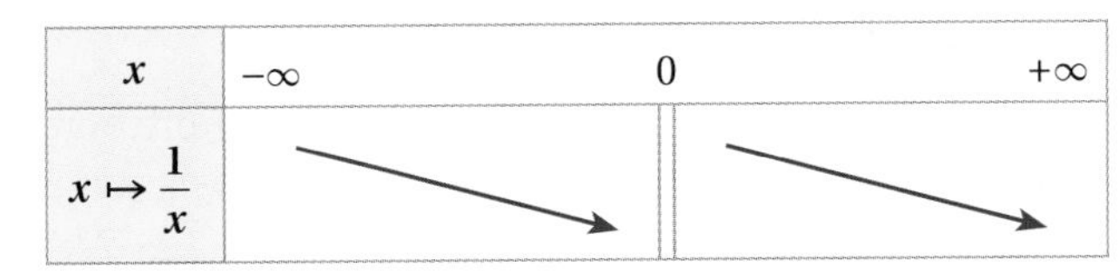

x	$-\infty$	0	$+\infty$
$x \mapsto \dfrac{1}{x}$	↘	‖	↘

REMARQUE Les variations de la fonction inverse peuvent se traduire ainsi :

- les inverses de deux nombres strictement positifs sont rangés dans l'ordre contraire de celui de ces nombres (autrement dit, a et b étant deux réels strictement positifs, $a < b$ équivaut à $\dfrac{1}{a} > \dfrac{1}{b}$) ;
- les inverses de deux nombres strictement négatifs sont rangés dans l'ordre contraire de celui de ces nombres (autrement dit, a et b étant deux réels strictement négatifs, $a < b$ équivaut à $\dfrac{1}{a} > \dfrac{1}{b}$).

B. Étude de la fonction racine carrée

1 Fonction racine carrée

Soit a un réel positif. Le nombre $\sqrt{a}$ désigne le seul réel positif dont le carré vaut a.
Ainsi, on peut définir la fonction racine carrée sur l'ensemble des nombres réels positifs.

DÉFINITION

La **fonction racine carrée** est la fonction f définie sur $[0\,;+\infty[$ par $f(x) = \sqrt{x}$.

2 Variations

NOTE
L'Activité 1 p.60 propose une autre approche de l'étude des variations de la fonction racine carrée.

PROPRIÉTÉ

La fonction racine carrée est strictement croissante sur $[0\,;+\infty[$.

DÉMONSTRATION

Soit a et b deux réels tels que $0 \leqslant a < b$. Les réels $\sqrt{a}$ et $\sqrt{b}$ sont positifs. Ils sont donc rangés dans le même ordre que leurs carrés respectifs a et b. On a bien $\sqrt{a} < \sqrt{b}$.
La fonction racine carrée est strictement croissante sur $[0\,;+\infty[$. ■

TABLEAU DE VARIATIONS :

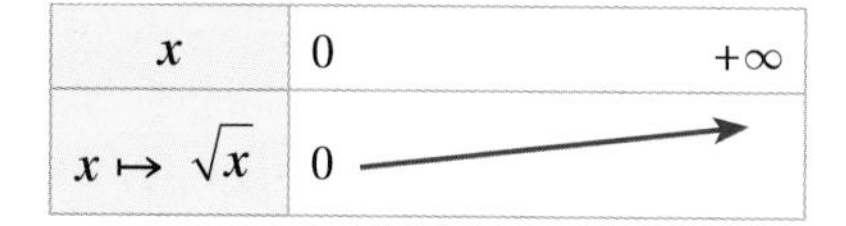

x	0	$+\infty$
$x \mapsto \sqrt{x}$	0 ↗	

PROPRIÉTÉ

Les racines carrées de deux nombres positifs sont rangées dans le même ordre que ces deux nombres. Autrement dit, a et b étant deux réels positifs, $a < b$ équivaut à $\sqrt{a} < \sqrt{b}$.

3 Courbe représentative

La représentation graphique de la fonction racine carrée est donnée ci-contre.

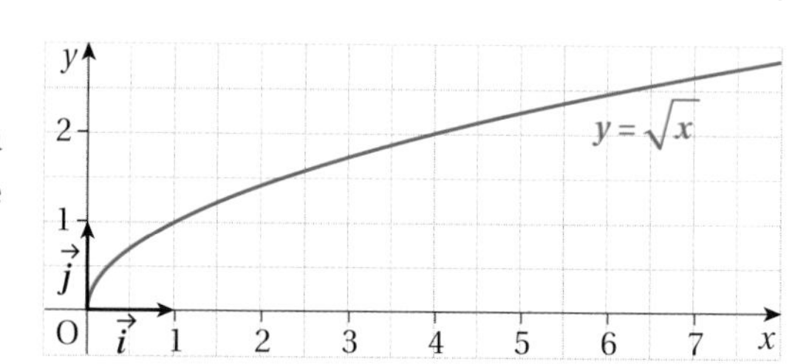

C. Étude de la fonction valeur absolue

1 Valeur absolue d'un nombre et distance entre deux réels

DÉFINITION

La **valeur absolue** d'un réel x est le nombre noté $|x|$ qui est égal au nombre x si x est positif, et au nombre $-x$ si x est négatif.

Autrement dit, $|x| = \begin{cases} x \text{ si } x \geqslant 0 \\ -x \text{ si } x \leqslant 0 \end{cases}$.

EXEMPLES

- $|5| = 5$ car $5 > 0$.
- $|3-\pi| = -(3-\pi) = \pi - 3$ car $3 - \pi < 0$.
- $|2-t| = \begin{cases} 2-t \text{ si } 2-t \geqslant 0, \text{ c'est-à-dire si } t \leqslant 2\,; \\ t-2 \text{ si } 2-t \leqslant 0, \text{ c'est-à-dire si } t \geqslant 2. \end{cases}$

REMARQUES

- Une valeur absolue est toujours positive : pour tout réel x, $|x| \geqslant 0$.
- Deux nombres opposés ont la même valeur absolue : pour tout réel x, $|x| = |-x|$.
- Pour tout réel x, $\sqrt{x^2} = |x|$.

DÉFINITION

La **distance entre deux réels x et y** est la distance entre les points d'abscisses x et y sur la droite réelle munie d'un repère $(O\ ;\vec{i})$.

On la note $\boldsymbol{d(x\ ;y)}$.

EXEMPLE

La distance entre les réels -3 et $4{,}6$ est $d(-3\ ;4{,}6) = AB = 4{,}6 - (-3) = 4{,}6 + 3 = 7{,}6$.

A O B
-3 $0\ \vec{i}\ 1$ $4{,}6$

La distance entre les réels $4{,}6$ et 0 est $d(4{,}6\ ;0) = OB = 4{,}6$.
La distance entre les réels -3 et 0 est $d(-3\ ;0) = OA = 3$.

REMARQUES

- La distance d'un réel x à 0 est égale à x si $x \geqslant 0$ et à $-x$ si $x \leqslant 0$.
- La distance entre les réels x et y est obtenue en calculant la différence entre le plus grand et le plus petit de ces deux nombres ; le résultat est alors **positif**. On a : $d(x;y) = \begin{cases} x-y \text{ si } x \geqslant y \\ y-x \text{ si } x \leqslant y \end{cases}$.

PROPRIÉTÉS

Pour tous réels x et y, on a :

1. $d(x\ ;0) = |x|$ 2. $d(x\ ;y) = |x-y|$

DÉMONSTRATIONS

1. Le résultat est immédiat d'après la remarque ci-dessus.
2. D'après la définition de la valeur absolue d'un réel, on a :

$$|x-y| = \begin{cases} x-y & \text{si } x-y \geqslant 0 \\ -(x-y) & \text{si } x-y \leqslant 0 \end{cases} = \begin{cases} x-y & \text{si } x \geqslant y \\ y-x & \text{si } x \leqslant y \end{cases} = d(x;y)$$ ■

PROPRIÉTÉS

1. $|x| = 0$ équivaut à $x = 0$.
2. $|x| = |y|$ équivaut à $x = y$ ou $x = -y$.
3. Pour tous réels x et y, on a :
 a) $|xy| = |x| \times |y|$ b) si $y \neq 0$, $\left|\dfrac{x}{y}\right| = \dfrac{|x|}{|y|}$ c) $|x+y| \leqslant |x| + |y|$ **(inégalité triangulaire)**

DÉMONSTRATIONS

1. et 2. Le résultat est immédiat.

3. a) Étudions par exemple le cas ($x < 0$ et $y \geqslant 0$). On a alors $xy \leqslant 0$, donc :

$$|xy| = -xy = (-x) \times y = |x| \times |y|$$

On raisonne de la même manière dans les cas ($x \geqslant 0$ et $y \geqslant 0$), ($x \geqslant 0$ et $y < 0$) et ($x < 0$ et $y < 0$). ■

b) Un raisonnement analogue au précédent permet d'obtenir la propriété liée au quotient. ■

c) On considère les points M et N d'abscisses respectives x et $-y$ sur la droite réelle munie d'un repère $(O\ ;\vec{i})$.

En appliquant l'inégalité triangulaire aux trois points M, N et O, on obtient :

$$MN \leqslant MO + ON, \text{ c'est-à-dire } |x-(-y)| \leqslant |x| + |y| \text{ ou encore } |x+y| \leqslant |x| + |y|.$$

On peut remarquer que dire $MN = MO + ON$ équivaut à dire que les points M et N sont de part et d'autre de O sur la droite, ou éventuellement confondus avec O, et donc que x et y sont de même signe. Ainsi : $|x+y| = |x| + |y|$ si et seulement si x et y sont de même signe. ■

2 Fonction valeur absolue

DÉFINITION

La **fonction valeur absolue** est la fonction f définie sur $\mathbb{R}$ par $f(x) = |x|$.

PROPRIÉTÉ

La fonction valeur absolue est strictement décroissante sur $]-\infty ; 0]$ et strictement croissante sur $[0 ; +\infty[$.

DÉMONSTRATION

Soit f la fonction valeur absolue.
On utilise le fait que, sur chacun des intervalles $]-\infty ; 0]$ et $[0 ; +\infty[$, la fonction f est affine.

- Pour tout réel x positif, $f(x) = x$, donc la fonction f est strictement croissante sur l'intervalle $[0 ; +\infty[$.
- Pour tout réel x négatif, $f(x) = -x$, donc la fonction f est strictement décroissante sur l'intervalle $]-\infty ; 0]$. ■

TABLEAU DE VARIATIONS :

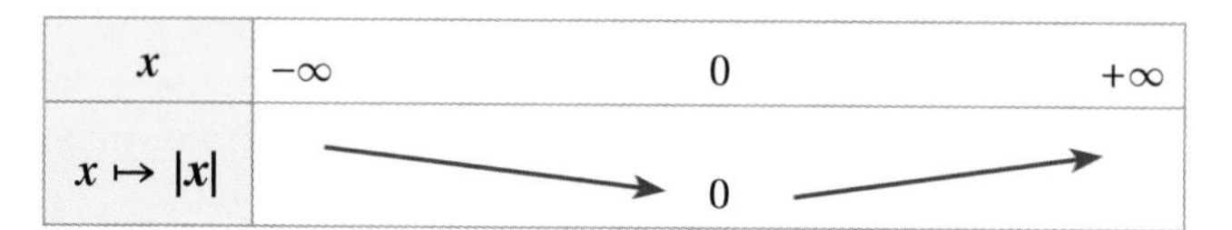

x	$-\infty$	0	$+\infty$
$x \mapsto \lvert x\rvert$	↘	0	↗

PROPRIÉTÉ

Dans un repère orthogonal $(O ; \vec{i}, \vec{j})$, la courbe représentative de la fonction valeur absolue est symétrique par rapport à l'axe des ordonnées.

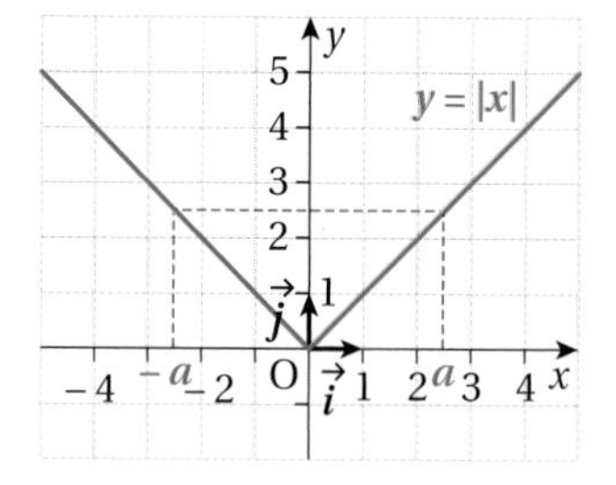

DÉMONSTRATION

Soit f la fonction valeur absolue.
Pour tout réel a, on a : $f(-a) = |-a| = |a| = f(a)$.
Les deux points de coordonnées $(a ; f(a))$ et $(-a ; f(-a))$ sont donc symétriques par rapport à l'axe des ordonnées. ■

D. Positions relatives de courbes

1 Position relative de deux courbes

PROPRIÉTÉ-DÉFINITION

Soit f et g deux fonctions définies sur un intervalle I, de courbes représentatives $\mathscr{C}_f$ et $\mathscr{C}_g$ dans un repère du plan.

- On dit que f est **supérieure** à g (et on note $f \geqslant g$) sur I lorsque, pour tout réel x de I, $f(x) \geqslant g(x)$.
La courbe $\mathscr{C}_f$ est **au-dessus** de la courbe $\mathscr{C}_g$ sur l'intervalle I.

- On dit que f est **inférieure** à g (et on note $f \leqslant g$) sur I lorsque, pour tout réel x de I, $f(x) \leqslant g(x)$.
La courbe $\mathscr{C}_f$ est **au-dessous** de la courbe $\mathscr{C}_g$ sur l'intervalle I.

- On dit que f est **égale** à g (et on note $f = g$) sur I lorsque, pour tout réel x de I, $f(x) = g(x)$.
La courbe $\mathscr{C}_f$ est **confondue** avec la courbe $\mathscr{C}_g$ sur l'intervalle I.

▶ Savoir-faire 2
Déterminer la position relative de deux courbes, p. 70

2 Positions relatives des courbes d'équations $y = x$, $y = x^2$ et $y = \sqrt{x}$

On se place dans le plan muni d'un repère $(O\,;\vec{i},\vec{j})$.
Soit $\mathscr{C}_f$, $\mathscr{C}_g$ et $\mathscr{C}_h$ les courbes représentatives des fonctions $f : x \mapsto x$, $g : x \mapsto x^2$ et $h : x \mapsto \sqrt{x}$.
Déterminons les positions relatives de ces trois courbes sur l'intervalle $[0\,;+\infty[$.

- On remarque tout d'abord que : $f(0) = g(0) = h(0) = 0$ et $f(1) = g(1) = h(1) = 1$.

Ainsi, les courbes $\mathscr{C}_f$, $\mathscr{C}_g$ et $\mathscr{C}_h$ passent par l'origine O du repère et par le point A(1 ; 1).

- **Si $0 < x < 1$,** alors $0 < \sqrt{x} < \sqrt{1}$, c'est-à-dire $0 < \sqrt{x} < 1$.

En multipliant les deux membres de cette inégalité par le nombre strictement positif $\sqrt{x}$, on obtient $x < \sqrt{x}$. Les deux nombres x et $\sqrt{x}$ étant positifs, on a : $x^2 < \left(\sqrt{x}\right)^2$, c'est-à-dire $x^2 < x$.
En conclusion, **sur l'intervalle $]0\,;1[$: $x^2 < x < \sqrt{x}$.**
Donc sur cet intervalle, **la courbe $\mathscr{C}_f$ est strictement au-dessus de la courbe $\mathscr{C}_g$ et strictement au-dessous de la courbe $\mathscr{C}_h$.**

- **Si $1 < x$,** alors $\sqrt{1} < \sqrt{x}$, c'est-à-dire $1 < \sqrt{x}$.

En multipliant les deux membres de cette inégalité par le nombre $\sqrt{x}$, on obtient $\sqrt{x} < x$. Les deux nombres x et $\sqrt{x}$ étant positifs, on a : $\left(\sqrt{x}\right)^2 < x^2$, c'est-à-dire $x < x^2$.
En conclusion, **sur l'intervalle $]1\,;+\infty[$: $\sqrt{x} < x < x^2$.**
Donc sur cet intervalle, **la courbe $\mathscr{C}_f$ est strictement au-dessus de la courbe $\mathscr{C}_h$ et strictement au-dessous de la courbe $\mathscr{C}_g$.**

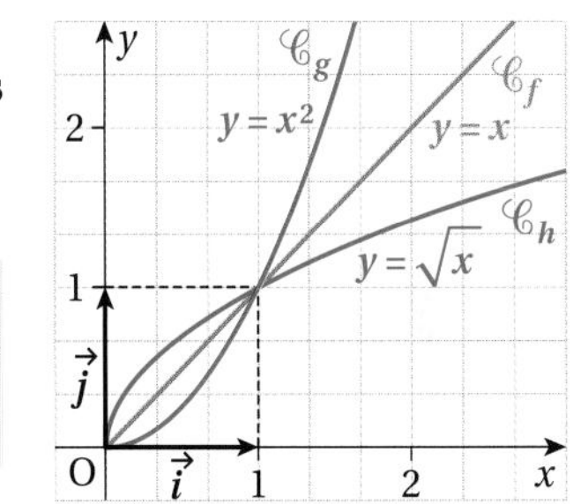

PROPRIÉTÉ

- Si $0 \leqslant x \leqslant 1$, alors $x^2 \leqslant x \leqslant \sqrt{x}$.
- Si $x \geqslant 1$, alors $\sqrt{x} \leqslant x \leqslant x^2$.

E. Fonctions associées $u + k$, ku, $\sqrt{u}$ et $\frac{1}{u}$

1 Fonction $u + k$

DÉFINITION

Soit u une fonction définie sur une partie $\mathscr{D}$ de $\mathbb{R}$ et k un réel.
La fonction notée $\boldsymbol{u + k}$ est la fonction définie sur $\mathscr{D}$ par :

$$(u + k)(x) = u(x) + k$$

EXEMPLE

Soit u la fonction définie sur $\mathbb{R}$ par $u(x) = x^2 + 1$.
Alors, pour tout réel x, $(u + 3)(x) = u(x) + 3 = x^2 + 1 + 3 = x^2 + 4$.

PROPRIÉTÉ

Soit u une fonction monotone sur un intervalle I et k un réel.
La fonction $u + k$ a même sens de variation que u sur I.

DÉMONSTRATION

- Supposons que u est croissante sur I.

Pour tous réels a et b de I, si $a \leqslant b$ alors $u(a) \leqslant u(b)$. En ajoutant k aux deux membres de l'inégalité, on obtient : $u(a) + k \leqslant u(b) + k$, c'est-à-dire $(u + k)(a) \leqslant (u + k)(b)$. Ainsi, $u + k$ est croissante sur I.

- Supposons que u est décroissante sur I.

Pour tous réels a et b de I, si $a \leqslant b$ alors $u(a) \geqslant u(b)$. En ajoutant k aux deux membres de l'inégalité, on obtient : $u(a) + k \geqslant u(b) + k$, c'est-à-dire $(u + k)(a) \geqslant (u + k)(b)$. Ainsi, $u + k$ est décroissante sur I. ■

Raisonnement
On procède par **disjonction des cas**

PROPRIÉTÉ

Le plan est muni d'un repère orthogonal $(O ; \vec{i}, \vec{j})$.
Soit u une fonction définie sur une partie $\mathcal{D}$ de $\mathbb{R}$ et k un réel.
La courbe représentative de la fonction $u + k$ est l'image de la courbe représentative de u par la translation de vecteur $k\vec{j}$.

DÉMONSTRATION

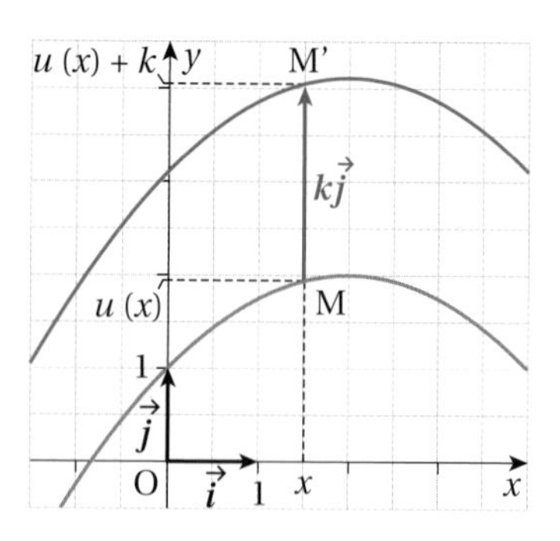

Soit $\mathcal{C}$ la courbe de u et $\mathcal{C}'$ la courbe de $u + k$.
On considère un point $M(x ; u(x))$ de la courbe $\mathcal{C}$ et le point $M'(x ; u(x) + k)$ qui appartient à la courbe $\mathcal{C}'$.
Alors le vecteur $\overrightarrow{MM'}$ a pour coordonnées $(0 ; k)$. Le point M' est donc l'image du point M par la translation de vecteur $k\vec{j}$.
Ce raisonnement est valable pour tout point M de la courbe $\mathcal{C}$.
Donc on obtient la courbe $\mathcal{C}'$ à partir de la courbe $\mathcal{C}$ par la translation de vecteur $k\vec{j}$. ■

2 Fonction *ku*

DÉFINITION

Soit u une fonction définie sur une partie $\mathcal{D}$ de $\mathbb{R}$ et k un réel.
La fonction notée ***ku*** est la fonction définie sur $\mathcal{D}$ par :

$$(ku)(x) = k \times u(x)$$

EXEMPLE

Soit u la fonction définie sur $\mathbb{R}$ par $u(x) = x^2 + 1$.
Alors, pour tout réel x, $(2u)(x) = 2 \times u(x) = 2(x^2 + 1) = 2x^2 + 2$.

NOTE

La démonstration est l'objet de l'exercice 42 p. 83.

PROPRIÉTÉ

Soit u une fonction monotone sur un intervalle I et k un réel.

- Si $k > 0$, la fonction ku a même sens de variation que u sur I.
- Si $k < 0$, la fonction ku a le sens de variation contraire à celui de u sur I.

PROPRIÉTÉ

Le plan est muni d'un repère orthogonal $(O ; \vec{i}, \vec{j})$.
Soit u une fonction définie sur une partie $\mathcal{D}$ de $\mathbb{R}$ et k un réel.
La courbe représentative de la fonction ku s'obtient en multipliant par k l'ordonnée y de chaque point de la courbe de u.

EXEMPLES

1. Les fonctions u, v et w sont définies sur $\mathbb{R}$ par $u(x) = x^2$, $v(x) = 3x^2$ et $w(x) = -\frac{1}{2}x^2$.

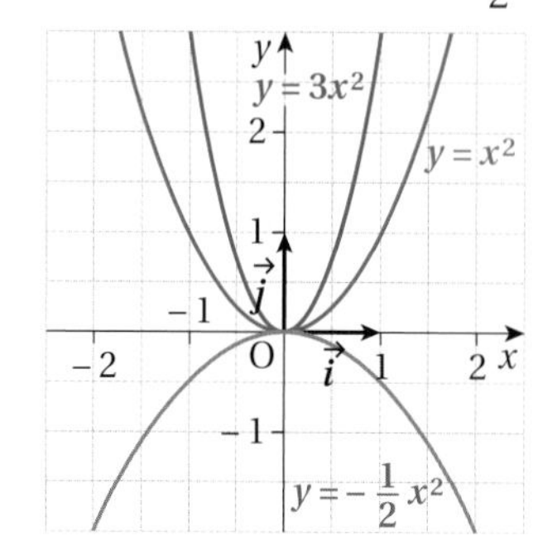

2. **Cas particulier :** lorsque $k = -1$, les courbes représentatives de u et $-u$ sont symétriques par rapport à l'axe des abscisses.

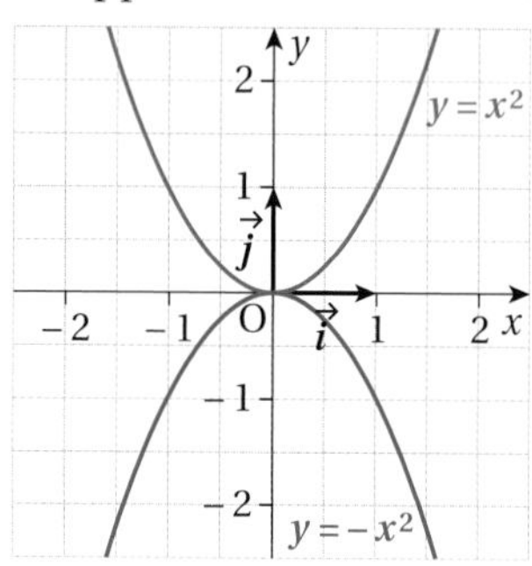

3 Fonction $\sqrt{u}$

DÉFINITION

Soit u une fonction définie sur une partie $\mathcal{D}$ de $\mathbb{R}$ telle que, pour tout réel x de $\mathcal{D}$, $u(x) \geqslant 0$.
La **fonction racine carrée de u**, notée $\sqrt{u}$, est la fonction définie sur $\mathcal{D}$ par :

$$\left(\sqrt{u}\right)(x) = \sqrt{u(x)}$$

EXEMPLE

Soit u la fonction définie sur $\mathbb{R}$ par $u(x) = x^2 + 1$. Alors, pour tout réel x, $u(x) > 0$.
La fonction $\sqrt{u}$ est la fonction définie sur $\mathbb{R}$ par $\left(\sqrt{u}\right)(x) = \sqrt{u(x)} = \sqrt{x^2+1}$.

PROPRIÉTÉ

Soit u une fonction monotone et à valeurs positives sur un intervalle I.
La fonction $\sqrt{u}$ a même sens de variation que u sur I.

DÉMONSTRATION

- Supposons que u est croissante sur I, à valeurs positives.

Pour tous réels a et b de I, si $a \leqslant b$ alors $0 \leqslant u(a) \leqslant u(b)$.
La fonction racine carrée étant croissante sur $[0\,;+\infty[$, on obtient $\sqrt{u(a)} \leqslant \sqrt{u(b)}$, c'est-à-dire $\left(\sqrt{u}\right)(a) \leqslant \left(\sqrt{u}\right)(b)$.
Ainsi, $\sqrt{u}$ est croissante sur I.

- Supposons que u est décroissante sur I, à valeurs positives.

Pour tous réels a et b de I, si $a \leqslant b$ alors $0 \leqslant u(b) \leqslant u(a)$.
La fonction racine carrée étant croissante sur $[0\,;+\infty[$, on obtient $\sqrt{u(b)} \leqslant \sqrt{u(a)}$, c'est-à-dire $\left(\sqrt{u}\right)(b) \leqslant \left(\sqrt{u}\right)(a)$.
Ainsi, $\sqrt{u}$ est décroissante sur I. ■

Raisonnement
On procède par **disjonction des cas**

4 Fonction $\frac{1}{u}$

DÉFINITION

Soit u une fonction définie sur une partie $\mathcal{D}$ de $\mathbb{R}$ telle que, pour tout réel x de $\mathcal{D}$, $u(x) \neq 0$.
La **fonction inverse de u**, notée $\frac{1}{u}$, est la fonction définie sur $\mathcal{D}$ par :

$$\left(\frac{1}{u}\right)(x) = \frac{1}{u(x)}$$

EXEMPLE

Soit u la fonction définie sur $\mathbb{R}$ par $u(x) = x^2 + 1$. Alors, pour tout réel x, $u(x) > 0$.
La fonction $\frac{1}{u}$ est la fonction définie sur $\mathbb{R}$ par $\left(\frac{1}{u}\right)(x) = \frac{1}{u(x)} = \frac{1}{x^2+1}$.

PROPRIÉTÉS

- Soit u une fonction monotone et à valeurs strictement positives sur un intervalle I.

La fonction $\frac{1}{u}$ a le sens de variation contraire à celui de u sur I.

- Soit u une fonction monotone et à valeurs strictement négatives sur un intervalle I.

La fonction $\frac{1}{u}$ a le sens de variation contraire à celui de u sur I.

▶ Savoir-faire 3
Utiliser les fonctions associées pour déterminer les variations d'une fonction, p. 71

DÉMONSTRATION

La démonstration de ces propriétés est laissée en exercice.

Savoir-faire

Savoir-faire 1 — Établir le sens de variation d'une fonction à l'aide des définitions

ÉNONCÉ Soit f et g les fonctions définies sur $\mathbb{R}$ par $f(x) = -2(x-1)^2 + 3$ et $g(x) = x^2 + 4x - 7$.

1. a. Montrer à l'aide de la définition que la fonction f est strictement décroissante sur l'intervalle $[1\ ;+\infty[$.

b. De même, déterminer le sens de variation de f sur l'intervalle $]-\infty\ ;1]$.

2. Déterminer le sens de variation de g sur les intervalles $]-\infty\ ;-2]$ et $[-2\ ;+\infty[$.

SOLUTION

1. a. Soit a et b deux réels tels que $1 \leqslant a < b$.

En soustrayant 1 aux membres de cet encadrement, on obtient : $0 \leqslant a-1 < b-1$.

Deux nombres positifs étant rangés dans le même ordre que leurs carrés, on a : $(a-1)^2 < (b-1)^2$.

En multipliant par -2 les deux membres, puis en leur ajoutant 3, on obtient successivement : $-2(a-1)^2 > -2(b-1)^2$, puis $-2(a-1)^2 + 3 > -2(b-1)^2 + 3$.

Donc, pour tous réels a et b de $[1\ ;+\infty[$, si $a < b$ alors $f(a) > f(b)$. f est strictement décroissante sur $[1\ ;+\infty[$.

b. Soit a et b tels que $a < b \leqslant 1$. On a alors $a-1 < b-1 \leqslant 0$.

Deux nombres négatifs étant rangés dans l'ordre inverse de celui de leurs carrés, on obtient :

$(a-1)^2 > (b-1)^2$ puis $-2(a-1)^2 < -2(b-1)^2$ et enfin $-2(a-1)^2 + 3 < -2(b-1)^2 + 3$.

Donc, pour tous réels a et b de $]-\infty\ ;1]$, si $a < b$ alors $f(a) < f(b)$. f est strictement croissante sur $]-\infty\ ;1]$.

2. Pour tous réels a et b :

$g(b) - g(a) = (b^2 + 4b - 7) - (a^2 + 4a - 7) = (b^2 - a^2) + 4(b-a) = (b-a)(b+a) + 4(b-a) = (b-a)(4+a+b)$

- Si a et b sont tels que $-2 \leqslant a < b$, alors $b - a > 0$ et, comme $a \geqslant -2$ et $b > -2$, on a $4 + a + b > 0$.

Par règle des signes, on obtient $g(b) - g(a) > 0$, c'est-à-dire $g(b) > g(a)$.

On en déduit que g est strictement croissante sur $[-2\ ;+\infty[$.

- Si a et b sont tels que $a < b \leqslant -2$, alors $b - a > 0$ et, comme $a < -2$ et $b \leqslant -2$, on a $4 + a + b < 0$.

Par règle des signes, on obtient $g(b) - g(a) < 0$, c'est-à-dire $g(b) < g(a)$.

On en déduit que g est strictement décroissante sur $]-\infty\ ;-2]$.

MÉTHODE

1. Pour déterminer le sens de variation de f sur l'intervalle donné, on part de $a < b$ qu'on modifie peu à peu grâce aux propriétés connues sur les inégalités et les fonctions, pour parvenir à comparer $f(a)$ et $f(b)$.

Pour trouver les étapes intermédiaires, on peut imaginer le programme de calcul qui permet d'obtenir $f(a)$ à partir de a :

$a \xrightarrow{-1} a-1 \xrightarrow{2} (a-1)^2 \xrightarrow{\times(-2)} -2(a-1)^2 \xrightarrow{+3} -2(a-1)^2 + 3$

2. Pour déterminer le sens de variation de g, on cherche à étudier le signe de $g(b) - g(a)$. Ici, la forme factorisée rend l'étude aisée.

▶ Exercices 11 à 15 p. 80 et 81

Savoir-faire 2 — Déterminer la position relative de deux courbes

ÉNONCÉ Soit f et g les fonctions définies sur $\mathbb{R}$ par $f(x) = x^2 - 4x + 5$ et $g(x) = x + 1$.

Étudier la position relative des courbes représentatives $\mathscr{C}_f$ et $\mathscr{C}_g$.

SOLUTION

Pour tout réel x :

$$f(x) - g(x) = (x^2 - 4x + 5) - (x + 1) = x^2 - 5x + 4$$

Le trinôme du second degré $x^2 - 5x + 4$ a deux racines :

$$\frac{-(-5)-\sqrt{9}}{2} = 1 \quad \text{et} \quad \frac{-(-5)+\sqrt{9}}{2} = 4$$

MÉTHODE

Pour étudier la position relative des courbes $\mathscr{C}_f$ et $\mathscr{C}_g$, il est souvent intéressant de déterminer le signe de $f(x) - g(x)$ en fonction de x.

Ici, cette différence est un trinôme du second degré dont on sait trouver le signe.

On obtient le tableau de signes suivant :

x	$-\infty$		1		4		$+\infty$
$f(x) - g(x)$		$+$	0	$-$	0	$+$	

On en déduit que :

- pour tout réel x de $]-\infty\,;1] \cup [4\,;+\infty[$, $f(x) \geqslant g(x)$.

Ainsi, la courbe $\mathscr{C}_f$ est au-dessus de la courbe $\mathscr{C}_g$ sur l'intervalle $]-\infty\,;1]$ et sur l'intervalle $[4\,;+\infty[$;

- pour tout réel x de $[1\,;4]$, $f(x) \leqslant g(x)$.

Ainsi, la courbe $\mathscr{C}_f$ est au-dessous de la courbe $\mathscr{C}_g$ sur l'intervalle $[1\,;4]$.

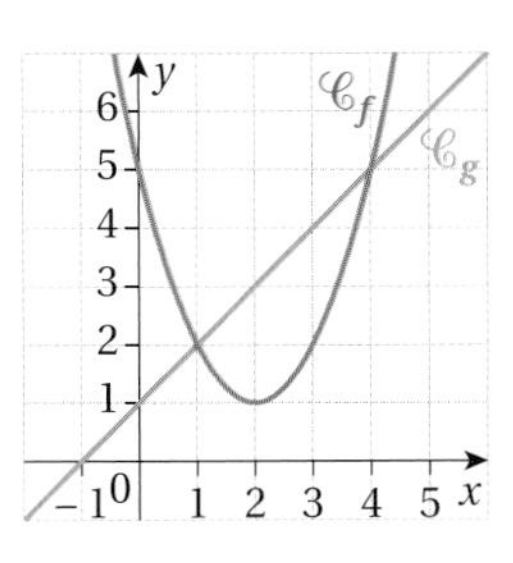

▶ Exercices 38 à 40 p. 83

Savoir-faire 3 Utiliser les fonctions associées pour déterminer les variations d'une fonction

ÉNONCÉ **a.** Soit f la fonction définie sur $\left]-\infty\,;\frac{1}{2}\right]$ par $f(x) = \sqrt{1-2x}$.

Montrer que f est strictement décroissante sur cet intervalle.

b. Soit g la fonction définie sur $]0\,;+\infty[$ par $g(x) = -\frac{3}{x}$.

Montrer que g est strictement croissante sur cet intervalle.

c. Soit h la fonction définie sur $]3\,;+\infty[$ par $h(x) = \frac{2}{x-3} + 4$.

Déterminer le sens de variation de h sur $]3\,;+\infty[$.

SOLUTION

a. $f = \sqrt{u}$ où u est la fonction définie sur $\left]-\infty\,;\frac{1}{2}\right]$ par $u(x) = 1 - 2x$.

On vérifie que, pour $x \leqslant \frac{1}{2}$, $1 - 2x \geqslant 0$; ainsi, la racine carrée de $u(x)$ est bien définie.

La fonction u est strictement décroissante sur $\left]-\infty\,;\frac{1}{2}\right]$ donc la fonction $\sqrt{u}$, c'est-à-dire f, est strictement décroissante sur $\left]-\infty\,;\frac{1}{2}\right]$.

b. $g = -3u$ où u est la fonction définie sur $]0\,;+\infty[$ par $u(x) = \frac{1}{x}$.

Les fonctions u et $-3u$ ont des sens de variation contraires (car $-3 < 0$). Or u est strictement décroissante sur $]0\,;+\infty[$, donc $-3u$, c'est-à-dire g, est strictement croissante sur $]0\,;+\infty[$.

MÉTHODE

a. Il s'agit de bien identifier la fonction u qui permettra d'appliquer le théorème donnant les variations de $\sqrt{u}$. On s'assure bien que l'hypothèse $u(x) \geqslant 0$ est vérifiée.

b. On applique ici le théorème donnant les variations de ku.

c. Pour trouver l'ordre dans lequel on doit procéder, il est intéressant de se demander comment on effectuerait le calcul mental de l'image d'un réel x par la fonction h :

(1) on soustrait 3 à x ; (2) on prend l'inverse ;
(3) on multiplie par 2 ; (4) on ajoute 4.

Il est intéressant d'utiliser la calculatrice pour vérifier le résultat obtenu.

c. La fonction $u : x \mapsto x - 3$ est définie, strictement croissante et à valeurs strictement positives sur $]3\,;+\infty[$.

Donc la fonction $v : x \mapsto \frac{1}{x-3}$ est strictement décroissante sur $]3\,;+\infty[$ (la fonction u et la fonction $\frac{1}{u}$ sont de sens de variation contraires).

On en déduit que la fonction $w : x \mapsto \frac{2}{x-3}$ est strictement décroissante sur $]3\,;+\infty[$ car $w = 2v$.

Enfin, $w + 4$ a le même sens de variation que w, donc la fonction $h : x \mapsto \frac{2}{x-3} + 4$ est strictement décroissante sur $]3\,;+\infty[$.

▶ Exercices 58 à 60 p. 85

Travaux pratiques

TP TICE 1 Fonctions $f + g$ et fg

Objectif : Montrer qu'on ne peut pas énoncer de règle donnant le sens de variation de la somme ou du produit de deux fonctions.

Soit f et g deux fonctions définies sur un même intervalle I.
On définit sur l'intervalle I les fonctions $f + g$ et fg par :

$$(f+g)(x) = f(x) + g(x) \quad \text{et} \quad (fg)(x) = f(x) \times g(x)$$

La fonction $f + g$ est appelée **fonction somme** de f et g.
La fonction fg est appelée **fonction produit** de f et g.
On cherche à déterminer s'il existe des règles donnant le sens de variation de la somme de deux fonctions monotones sur I ou du produit de deux fonctions monotones sur I.

1 Fonction $f + g$

a. Soit f et g les fonctions définies sur $[-4 ; 4]$ par $f(x) = 2x$ et $g(x) = -3x$.
Construisons, à l'aide de la calculatrice ou d'un logiciel de géométrie dynamique, les courbes représentatives des fonctions f et g pour en déduire celle de $f + g$ point par point.
Avec *GeoGebra* :
– dans la ligne de saisie, entrer les expressions :

f(x)=Fonction[2x, –4, 4] et **g(x)=Fonction[–3x, –4, 4]** ;

– créer un curseur **a** avec le bouton [a=2], allant de –4 à 4 avec un pas de 0,04 (on pourra « élargir » le curseur de manière à en faciliter la manipulation) ;
– dans la ligne de saisie, taper **M = (a, f(a))** afin de créer un point M sur la courbe de la fonction f, puis **N = (a, g(a))**, N étant le point sur la courbe de g de même abscisse que M, et enfin **P = (a, f(a)+g(a))** le point de même abscisse que M et N sur la courbe de la fonction $f + g$;
– activer la trace du point P (clic droit sur P) ;
– manipuler le curseur de manière à faire apparaître la courbe représentative de $f + g$.

b. Donner les variations des fonctions f, g et $f + g$.

c. De la même manière, donner les variations des fonctions f, g et $f + g$ lorsque $f(x) = 4x$ et $g(x) = -3x$.

d. Peut-on énoncer une règle générale donnant le sens de variation de la somme d'une fonction croissante et d'une fonction décroissante sur un intervalle I ?

e. Conjecturer, après quelques observations graphiques, le sens de variation de la somme de deux fonctions strictement croissantes sur un intervalle I. Démontrer cette conjecture.

f. Reprendre la question **e** pour deux fonctions strictement décroissantes.

2 Fonction fg

a. Soit f et g les fonctions définies sur $[-4 ; 4]$ par $f(x) = 2x$ et $g(x) = 3x$.
Modifier les éléments nécessaires dans les figures de la question 1 afin de construire les courbes représentatives de f et g pour en déduire celle de fg point par point.

b. Donner les variations des fonctions f, g et fg.

c. De la même manière, donner les variations des fonctions f, g et fg lorsque $f(x) = x^2$ et $g(x) = -\dfrac{1}{x}$ sur l'intervalle $]0 ; 4]$.

d. Peut-on énoncer une règle générale donnant le sens de variation du produit de deux fonctions croissantes sur un intervalle I ?

TICE 2 Axe et centre de symétrie d'une courbe

Objectifs : • Utiliser un logiciel de géométrie pour découvrir les propriétés de symétrie d'une courbe.
• Établir une méthode pour démontrer ces propriétés.

Partie A : Axe de symétrie

Le plan est rapporté à un repère **orthogonal** $(O ; \vec{i}, \vec{j})$.

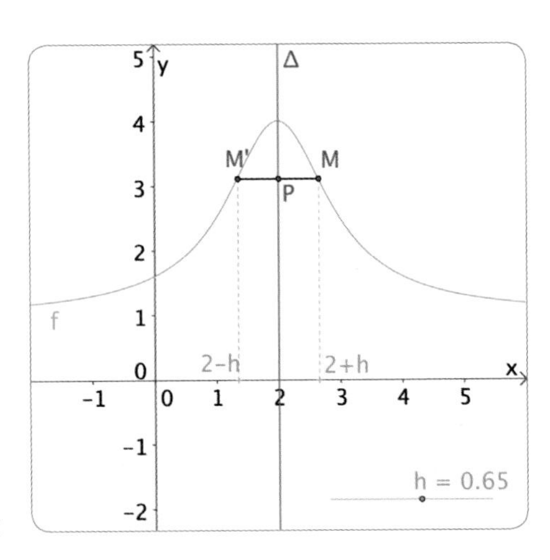

1 Soit f la fonction définie sur $\mathbb{R}$ par $f(x) = 1 + \dfrac{3}{x^2 - 4x + 5}$.

a. À l'aide d'un logiciel de géométrie dynamique, construire la courbe représentative $\mathscr{C}$ de la fonction f et la droite Δ d'équation $x = 2$. Quelle propriété de la courbe peut-on conjecturer ?

b. Créer une variable numérique h dans l'intervalle $[-5 ; 5]$.

c. Créer les points $M(2 + h ; f(2 + h))$ et $M'(2 - h ; f(2 - h))$, le segment [MM'] puis le point P, intersection de [MM'] et de Δ.

d. Faire varier h dans l'intervalle $[-5 ; 5]$.

Que peut-on conjecturer sur le lien entre [MM'] et la droite Δ ?

e. Calculer $f(2 + h)$ et $f(2 - h)$. En déduire que les points M et M' sont symétriques par rapport à la droite Δ.

Ainsi, le symétrique par rapport à la droite Δ de tout point M de la courbe $\mathscr{C}$ appartient aussi à la courbe $\mathscr{C}$. On dit que **la courbe $\mathscr{C}$ admet pour axe de symétrie la droite Δ.**

MÉTHODE En pratique, pour démontrer qu'une courbe $\mathscr{C}$ d'équation $y = f(x)$ dans un repère orthogonal admet la droite d'équation $x = a$ comme axe de symétrie, on prouve que, pour tout réel h tel que $a + h \in D_f$, on a $a - h \in D_f$ et $f(a + h) = f(a - h)$.

2 Conjecturer le domaine de définition de chacune des fonctions suivantes et une éventuelle symétrie de leur courbe représentative, puis démontrer ces conjectures.

a. $f_1 : x \mapsto -x^2 - 4x - 1$ **b.** $f_2 : x \mapsto \dfrac{1}{(x-1)^2}$ **c.** $f_3 : x \mapsto \sqrt{x^2 - 9}$

Partie B : Centre de symétrie

Le plan est rapporté à un repère $(O ; \vec{i}, \vec{j})$.

1 Soit f la fonction définie sur $\mathbb{R}$ par $f(x) = x^3 + 3x^2 + 1$ et $\mathscr{C}$ sa courbe représentative.

a. À l'aide d'un logiciel de géométrie dynamique, construire la courbe $\mathscr{C}$ et le point $A(-1 ; 3)$. Quelle propriété de symétrie de la courbe peut-on conjecturer ?

b. Créer une variable numérique h dans l'intervalle $[-4 ; 4]$.

c. Créer les points $M(-1 + h ; f(-1 + h))$ et $M'(-1 - h ; f(-1 - h))$, puis le segment [MM'].

d. Faire varier h dans l'intervalle $[-4 ; 4]$.

Émettre une conjecture sur le lien entre le segment [MM'] et le point A.

e. Calculer $f(-1 + h)$ et $f(-1 - h)$, puis démontrer la conjecture de la question précédente.

En déduire que les points M et M' sont symétriques par rapport au point A.

Ainsi, le symétrique par rapport au point A de tout point M de la courbe $\mathscr{C}$ appartient aussi à la courbe $\mathscr{C}$. On dit que **la courbe $\mathscr{C}$ admet pour centre de symétrie le point A.**

MÉTHODE En pratique, pour démontrer qu'une courbe $\mathscr{C}$ d'équation $y = f(x)$ dans un repère admet le point $A(a ; b)$ comme centre de symétrie, on prouve que pour tout réel h tel que $a + h \in D_f$, on a $a - h \in D_f$ et $\dfrac{f(a+h) + f(a-h)}{2} = b$.

2 Conjecturer le domaine de définition de chacune des fonctions suivantes et une éventuelle symétrie de leur courbe représentative, puis démontrer ces conjectures.

a. $f_1 : x \mapsto \dfrac{7 - x}{x - 3}$ **b.** $f_2 : x \mapsto (x + 2)\sqrt{x^2 + 4x + 3}$

TP TICE 3

En passant par la rivière

Objectifs : • Utiliser un logiciel de géométrie pour conjecturer les variations et le minimum d'une fonction.
• Utiliser les fonctions usuelles et des fonctions associées pour démontrer les conjectures.

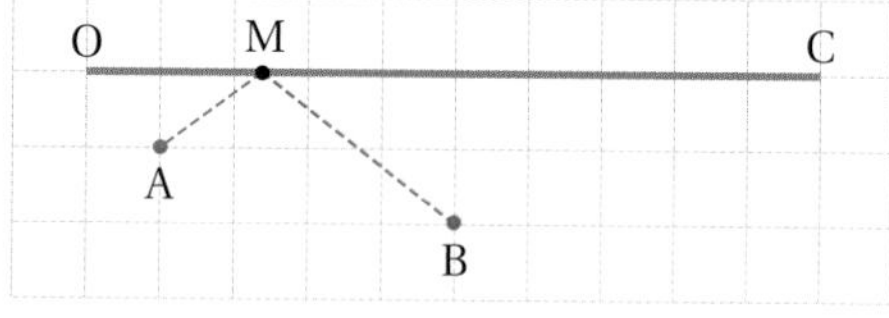

Sur la figure ci-contre, on a représenté un segment [OC] tel que OC = 10, deux points A et B, et un point M pouvant se déplacer sur le segment [OC]. On pose $x = \text{OM}$.

On se propose de mettre en évidence les variations des distances AM et BM en fonction de OM, ainsi que le minimum de la somme AM + BM.

1 a. À l'aide d'un logiciel de géométrie dynamique, créer les points O(0 ; 0), C(10 ; 0), A(1 ; –1), B(5 ; –2) et le point mobile M sur le segment [OC].

b. Construire les courbes représentant AM, BM et la somme AM + BM en fonction de x.

c. Conjecturer les valeurs de x qui rendent minimales AM, BM et la somme AM + BM.

2 On considère la fonction f qui au réel x associe la distance AM et la fonction g qui au réel x associe la distance BM.

a. Déterminer les expressions de $f(x)$ et $g(x)$ en précisant les domaines de définition.

b. Étudier les variations des fonctions f et g à l'aide des fonctions associées.

c. Étudier par le calcul les positions relatives des courbes représentatives de f et g.

Comment peut-on construire géométriquement le point M pour lequel on a $f(x) = g(x)$?

3 Soit h la fonction qui au réel x associe la somme AM + BM.

Grâce à un logiciel de calcul formel, on confirme les conjectures de la question **1** en obtenant les valeurs exactes du minimum de h et de la valeur où il est atteint.

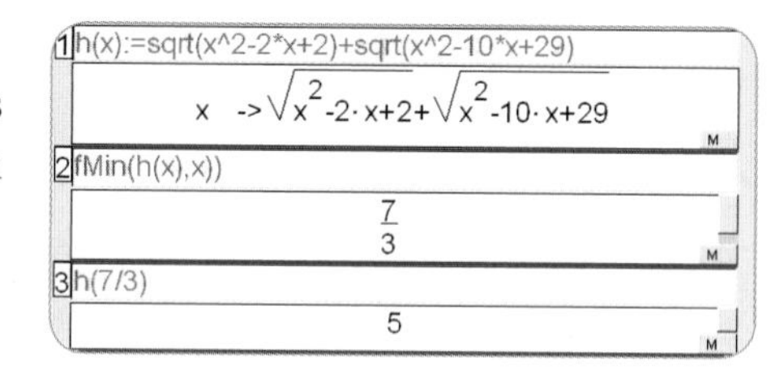

Le calcul ci-dessous permet de justifier le résultat trouvé.

$$h(x) - 5 = \sqrt{x^2 - 2x + 2} + \sqrt{x^2 - 10x + 29} - 5 = \frac{2x^2 - 12x + 6 + 2\sqrt{\left(x^2 - 2x + 2\right)\left(x^2 - 10x + 29\right)}}{\sqrt{x^2 - 2x + 2} + \sqrt{x^2 - 10x + 29} + 5} \quad (1)$$

$$= \frac{4\left(x^2 - 2x + 2\right)\left(x^2 - 10x + 29\right) - \left(2x^2 - 12x + 6\right)^2}{D} \ (*) \quad (2)$$

$$= \frac{36x^2 - 168x + 196}{D} = 4\frac{(3x - 7)^2}{D} \geqslant 0, \text{ nul pour } x = \frac{7}{3}. \quad (3)$$

(*) On a posé $D = \left(\sqrt{x^2 - 2x + 2} + \sqrt{x^2 - 10x + 29} + 5\right)\left(2\sqrt{\left(x^2 - 2x + 2\right)\left(x^2 - 10x + 29\right)} - \left(2x^2 - 12x + 6\right)\right)$.

- Si $2x^2 - 12x + 6 \leqslant 0$, c'est-à-dire sur $[3 - \sqrt{6}\ ; 3 + \sqrt{6}\ ]$, on a $D > 0$. (4)
- Si $2x^2 - 12x + 6 > 0$, c'est-à-dire sur $[0\ ; 3 - \sqrt{6}\ [\cup]3 + \sqrt{6}\ ; 10\ ]$, on peut comparer les réels positifs $2\sqrt{\left(x^2 - 2x + 2\right)\left(x^2 - 10x + 29\right)}$ et $2x^2 - 12x + 6$, ou leurs carrés. La différence de ces derniers vaut $4(3x - 7)^2$, donc $2\sqrt{\left(x^2 - 2x + 2\right)\left(x^2 - 10x + 29\right)} > 2x^2 - 12x + 6$ (5). On en déduit $D > 0$.

a. Expliquer les étapes de calcul (1) et (2).

b. Décrire les méthodes et propriétés utilisées en (3) et (4).

c. Expliquer pourquoi on a pu écrire une inégalité stricte en (5).

4 a. Construire le point B', symétrique de B par rapport à la droite (OC), et le point P, intersection des droites (AB') et (OC).

Quelle position particulière occupe le point P ? Expliquer.

b. Répondre au problème posé sur le parchemin ci-contre.

TP

Algorithmique

1 Résoudre une équation par dichotomie

▶ Fiches Algorithmique p. 11

La fonction f est définie sur $[0 ; +\infty[$ par $f(x) = \dfrac{x^3 + x^2 - 2x - 3}{x+1}$.

1 Déterminer deux réels a et b tels que, pour tout x de $[0 ; +\infty[$, on ait :

$$f(x) = x^2 + a + \frac{b}{x+1}$$

2 Soit u et v les fonctions définies sur $[0 ; +\infty[$ par :

$$u(x) = x^2 \quad \text{et} \quad v(x) = -2 - \frac{1}{x+1}$$

a. Déterminer le sens de variation de u et v sur l'intervalle $[0 ; +\infty[$.

b. En déduire le sens de variation de la fonction f sur $[0 ; +\infty[$.

Dresser le tableau de variations de f.

c. Calculer $f(1)$ et $f(2)$.

En déduire que, sur $[0 ; +\infty[$, l'équation $f(x) = 0$ admet une unique solution α et que cette solution appartient à l'intervalle $[1 ; 2]$.

3 On considère l'algorithme suivant.

```
Entrée :           Introduire un nombre entier naturel n.

Initialisation :   Affecter à la variable N la valeur n.
                   Affecter à la variable a la valeur 1.
                   Affecter à la variable b la valeur 2.

Traitement :       Tant que b - a > 10^(-N)
                       Affecter à la variable m la valeur (a+b)/2 .
                       Affecter à la variable P le produit f(a)×f(m).
                       Si P > 0 affecter à la variable a la valeur m.
                       Si P ≤ 0 affecter à la variable b la valeur m.

Sortie :           Afficher a.
                   Afficher b.
```

a. On fait fonctionner cet algorithme pour $n = 2$.

Reproduire et compléter le tableau suivant donnant les différentes étapes.

	m	P	a	b	$b-a$
Initialisation	–	–	1	2	1
Étape 1	...	...	...	...	...
Étape 2	...	...	...	...	...
Étape 3	1,625	−0,038 950 89	1,5	1,625	0,125
Étape 4	1,562 5	−0,007 674 35	1,5	1,562 5	0,062 5
Étape 5	1,531 25	0,007 550 27	1,531 25	1,562 5	0,031 25
Étape 6	1,546 875	−0,000 009 27	1,531 25	1,546 875	0,015 625
Étape 7	1,539 062 5	0,001 265 06	1,539 062 5	1,546 875	0,007 812 5

b. Cet algorithme détermine un encadrement de la solution α de l'équation $f(x) = 0$ sur l'intervalle $[1 ; 2]$.

Quelle influence le nombre entier n, introduit au début de l'algorithme, a-t-il sur l'encadrement obtenu ?

c. Programmer cet algorithme à l'aide d'un logiciel ou d'une calculatrice et déterminer un encadrement de α d'amplitude 10^{-8}.

Quel est le nombre d'étapes nécessaire à l'obtention de cet encadrement ?

TP

Algorithmique  Points entiers sur un cercle 

▸ Fiches Algorithmique p. 11

PARTIE A : Étude d'un demi-cercle

Le plan est muni d'un repère orthonormé $(\mathrm{O} ; \vec{i}, \vec{j})$.

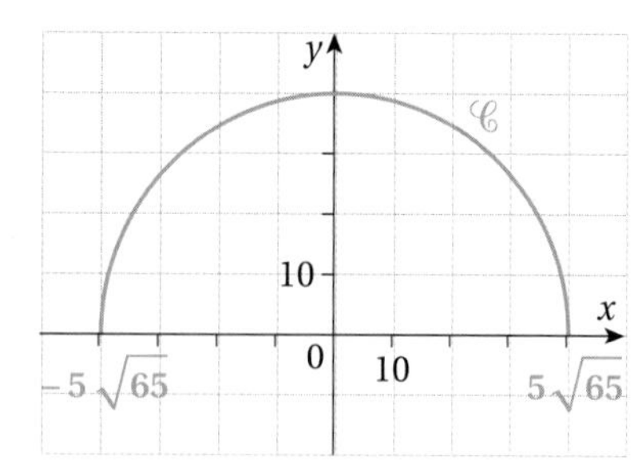

1 La courbe d'une fonction f est le demi-cercle $\mathscr{C}$ représenté ci-contre. Conjecturer le domaine de définition et les variations de f.

2 a. Montrer que le point M de coordonnées $(x ; y)$ appartient à $\mathscr{C}$ si et seulement si $y \geqslant 0$ et $x^2 + y^2 = 1\,625$.

b. En déduire une expression de la fonction f.

c. Justifier les conjectures faites en **1** à l'aide de l'expression de f.

d. Quelle propriété de symétrie présente la courbe $\mathscr{C}$?

PARTIE B : Recherche de points *entiers*

On souhaite déterminer les points ***entiers*** de la courbe $\mathscr{C}$, c'est-à-dire les points de cette courbe dont les coordonnées sont entières.

1 Voici un algorithme :

```
Initialisation :   Effacer la liste L1 et la liste L2.
                   Affecter à la variable n la valeur 0.

Traitement :       Pour i allant de 0 à 40
                       Affecter à la variable a la valeur √(1625−i²) .
                       Si a est entier alors
                           Affecter à la variable n la valeur n + 1.
                           Affecter à la variable L1(n) la valeur i.
                           Affecter à la variable L2(n) la valeur a.
                       Fin_du_Si
                   Fin_du_Pour

Sortie :           Afficher n.
                   Afficher L1 et L2.
```

a. Que réalise cet algorithme ?

b. Expliquer pourquoi la valeur finale de la variable i dans la boucle est 40.

2 On considère maintenant le quart de cercle de centre O et de rayon R situé dans le premier quadrant. On souhaite écrire un algorithme déterminant le nombre de points *entiers* sur ce quart de cercle, ainsi que les coordonnées de ces points.

a. Modifier l'algorithme de la question **1** de manière à permettre la saisie en entrée du rayon R du cercle.

b. Programmer ce nouvel algorithme sur un logiciel ou une calculatrice.

c. Tester le programme réalisé avec $R = 1$, $R = \sqrt{2}$, $R = 5$ et $R = 5\sqrt{65}$.

Vérifier les trois premières réponses obtenues par un tracé rapide sur papier quadrillé.

d. Combien y a-t-il de points entiers sur la courbe $\mathscr{C}$? Justifier la réponse.

3 Modifier le programme de la question **2** de manière à ajouter l'affichage en sortie du nombre de points *entiers* sur un cercle de centre O et de rayon R.

Tester le programme avec les valeurs des rayons données en **2**c.

COUP DE POUCE

Pour tester si un nombre x est entier, on peut le comparer à sa **partie entière** (la partie entière de x est le plus grand nombre entier inférieur ou égal à x). Cette fonction s'obtient, par exemple, sur TI-83 Plus.*fr* dans le menu **math**, puis NUM (fonction partEnt), et sur Casio *Graph* 35+ par **OPTN**, puis onglet NUM (fonction Intg).

TP

Problème ouvert 1 Lieu de points

Dans un repère orthonormé $(O ; \vec{i}, \vec{j})$, on considère le point $A(-1 ; -1)$ et les droites d_1 et d_2 d'équations respectives $y = 1$ et $x = 1$.
Un point M est situé sur la droite d_1.
On appelle N le point d'intersection éventuel des droites (AM) et d_2, et P le milieu du segment [MN].

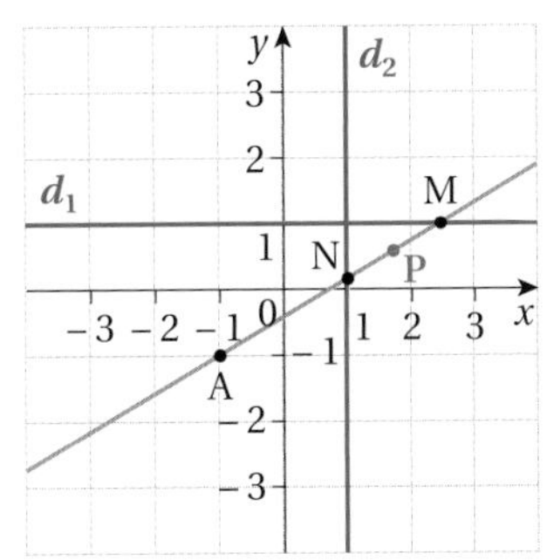

Quel est le lieu $\mathscr{L}$ des points P obtenus lorsque le point M décrit la droite d_1 ?

COUP DE POUCE

On pourra conjecturer l'ensemble obtenu grâce à un logiciel de géométrie dynamique.

TP

Problème ouvert 2 Un système particulier

Résoudre le système suivant, où x_1, x_2 et x_3 sont des réels positifs ou nuls :

$$\begin{cases} x_1 + x_2 + x_3 = 1 \\ x_1^2 + x_2^2 + x_3^2 = 1 \end{cases}$$

COUP DE POUCE

On pourra dans un premier temps supposer par l'absurde que l'un des x_i est strictement supérieur à 1.

TP

Problème ouvert 3 Un exercice d'Olympiade

On définit pour chaque couple de réels $(a ; b)$ la fonction f par :

$$f(x) = a - \sqrt{x + b}$$

Deux nombres réels u et v sont dits *échangeables* s'il existe au moins un couple de réels $(a ; b)$ tel que la fonction f vérifie à la fois $f(u) = v$ et $f(v) = u$.

1. Montrer que 2 et 3 sont échangeables.
2. Peut-on en dire autant de 4 et 7 ?
3. À quelle condition deux ***entiers*** u et v sont-ils échangeables ?

CULTURE MATHS

POUR ALLER PLUS LOIN

La fonction des clepsydres

Bien avant l'invention des horloges mécaniques (XIIIe siècle) et des montres (XVIIe), l'écoulement des secondes et minutes se mesurait à l'aide d'une horloge à eau, la « clepsydre » : un récipient avec un trou à sa base par lequel s'écoule l'eau. Des graduations à l'intérieur du récipient permettent d'évaluer le temps en fonction de la baisse du niveau d'eau… mais il y a un problème : à mesure que le volume d'eau diminue, l'écoulement ralentit. Aussi, il faut donner au récipient une forme particulière pour maintenir la régularité.
Les Grecs, au VIe siècle av. J.-C., avaient trouvé empiriquement que le récipient devait avoir la forme d'une parabole inversée (tête en bas), ce que Galilée prouva en 1610.
Ce problème d'hydrodynamique se résout avec une fonction donnant la hauteur de la colonne d'eau h en fonction du temps t, et des paramètres suivants : la section de la surface de l'eau S, la section du trou s, la hauteur initiale de la colonne d'eau H ($h(0)$) et l'accélération due à la gravité g.
Newton s'intéressa à cette question d'hydrodynamique et arriva à la formule suivante :

$$h: \mathbb{R}+ \rightarrow \mathbb{R}+$$

$$t \mapsto \begin{cases} \dfrac{1}{4}\left(\sqrt{2g}\,\dfrac{s}{S}t - 2\sqrt{H}\right)^2 & \text{si } 0 \leqslant t \leqslant \dfrac{S}{s}\sqrt{\dfrac{2H}{g}} \\ 0 \text{ si } t \geqslant \dfrac{S}{s}\sqrt{\dfrac{2H}{g}} \end{cases}$$

(En effet, si $t \geqslant \dfrac{S}{s}\sqrt{\dfrac{2H}{g}}$, le récipient est vide et donc l'eau ne s'écoule plus !)

Clepsydre, 400 av. J.-C.
Utilisée à la cour de justice d'Athènes pour limiter la durée des discours ; de capacité 6,4 L, elle se vidait en 6 minutes.

Isaac Newton (1642 - 1727).
Anonyme, huile sur toile (Musée de la science, Londres).

Des formules aux fonctions

Une fonction… Qu'est-ce d'autre que la traduction mathématique d'une intuition assez commune contenue, par exemple, dans l'expression : « demain, je m'habillerai en fonction de la météo » ? Si on est un peu mathématicien, on peut établir une relation entre l'habillement et le climat : l'épaisseur des vêtements que je porte est inversement proportionnelle à la température extérieure, ce qui renvoie à la fonction inverse $f(x) = \alpha.\dfrac{1}{x}$. Si α est une constante qui vaut disons 10 cm, soit $f(x) = \dfrac{10}{x}$, alors $f(10°) = 1$ cm d'épaisseur de vêtements, $f(25°) = 2$ mm… Mais cette fonction n'est pas pertinente car en approchant de 0°, l'épaisseur de vêtements devient infinie, et si la température est négative, l'épaisseur le devient également ! On peut alors modifier f en la définissant sur plusieurs segments, par exemple[1] :

$$\text{si } x \geqslant 1,\ f(x) = \frac{10}{x}\ ;\ \text{si } -1 \leqslant x \leqslant 1,\ f(x) = 10\ ;\ \text{si } x < -1,\ f(x) = 10.(-x).$$

1. Montrer que cette fonction peut s'écrire :

$$\begin{cases} f(x) = 10.|x|^{\frac{-x}{|x|}} \text{ pour } x \in]-\infty\,;\,1[\cup]1\,;+\infty[\\ f(x) = 10 \text{ pour } x \in [-1\,;\,1] \end{cases}$$

La chute des corps selon Galilée

Portrait de Galilée (1564 - 1642). Peinture de l'école de Sustermans (Galerie Palatine, Florence).

La formule du second degré donnant l'altitude $x(t)$ d'une pierre qui chute en fonction du temps :

$$x(t) = x(0) - \alpha t^2$$

est obtenue par Galilée en 1604.

Il en déduit la formule reliant la vitesse du corps en chute libre à son altitude :

$$v(x) = \beta\sqrt{x_0 - x}$$

où $x_0 = x(0)$ est l'altitude à laquelle on lâche le corps. Vous devriez pouvoir prouver que $\beta = 2\sqrt{\alpha}$.

Précisons que le calcul de α sous la forme $\frac{1}{2}g$ que vous rencontrez en Physique n'est envisageable qu'après Newton puisqu'il suppose la théorie de l'attraction terrestre.

La préhistoire des fonctions

Le fait même de dresser une *liste de nombres*, définit une « *fonction* » : celle qui associe chaque nombre à son rang d'apparition dans la liste. L'une des plus anciennes traces connues de ce type a été produite en Mésopotamie, il y a quarante siècles. Elle est constituée des valeurs de $n \mapsto n^2 + n^3$ sur $\{26, 27, ..., 47, 48\}$. Même si ce calcul contient clairement une part importante d'abstraction, il serait sans doute anachronique d'y voir la naissance des fonctions que vous rencontrerez durant vos études.

Les fonctions ont des problèmes d'identité

Cette solution empirique permettrait de programmer un robot pour qu'il sache – ou semble savoir – s'habiller en fonction du temps... Mais la fonction f semble bien artificielle ! Peut-on affirmer qu'on a affaire à une seule fonction et non pas à des morceaux de fonctions différentes arbitrairement jointes pour les besoins de notre démonstration – en particulier le morceau compris entre –1 et +1 ? De fait, ce type de questionnement taraudait les mathématiciens du XIXe siècle : ils ne savaient pas s'il fallait admettre des fonctions ayant plusieurs expressions ou n'en ayant aucune représentable par une formule ou une courbe. Ce fut une crise car un siècle auparavant les spécialistes, comme Jean Bernouilli ou Leonhard Euler, pensaient disposer d'une définition claire du concept, du type : une fonction est une expression, contenant des variables et des constantes, formée d'opérations mathématiques classiques qui peut être concrètement calculée et représentée. C'était notamment le cas des fonctions « physiques » établies par Galilée (▶ encadré) et Newton (▶ Pour aller plus loin).

Qu'est-ce qui permet d'affirmer que plusieurs morceaux de courbes juxtaposés forment une seule et même fonction ?

Des fonctions pathologiques et monstrueuses

Mais les mathématiciens du XIXe siècle exhibèrent des fonctions « monstrueuses » ou « pathologiques » qui ne pouvaient être exprimées de cette manière. Et ils arrivèrent à la conclusion qu'il faut séparer le concept de fonction de l'idée de formule ou d'opération : une fonction peut s'exprimer à l'aide de concepts mathématiques généraux ne donnant lieu à aucune possibilité de calcul ou de représentation concrets ! Ainsi, l'Allemand Peter Dirichlet proposa la fonction – impossible à représenter – qui à tout nombre réel rationnel associe le nombre 1 et à tout nombre réel irrationnel associe le nombre zéro. Et son compatriote Karl Weierstrass définît une fonction faite de brisures à toutes les échelles, comme un porc-épic dont chaque aiguille est à son tour semée d'aiguilles et ainsi de suite à l'infini ! Tandis que les fonctions monstrueuses se multipliaient, des mathématiciens se mirent à définir des « fonctions logiques » prenant comme variable non pas un nombre mais... une proposition mathématique du type « la formule 7 + 5 = 12 est fausse » (proposition qui est elle-même fausse) – ce qui, disons-le en passant, transforma la logique en une science du calcul et conduisit à l'invention de l'informatique...

Vers une définition très générale

Bref, au début du XXe siècle les mathématiciens durent donner aux fonctions une définition abstraite hors toute idée de formule et de courbe : c'est une correspondance d'un ensemble d'éléments vers un autre, quelle qu'en soit leur nature, telle que tout élément du premier est en relation avec un unique élément du second. Par exemple : la fonction entre l'ensemble des élèves de la classe et l'ensemble des noms des êtres humains, qui relie chaque élève à un nom... Cette fonction existe mathématiquement même si l'on s'en tient à cette définition générale.

Exercices d'application

Fonction carré et fonction inverse

1 **Vrai ou faux ?**

Pour chacune des affirmations suivantes, indiquer si elle est vraie ou fausse. Justifier la réponse.

a. Si $2 \leqslant x \leqslant 3$ alors $4 \leqslant x^2 \leqslant 9$.

b. Si $4 \leqslant x^2 \leqslant 9$ alors $2 \leqslant x \leqslant 3$.

c. Si $-2 \leqslant x \leqslant 3$ alors $4 \leqslant x^2 \leqslant 9$.

2 Dans chaque cas, comparer sans calcul.

a. $3{,}14^2$ et $3{,}15^2$.

b. $(-5{,}7)^2$ et $(-7{,}5)^2$.

c. $\left(1-\sqrt{2}\right)^2$ et $\left(\sqrt{2}-1\right)^2$.

d. $(-2{,}72)^2$ et $2{,}71^2$.

3 Résoudre dans $\mathbb{R}$, graphiquement ou algébriquement, les équations suivantes.

a. $x^2 = 9$

b. $x^2 = 3$

c. $x^2 = -2$

d. $x^2 = 0$

e. $x^2 = 10^{-6}$

4 Résoudre dans $\mathbb{R}$, graphiquement ou algébriquement, les inéquations suivantes.

a. $x^2 < 4$

b. $x^2 \geqslant 2$

c. $x^2 < -2$

d. $x^2 \geqslant 0$

e. $x^2 \leqslant 10^{-6}$

5 **Vrai ou faux ?**

Pour chacune des affirmations suivantes, indiquer si elle est vraie ou fausse. Justifier la réponse.

a. Si $2 \leqslant x \leqslant 3$ alors $\frac{1}{2} \leqslant \frac{1}{x} \leqslant \frac{1}{3}$.

b. Si $1 \leqslant \frac{1}{x} \leqslant 100$ alors $0{,}01 \leqslant x \leqslant 1$.

c. Si $-3 \leqslant x \leqslant -1$ alors $-1 \leqslant \frac{1}{x} \leqslant -\frac{1}{3}$.

6 Dans chaque cas, comparer sans calcul.

a. $\frac{1}{6}$ et $\frac{1}{7}$. **b.** $\frac{1}{10^3}$ et $\frac{1}{10^4}$.

c. $\frac{1}{3}$ et $-\frac{1}{2}$. **d.** $-\frac{1}{\pi}$ et $-\frac{1}{3{,}14}$.

7 Résoudre dans $\mathbb{R}$, graphiquement ou algébriquement, les équations suivantes.

a. $\frac{1}{x} = -1$ **b.** $\frac{1}{x} = 3$ **c.** $\frac{1}{x} = -\frac{5}{2}$

d. $\frac{1}{x} = 0$ **e.** $\frac{1}{x} = 10^{-3}$

8 Résoudre dans $\mathbb{R}$, graphiquement ou algébriquement, les inéquations suivantes.

a. $\frac{1}{x} > 2$ **b.** $\frac{1}{x} \leqslant -3$ **c.** $\frac{1}{x} < 0$

d. $\frac{1}{x} \geqslant -1$ **e.** $\frac{1}{x} \geqslant 10^9$

9 On donne le tableau de variations d'une fonction f définie sur $[-10 ; 10]$.

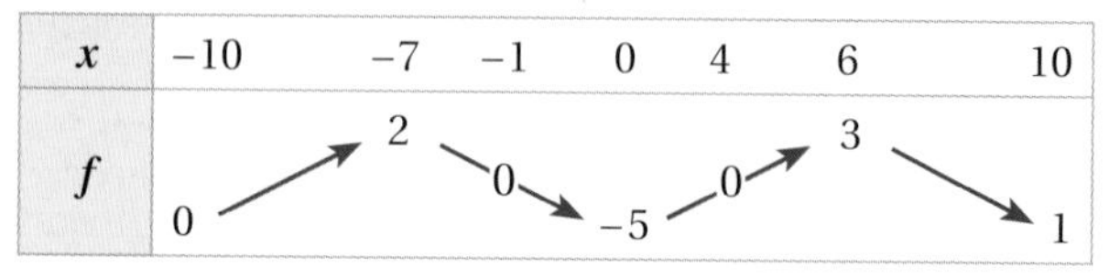

x	-10	-7	-1	0	4	6	10
f	0 ↗	2 ↘	0 ↘	-5 ↗	0 ↗	3 ↘	1

1. Pour chacune des affirmations suivantes, dire si elle est vraie, fausse, ou si le tableau ne permet pas de savoir. Justifier chaque réponse.

a. $f(1) > f(3)$

b. $f(-9) < f(-6)$

c. $f(-6) < 2$

d. $f(-5) > f(-3)$

2. Résoudre les équations suivantes.

a. $f(x) = -7$ **b.** $f(x) = 3$ **c.** $f(x) = 0$

3. Résoudre les inéquations suivantes.

a. $f(x) < 0$ **b.** $f(x) \geqslant 4$ **c.** $f(x) \geqslant 0$

10 On donne le tableau de variations d'une fonction f.

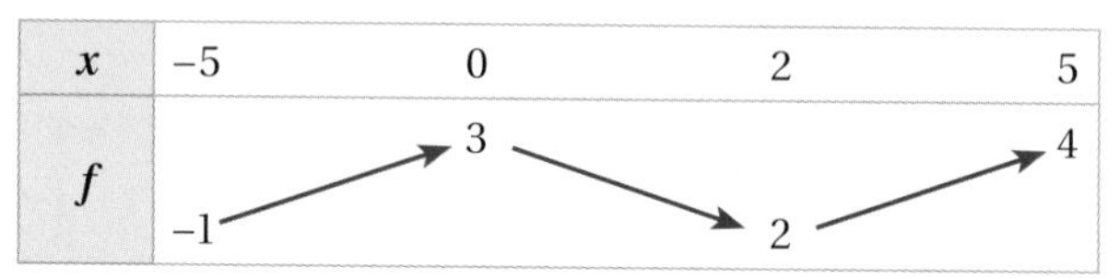

x	-5	0	2	5
f	-1 ↗	3 ↘	2 ↗	4

Représenter dans un repère l'allure d'une courbe possible pour cette fonction.

11 Soit f la fonction définie sur $\mathbb{R}$ par :

$$f(x) = -\frac{2}{3}x^2 + 4$$

a. Montrer à l'aide de la définition que la fonction f est strictement décroissante sur $[0 ; +\infty[$.

b. Étudier les variations de f sur $]-\infty ; 0]$.

c. Construire le tableau de variations de f.

▸ Savoir-faire 1 p. 70

12 Soit g la fonction définie par :

$$g(x) = -1 + \frac{7}{x}$$

a. Déterminer le domaine de définition de g.

b. Montrer à l'aide de la définition que la fonction g est strictement décroissante sur $]0 ; +\infty[$.

c. Étudier les variations de g sur $]-\infty ; 0[$.

d. Dresser le tableau de variations de g.

13 On considère la fonction f définie sur $\mathbb{R}$ par :

$$f(x) = x^2 - 4x + 7$$

1. Montrer que, pour tous réels a et b, on a :

$$f(b) - f(a) = (b - a)(a + b - 4)$$

2. a. Déterminer le signe de $f(b) - f(a)$ lorsque :

$$2 \leqslant a < b$$

En déduire le sens de variation de f sur $[2 ; +\infty[$.

b. Déterminer le sens de variation de f sur $]-\infty ; 2]$.

14 On considère la fonction g définie sur $\mathbb{R} \setminus \{1\}$ par :

$$g(x) = \frac{-2x+5}{x-1}$$

a. Montrer que pour tous réels a et b différents de 1 :

$$g(b) - g(a) = \frac{-3(b-a)}{(a-1)(b-1)}$$

b. Étudier les variations de g sur chacun des intervalles $]-\infty ; 1[$ et $]1 ; +\infty[$.

15 On considère la fonction h définie sur $]0 ; +\infty[$ par :

$$h(x) = x + \frac{1}{x}$$

1. Montrer que pour tous réels a et b strictement positifs :

$$h(b) - h(a) = \frac{(b-a)(ab-1)}{ab}$$

2. Étudier les variations de h sur chacun des intervalles $]0 ; 1]$ et $[1 ; +\infty[$.

3. Applications

a. Parmi tous les rectangles d'aire égale à 1, quel est celui de périmètre minimal ?

b. Soit α et β deux réels strictement positifs.

Démontrer l'inégalité $\frac{\alpha}{\beta} + \frac{\beta}{\alpha} \geqslant 2$.

Fonction racine carrée

16 Classer dans l'ordre croissant les nombres suivants sans calculer les racines carrées :

$a = \sqrt{1{,}012}$; $b = \sqrt{1{,}02}$; $c = \sqrt{1+10^{-2}}$;
$d = \sqrt{1+0{,}11^2}$; $e = 1{,}01$.

17 Résoudre dans $\mathbb{R}$, graphiquement ou algébriquement, les équations et inéquations suivantes.

a. $\sqrt{x} = 2$

b. $\sqrt{x} \geqslant 3$

c. $\sqrt{x} = -2$

d. $\sqrt{x} \leqslant 0$

e. $\sqrt{x} < 10^{-3}$

18 Soit f la fonction définie sur $[0 ; +\infty[$ par :

$$f(x) = \frac{1}{\sqrt{x+1} + \sqrt{x}}$$

a. Écrire sans radical au dénominateur le nombre $f(x)$.

b. En déduire une écriture simplifiée de la somme :

$$S(n) = f(0) + f(1) + f(2) + \ldots + f(n)$$

où n est un entier naturel.

19 **Algorithmique** Soit f la fonction définie sur $[0 ; +\infty[$ par $f(x) = \sqrt{x}$ et $\mathscr{C}$ sa courbe représentative dans un repère $(O ; \vec{i}, \vec{j})$ du plan.

a. Écrire un programme qui compare les valeurs de $f\left(\frac{a+b}{2}\right)$ et $\frac{f(a)+f(b)}{2}$, pour deux nombres positifs a et b donnés en entrée.

Le tester pour des valeurs variées de a et b.

Que peut-on conjecturer ?

b. Montrer que, pour tous réels positifs a et b, on a :

$$f\left(\frac{a+b}{2}\right) \geqslant \frac{f(a)+f(b)}{2}$$

c. On appelle A et B les points de la courbe $\mathscr{C}$ d'abscisses respectives a et b. Interpréter graphiquement le résultat démontré à la question **b**.

Fonction valeur absolue

20 Donner la valeur absolue des nombres suivants :

$a = 5$; $b = -3$; $c = (-2)^2$;
$d = 3 - \sqrt{3}$; $e = \sqrt{2} - \sqrt{3}$; $f = (-1)^{2\,011}$.

21 Classer dans l'ordre croissant les nombres suivants :

$a = |-2|$; $b = |4|$; $c = |-3|$;
$d = |-\pi|$; $e = |-5|$; $f = |1 - \pi|$.

22 Calculer la distance entre les réels x et y dans chacun des cas suivants.

a. $x = 6$ et $y = 1$.

b. $x = -3$ et $y = 2$.

c. $x = -7$ et $y = -2{,}3$.

d. $x = \sqrt{3}$ et $y = -\sqrt{12}$.

23 Résoudre les équations suivantes.

a. $|x| = 2$

b. $|x| = \sqrt{3}$

c. $|x| = -2\pi$

24 Résoudre les inéquations suivantes.

On représentera les solutions sur la droite réelle.

a. $|x| < 2$

b. $|x| \geqslant 3$

c. $|x| < -1$

25 **a.** Déterminer graphiquement l'ensemble des nombres dont la distance à -1 est 6.

b. Résoudre graphiquement l'équation $|x - 2| = 5$.

c. Résoudre graphiquement l'équation $|-5 - x| = 3$.

26 **a.** Compléter :

« $|a+b| = |a-(\ldots)|$ donc $|a+b|$ est la distance entre les réels a et .... »

b. Résoudre graphiquement l'équation $|x+2| = 1$.

c. Résoudre graphiquement l'équation $|3+x| = 7$.

27 Résoudre graphiquement les inéquations suivantes.

a. $|x-4| < \frac{2}{5}$

b. $|2-x| \geqslant 2$

c. $|x+\pi| \leqslant 4$

d. $\left|-\sqrt{3}+x\right| > 1$

28 Soit f la fonction définie sur $\mathbb{R}$ par :

$$f(x) = |x-6|$$

a. Compléter sans utiliser de valeur absolue :

$$f(x) = \begin{cases} \ldots \text{ si } x \leqslant 6 \\ \ldots \text{ si } x \geqslant 6 \end{cases}$$

b. Étudier les variations de la fonction f sur $\mathbb{R}$.

c. Tracer la courbe représentative de f sur l'intervalle $[0\,;10]$.

29 Soit g la fonction définie sur $\mathbb{R}$ par :

$$g(x) = \sqrt{(3x-6)^2}$$

a. Compléter en n'utilisant ni valeur absolue ni radical :

$$g(x) = \begin{cases} \ldots \text{ si } x \leqslant \ldots \\ \ldots \text{ si } x \geqslant \ldots \end{cases}$$

b. Étudier les variations de la fonction g sur $\mathbb{R}$.

c. Tracer la courbe représentative de g sur l'intervalle $[-4\,;6]$.

30 Traduire chacune des phrases suivantes par une inégalité, à l'aide de valeurs absolues.

a. La distance entre x et π est strictement inférieure à 0,1.

b. Le nombre 1,73 est une valeur approchée à 10^{-3} près du réel r.

c. $a \in [5\,;7]$

COUP DE POUCE

Penser au centre de l'intervalle.

d. $2{,}718 < e < 2{,}719$

31 Traduire chacune des phrases suivantes par une inégalité, à l'aide de valeurs absolues.

a. La distance entre y et $-\frac{\sqrt{3}}{2}$ est inférieure ou égale à 1.

b. Le nombre 3×10^8 est une valeur approchée à 3×10^5 près du réel c.

c. $a \in]-1\,;4[$

d. $x \in]-\infty\,;1] \cup [3\,;+\infty[$

32 Résoudre dans $\mathbb{R}$ les équations suivantes.

a. $|-3-x| = |x-5|$ **b.** $|x+1| = |x-4|$ **c.** $|2x+1| = 2|x-3|$

COUP DE POUCE

On pourra raisonner géométriquement ou en utilisant la propriété : « $|x| = |y|$ équivaut à $x = y$ ou $x = -y$. »

33 Soit f la fonction définie sur $\mathbb{R}$ par :

$$f(x) = |x-3| + |x+5|$$

a. Compléter le tableau suivant avec, sur les différents intervalles, des expressions de $|x-3|$ et $|x+5|$ n'utilisant pas de valeur absolue.

x	$-\infty$ -5	-5 3	3 $+\infty$
$\lvert x-3\rvert$	...	...	...
$\lvert x+5\rvert$	...	...	...
$f(x)$	...	...	...

b. Dresser le tableau de variations de la fonction f sur $\mathbb{R}$.

c. Tracer la courbe représentative de f sur l'intervalle $[-10\,;10]$.

d. Résoudre par le calcul l'équation $f(x) = 12$.
Vérifier à l'aide du graphique.

e. Résoudre par le calcul l'inéquation $f(x) < 10$.
Vérifier à l'aide du graphique.

f. On considère sur la droite numérique les points A, B et M d'abscisses respectives 3 ; –5 et x.
Interpréter géométriquement $f(x)$ et vérifier les résultats trouvés aux questions **d** et **e**.

34 Soit f la fonction définie sur $\mathbb{R}$ par :

$$f(x) = |1-x| - 2|x+3|$$

a. Compléter sans utiliser de valeur absolue :

$$f(x) = \begin{cases} \ldots \text{ si } x \leqslant -3 \\ \ldots \text{ si } -3 \leqslant x \leqslant 1 \\ \ldots \text{ si } x \geqslant 1 \end{cases}$$

b. Étudier les variations de la fonction f sur $\mathbb{R}$.

c. Tracer la courbe représentative de f sur l'intervalle $[-5\,;5]$.

Positions relatives de courbes

35 Comparer les réels suivants sans utiliser de calculatrice.

a. $\sqrt{2{,}34}$; 2,34 et $2{,}34^2$.

b. $\sqrt{\pi-3}$; $\pi-3$ et $(\pi-3)^2$.

c. $\sqrt{\frac{\pi}{3}}$; $\frac{\pi}{3}$ et $\left(\frac{\pi}{3}\right)^2$.

36 Soit $A = 3-2\sqrt{2}$.

a. Calculer $\left(\sqrt{2}-1\right)^2$. En déduire $\sqrt{A}$.

b. Calculer A^2.

c. Comparer sans calculatrice les réels $\sqrt{2}-1$; $3-2\sqrt{2}$ et $17-12\sqrt{2}$.

37 Soit f la fonction inverse définie sur l'intervalle $]0\,;+\infty[$.

a. Construire le tableau de variations de f en y faisant figurer la valeur de $f(1)$.

b. Comparer $f(x)$, $\sqrt{f(x)}$ et $(f(x))^2$ suivant la valeur de x.

38 On considère la fonction f définie sur $\mathbb{R} \setminus \{0\}$ par $f(x) = \dfrac{1}{x}$, de courbe représentative $\mathscr{C}$, et d la droite d'équation $y = 4x$.

a. Étudier le signe de $f(x) - 4x$.

b. En déduire les positions relatives de la courbe $\mathscr{C}$ et de la droite d.

Savoir-faire 2 p. 70

39 On considère les fonctions f et g définies sur $[0\,;+\infty[$ par $f(x) = 2\sqrt{x}$ et $g(x) = x + 1$.

a. Tracer les représentations graphiques des fonctions f et g.

b. Étudier la position relative des courbes représentant f et g.

COUP DE POUCE

Penser à une identité remarquable.

40 Soit f la fonction définie sur $\mathbb{R} \setminus \{3\}$ par :

$$f(x) = \frac{x^2 - 5x + 5}{x - 3}$$

On souhaite étudier la position de la courbe $\mathscr{C}$ représentant f par rapport à la droite d d'équation $y = x - 2$.

a. Étudier le signe de $f(x) - (x - 2)$.

b. En déduire les positions relatives de la courbe $\mathscr{C}$ et de la droite d.

c. Décrire la façon dont évolue la valeur de $f(x) - (x - 2)$ lorsque x devient grand (on pourra faire les calculs pour $x = 10^2$, $x = 10^3$, $x = 10^6$, etc.).

Interpréter géométriquement ce phénomène.

41 On définit les fonctions f, g et h sur l'intervalle $[0\,;1]$ par :

$$f(x) = \sqrt{1+x}\,,\ g(x) = 1 + \frac{x}{2} \quad \text{et} \quad h(x) = 1 + \frac{x}{2} - \frac{x^2}{8}$$

1. a. Comparer $(f(x))^2$ et $(g(x))^2$.

b. En déduire que, pour $0 < x \leqslant 1$, $\sqrt{1+x} < 1 + \dfrac{x}{2}$.

2. a. Montrer que, pour $0 \leqslant x \leqslant 1$, $h(x)$ est positif.

b. Comparer $(f(x))^2$ et $(h(x))^2$ sur l'intervalle $[0\,;1]$.

c. En déduire que, pour $0 < x \leqslant 1$, $1 + \dfrac{x}{2} - \dfrac{x^2}{8} < \sqrt{1+x}$.

3. Décrire les positions relatives des courbes représentatives des fonctions f, g et h.

4. Sans calculatrice, donner un encadrement de $\sqrt{1{,}000\,002}$.

Quelle est l'amplitude de cet encadrement ? (L'*amplitude* de l'encadrement $a < y < b$ est le réel positif $b - a$.)

Fonctions associées

42 L'objectif de l'exercice est de démontrer, en procédant par disjonction des cas, la propriété vue dans la partie **E2** du cours :

Soit u une fonction monotone sur un intervalle I et k un réel.
- Si $k > 0$, la fonction ku a même sens de variation que u sur I.
- Si $k < 0$, la fonction ku a le sens de variation contraire à celui de u sur I.

a. Démontrer le résultat dans le cas où $k > 0$ et u croissante sur l'intervalle I.

b. Quels autres cas faut-il envisager ?

Finir la démonstration de la propriété.

43 Soit f la fonction $x \mapsto |x|$ et $\mathscr{C}$ sa courbe représentative.

Construire $\mathscr{C}$ et les courbes $\mathscr{C}_1$, $\mathscr{C}_2$ et $\mathscr{C}_3$ représentant respectivement les fonctions $-2f$, $f - 3$ et $\dfrac{f}{2}$.

44 **1.** Rappeler le tableau de variations des fonctions carré et inverse.

2. En déduire les domaines de définition et les tableaux de variations des fonctions suivantes.

a. $x \mapsto \dfrac{x^2}{2}$ **b.** $x \mapsto -3x^2$ **c.** $x \mapsto -\dfrac{4}{x}$ **d.** $x \mapsto \dfrac{\sqrt{2}-1}{x}$

45 **1.** Rappeler le tableau de variations des fonctions racine carrée et valeur absolue.

2. En déduire les domaines de définition et les tableaux de variations des fonctions suivantes.

a. $x \mapsto -2\sqrt{x}$ **b.** $x \mapsto \sqrt{5x}$ **c.** $x \mapsto -|x|$ **d.** $x \mapsto |-3x|$

46 La fonction u est définie sur $\mathbb{R}$. On a représenté ci-dessous sa courbe représentative $\mathscr{C}$, ainsi que les courbes représentatives des fonctions $-\dfrac{1}{2}u$, $-u$ et $\dfrac{3}{2}u$.

Identifier ces courbes.

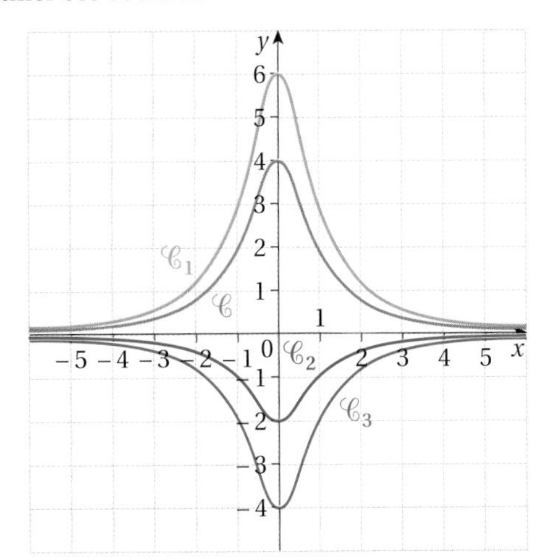

47 Les fonctions f, g et h sont de la forme ku, où u est la fonction inverse et k un réel donné.
Déterminer les expressions de f, g et h à l'aide de leurs courbes $\mathscr{C}_f$, $\mathscr{C}_g$ et $\mathscr{C}_h$ représentées ci-dessous.

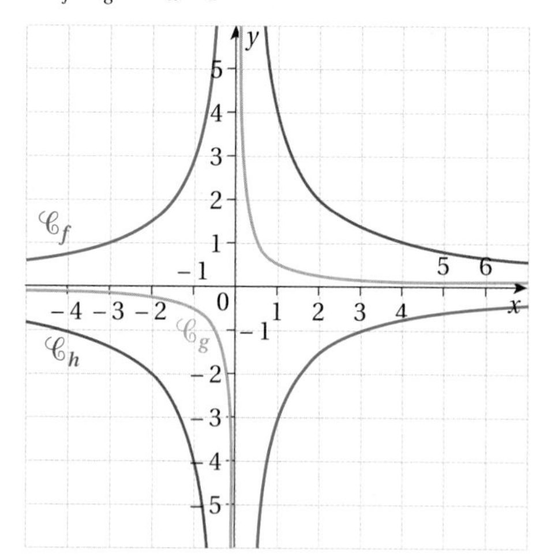

48 Déterminer le domaine de définition et construire le tableau de variations de chacune des fonctions suivantes.

a. $x \mapsto x^2 - \frac{1}{2}$

b. $x \mapsto 2 + \sqrt{x}$

c. $x \mapsto |x| - \sqrt{2}$

d. $x \mapsto \frac{2x+1}{x}$

49 On a représenté ci-dessous, dans le repère orthonormé $(O ; \vec{i}, \vec{j})$, la courbe représentative $\mathscr{C}$ de la fonction u définie sur l'intervalle $[-4 ; 4]$: il s'agit d'un demi-cercle de centre O et de rayon 4.

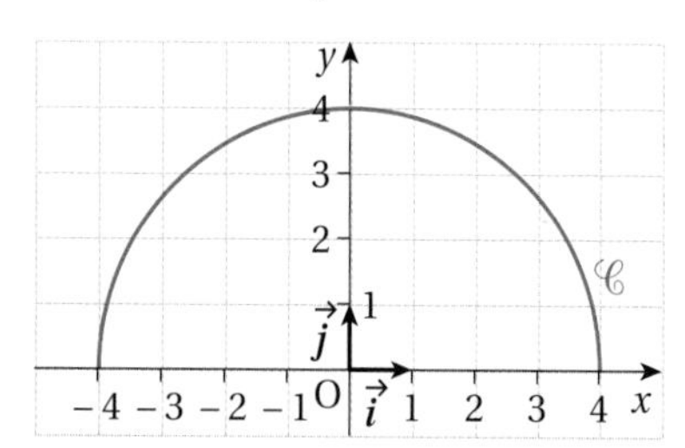

Tracer les courbes représentant les fonctions f, g et h définies par :

$f = -2u$; $g = u + 3$; $h = -u - 2$.

50 On donne ci-dessous le tableau de variations d'une fonction u définie sur l'intervalle $[-5 ; 5]$.

x	-5		-1		0		2		5
u	2	↘	0	↗	3	↘	1	↗	4

En déduire les tableaux de variations des fonctions $\frac{1}{u}$ et $\sqrt{u}$.

51 Le tableau de variations suivant est celui d'une fonction f définie sur $]-\infty ; 1[\cup]1 ; +\infty[$.

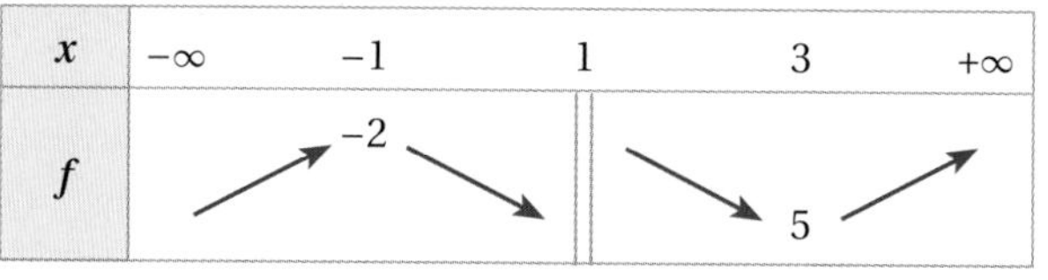

x	$-\infty$		-1		1		3		$+\infty$
f		↗	-2	↘	‖	↘	5	↗	

En déduire celui de la fonction $g : x \mapsto \frac{2}{f(x)}$.

52 Soit f la fonction définie sur l'intervalle $[-2 ; 4]$ dont la courbe $\mathscr{C}_f$ est représentée sur le graphique ci-dessous.

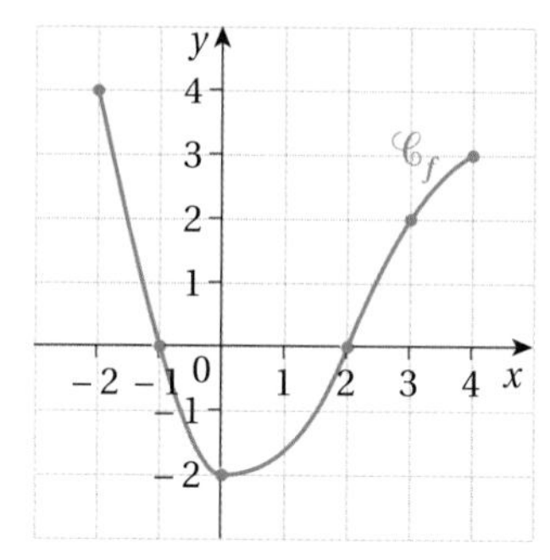

1. Construire le tableau de variations de la fonction f.

2. a. Déterminer l'ensemble de définition de la fonction $\frac{1}{f}$ et construire son tableau de variations.

b. Tracer l'allure de la courbe représentative de la fonction $\frac{1}{f}$.

3. a. Déterminer l'ensemble de définition de la fonction $\sqrt{f}$ et construire son tableau de variations.

b. Tracer l'allure de la courbe représentative de la fonction $\sqrt{f}$.

53 Déterminer le tableau de variations de u, puis celui de $f = \frac{1}{u}$ dans chacun des cas suivants.

a. $u : x \mapsto 2x^2 + 3$

b. $u : x \mapsto (1 - x)^2 + 3$

c. $u : x \mapsto -2 - |x|$

54 Déterminer le tableau de variations de u, puis celui de $f = \sqrt{u}$ dans chacun des cas suivants.

a. $u : x \mapsto 9 - (x - 1)^2$ sur $[-2 ; 4]$

b. $u : x \mapsto \sqrt{x}$ sur $[0 ; +\infty[$

55 Dans chacun des cas suivants, déterminer le domaine de définition et le tableau de variations de f.

a. $f : x \mapsto \frac{1}{3x - 5}$

b. $f : x \mapsto \sqrt{3 + x^2}$

c. $f : x \mapsto \sqrt{x^2 - 3}$

d. $f : x \mapsto \frac{1}{5 - |x|}$

56 Soit u une fonction. On utilise un tableur pour construire un tableau de valeurs de la fonction $f = \sqrt{u}$.
Les valeurs de x se situent dans la colonne A et leurs images par f dans la colonne C.
Voici les formules saisies pour les cases B2 et C2 :

	A	B	C	D
1	x		f(x)	
2		=3+A2^2	=RACINE(B2)	

Déterminer la fonction u, puis donner l'expression de $f(x)$.

57 Soit v une fonction. On utilise un tableur pour construire un tableau de valeurs de la fonction $g = \frac{1}{v}$.
Voici les formules saisies pour les cases B2 et C2 :

	A	B	C	D
1	x		g(x)	
2		=5–ABS(A2)	=1/B2	

Déterminer la fonction v, puis donner l'expression de $g(x)$.

58 On s'intéresse aux variations d'un trinôme du second degré.

1. Étude d'un exemple

Soit f la fonction définie sur $\mathbb{R}$ par :

$$f(x) = -2x^2 + 4x + 1$$

a. Montrer que, pour tout réel x, $f(x) = -2(x - 1)^2 + 3$.

b. En utilisant la définition d'une fonction croissante, montrer que la fonction $u : x \mapsto (x - 1)^2$ est croissante sur $[1 ; +\infty[$.

c. En déduire, à l'aide des propriétés des fonctions associées, que la fonction f est décroissante sur $[1 ; +\infty[$.

d. En reprenant les questions **b** et **c** sur l'intervalle $]-\infty ; 1]$, déterminer les variations de f sur cet intervalle.

e. Construire le tableau de variations de f sur $\mathbb{R}$.

2. Étude du cas général

Soit f la fonction définie sur $\mathbb{R}$ par :

$$f(x) = ax^2 + bx + c$$

où a, b et c sont des réels, avec $a \neq 0$.

a. Montrer que, pour tout réel x, on a :

$$f(x) = a\left(x + \frac{b}{2a}\right)^2 - \frac{b^2 - 4ac}{4a}$$

En posant $\alpha = -\frac{b}{2a}$ et $\beta = -\frac{b^2 - 4ac}{4a}$, on obtient, pour tout réel x, $f(x) = a(x - \alpha)^2 + \beta$.

b. En adaptant la méthode vue à la question **1**, déterminer le sens de variation de $u : x \mapsto (x - \alpha)^2$ puis de f sur l'intervalle $[\alpha ; +\infty[$. (On pensera à étudier séparément les cas $a < 0$ et $a > 0$.)

c. Déterminer les variations de f sur l'intervalle $]-\infty ; \alpha]$, puis construire, suivant le signe de a, le tableau de variations de f sur $\mathbb{R}$.

▶ Savoir-faire 3 p. 71

59 Soit f la fonction définie sur $\mathbb{R} \setminus \{-1\}$ par :

$$f(x) = \frac{4x+1}{x+1} \quad \text{(Forme A)}$$

1. Montrer que, pour tout réel $x \neq -1$, on a :

$$f(x) = 4 - \frac{3}{x+1} \quad \text{(Forme B)}$$

et $$f(x) = 1 + \frac{3x}{x+1} \quad \text{(Forme C)}$$

2. Répondre dans l'ordre aux questions suivantes, en utilisant la forme de $f(x)$ la mieux adaptée.

a. Montrer que, si $2 < x < 3$, alors $3 < f(x) < \frac{13}{4}$.

b. Montrer que, pour $x > 0$, on a $f(x) > 1$.

c. Étudier les variations de f.

d. Étudier le signe de $f(x)$.

60 Soit g la fonction définie sur $\mathbb{R} \setminus \left\{-\frac{2}{3}\right\}$ par :

$$g(x) = \frac{9x+5}{3x+2}$$

a. Déterminer deux réels a et b tels que, pour tout $x \neq -\frac{2}{3}$, $g(x) = a + \frac{b}{3x+2}$.

b. Étudier le sens de variation de la fonction g.

c. Montrer que, pour tout $x > -\frac{2}{3}$, on a $g(x) < 3$.

d. Calculer $g(10^{10})$ à l'aide de la calculatrice « classique » et comparer au résultat établi à la question **c**.
Soustraire 3 au résultat proposé grâce à la touche de dernier calcul (**rép** sur TI, **Ans** sur Casio).
Que constate-t-on ?

61 Un charpentier a tracé à main levée le profil d'un étage sous les toits laissant libre un espace rectangulaire OABC. Il souhaite étudier la hauteur h en fonction de la largeur au sol x. Sur son schéma, les longueurs sont exprimées en mètres.

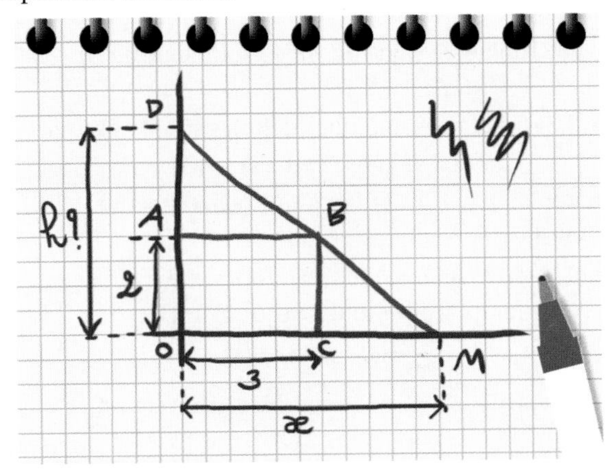

On appelle f la fonction qui à x associe la hauteur h.

a. Expliquer pourquoi x est strictement supérieur à 3.

b. Montrer que $f(x) = 2 + \frac{6}{x-3}$.

c. Étudier le sens de variation de f et construire sa représentation graphique.

d. Le charpentier veut que la hauteur h soit comprise entre 4 et 6 m. Pour quelles valeurs de x est-ce réalisé ?

62 Dans le plan muni d'un repère orthonormé $(O ; \vec{i}, \vec{j})$, on considère le demi-cercle $\mathscr{C}$ de centre O et de rayon 4 représenté ci-dessous.

On considère le point A(0 ; 5) et le point M d'abscisse x sur le demi-cercle $\mathscr{C}$.

Les points H et K sont les projetés orthogonaux du point M sur l'axe des abscisses et l'axe des ordonnées.

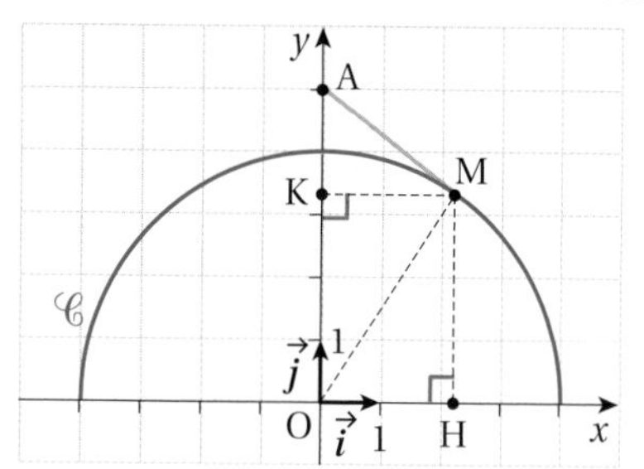

Soit f la fonction définie par $f(x) = \text{AM}$ et u la fonction définie par $u(x) = \text{AM}^2$.

a. Déterminer le domaine de définition des fonctions f et u.

b. Conjecturer les variations de la fonction f.

c. Exprimer OK, puis AK en fonction de x.

d. Montrer que $u(x) = 41 - 10\sqrt{16 - x^2}$.

e. Établir les variations de la fonction u.

En déduire les variations de la fonction f.

f. Dresser le tableau de variations de f.

Déterminer le maximum et le minimum éventuels de f.

g. Tracer la courbe représentative de f dans un repère orthonormé.

63 **1.** Soit u la fonction définie sur $\mathbb{R}$ par :

$$u(x) = 4x - x^2$$

On appelle fonction *valeur absolue de u*, et on note $|u|$, la fonction $x \mapsto |u(x)|$.

a. À l'aide d'une calculatrice, tracer dans un même repère les courbes représentatives des fonctions u et $|u|$ sur l'intervalle $[-2 ; 6]$.

b. Expliquer comment la courbe de $|u|$ peut se déduire de celle de u.

2. On considère la fonction u représentée ci-dessous.

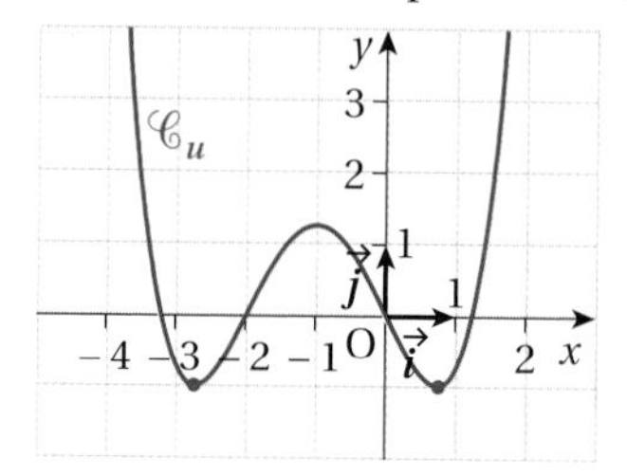

Après avoir reproduit la courbe représentative de la fonction u, construire en rouge celle de la fonction $|u|$.

Restitution des connaissances

64 Démontrer que la fonction racine carrée est croissante sur $[0 ;+\infty[$:

a. en utilisant les variations de la fonction carré sur $[0 ; +\infty[$;

b. en étudiant le signe de $\sqrt{b} - \sqrt{a}$ lorsque $0 \leq a \leq b$.

65 Soit f, g et h les fonctions définies sur $[0 ; +\infty[$ par :

$$f(x) = \sqrt{x}, \quad g(x) = x \quad \text{et} \quad h(x) = x^2$$

On appelle $\mathscr{C}_f$, $\mathscr{C}_g$ et $\mathscr{C}_h$ leurs courbes respectives.

a. Vérifier les égalités suivantes :

$$f(0) = g(0) = h(0) \quad \text{et} \quad f(1) = g(1) = h(1)$$

b. Montrer que, pour tout x de $]0 ; 1[$, on a :

$$f(x) > g(x) > h(x)$$

c. Montrer que, pour tout x de $]1 ; +\infty[$, on a :

$$f(x) < g(x) < h(x)$$

d. Déduire des questions précédentes les positions relatives des courbes $\mathscr{C}_f$, $\mathscr{C}_g$ et $\mathscr{C}_h$.

66 Soit a, b et c trois réels, avec $b < 0$, et f la fonction définie par :

$$f(x) = a + b\sqrt{x - c}$$

a. Déterminer le domaine de définition de f.

b. Déterminer le sens de variation de f en utilisant les propriétés des fonctions associées.

Raisonnement logique

▶ Fiches Raisonnement logique p. 8 à 10

67 **Vrai ou faux ?**

Pour chaque affirmation, indiquer si elle est vraie ou fausse ; justifier.

a. La fonction $x \mapsto 3x^2 - 5$ a le même sens de variation que la fonction carré.

b. La fonction inverse de la fonction $x \mapsto \frac{1}{x}$ est la fonction f définie sur $\mathbb{R}$ par $f(x) = x$.

c. Pour tout réel négatif x, $|x| + x$ vaut 0.

d. L'ensemble des réels x tels que $|x - 5| \leqslant 3$ est l'intervalle $[-8 ; -2]$.

e. Si $x \in [0 ; 1]$, alors $\sqrt{1-x} \leqslant 1 - x$.

68 **Vrai ou faux ?**

Soit une fonction u dont le tableau de variations est le suivant.

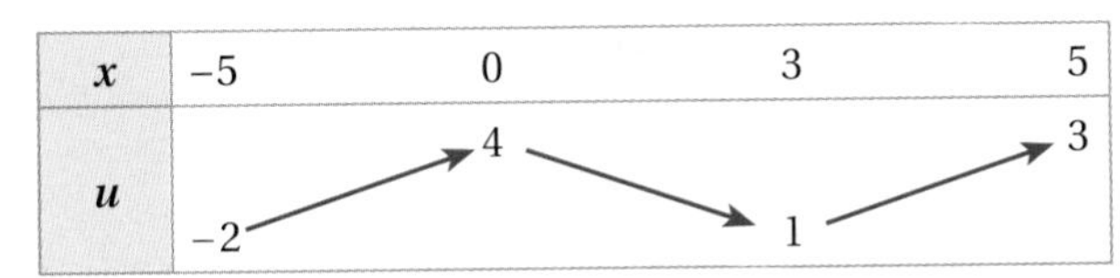

x	-5		0		3		5
u	-2	↗	4	↘	1	↗	3

Pour chaque affirmation, indiquer si elle est vraie ou fausse ; justifier.

a. La fonction $\sqrt{u}$ est strictement décroissante sur $[0 ; 2]$.

b. La fonction $\frac{1}{u}$ est strictement décroissante sur $[-5 ; 0]$.

c. On a l'inégalité $\left(\sqrt{u}\right)(1) > 1$.

d. On a l'inégalité $(-u)(4) > -1$.

e. La fonction $u + 2$ est strictement croissante sur $[1 ; 3]$.

69 **Vrai ou faux ?**

Soit deux fonctions f et g définies sur un même intervalle I. Pour chaque affirmation, indiquer si elle est vraie ou fausse ; justifier.

a. Si f et g sont croissantes sur I, la fonction h définie sur I par $h(x) = f(x) + g(x)$ est croissante sur I.

b. Si f et g sont décroissantes sur I, la fonction h définie sur I par $h(x) = f(x) + g(x)$ est décroissante sur I.

c. Si f et g sont monotones sur I, la fonction h définie sur I par $h(x) = f(x) + g(x)$ est monotone sur I.

d. Si f et g sont croissantes sur I, la fonction h définie sur I par $h(x) = f(x) \times g(x)$ est croissante sur I.

70 **Implication, réciproque, contraposée**

Soit k un réel strictement positif et u une fonction définie sur un intervalle I.

On considère la proposition (P_1) suivante :

« Si u est croissante sur I, alors ku est croissante sur I. »

a. La proposition (P_1) est-elle vraie ?
Justifier la réponse.

b. Énoncer la contraposée (P_2) de la proposition (P_1).

c. La proposition (P_2) est-elle vraie ?
Justifier la réponse.

d. Énoncer la réciproque (P_3) de la proposition (P_1).

e. La proposition (P_3) est-elle vraie ?
Justifier la réponse.

71 **Implication, réciproque**

On considère la proposition (P_1) suivante :

« Si $x > 1$, alors $x^2 > x$. »

a. La proposition (P_1) est-elle vraie ?
Justifier la réponse.

b. Énoncer la réciproque (P_2) de la proposition (P_1).

c. La proposition (P_2) est-elle vraie ?
Justifier la réponse.

72 **Implication, réciproque**

Soit f une fonction définie et **positive** sur un intervalle I. On appelle fonction *carré de f*, et on note f^2, la fonction $x \mapsto (f(x))^2$.

On considère la proposition (P_1) suivante :

« Si f est strictement croissante sur I, alors f^2 est strictement croissante sur I. »

a. La proposition (P_1) est-elle vraie ?
Justifier la réponse.

b. Énoncer la réciproque (P_2) de la proposition (P_1).

c. La proposition (P_2) est-elle vraie ?
Justifier la réponse.

CORRIGÉ P. 342

Pour chaque question, indiquer la (les) bonne(s) réponse(s).

Fonctions carré, inverse, racine carrée et valeur absolue

73 Si $-2 \leqslant x < 3$, alors :

A $4 \leqslant x^2 \leqslant 9$ B $4 \leqslant x^2 < 9$ C $0 \leqslant x^2 < 9$

74 La fonction inverse est décroissante sur :

A $[-3 ; -1]$ B $[-3 ; 1]$ C $[1 ; 3]$

75 Le nombre $\sqrt{a^2}$ est égal à :

A a B $-a$ si $a \leqslant 0$; a si $a \geqslant 0$ C $|a|$

76 La valeur absolue de $-1 - \sqrt{2}$ est :

A $\sqrt{2} - 1$ B $\sqrt{2} + 1$ C $1 - \sqrt{2}$

77 L'équation $|x + 3| = 2$ possède, dans $\mathbb{R}$:

A une seule solution.
B deux solutions.
C aucune solution.

78 La fonction $x \mapsto 9 - x^2$ est croissante sur :

A $[0 ; +\infty[$ B $]-\infty ; 0]$ C $[3 ; +\infty[$

Positions relatives de courbes

79 Si $\mathscr{C}_1$ et $\mathscr{C}_2$ sont les courbes d'équations respectives $y = 2x$ et $y = x^2$, alors $\mathscr{C}_1$ est au-dessus de $\mathscr{C}_2$ sur :

A $]-\infty ; 2]$ B $[2 ; +\infty[$ C $[0 ; 2]$

80 L'inégalité $\sqrt{x} \leqslant x^2$ est vraie :

A pour tout réel positif x.
B pour tout x de $[1 ; +\infty[$.
C pour tout x de $[0 ; 1]$.

Fonctions associées

81 La fonction $u : x \mapsto x^2 + 1$ a les mêmes variations sur $\mathbb{R}$ que :

A la fonction $u - 3$.
B la fonction $\sqrt{u}$.
C la fonction $-\frac{1}{u}$.

82 Soit u la fonction définie sur $\mathbb{R}$ par $u(x) = x^2 - 4$.
Le tableau de variations de $\frac{1}{u}$ est :

A

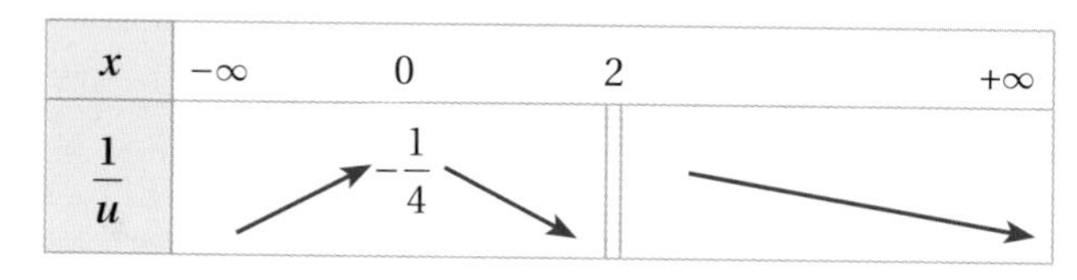

x	$-\infty$	0	2	$+\infty$
$\frac{1}{u}$	↗	$-\frac{1}{4}$	↘ ‖ ↘	

B

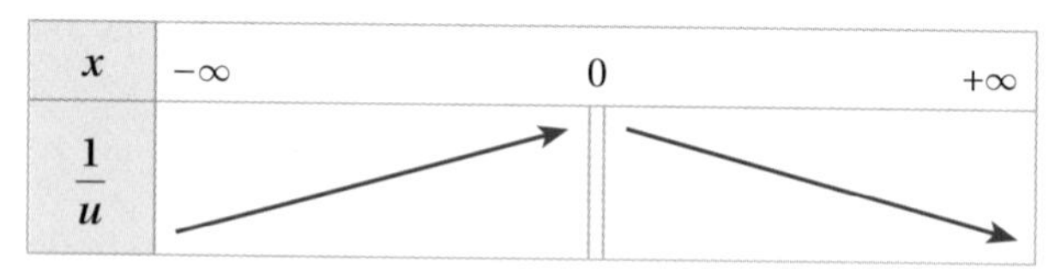

x	$-\infty$	0	$+\infty$
$\frac{1}{u}$	↗	‖	↘

C

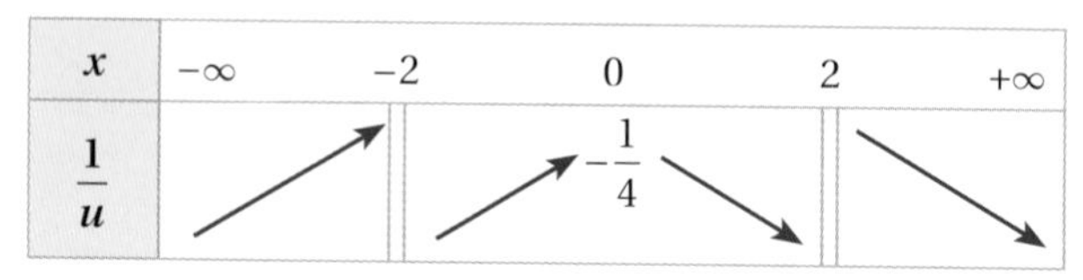

x	$-\infty$	-2	0	2	$+\infty$
$\frac{1}{u}$	↗	‖ ↗	$-\frac{1}{4}$	↘ ‖ ↘	

83 La fonction f définie sur $[0 ; 5]$ par $f(x) = -3(x - 2)^2 + 1$ est décroissante sur :

A $[0 ; 2]$ B $[2 ; 5]$ C $[0 ; 5]$

PRÊT POUR LE CONTRÔLE ?

84 Voici le tableau de variations d'une fonction u définie sur l'intervalle $[-2 ; 6]$:

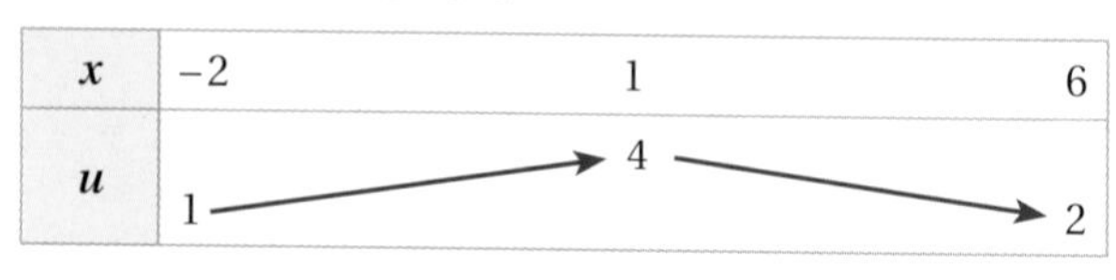

x	-2	1	6
u	1 ↗	4	↘ 2

1. Étudier le signe de $u(x)$.

2. Construire le tableau de variations de chacune des fonctions suivantes.

a. $\frac{1}{u}$ **b.** $-2u + 1$ **c.** $\sqrt{u}$

85 **1.** Donner les tableaux de variations des fonctions :

$$f : x \mapsto -\frac{2}{x} \quad \text{et} \quad g : x \mapsto \sqrt{x^2 + 2} - 2$$

2. Soit h la fonction définie par $h(x) = \frac{x + 3}{x + 5}$.

a. Déterminer le domaine de définition D de la fonction h.

b. Montrer qu'il existe deux réels a et b tels que :

$$h(x) = a + \frac{b}{x + 5}$$

c. En déduire le tableau de variations de h.

d. Tracer la courbe représentative de la fonction h.

Problèmes

86 Fonction $x \mapsto u(x+k)$

Le plan est muni d'un repère $(O ; \vec{i}, \vec{j})$.

1. Soit la fonction u définie sur $\mathbb{R}$ par :

$$u(x) = x^2$$

de courbe représentative $\mathcal{P}$.

Soit la fonction v définie sur $\mathbb{R}$ par :

$$v(x) = (x+k)^2$$

où k est un réel fixé, de courbe représentative $\mathcal{C}$.

a. Construire les courbes $\mathcal{P}$ et $\mathcal{C}$ à l'aide d'une calculatrice pour $k = 1$, $k = 3$, $k = -2$, etc.

b. La courbe $\mathcal{C}$ semble être l'image de la courbe $\mathcal{P}$ par une transformation simple. Laquelle ?

2. Soit la fonction u définie sur $\mathbb{R} \setminus \{0\}$ par :

$$u(x) = \frac{1}{x}$$

de courbe représentative $\mathcal{H}$.

Soit la fonction v définie par :

$$v(x) = \frac{1}{x+k}$$

où k est un réel fixé, de courbe représentative $\mathcal{C}$.

a. Déterminer le domaine de définition D_v de v.

b. Construire les courbes $\mathcal{C}$ et $\mathcal{H}$ à l'aide d'une calculatrice pour $k = 1$, $k = 3$, $k = -2$, etc.

c. La courbe $\mathcal{C}$ semble être l'image de la courbe $\mathcal{H}$ par une transformation simple. Laquelle ?

3. Soit $\mathcal{C}_u$ la courbe représentative d'une fonction u et $\mathcal{C}_v$ la courbe représentative de la fonction v définie par $v(x) = u(x+k)$, où k est un réel fixé.

a. Soit $M(x ; u(x))$ un point de la courbe $\mathcal{C}_u$.

Déterminer l'ordonnée du point M' de la courbe $\mathcal{C}_v$, d'abscisse $x - k$.

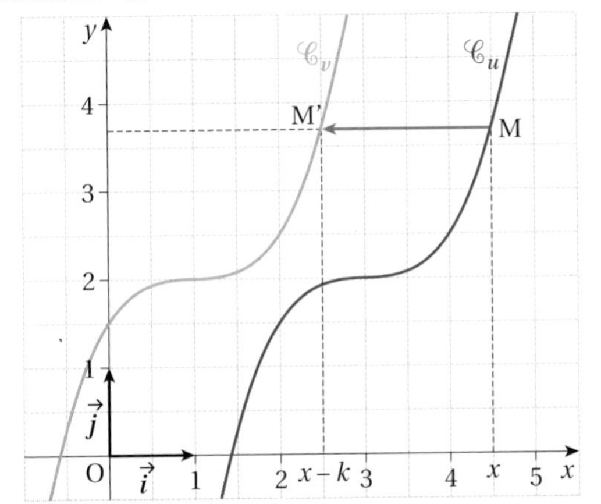

b. Montrer que $\overrightarrow{MM'} = -k\vec{i}$.

c. En déduire que la courbe $\mathcal{C}_v$ est l'image de la courbe $\mathcal{C}_u$ par la translation de vecteur $-k\vec{i}$.

4. a. Construire la courbe $\mathcal{C}$ représentant la fonction racine carrée dans un repère orthonormé d'unité 2 cm.

b. En déduire la construction de la courbe $\mathcal{C}'$ représentative de la fonction $f : x \mapsto \sqrt{x+2}$.

87 Étude de la fonction cube

On considère la fonction f définie sur $\mathbb{R}$ par :

$$f(x) = x^3$$

et $\mathcal{C}$ sa courbe représentative dans un repère orthogonal $(O ; \vec{i}, \vec{j})$.

1. a. Montrer que, pour tous réels a et b, on a :

$$f(b) - f(a) = (b-a)\left(\left(a + \frac{b}{2}\right)^2 + \frac{3b^2}{4}\right)$$

b. En déduire que la fonction f est strictement croissante sur $\mathbb{R}$.

2. Soit x un réel.

Comparer $f(x)$ et $f(-x)$.

En déduire que la courbe $\mathcal{C}$ est symétrique par rapport au point O.

3. Tracer la courbe $\mathcal{C}$.

4. a. Construire dans un même repère $\mathcal{P}$, la courbe représentative de la fonction carré.

b. Étudier la position relative des courbes $\mathcal{P}$ et $\mathcal{C}$.

5. Résoudre dans $\mathbb{R}$ les inéquations suivantes.

a. $x^3 \leqslant 27$

b. $x^3 > -8$

88 Bien encadrée

Soit f, g et h les fonctions définies sur $[0 ; +\infty[$ par :

$$f(x) = \frac{1}{1+x}, \quad g(x) = 1 - x \quad \text{et} \quad h(x) = 1 - x + \frac{x^2}{2}.$$

1. a. Construire sur l'écran de la calculatrice les représentations graphiques $\mathcal{C}_f$, $\mathcal{C}_g$ et $\mathcal{C}_h$ des fonctions f, g et h.

b. Zoomer sur le point de coordonnées $(0 ; 1)$.

Que constate-t-on ?

2. a. Montrer que, pour tout réel $x \geqslant 0$, on a :

$$f(x) - g(x) = \frac{x^2}{1+x}$$

En déduire que, sur $[0 ; +\infty[$, $g(x) \leqslant f(x)$.

b. Montrer que, pour tout réel $x \geqslant 0$, $f(x) \leqslant h(x)$.

c. Décrire les positions relatives des courbes $\mathcal{C}_f$, $\mathcal{C}_g$ et $\mathcal{C}_h$ sur $[0 ; +\infty[$.

Nous venons de prouver l'encadrement suivant :

$$\text{pour } x \geqslant 0,\ 1 - x \leqslant \frac{1}{1+x} \leqslant 1 - x + \frac{x^2}{2}.$$

3. À l'aide de la question **2**, donner un encadrement de $\dfrac{1}{1{,}000\,2}$, puis une valeur approchée de $\dfrac{1}{1{,}000\,001}$ à 10^{-12} près.

89 fof et fofof

Algorithmique

1. Soit f la fonction définie sur $]1\,;+\infty[$ par $f(x) = \dfrac{x}{x-1}$.

a. Montrer que, pour tout $x > 1$, on a $f(x) = 1 + \dfrac{1}{x-1}$.

b. En déduire que, pour tout $x > 1$, $f(x) > 1$.

c. On définit la fonction g par $g(x) = f(f(x))$.
Démontrer que g est bien définie sur $]1\,;+\infty[$.

d. Le programme ci-dessous permet de calculer l'image d'un réel $x > 1$ par la fonction g.

```
PROGRAM:FOFOF
:Prompt X
:X→A
:For(I,1,2)
:A/(A-1)→A
:End
:Disp "F(F(X))="
,A
```

Saisir ce programme, puis le faire fonctionner pour plusieurs valeurs de x.
Quelle conjecture peut-on faire sur la fonction g ?

e. Démontrer cette conjecture.

2. Soit f la fonction définie sur $\mathbb{R} \setminus \{1\}$ par $f(x) = \dfrac{1}{1-x}$.

a. On définit la fonction g par $g(x) = f(f(f(x)))$.
Modifier le programme de la question **1** de manière à permettre le calcul de $g(x)$.

b. Tester le programme avec $x = 1$ puis $x = 0$.
Que se passe-t-il ? Expliquer le phénomène.

c. Faire fonctionner le programme avec des valeurs de x distinctes de 0 et 1.
Quelle conjecture peut-on émettre sur la fonction g ? La démontrer.

d. On considère la fonction h définie sur $\mathbb{R} \setminus \{0\,;1\}$ par $h(x) = f(\ldots f(f(f(x)))\ldots)$ où la lettre f est écrite 1 000 fois.
Donner une expression simple de $h(x)$ en fonction de x.

90 Aire d'un rectangle

Le point M est situé sur un quart de cercle de centre O, de rayon 4 et d'extrémités A et B. Le point N est le pied de la perpendiculaire à la droite (OA) passant par M. Le point P est le pied de la perpendiculaire à la droite (OB) passant par M.

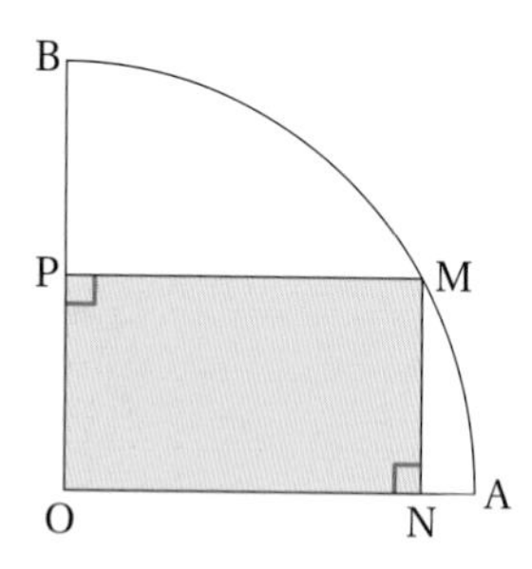

On pose $x = \text{ON}$ et on désigne par $f(x)$ l'aire du rectangle ONMP.

1. Déterminer le domaine de définition D de la fonction f.

2. Montrer que, pour tout x de D, $f(x) = x\sqrt{16-x^2}$.

3. a. Vérifier que, pour tout x de D, on a :

$$f(x) = \sqrt{64-(x^2-8)^2}$$

b. En déduire que le maximum de f vaut 8.
En quelle valeur est-il atteint ?

c. Que peut-on dire du rectangle ONMP lorsque son aire est maximale ?

4. a. À l'aide de la définition d'une fonction croissante, montrer que la fonction $u : x \mapsto (x^2-8)^2$ est croissante sur l'intervalle $[0\,;2\sqrt{2}\,]$.

b. En déduire le sens de variation de f sur $[0\,;2\sqrt{2}\,]$.

c. Étudier les variations de f sur l'intervalle $[2\sqrt{2}\,;4]$.

d. Construire le tableau de variations de f sur l'intervalle $[0\,;4]$.

5. Représenter graphiquement la fonction f sur l'intervalle $[0\,;4]$.

91 Aire d'un triangle

1. On considère deux points A et B tels que AB = 8, et les deux demi-droites $[Ax)$ et $[Bx')$ perpendiculaires au segment [AB], situées « du même côté » de ce segment.

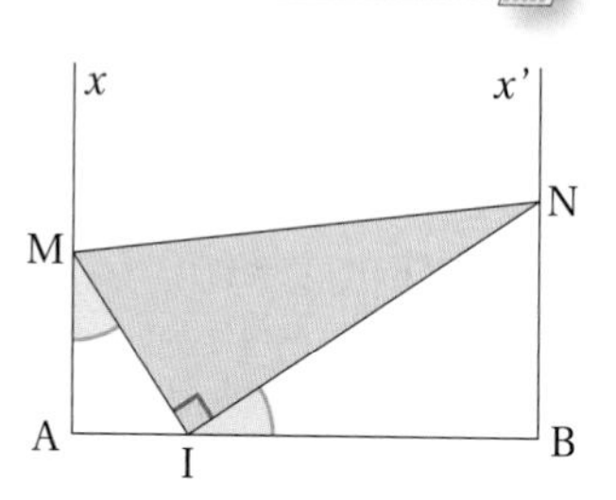

Le point I est le point du segment [AB] tel que AI = 2.
Le point M, distinct de A, est situé sur la demi-droite $[Ax)$. Le point N est situé sur la demi-droite $[Bx')$ tel que le triangle MIN soit rectangle en I.
On pose $x = \text{AM}$.

a. Montrer que les angles $\widehat{\text{AMI}}$ et $\widehat{\text{BIN}}$ sont égaux.
On note α leur mesure.

b. En calculant $\tan(\alpha)$ de deux manières différentes, montrer l'égalité : $\dfrac{\text{AI}}{\text{AM}} = \dfrac{\text{BN}}{\text{BI}}$.
En déduire l'expression de BN en fonction de x.

c. Exprimer les aires des triangles AMI et BNI en fonction de x. Pour quelle(s) valeur(s) de x sont-elles égales ?
Donner les tableaux de variations de ces aires en fonction de x en justifiant la réponse.

d. Exprimer l'aire du triangle MIN en fonction de x.

2. Soit f la fonction définie sur $]0\,;+\infty[$ par :

$$f(x) = x + \frac{4}{x}$$

a. Construire la courbe représentative de f à l'aide d'une calculatrice graphique.
Conjecturer le sens de variation de f.

b. Montrer que, pour tous réels strictement positifs a et b, on a : $f(b) - f(a) = \dfrac{(b-a)(ab-4)}{ab}$.

c. À l'aide de la définition d'une fonction croissante, montrer que f est croissante sur l'intervalle $[2\,;+\infty[$.

d. Après avoir déterminé le sens de variation de f sur $]0\,;2]$, construire le tableau de variations de f.

3. Déterminer l'aire minimale du triangle MIN, en justifiant la réponse.
On pourra vérifier la validité de la réponse à l'aide d'un logiciel de géométrie dynamique.

92 Une courbe connue 1 TICE

Le plan est rapporté au repère orthonormé $(O ; \vec{i}, \vec{j})$.
On considère les points A(0 ; 1) et B(–1 ; 0), et la droite d passant par B perpendiculaire à l'axe des abscisses.
Soit M un point de l'axe des abscisses distinct de O, et N le point d'intersection des droites (MA) et d. Le point P est tel que le quadrilatère BMPN soit un rectangle.
On s'intéresse au lieu $\mathscr{L}$ des points P quand M se déplace sur l'axe des abscisses, et à l'aire des rectangles BMPN.

1. a. Avec un logiciel de géométrie dynamique, faire une figure faisant apparaître les points A et B, le point M sur l'axe des abscisses, la droite d et les points N et P. Faire afficher les coordonnées de P.
b. Afficher la trace du point P quand M varie sur l'axe des abscisses. Faire une conjecture concernant la nature du lieu $\mathscr{L}$ des points P et son équation éventuelle.

2. On appelle a l'abscisse du point M.
a. Déterminer une équation de la droite (AM).
En déduire les coordonnées du point N puis celles de P.
b. On appelle f la fonction qui, à l'abscisse de P, associe l'ordonnée de P.
Déterminer f et son ensemble de définition.
c. En déduire la nature de $\mathscr{L}$.

3. a. Faire afficher l'aire A du rectangle BMPN.
b. Conjecturer la valeur minimale prise par cette aire lorsque l'abscisse a du point M est strictement négative (on pourra créer le point S de coordonnées $(a ; A)$ et afficher la trace de ce point).
Démontrer cette conjecture.
Dans la suite de l'énoncé, on s'intéresse au cas $a > 0$.
c. Conjecturer la valeur minimale m prise par l'aire A lorsque l'abscisse a du point M est strictement positive. Pour quelle valeur de a est-elle atteinte ?
d. On appelle g la fonction définie sur $]0 ; +\infty[$ qui, à l'abscisse de P, associe l'aire du rectangle BMPN.
Déterminer une expression de $g(x)$, puis démontrer la conjecture faite à la question **c.** (On pourra commencer par étudier le signe de $g(x) - m$.)
Quelle est dans ce cas la nature du rectangle BMPN ?

93 Une courbe connue 2 Problème ouvert

Le plan est rapporté au repère orthonormé $(O ; \vec{i}, \vec{j})$. Soit un point $A(a ; 0)$, avec $a \geqslant 0$, situé sur l'axe des abscisses.
On construit successivement :
- les points $B(a - 1 ; 0)$ et $C(2a ; 0)$;
- le cercle $\mathscr{C}$ de diamètre [BC] ;
- la droite d perpendiculaire à (BC), passant par A ;
- le point M, d'ordonnée positive, situé à l'intersection du cercle $\mathscr{C}$ et de la droite d.

Montrer que le lieu $\mathscr{L}$ des points M quand A se déplace le long de l'axe des abscisses est la représentation graphique d'une fonction de référence que l'on déterminera.

94 Grafisches Wurzelziehen  TICE

x ist eine positive reelle Zahl, $\mathscr{C}$ ist ein Halbkreis.

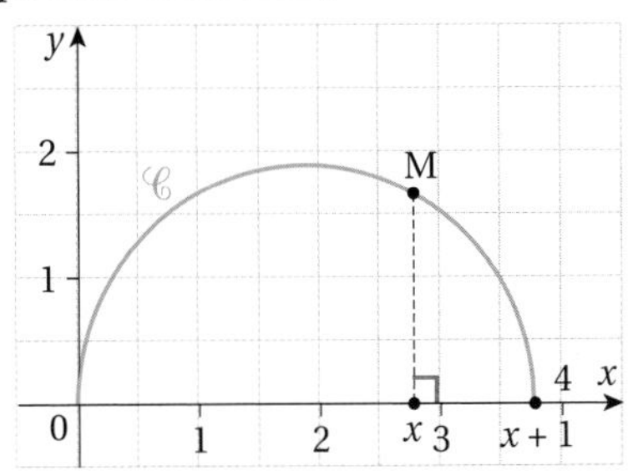

a. Untersuche die abgebildete Figur und beschreibe die Konstruktion des Punktes M.
b. Konstruiere die Figur mit Hilfe einer dynamischen Geometriesoftware.
c. Auf welcher Kurve scheint M sich zu bewegen, wenn x die Werte des Intervalls $[0 ; +\infty[$ durchläuft?
d. Beweise die Vermutung aus Aufgabenteil $\mathscr{C}$ (man kann mehrmals den Satz des Pythagoras anwenden).

95 Quart de cercle ?

Soit f la fonction définie sur l'intervalle $[0 ; 1]$ par :
$$f(x) = x - 2\sqrt{x} + 1$$
La courbe représentative $\mathscr{C}$ de la fonction f dans un repère orthonormé est donnée ci-contre.

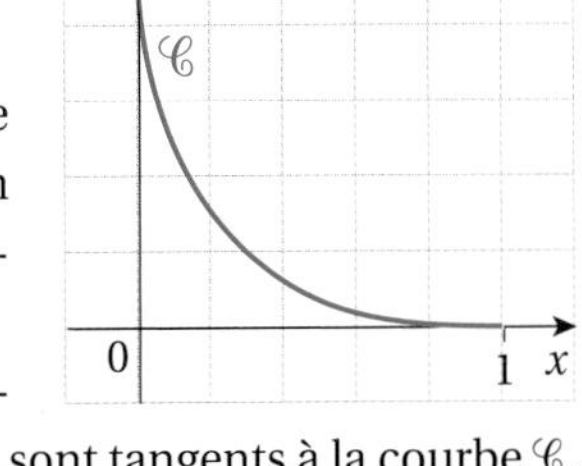

On admet que l'axe des abscisses et l'axe des ordonnées sont tangents à la courbe $\mathscr{C}$.

1. a. Montrer que le point M de coordonnées $(x ; y)$ appartient à $\mathscr{C}$ si et seulement si $x \geqslant 0$, $y \geqslant 0$ et $\sqrt{x} + \sqrt{y} = 1$.
b. Démontrer que $\mathscr{C}$ est symétrique par rapport à la droite d'équation $y = x$.

COUP DE POUCE

On pourra montrer que :
$M(x ; y) \in \mathscr{C}$ équivaut à $M(y ; x) \in \mathscr{C}$.

2. a. Si $\mathscr{C}$ était un arc de cercle, quels pourraient être son centre et son rayon ?
b. La courbe $\mathscr{C}$ est-elle un quart de cercle ?

3. Soit A le point de coordonnées (1 ; 1) et M le point de la courbe $\mathscr{C}$ d'abscisse x.
On considère la fonction g qui à x associe le réel AM^2.
a. Déterminer le domaine de définition D_g de la fonction g.
b. Déterminer l'expression de $g(x)$ en fonction de x.
c. Montrer que, pour x appartenant à D_g, on a :
$$g(x) - 1 = 2x(1 - \sqrt{x})^2$$
d. En déduire que, pour x appartenant à D_g, $AM \geqslant 1$.
e. Décrire la position de la courbe $\mathscr{C}$ par rapport au cercle de centre A et de rayon 1.

QCM Pour bien commencer

Pour chaque question, indiquer la (les) bonne(s) réponse(s).

CORRIGÉ P. 342 

1 Une équation de la droite tracée ci-contre est :

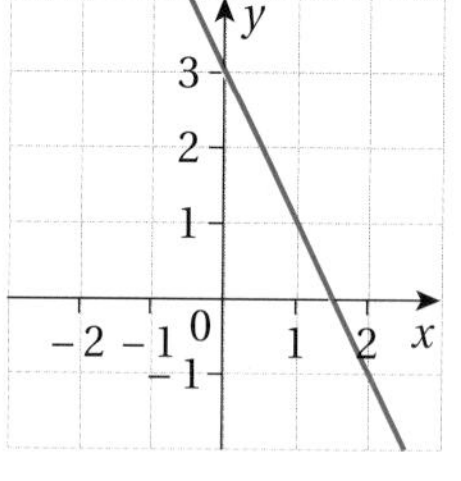

A $y = 2x + 3$
B $y = -2x + 3$
C $y = 3x + 2$
D $y = -3x + 2$

2 Si dans une équation de droite $y = ax + b$ le coefficient directeur a est nul, cela signifie que la droite :
A est parallèle à l'axe des abscisses.
B est parallèle à l'axe des ordonnées.
C est horizontale.
D passe par l'origine du repère.

3 Soit f la fonction définie sur $\mathbb{R}$ par :

$$f(x) = \pi$$

On peut affirmer que :
A la courbe représentative de f est un demi-cercle.
B la courbe représentative de f est un segment.
C la fonction f est croissante sur $\mathbb{R}$.
D la fonction f est constante sur $\mathbb{R}$.

4 Dans un repère, la courbe correspondant à la fonction $x \mapsto x^2 - 3x$ et la droite d'équation $y = x + 5$:
A se coupent en un point de coordonnées $(-1 ; 5)$.
B se coupent aux points de coordonnées $(10 ; 5)$ et $(4 ; -1)$.
C ne se coupent pas.
D se coupent aux points de coordonnées $(-1 ; 4)$ et $(5 ; 10)$.

5 La fonction inverse $x \mapsto \dfrac{1}{x}$ est :
A décroissante sur $\mathbb{R}$.
B décroissante sur $\mathbb{R}\setminus\{0\}$.
C décroissante sur $]-\infty ; 0[$.
D croissante de -1 à 1.

6 La représentation graphique ci-contre est celle d'une fonction f définie sur $\mathbb{R}$.

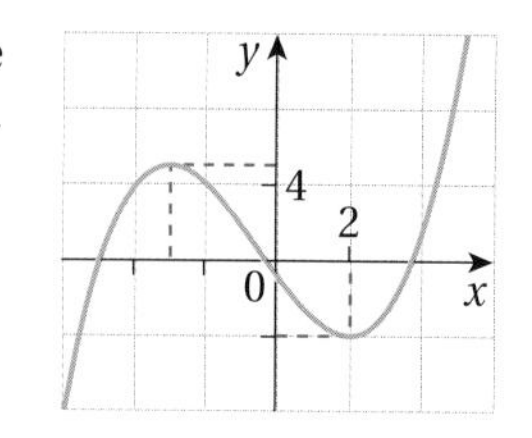

Le tableau de variations correspondant est :

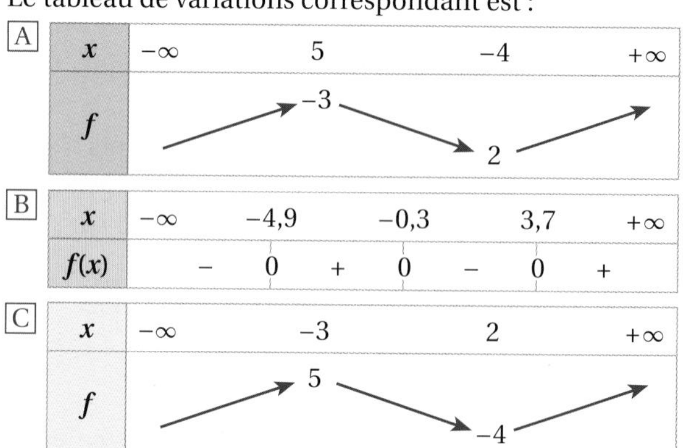

A

x	$-\infty$		5		-4		$+\infty$
f		↗	-3	↘	2	↗	

B

x	$-\infty$		$-4{,}9$		$-0{,}3$		$3{,}7$		$+\infty$
$f(x)$		$-$	0	$+$	0	$-$	0	$+$	

C

x	$-\infty$		-3		2		$+\infty$
f		↗	5	↘	-4	↗	

7 On considère la fonction f dont la courbe représentative est donnée dans l'exercice **6**.
On peut dire que :
A le maximum de la fonction f sur $\mathbb{R}$ est 5.
B le maximum de la fonction f sur $\mathbb{R}$ est -2.
C le maximum de la fonction f sur $\mathbb{R}$ est 13.
D on ne peut pas connaître le maximum de la fonction f.

8 Soit une fonction f dont les variations sont données dans le tableau suivant :

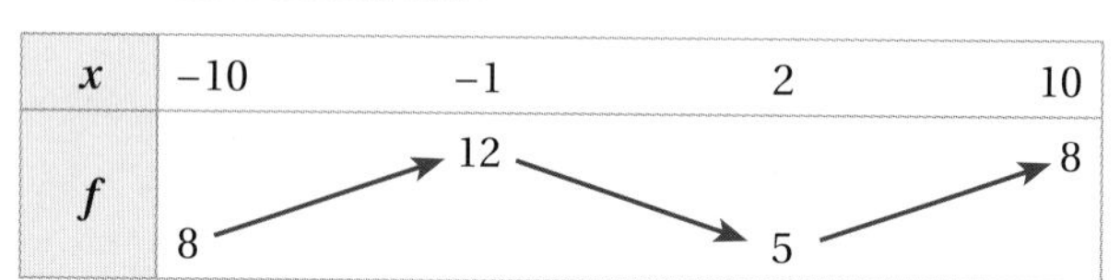

x	-10		-1		2		10
f	8	↗	12	↘	5	↗	8

On peut dire que :
A le minimum de f sur l'intervalle $[-10 ; 10]$ est 2.
B le minimum de f sur l'intervalle $[-10 ; 10]$ est 5.
C le minimum de f sur l'intervalle $[-10 ; -1]$ est 8.
D le minimum de f sur l'intervalle $[-10 ; 1]$ est 8.

9 Parmi les listes suivantes, indiquer pour laquelle (lesquelles) le deuxième nombre est plus proche de zéro que le premier, le troisième est plus proche de zéro que le deuxième, …
A 0,1 ; 0,02 ; 0,003 ; 0,000 4 ; 0,000 5.
B $-10^1 ; -10^2 ; -10^3 ; -10^4 ; -10^5$.
C $10^{-1} ; 10^{-2} ; 10^{-3} ; 10^{-4} ; 10^{-5}$.
D $-0{,}2 ; 0{,}04 ; -0{,}008 ; 0{,}001\,6 ; -0{,}000\,32$.

Dérivation

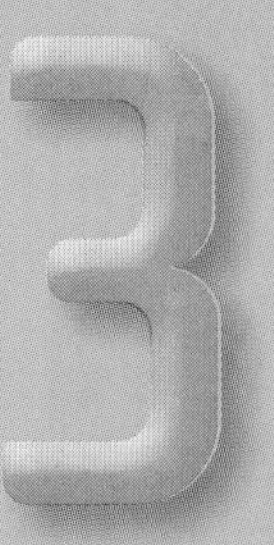

Le 5 avril 2007, un TGV a battu le record du monde de vitesse sur rail : 574,8 km.h^{-1} au point kilométrique 194,5 de la ligne Paris-Strasbourg. Connaissant la position de ce TGV en fonction du temps, on peut en déduire sa vitesse en fonction du temps.

Le chapitre en bref

Réinvestir

- Variations d'une fonction
- Équations de droites
- Second degré

Découvrir

- Limite en zéro
- Nombre dérivé
- Tangente en un point
- Fonction dérivée

Activités

1 Droites et parabole

Réinvestir :
- Déterminer des équations de droites.
- Étudier une fonction du second degré.
- Résoudre des équations et inéquations du second degré.

1 **a.** Dans un repère $(O ; \vec{i}, \vec{j})$, placer les points A et B de coordonnées respectives $(4 ; -6)$ et $(7 ; 0)$.
b. Déterminer une équation de la droite (AB).

2 Soit f la fonction définie sur $\mathbb{R}$ par $f(x) = \frac{1}{2}x^2 - 2x - 6$ et $\mathcal{P}$ sa courbe représentative dans le repère $(O ; \vec{i}, \vec{j})$.
a. Montrer que le point A se trouve sur $\mathcal{P}$.
b. Déterminer le point d'intersection de $\mathcal{P}$ et de l'axe des ordonnées.
c. Déduire des questions **2** **a** et **b**, le tableau de variations de la fonction f.
d. Tracer la parabole $\mathcal{P}$.

3 **a.** Résoudre dans $\mathbb{R}$ l'équation $\frac{1}{2}x^2 - 2x - 6 = 2x - 14$.
En déduire le nombre de points d'intersection de la droite (AB) et de la courbe $\mathcal{P}$.
b. Démontrer que pour tout nombre réel x, $\frac{1}{2}x^2 - 2x - 6 \geqslant 2x - 14$.
En déduire la position relative de la courbe $\mathcal{P}$ et de la droite (AB).

4 Soit a un nombre réel.
a. Montrer qu'une équation de la droite d_a passant par le point A et ayant comme coefficient directeur a est $y = ax - 4a - 6$.
b. Tracer, à la calculatrice, différentes droites d_a pour différentes valeurs de a.

COUP DE POUCE
On pourra prendre pour a les valeurs -2, -1, 0, 1, 2...

c. Démontrer que pour $a \neq 2$, les droites d_a ont deux points d'intersection distincts avec la courbe $\mathcal{P}$.
d. La droite (AB) est-elle la seule droite passant par A qui a un unique point d'intersection avec $\mathcal{P}$?

2 Position limite d'une sécante

Découvrir : Étudier la valeur limite du coefficient directeur d'une sécante à une courbe.

On considère la fonction f définie sur $\mathbb{R}$ par $f(x) = \frac{1}{3}x^3 - 2$ et on note $\mathscr{C}$ sa courbe représentative dans un repère du plan.

1 Soit A le point de coordonnées $\left(2 ; \frac{2}{3}\right)$.
a. Montrer que le point A appartient à $\mathscr{C}$.
b. À l'aide d'un logiciel, tracer la courbe $\mathscr{C}$, le point A et un point quelconque M de $\mathscr{C}$ différent de A.
c. Déterminer, à l'aide du logiciel, le coefficient directeur de la droite (AM) pour différentes positions du point M.
d. De quelle valeur semble se rapprocher le coefficient directeur de la droite (AM) lorsque le point M se rapproche du point A ?

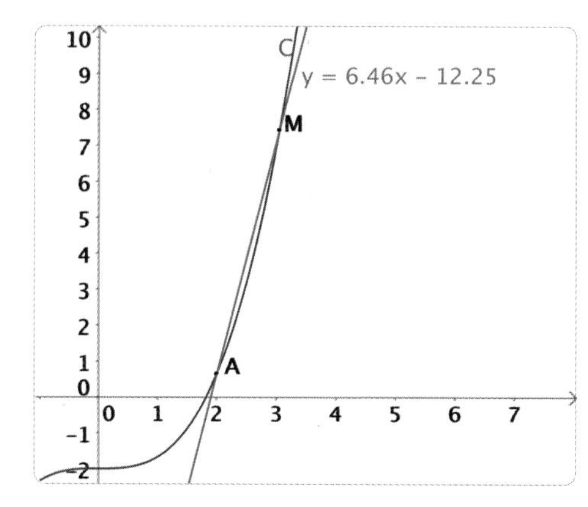

2 Soit B et M deux points de la courbe $\mathscr{C}$.
On note b l'abscisse du point B et V_b la valeur limite obtenue à l'aide du logiciel pour le coefficient directeur de la droite (BM) lorsque M se rapproche de B.
Par exemple, lorsque B est en A, b vaut 2 et, d'après la question **1**, V_b vaut 4.
Compléter le tableau suivant :

b	−1	0	0,5	1	2	3
V_b					4	

Que peut-on conjecturer ?

3 Limite d'une expression

Réinvestir : Utiliser des fonctions de référence.
Découvrir : Étudier le comportement d'une expression lorsque la variable s'approche de zéro.

Partie A

1 Soit f_1 la fonction définie sur $\mathbb{R}$ par $f_1(x) = x^2 + 3$.
On s'intéresse aux valeurs de $f_1(x)$ lorsque x prend des valeurs proches de zéro.
a. Compléter le tableau de valeurs suivant :

x	−0,1	−0,01	0 ,001	0,01	0,1
$f_1(x)$					

b. Tracer la courbe représentative de f_1 dans un repère pour x compris entre −0,1 et 0,1.
c. Que peut-on dire de $f_1(x)$ lorsque x se rapproche de 0 ?

2 Soit f_2 la fonction définie sur $\mathbb{R}$ par $f_2(x) = \dfrac{x-1}{x^2+3}$.
On s'intéresse aux valeurs de $f_2(x)$ lorsque x prend des valeurs proches de zéro.
Reprendre les questions **1 a** à **1 c** pour la fonction f_2.

Partie B

1 Soit g_1 la fonction définie sur $\mathbb{R}\setminus\{0\}$ par $g_1(x) = \dfrac{1}{x}$.
On s'intéresse aux valeurs de $g_1(x)$ lorsque x prend des valeurs proches de zéro, mais non nulles.
a. Compléter le tableau de valeurs suivant :

x	−0,1	−0,01	−0 ,001	0,001	0,01	0,1
$g_1(x)$						

b. Tracer la courbe représentative de g_1 dans un repère pour x appartenant à $[-0,1\,;0[\cup]0\,;0,1]$.
c. Que peut-on dire de $g_1(x)$ lorsque x se rapproche de 0 ?

2 Reprendre les questions **1 a** à **1 c** de la **Partie B** pour les fonctions g_2, g_3 et g_4 définies sur $\mathbb{R}\setminus\{0\}$ par :

$$g_2(x) = \frac{1}{x^2}\ ;\quad g_3(x) = \frac{1}{x^3}\ ;\quad g_4(x) = \frac{1}{x^4}.$$

Partie C

Lorsque x se rapproche de 0, comment évoluent les valeurs des expressions suivantes :

$$A(x) = 3 - \frac{4}{x}\ ? \qquad B(x) = x^2 + 5 + \frac{5}{x^3}\ ?$$

Cours

A. Nombre dérivé d'une fonction *f* en un nombre réel *a*

1 Limite en zéro d'une fonction

NOTE
La notion « proche de » sera précisée en classe de Terminale.

Soit f une fonction définie sur un intervalle contenant 0 ou bien sur un intervalle de borne 0 (de la forme $]a\,;0[$ ou $]0\,;a[$). Étudier la limite de f lorsque x tend vers 0, consiste à étudier les valeurs de $f(x)$ lorsque x se rapproche de 0.

DÉFINITION

On dit que $f(x)$ admet pour limite le réel α lorsque x tend vers 0 si les nombres $f(x)$ peuvent être aussi proches de α que l'on veut, pourvu que x soit suffisamment proche de 0.

On écrit $\lim\limits_{x\to 0} f(x)=\alpha$, ce qui se lit : « La limite de $f(x)$ lorsque x tend vers 0 est égale à α. »

EXEMPLE Soit la fonction f définie sur $[-1\,;0[\cup]0\,;1]$ par $f(x)=x^2+3x+3$.
Étudions ce que deviennent les valeurs de $f(x)$ lorsque la variable x tend vers zéro. x prend par exemple successivement les valeurs $-0{,}1$; $-0{,}01$; $-0{,}001$; … et les valeurs $0{,}1$; $0{,}01$; $0{,}001$; …

x	$-0{,}1$	$-0{,}01$	$-0{,}001$	…	$0{,}001$	$0{,}01$	$0{,}1$
$f(x)=x^2+3x+3$	2,71	2,970 1	2,997 001	…	3,003 001	3,030 1	3,31

On constate que les valeurs de $f(x)$ se rapprochent de 3 lorsque la variable x tend vers zéro.
D'où : $\lim\limits_{x\to 0} x^2+3x+3=3$.

Dans l'exemple ci-dessus, la limite de $f(x)$ lorsque x se rapproche de 0 est égale à un nombre réel. Mais d'autres situations sont possibles.

- Les valeurs de $f(x)$ deviennent de plus en plus grandes et ne sont pas bornées lorsque x tend vers 0.

EXEMPLE Soit la fonction f définie sur $[-1\,;0[\cup]0\,;1]$ par $f(x)=\dfrac{1}{x^2}$.

x	$-0{,}1$	$-0{,}01$	…	$0{,}01$	$0{,}1$
$f(x)$	100	10000	…	10000	100

Notation

Dans ce cas, on écrit $\lim\limits_{x\to 0} f(x)=+\infty$.

- Les valeurs de $f(x)$ ne se rapprochent pas d'un unique réel lorsque x tend vers 0.

EXEMPLE Soit la fonction f définie sur $[-1\,;0[\cup]0\,;1]$ par $f(x)=\dfrac{|x|}{x}$.

x	$-0{,}1$	$-0{,}01$	…	$0{,}01$	$0{,}1$
$f(x)$	-1	-1	…	1	1

Dans ce cas, on dit que la limite de $f(x)$ lorsque x tend vers 0 n'existe pas.

2 Nombre dérivé

DÉFINITION

Soit I un intervalle contenant un nombre réel a et f une fonction définie sur I.
On dit que **la fonction f est dérivable en a** si la limite du rapport $\dfrac{f(a+h)-f(a)}{h}$ lorsque h tend vers 0, avec $a+h$ dans I, existe et est égale à un nombre réel ℓ.
Ce nombre ℓ est appelé **nombre dérivé de la fonction f en a.**

▶ Savoir-faire 1
Étudier la dérivabilité d'une fonction, p. 103

EXEMPLE Soit f la fonction définie sur l'intervalle $\mathbb{R}$ par $f(x)=x^3$ et $a=1$.
Pour $h\neq 0$, on a : $\dfrac{f(a+h)-f(a)}{h}=\dfrac{(1+h)^3-1^3}{h}=\dfrac{(1+3h+3h^2+h^3)-1}{h}=3+3h+h^2$.
Au paragraphe A1, il a été vu que $\lim\limits_{h\to 0} h^2+3h+3=3$.
Donc la fonction f est dérivable en 1 et le nombre dérivé de f en 1 vaut 3.

3 Interprétation graphique

PROPRIÉTÉ

Soit f une fonction définie sur un intervalle I, dérivable en a nombre réel appartenant à I, et de nombre dérivé ℓ en a.

Soit $\mathscr{C}_f$ la courbe représentative de la fonction f dans un repère $(O ; \vec{i}, \vec{j})$ du plan, A le point de $\mathscr{C}_f$ d'abscisse a et M le point de $\mathscr{C}_f$ d'abscisse $a + h$ avec $a + h$ appartenant à I et $h \neq 0$.

Le nombre dérivé ℓ de f en a est la limite du coefficient directeur de la droite (AM) lorsque le point M se rapproche du point A, c'est-à-dire lorsque h tend 0.

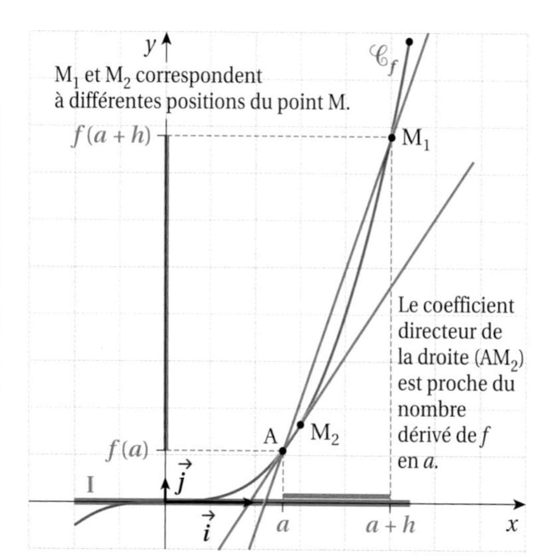

DÉMONSTRATION

Les coordonnées des points A et M sont respectivement $(a ; f(a))$ et $(a + h ; f(a + h))$ avec $h \neq 0$.
Le coefficient directeur de la droite (AM) est donc égal à :

$$\frac{f(a+h)-f(a)}{(a+h)-a}=\frac{f(a+h)-f(a)}{h}$$

▶ Savoir-faire 2 Lire graphiquement un nombre dérivé, p. 103

Le nombre dérivé de f en a, c'est-à-dire la limite de $\frac{f(a+h)-f(a)}{h}$ lorsque h tend vers zéro, est donc bien la limite du coefficient directeur de la droite (AM) lorsque le point M se rapproche du point A. ■

B. Tangente à une courbe

1 Tangente en un point à une courbe

DÉFINITION

Soit f une fonction définie sur un intervalle I, dérivable en a nombre réel appartenant à I, et de nombre dérivé ℓ en a.

Soit $\mathscr{C}_f$ la courbe représentative de la fonction f dans un repère $(O ; \vec{i}, \vec{j})$ du plan et A le point de $\mathscr{C}_f$ d'abscisse a.

La **tangente à la courbe $\mathscr{C}_f$ au point A** est la droite passant par A et ayant comme coefficient directeur le nombre dérivé ℓ.

EXEMPLE

Soit f la fonction définie sur l'intervalle $\mathbb{R}$ par :

$$f(x) = x^3$$

Le point A d'abscisse $a = 1$ de la courbe $\mathscr{C}_f$ a comme coordonnées $(1 ; 1)$.
Le nombre dérivé de f en $a = 1$ est égal à 3 (cf. paragraphe A2).
La tangente à la courbe $\mathscr{C}_f$ au point A est la droite passant par A et ayant comme coefficient directeur 3.

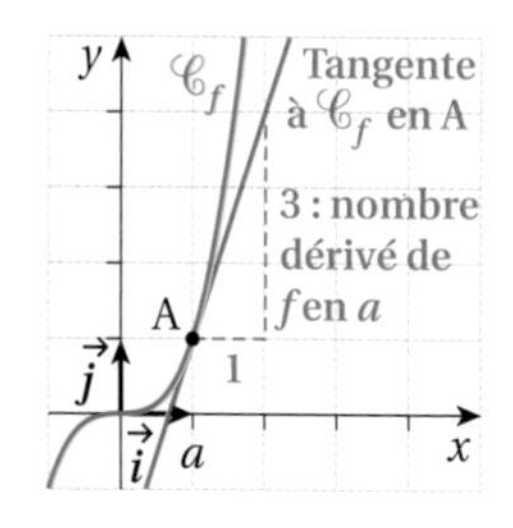

REMARQUE On rappelle que pour tracer une droite qui passe par A, de coefficient directeur 3, on se déplace horizontalement à partir de A d'une unité, puis verticalement de 3 unités pour obtenir un deuxième point de la droite.

2 Équation d'une tangente à une courbe

PROPRIÉTÉ

Soit $\mathscr{C}_f$ la courbe représentative d'une fonction f dans un repère $(O ; \vec{i}, \vec{j})$ du plan, A un point de $\mathscr{C}_f$ d'abscisse a et ℓ le nombre dérivé de f en a.
Une **équation de la tangente** à $\mathscr{C}_f$ en A est :

$$y = \ell\,(x - a) + f(a)$$

EXEMPLE

Soit f la fonction définie sur $\mathbb{R}$ par $f(x) = x^3$ et le point A d'abscisse $a = 1$ de la courbe $\mathscr{C}_f$.
On a : $a = 1 ; f(a) = 1^3 = 1 ; \ell = 3$.
D'où : $y = \ell(x - a) + f(a) \Leftrightarrow y = 3(x - 1) + 1 \Leftrightarrow y = 3x - 2$.
Une équation de la tangente à la courbe $\mathscr{C}_f$ au point A est donc $y = 3x - 2$.

DÉMONSTRATION

▶ Savoir-faire 3
Déterminer une équation d'une tangente à une courbe, p. 104

Dans un repère, une équation d'une droite Δ ayant comme coefficient directeur ℓ est :

$$y = \ell x + b \quad (1)$$

avec b son ordonnée à l'origine que nous allons déterminer.
Comme le point $A(a ; f(a))$ se trouve sur Δ, ses coordonnées vérifient l'équation de Δ, c'est-à-dire $f(a) = \ell a + b$. On en déduit que $b = f(a) - \ell a$.
En remplaçant cette valeur b dans (1), on obtient $y = \ell x + (f(a) - \ell a)$, soit $y = \ell(x - a) + f(a)$. ■

C. Fonction dérivée

1 Fonction dérivée de la fonction carré

Soit f la fonction définie sur $\mathbb{R}$ par $f(x) = x^2$ et a un nombre réel quelconque.
Déterminons le nombre dérivé de la fonction f en a.
D'après le paragraphe A2, il s'agit de calculer la limite de $\dfrac{f(a+h)-f(a)}{h}$ lorsque h tend vers zéro.
Pour $h \neq 0$, on a : $\dfrac{f(a+h)-f(a)}{h} = \dfrac{(a+h)^2 - a^2}{h} = \dfrac{(a^2+2ah+h^2)-a^2}{h} = \dfrac{2ah+h^2}{h} = 2a+h$.
Or lorsque h tend vers zéro, $2a + h$ tend vers $2a$.
En tout nombre réel a, le nombre dérivé de la fonction $f : x \mapsto x^2$ vaut $2a$.
On définit ainsi une nouvelle fonction, notée f', définie sur $\mathbb{R}$ par $f'(x) = 2x$.

2 Fonction dérivée f'

DÉFINITIONS

- Une fonction f est **dérivable sur un intervalle I** lorsqu'elle est dérivable en tout nombre réel x appartenant à I.
- Soit f une fonction définie et dérivable sur un intervalle I.

La fonction définie sur I qui, à tout nombre réel x, fait correspondre le nombre dérivé de la fonction f en x est appelée **fonction dérivée** de f.

La fonction dérivée de f est notée f'.

▶ Savoir-faire 4
Déterminer graphiquement la fonction dérivée, p. 104

REMARQUE

Avec la notation f' pour la fonction dérivée de la fonction f, une équation de la tangente au point $M(x_0 ; y_0)$ à la courbe représentative de f dans un repère est donnée par :

$$y = f'(x_0)(x - x_0) + f(x_0)$$

3 Dérivées des fonctions usuelles

THÉORÈME

Le tableau suivant donne pour quelques fonctions usuelles les fonctions dérivées correspondantes, leur ensemble de définition et leur ensemble de dérivabilité.

Fonction f	Ensemble de définition de f	Ensemble de dérivabilité de f	Fonction f'
$x \mapsto k$ (k constante)	$\mathbb{R}$	$\mathbb{R}$	$x \mapsto 0$
$x \mapsto x$	$\mathbb{R}$	$\mathbb{R}$	$x \mapsto 1$
$x \mapsto x^2$	$\mathbb{R}$	$\mathbb{R}$	$x \mapsto 2x$
$x \mapsto x^n$ (n entier, $n > 1$)	$\mathbb{R}$	$\mathbb{R}$	$x \mapsto nx^{n-1}$
$x \mapsto \dfrac{1}{x}$	$\mathbb{R}\backslash\{0\}$	$\mathbb{R}\backslash\{0\}$	$x \mapsto -\dfrac{1}{x^2}$
$x \mapsto \sqrt{x}$	$[0 ; +\infty[$	$]0 ; +\infty[$	$x \mapsto \dfrac{1}{2\sqrt{x}}$

DÉMONSTRATIONS

- Pour les fonctions $x \mapsto k$ et $x \mapsto x$, les démonstrations sont l'objet des exercices 33 et 34 p. 118.
- Pour la fonction $x \mapsto x^2$, la démonstration est donnée au paragraphe C1.
- Pour les fonctions $x \mapsto x^n$ avec n entier naturel supérieur ou égal à 3, le résultat est admis.
- Pour la fonction $x \mapsto \sqrt{x}$, la démonstration est l'objet de l'exercice 35 p. 118.
- Pour la fonction $x \mapsto \dfrac{1}{x}$, il s'agit de déterminer la limite, lorsque h tend vers 0 de $\dfrac{\frac{1}{a+h}-\frac{1}{a}}{h}$.

Pour $h \neq 0$, $a \neq 0$ et $a+h \neq 0$, on a $\dfrac{\frac{1}{a+h}-\frac{1}{a}}{h} = \dfrac{\frac{a-(a+h)}{a(a+h)}}{h} = \dfrac{-h}{a(a+h)} \times \dfrac{1}{h} = -\dfrac{1}{a(a+h)}$.

Or lorsque h tend vers 0, $a+h$ tend vers a.

Donc en tout nombre réel a non nul, le nombre dérivé de la fonction $x \mapsto \dfrac{1}{x}$ vaut $-\dfrac{1}{a^2}$.

Sur $\mathbb{R}\backslash\{0\}$, la fonction dérivée de la fonction $x \mapsto \dfrac{1}{x}$ est donc la fonction $x \mapsto -\dfrac{1}{x^2}$. ■

4 Dérivées et opérations

THÉORÈME

Soit u et v deux fonctions dérivables sur un intervalle I.

La somme des fonctions u et v est dérivable sur I et sa dérivée $(u+v)'$ est définie par :

$$x \mapsto u'(x) + v'(x)$$

DÉMONSTRATION

Il s'agit de montrer que pour tout a de I, on a $\lim\limits_{h \to 0} \dfrac{(u+v)(a+h)-(u+v)(a)}{h} = u'(a)+v'(a)$ (1).

Pour $h \neq 0$ et pour tout a de I, on a :

$$\frac{(u+v)(a+h)-(u+v)(a)}{h} = \frac{u(a+h)+v(a+h)-\big(u(a)+v(a)\big)}{h} = \frac{u(a+h)-u(a)}{h} + \frac{v(a+h)-v(a)}{h} \quad (2)$$

Comme u est dérivable en a, on sait que $\lim\limits_{h \to 0} \dfrac{u(a+h)-u(a)}{h} = u'(a)$.

Comme v est dérivable en a, on sait que $\lim\limits_{h \to 0} \dfrac{v(a+h)-v(a)}{h} = v'(a)$.

Ces deux dernières limites permettent de déduire (1) à partir de (2). ■

THÉORÈME

Soit u et v deux fonctions dérivables sur un intervalle I.
Le produit des fonctions u et v est dérivable sur I et sa dérivée $(uv)'$ est définie par :

$$x \mapsto u'(x)\, v(x) + u(x)\, v'(x)$$

DÉMONSTRATION

Il s'agit de montrer que pour tout a de I, on a $\lim\limits_{h\to 0}\dfrac{(uv)(a+h)-uv(a)}{h}=u'(a)\,v(a)+u(a)\,v'(a)$ (1).
Pour $h \neq 0$ et pour tout a de I, on a :

$$\begin{aligned}\frac{(uv)(a+h)-uv(a)}{h} &= \frac{u(a+h)\,v(a+h)-u(a)\,v(a)}{h}\\ &= \frac{u(a+h)\,v(a+h)-u(a)\,v(a+h)+u(a)\,v(a+h)-u(a)\,v(a)}{h}\,^{*}\\ &= \frac{\big(u(a+h)-u(a)\big)\,v(a+h)+u(a)\big(v(a+h)-v(a)\big)}{h}\\ &= \frac{u(a+h)-u(a)}{h}v(a+h)+u(a)\frac{v(a+h)-v(a)}{h} \quad (2)\end{aligned}$$

* Un terme supplémentaire est ajouté puis retranché afin de faire apparaître les deux rapports qui interviennent dans la définition de la dérivabilité des fonctions u et v.

Comme u est dérivable en a, on sait que $\lim\limits_{h\to 0}\dfrac{u(a+h)-u(a)}{h}=u'(a)$.

Comme v est dérivable en a, on sait que $\lim\limits_{h\to 0}\dfrac{v(a+h)-v(a)}{h}=v'(a)$.

Nous admettrons que, de la limite précédente, on peut déduire la suivante : $\lim\limits_{h\to 0} v(a+h)=v(a)$.
Ces trois dernières limites permettent de déduire (1) à partir de (2). ■

CONSÉQUENCE

Soit u une fonction dérivable sur un intervalle I et k une constante.
Le produit de la fonction u par k est dérivable sur I et sa dérivée $(k\,u)'$est définie par :

$$x \mapsto k\,u'(x)$$

DÉMONSTRATION

Soit u et v deux fonctions dérivables sur un intervalle I.
On pose v la fonction constante telle que $v(x) = k$ pour tout nombre réel x de I.
On a donc $v'(x) = 0$ pour tout x de I.
D'après le théorème ci-dessus, on a donc :

$$(k\,u)'(x) = (uv)'(x) = u'(x)\,v(x) + u(x)\,v'(x) = u'(x)\times k + u(x)\times 0 = k\,u'(x)$$ ■

THÉORÈME

Soit v une fonction dérivable sur un intervalle I et ne s'annulant pas dans cet intervalle.
L'inverse de la fonction v est alors dérivable sur I et sa dérivée $\left(\dfrac{1}{v}\right)'$ est définie par :

$$x \mapsto -\frac{v'(x)}{v^2(x)}$$

DÉMONSTRATION

Soit a un élément de I. Étudions la limite du rapport $\dfrac{\dfrac{1}{v(a+h)}-\dfrac{1}{v(a)}}{h}$.
Pour tout a de I et pour tout $h \neq 0$, on a :

$$\frac{\dfrac{1}{v(a+h)}-\dfrac{1}{v(a)}}{h}=\frac{v(a)-v(a+h)}{h\,v(a)\,v(a+h)}=-\frac{v(a+h)-v(a)}{h}\times\frac{1}{v(a)\,v(a+h)}$$

Comme la fonction v est dérivable sur I, on déduit de cette égalité que :

$$\lim_{h\to 0}\frac{\dfrac{1}{v(a+h)}-\dfrac{1}{v(a)}}{h}=-v'(a)\times\frac{1}{v^2(a)}=-\frac{v'(a)}{v^2(a)}$$ ■

CONSÉQUENCE

Soit u et v deux fonctions dérivables sur un intervalle I, avec $v(x) \neq 0$ pour tout x de I.

Le quotient de la fonction u par la fonction v est dérivable sur I et sa dérivée $\left(\dfrac{u}{v}\right)'$ est définie par :

$$x \mapsto \frac{u'(x)\,v(x) - u(x)\,v'(x)}{v^2(x)}$$

▶ Savoir-faire 5
Démontrer une propriété, p. 105

DÉMONSTRATION ▶ Savoir-faire 5 p. 105

Les règles d'opérations sur les dérivées sont résumées par les formules suivantes :

$(u+v)' = u' + v'$ $\quad (ku)' = ku'$ (avec k constante) $\quad (uv)' = u'v + uv'$

$\left(\dfrac{u}{v}\right)' = \dfrac{u'v - uv'}{v^2}$ $\quad \left(\dfrac{1}{u}\right)' = -\dfrac{u'}{u^2}$

▶ Savoir-faire 6
Déterminer une fonction dérivée, p. 105

▶ Savoir-faire 7
Calculer la dérivée à l'aide d'un logiciel de calcul formel, p. 106

EXEMPLE Soit f la fonction définie sur $\mathbb{R}$ par $f(x) = x^2 + 3x - 8$.
Par application des règles d'opérations, on trouve que la fonction dérivée f' de f est définie sur $\mathbb{R}$ par $f'(x) = 2x + 3$.

D. Fonction dérivée et étude de fonction

1 Lien entre signe de la fonction dérivée et sens de variation

THÉORÈME (ADMIS)

Soit f une fonction dérivable sur un intervalle I.

- Si $f'(x) \leqslant 0$ pour tout x de I, alors la fonction f est décroissante sur I.
- Si $f'(x) \geqslant 0$ pour tout x de I, alors la fonction f est croissante sur I.

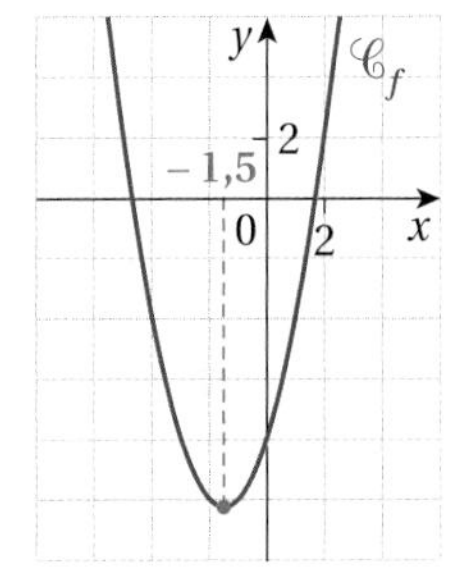

EXEMPLE Soit f la fonction définie sur $\mathbb{R}$ par $f(x) = x^2 + 3x - 8$.
$f'(x) = 2x + 3$
$f'(x) \leqslant 0 \Leftrightarrow x \leqslant -1{,}5$ et $f'(x) \geqslant 0 \Leftrightarrow x \geqslant -1{,}5$
Donc la fonction f est décroissante sur l'intervalle $]-\infty\,;\,-1{,}5]$ et croissante sur l'intervalle $[-1{,}5\,;\,+\infty[$.

2 Étude des variations d'une fonction

Lorsque les variations d'une fonction sont déduites du signe de sa dérivée, il est commode de résumer cela dans un tableau de variations dans lequel on ajoute une ligne pour ce signe.

EXEMPLE Soit f la fonction définie sur $\mathbb{R}$ par $f(x) = x^2 + 3x - 8$.

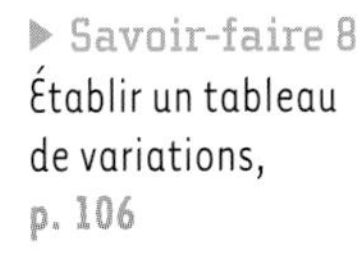
▶ Savoir-faire 8
Établir un tableau de variations, p. 106

x	$-\infty$		$-1{,}5$		$+\infty$
signe de $f'(x) = 2x + 3$		$-$	0	$+$	
f	↘		$-10{,}25$		↗

REMARQUE Pour étudier les variations d'une fonction f, il n'est pas systématiquement nécessaire de déterminer la fonction dérivée f' et d'en étudier le signe.
Considérons par exemple la fonction g définie sur l'intervalle $]2\,;\,+\infty[$ par $g(x) = \dfrac{1}{x^3 - 8}$.
En appliquant les propriétés vues dans le paragraphe E4 p. 69 (chapitre 2), on peut affirmer que la fonction g est décroissante sur l'intervalle $]2\,;\,+\infty[$ car la fonction $x \mapsto x^3$ est croissante sur cet intervalle.

3 Extremum d'une fonction

THÉORÈME (ADMIS)

Soit f une fonction dérivable sur un intervalle ouvert I et a un nombre réel appartenant à I.
Si f' s'annule en changeant de signe en a, alors f admet un extremum en a. Plus précisément :

• si $f'(x) > 0$ pour tout $x < a$ de I, $f'(a) = 0$ et $f'(x) < 0$ pour tout $x > a$ de I, alors la fonction f admet un maximum en a sur I.

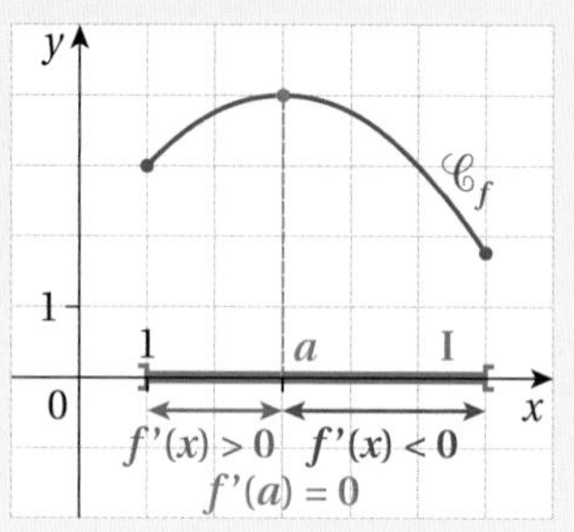

• si $f'(x) < 0$ pour tout $x < a$ de I, $f'(a) = 0$ et $f'(x) > 0$ pour tout $x > a$ de I, alors la fonction f admet un minimum en a sur I.

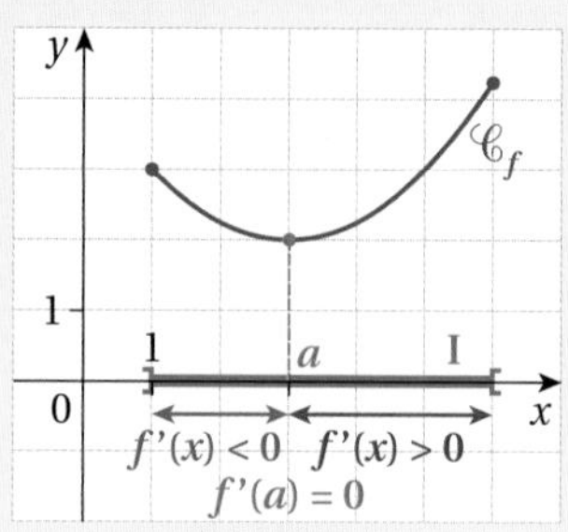

REMARQUES

• L'hypothèse du changement du signe est nécessaire : la fonction $x \mapsto x^3$ n'admet pas d'extremum sur $\mathbb{R}$, pourtant elle a une dérivée qui s'annule en $x = 0$, mais cette dérivée n'y change pas de signe.

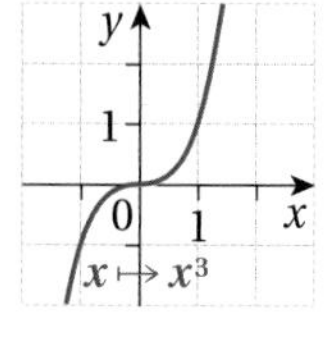

• Pour l'intervalle I, l'hypothèse qu'il soit ouvert permet d'éviter que le nombre réel a soit une de ses extrémités. Si tel est le cas, l'étude des variations permet de conclure, comme par exemple dans la situation ci-contre où f admet un maximum en a.

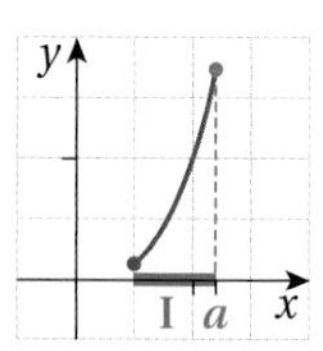

EXEMPLE Soit f la fonction définie sur $\mathbb{R}$ par $f(x) = x^2 + 3x - 8$.
Comme $f'(x) < 0$ pour tout $x < -1{,}5$ de I, $f'(-1{,}5) = 0$ et $f'(x) > 0$ pour tout $x > -1{,}5$ de I, la fonction f admet un minimum sur I en $x = -1{,}5$.

4 Cas particulier des fonctions polynômes du second degré

PROPRIÉTÉ

Soit f la fonction définie sur $\mathbb{R}$ par $f(x) = ax^2 + bx + c$ avec a, b et c des nombres réels et $a \neq 0$.

Cette fonction f admet en $x = -\dfrac{b}{2a}$ un minimum si $a > 0$ et un maximum si $a < 0$.

NOTE
Nous retrouvons ainsi les résultats vus en classe de Seconde : le point de la courbe d'abscisse $-\dfrac{b}{2a}$ est le sommet de la parabole, courbe représentative de la fonction $x \mapsto ax^2 + bx + c$.

DÉMONSTRATION

Soit f la fonction définie sur $\mathbb{R}$ par $f(x) = ax^2 + bx + c$ avec a, b et c des nombres réels et $a \neq 0$.

La dérivée de la fonction f est donnée par $f'(x) = 2ax + b$ et $f'(x) = 0 \Leftrightarrow x = -\dfrac{b}{2a}$.

• **Cas $a > 0$**

$f'(x) > 0 \Leftrightarrow x > -\dfrac{b}{2a}$

Le tableau de variations de f est donc :

x	$-\infty$	$-\dfrac{b}{2a}$	$+\infty$
signe de $f'(x)$	$-$	0	$+$
f	↘		↗

Donc f admet un minimum en $x = -\dfrac{b}{2a}$. ■

• **Cas $a < 0$**

$f'(x) > 0 \Leftrightarrow x < -\dfrac{b}{2a}$

Le tableau de variations de f est donc :

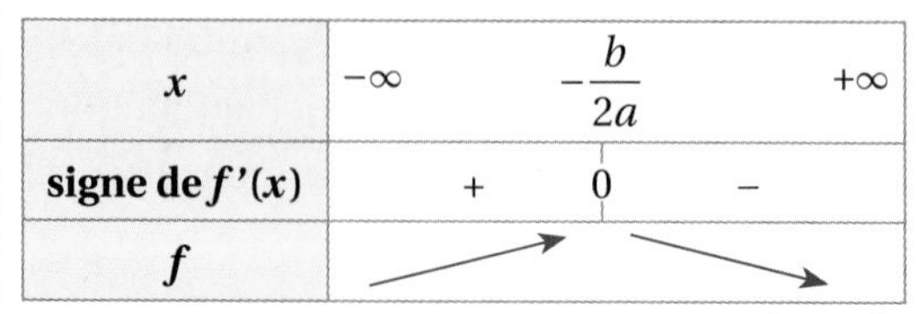

x	$-\infty$	$-\dfrac{b}{2a}$	$+\infty$
signe de $f'(x)$	$+$	0	$-$
f	↗		↘

Donc f admet un maximum en $x = -\dfrac{b}{2a}$. ■

▶ Savoir-faire 9 Rechercher un extremum, p. 107

Savoir-faire

Savoir-faire 1 Étudier la dérivabilité d'une fonction

ÉNONCÉ Soit f la fonction définie sur $\mathbb{R}$ par $f(x) = |x-3|$. Montrer que la fonction f n'est pas dérivable en $x = 3$.

SOLUTION

$$\frac{f(3+h)-f(3)}{h} = \frac{|(3+h)-3|-|3-3|}{h} = \frac{|h|}{h}$$

Lorsque h est strictement positif, $\frac{|h|}{h}$ vaut 1 car $|h| = h$.

Lorsque h est strictement négatif, $\frac{|h|}{h}$ vaut -1 car $|h| = -h$.

Donc le rapport $\frac{f(3+h)-f(3)}{h}$ ne tend pas vers un unique nombre réel lorsque h tend vers zéro.

Par conséquent, la fonction f n'est pas dérivable en $x = 3$.

MÉTHODE

Pour étudier la dérivabilité d'une fonction f, définie sur un intervalle I, en a ($a \in$ I), il faut calculer le rapport $\frac{f(a+h)-f(a)}{h}$ et étudier sa limite lorsque h tend vers zéro. Si cette limite existe et est un nombre réel, alors f est dérivable en a ; sinon, f n'est pas dérivable en a.

REMARQUE **Interprétation graphique**

Soit A le point de coordonnées (3 ; 0) et M un point quelconque de $\mathscr{C}_f$ différent de A. Si M est à droite de A, le coefficient directeur de la droite (AM) vaut 1 ; si M est à gauche de A, ce coefficient vaut -1.

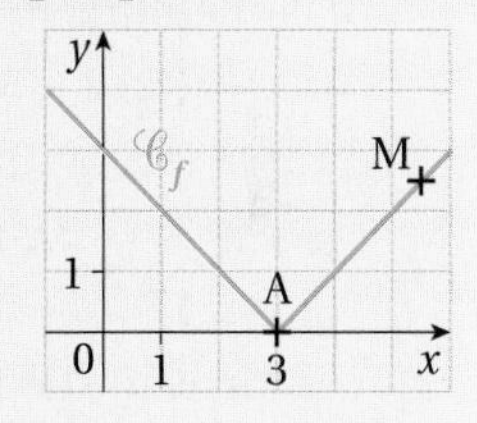

▶ Exercices 5 et 6 p. 116

Savoir-faire 2 Lire graphiquement un nombre dérivé

ÉNONCÉ Soit f une fonction définie et dérivable sur l'intervalle [0 ; 10] dont la représentation graphique $\mathscr{C}_f$ est donnée ci-contre.
Donner par lecture graphique une valeur approximative des nombres dérivés de la fonction f :

a. en $x = 7$.

b. en $x = 2$.

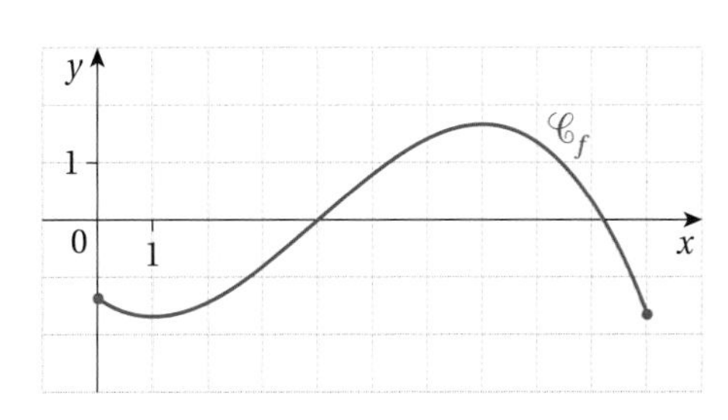

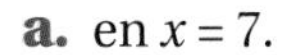

SOLUTION

a. Le nombre dérivé de la fonction f en $x = 7$ vaut 0.

b. Le nombre dérivé de la fonction f en $x = 2$ vaut environ 0,5 car le coefficient directeur de la tangente à la courbe au point d'abscisse 2 vaut environ 0,5.

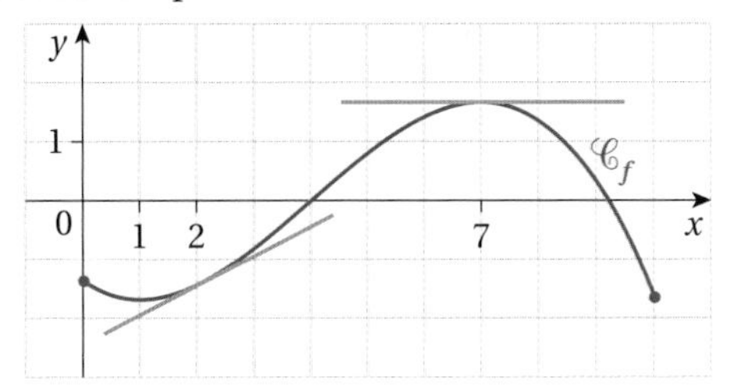

MÉTHODE

a. Le nombre dérivé de la fonction f en $x = 7$ est le coefficient directeur de la tangente à la courbe $\mathscr{C}_f$ en $x = 7$. Comme cette tangente est parallèle à l'axe des abscisses, ce nombre dérivé vaut 0.

b. Pour lire le nombre dérivé de la fonction f en $x = 2$, on trace la tangente à $\mathscr{C}_f$ en $x = 2$. Une valeur approchée de son coefficient directeur se lit en observant la variation en y lorsque x augmente de 1.

▶ Exercice 7 p. 116

Savoir-faire 3 Déterminer une équation d'une tangente à une courbe

ÉNONCÉ Soit f la fonction définie sur $\mathbb{R}$ par $f(x) = x^3 + 3x^2$ et $\mathscr{C}_f$ sa représentation graphique.

a. Déterminer une équation de la tangente Δ_1 à la courbe $\mathscr{C}_f$ au point A d'abscisse -2.

b. Déterminer une équation de la tangente Δ_2 à la courbe $\mathscr{C}_f$ au point B d'abscisse -1.

c. Étudier la position relative de $\mathscr{C}_f$ et de Δ_2.

SOLUTION

a. La dérivée f' de f est donnée par $f'(x) = 3x^2 + 6x$.
$f'(-2) = 0$ et $f(-2) = 4$.
La tangente Δ_1 à $\mathscr{C}_f$ au point A est donc horizontale.
Une équation de Δ_1 est $y = 4$.

b. $f'(-1) = -3$ et $f(-1) = 2$.
Une équation de la tangente Δ_2 à $\mathscr{C}_f$ au point B est $y - 2 = -3(x - (-1))$, soit $y = -3x - 1$.

c. Il faut étudier le signe de la différence :

$d(x) = f(x) - (-3x - 1)$
$d(x) = x^3 + 3x^2 - (-3x - 1)$
$= x^3 + 3x^2 + 3x + 1$
$= (x + 1)^3$

qui est du signe de $x + 1$.
Ainsi, $d(x) < 0$ pour $x < -1$
et $d(x) > 0$ pour $x > -1$.
Donc pour $x < -1$, $\mathscr{C}_f$ est au-dessous de Δ_2 et pour $x > -1$, $\mathscr{C}_f$ est au-dessus de Δ_2.

▶ Exercices 12, 13, 29 et 30 p. 117 et 118

MÉTHODE

a. Lorsque la dérivée est nulle, la tangente est horizontale.

b. Une équation de la tangente en $M(x_0 ; f(x_0))$ est donnée par la formule $y = f'(x_0)(x - x_0) + f(x_0)$.

REMARQUE

On peut aussi dire qu'une équation est $y = ax + b$ où a est le nombre dérivé, puis déterminer b en remplaçant x et y par les coordonnées du point M.

c. La position d'une courbe $\mathscr{C}_f$ par rapport à une droite d'équation $y = ax + b$ s'obtient à partir du signe de la différence $d(x) = f(x) - (ax + b)$.
Si $d(x)$ est positive, $\mathscr{C}_f$ est au-dessus de la droite ; si elle est négative, $\mathscr{C}_f$ est au-dessous de la droite.
En général, pour obtenir le signe d'une expression, on la factorise. Ici, on peut reconnaître une identité remarquable ou utiliser un logiciel de calcul formel.

Savoir-faire 4 Déterminer graphiquement la fonction dérivée

ÉNONCÉ Soit f une fonction définie et dérivable sur l'intervalle $[0 ; 10]$ dont la représentation graphique $\mathscr{C}_f$ est donnée ci-contre. On note f' sa fonction dérivée.
Parmi les représentations graphiques ci-dessous, laquelle est celle de la fonction dérivée f' ?

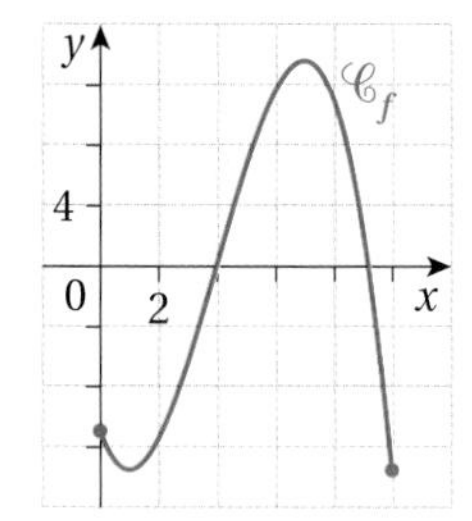

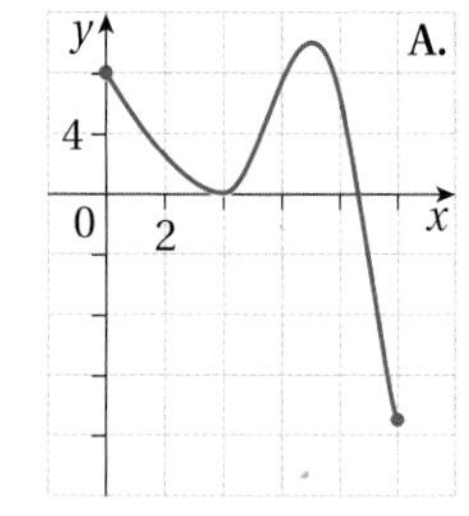

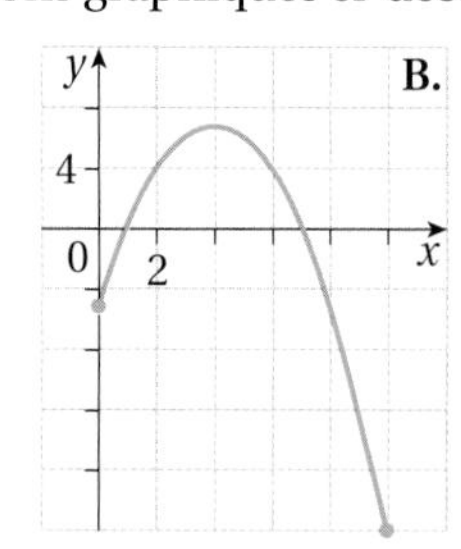

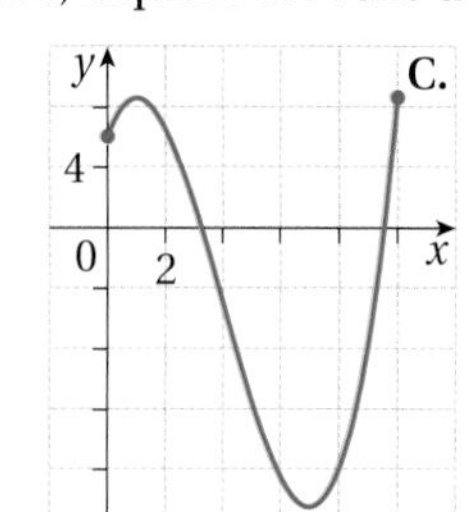

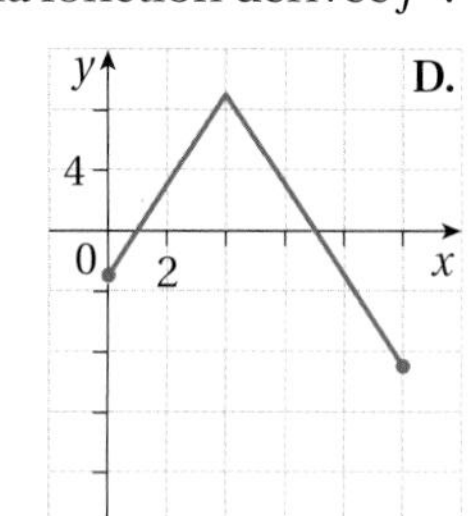

SOLUTION

Des valeurs approchées de quelques nombres dérivés peuvent être lues à partir de la courbe $\mathscr{C}_f$ donnée.

x	0	1	3	5	7	10
$f'(x)$	-5	0	6	6	0	-20

C'est donc la proposition B qui est la représentation graphique de la fonction dérivée f'.

▶ Exercice 15 p. 117

MÉTHODE

Pour obtenir le tableau de valeurs de la fonction dérivée f', on recherche les coefficients directeurs des tangentes à la courbe de f en plusieurs valeurs x. (▶ Savoir-faire 2 p. 103.)

Savoir-faire 5 Démontrer une propriété

ÉNONCÉ On considère deux fonctions u et v, dérivables sur un intervalle I, avec pour tout x de I, $v(x) \neq 0$.
On rappelle que le produit des deux fonctions u et v est dérivable de dérivée $u'v + uv'$.
On sait également que la fonction $\frac{1}{v}$ est dérivable sur I et sa dérivée $\left(\frac{1}{v}\right)'$ est donnée par $x \mapsto -\frac{v'(x)}{v^2(x)}$.
En utilisant ces deux résultats, montrer que la fonction $\frac{u}{v}$ est dérivable sur I et calculer sa dérivée.

SOLUTION

On peut écrire $\frac{u}{v} = u \times \frac{1}{v}$ et d'après les résultats rappelés, la fonction quotient est dérivable sur I comme produit de deux fonctions dérivables sur cet intervalle.
De plus, sa dérivée est donnée par :

$$\left(\frac{u}{v}\right)'(x) = u'(x) \times \frac{1}{v(x)} + u(x) \times \frac{-v'(x)}{v^2(x)}$$

$$= \frac{u'(x)\,v(x) - u(x)\,v'(x)}{v^2(x)}$$

MÉTHODE

Dans cet exercice il s'agit de démontrer un résultat de cours à partir d'autres.
La formule à trouver s'obtient comme cas particulier de la dérivation d'un produit.
Dans la rédaction de la solution, il convient de bien vérifier que l'on a répondu à toutes les questions posées. *Ici*, il y en a deux : d'une part, la dérivabilité de la fonction quotient et d'autre part, la formule de la dérivée de cette fonction.

▶ Exercice 66 p. 121

Savoir-faire 6 Déterminer une fonction dérivée

ÉNONCÉ Calculer les fonctions dérivées des fonction suivantes définies sur ℝ.

a. $f_1(x) = (x^2 + 3x)(x^3 - x^2 - 5)$

b. $f_2(x) = \frac{2x+3}{x^2+1}$

SOLUTION

a. $f_1'(x) = (2x + 3)(x^3 - x^2 - 5) + (x^2 + 3x)(3x^2 - 2x)$
$= (2x^4 - 2x^3 - 10x + 3x^3 - 3x^2 - 15)$
$+ (3x^4 - 2x^3 + 9x^3 - 6x^2)$
$= 5x^4 + 8x^3 - 9x^2 - 10x - 15$

b. $f_2'(x) = \frac{(2)(x^2+1) - (2x+3)(2x)}{\left(x^2+1\right)^2}$
$= \frac{(2x^2+2) - (4x^2+6x)}{\left(x^2+1\right)^2}$
$= \frac{-2x^2 - 6x + 2}{\left(x^2+1\right)^2}$

MÉTHODE

a. Il s'agit de la dérivée d'un produit.
La formule à utiliser est $(uv)' = u'v + uv'$.
Ici, on a :
$u(x) = x^2 + 3x \qquad v(x) = x^3 - x^2 - 5$
$u'(x) = 2x + 3 \qquad v'(x) = 3x^2 - 2x$

REMARQUE
Pour ce calcul, on aurait pu ne pas utiliser la formule de la dérivation d'un produit en effectuant d'abord le produit :
$f_1(x) = \ldots = x^5 + 2x^4 - 3x^3 - 5x^2 - 15x$
D'où $f_1'(x) = 5x^4 + 8x^3 - 9x^2 - 10x - 15$.

b. Il s'agit de la dérivée d'un quotient.
La formule à utiliser est $\left(\frac{u}{v}\right)' = \frac{u'v - uv'}{v^2}$.
Ici, on a :
$u(x) = 2x + 3 \qquad v(x) = x^2 + 1$
$u'(x) = 2 \qquad v'(x) = 2x$

▶ Exercices 16 à 24 p. 117

Savoir-faire 7 Calculer la dérivée à l'aide d'un logiciel de calcul formel

ÉNONCÉ Soit f la fonction définie sur $\mathbb{R}$ par $f(x) = \dfrac{-3x+2}{x^4+1}$.

À l'aide d'un logiciel de calcul formel ou de la calculatrice, déterminer $f'(x)$, puis calculer $f'(-1)$.

SOLUTION

Une calculatrice avec calcul formel (**fig. a**) ou un logiciel de calcul formel (**fig. b**) permettent de répondre directement aux deux questions posées :

$\dfrac{d}{dx}\left(\dfrac{-3\cdot x+2}{x^4+1}\right)$ $\quad \dfrac{9\cdot x^4-8\cdot x^3-3}{\left(x^4+1\right)^2}$

$\dfrac{9\cdot x^4-8\cdot x^3-3}{\left(x^4+1\right)^2}|x=-1$ $\quad \dfrac{7}{2}$

fig. a. Avec la calculatrice TI-*nspire*.

1 derive((-3x+2)/(x^4+1))

$\dfrac{-3}{x^4+1}+\dfrac{((-3)\cdot x+2)\cdot((-4)\cdot x^3)}{(x^4+1)^2}$

2 factoriser(derive((-3x+2)/(x^4+1)))

$\dfrac{9\cdot x^4-8\cdot x^3-3}{(x^4+1)^2}$

3 substituer(derive((-3x+2)/(x^4+1)),x=-1)

$\dfrac{7}{2}$

fig. b. Avec Xcas.

D'où $f'(x) = \dfrac{9x^4-8x^3-3}{\left(x^4+1\right)^2}$ pour tout nombre réel x, et $f'(-1) = \dfrac{7}{2}$.

REMARQUE

Beaucoup de calculatrices scientifiques ne disposant pas du calcul formel proposent une « **dérivée numérique** » qui donne le nombre dérivé en une valeur.

Ici, on peut donc calculer $f'(-1)$ à l'aide de la calculatrice :

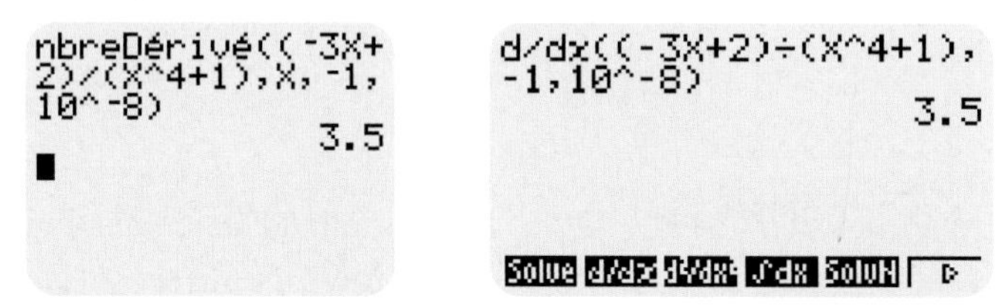

fig. c. Avec la TI-83 Plus. **fig. d.** Avec la Casio *Graph* 35+.

ATTENTION ! On ne peut pas savoir si la valeur affichée est la valeur exacte ou une valeur approchée.

▶ Exercices 25 à 28 p. 118

Savoir-faire 8 Établir un tableau de variations

ÉNONCÉ Soit f la fonction définie sur $\mathbb{R}\backslash\{1\}$ par $f(x) = \dfrac{x^2+3}{x-1}$.

a. Étudier les variations de la fonction f.

b. Dans un repère, tracer sa courbe représentative $\mathscr{C}_f$.

SOLUTION

a. L'ensemble de définition proposé convient car il faut que $x-1$ soit différent de 0, soit x différent de 1.

$f'(x) = \dfrac{(2x)(x-1)-(x^2+3)(1)}{(x-1)^2} = \dfrac{x^2-2x-3}{(x-1)^2}$

Le signe de f' est celui de $x^2 - 2x - 3$ et se trouve en résolvant une équation et une inéquation du second degré :

$x^2 - 2x - 3 = 0 \Leftrightarrow x = -1$ ou $x = 3$

$x^2 - 2x - 3 < 0 \Leftrightarrow x \in \,]-1\,;3[$

Le tableau de variations de f est donc :

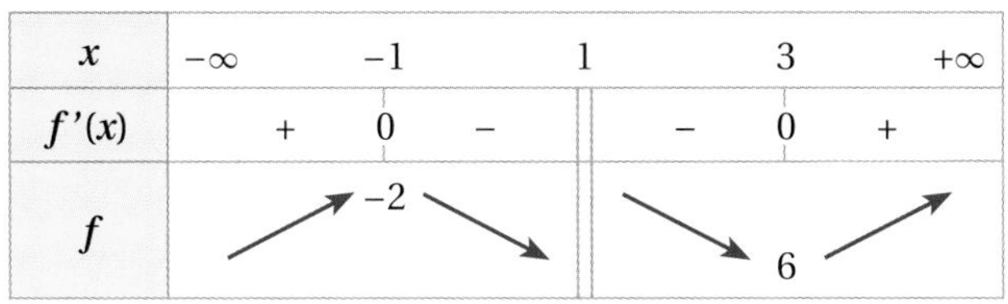

x	$-\infty$		-1		1		3		$+\infty$
$f'(x)$		+	0	−	‖	−	0	+	
f		↗	-2	↘	‖	↘	6	↗	

b.

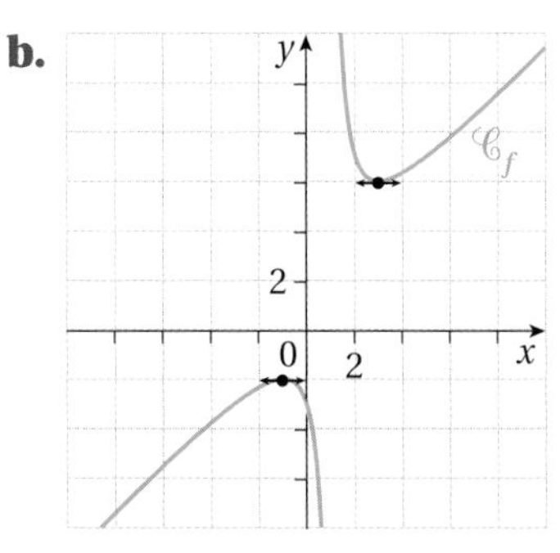

▶ Exercices 39 à 46 p. 119

MÉTHODE

a. Le signe de la dérivée permet de déterminer les variations de la fonction.
Pour l'étude du signe d'une expression du second degré, on pourra se référer au paragraphe **C** p. 28 du cours du chapitre 1.

REMARQUE

Un tableau de variations permet de résumer la situation mais on aurait pu uniquement dire : « La fonction f est décroissante sur l'intervalle $[-1\,;1[$ ainsi que sur l'intervalle $]1\,;3]$; la fonction f est croissante sur l'intervalle $]-\infty;-1]$ ainsi que sur l'intervalle $[3\,;+\infty[$. »

Le calcul des valeurs exactes ou approchées de f en $x = -1$ et $x = 3$ est nécessaire pour le tracé de la courbe.

b. Sur la représentation graphique, il est conseillé de faire apparaître maximum et minimum relatifs par une double flèche.

Savoir-faire 9 *Rechercher un extremum*

ÉNONCÉ La fonction f définie par $f(x) = -3x^4 + 16x^3 + 30x^2 - 7$ admet-elle un maximum sur $\mathbb{R}$?

SOLUTION

La dérivée de la fonction f est donnée par :

$$f'(x) = -12x^3 + 48x^2 + 60x = -12\,x\,(x^2 - 4x - 5)$$

$f'(x) = 0 \Leftrightarrow -12x(x^2 - 4x - 5) = 0 \Leftrightarrow x = 0$ ou $x = -1$ ou $x = 5$

Le signe de f' est donné dans le tableau suivant :

x	$-\infty$		-1		0		5		$+\infty$
$-12\,x$		+		+	0	−		−	
$x^2 - 4x - 5$		+	0	−		−	0	+	
$f'(x)$		+	0	−	0	+	0	−	

On en déduit le tableau de variations de f :

x	$-\infty$		-1		0		5		$+\infty$
$f'(x)$		+	0	−	0	+	0	−	
f		↗	4	↘	-7	↗	868	↘	

Comme $f(-1) = 4$ et $f(5) = 868$, le tableau de variations indique que la fonction f admet un maximum sur $\mathbb{R}$ qui vaut 868.

REMARQUE Pour la fonction étudiée ici, on observe aussi :
- un maximum local en $x = -1$ qui vaut 4 ;
- un minimum local en $x = 0$ qui vaut -7.

▶ Exercices 50 et 51 p. 119

MÉTHODE

L'étude des variations de la fonction f va permettre de trouver d'éventuels maximums ou minimums, à condition que les zéros de la fonction dérivée f' puissent être trouvés. C'est le cas lorsque la factorisation de $f'(x)$ comporte des termes du premier ou du second degré.

L'étude des variations de f permet de choisir une fenêtre d'affichage appropriée pour la représentation graphique de sa courbe ; cela est bien utile pour un contrôle des résultats trouvés.

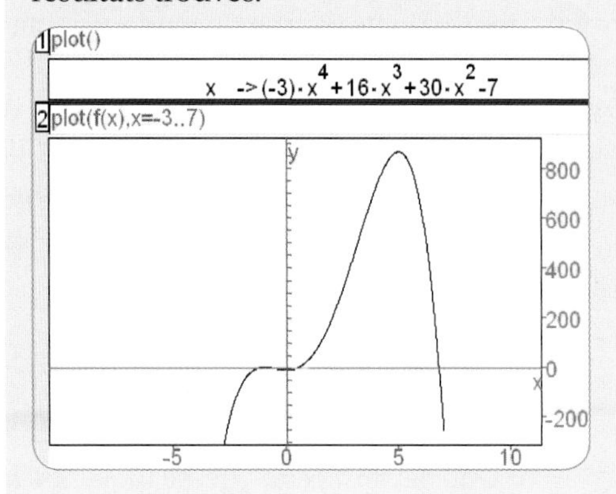

Travaux pratiques

TP TICE 1 Vitesses

Objectifs : • Découvrir le lien entre les fonctions vitesse et position.
• Utiliser une modélisation pour conjecturer un maximum.

Un cycliste s'intéresse à sa vitesse à vélo. Pour cela, il roule sur une route rectiligne de 3 km au bord de laquelle se trouve une borne à tous les kilomètres.

Il note sur une application de son téléphone portable le temps écoulé au passage de chacune des bornes.

Voici le tableau obtenu :

Numéro de la borne	1	2	3	4
Temps (en s)	0	209	331	540

Partie A

1. Dans un repère du plan, placer les 4 points qui donnent pour chaque borne en abscisse, le temps mis pour y arriver (en secondes) et, en ordonnée, la distance parcourue (en mètres) depuis le départ.

2. Saisir ces valeurs dans un tableur et calculer les vitesses moyennes entre deux passages devant les bornes.

3. Quelle a été la vitesse moyenne et la vitesse minimale du cycliste sur tout le trajet ? Peut-on estimer sa vitesse maximale ?

Partie B

1. À l'aide du tableur, tracer le nuage de points qui indique en abscisse, le temps en secondes mis par le cycliste pour arriver à chaque borne et, en ordonnée, la position de cette borne.

2. Ajouter une « courbe de tendance » au nuage de points. On note f la fonction correspondant à cette courbe.

3. On suppose dans cette question que, durant son trajet, la position du cycliste à l'instant x est modélisée par $f(x)$ pour x appartenant à l'intervalle $[0 ; 540]$.

   a. Calculer la vitesse moyenne du cycliste entre les instants 270 et 280, les instants 270 et 271, et les instants 270 et 270,1.

   b. Montrer que $\frac{f(270+h)-f(270)}{h}$ donne la vitesse moyenne entre les instants 270 et $270+h$, lorsque $h \in [-270 ; 0[\cup]0 ; 270]$.

   c. Que devient cette vitesse moyenne lorsque h tend vers 0 ?

Partie C

a. Déterminer la fonction polynôme g de degré trois telle que $g(0) = 0$, $g(209) = 1\,500 - \dfrac{13\,113\,719}{26\,244}$,
$g(331) = 1\,500 + \dfrac{13\,113\,719}{26\,244}$ et $g(540) = 3\,000$.
On pourra se servir d'un logiciel de calcul formel.

b. Étudier les variations de la fonction g sur l'intervalle $[0\,;540]$.

c. Tracer la représentation graphique de la fonction g dans le repère utilisé en **Partie A**.

d. Calculer $g'(270)$. Que représente ce nombre ?

e. En supposant cette fois-ci que la fonction g modélise la position du cycliste à l'instant x pour x appartenant à l'intervalle $[0\,;540]$, déterminer la vitesse maximale atteinte par le cycliste. On pourra pour cela étudier les variations de la fonction g'.

Coup de pouce

On trouve $g(x) = \dfrac{-x^2(x-810)}{26\,244}$.

Remarque Si la fonction f donne la position d'un mobile sur un axe en fonction du temps, la dérivée f' de f donne la vitesse du mobile en fonction du temps.

TICE  Cas particulier de courbes de Bézier

Objectifs :
- Traduire des conditions pour une courbe par un système d'équations.
- Modéliser un tracé par une fonction définie par intervalles.

On souhaite tracer une courbe passant par deux points dont les coefficients directeurs des tangentes en ces points sont connus.

1 a. Dans un repère $(O\,;\vec{i},\vec{j})$, le point M a pour coordonnées $(10\,;0)$. Soit u et v deux nombres réels quelconques et la fonction f définie sur $\mathbb{R}$ par $f(x) = x(ux+v)(x-10)$.
Montrer que la courbe représentative $\mathscr{C}_f$ de f passe par les points O et M.

b. Déterminer les nombres réels u et v tels que la tangente à $\mathscr{C}_f$ au point O ait comme coefficient directeur 2 et que la tangente à $\mathscr{C}_f$ au point M ait comme coefficient directeur -1.

c. Tracer la courbe $\mathscr{C}_f$.

2 a. Dans un repère $(O\,;\vec{i},\vec{j})$, les points A et B ont comme coordonnées respectives $(a\,;0)$ et $(b\,;0)$ où a et b sont deux nombres réels quelconques distincts. Soit u et v deux nombres réels quelconques et la fonction g définie sur $\mathbb{R}$ par $g(x) = (ux+v)(x-a)(x-b)$.
Montrer que la courbe représentative $\mathscr{C}_g$ de g passe par les points A et B.

b. Soit c et d deux nombres réels quelconques.
Déterminer u et v en fonction de a, b, c et d tels que la tangente à $\mathscr{C}_g$ au point A ait comme coefficient directeur c et que la tangente à $\mathscr{C}_g$ au point B ait comme coefficient directeur d.
On montrera que $g(x) = \dfrac{\big((c+d)x-(ad+bc)\big)(x-a)(x-b)}{(a-b)^2}$.

3 Déterminer la fonction définie par intervalles qui modélise la situation suivante :
- la courbe représentative de la fonction considérée passe par les points de coordonnées $(0\,;0)$, $(10\,;0)$, $(15\,;0)$ et $(30\,;0)$;
- les coefficients directeurs de ses tangentes en ces points sont respectivement 2, -1, 1 et -2.

Sur chacun des intervalles $[0\,;10]$, $[10\,;15]$ et $[15\,;30]$, on déterminera une fonction polynôme de degré inférieur ou égal à 3.

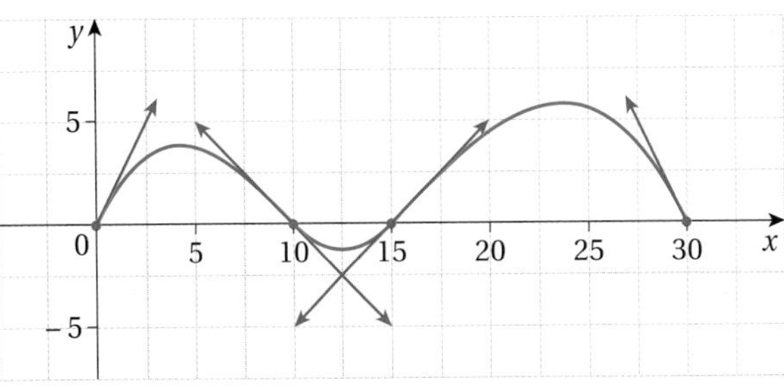

TP TICE 3

Méthode de Newton

Objectifs : • Déterminer une valeur approchée d'un zéro d'une fonction.
• Automatiser les calculs à l'aide d'un tableur.

Il s'agit ici de résoudre de manière approchée une équation d'inconnue x qui peut se ramener à $f(x) = 0$.

Dans un repère du plan, on cherche donc l'abscisse d'un point d'intersection de la courbe représentative $\mathscr{C}_f$ de la fonction f avec l'axe des abscisses.

Une des méthodes, appelée « méthode de Newton », s'illustre graphiquement de la manière suivante :

- soit un point M_0 de la courbe $\mathscr{C}_f$; la tangente à $\mathscr{C}_f$ en M_0 coupe l'axe des abscisses en un point A_1 ;
- soit le point M_1 de $\mathscr{C}_f$, de même abscisse que le point A_1 ; la tangente à $\mathscr{C}_f$ en M_1 coupe l'axe des abscisses en un point A_2 ;
- on réitère cette construction plusieurs fois en admettant qu'à chaque étape, il n'y a pas de tangente horizontale.

On constate que les points A_i se rapprochent du point d'intersection de $\mathscr{C}_f$ avec l'axe des abscisses.

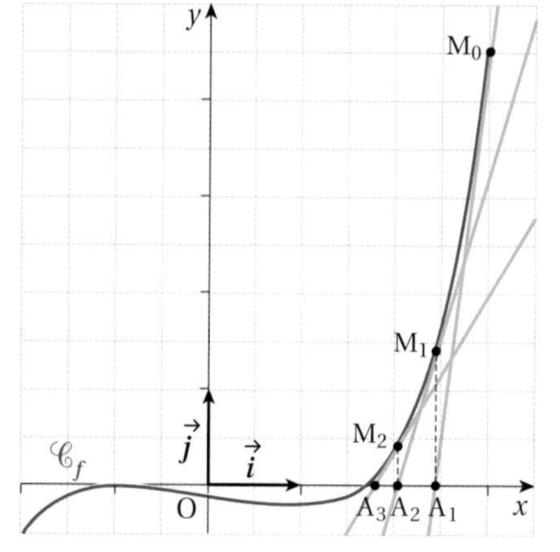

1 Soit la fonction f définie sur $\mathbb{R}$ par $f(x) = \dfrac{x^5 - 5x - 5}{50}$.

À l'aide d'un logiciel de géométrie dynamique, construire la courbe représentative $\mathscr{C}_f$ de f, le point M_0 d'abscisse 3, puis les points A_1, M_1, A_2, M_2 et A_3.

Comparer l'abscisse du point A_3 et la solution graphique de l'équation $f(x) = 0$.

2 **a.** Soit $(x_0 ; y_0)$ les coordonnées du point M_0.

Montrer qu'une équation de la tangente en M_0 à la courbe $\mathscr{C}_f$ est :

$$y = f'(x_0) \times (x - x_0) + f(x_0)$$

b. Déterminer l'abscisse du point A_1 en fonction de x_0, $f(x_0)$ et $f'(x_0)$.

c. En déduire l'abscisse du point A_2 en fonction de x_1, $f(x_1)$ et $f'(x_1)$.

3 **a.** Étudier les variations de la fonction f définie à la question **1**.

b. À l'aide d'un tableur, déterminer les coordonnées successives des points M_0, A_1, M_1, A_2, M_2,…

	A	B	C	D
1		Coordonnées points Mi		
2	indice i	abscisse xi	ordonnée yi=f(xi)	dérivée en xi
3	0	3,000000000000	4,46	8
4	1	2,442500000000		
5	2			
6	3			

c. Quelle formule à recopier vers le bas contient la cellule C3 ? Quelle formule à recopier vers le bas contient la cellule D3 ?

Montrer que la formule qui se trouve dans la cellule B4 est « =B3-C3/D3 ».

d. Donner une valeur approchée à 10^{-6} près de la solution de l'équation $f(x) = 0$.

REMARQUE Le principe de la méthode de Newton est le suivant :
si la fonction f admet un unique zéro α dans l'intervalle $[a ; b]$, on peut montrer que, sous certaines hypothèses sur la fonction f, la suite (x_n) définie par :

$$\begin{cases} x_{n+1} = x_n - \dfrac{f(x_n)}{f'(x_n)} \\ x_0 = a \text{ ou } x_0 = b \end{cases}$$

(selon que f est croissante ou décroissante), converge vers α.

Newton et les mathématiques

Isaac NEWTON (1642 - 1727) est surtout connu pour avoir découvert les lois fondamentales de la physique qui régissent tous les mouvements, et en particulier ceux des corps célestes. Mais ses contributions en mathématiques sont également importantes. L'algorithme de la méthode de Newton permettant d'approcher les racines d'une équation polynômiale en fait partie.

TP Algorithmique 1 Déterminer une limite en zéro

▶ Fiches Algorithmique p. 11

Objectifs : • Conjecturer une limite par un algorithme de calcul.
• Se rendre compte que la recherche d'une limite en 0 pour les valeurs positives de la variable ne suffit pas.

Soit f la fonction définie sur $\mathbb{R}\setminus\{0\}$ par :

$$f(x) = \frac{5x^2+3x}{x}$$

1 Décrire en langage naturel ce que réalise l'algorithme suivant, proposé dans 3 langages.

```
i=1
x1=1.
d=1.
while i<100 and d>0.0001 :
    y1=(5*x1**2+3*x1)/x1
    print i,x1,y1
    x2=x1/2
    y2=(5*x2**2+3*x2)/x2
    d=abs(y2-y1)
    i=i+1
    x1=x2
l=round(y1,3)
print "Limite : ",l
```

fig. a. Avec Python.

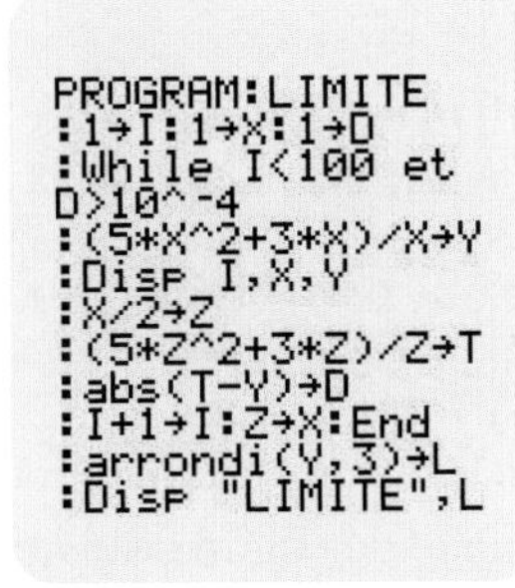

fig. b. Avec la TI-83 Plus.

fig. c. Avec la Casio *Graph* 35+.

2 Programmer cet algorithme à la calculatrice ou dans un autre langage.

3 **a.** Modifier l'algorithme en remplaçant la fonction f qui y intervient par la fonction g donnée par $g(x) = \frac{|5x^2+3x|}{x}$.

Ainsi dans le programme Python l'expression « y1=(5*x1**2 + 3*x1)/x1 » devient « y1=abs(5*x1**2 + 3*x1)/x1 » et l'expression « y2=(5*x2**2 + 3*x2)/x2 » devient « y2=abs(5*x2**2 + 3*x2)/x2 ».

b. La limite proposée par le nouvel algorithme est-elle exacte ?

4 Proposer une amélioration de l'algorithme initial pour remédier au problème soulevé dans la question **3 b.**

5 Indiquer une situation où l'algorithme proposé en question **4** appliqué à une fonction h ne donnera pas la limite cherchée.

TP Algorithmique 2 Dérivée d'une fonction polynôme de degré *n*

▶ Fiches Algorithmique p. 11

Objectif : Déterminer une dérivée par un algorithme.

1 Écrire un algorithme qui :
- demande en entrée un entier naturel non nul n ;
- demande ensuite en entrée $n + 1$ nombres réels $a_n, a_{n-1}, \ldots, a_1, a_0$;
- affiche en sortie la dérivée du polynôme de degré n : $a_n x^n + a_{n-1}x^{n-1} + \ldots + a_1 x + a_0$.

2 Programmer cet algorithme à la calculatrice ou dans un autre langage.

TP

Algorithmique  Balayage 

▶ Fiches Algorithmique p. 11

Objectif : Étudier des algorithmes susceptibles de donner les changements de variation d'une fonction.

Partie A

Soit f et g les fonctions définies sur $\mathbb{R}$ par $f(x) = \frac{1}{4}x^4 - x^3 - x^2 + 6x$ et $g(x) = x^3 - 3x^2 - 2x + 6$.

1 Vérifier que la fonction g est la fonction dérivée de la fonction f.

2 a. Montrer que $g(x)$ est le produit de $x - 3$ et d'un polynôme du second degré.

b. Donner le tableau de signes de la fonction g.

3 Dresser le tableau de variations de la fonction f.

Partie B

Le but de cette partie est d'étudier un algorithme permettant d'obtenir des valeurs approchées des valeurs où la fonction dérivée change de signe.

1 Soit $A(x_1 ; g(x_1))$ et $B(x_2 ; g(x_2))$ deux points de la courbe d'une fonction g dans un repère. On sait que $x_1 < x_2$ et $g(x_1) \times g(x_2) < 0$; à laquelle des figures suivantes peut correspondre cette situation ?

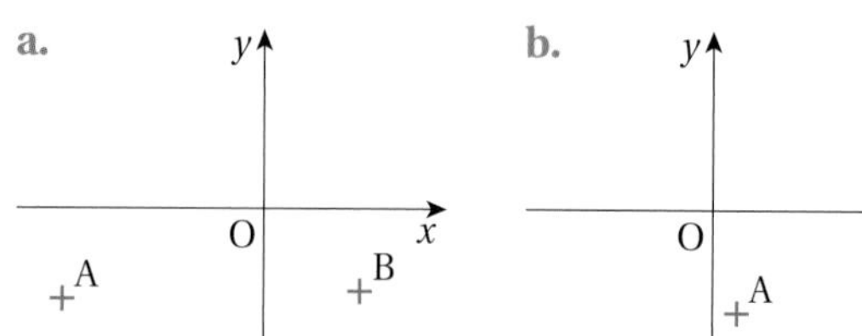

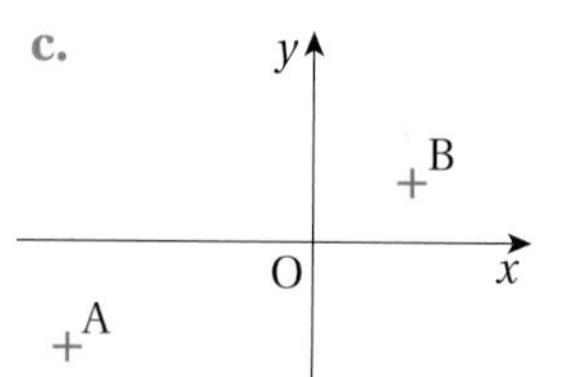

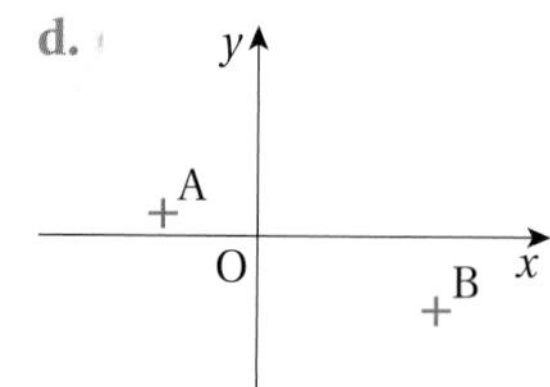

2 Que réalise l'algorithme ci-contre ?

3 Programmer cet algorithme à la calculatrice ou dans un autre langage.

4 Vérifier qu'il confirme ce qui a été établi à la question **2** b de la **Partie A**.

5 a. Expliquer pourquoi cet algorithme peut ne pas donner le résultat escompté si la fonction dérivée étudiée est $x \mapsto x^2 - 1 - 10^6$.

b. Cet algorithme peut-il donner le résultat escompté avec $x \mapsto (x + \pi)^2$ comme fonction dérivée ? Pourquoi ?

```
1  //Entrées
2  a=input("Entrer un nombre réel a :")
3  b=input("Entrer un nombre réel b :")
4  n=input("Entrer un nombre entier supérieur à  100 :")
5
6  //Initialisation
7  e=(b-a)/n
8  i=0
9
10 //Traitement
11 for k=0:n-1
12     x1=a+k*e
13     x2=a+(k+1)*e
14     y1=x1**3-3*x1**2-2*x1+6
15     y2=x2**3-3*x2**2-2*x2+6
16
17     if y1==0 then
18         afficher(x1,"est",i,"valeur")
19         i=i+1
20     end
21     if y1*y2<0 then
22         afficher(x2,"et",x1,"entre",i,"valeur")
23         i=i+1
24     end
25 end
26 if i==0 then
27     afficher("Aucune valeur trouvée.")
28 end
```

Partie C

Le but de cette partie est de proposer un algorithme pour trouver les changements de variations d'une fonction sans calculer la dérivée au préalable.

Soit $A(x_1 ; f(x_1))$, $B(x_2 ; f(x_2))$ et $C(x_3 ; f(x_3))$ trois points de la courbe d'une fonction f dans un repère.

a. Proposer, sur une figure, différentes situations pour les points A, B, et C tels que :

$$x_1 < x_2 < x_3 \quad \text{et} \quad (f(x_2) - f(x_1)) \times (f(x_3) - f(x_2)) < 0$$

b. Écrire un algorithme donnant un encadrement d'une valeur où une fonction change de sens de variation.

TP

Problème ouvert 1 Demi-cercle et fonction

Soit f la fonction telle que sa représentation graphique $\mathscr{C}_f$ sur un intervalle I soit un demi-cercle de rayon 1.

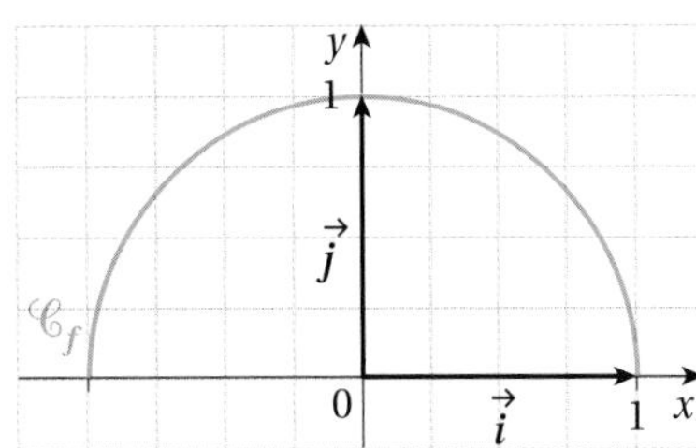

Cette fonction est-elle dérivable aux extrémités de l'intervalle ?

COUP DE POUCE

On pourra, pour un point de coordonnées $(x\,;\,y)$ du demi-cercle, déterminer d'abord une relation entre x et y.

TP

Problème ouvert 2 Disques tangents dans un carré

Deux disques sont « inscrits » dans un carré de la façon suivante :

- chacun d'eux est tangent à deux côtés du carré ;
- ils sont tangents extérieurement l'un à l'autre.

Quelle configuration rend la somme des aires des deux disques maximale ? minimale ?

On pourra étudier successivement les situations suivantes :

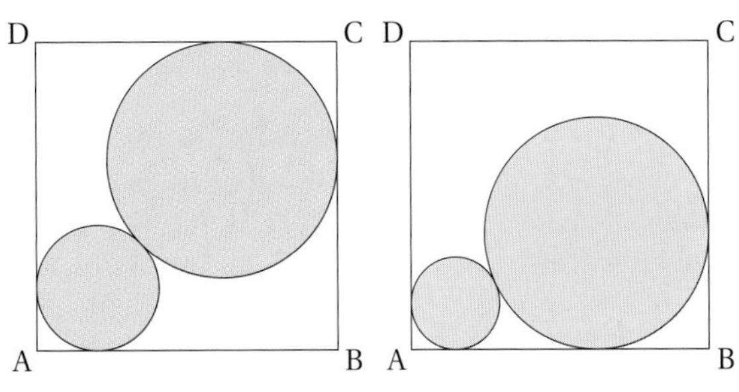

TP

Problème ouvert 3 Sur une parabole

Un point M se déplace sur la parabole $\mathscr{P}$ d'équation :

$$y = -x^2 + 2x + 5$$

Déterminer les abscisses des points M visibles du point A de coordonnées $(-3\,;\,0)$.

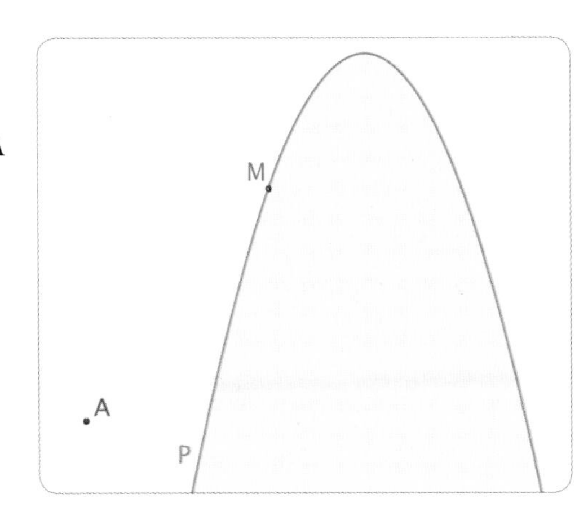

CULTURE MATHS

POUR ALLER PLUS LOIN

Dérivées

- Considérons la fonction $f(x) = x^2$.

Avec les notations prises ci-contre, la dérivée $f'(x)$ s'écrit :

$\frac{f(x)+\varepsilon - f(x)}{\varepsilon}$, soit $\frac{(x+\varepsilon)^2 - x^2}{\varepsilon}$, avec ε infiniment petit.

$$\text{D'où } f'(x) = \frac{x^2 + 2\,\varepsilon x + \varepsilon^2 - x^2}{\varepsilon} = 2x + \varepsilon.$$

Comme par hypothèse ε est infiniment petit devant x, on peut le négliger d'où $f'(x) = 2x$.

- Voici comment Newton découvre la loi de dérivation du produit de deux fonctions :

$$(fg)' = f'g + fg'$$

Pour lui, l'évaluation de la dérivée de fg repose sur celle de la variation :

$$fg(x+\varepsilon) - fg(x)$$

lorsque ε est infiniment petit. En effet, imaginez un rectangle de côtés $f(x) > 0$ et $g(x) > 0$. Son aire vaut $f(x)g(x)$.
On remplace maintenant x par un réel très proche : $x + \varepsilon$.
Comment varie l'aire du rectangle ?

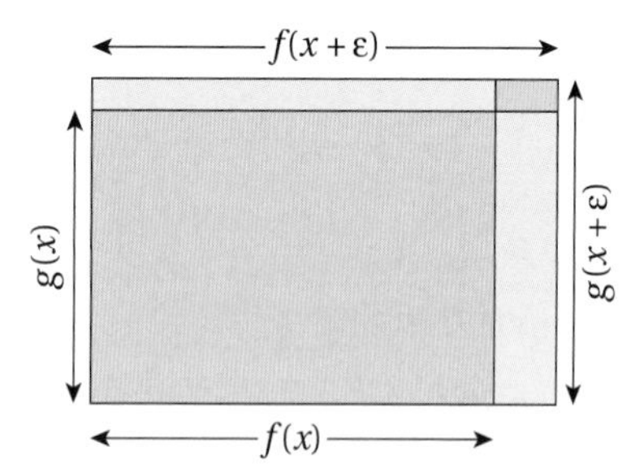

Le dessin montre que la variation en question,

$$f(x+\varepsilon)g(x+\varepsilon) - f(x)g(x)$$

est constituée de trois morceaux :

- deux rectangles (bleus) dont ***seulement une des dimensions*** est très petite, d'aires $[f(x+\varepsilon) - f(x)]g(x)$ pour celui de droite et $[g(x+\varepsilon) - g(x)]f(x)$ pour celui du haut.
- un autre rectangle en haut à droite (jaune) dont ***les deux dimensions*** sont très petites, d'aire $[f(x+\varepsilon) - f(x)]\,[g(x+\varepsilon) - g(x)]$.

On a donc :

$f(x+\varepsilon)g(x+\varepsilon) - f(xg(x) =$
$[f(x+\varepsilon) - f(x)]g(x) + [g(x+\varepsilon) - g(x)]f(x) + [f(x+\varepsilon) - f(x)][g(x+\varepsilon) - g(x)]$

Pour obtenir la pente de la tangente en x de fg, il faut diviser cela par la quantité $\varepsilon (\neq 0)$:

$$\frac{f(x+\varepsilon)g(x+\varepsilon) - f(x)g(x)}{\varepsilon} =$$

$$\frac{[f(x+\varepsilon) - f(x)]g(x)}{\varepsilon} + \frac{[g(x+\varepsilon) - g(x)]f(x)}{\varepsilon}$$

$$+ \frac{[f(x+\varepsilon) - f(x)][g(x+\varepsilon) - g(x)]}{\varepsilon}$$

Si on écrit les deux premiers termes sous la forme : $g(x)\frac{[f(x+\varepsilon) - f(x)]}{\varepsilon}$ et $f(x)\frac{[g(x+\varepsilon) - g(x)]}{\varepsilon}$, on voit qu'ils convergent respectivement vers $f'(x)g(x)$ et $g'(x)f(x)$. Le dernier terme, lui, tend vers 0. Donc on a bien :

$$(fg)'(x) = f'(x)g(x) + f(x)g'(x)$$

Portrait d'*Isaac Newton* (1642 - 1727). Peinture anonyme (Galerie des Offices, Florence)

Portrait de *Gottfried Wilhelm Leibniz* (1646 - 1716). Peinture anonyme (Galerie des Offices, Florence).

Dérivées : des « infiniment petits » très puissants

La dérivée f' d'une fonction f en un point x_0 ne fait rien d'autre que d'indiquer la valeur de la pente de la fonction en ce point : par exemple si la pente au point x_0, que l'on note $f'(x_0)$, est positive alors c'est que la courbe de la fonction est orientée "vers le haut" en ce point – elle est croissante – et la valeur de $f'(x_0)$ indique si cette montée est plutôt douce ou forte. De même, si $f'(x_0)$ est négatif, la courbe est "descendante" en ce point, et si $f'(x_0) = 0$, la courbe y connaît un répit horizontal. En bref, la fonction dérivée f' n'a pour rôle que de donner toutes les informations sur les variations de f... Pourtant, la découverte des fonctions dérivées au XVIIe siècle a été l'un des moments forts des mathématiques ! Car elle a obligé les mathématiciens à raisonner en termes de sommes infinies d'éléments "infiniment petits", pour lesquels il a fallu inventer des règles et des opérations. La dérivation a également été une extraordinaire découverte pour la Physique : la connaissance des variations d'une fonction s'est révélée essentielle à la description des phénomènes naturels car les théories physiques parlent avant tout des variations de la nature (▶ encadré).

Dérivées en physique

En physique, la variable x est, en général, le temps : le concept de dérivée d'une fonction est lié à l'idée de sa variation temporelle. Ainsi, la dérivée d'une fonction f décrivant le déplacement (en mètres) d'un solide mesure la variation de ce déplacement en fonction du temps (en secondes). Si le solide se déplace de 1 mètre en 1 seconde, sa variation est de 1 mètre par seconde (1 $m{\cdot}s^{-1}$), qui est une expression de sa vitesse moyenne. Puisque les dérivées ont à faire à des intervalles de temps infiniment petits, la dérivée f' est en fait la vitesse instantanée de ce solide à tout instant t. Et si l'on dérive à son tour f' : $(f')'$ ou f'', on mesure la variation de la vitesse du solide en fonction du temps, soit son accélération (en $m{\cdot}s^{-2}$).

Controverse

L'affrontement entre Leibniz et Newton au sujet de la paternité de l'invention de ce "calcul infinitésimal", qui se finit en procès en 1713, est un des épisodes épiques de l'histoire des sciences. Newton aurait commencé à développer ses idées, inspiré des écrits de Fermat, durant les années 1665-1666, mais il ne publie rien – son livre *La Méthode des fluxions et des suites infinies* ne le sera qu'après sa mort. Leibniz, lui, s'y serait mis vers 1672, sur la base d'un écrit de Blaise Pascal, et publie ses écrits entre 1684 et 1686. À partir de 1711, Newton accusera Leibniz d'avoir eu accès à ses écrits durant un séjour en Angleterre… Mais aujourd'hui on reconnaît les deux comme les pères légitimes de cette théorie.

Le XVIIe siècle démarre bien

Il faut dire que, dès les premières décennies du XVIIe siècle, l'étude des "courbes" géométriques, inaugurée par les Grecs anciens, s'est déjà transformée en l'étude de fonctions plus générales : grâce aux travaux du Français Pierre de Fermat, on sait par exemple qu'une fonction change son mode de variation – de décroissante à croissante ou l'inverse – en passant par un point où sa tangente a une pente nulle, l'extremum, ce qui renseigne sur la forme géométrique de cette fonction. Mais l'ambition des mathématiciens du XVIIe siècle, de Fermat à James Gregory, est bien plus générale : il s'agit pour eux de montrer qu'une fonction contient dans son expression mathématique toutes les informations sur ses tangentes et, inversement, que les informations données par les tangentes à une fonction inconnue doivent permettre de reconstruire celle-ci – ce qui équivaut à reconstruire un trajet en voiture à partir uniquement de ses variations de vitesse et de direction (exercice que l'on peut faire les yeux bandés).

Newton et Leibniz

Mais cette intuition sur le lien entre la fonction et ses tangentes se heurte à un problème : le nombre de tangentes à une courbe est infini car chaque point a la sienne ! Comme les mathématiciens de l'époque ne savent pas raisonner avec l'infini, il leur paraît impossible de calculer la pente exacte d'une tangente au point $(x\ ;\ f(x))$ – d'autant plus qu'au sens géométrique un point n'a pas de tangente ! Ce sont les deux des plus grands savants de l'époque, l'Anglais Isaac Newton et l'Allemand Gottfried Leibniz, qui sortent les mathématiques de l'impasse. Entre 1660 et 1675, ils inventent – chacun de son côté et indépendamment ! (▶ encadré) – une nouvelle mathématique qui permet de raisonner sur des segments "infiniment petits" d'une fonction f. L'idée essentielle est que si l'on considère des segments de plus en plus petits de sa courbe, alors leur tangente tend à se confondre avec le segment lui-même (**figure**) : du coup, sa pente se déduit directement de l'expression de la fonction f. En termes mathématiques : quand on prend deux valeurs de x très proches, x_1 et x_2, la pente de la tangente en ce micro-segment de f vaut[1] :

$$t = \frac{f(x_2) - f(x_1)}{x_2 - x_1}$$

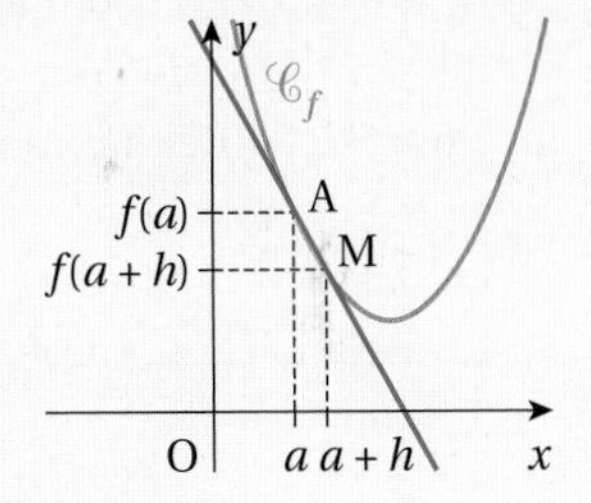

Mathématisation d'une intuition

La formalisation des opérations sur les segments infiniment petits de la courbe conduit les deux savants à tirer de l'expression de f celle d'une nouvelle fonction $f'(x)$ qui donne la pente de la tangente de f en tout point x : c'est la dérivée (▶ Pour aller plus loin). Ainsi, si on considère que la largeur du segment infiniment petit est ε (epsilon), la pente de la tangente à f en x, est[2] :

$$f'(x) = \frac{\big(f(x) + \varepsilon\big) - f(x)}{\varepsilon}$$

Dès lors, les mathématiciens pourront accéder aux lois de variation de la plupart des fonctions… et à celles des phénomènes naturels.

Si on découpe une courbe en segments de plus en plus petits, les tangentes tendent à se confondre avec les segments eux-mêmes.

1. Démontrez cela sous forme purement géométrique.
2. Déduire cela de l'équation précédente.

Nombre dérivé

Pour les exercices 1 et 2

On donne la fonction f définie sur l'intervalle I par l'expression $f(x)$.

a. Compléter le tableau de valeurs suivant :

h	$-0,1$	$-0,01$	$-0,001$	$-0,000\,01$	$-0,000\,000\,1$
$f(h)$					

h	$0,000\,000\,1$	$0,000\,01$	$0,001$	$0,01$	$0,1$	1
$f(h)$						

b. Compléter la phrase :

« Lorsque h tend vers 0, $f(h)$ tend vers ... et $\lim\limits_{h\to 0} f(h) = ...$ »

1 $f(x) = 0{,}2x^2 - x + 2$, $\mathrm{I} = \mathbb{R}$.

2 $f(x) = -6x^2 - 0{,}5x - 3$, $\mathrm{I} = \mathbb{R}$.

3 **a.** Montrer que pour tous nombres réels a et b :

$$(a+b)^3 = a^3 + 3a^2b + 3ab^2 + b^3$$

b. Pour h différent de 0, simplifier l'expression $\dfrac{(10+h)^3 - 10^3}{h}$.

c. En déduire le nombre dérivé de la fonction $x \mapsto x^3$ en $x = 10$.

4 **a.** Montrer que pour tous nombres réels a et b :

$$(a+b)^4 = a^4 + 4a^3b + 6a^2b^2 + 4ab^3 + b^4$$

b. Pour h différent de 0, simplifier l'expression $\dfrac{(-1+h)^4 - (-1)^4}{h}$.

c. En déduire le nombre dérivé de la fonction $x \mapsto x^4$ en $x = -1$.

5 Soit f la fonction définie sur $\mathbb{R}$ par :

$$f(x) = |2x + 5|$$

a. Tracer sa représentation graphique dans un repère.

b. Conjecturer une valeur α en laquelle la fonction f n'est pas dérivable.

c. Montrer que la fonction f n'est pas dérivable en $x = \alpha$.

Savoir-faire 1 p. 103

6 Soit f la fonction définie sur $\mathbb{R}$ par :

$$f(x) = |x^2 - 4|$$

a. Tracer sa représentation graphique dans un repère.

b. Montrer que la fonction f n'est pas dérivable en $x = 2$.

7 Soit f une fonction définie sur $[-1 ; 5]$ dont la représentation graphique est donnée.

Dans chaque cas, donner par lecture graphique une valeur approximative des nombres dérivés de f en $x = 0$, $x = 3$ et $x = 4$.

a.

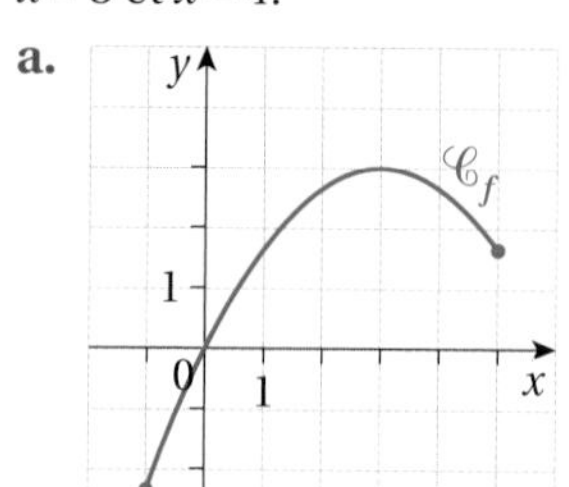

b.

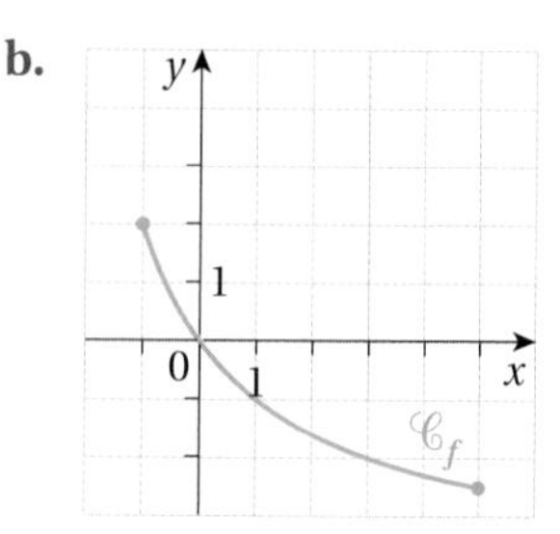

c.

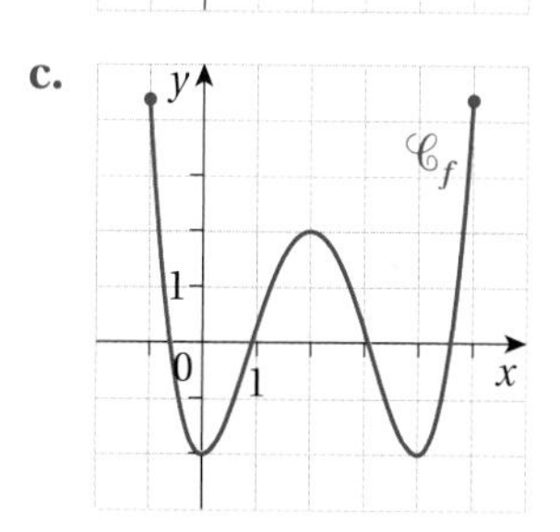

d.

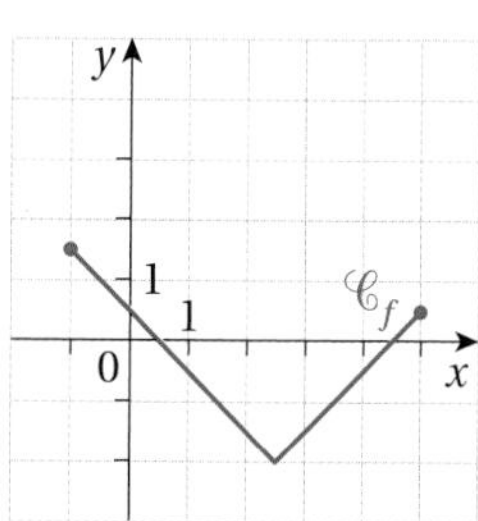

Savoir-faire 2 p. 103

Tangente à une courbe

Pour les exercices 8 et 9

Soit f une fonction définie sur $\mathbb{R}$.

On donne pour certaines valeurs de la variable x, la valeur $f(x)$ et le nombre dérivé de f en x.

a. Placer dans un repère les points connus de la courbe représentative de f.

b. Tracer les tangentes en ces points.

c. Donner une allure possible de la courbe représentative de la fonction f.

8

x	0	2	4	6
$f(x)$	1	-2	-3	-2
Nombre dérivé de f en x	-2	-1	0	1

9

x	-2	1	2	6
$f(x)$	4	7	5	-5
Nombre dérivé de f en x	1	0	-2	0

10 Soit f une fonction définie sur $\mathbb{R}$ dont la représentation graphique est la suivante :

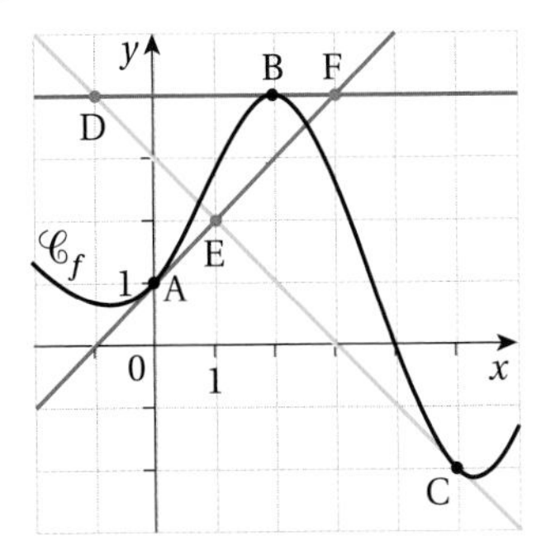

Les droites tracées sont des tangentes à la courbe de la fonction f aux points A, B et C.
Donner par lecture graphique une valeur approchée des nombres dérivés de f en $x = 0$, $x = 2$ et $x = 5$.

11 On considère la fonction f définie et dérivable sur $\mathbb{R}$, de représentation graphique $\mathscr{C}_f$ ci-dessous.
Les droites T_1, T_2 et T_3 sont tangentes à la courbe $\mathscr{C}_f$ respectivement aux points d'abscisses 1, 0 et 2.

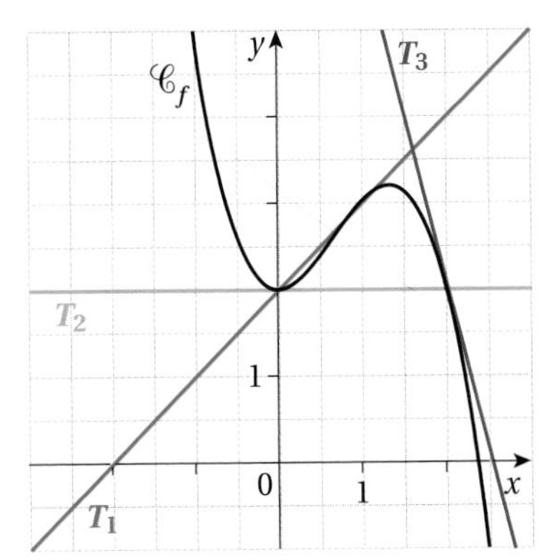

Déterminer par lecture graphique les valeurs des nombres dérivés de f en 0, 1 et 2.

12 Soit f une fonction définie sur $\mathbb{R}$, dont la courbe représentative $\mathscr{C}$ passe par le point A(2 ; 3) et de nombre dérivé -4 en $x = 2$.
Déterminer une équation de la tangente à $\mathscr{C}$ au point A puis tracer cette tangente.

Savoir-faire 3 p. 104

13 Soit f une fonction définie sur $\mathbb{R}$, dont la courbe représentative $\mathscr{C}$ passe par le point A($3\sqrt{2}$; -2) et de nombre dérivé $\sqrt{2}$ en $x = 3\sqrt{2}$.
Déterminer une équation de la tangente à $\mathscr{C}$ au point A puis tracer cette tangente.

14 Soit f une fonction définie sur $\mathbb{R}$, dont la courbe représentative $\mathscr{C}$ passe par les points A(-2 ; 0), B(1 ; -3) et C(21 ; 20). Le nombre dérivé de f en $x = -2$ vaut $-\frac{1}{2}$, celui en $x = 1$ vaut 2 et celui en $x = 21$ vaut 1.
Les tangentes à $\mathscr{C}$ en A, B et C sont-elles concourantes ?

Fonction dérivée

15 Soit f une fonction définie sur l'intervalle $[-1 ; 5]$ dont la représentation graphique est donnée.
Dans chaque cas, donner l'allure approximative de la courbe représentative de la fonction f', dérivée de la fonction f sur l'intervalle $[-1 ; 5]$.

a.

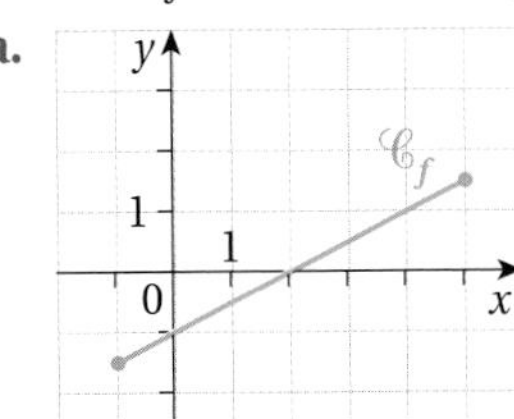

b.

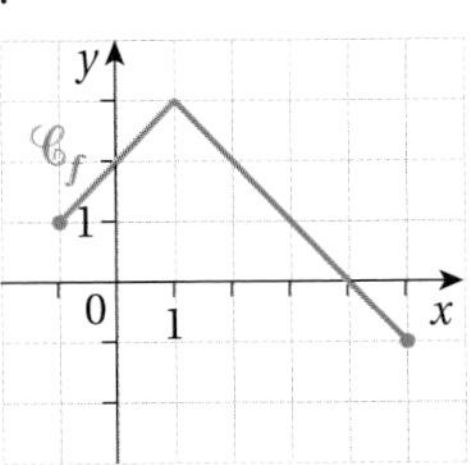

c.

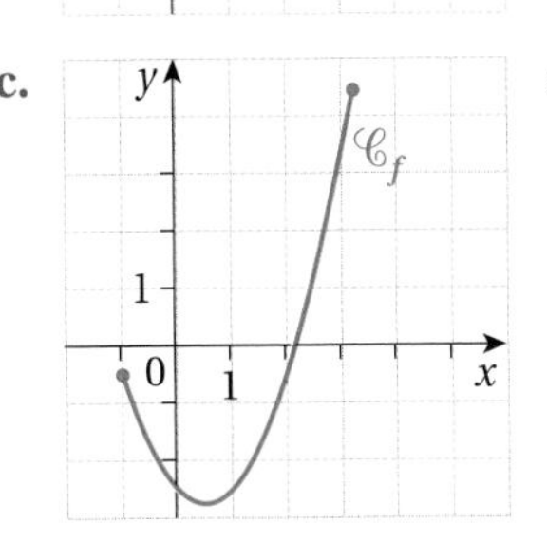

d.

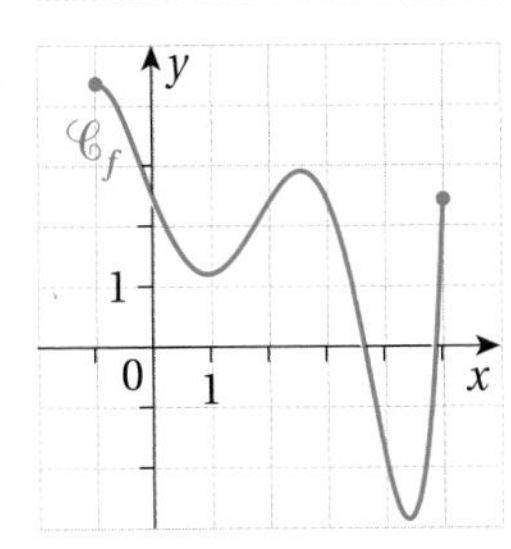

Savoir-faire 4 p. 104

Pour les exercices 16 à 24

On donne la fonction f définie sur l'intervalle I par l'expression $f(x)$. On admettra que f est dérivable sur I.
Déterminer l'expression $f'(x)$ où f' désigne la fonction dérivée de f.

Savoir-faire 6 p. 105

16 $f(x) = 2\,001$, $\quad$ I $= \mathbb{R}$.

17 $f(x) = x^4 - 3x$, $\quad$ I $= \mathbb{R}$.

18 $f(x) = 10x^7 - 3x^4 + 5x + 100$, $\quad$ I $= \mathbb{R}$.

19 $f(x) = -\frac{2}{5}x^5 - \pi x + \frac{1}{3x}$, $\quad$ I $= \mathbb{R}\backslash\{0\}$.

20 $f(x) = \frac{x-3}{x}$, $\quad$ I $= \mathbb{R}\backslash\{0\}$.

21 $f(x) = \frac{1}{x} - \frac{3}{x^2}$, $\quad$ I $= \mathbb{R}\backslash\{0\}$.

22 $f(x) = \frac{x-10}{100x+1000}$, $\quad$ I $= \mathbb{R}\backslash\{-10\}$.

23 $f(x) = \frac{2x^2-5x+1}{x^2+x+1}$, $\quad$ I $= \mathbb{R}$.

24 $f(x) = \frac{\sqrt{x}}{3x^2-1}$, $\quad$ I $= \left]\frac{1}{\sqrt{3}} ; +\infty\right[$.

POUR LES EXERCICES 25 ET 26

On donne la fonction f définie sur l'intervalle I par l'expression $f(x)$. On admettra que f est dérivable sur I.
À l'aide d'un logiciel ou d'une calculatrice avec calcul formel, déterminer $f'(x)$ où f' est la fonction dérivée de la fonction f.

▸ Savoir-faire 7 p. 106

25 $f(x) = \dfrac{x+2}{x-2}$, $I = \mathbb{R}\setminus\{2\}$.

26 $f(x) = \dfrac{x^2+2}{x^2-2}$, $I = \mathbb{R}\setminus\{-\sqrt{2}, \sqrt{2}\}$.

27 Soit f la fonction définie sur $\mathbb{R}$ par :

$$f(x) = \frac{x^4+2x^2+x+2}{x^4-4x^2-x+2}$$

En utilisant la calculatrice, montrer que sa fonction dérivée f' ne peut pas être donnée par :

$$f'(x) = \frac{-12x^5-6x^4+2x^2-4x+4}{\left(x^4-4x^2-x+2\right)^2}$$

28 Soit f et g les fonctions définies sur $\mathbb{R}$ par :

$$f(x) = \frac{x^2-5x+6}{x^2+x+1} \quad \text{et} \quad g(x) = \frac{-(3x+1)(3x+4)}{(x+1)^2-x}.$$

a. À l'aide d'un logiciel ou d'une calculatrice avec calcul formel, déterminer $f'(x)$ et $g'(x)$ où f' et g' sont les fonctions dérivées des fonctions f et g.
b. Que constate-t-on ?
c. Les fonctions f et g sont-elles égales ?

29 **1.** Dans un repère, déterminer une équation de la tangente à la courbe représentative $\mathscr{C}_f$ de la fonction f au point d'abscisse a dans les cas suivants.

a. $f(x) = -5x^2+6$; $a = 2$. **b.** $f(x) = \sqrt{x}$; $a = 9$.

c. $f(x) = \dfrac{x}{3}$; $a = 528$. **d.** $f(x) = \dfrac{x}{x-5}$; $a = 3$.

e. $f(x) = \dfrac{3x+5}{x+1}$; $a = 0$. **f.** $f(x) = \dfrac{\pi}{x}$; $a = \pi$.

2. Dans chaque cas, vérifier graphiquement à la calculatrice et tracer sommairement la courbe $\mathscr{C}_f$ et la tangente.

▸ Savoir-faire 3 p. 104

30 Soit f la fonction définie sur $\mathbb{R}$ par $f(x) = x^3 - 8x^2 + 5x$ et $\mathscr{C}_f$ sa représentation graphique dans un repère.
a. Déterminer une équation de la tangente d_1 à la courbe $\mathscr{C}_f$ au point A d'abscisse 5.
b. Déterminer une équation de la tangente d_2 à la courbe $\mathscr{C}_f$ au point B d'abscisse -1.
c. Dans un repère, tracer la courbe $\mathscr{C}_f$, d_1 et d_2.
d. Étudier la position relative de $\mathscr{C}_f$ et de d_2.

▸ Savoir-faire 3 p. 104

31 Soit f la fonction définie sur $\mathbb{R}$ par $f(x) = \dfrac{x^3-24x^2}{64}$ et $\mathscr{C}_f$ sa représentation graphique dans un repère.
a. Soit α un nombre réel quelconque.
Montrer que pour tout nombre réel α, la droite d'équation $y = \alpha x + 2(1-\alpha)$ passe par le point A(2 ; 2).
b. Toute droite passant par A a-t-elle comme équation $y = \alpha x + 2(1-\alpha)$?
c. Une de ces droites est-elle tangente à $\mathscr{C}_f$?

COUP DE POUCE

On pourra :
a. montrer que l'on cherche α et x solutions du système :

$$\begin{cases} f'(x) = \alpha \\ f(x) = \alpha x + 2(1-\alpha) \end{cases}$$

b. développer $2(x+1)(x-8)^2$.

32 Soit f la fonction définie sur $\mathbb{R}$ par :

$$f(x) = x^4 - x^2 - 1\,000$$

Dans un repère, la droite d'équation $y = \dfrac{1}{2}x - \dfrac{15\,999}{16}$ est-elle tangente à la courbe représentative de f en :
a. aucun point ?
b. un point exactement ?
c. deux points exactement ?
d. plus de deux points ?
Justifier.

33 Soit f la fonction constante $x \mapsto k$ définie sur $\mathbb{R}$.
Démontrer qu'en tout nombre réel a, le nombre dérivé de f en a est égal à 0.

34 Soit f la fonction $x \mapsto x$ définie sur $\mathbb{R}$.
Démontrer qu'en tout nombre réel a, le nombre dérivé de f en a est égal à 1.

35 Soit f la fonction racine carrée $x \mapsto \sqrt{x}$ définie sur $[0 ; +\infty[$.
a. Montrer que pour tout $a \geqslant 0$ et pour tout h non nul tel que $a + h \geqslant 0$, on a : $\dfrac{\sqrt{a+h}-\sqrt{a}}{h} = \dfrac{1}{\sqrt{a+h}+\sqrt{a}}$.
b. Démontrer qu'en tout nombre réel $a > 0$, le nombre dérivé de f en a est égal à $\dfrac{1}{2\sqrt{a}}$.
En déduire la fonction dérivée de la fonction racine carrée sur $]0 ; +\infty[$.
c. Montrer que la fonction racine carrée n'est pas dérivable en $x = 0$.

36 Soit f la fonction définie sur $\mathbb{R}$ par $f(x) = |x|$.
a. Tracer dans un repère la courbe représentative de la fonction f.
b. Déterminer la fonction dérivée de f sur l'intervalle $]0 ; +\infty[$, puis sur l'intervalle $]-\infty ; 0[$.
c. Montrer que la fonction f n'est pas dérivable en 0.

37 Soit f la fonction définie sur $\mathbb{R}$ par :

$$\begin{cases} f(x) = \dfrac{|x-5|}{x-5} \text{ si } x \neq 5 \\ f(5) = 0 \end{cases}$$

a. Déterminer la fonction dérivée de f sur l'intervalle $]5\,;+\infty[$.
b. Déterminer la fonction dérivée de f sur l'intervalle $]-\infty\,;5[$.
c. Tracer dans un repère la courbe représentative de la fonction f.
d. Montrer que la fonction f n'est pas dérivable en $x = 5$.

38 Dans un repère du plan, on considère le point A(5 ; 2). On souhaite tracer une parabole passant par O et A.
a. Vérifier que la courbe représentative de la fonction f définie sur $\mathbb{R}$ par $f(x) = x^2 - 4{,}6x$ convient.
b. Déterminer le coefficient directeur de la tangente à cette parabole en O.
c. Déterminer une parabole passant par O et A, ayant comme coefficient directeur en O la valeur 1.

Fonction dérivée et étude de fonction

Pour les exercices 39 à 46

f désigne une fonction définie et dérivable sur I, de dérivée f'.
a. Calculer $f'(x)$ pour tout x de l'intervalle I.
b. Étudier les variations de f sur I.
c. Tracer la courbe représentative de f dans un repère.

▸ Savoir-faire 8 p. 106

39 $f(x) = x^2 - 7x - 6$, $\quad I = \mathbb{R}$.

40 $f(x) = \dfrac{1}{3}x^3 - 169x$, $\quad I = \mathbb{R}$.

41 $f(x) = 4x^3 + 9x^2 - 210x - 400$, $\quad I = \mathbb{R}$.

42 $f(x) = 2x + 1 + \dfrac{1}{x}$, $\quad I = \mathbb{R}\backslash\{0\}$.

43 $f(x) = \dfrac{10x-3}{x+12}$, $\quad I = \mathbb{R}\backslash\{-12\}$.

44 $f(x) = \dfrac{-x^2+x-4}{x-3}$, $\quad I = \mathbb{R}\backslash\{3\}$.

45 $f(x) = \dfrac{3x^2-2x+1}{x^2+x+2}$, $\quad I = \mathbb{R}$.

46 $f(x) = \dfrac{\sqrt{x}}{x+\dfrac{1}{x}}$, $\quad I =]0\,;+\infty[$.

47 Soit f la fonction définie sur $\mathbb{R}$ par :

$$f(x) = x^3 - 100$$

Étudier les variations de la fonction f sans calculer sa dérivée.

48 Soit f la fonction définie sur $]0\,;+\infty[$ par :

$$f(x) = \frac{1}{\sqrt{x}+5}$$

Étudier les variations de la fonction f sans calculer sa dérivée.

49 Soit f la fonction définie sur $]4\,;+\infty[$ par :

$$f(x) = \frac{1}{2-\sqrt{x}} + 14$$

Étudier les variations de la fonction f sans calculer sa dérivée.

50 Soit f la fonction définie sur $\mathbb{R}$ par :

$$f(x) = x^2 - 7x - 6$$

a. Étudier les variations de f.
b. Établir son tableau de variations.
c. Quel est le maximum de la fonction f sur l'intervalle $[4\,;6]$? sur l'intervalle $[-10\,;6]$?

▸ Savoir-faire 9 p. 107

51 Soit f la fonction définie sur $\mathbb{R}$ par :

$$f(x) = \frac{x}{x^2+3}$$

a. Étudier les variations de f.
b. Tracer sa courbe représentative dans un repère.
c. Montrer que la fonction f admet un minimum sur l'intervalle $]-\infty\,;0]$ et un maximum sur l'intervalle $[0\,;+\infty[$.

52 Soit f la fonction définie sur $]0\,;+\infty[$ par :

$$f(x) = \sqrt{x} + \frac{1}{\sqrt{x}}$$

a. Étudier les variations de f.
b. Tracer sa courbe représentative dans un repère.
c. Démontrer que, pour tout x strictement positif, on a :

$$\sqrt{x} + \frac{1}{\sqrt{x}} \geqslant 2$$

53 Démontrer que la fonction f définie sur $\mathbb{R}$ par :

$$f(x) = -15x^4 + 80x^3 + 150x^2 - 3\,511$$

admet un maximum.

54 Tracer à la calculatrice la courbe d'équation $y = 3x^4 - 680x^3 + 36\,000x^2 + 34\,600\,000$, puis dessiner cette courbe dans un repère.

55 Pour une fonction f définie et dérivable sur $\mathbb{R}$, on sait que $f'(1) = 0$.
Peut-on en déduire que f admet un extremum en $x = 1$? Justifier.

56 Pour une fonction f définie et dérivable sur $\mathbb{R}$, on sait que :

$f(0) = 0$; $f(10) = 10$; $f(20) = 0$ et $f'(10) = 0$.

Peut-on en déduire que f admet un maximum en $x = 10$? Justifier.

57 Soit f la fonction définie sur $\mathbb{R}$ par :

$$f(x) = 3x^5 - 25x^3 + 60x + 10$$

a. Étudier les variations de f.

b. Tracer sa courbe représentative dans un repère.

c. Discuter selon les valeurs du paramètre k du nombre de solutions de l'équation d'inconnue x : $f(x) = k$.

58 Soit f la fonction définie sur $\mathbb{R}$ par :

$$f(x) = \frac{x^2 + x + 1}{x^2 + 1}$$

a. Étudier les variations de f.

b. Tracer sa courbe représentative dans un repère.

c. Déterminer le nombre de solutions de l'équation d'inconnue x :

$$(f(x))^2 - 2f(x) = 0$$

59 Soit f la fonction définie sur $\mathbb{R}\setminus\{-3\}$ par :

$$f(x) = \frac{x^2 + 4x + 7}{x + 3}$$

a. Étudier les variations de f.

b. Tracer sa courbe représentative dans un repère.

c. Discuter selon les valeurs du paramètre k du nombre de solutions de l'équation d'inconnue x :

$$x^2 + 4x + 7 = k(x + 3)$$

60 Lors d'une épreuve de mathématiques, on demande aux élèves d'obtenir le tracé de la courbe qui correspond à la fonction f définie sur $\mathbb{R}$ par :

$$f(x) = \frac{2}{3}x^3 + \frac{10^{-5}}{4}x^2 - 3\times10^{-12}x$$

puis de reproduire l'affichage de la calculatrice.
Sur les copies, on trouve les schémas suivants :

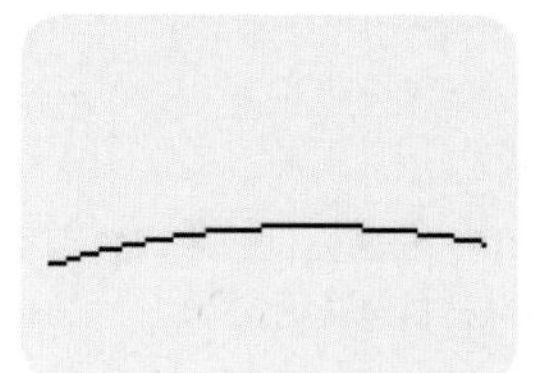

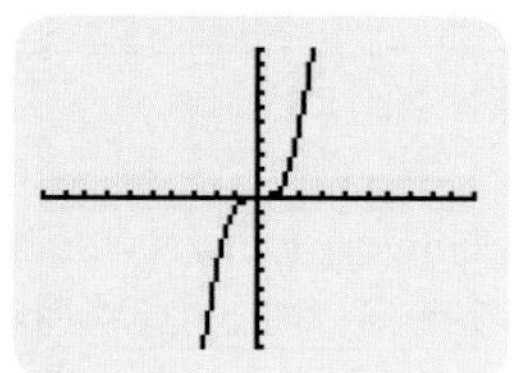

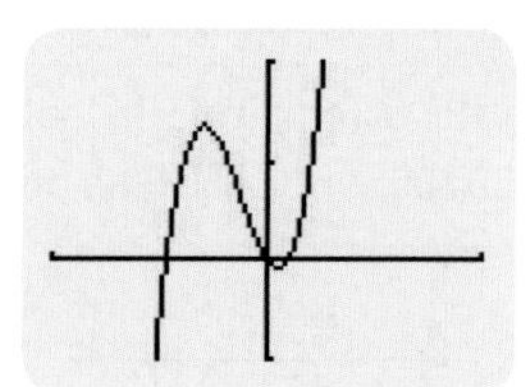

Prouver qu'il est tout à fait possible que chacun de ces élèves ait raison.

61 On souhaite afficher la courbe d'équation $y = \frac{1000x^2 - 600x + 600000}{x - 1000}$ à la calculatrice.
Déterminer des valeurs pour les paramètres maximums et minimums en x et en y de la fenêtre d'affichage pour pouvoir y apercevoir les deux parties de la courbe.

62 **1.** Pour chacune des propositions suivantes, indiquer si elle est vraie ou fausse ; justifier la réponse.

a. Soit la fonction f, de dérivée f' telle que $f'(x) = \frac{x^2 - 3x + 2}{x^2 + 1}$ pour tout réel x. On peut dire que f est croissante sur $]-\infty ; -1] \cup [2 ; +\infty[$.

b. 4 est le minimum de la fonction f équivaut à $f'(4) = 0$.

c. Si $f'(3) \leqslant 0$ et $f'(1) \leqslant 0$ alors la fonction f est décroissante sur $[1 ; 3]$.

d. Si $f(x) \geqslant 0$ pour $x \in [-1 ; 10]$ alors f est croissante sur $[-1 ; 10]$.

e. Soit f une fonction polynôme dont la dérivée est de la forme $f'(x) = ax^2 + bx + c$. Le coefficient a est strictement positif équivaut à f est strictement croissante sur $\mathbb{R}$.

2. Énoncer la réciproque de la proposition **1c** et préciser, en justifiant la réponse, si elle est vraie ou fausse.

3. Énoncer la contraposée de la proposition **1d** et préciser, en justifiant la réponse, si elle est vraie ou fausse.

4. Que faut-il ajouter comme condition pour que la proposition **1e** soit bien une équivalence ?

63 En physique, on montre que, si l'on néglige les frottements avec l'air, la position $x(t)$ d'un objet en fonction du temps t, sur un axe gradué Δ, est donnée par $x(t) = -\frac{1}{2}\gamma t^2 + v_0 t$, avec :

- t exprimé en secondes, appartenant à l'intervalle $I = [0 ; 10]$;
- v_0 la vitesse initiale exprimée en $m.s^{-1}$;
- $x(t)$ exprimée en mètres ;
- γ la constante d'accélération de la gravité, exprimée en $m.s^{-2}$, qui dépend de l'endroit où l'on se trouve (on prendra $\gamma = 9{,}8\ m.s^{-2}$).

On lance une pierre avec une vitesse initiale v_0.
La vitesse de la pierre à l'instant t est $x'(t)$ où x' est la dérivée de la fonction x.

1. Supposons dans cette question que v_0 est négative ou nulle (la pierre est lancée vers le bas).

a. Est-il possible qu'à un moment donné la vitesse de la pierre soit nulle ?

b. Étudier les variations de la fonction x lorsque t appartient à l'intervalle I.

c. Indiquer le minimum et le maximum de la position de la pierre lorsque t appartient à l'intervalle I.

2. Supposons dans cette question que v_0 est strictement positive (la pierre est lancée vers le haut).

a. Étudier les variations de la fonction x lorsque t appartient à l'intervalle I.

b. Est-il possible que la pierre soit au même endroit à deux instants différents ?

c. Indiquer le minimum et le maximum de la position de la pierre lorsque t appartient à l'intervalle I.

Raisonnement logique

▶ Fiches Raisonnement logique p. 8 à 10

64 Vrai ou faux ?

Pour chaque affirmation, indiquer si elle est vraie ou fausse ; justifier.

a. Il existe une infinité de fonctions ayant comme fonction dérivée la fonction constante définie sur $\mathbb{R}$ par $f(x) = -5$.

b. Soit f et g les fonctions définies sur $\mathbb{R}$ par $f(x) = (x-1)^2(x-2)$ et $g(x) = (x-2)^2(x-1)$. Les fonctions dérivées de ces deux fonctions sont les mêmes.

c. Soit f et g les fonctions définies sur $\mathbb{R}$ par $f(x) = (x-1)^2(x-2)$ et $g(x) = (x-2)^2(x-1)$. Il existe un nombre réel a pour lequel les nombres dérivés de f et g en a sont les mêmes.

d. La courbe d'équation $y = \dfrac{x-3}{2x+5}$ admet une tangente parallèle à un axe du repère.

e. Dans un repère du plan, il existe exactement 3 points de la courbe d'équation $y = 0{,}5x^4 - 2{,}24x^2 + x - 1$ qui admettent une tangente parallèle à la première bissectrice du repère.

f. Il existe une fonction définie sur $\mathbb{R}$ qui admet un minimum pour $x = 0$ et qui n'est pas dérivable en $x = 0$.

g. Il existe une fonction dérivable sur l'intervalle I qui admet un maximum en a de I dont la dérivée ne s'annule pas en a.

65 Réciproque, contraposée

On considère la proposition (P) suivante :

« Soit f et g deux fonctions dérivables sur $\mathbb{R}$;
si pour tout x réel, $f'(x) = g'(x)$,
alors pour tout x réel, on a $f(x) = g(x)$. »

1. a. Énoncer la contraposée de la proposition (P).

b. Énoncer la réciproque de la proposition (P).

c. Énoncer la réciproque de la contraposée de la proposition (P).

2. Lesquelles de ces quatre propositions sont vraies ? Justifier.

Restitution des connaissances

66 On rappelle que :

- le produit de deux fonctions u et v, dérivables sur un intervalle I, est dérivable sur I et la dérivée $(uv)'$ est donnée par $x \mapsto u'(x)\,v(x) + u(x)\,v'(x)$;
- le quotient de deux fonctions u et v, dérivables sur un intervalle I avec v qui ne s'annule pas sur I, est dérivable sur I et la dérivée $\left(\dfrac{u}{v}\right)'$ est donnée par :

$$x \mapsto \frac{u'(x)\,v(x) - u(x)\,v'(x)}{\left(v(x)\right)^2}$$

- la fonction inverse $\left(\dfrac{1}{u}\right)$ d'une fonction u, dérivable sur un intervalle I où elle ne s'annule pas, est dérivable sur I et la dérivée $\left(\dfrac{1}{u}\right)'$ est donnée par $x \mapsto -\dfrac{u'(x)}{\left(u(x)\right)^2}$.

Démontrer par deux méthodes différentes que, sur un intervalle où une fonction u est dérivable et ne s'annule pas, la fonction $\left(\dfrac{1}{u^2}\right)$ est dérivable et que sa dérivée $\left(\dfrac{1}{u^2}\right)'$ est donnée par $x \mapsto -\dfrac{2u'(x)}{\left(u(x)\right)^3}$.

▶ Savoir-faire 5 p. 105

67 Soit les fonctions u et v dérivables en $x = a$.
Démontrer que $(u+v)'(a) = u'(a) + v'(a)$.

COUP DE POUCE

Donner la définition du nombre dérivé de u en $x = a$, puis de v en $x = a$.
Écrire le rapport $\dfrac{(u+v)(a+h) - (u+v)(a)}{h}$ différemment.

68 Soit f une fonction définie sur un intervalle I et dérivable en a, nombre réel de I. On note $\mathscr{C}$ la courbe représentative de la fonction f dans un repère.
Démontrer qu'une équation de la tangente à $\mathscr{C}$ en a est :

$$x\,f'(a) - y - a\,f'(a) + f(a) = 0$$

69 Soit f la fonction définie sur $\mathbb{R}$ par :

$$f(x) = ax^3 + bx^2 + c$$

où a, b et c sont des nombres réels quelconques, $a \neq 0$.
Démontrer que, dans un repère, la courbe représentative de la fonction f admet deux tangentes horizontales si et seulement si b est non nul.

Se tester sur... la dérivation

CORRIGÉ P. 342

Pour chaque question, indiquer la (les) bonne(s) réponse(s).

Nombre dérivé

70 La limite de $5h^2 - 6h$ lorsque h tend vers zéro est :

[A] 5 [B] –6 [C] 0 [D] $+\infty$

71 La limite de $\dfrac{5h^2 - 6h}{h}$ lorsque h tend vers zéro est :

[A] 5 [B] –6 [C] 0 [D] $+\infty$

Tangente à une courbe

72 Sur le dessin ci-contre, $\mathscr{C}$ est la courbe représentative d'une fonction f dans un repère. La droite d passe par le point de coordonnées $(2\,;1)$ et est la tangente à la courbe $\mathscr{C}$ au point A de coordonnées $(1\,;-2)$.

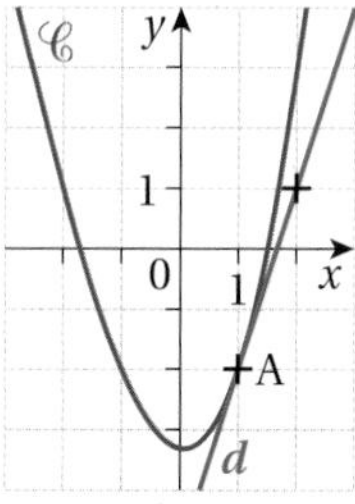

a. Le nombre dérivé de la fonction f en $x = 1$ vaut :

[A] –5 [B] –2 [C] 3 [D] environ 1,5

b. On peut affirmer que :

[A] la droite d et la courbe $\mathscr{C}$ ont un unique point d'intersection.

[B] la droite d est la seule tangente à la courbe $\mathscr{C}$ qui passe par A.

[C] la droite d est l'unique tangente en A à la courbe $\mathscr{C}$.

[D] $\mathscr{C}$ est la seule courbe qui admet d comme tangente.

73 Dans un repère, $\mathscr{C}_f$ est la courbe représentative de la fonction f définie sur $\mathbb{R}$ par $f(x) = 5x^2 + 3x$. Une équation de la tangente à $\mathscr{C}_f$ au point d'abscisse 0 est :

[A] $y = 0$ [B] $x = 0$ [C] $y = 10x + 3$ [D] $y = 3x$

Fonction dérivée

74 Soit f la fonction définie sur $\mathbb{R}$ par $f(x) = \dfrac{x^4 - 6x}{x^4 + 9}$.

À l'aide de la calculatrice, sans calculer $f'(x)$, on peut conjecturer que $f'(1)$ vaut :

[A] $-\dfrac{2}{13}$ [B] –0,5 [C] 0 [D] $\dfrac{1}{9}$

75 Pour les fonctions f définies et dérivables sur $\mathbb{R}$, donner dans chaque cas la bonne fonction f'.

a. Si $f(x) = 12x - 3$ alors $f'(x)$ est égal à :

[A] –3 [B] 9 [C] 12 [D] $12x$

b. Si $f(x) = \dfrac{1}{4}x^4 - x^3 + 2x - 10$ alors $f'(x)$ est égal à :

[A] $x^3 - 2x^2 + 2$ [C] $x^3 - 2x^2 + 2x$

[B] $\dfrac{1}{4}x^3 - x^2 + 2$ [D] $x^3 - 3x^2 + 2$

76 La formule qui donne la dérivée d'un quotient $\dfrac{u}{v}$ est :

[A] $\dfrac{uv' - u'v}{v^2}$ [B] $\dfrac{u'}{v'}$ [C] $\dfrac{u'v - uv'}{v^2}$ [D] $\dfrac{u'v - uv'}{u^2}$

Fonction dérivée et étude de fonction

77 Le tableau de variations de la fonction $x \mapsto x + \dfrac{4}{x}$ définie sur $\mathbb{R}\setminus\{0\}$ est :

[A]

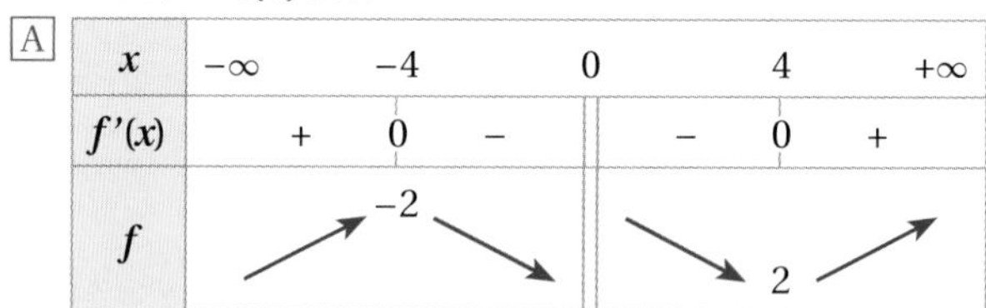

x	$-\infty$		-4		0		4		$+\infty$
$f'(x)$		+	0	–	‖	–	0	+	
f		↗	–2	↘	‖	↘	2	↗	

[B]

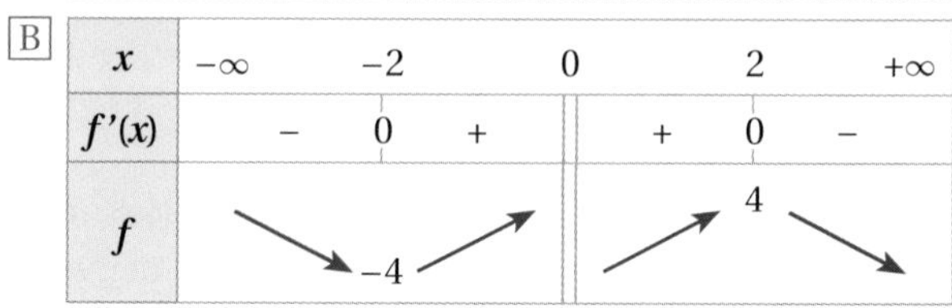

x	$-\infty$		-2		0		2		$+\infty$
$f'(x)$		–	0	+	‖	+	0	–	
f		↘	–4	↗	‖	↗	4	↘	

[C]

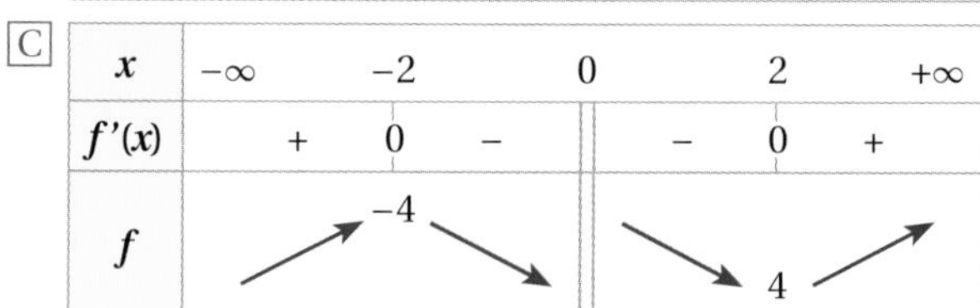

x	$-\infty$		-2		0		2		$+\infty$
$f'(x)$		+	0	–	‖	–	0	+	
f		↗	–4	↘	‖	↘	4	↗	

78 Le maximum de $-x^2 - 2x + 3$ sur $\mathbb{R}$ est :

[A] 3 [B] 4 [C] 0 [D] –4

PRÊT POUR LE CONTRÔLE ?

79 Dériver les fonctions suivantes définies sur I.

a. $f_1(x) = x^2 + 4x + 5$, $\mathrm{I} = \mathbb{R}$. **b.** $f_2(x) = \dfrac{x-6}{2x+1}$, $\mathrm{I} = \mathbb{R}\setminus\left\{-\dfrac{1}{2}\right\}$.

80 Soit la parabole $\mathscr{P}$, courbe représentative de la fonction f, avec $f(x) = x^2$.

Déterminer une équation de la tangente à $\mathscr{P}$ en $x = 3$.

81 Soit f la fonction définie sur $\mathbb{R}\setminus\{0\}$ par $f(x) = \dfrac{1}{x} + 4x$.

a. Montrer que $f'(x) = \dfrac{4x^2 - 1}{x^2}$ pour $x \neq 0$.

b. Étudier les variations de la fonction f.

c. Tracer la courbe représentative $\mathscr{C}$ de f dans un repère.

d. Déterminer le maximum de f sur $]-\infty\,;0[$.

Problèmes

82 Partage

Dans un repère du plan, les courbes d'équations $y = \dfrac{x-5}{x+2}$ et $y = \dfrac{8x+41}{x+6}$ ont-elles :

a. un point commun ?

b. une tangente commune ?

c. plus d'un point commun ?

d. plus d'une tangente commune ?

Justifier.

COUP DE POUCE

Pour la proposition **d.** il sera commode d'utiliser un logiciel de calcul formel.

83 Une dent

Soit f la fonction définie sur $\mathbb{R}$ par :

$$f(x) = \frac{x^2(-2x^4 + 15x^2 - 24)}{12}$$

a. Montrer que la fonction dérivée f' de f est donnée par $f'(x) = -x^5 + 5x^3 - 4x$.

b. Factoriser $f'(x)$ en un produit de fonctions polynômes de degré 1.

c. Étudier les variations de f et dresser son tableau de variations.

d. Tracer dans un repère la courbe représentative $\mathscr{C}$ de la fonction f.

e. Quel est le minimum de f sur l'intervalle $[-3 ; 3]$?

f. Quel est le maximum de f sur l'intervalle $[-3 ; 3]$?

g. Déterminer les coordonnées des points d'intersection de $\mathscr{C}$ avec l'axe des abscisses.

84 Tangentes

Soit $\mathscr{P}$ la parabole d'équation $y = x^2$.

Démontrer que, par tout point situé en dessous de $\mathscr{P}$, on peut tracer exactement deux tangentes à $\mathscr{P}$.

On pourra pour cela :

a. déterminer une équation de la tangente T_a à $\mathscr{P}$ au point d'abscisse a, où a est un réel quelconque.

b. écrire une inégalité entre y_0 et x_0^2 qui traduit le fait qu'un point $M(x_0 ; y_0)$ se situe au-dessous de $\mathscr{P}$.

c. écrire une égalité entre a, y_0 et x_0^2 qui traduit le fait qu'un point $M(x_0 ; y_0)$ se situe sur la tangente T_a.

d. résoudre cette dernière équation, d'inconnue a et de paramètres x_0 et y_0.

e. conclure.

85 Nombre de tangentes

1. Dans un repère, tracer la courbe $\mathscr{C}$ représentative de la fonction $f : x \mapsto x^3$ et placer le point $A(-5 ; -4)$.

2. Montrer que la tangente à $\mathscr{C}$ au point M_1 de $\mathscr{C}$ d'abscisse 0,5 passe par A.

3. Recherchons s'il existe d'autres tangentes à $\mathscr{C}$ qui passent également par A.
Soit M un point de $\mathscr{C}$ d'abscisse α.

a. Montrer qu'une équation de la tangente en M à $\mathscr{C}$ est : $2\alpha^3 - 3\alpha^2 x + y = 0$.

b. De quelle équation le nombre α doit-il être solution pour que la tangente en M passe par le point A ?

c. Montrer que pour tout nombre réel α, on a :

$$2\alpha^3 + 15\alpha^2 - 4 = (2\alpha - 1)(\alpha^2 + 8\alpha + 4)$$

d. Résoudre dans $\mathbb{R}$ l'équation $2\alpha^3 + 15\alpha^2 - 4 = 0$.

e. En quels points de $\mathscr{C}$, la tangente à $\mathscr{C}$ passe-t-elle par A ?

4. Recherchons des points du plan par lesquels on ne peut tracer qu'une tangente à $\mathscr{C}$.
Soit Δ la droite parallèle à l'axe des ordonnées passant par le point A.

a. Montrer que les coordonnées d'un point B quelconque de Δ sont $(-5 ; b)$ avec b un nombre réel.

b. Montrer que le nombre de tangentes à $\mathscr{C}$ passant par B est le nombre de solutions de l'équation d'inconnue α : $2\alpha^3 + 15\alpha^2 + b = 0$.

c. Étudier la fonction $g : \alpha \mapsto 2\alpha^3 + 15\alpha^2$.

d. Donner graphiquement, en fonction de b, le nombre de solutions de l'équation d'inconnue α :

$$2\alpha^3 + 15\alpha^2 + b = 0$$

e. Préciser où doit se trouver B sur la droite Δ pour que l'on puisse tracer 1, 2 ou 3 tangentes à $\mathscr{C}$ passant par B.

86 Courbe avec contrainte — Problème ouvert

Dans un repère du plan, on donne un triangle ABC tel que $A(0 ; 0)$, $B(2 ; 5)$ et $C(6 ; 2)$.

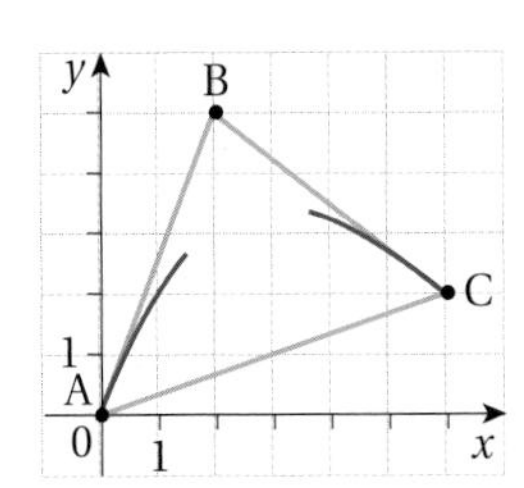

Déterminer une fonction polynôme du troisième degré, définie sur l'intervalle $[0 ; 6]$, dont la courbe passe par les points A et C et dont les tangentes en A et C sont respectivement les droites (AB) et (AC).

87 Flux de véhicules sur une route

Sur une des voies d'une autoroute, des véhicules de longueur 4 m se suivent, tous à la même vitesse v, sans changer de file.
L'objet de ce problème est de déterminer le nombre maximal de véhicules qui peuvent circuler sur cette voie.

Pour être dans de bonnes conditions de sécurité, l'écart E entre les véhicules doit être supérieur ou égal à la somme de la distance parcourue pendant le temps de réaction du conducteur (notée d_R) et de la distance de freinage (notée d_F).

1. a. On sait que la distance de freinage est proportionnelle au carré de la vitesse, c'est-à-dire que $d_F = \alpha\, v^2$ où α est un coefficient qui dépend, entre autres, de la météo, de l'état des véhicules et de la nature de la chaussée. On admet que le temps de réaction du conducteur avant le début du freinage est de 1 seconde et que le coefficient α vaut $\frac{1}{200}$ avec v exprimée en km.h^{-1} et d_F en m.
Montrer que l'écart entre les véhicules, exprimé en mètres, doit être supérieur ou égal à $\frac{v}{3,6}+\frac{v^2}{200}$.

b. Montrer qu'en une heure la distance D, exprimée en mètres, parcourue par un véhicule est égale à $1\,000v$.

c. Montrer que le nombre maximal de voitures qui se trouvent sur un morceau de voie long de D mètres est égal à $\dfrac{1\,000v}{4+\frac{v}{3,6}+0,005v^2}$.

d. Étudier les variations de la fonction f définie sur l'intervalle $[0\,;130]$ par $f(x)=\dfrac{1\,000x}{4+\frac{x}{3,6}+0,005x^2}$.

2. Comme indiqué plus haut, le coefficient α dépend de la météo. Ainsi, par temps de pluie, le coefficient α est doublé. Montrer que par temps sec, le nombre maximal de véhicules pouvant circuler sur une voie n'est pas le double de celui par temps de pluie.

REMARQUE La fonction étudiée ici est un cas simple de modèle pour étudier la « congestion routière ».

88 Fabrication

Algorithmique

Dans une usine qui embouteille de l'eau minérale, le bénéfice total dépend du nombre de bouteilles produites. Il est relativement faible quand la production est faible (frais incompressibles…), augmente lorsqu'elle est plus élevée, mais diminue à nouveau au-delà d'un certain seuil (infrastructures et embauches complémentaires…).
La fonction f modélise ce bénéfice. Pour n packs produits et vendus, il est donné, en euros, par :

$$f(n)=\frac{1}{30\,000\,000}n^3-\frac{1}{1\,250}n^2+\frac{119}{20}n-\frac{15\,550}{3}$$

où n est un entier naturel appartenant à l'intervalle $[1\,000\,;10\,000]$.
Pour quelle valeur de n le bénéfice $f(n)$ est-il maximal ?

COUP DE POUCE

- Méthode 1 : Écrire puis programmer un algorithme qui teste les 9 001 valeurs possibles pour n.
- Méthode 2 : Étudier les variations de la fonction f sur l'intervalle $[1\,000\,;\,10\,000]$, puis chercher parmi les 4 entiers autour du maximum trouvé lequel est la solution.

89 Des tangentes particulières

Soit la fonction f définie sur $\mathbb{R}$ par $f(x) = x^3 - 9x$ et $\mathscr{C}_f$ sa courbe représentative dans un repère du plan. Soit A et B deux points distincts de la courbe $\mathscr{C}_f$, d'abscisses respectives a et b.

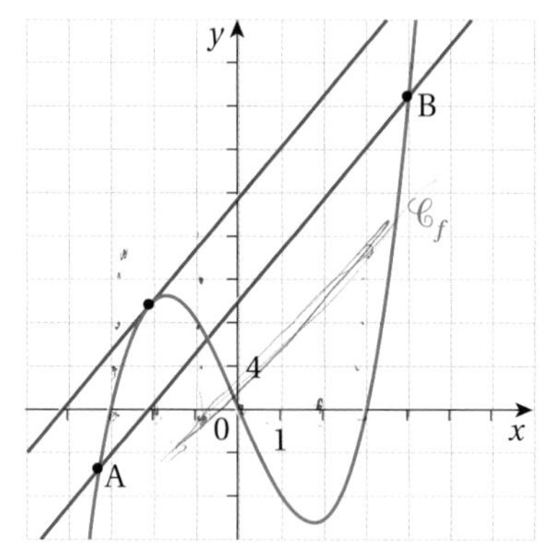

Le but de ce problème est d'étudier s'il existe des points M sur la courbe $\mathscr{C}_f$ entre A et B tels que la tangente en M soit parallèle à la droite (AB).

1. Premier cas particulier : $a = -3$ et $b = 3$

a. Déterminer la fonction dérivée f' de la fonction f.

b. Montrer que l'équation, d'inconnue x, $f'(x) = 0$ admet deux solutions réelles x_1 et x_2.

c. Quelle est la particularité des tangentes à $\mathscr{C}_f$ aux points d'abscisses x_1 et x_2 ? Ces deux points répondent-ils au problème posé ?

2. Deuxième cas particulier : $a = -3$ et $b = 4$

a. Montrer que le coefficient directeur de la droite (AB) vaut 4.

b. Résoudre sur $\mathbb{R}$ l'équation, d'inconnue x, $f'(x) = 4$.
c. En combien de points de la courbe $\mathcal{C}_f$, la tangente est-elle parallèle à la droite (AB) ?
d. Tracer dans un repère la courbe $\mathcal{C}_f$, la droite (AB) ainsi que les tangentes évoquées dans la question **2c**.

3. Cas général
On utilisera un logiciel de calcul formel.
a. Montrer que le coefficient directeur de la droite (AB) vaut $a^2 + ab + b^2 - 9$.
Montrer que $a^2 + ab + b^2 = \left(a + \frac{1}{2}b\right)^2 + \frac{3}{4}b^2$.
b. Soit M un point de la courbe $\mathcal{C}_f$ d'abscisse x. Quel est le coefficient directeur de la tangente à $\mathcal{C}_f$ en M ?
c. Démontrer qu'il existe deux points de la courbe $\mathcal{C}_f$ où la tangente est parallèle à la droite (AB).

90 Piste de kart — Problème ouvert

Un jeune coureur sur « boîte à savon » circule à toute vitesse sur une piste modélisée dans un repère du plan par la courbe $\mathcal{C}$ de la fonction f telle que :

$$f(x) = \frac{1}{30}x^3 + \frac{1}{6}x^2 - \frac{11}{5}x$$

Soudain, la direction du véhicule ne répond plus et il sort de la piste en empruntant une trajectoire rectiligne correspondant à une tangente à la courbe $\mathcal{C}$.
À quel endroit a-t-il quitté la piste sachant que la « boîte à savon » a terminé sa course contre un arbre représenté dans le repère par le point A(11 ; 17) ?

91 Vitesse maximale

Sur un circuit, une voiture de sport réalise un départ-arrêté d'un kilomètre. Le nombre de mètres parcourus en fonction du temps x, exprimé en secondes, est donné sur l'intervalle [0 ; 30] par la fonction f telle que :

$$f(x) = \frac{x^5 - 75x^4 + 1\,500x^3}{4\,050}$$

a. Étudier les variations de la fonction f sur l'intervalle [0 ; 30].
b. Tracer la courbe représentative de f dans un repère.
c. La vitesse de la voiture est donnée en m.s^{-1} en fonction du temps x par f', dérivée de la fonction f. Calculer la vitesse maximale atteinte par cette voiture durant ce kilomètre départ-arrêté.
Était-il nécessaire de faire ce test sur circuit ou aurait-on pu le faire sur une autoroute française ?

92 Toboggan

1. Une entreprise veut réaliser les deux montants latéraux d'un toboggan.
La courbe qui modélise le toboggan est définie comme une partie de la représentation graphique $\mathcal{C}$ d'une fonction f dans un repère orthonormé adapté.
La partie utile de la courbe $\mathcal{C}$ qui modélise le toboggan est délimitée par les points de coordonnées (0,5 ; 2) et (2 ; 0,2) comme le suggère le schéma suivant.

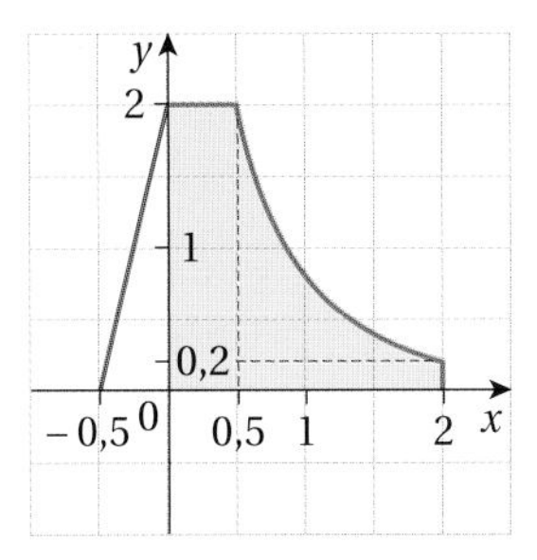

La fonction f est définie, pour tout nombre réel x strictement positif, par :

$$f(x) = a + \frac{b}{x}$$

où a et b sont deux nombres réels.
Déterminer a et b.

2. On admet que la fonction f est définie sur l'intervalle [0,5 ; 2] par :

$$f(x) = -0,4 + \frac{1,2}{x}$$

On note $\mathcal{C}$ sa courbe représentative dans un repère orthonormé $(O ; \vec{i}, \vec{j})$ d'unité graphique 4 cm.
a. On note f' la fonction dérivée de la fonction f.
Calculer $f'(x)$ pour tout nombre réel x de l'intervalle [0,5 ; 2].
b. Étudier le sens de variation de la fonction f sur l'intervalle [0,5 ; 2].
c. Déterminer une équation de la tangente T_1 à la courbe $\mathcal{C}$ au point d'abscisse 0,5 et une équation de la tangente T_2 à la courbe $\mathcal{C}$ au point d'abscisse 2.
d. Tracer, dans un repère orthonormé $(O ; \vec{i}, \vec{j})$, les droites T_1 et T_2, ainsi que la courbe $\mathcal{C}$.

3. Donner un encadrement de l'aire de la partie jaune du toboggan en utilisant d'une part les droites T_1 et T_2, et d'autre part le point de coordonnées (1 ; 0,8).

D'après le sujet de baccalauréat *STI France, Génie des matériaux, mécanique B, C, D, E*, septembre 2007.

93 Conquête de l'espace

Une navette spatiale en forme de cône, de cylindre ou de parallélépipède rectangle à base carrée doit être inscrite dans une sphère de rayon 10 m, comme représenté sur le dessin suivant.

Le but de ce problème est de déterminer quelle forme choisir et ses dimensions pour que la navette ait le volume maximal.

1. Dans chacune des situations, définir une longueur variable x, puis calculer le volume de la navette en fonction de x.

2. Soit V_1, V_2 et V_3 les trois fonctions telles que $V_1(x)$, $V_2(x)$ et $V_3(x)$ soient les volumes respectifs des trois formes de navette.

a. Étudier chacune de ces fonctions sur son ensemble de définition.

b. En déduire, dans chacun des trois cas, les dimensions de la navette ayant le plus grand volume.

c. Quelle forme faut-il choisir pour que la navette ait le volume le plus grand ?

94 Conserves 4/4

Dans le commerce alimentaire, une boîte de conserve cylindrique 4/4 a un volume de 850 mL.
L'objet de ce problème est de vérifier si les dimensions 99 mm (diamètre) et 118 mm (hauteur) de ces boîtes minimisent l'aire latérale.

1. Résolution d'une inéquation

a. Dans un repère, tracer la courbe représentative de la fonction $x \mapsto x^3$.

b. Montrer graphiquement que l'équation :

$$x^3 - \frac{425}{\pi} = 0$$

a une solution α.
Donner, à l'aide de la calculatrice, un encadrement d'amplitude 10^{-1} du nombre α.
Nous admettrons dans la suite que ce nombre α *existe et vérifie* $5{,}13 < \alpha < 5{,}14$.

c. Montrer que pour tous nombres réels x et α, on a :

$$x^3 - \alpha^3 = (x - \alpha)(x^2 + \alpha x + \alpha^2)$$

d. Résoudre dans $\mathbb{R}$ l'équation d'inconnue x :

$$x^3 - \alpha^3 \geqslant 0$$

2. Aire minimale

Considérons une boîte cylindrique de volume 850 mL, de hauteur h (en cm) et de rayon de base R (en cm).

a. Comme le volume de la boîte est connu, quelle équation doivent vérifier les deux grandeurs h et R ?

b. Exprimer l'aire latérale (disques inférieur et supérieur compris) de la boîte en fonction de h et R.

c. En utilisant l'équation donnée en **2a**, montrer que l'aire latérale en fonction de R est donnée par :

$$2\pi R^2 + \frac{1\,700}{R}$$

d. Soit f la fonction définie sur $]0\,;+\infty[$ par :

$$f(R) = 2\pi R^2 + \frac{1\,700}{R}$$

Étudier les variations de cette fonction.
Tracer sa courbe représentative dans un repère.

e. À partir de l'encadrement $5{,}13 < \alpha < 5{,}14$, établir un encadrement de $f(\alpha)$.

f. Parmi les boîtes cylindriques de volume 850 mL, les boîtes 4/4 que l'on trouve habituellement dans le commerce ont-elles une aire minimale ?

g. En réalité, pour réaliser le sertissage de ces boîtes, il est nécessaire d'ajouter 5 mm au rayon et 2 fois 3 mm à la hauteur pour le calcul de la surface de tôle nécessaire.

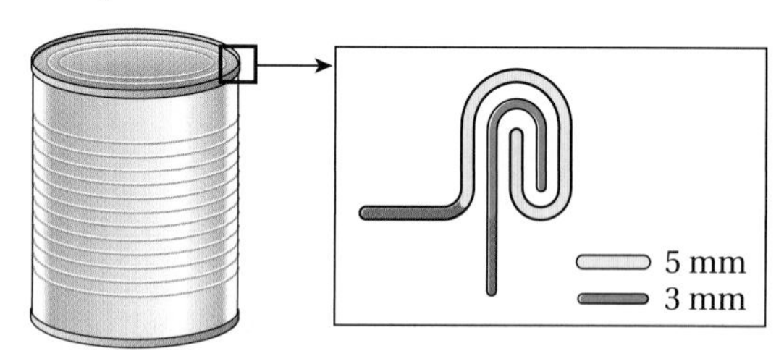

À l'aide d'un logiciel de calcul formel et en tenant compte de ces nouvelles contraintes, déterminer les dimensions d'une boîte cylindrique de volume 850 mL dont l'aire de la tôle nécessaire est minimale.
Comparer les résultats avec ce qui a été vu à la question **f**.

95 Résistance équivalente

Sur le schéma électrique suivant, R_1 représente une résistance variable x (en Ω), R_2 une résistance constante de valeur a (en Ω) et R_3 une résistance constante de valeur b (en Ω).

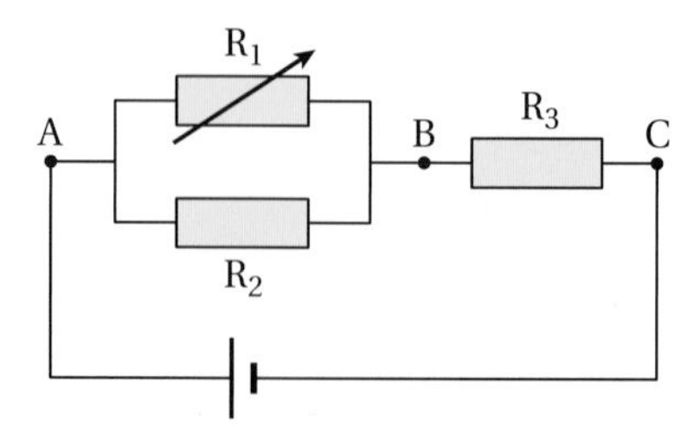

On note y (en Ω) la résistance équivalente de l'ensemble, c'est-à-dire la valeur d'une seule résistance permettant de remplacer l'ensemble des résistances qui se trouvent entre les points A et C.

1. On note z (en Ω) la résistance équivalente de l'ensemble R_1 et R_2, c'est-à-dire la valeur d'une seule résistance permettant de remplacer l'ensemble des résistances qui se trouvent entre les points A et B.
En physique, la loi d'Ohm et la loi des mailles permettent d'écrire les relations suivantes :

$$y = z + b \quad \text{et} \quad \frac{1}{z} = \frac{1}{x} + \frac{1}{a}$$

Exprimer y en fonction de x, de a et de b.

2. On choisit dans cette partie $a = 100$ et $b = 120$.

a. Soit f la fonction qui à x associe la valeur y.
Montrer que :

$$f(x) = \frac{100x}{x+100} + 120 \text{ avec } x \geqslant 0.$$

b. Étudier les variations de la fonction f.

c. Déterminer les extrema de la fonction f sur l'intervalle $[0 ; 100]$.

3. Pour réaliser le montage représenté sur le schéma, on prend pour R_1 une résistance variable « monotour » de résistance comprise entre 0 et 100 Ω, et pour R_2 et R_3 une résistance choisie dans un lot normalisé E24, c'est-à-dire avec des valeurs en Ω suivantes :

100 - 110 - 120 - 130 - 150 - 160 - 180 - 200
220 - 240 - 270 - 300 - 330 - 360 - 390 - 430
470 - 510 - 560 - 620 - 680 - 750 - 820 - 910.

Quelles sont toutes les valeurs possibles pour y, résistance équivalente de l'ensemble ?

96 Visible ? TICE Problème ouvert

Une antenne relais pour le téléphone, de hauteur 10 m, va être installée au sommet d'une colline.
On suppose que cette colline, la seule située sur la plaine, a une hauteur de 300 m, et que toutes les coupes par des plans verticaux passant par le sommet ont la forme d'un arc parabolique de base un segment de longueur 1 500 m.

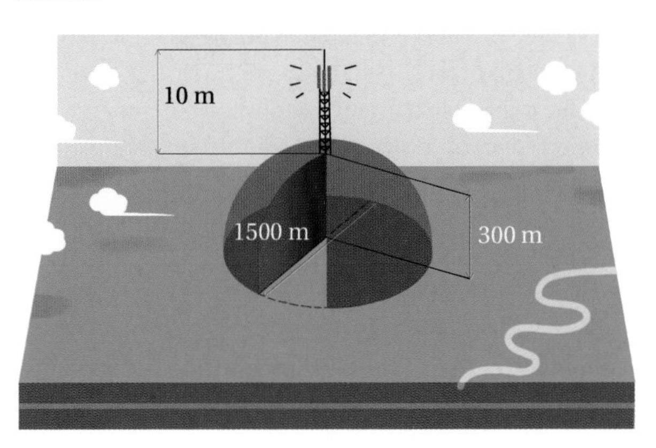

Quelle sera la partie de la plaine d'où l'antenne sera visible ? Quelle devrait être sa hauteur pour être visible de toute la plaine ?

97 Épidémie

Lors d'une épidémie observée sur une période de onze jours, un institut de veille sanitaire a modélisé le nombre de personnes malades. La durée, écoulée à partir du début de la période et exprimée en jours, est notée t. Le nombre de cas en fonction de la durée t est donné, en milliers, par la fonction f de la variable réelle t définie et dérivable sur l'intervalle $[0 ; 11]$. La représentation graphique $\mathscr{C}_f$ de f est donnée ci-dessous.

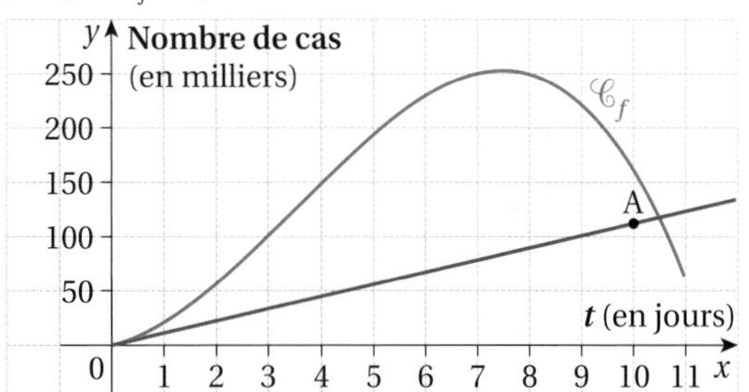

Partie A. Étude graphique

Pour cette partie, on se réfèrera à la courbe représentative $\mathscr{C}_f$ de la fonction f.

1. On considère que la situation est grave lorsque le nombre de cas est d'au moins 150 000 malades. Pendant combien de jours complets cela arrive-t-il ?

2. La droite (OA) est tangente à la courbe $\mathscr{C}_f$ au point d'abscisse 0, avec A le point de coordonnées (10 ; 112,5). Déterminer $f'(0)$, où f' désigne la fonction dérivée de la fonction f.

3. Le nombre $f'(t)$ représente la vitesse d'évolution de la maladie, t jours après l'apparition des premiers cas.
a. Déterminer graphiquement le nombre maximal de malades sur la période des 11 jours observés et le moment où il est atteint. Que peut-on dire alors de la vitesse d'évolution de la maladie ?
b. Déterminer graphiquement à quel moment de l'épidémie la maladie progresse le plus.

Partie B. Étude théorique

La fonction f évoquée dans la Partie A est définie par :

$$f(t) = -t^3 + \frac{21}{2}t^2 + \frac{45}{4}t$$

1. Recopier et compléter, à l'aide de la calculatrice, le tableau de valeurs suivant :

t	0	1	2	3	4	5	6	7	8	9	10	11
$f(t)$							229,5					

2. Calculer $f'(t)$ et vérifier que, pour tout t de l'intervalle $[0 ; 11]$, $f'(t) = -3\left(t + \frac{1}{2}\right)\left(t - \frac{15}{2}\right)$.

3. Étudier le signe de $f'(t)$ pour t appartenant à l'intervalle $[0 ; 11]$. Cette réponse est-elle cohérente avec la courbe $\mathscr{C}_f$? Expliquer.

4. Retrouver les résultats de la question **3** de la Partie A.

D'après un sujet du baccalauréat ST2S, 2009.

98 Bénéfice maximal

Un artisan fabrique des objets. Il ne peut pas en produire plus de 70 par semaine. On suppose que tout objet fabriqué est vendu.

Le coût de production de x dizaines d'objets, en milliers d'euros, est modélisé par la fonction f, définie sur l'intervalle [0 ; 7]. La courbe représentative $\mathscr{C}_f$ de f est donnée ci-contre dans le repère $(O ; \vec{i}, \vec{j})$.

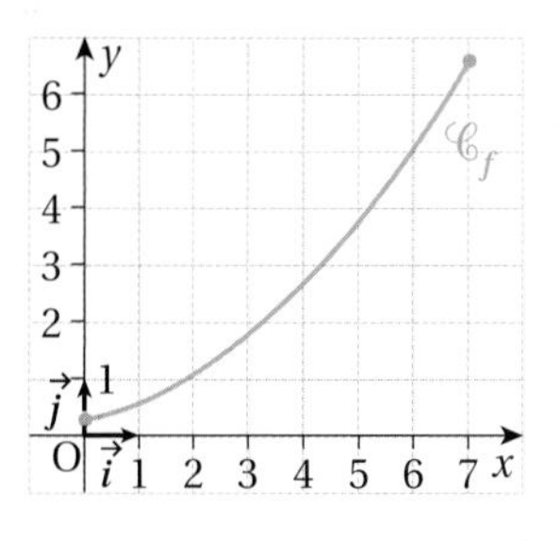

1. Par lecture graphique, donner :

a. le coût de production de 50 objets.

b. le nombre d'objets produits pour un coût de 3 000 €.

2. Chaque objet est vendu 80 €. On note $g(x)$ la recette de la vente de x dizaines d'objets, en milliers d'euros.

a. Justifier que $g(x) = 0{,}8x$.

b. Reproduire la figure donnée et tracer dans le repère $(O ; \vec{i}, \vec{j})$ la droite D d'équation $y = 0{,}8x$.

c. Par lecture graphique, déterminer à quel intervalle doit appartenir x pour que l'artisan réalise un bénéfice.

3. On admet que la fonction f est définie, pour x appartenant à l'intervalle [0 ; 7], par $f(x) = 0{,}1x^2 + 0{,}2x + 0{,}3$.

Le bénéfice réalisé par la production et la vente de x dizaines d'objets, en milliers d'euros, est modélisé par une fonction B définie sur l'intervalle [0 ; 7].

a. Montrer que $B(x) = -0{,}1x^2 + 0{,}6x - 0{,}3$.

b. Calculer la dérivée B' de la fonction B.

c. Pour quel nombre d'objets fabriqués et vendus le bénéfice est-il maximum ?

D'après un sujet du baccalauréat STG, 2009.

99 Fonction polynôme de degré 3

Soit a, b et c trois nombres réels quelconques et f la fonction définie sur $\mathbb{R}$ par $f(x) = x^3 + ax^2 + bx + c$.

On note $\mathscr{C}_f$ sa courbe représentative dans un repère.

1. Déterminer la fonction dérivée f' de f.

2. a. Montrer que $f'(x)$ ne s'annule pas si et seulement si $\begin{cases} b > 0 \\ -\sqrt{3b} < a < \sqrt{3b} \end{cases}$.

b. Montrer que la fonction f est alors croissante sur $\mathbb{R}$.

3. a. Montrer que $f'(x)$ s'annule en une unique valeur si et seulement si $a^2 = 3b$.

b. Montrer que, dans ce cas, f est croissante sur $\mathbb{R}$ et $\mathscr{C}_f$ admet une tangente horizontale au point de coordonnées $\left(-\dfrac{a}{3} ; c - \dfrac{a^3}{27}\right)$.

4. a. Montrer que $f'(x)$ s'annule en deux valeurs distinctes si et seulement si $b < 0$ ou $\begin{cases} b > 0 \\ a^2 > 3b \end{cases}$.

b. Dresser le tableau de variations de f dans ce cas.

100 Tétraèdre inscrit

On considère des tétraèdres inscrits dans une sphère de rayon R fixé. Le but de ce problème est de déterminer lequel a un volume maximal.

1. Triangle d'aire maximale inscrit dans un cercle

Soit EFG un triangle inscrit dans un cercle de rayon r.

a. Soit G_1 et G_2 les points d'intersection du cercle avec la médiatrice du segment [EF].

Faire un schéma.

b. Démontrer par l'absurde que, si un triangle EFG est d'aire maximale, il est isocèle en G.

c. Démontrer qu'un triangle d'aire maximale est équilatéral.

d. Montrer que le côté d'un triangle équilatéral inscrit dans un cercle de rayon r est égal à $r\sqrt{3}$.

e. Montrer que l'aire d'un triangle équilatéral inscrit dans un cercle de rayon r est égale à $\dfrac{3\sqrt{3}}{4}r^2$.

2. Hauteur d'un « tétraèdre solution »

Soit ABCD un tétraèdre inscrit dans une sphère de centre O et de rayon R fixé. Soit H le pied de la hauteur du tétraèdre ABCD passant par A, et A_1 et A_2 les points d'intersection de la sphère avec la droite parallèle à (AH) passant par O.

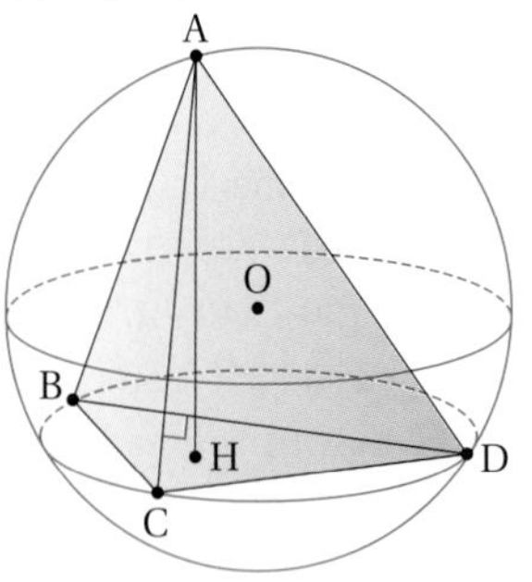

a. Pour $R = 5$ cm, dessiner le triangle AOH.

b. Soit H_1 le point d'intersection de la droite (A_1A_2) avec le plan (BCD). Montrer qu'une des longueurs H_1A_1 ou H_1A_2 est supérieure ou égale à la longueur HA.

c. Démontrer par l'absurde que la hauteur (AH) d'un tétraèdre ayant un volume maximal passe par O.

3. Recherche du « tétraèdre solution »

Soit ABCD un tétraèdre inscrit dans une sphère de centre O et de rayon R fixé. Pour déterminer le « tétraèdre solution », d'après ce qui précède, on peut supposer ici que sa face BCD est équilatérale et que sa hauteur issue de A passe par O.

Soit H le pied de la hauteur (AO).

Posons r le rayon du cercle circonscrit au triangle BCD et h la longueur AH.

a. Soit K le point symétrique de A par rapport à O.

Pour $R = 5$ cm, dessiner le triangle ABK.

Où se trouve H sur cette figure ?

b. Démontrer que $r^2 = h(2R - h)$.

c. Démontrer que le volume du tétraèdre ABCD est égal à $\dfrac{\sqrt{3}}{4}h^2(2R - h)$.

d. Étudier les variations de la fonction $x \mapsto x^2(2R - x)$.

e. Montrer que pour $h = \dfrac{4}{3}R$, le tétraèdre a un volume maximal.

4. Propriétés du « tétraèdre solution »

Soit ABCD le « tétraèdre solution » trouvé en **3**.

a. En utilisant les résultats des questions **3b** et **3e**, montrer que le rayon r vaut $\dfrac{2\sqrt{2}}{3}R$.

b. En utilisant le résultat de la question **1d**, montrer que $BC = CD = BD = \dfrac{2\sqrt{6}}{3}R$.

c. Dans le triangle AHB, calculer la longueur AB en fonction de R.

d. Conclure.

101 Tetra Brik®

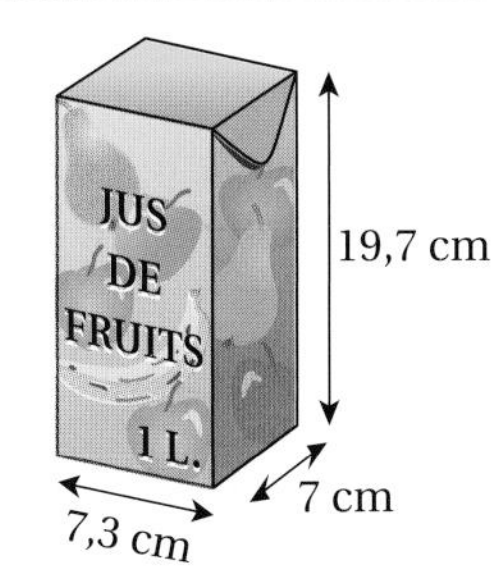

L'entreprise Tetra Pak® propose des emballages parallélépipédiques à base presque carrée qui contiennent 1 litre. Les dimensions du modèle « jus de fruit » sont données ci-contre.

L'objet de ce problème est de déterminer les dimensions d'un emballage parallélépipédique à base carrée contenant 1 litre qui nécessite un minimum de carton pour sa fabrication.

a. Notons h la hauteur de la boîte et x la longueur d'un côté de sa base carrée (les dimensions sont en cm).
En tenant compte de son volume, déterminer h en fonction de x.

b. Le patron de la boîte est un grand rectangle constitué de rectangles et de triangles rectangles tels que :
$AB = BC = CD = DE = x$; $FG = HI = \dfrac{x}{2}$; $EF = IJ = 0{,}8$ cm ; $GH = h$.

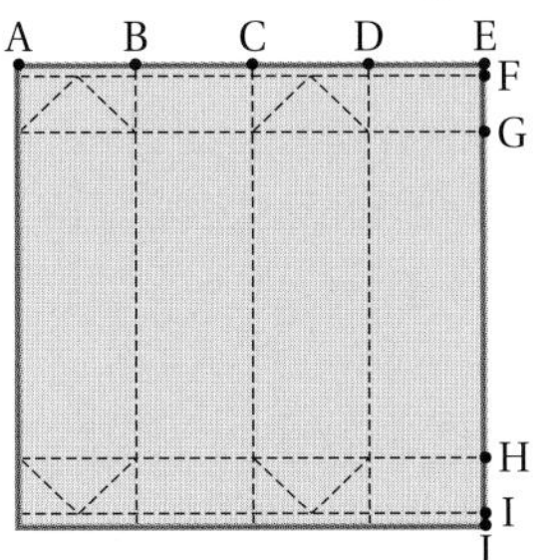

Calculer l'aire de ce patron en fonction de h et x, puis uniquement en fonction de x.

c. Soit f la fonction définie sur $]0\,;+\infty[$ par :

$$f(x) = 4x^2 + \frac{32}{5}x + \frac{4\,000}{x}$$

Montrer que sa dérivée f' est du signe de $5x^3 + 4x^2 - 2\,500$.

d. Étudier les variations de la fonction f.
Pour cela, on pourra étudier sur $]0\,;+\infty[$ les variations de la fonction $g : x \mapsto 5x^3 + 4x^2 - 2\,500$ et admettre que l'équation $5x^3 + 4x^2 - 2\,500 = 0$ a une solution α sur $]0\,;+\infty[$ avec $\alpha \approx 7{,}6$.

e. Les dimensions du modèle « jus de fruit » sont-elles proches des dimensions optimales en ce qui concerne la consommation de carton pour la fabrication d'une boîte à base carrée ?

REMARQUE Pour optimiser une fabrication, il ne s'agit pas uniquement d'optimiser la quantité de matériel utilisé. Il faut également tenir compte d'autres facteurs : dimensions de la matière première utilisée, ergonomie du produit, dimensions pour pouvoir le mettre en palettes…

102 Wasserrutsche

Für ein Freibad wird eine Wasserrutsche entworfen. Diese Rutsche soll einfach geformt und nicht sehr lang sein.
Als Attraktion soll sie aber 7 m breit sein, so dass mehrere Personen nebeneinander herunter rutschen können.
Der Raum unter der Rutsche ist ein Erdwall, der seitlich von senkrechten Betonwänden gestützt wird.
Der Auftraggeber hat eine Skizze erstellt, wie er sich die Rutsche vorstellt.

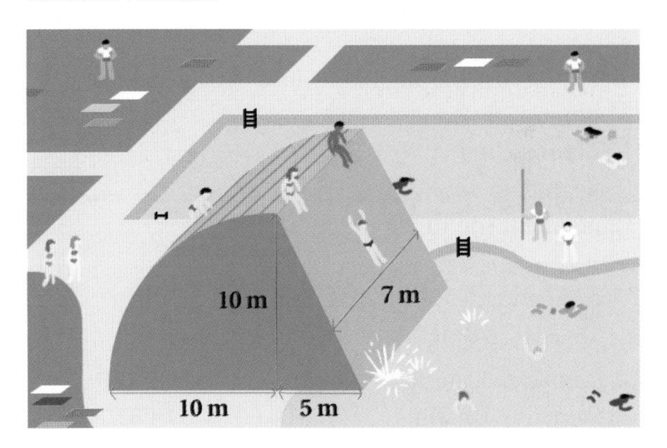

Der Aufstieg links wird durch die Parabel p mit der Gleichung $p(x) = -0{,}1x^2 + 10$ beschrieben, wobei der Ursprung des Koordinatensystems auf dem Boden direkt unter dem höchsten Punkt der Rutsche liegt.
Eine Einheit entspricht hierbei 1 m in der Realität.

a. Bestätigen Sie, dass die Funktion p den Daten aus der Zeichnung entspricht und ihr Graph im höchsten Punkt der Rutsche eine waagerechte Tangente hat.

b. Der Konstrukteur will die Rutsche durch eine ganzrationale Funktion f 3.Grades beschreiben. Für den ersten Versuch verwendet er die folgenden Daten.
Der Startpunkt der Rutsche liegt im Punkt $(0 \mid 10)$, der Endpunkt im Punkt $(5 \mid 0)$ und sowohl im Startpunkt als auch im Endpunkt soll die Steigung Null betragen.
Bestimmen Sie die Gleichung der Funktion f und zeichnen Sie den Funktionsgraphen mit Hilfe einer Wertetabelle in das beigefügte Koordinatensystem ein (1 LE entspricht 1 m).

[Zur Kontrolle : $f(x) = 0{,}16x^3 - 1{,}2x^2 + 10$]

c. Dem Konstrukteur kommen Bedenken wegen der Steilheit der Rutsche. Er möchte diese einschätzen.
Bestimmen Sie die Steigung an der Stelle mit dem größten Gefälle und den zugehörigen Steigungswinkel.

D'après *Hamburg Mathematik, Zentralabitur* 2010, *Grundkurs*

QCM Pour bien commencer

Pour chaque question, indiquer la (les) bonne(s) réponse(s).

CORRIGÉ P. 342 

1 **a.** La fonction f est définie sur $\mathbb{R}$ par :

$$f(x) = 3x - 5$$

Lorsque la variable augmente de 5, l'image par f :

A diminue de 5.
B diminue de 15.
C augmente de 3.
D augmente de 15.

b. La fonction f est définie sur $\mathbb{R}$ par :

$$f(x) = -3x + 5$$

Lorsque la variable augmente de 5, l'image par f :

A diminue de 3.
B diminue de 15.
C augmente de 5.
D augmente de 15.

2 **a.** Augmenter 60 de 20 % donne :

A 12 B 60,20 C 72 D 80

b. Diminuer 60 de 40 % donne :

A 24 B 36 C 59,60 D 84

3 **a.** Augmenter une quantité de 20 % revient à :

A la multiplier par 1,2.
B lui ajouter 0,2.
C la multiplier par 0,2.
D lui ajouter 1,2.

b. Diminuer une quantité de 40 % revient à :

A la multiplier par 0,4.
B lui retrancher 0,4.
C la multiplier par 0,6.
D la diviser par 1,4.

4 **a.** Augmenter successivement deux fois une quantité de 20 % revient à l'augmenter de :

A 4 % B 24 % C 40 % D 44 %

b. Diminuer successivement deux fois une quantité de 20 % revient à la diminuer de :

A 24 % B 36 % C 40 % D 44 %

5 Le tableau ci-contre contient des données démographiques de la ville de Toulouse.

Quel nuage de points représente cette population en fonction du temps ?

Année	Population
1962	323 724
1968	370 796
1975	373 796
1982	347 995
1990	358 688
1999	390 301
2006	437 715

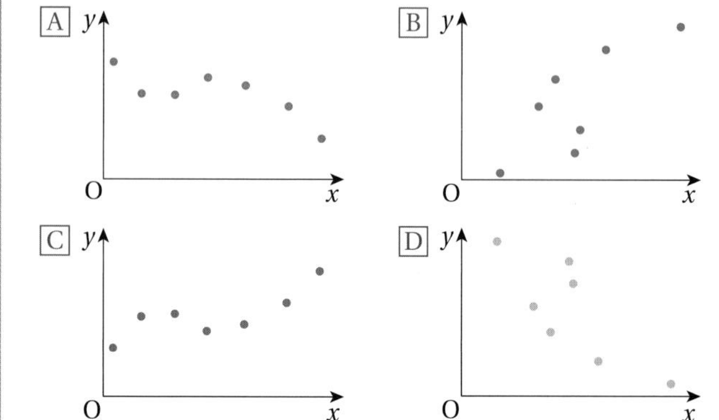

6 L'algorithme ci-dessous génère une liste de nombres.

```
Entrées :       U, n.
Traitement      Afficher U.
et sortie :     Répéter n fois :
                  Affecter la valeur 2U-3 à U.
                  Afficher U.
```

On l'exécute avec U = 7 et $n = 4$.

a. L'algorithme affiche :

A 4 nombres. B 5 nombres.
C 6 nombres. D 7 nombres.

b. Le dernier nombre affiché est :

A 5 B 67 C 35 D 7

c. Pour quelle(s) valeur(s) initiale(s) de U les nombres affichés sont-ils rangés dans l'ordre décroissant ?

A 2 B 3 C 5 D 7

Les suites

Pour compter les boules de glace, il suffit de les dénombrer par étage. Il y en a 1 + 4 + 9 +16 = 30. Mais pour une pyramide plus importante, il serait utile de trouver une formule donnant le nombre de boules en fonction du nombre d'étages. L'étude des suites permet de trouver cette formule : $\frac{n(n+1)(2n+1)}{6}$.
On peut ici le vérifier pour $n = 4$.

Le chapitre en bref

Réinvestir

- Variations d'une fonction
- Algorithmes avec une boucle

Découvrir

- Suites numériques
- Suites arithmétiques et géométriques
- Variations d'une suite
- Notion de limite d'une suite

Activités

1 Énergie renouvelable

Réinvestir : Calculer un taux d'accroissement.
Découvrir : Modéliser par une suite.

Le tableau ci-dessous donne, en mégawatts (MW), la capacité de production électrique du parc éolien mondial pour quatre années consécutives :

Année	2006	2007	2008	2009
Puissance totale installée (en MW)	74 117	93 891	121 266	157 500

1 a. Calculer l'accroissement de la capacité de production entre 2006 et 2007, puis le taux d'accroissement correspondant.
b. Mêmes questions entre 2007 et 2008.
c. Lequel de ces paramètres semble le plus stable ?

2 Voici une feuille de calcul permettant d'automatiser les calculs précédents.
a. Quelles formules ont été saisies dans les cellules C3 et C4 pour être recopiées vers la droite ?
b. Les données du tableau confirment-elles la conjecture émise à la question **1** c ?

	A	B	C	D	E
1	Année	2006	2007	2008	2009
2	Puissance totale installée	74 117	93 891	121 266	157 500
3	Accroissement annuel		19 774	27 375	36 234
4	Taux d'accroissement annuel		26,68%	29,16%	29,88%

3 On décide de modéliser, à partir de l'année 2009, la croissance de la capacité de production éolienne par une augmentation annuelle de 30 %.
a. Quelle formule a été saisie dans la cellule C8 pour être recopiée vers la droite ?
b. Vérifier les valeurs proposées dans la ligne 8 du tableau.

	A	B	C	D	E
5					
6	Modélisation				
7	Année	2009	2010	2011	2012
8	Estimation de la puissance installée	157 500	204 750	266 175	346 027,5

c. Estimer, d'après ce modèle, la capacité de production espérée pour 2016.

2 Suites de nombres

Découvrir : Générer des suites de nombres en décrivant un processus, en déterminant une formule.

1 Trouver un procédé permettant de construire chacune des suites de nombres ci-dessous et déterminer pour chacune d'elles le terme suivant.
a. 1 ; 4 ; 7 ; 10 ; …
b. 3 ; 6 ; 9 ; 12 ; …
c. 1 ; 3 ; 6 ; 10 ; …
d. 1 ; 5 ; 14 ; 30 ; …
e. $\frac{1}{2}$; $\frac{2}{3}$; $\frac{3}{4}$; $\frac{4}{5}$; …

2 Pour chacune des suites de nombres suivantes, vérifier que le sixième nombre est 13.
a. Le premier nombre est 33 et on enlève 4 pour obtenir le nombre suivant.
b. Les deux premiers nombres sont 1 et 2 et on ajoute les deux derniers nombres obtenus pour obtenir le nombre suivant.
c. Le premier nombre est –2 et on ajoute 1 pour obtenir le nombre suivant, puis 2 pour celui d'après, et ainsi de suite en ajoutant à chaque fois 1 de plus que l'ajout précédent.

3 a. Dans chaque cas, calculer les termes de la suite de nombres définie par la formule donnée pour l'entier n allant de 0 à 4 :

(1) $3n+1$ (2) 3×2^n (3) $\frac{n(n+1)}{2}$

b. Reconnaît-on certaines suites de nombres de la question **1** ?
Vérifier ce résultat en calculant le nombre suivant de chacune de ces suites.

c. Donner une formule permettant de générer chacune des suites de nombres suivantes.

(1) 3 ; 5 ; 7 ; 9. (2) 1 ; 3 ; 9 ; 27. (3) $\frac{1}{2}$; $\frac{2}{3}$; $\frac{3}{4}$; $\frac{4}{5}$.

REMARQUE Les réponses à la question **1** ne sont peut-être pas uniques et on peut trouver différents procédés de construction à partir des termes donnés. Par exemple, la suite « 1 ; 2 ; 3 ; ... » peut se continuer par 4 en poursuivant la liste des entiers mais elle peut aussi se continuer par 5, car 1 + 2 = 3 et 2 + 3 = 5.

3 Gestion des ressources et effet de seuil

Découvrir :
- Répéter une séquence de calcul à la calculatrice pour générer une suite de valeurs.
- Étudier les variations d'une suite de nombres.

PARTIE A

Dans une exploitation forestière amazonienne, l'accroissement naturel de la forêt en volume est de 10 % par an et l'exploitant prélève 500 m^3 par an.
On note M_n le volume de bois de cette exploitation l'année 2010 + n.
En 2010, le volume de l'exploitation est $M_0 = 3\,000$ m^3.

1 Calculer M_1, M_2, M_3.

2 Conjecturer le sens de variation de la suite de nombres (M_n).

3 En écrivant la séquence de calcul ci-contre à la calculatrice, où la commande *Rep* rappelle le dernier résultat obtenu (*Ans* en anglais), on peut calculer les nombres M_n à l'aide simplement de la touche d'exécution.
Déterminer ainsi en quelle année cette forêt aura disparu.

```
3000
                3000
1.1*Rep-500
                2800
                2580
                2338
              2071.8
```

4 Quel devrait être le volume prélevé pour que celui de cette forêt reste constant ?

5 Pour quelles valeurs du volume prélevé chaque année, le volume de cette forêt est-il croissant ?

PARTIE B

Dans un centre hospitalier, chaque jour, 20 % des patients quittent l'hôpital et 80 nouveaux patients y entrent.
Le 1er septembre 2011, 300 patients séjournaient à l'hôpital.

1 Combien y avait-il de patients dans l'hôpital le 2 septembre ? le 3 septembre ?

2 Conjecturer les variations du nombre de patients à l'aide de la calculatrice (voir **Partie A**).

3 Montrer que, si un jour donné, le nombre de patients est inférieur à 400, alors le jour d'après ce nombre aura augmenté.

4 La capacité d'accueil de l'hôpital est de 400 lits.
À l'aide de la calculatrice, répondre aux questions suivantes.
a. Devra-t-on refuser des patients ?
b. Que se serait-il passé si l'hôpital avait accueilli 81 nouveaux patients chaque jour ?

A. Suites numériques

1 Définition, représentation graphique

Notation
Le terme de rang n d'une suite u peut être noté $u(n)$ ou u_n.

DÉFINITION

Une **suite numérique** est une liste ordonnée de nombres réels.
On peut lui associer une fonction u définie sur $\mathbb{N}$ par $u: \mathbb{N} \to \mathbb{R}$
$n \mapsto u(n)$.
Pour tout entier naturel n, $u(n)$, noté aussi u_n, est le **terme** de **rang** n de la suite.
On note (u_n) l'ensemble des termes de la suite pour $n \in \mathbb{N}$.

EXEMPLES

1. Le tableau ci-dessous donne le nombre de bacheliers en France de 2000 à 2009.

Année	2000	2001	2002	2003	2004	2005	2006	2007	2008	2009
Nombre de bacheliers	516 550	499 228	493 755	502 671	498 372	506 608	524 057	521 353	512 815	530 218

La suite (u_n) du nombre de bacheliers peut être définie en choisissant comme rang n le nombre d'années écoulées depuis l'an 2000.
On a alors : $u_0 = 516\,550$ le nombre de bacheliers de l'année 2000 ;
$u_5 = 506\,608$ le nombre de bacheliers de l'année 2005.
502 671 est le terme de rang 3 de la suite (u_n).
2. Soit (u_n) la suite des multiples de 7 avec $u_0 = 0$. On a alors $u_1 = 7$, $u_2 = 14$, ..., $u_9 = 63$...

REMARQUE Certaines suites peuvent être définies seulement à partir d'un rang n_0 autre que 0. Par exemple, pour des questions pratiques, on aurait pu définir la suite de l'exemple 1 précédent à partir du rang 2000, avec $u_{2000} = 516\,550$.
Dans d'autres situations, la définition de la suite interdit l'existence de certains termes. Par exemple, la suite (u_n) telle que $u_n = \frac{1}{n}$ ne peut être définie que pour $n \geqslant 1$.

PROPRIÉTÉ

Une suite numérique (u_n) peut être représentée par un nuage de points de coordonnées $(n\,;u_n)$.

EXEMPLES

1. Le nombre de bacheliers en France de 2000 à 2009 (*cf.* exemple 1 précédent) peut être représenté par le nuage de points ci-dessous.

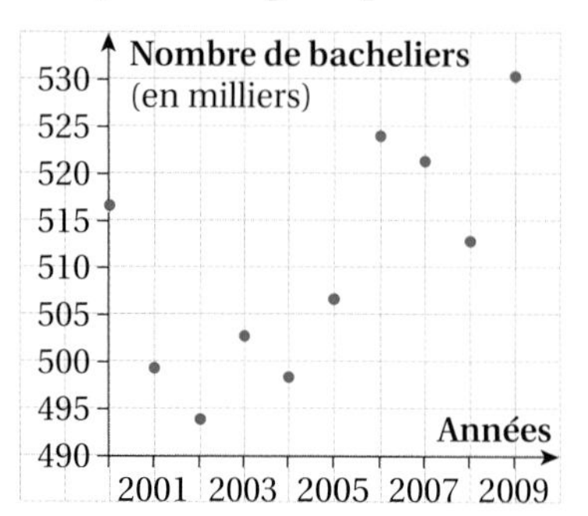

2. La suite des multiples de 7 (*cf.* exemple 2 précédent) peut être représentée par le nuage de points ci-dessous.

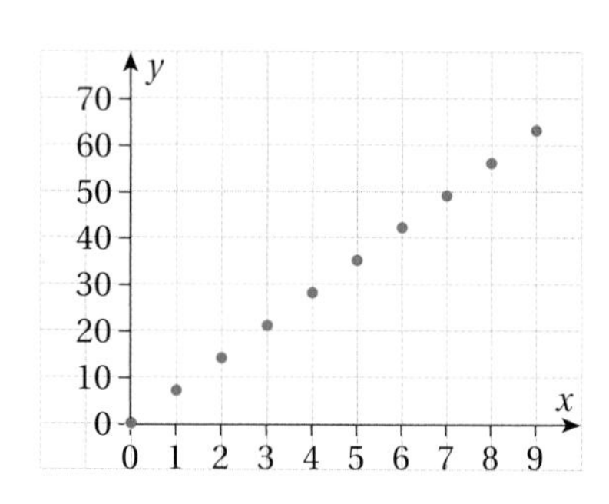

 Mode de génération d'une suite numérique

Définir une suite numérique consiste à expliciter un procédé permettant de déterminer tous les termes de la suite.

Vocabulaire

L'expression de u_n en fonction de n s'appelle le **terme général** de la suite (u_n). Il permet de déterminer directement le terme de la suite que l'on veut.

EXEMPLES

1. On peut définir une suite (u_n) par une **formule explicite.**

a. Pour tout $n \in \mathbb{N}$, $u_n = n^2 + 1$.

Les premiers termes de la suite sont $u_0 = 0^2 + 1 = 1$, $u_1 = 1^2 + 1 = 2$, $u_2 = 2^2 + 1 = 5$, $u_3 = 3^2 + 1 = 10$.

b. Pour tout $n \in \mathbb{N}$, $u_n = 2^n - 1$.

Les premiers termes de la suite sont $u_0 = 2^0 - 1 = 0$, $u_1 = 2^1 - 1 = 1$, $u_2 = 2^2 - 1 = 3$, $u_3 = 2^3 - 1 = 7$.

2. On peut définir une suite par une **relation de récurrence.**

a. $u_0 = 10$ et pour tout $n \in \mathbb{N}$, chaque terme de la suite est la moitié du précédent.

Les premiers termes de la suite sont $u_0 = 10$, $u_1 = \frac{10}{2} = 5$, $u_2 = \frac{5}{2} = 2{,}5$, $u_3 = \frac{2{,}5}{2} = 1{,}25$.

b. $u_0 = 10$ et pour tout $n \in \mathbb{N}$, $u_{n+1} = 6 - 2u_n$.

Les premiers termes de la suite sont $u_0 = 10$, $u_1 = 6 - 2 \times 10 = -14$, $u_2 = 6 - 2 \times (-14) = 34$, $u_3 = 6 - 2 \times 34 = -62$.

c. Pour tout entier naturel $n > 0$, $u_n = 1 + 2 + 3 + \ldots + n$.

Les premiers termes de la suite sont $u_1 = 1$, $u_2 = 1 + 2 = 3$, $u_3 = 1 + 2 + 3 = 6$.

REMARQUE

Une formule explicite permet de calculer directement le terme voulu. Dans l'exemple 1a, on peut calculer $u_3 = 3^2 + 1 = 10$. Par contre, lorsque la suite est définie par une relation de récurrence, il faut connaître les termes précédents pour calculer un terme donné (dans l'exemple 2b, on doit connaître le terme $u_2 = 34$ pour calculer $u_3 = 6 - 2 \times 34 = -62$).

Une relation de récurrence peut être explicite (exemples 2a et 2b) entre un terme et son précédent, mais elle peut aussi être implicite (exemple 2c). En effet, avec $u_n = 1 + 2 + 3 + \ldots + n$, et si l'on connaît déjà $u_3 = 1 + 2 + 3 = 6$, alors on peut calculer $u_4 = u_3 + 4 = 6 + 4 = 10$.

La relation implicite est ici $u_n = u_{n-1} + n$.

Étymologie

Le mot **récurrence**, du latin *recurrere*, signifie « revenir en arrière ».

Ce mot est aujourd'hui utilisé dans le langage courant pour signifier un phénomène répétitif (« *Les cyclones sont des phénomènes récurrents dans cette région du globe.* »).

Pour générer une suite par récurrence, il faut donc regarder en arrière (le(s) terme(s) précédent(s)) et réitérer le processus (la relation de récurrence).

▶ Savoir-faire 1
Calculer les premiers termes d'une suite définie par récurrence, p. 142

▶ Savoir-faire 2
Calculer les termes d'une suite avec la calculatrice, p. 142

B. Sens de variation d'une suite numérique

 Étude d'un exemple

On a représenté ci-contre le taux de bactéries B mesuré dans le sang d'un rat malade chaque heure à partir du début du traitement antibiotique testé.

On note (B_n) la suite des taux B observés pendant 10 heures.

Dire que la suite (B_n) est décroissante pour $n \geqslant 3$ signifie que pour chaque heure $n \geqslant 3$, le taux de bactéries B à l'heure $n + 1$ sera inférieur ou égal à celui obtenu à l'heure n. Autrement dit, $B_{n+1} \leqslant B_n$ pour tout $n \geqslant 3$.

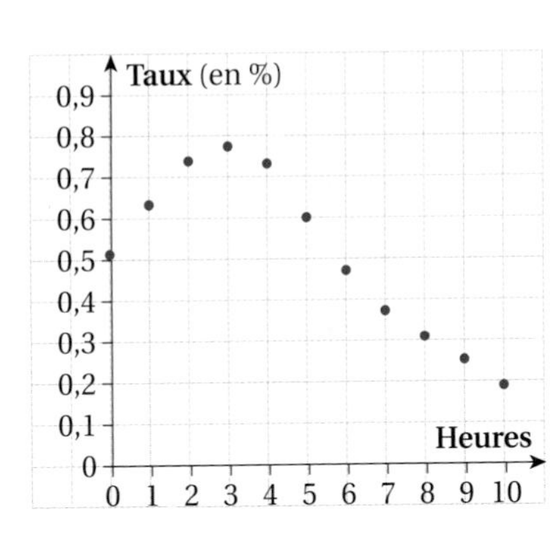

2 Suite croissante, suite décroissante

DÉFINITIONS

k est un entier.

- Une suite numérique (u_n) définie sur $\mathbb{N}$ est **croissante** pour $n \geqslant k$ signifie que pour tout $n \geqslant k$, $u_{n+1} \geqslant u_n$.
- Une suite numérique (u_n) définie sur $\mathbb{N}$ est **décroissante** pour $n \geqslant k$ signifie que pour tout $n \geqslant k$, $u_{n+1} \leqslant u_n$.

EXEMPLE

La suite définie pour tout $n \in \mathbb{N}$ par $u_n = (n-3)^2$ est représentée par le nuage de points ci-contre.

On peut conjecturer que la suite (u_n) est croissante pour $n \geqslant 3$.

Pour démontrer ce résultat, on peut étudier le signe de la différence $u_{n+1} - u_n$.

$$u_{n+1} - u_n = ((n+1)-3)^2 - (n-3)^2$$
$$= (n-2)^2 - (n-3)^2$$
$$= n^2 - 4n + 4 - (n^2 - 6n + 9) = 2n - 5$$

Or $2n - 5 \geqslant 0$ pour $n \geqslant 2{,}5$, c'est-à-dire pour $n \geqslant 3$ car $n \in \mathbb{N}$.

On en déduit que pour $n \geqslant 3$, $u_{n+1} - u_n \geqslant 0$ et par conséquent $u_{n+1} \geqslant u_n$.

D'où (u_n) est croissante pour $n \geqslant 3$.

PROPRIÉTÉ

k est un entier.

On suppose que la suite numérique (u_n) est définie sur $\mathbb{N}$ par $u_n = f(n)$, avec f une fonction définie sur l'intervalle $[0\,;+\infty[$.

- Si f est croissante sur l'intervalle $[k\,;+\infty[$, alors la suite (u_n) est croissante pour $n \geqslant k$.
- Si f est décroissante sur l'intervalle $[k\,;+\infty[$, alors la suite (u_n) est décroissante pour $n \geqslant k$.

DÉMONSTRATION

- Supposons f croissante sur l'intervalle $[k\,;+\infty[$. Alors pour tous réels a et b de l'intervalle $[k\,;+\infty[$, si $a < b$ alors $f(a) \leqslant f(b)$. Pour tout entier $n \geqslant k$, comme $n < n+1$, on aura $f(n) \leqslant f(n+1)$, c'est-à-dire $u_n \leqslant u_{n+1}$. On en déduit que (u_n) est croissante pour $n \geqslant k$.
- On démontre de même que (u_n) est décroissante pour $n \geqslant k$ lorsque f est décroissante sur l'intervalle $[k\,;+\infty[$. ■

EXEMPLE

Dans l'exemple précédent, la suite (u_n) est définie sur $\mathbb{N}$ par $u_n = f(n)$ avec $f(x) = (x-3)^2$.

Or f est croissante sur l'intervalle $[3\,;+\infty[$ donc la suite (u_n) est croissante pour $n \geqslant 3$.

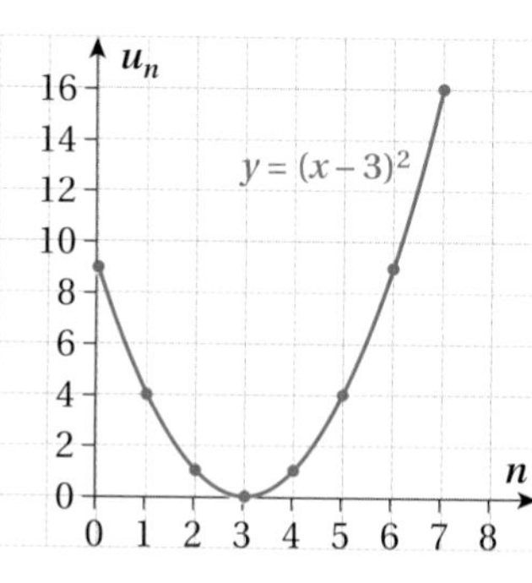

▶ Savoir-faire 3 Étudier les variations d'une suite, p. 144

REMARQUE R aisonnement

La réciproque de la propriété énoncée ci-dessus est fausse.

Sur la représentation ci-contre, on a indiqué sur la courbe de f le nuage de points de la suite définie sur $\mathbb{N}$ par $u_n = f(n)$.

La suite (u_n) est décroissante pour $n \geqslant 0$, mais la fonction f ne l'est pas sur l'intervalle $[0\,;6]$.

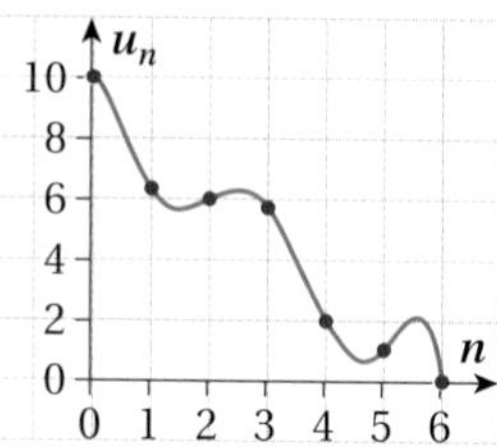

C. Notion de limite d'une suite numérique

1 Étude d'un exemple

La suite (u_n) est définie par un premier terme $u_0 = 1$ et vérifie, pour tout $n \in \mathbb{N}$, la relation $u_{n+1} = \frac{1}{4} u_n + 3$.

Le tableau ci-dessous présente certaines valeurs arrondies de termes de (u_n).

n	0	1	2	3	4	5	6	10	15
u_n	1	3,25	3,812 5	3,953 125	3,988 281 2	3,997 070 3	3,999 267 6	3,999 997 1	3,9999 999

On dit que la suite (u_n) converge vers 4 car ses termes se rapprochent de cette valeur lorsque n devient grand. 4 est la limite de la suite et on notera $\lim\limits_{n \to \infty} u_n = 4$.

2 Suite convergente, suite divergente

NOTE

La notion de « proche de ℓ » sera précisée en classe de Terminale.

DÉFINITION

On dit qu'une suite numérique (u_n) admet une limite réelle ℓ si tous les termes de la suite (u_n) sont proches de ℓ à partir d'un certain rang.
On dit alors que la suite est **convergente** vers ℓ.

EXEMPLES

1. La suite (u_n) est définie par $u_n = 1 - \frac{1}{3n^2}$ pour $n \geqslant 1$.

À l'aide de la calculatrice, on peut afficher la table des premiers termes de (u_n).

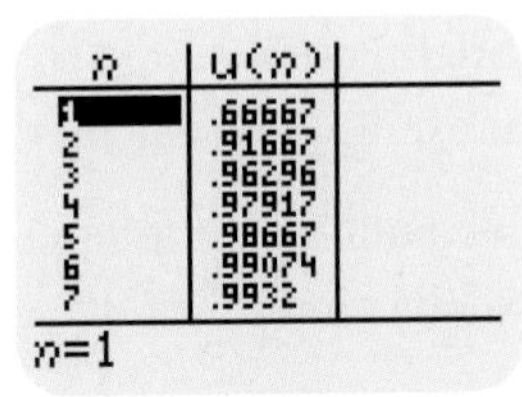

On admettra que $\lim\limits_{n \to \infty} u_n = 1$ et on le comprend car $\lim\limits_{n \to \infty} \frac{1}{3n^2} = 0$.

2. La suite (u_n) est définie par $u_0 = 10$ et vérifie, pour tout $n \in \mathbb{N}$, la relation $u_{n+1} = \frac{u_n}{2}$.
À l'aide de la calculatrice, on peut afficher la table des premiers termes de (u_n).

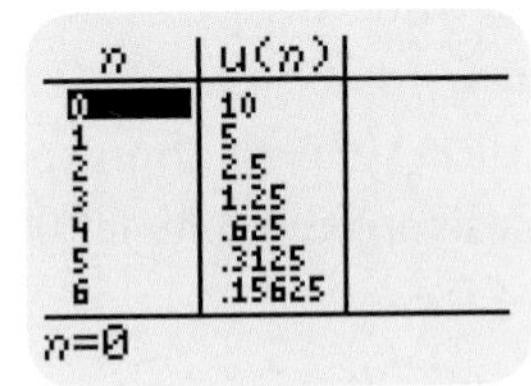

Chaque terme étant la moitié du précédent, on admet que $\lim\limits_{n \to \infty} u_n = 0$.

DÉFINITION

On dit qu'une suite numérique (u_n) est **divergente** si elle n'est pas convergente.

EXEMPLES

1. La suite (u_n) définie par $u_n = n^2$ pour $n \in \mathbb{N}$ diverge vers $+\infty$.
2. La suite (u_n) définie par $u_n = (-1)^n$ pour $n \in \mathbb{N}$ diverge car les termes de la suite ne se rapprochent pas d'une valeur unique. En effet, $u_0 = 1$, $u_1 = -1$, $u_2 = 1$, $u_3 = -1$... Deux termes consécutifs diffèrent toujours de 2 ou de -2.

D. Suites arithmétiques et suites géométriques

1 Suites arithmétiques

▶ Savoir-faire 4
Déterminer si une suite est arithmétique, p. 144

DÉFINITION

Une suite numérique (u_n) est **arithmétique** s'il existe un nombre r, appelé raison de la suite, tel que, pour tout nombre entier naturel n, on ait :

$$u_{n+1} = u_n + r$$

EXEMPLE

La suite définie par $\begin{cases} u_0 = 3 \\ u_{n+1} = u_n - 5 \end{cases}$ est une suite arithmétique de raison -5.

PROPRIÉTÉ

Soit (u_n) une suite arithmétique de premier terme u_0 et de raison r.
Pour tout entier naturel n, on a $\boldsymbol{u_n = u_0 + nr}$.

DÉMONSTRATION

Soit (u_n) une suite arithmétique vérifiant donc la relation $u_{n+1} = u_n + r$.
Calculons quelques termes de cette suite :
$u_0 = u_0$; $u_1 = u_0 + r$; $u_2 = u_1 + r = (u_0 + r) + r = u_0 + 2r$; $u_3 = u_2 + r = (u_0 + 2r) + r = u_0 + 3r$.
En répétant n fois le procédé, on obtient : $u_n = u_{n-1} + r = (u_0 + (n-1)r) + r = u_0 + nr$. ■

EXEMPLE

Soit la suite arithmétique (u_n) définie par $\begin{cases} u_0 = 3 \\ u_{n+1} = u_n - 5 \end{cases}$. Son premier terme est $u_0 = 3$ et sa raison est -5.
On a, pour tout entier naturel n, $u_n = u_0 + nr = 3 + n \times (-5) = 3 - 5n$.
Ce qui permet, par exemple, de calculer directement le terme de rang 8 : $u_7 = 3 + 7 \times (-5) = -32$.

REMARQUE Pour une suite arithmétique (u_n) de raison r si n et p sont deux entiers naturels, on peut toujours déterminer l'un des termes u_n ou u_p en fonction de l'autre par la relation $\boldsymbol{u_n = u_p + (n-p)r}$.
Cette relation est utile lorsqu'une suite arithmétique est définie à partir d'un certain rang ou lorsque l'on recherche sa raison connaissant deux termes.

▶ Savoir-faire 5
Déterminer la raison et le premier terme d'une suite arithmétique, p. 145

EXEMPLE

On s'intéresse à la suite (u_n) des nombres impairs et on définit u_n comme le $n^{\text{ième}}$ nombre impair. On a donc $u_1 = 1$ et $r = 2$.
Le terme général de la suite est donné par $u_n = u_1 + (n-1)r = 1 + (n-1) \times 2 = 2n - 1$.
On peut ainsi, par exemple, calculer le 100e nombre impair : $u_{100} = 2 \times 100 - 1 = 199$.

PROPRIÉTÉ

(u_n) est une suite arithmétique de raison r.

- Si $r > 0$, la suite (u_n) est croissante.

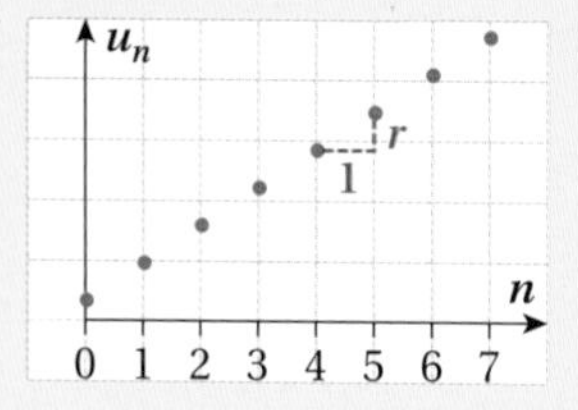

- Si $r < 0$, la suite (u_n) est décroissante.

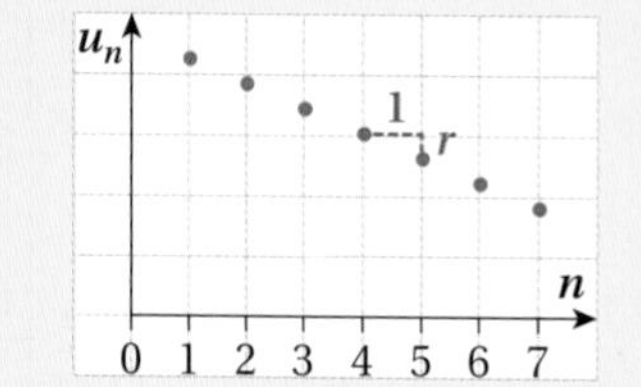

- Si $r = 0$, la suite (u_n) est constante.

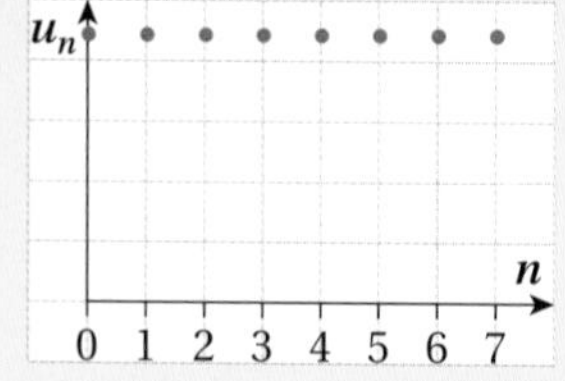

On dit que les variations de la suite sont linéaires car les points de sa représentation se situent sur une droite. La raison de la suite arithmétique est le coefficient directeur de la droite correspondante, d'équation $y = rx + u_0$.

EXEMPLE

La suite arithmétique (u_n), de premier terme $u_0 = 7$ et de raison $-1{,}5$, a pour représentation graphique des points situés sur la droite d'équation $y = -1{,}5x + 7$.

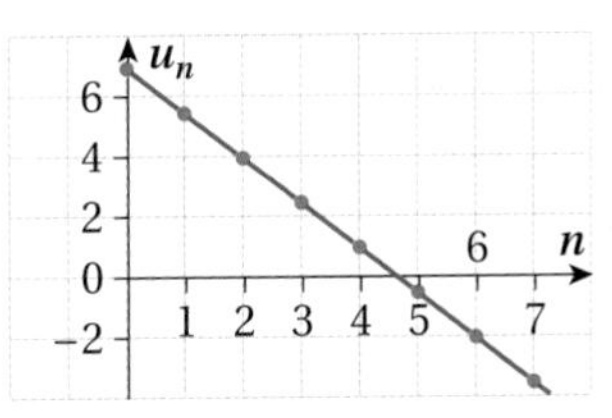

PROPRIÉTÉ

Soit (u_n) une suite arithmétique.
La formule suivante donne la **somme des termes consécutifs** :

$$\text{Somme des termes consécutifs} = (\text{nombre de termes}) \times \frac{(\text{premier terme} + \text{dernier terme})}{2}$$

En particulier, pour une suite arithmétique de premier terme u_0 :

$$S_n = u_0 + u_1 + \ldots + u_n = (n+1)\ \frac{u_0 + u_n}{2}$$

NOTE

Nous ne développons ici que la démonstration du cas particulier. Le cas général se traite de la même manière en considérant la somme $u_p + u_{p+1} + u_{p+2} + \ldots + u_n$.

DÉMONSTRATION

On considère la suite arithmétique (u_n) de premier terme u_0 et de raison r.
Elle admet donc pour terme général $u_n = u_0 + nr$.
Calculons quelques termes de cette suite :

$$u_0 = u_0\,; \quad u_1 = u_0 + r\,; \quad u_2 = u_0 + 2r\,; \quad u_3 = u_0 + 3r\,; \quad \ldots\,; \quad u_n = u_0 + nr.$$

On obtient en faisant la somme :

$$S_n = u_0 + u_1 + u_2 + u_3 + \ldots + u_n = u_0 + (u_0 + r) + (u_0 + 2r) + (u_0 + 3r) + \ldots + (u_0 + nr)$$

On regroupe les termes u_0 : il y en a $n+1$ car il y a $n+1$ termes du rang 0 au rang n. On regroupe les facteurs de r.

$$S_n = u_0 + u_1 + u_2 + u_3 + \ldots + u_n = (n+1)u_0 + (1 + 2 + 3 + \ldots + n)r$$

Il faut donc exprimer la somme $1 + 2 + 3 + \ldots + n$ en fonction de n.
Pour cela, on peut doubler cette somme en la réécrivant dans l'ordre inverse des termes :

	1	+	2	+	3	+	…	+	$(n-1)$	+	n
+	n	+	$(n-1)$	+	$(n-2)$	+	…	+	2	+	1
	$(n+1)$	+	$(n+1)$	+	$(n+1)$	+	…	+	$(n+1)$	+	$(n+1)$

$$= n \times (n+1)$$

On en déduit que $1 + 2 + 3 + \ldots + n = \dfrac{n(n+1)}{2}$.

La somme S_n peut alors s'exprimer ainsi :

$$\begin{aligned} S_n &= u_0 + u_1 + u_2 + u_3 + \ldots + u_n \\ &= (n+1)u_0 + (1 + 2 + 3 + \ldots + n) \times r \\ &= (n+1)u_0 + \frac{n(n+1)}{2} \times r \end{aligned}$$

En factorisant, on obtient :

$$\begin{aligned} S_n &= (n+1)\left(u_0 + \frac{n}{2}r\right) = (n+1)\left(\frac{2u_0 + nr}{2}\right) \\ &= (n+1)\left(\frac{u_0 + \overbrace{u_0 + nr}^{u_n}}{2}\right) \\ &= (n+1)\left(\frac{u_0 + u_n}{2}\right) \end{aligned}$$ ■

Légende ?

Des anecdotes variées attribuent l'astuce utilisée lors de cette démonstration au mathématicien allemand Carl Friedrich Gauss (1777 - 1855). Ce dernier l'aurait utilisée en classe, à l'âge de 10 ans, lorsque son professeur pour l'occuper lui aurait demandé de calculer la somme des 100 premiers entiers. Le jeune Gauss répondit en quelques secondes après avoir associé ces nombres deux par deux (1 + 100 = 101, 2 + 99 = 101, …) et constaté qu'il y avait 50 fois le même nombre, d'où le résultat 50 × 101 = 5050.

Mais ceci n'est peut-être qu'une légende car on a recensé plus de 111 versions différentes de cette histoire, avec un contexte et des nombres différents !

EXEMPLE

La suite des nombres impairs est arithmétique et l'on a déterminé dans un exemple précédent que le 100e nombre impair valait 199.
On peut donc calculer la somme des 100 premiers nombres impairs :

$$S_{100} = 1 + 3 + 5 + \ldots + 199 = 100 \times \frac{1+199}{2} = 100 \times 100 = 10\,000$$

▶ Savoir-faire 6
Calculer la somme des termes d'une suite arithmétique, p. 145

Suites géométriques

DÉFINITION

Une suite numérique (u_n) est **géométrique** s'il existe un nombre réel q, appelé raison de la suite, tel que, pour tout nombre entier naturel n, on ait :

$$\boldsymbol{u_{n+1} = q \times u_n}$$

EXEMPLES

▶ Savoir-faire 7
Déterminer si une suite est géométrique, p. 146

1. La suite définie par $\begin{cases} u_0 = 1 \\ u_{n+1} = 3u_n \end{cases}$ est une suite géométrique de raison 3.

2. Une ville peuplée de 800 habitants voit sa population augmenter de 5 % par an.
Donc chaque année, sa population est multipliée par 1 + 5 % = 1,05.
Elle suit une progression géométrique de raison 1,05.

PROPRIÉTÉ

Soit (u_n) une suite géométrique de premier terme u_0 et de raison q.
Pour tout entier naturel n, on a $\boldsymbol{u_n = u_0 \times q^n}$.

DÉMONSTRATION

Soit (u_n) une suite géométrique vérifiant donc la relation $u_{n+1} = q \times u_n$.
Calculons quelques termes de cette suite :
$u_0 = u_0$
$u_1 = q \times u_0$
$u_2 = q \times u_1 = q \times (q \times u_0) = q^2 \times u_0$
$u_3 = q \times u_2 = q \times (q^2 \times u_0) = q^3 \times u_0$
En répétant n fois le procédé, on obtient :

$$u_n = q \times u_{n-1} = q \times (q^{n-1} \times u_0) = q^n \times u_0 = u_0 \times q^n. \blacksquare$$

EXEMPLES

1. Soit la suite géométrique (u_n) de premier terme $u_0 = 1$ et de raison 3.
On a, pour tout entier naturel n, $u_n = u_0 \times q^n = 1 \times 3^n = 3^n$.
Ce qui permet, par exemple, de calculer directement le terme de rang 5 : $u_4 = 3^4 = 81$.

2. Une ville peuplée de 800 habitants voit sa population augmenter de 5 % par an. Comme vu précédemment, cette population suit une progression géométrique de raison 1,05.
En notant $u_0 = 800$ le terme initial de cette suite, on peut déterminer le terme général :

$$u_n = u_0 \times q^n = 800 \times 1{,}05^n$$

Après 6 années, la ville comptera $u_6 = 800 \times 1{,}05^6 \approx 1\,072$ habitants.

REMARQUE Pour une suite géométrique (u_n) de raison q non nulle, si n et p sont deux entiers naturels, on peut toujours déterminer l'un des termes u_n ou u_p en fonction de l'autre par la relation $\boldsymbol{u_n = u_p \times q^{n-p}}$.
Ceci est utile lorsqu'une suite géométrique est définie à partir d'un certain rang ou lorsque l'on recherche la raison d'une suite géométrique connaissant deux termes.

EXEMPLE

▶ Savoir-faire 8
Déterminer la raison et le premier terme d'une suite géométrique, p. 146

La suite (u_n) est géométrique telle que $u_5 = 7$ et $u_7 = 63$.
Pour déterminer sa raison q, on utilise la relation :

$$u_7 = u_5 \times q^{7-5} = u_5 \times q^2$$

D'où q vérifie l'égalité $63 = 7 \times q^2$, soit $q^2 = 9$.
Il y a donc deux valeurs de q possibles : 3 et –3.

PROPRIÉTÉ

(u_n) est une suite géométrique de premier terme non nul et de raison q.

- Si $q > 1$
  - Si $u_0 > 0$, alors la suite (u_n) est croissante.
  - Si $u_0 < 0$, alors la suite (u_n) est décroissante.

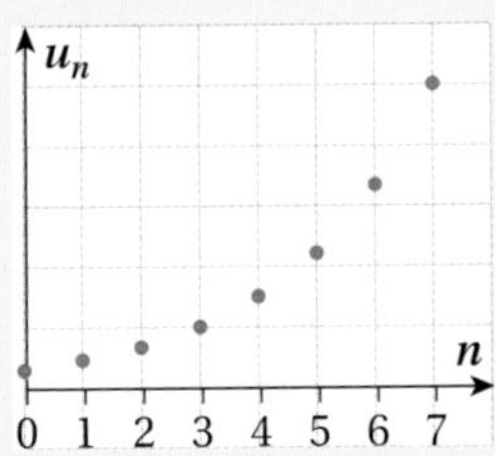

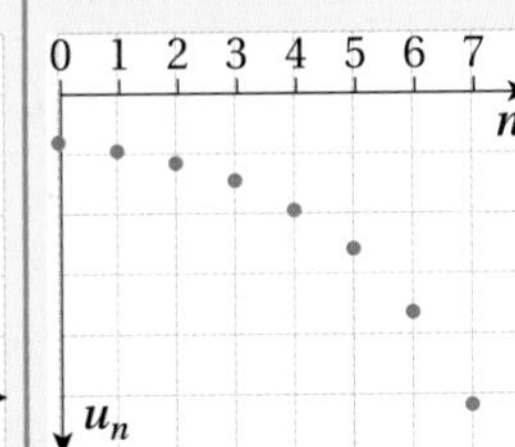

- Si $0 < q < 1$
  - Si $u_0 > 0$, alors la suite (u_n) est décroissante et $\lim u_n = 0$.
  - Si $u_0 < 0$, alors la suite (u_n) est croissante et $\lim u_n = 0$.

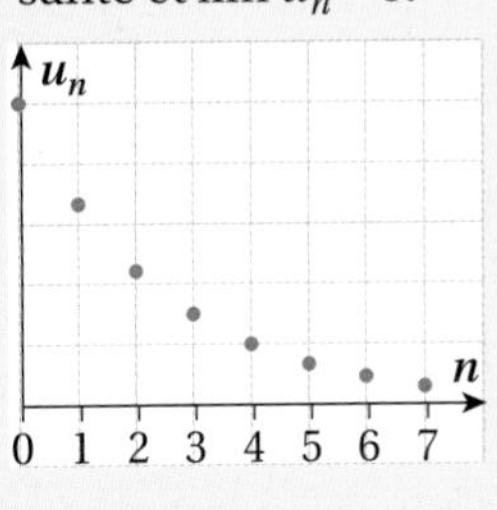

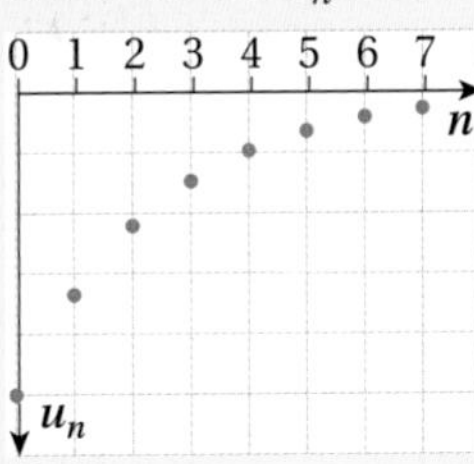

- Si $q = 1$, alors la suite (u_n) est constante.
- Si $q = 0$, alors la suite (u_n) est constante et vaut 0 à partir du second terme.
- Si $q < 0$, alors la suite (u_n) n'a pas de variations régulières.

EXEMPLE

La suite géométrique (u_n) de premier terme $u_0 = 4$ et de raison $\frac{1}{2}$ admet la représentation graphique ci-contre.

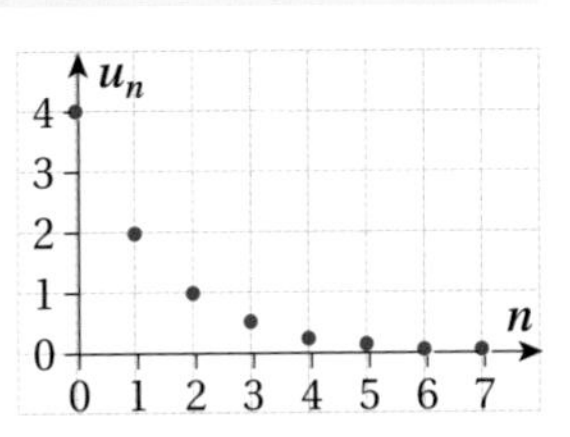

PROPRIÉTÉ

Soit (u_n) une suite géométrique de raison $q \neq 1$.

La formule suivante donne la **somme des termes consécutifs** :

$$\text{Somme des termes consécutifs} = (\text{premier terme}) \times \frac{1-q^{\text{nombre de termes}}}{1-q}$$

En particulier, pour une suite géométrique de premier terme u_0 :

$$S_n = u_0 + u_1 + \ldots + u_n = u_0 \times \frac{1-q^{n+1}}{1-q}$$

NOTE

Nous ne développons ici que la démonstration du cas particulier. Le cas général est traité dans l'exercice 81 p. 163.

DÉMONSTRATION

Soit (u_n) la suite géométrique de premier terme u_0 et de raison q.

Elle admet donc pour terme général $u_n = u_0 \times q^n$.

Calculons quelques termes de cette suite :

$$u_0 = u_0\,; \quad u_1 = u_0 \times q\,; \quad u_2 = u_0 \times q^2\,; \quad u_3 = u_0 \times q^3\,; \quad \ldots\,; \quad u_n = u_0 \times q^n.$$

On obtient en faisant la somme :

$$S_n = u_0 + u_1 + u_2 + u_3 + \ldots + u_n = u_0 + u_0 \times q + u_0 \times q^2 + u_0 \times q^3 + \ldots + u_0 \times q^n$$
$$= u_0 \times (1 + q + q^2 + q^3 + \ldots + q^n)$$

Il nous faut donc exprimer la somme $1 + q + q^2 + q^3 + \ldots + q^n$ en fonction de n.

Pour cela, on peut multiplier cette somme par $1 - q$:

$$(1 + q + q^2 + q^3 + \ldots + q^n) \times (1 - q) = 1 - q + (q - q^2) + (q^2 - q^3) + \ldots + (q^{n-1} - q^n) + (q^n - q^{n+1})$$
$$= 1 - \cancel{q} + \cancel{q} - \cancel{q^2} + \cancel{q^2} - \cancel{q^3} + \ldots + \cancel{q^{n-1}} - \cancel{q^n} + \cancel{q^n} - q^{n+1} = 1 - q^{n+1}$$

On en déduit que $1 + q + q^2 + q^3 + \ldots + q^n = \dfrac{1-q^{n+1}}{1-q}$.

La somme S_n peut alors s'exprimer ainsi : $S_n = u_0 + u_1 + \ldots + u_n = u_0 \times \dfrac{1-q^{n+1}}{1-q}$. ■

EXEMPLE

La suite (u_n) est géométrique de premier terme $u_0 = 1$ et de raison 2.

On peut exprimer la somme des $n + 1$ premiers termes :

$$S_n = u_0 + u_1 + \ldots + u_n = u_0 \times \frac{1-q^{n+1}}{1-q} = 1 \times \frac{1-2^{n+1}}{1-2} = \frac{1-2^{n+1}}{-1} = 2^{n+1} - 1$$

Et par exemple, pour $n = 10$, $S_{10} = 1 + 2 + 4 + 8 + 16 + 32 + \ldots + 1\,024 = 2^{11} - 1 = 2\,047$.

▶ Savoir-faire 9
Calculer la somme des termes d'une suite géométrique, p. 146

Savoir-faire 1 Calculer les premiers termes d'une suite définie par récurrence

ÉNONCÉ Déterminer les cinq premiers termes de chacune des suites suivantes.

a. Une suite (u_n) est définie par $u_0 = 1$ et vérifie pour tout $n \in \mathbb{N}$, $u_{n+1} = u_n + 2n + 1$.

b. Une suite (u_n) est définie pour tout entier $n \geqslant 1$ par $u_n = 1 + \frac{1}{2} + \frac{1}{3} + \frac{1}{4} + \ldots + \frac{1}{n}$.

SOLUTION

a. Le premier terme est $u_0 = 1$.

Le deuxième terme est :

$$u_1 = u_0 + 2 \times 0 + 1 = 1 + 2 \times 0 + 1 = 2$$

Le troisième terme est :

$$u_2 = u_1 + 2 \times 1 + 1 = 2 + 2 \times 1 + 1 = 5$$

Le quatrième terme est :

$$u_3 = u_2 + 2 \times 2 + 1 = 5 + 2 \times 2 + 1 = 10$$

Le cinquième terme est :

$$u_4 = u_3 + 2 \times 3 + 1 = 10 + 2 \times 3 + 1 = 17$$

b. Le premier terme est $u_1 = 1$.

Le deuxième terme est :

$$u_2 = 1 + \frac{1}{2} = \frac{3}{2}$$

Le troisième terme est :

$$u_3 = 1 + \frac{1}{2} + \frac{1}{3} = \frac{3}{2} + \frac{1}{3} = \frac{9}{6} + \frac{2}{6} = \frac{11}{6}$$

Le quatrième terme est :

$$u_4 = 1 + \frac{1}{2} + \frac{1}{3} + \frac{1}{4} = \frac{11}{6} + \frac{1}{4} = \frac{22}{12} + \frac{3}{12} = \frac{25}{12}$$

Le cinquième terme est :

$$u_5 = 1 + \frac{1}{2} + \frac{1}{3} + \frac{1}{4} + \frac{1}{5} = \frac{25}{12} + \frac{1}{5} = \frac{125}{60} + \frac{12}{60} = \frac{137}{60}$$

▸ Exercices 3 et 4 p. 156

MÉTHODE

a. Il faut avant tout identifier les termes recherchés en étant vigilant sur les indices. Puisque l'on cherche les cinq premiers termes et que le premier terme est u_0, alors le cinquième terme est u_4 :

Terme	u_0	u_1	u_2	u_3	u_4
Ordre	1er	2e	3e	4e	5e

Quand on applique une formule de récurrence du type $u_{n+1} = u_n + 2n + 1$, il faut bien identifier la valeur de n. Par exemple, si on calcule u_3 connaissant u_2, alors $n = 2$ et on a $u_3 = u_2 + 2 \times 2 + 1$.

b. Ici le cinquième terme est u_5 car le premier terme est u_1.
Pour chaque terme, les calculs rencontrés se répètent puisqu'on ajoute un nombre supplémentaire au terme précédent. Par exemple, pour calculer $u_4 = 1 + \frac{1}{2} + \frac{1}{3} + \frac{1}{4}$, on ne recalcule pas $1 + \frac{1}{2} + \frac{1}{3}$ qui correspond à u_3 et vaut $\frac{11}{6}$.
D'où $u_4 = \frac{11}{6} + \frac{1}{4} = \frac{22}{12} + \frac{3}{12} = \frac{25}{12}$.
On utilise en fait la relation de récurrence implicite $u_n = u_{n-1} + \frac{1}{n}$.

Savoir-faire 2 Calculer les termes d'une suite avec la calculatrice 

ÉNONCÉ À l'aide de la calculatrice, déterminer les premiers termes de chacune des suites suivantes.

a. La suite (u_n) est définie pour tout entier $n \geqslant 1$ par $u_n = \frac{2^n}{n}$.

b. La suite (u_n) est définie pour tout $n \geqslant 1$ par $u_n = 1 + \frac{1}{2} + \frac{1}{3} + \frac{1}{4} + \ldots + \frac{1}{n}$.

SOLUTION

a.

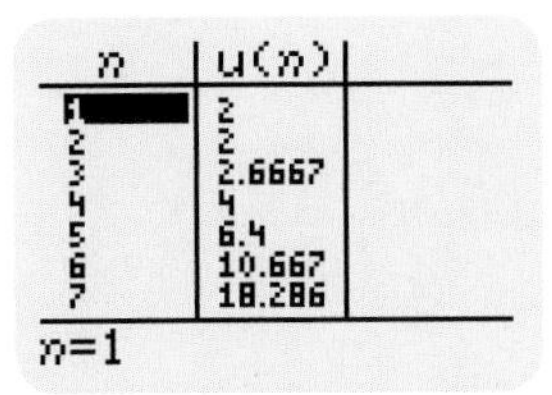

fig. 1. Avec la *TI-83 Plus.*

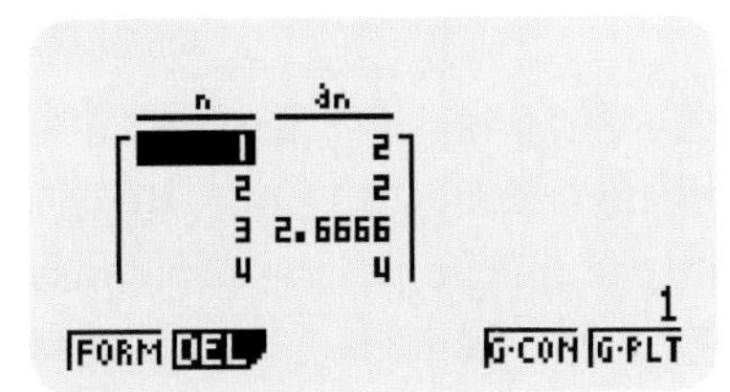

fig. 2. Avec la *Casio Graph 35+.*

b.

n	u(n)
1	1
2	1.5
3	1.8333
4	2.0833
5	2.2833
6	2.45
7	2.5929

n=1

fig. 1. Avec la *TI-83 Plus.*

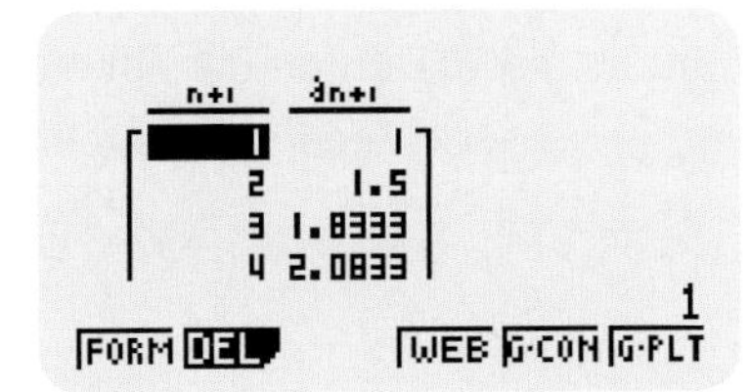

fig. 2. Avec la *Casio Graph 35+.*

▶ Exercices 8 et 9 p. 156

MÉTHODE

a.

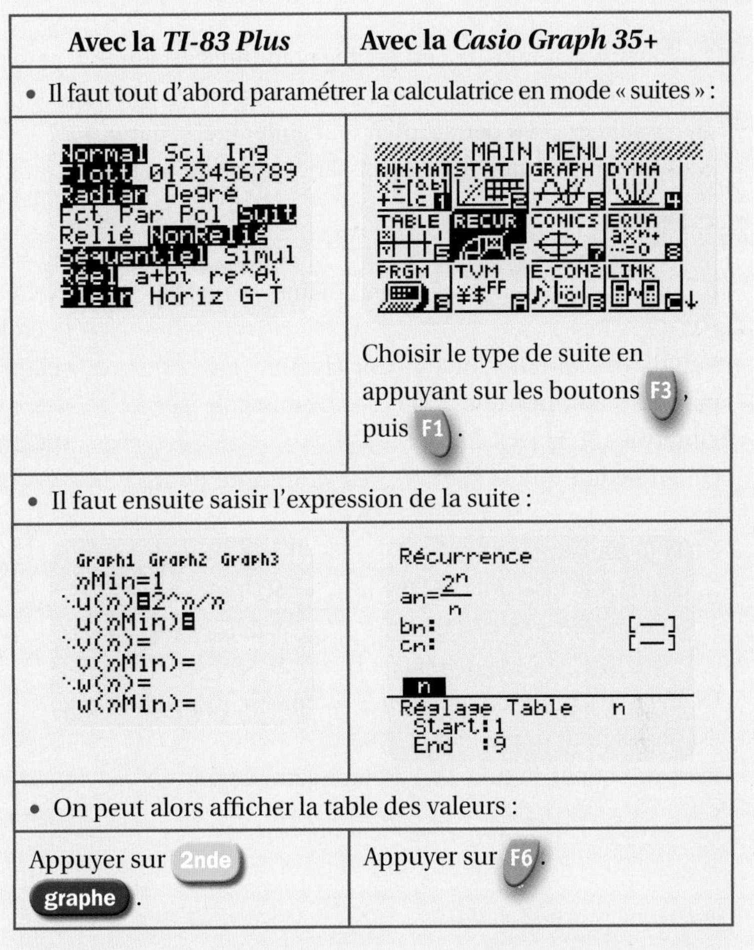

Avec la *TI-83 Plus*	Avec la *Casio Graph 35+*
• Il faut tout d'abord paramétrer la calculatrice en mode « suites » :	
Normal Sci Ing / Flott 0123456789 / Radian Degré / Fct Par Pol Suit / Relié NonRelié / Séquentiel Simul / Réel a+bi re^θi / Plein Horiz G-T	MAIN MENU (RUN·MAT, STAT, GRAPH, DYNA, TABLE, RECUR, CONICS, EQUA, PRGM, TVM, E-CON2, LINK) Choisir le type de suite en appuyant sur les boutons F3, puis F1.
• Il faut ensuite saisir l'expression de la suite :	
Graph1 Graph2 Graph3 / nMin=1 / u(n)=2^n/n / u(nMin)= / v(n)= / v(nMin)= / w(n)= / w(nMin)=	Récurrence / an=2ⁿ/n / bn: / cn: / Réglage Table n / Start:1 / End :9
• On peut alors afficher la table des valeurs :	
Appuyer sur 2nde graphe.	Appuyer sur F6.

b. Il faut avant tout comprendre la relation de récurrence définissant cette suite.

On a vu dans le Savoir-Faire 1 que cette relation est $u_n = u_{n-1} + \dfrac{1}{n}$.

Les paramètres nécessaires sont :

- un rang initial $n = 1$;
- un terme initial $u_1 = 1$;
- une relation de récurrence.

ATTENTION ! Avec la *TI-83 Plus,* la relation de récurrence est $u_n = u_{n-1} + \dfrac{1}{n}$, mais avec la *Casio Graph 35+,* elle doit être donnée au rang suivant, c'est-à-dire $u_{n+1} = u_n + \dfrac{1}{n+1}$.

Avec la *TI-83 Plus*	Avec la *Casio Graph 35+*
Graph1 Graph2 Graph3 / nMin=1 / u(n)=u(n-1)+1/n / u(nMin)={1} / v(n)= / v(nMin)= / w(n)=	Récurrence / an+1=an+1/(n+1) / bn+1: / cn+1: / n an bn cn / Réglage Table n+1 / Start:1 / End :9 / a1 :1 / b1 :0 / c1 :0 / anStr:1 / a0 a1

Savoir-faire 3 Étudier les variations d'une suite

ÉNONCÉ **a.** La suite (u_n) est définie pour tout entier $n \in \mathbb{N}$ par $u_n = n^2 - 3n + 1$.
Montrer que la suite (u_n) est croissante à partir d'un certain rang à préciser.
b. La suite (u_n) est définie pour tout entier $n \in \mathbb{N}$ par $u_n = 2^n - n$.
Montrer que la suite (u_n) est croissante à partir d'un certain rang à préciser.

SOLUTION

a. Ici $u_n = f(n)$ avec f la fonction définie sur $\mathbb{R}$ par $f(x) = x^2 - 3x + 1$.
L'étude des variations de f (voir chapitre 1 p. 25) permet d'affirmer que celle-ci est croissante sur l'intervalle $[1{,}5\ ;+\infty[$.
On en déduit que la suite (u_n) est croissante pour $n \geqslant 2$.
b. Pour tout entier $n \in \mathbb{N}$:

$$\begin{aligned} u_{n+1} - u_n &= 2^{n+1} - (n+1) - (2^n - n) \\ &= 2^{n+1} - n - 1 - 2^n + n \\ &= 2^{n+1} - 2^n - 1 = 2^n(2-1) - 1 = 2^n - 1 \end{aligned}$$

Or $2^n - 1 \geqslant 0$ pour tout entier $n \in \mathbb{N}$, donc $u_{n+1} - u_n$ est positif pour tout entier $n \in \mathbb{N}$.
Par conséquent, la suite (u_n) est croissante sur $\mathbb{N}$.

MÉTHODE

a. L'étude des variations de f permet d'affirmer la croissance de la suite (u_n) pour $n \geqslant 2$, mais cela n'exclut pas qu'elle puisse être croissante dès $n = 1$. En effet, même si f est décroissante sur $[1\ ;1{,}5]$, u_1 peut être inférieur à u_2.

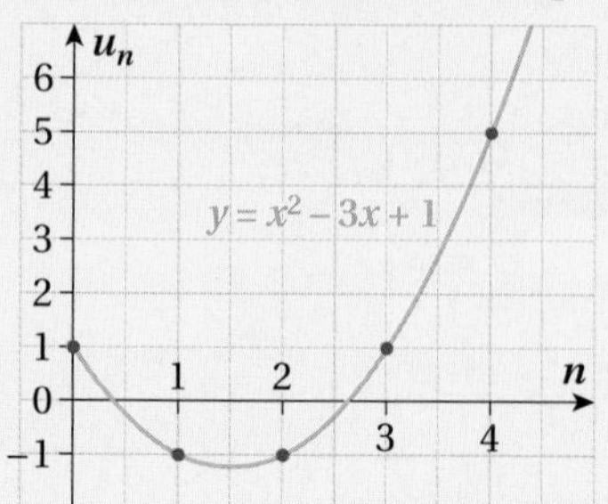

b. L'étude de la fonction f définissant la suite n'est pas toujours aisée. L'étude du signe de la différence $u_{n+1} - u_n$ est en général la meilleure solution.

▶ Exercices 13 à 16 p. 157

Savoir-faire 4 Déterminer si une suite est arithmétique

ÉNONCÉ Déterminer si les suites (u_n) et (v_n) suivantes sont arithmétiques. Si oui, préciser leur raison.
a. La suite (u_n) est définie pour tout entier $n \geqslant 0$ par $u_n = 7 - 6n$.
b. La suite (v_n) est définie pour tout entier $n \geqslant 0$ par $v_n = n^2 - n$.

SOLUTION

a. Pour tout entier n, on a :
$u_{n+1} - u_n = (7 - 6(n+1)) - (7 - 6n) = 7 - 6n - 6 - 7 + 6n = -6$
Comme la différence $u_{n+1} - u_n$ est constante, la suite (u_n) est arithmétique et sa raison est -6.
b. Pour tout entier n, on a :

$$\begin{aligned} v_{n+1} - v_n &= ((n+1)^2 - (n+1)) - (n^2 - n) \\ &= n^2 + 2n + 1 - (n+1) - n^2 + n \\ &= n^2 + n - n^2 + n = 2n \end{aligned}$$

Comme la différence $v_{n+1} - v_n$ n'est pas constante, la suite (v_n) n'est pas arithmétique.

MÉTHODE

a. Une suite arithmétique est définie par un premier terme et un réel r tel que $u_{n+1} = u_n + r$. Cette propriété est équivalente à $u_{n+1} - u_n = r$.
b. On aurait pu éviter le calcul de $v_{n+1} - v_n$ car un contre-exemple suffit pour montrer qu'une suite n'est pas arithmétique : $v_0 = 0$, $v_1 = 0$ et $v_2 = 2$, donc $v_2 - v_1 \neq v_1 - v_0$ et la suite (v_n) ne peut pas être arithmétique.

▶ Exercices 32 et 33 p. 159

Savoir-faire 5 Déterminer la raison et le premier terme d'une suite arithmétique

ÉNONCÉ (u_n) est une suite arithmétique telle que $u_7 = 11$ et $u_{15} = 23$.
Déterminer la raison r et le premier terme u_0 de la suite (u_n).

SOLUTION

- Pour déterminer la raison r, on applique la relation $u_n = u_p + (n - p)r$ avec $n = 15$ et $p = 7$.
$u_{15} = u_7 + (15 - 7)r$, soit $23 = 11 + (15 - 7)r$.
On résout cette équation d'inconnue r :
$$23 = 11 + (15 - 7)r \Leftrightarrow 12 = 8r \Leftrightarrow r = 1{,}5$$
La raison de (u_n) est 1,5.

- Pour déterminer u_0, on applique la relation $u_n = u_p + (n - p)r$ avec $n = 0$ et $p = 7$:
$u_0 = u_7 + (0 - 7)r = 11 + (-7) \times 1{,}5 = 11 - 10{,}5 = 0{,}5$

MÉTHODE

L'idée est de compter les « pas » entre les deux termes de la suite. On peut schématiser la situation ainsi :
$$\underbrace{u_7 \xrightarrow{+r} u_8 \xrightarrow{+r} u_9 \xrightarrow{+r} u_{10} \xrightarrow{+r} u_{11} \xrightarrow{+r} u_{12} \xrightarrow{+r} u_{13} \xrightarrow{+r} u_{14} \xrightarrow{+r} u_{15}}_{+8r}$$

▶ Exercices 34, 35, 37 et 38 p. 159

Savoir-faire 6 Calculer la somme des termes d'une suite arithmétique

ÉNONCÉ **a.** (u_n) est une suite arithmétique de premier terme $u_0 = 5$ et de raison 3.
Calculer la somme $S_{10} = u_2 + u_3 + \ldots + u_{10}$.
b. Calculer la somme S des termes d'une suite arithmétique telle que $S = 1 + 1{,}5 + 2 + 2{,}5 + \ldots + 99{,}5 + 100$.

SOLUTION

a. On calcule les termes u_2 et u_{10} à l'aide de l'expression $u_n = u_0 + nr$:
$u_2 = 5 + 2 \times 3 = 11$
$u_{10} = 5 + 10 \times 3 = 35$
D'où :
$$S_{10} = u_2 + u_3 + \ldots + u_{10} = 9 \times \frac{(u_2 + u_{10})}{2}$$
$$= 9 \times \frac{(11+35)}{2} = 9 \times 23 = 207$$

b. La suite (u_n) dont on fait la somme des termes est de raison 0,5.
On nomme u_0 le premier terme qui vaut 1.
Le terme général de (u_n) est donc :
$$u_n = 1 + n \times 0{,}5$$
On cherche le rang du dernier terme 100.
$u_n = 1 + n \times 0{,}5 = 100$, ce qui équivaut à $n \times 0{,}5 = 99$, d'où $n = 2 \times 99 = 198$.
D'où :
$$S_{198} = u_0 + u_1 + \ldots + u_{198} = (198+1) \times \frac{1+100}{2} = 199 \times 50{,}5 = 10\,049{,}5$$

MÉTHODE

a. On applique la formule générale de la somme des termes consécutifs d'une suite arithmétique :
$$S = (\text{nombre de termes}) \times \frac{(\text{premier terme} + \text{dernier terme})}{2}$$
Pour appliquer cette formule, il faut connaître le premier et le dernier terme mais il faut surtout bien compter le nombre de termes.
De u_2 à u_{10}, il y a 8 « pas » mais 9 termes :
$$u_2 \to u_3 \to u_4 \to u_5 \to u_6 \to u_7 \to u_8 \to u_9 \to u_{10}$$

b. On applique la formule de la somme des termes d'une suite arithmétique :
$$S_n = u_0 + u_1 + \ldots + u_n = (n+1)\frac{u_0 + u_n}{2}$$
On peut vérifier qu'en appliquant cette formule, le facteur $(n + 1)$ vaut 199 et dénombre bien les termes de la somme de u_0 à u_{198}.

▶ Exercices 39 à 42 p. 159

Savoir-faire 7 Déterminer si une suite est géométrique

ÉNONCÉ Déterminer si les suites (u_n) et (v_n) suivantes sont géométriques. Si oui, préciser leur raison.

a. La suite (u_n) est définie pour tout entier $n \geqslant 0$ par $u_n = 3^{2n+1}$.

b. La suite (v_n) est définie pour tout entier $n \geqslant 0$ par $v_n = \dfrac{2^n}{n+1}$.

SOLUTION

a. Pour tout entier n, $\dfrac{u_{n+1}}{u_n} = \dfrac{3^{2(n+1)+1}}{3^{2n+1}} = \dfrac{3^{2n+3}}{3^{2n+1}} = 3^2 = 9$.

Comme le quotient $\dfrac{u_{n+1}}{u_n}$ est constant, la suite (u_n) est géométrique et sa raison est 9.

b. Les premiers termes sont $v_0 = 1$, $v_1 = 1$ et $v_2 = \dfrac{4}{3}$.

Comme le quotient $\dfrac{v_{n+1}}{v_n}$ n'est pas constant pour tout entier n (car $\dfrac{v_1}{v_0} = 1$ et $\dfrac{v_2}{v_1} = \dfrac{4}{3}$), la suite (v_n) n'est pas géométrique.

MÉTHODE

a. Une suite géométrique est définie par un premier terme et un réel q tel que $u_{n+1} = q \times u_n$. Cette propriété est équivalente à $\dfrac{u_{n+1}}{u_n} = q$ dès lors que les termes de la suite (u_n) ne s'annulent jamais.

b. On raisonne ici par contre-exemple pour démontrer que la suite n'est pas géométrique.

▶ Exercices 50 et 51 p. 160

Savoir-faire 8 Déterminer la raison et le premier terme d'une suite géométrique

ÉNONCÉ (u_n) est une suite géométrique telle que $u_2 = 2$ et $u_7 = 486$.
Déterminer la raison q et le premier terme u_0 de la suite (u_n).

SOLUTION

- Pour déterminer la raison q, on applique la relation $u_n = u_p \times q^{n-p}$ avec $n = 7$ et $p = 2$:

$$u_7 = u_2 \times q^{7-2} \quad \text{d'où} \quad 486 = 2 \times q^5$$

On résout cette équation d'inconnue q :

$$q^5 = \frac{486}{2} = 243 \Leftrightarrow q = \sqrt[5]{243} = 3$$

- Pour déterminer u_0, on applique la relation $u_n = u_p \times q^{n-p}$ avec $n = 0$ et $p = 2$:

$$u_0 = u_2 \times q^{0-2} = 2 \times 3^{-2} = \frac{2}{9}$$

MÉTHODE

L'idée est de compter les « pas » entre les deux termes de la suite. On peut schématiser la situation ainsi :

$$u_2 \to u_3 \to u_4 \to u_5 \to u_6 \to u_7$$
$$\times q \quad \times q \quad \times q \quad \times q \quad \times q$$
$$\underbrace{\qquad\qquad\qquad\qquad}_{\times q^5}$$

On utilise la fonction racine $n^{\text{ième}}$ de la calculatrice ($\sqrt[n]{\ }$) qui renvoie une valeur positive de q.

ATTENTION ! Il faut rester vigilant sur le fait que si l'exposant est pair, il y a deux valeurs de q opposées qui conviennent et la suite n'est pas entièrement définie.

▶ Exercices 53, 56, 57 et 58 p. 160 et 161

Savoir-faire 9 Calculer la somme des termes d'une suite géométrique

ÉNONCÉ Calculer la somme S des termes d'une suite géométrique telle que $S = 1 + 2 + 2^2 + 2^3 + \ldots + 2^{13}$.

SOLUTION

La suite (u_n) dont on fait la somme des termes est de premier terme 1 et de raison 2. On nomme u_0 le premier terme 1. La somme compte 14 termes.

On a donc $S = u_0 + u_1 + \ldots + u_{13} = 1 \times \dfrac{1-2^{13+1}}{1-2} = 16\,383$.

MÉTHODE

On peut vérifier qu'en appliquant la formule $S_n = u_0 + u_1 + \ldots + u_n = u_0 \times \dfrac{1-q^{n+1}}{1-q}$, le facteur $(n+1)$ vaut 14 et dénombre bien les termes de la somme de u_0 à u_{13}.

▶ Exercices 62 et 63 p. 161

Travaux pratiques

TICE 1 Somme des cubes 

Objectifs : • Utiliser la calculatrice pour construire la table des termes d'une suite définie par récurrence.
• Conjecturer une formule et vérifier une relation de récurrence.

On étudie la suite (u_n) définie pour tout $n \in \mathbb{N}$ par $u_n = 1 + 2 + 3 + \ldots + n$.

1 Une formule pour (u_n)

a. Montrer que la suite (u_n) vérifie la relation $u_n = u_{n-1} + n$ pour tout $n \geqslant 1$.

b. Afficher à la calculatrice la table des termes de (u_n) (▶ Savoir-faire 2 p. 142).

c. Afficher à la calculatrice la table des termes de la suite (v_n) définie pour tout $n \in \mathbb{N}$ par $v_n = \dfrac{n(n+1)}{2}$ et comparer les suites (u_n) et (v_n).

d. Exprimer v_{n-1} en fonction de n et montrer que la suite (v_n) vérifie la relation $v_n = v_{n-1} + n$ pour tout $n \geqslant 1$.

2 Cube ou carré ?

a. Afficher à la calculatrice la table des termes de la suite (w_n) définie pour tout $n \in \mathbb{N}$ par $w_n = 1^3 + 2^3 + 3^3 + \ldots + n^3$.

b. Conjecturer une relation entre v_n et w_n.

c. En déduire une expression du terme général de (w_n).

d. Démontrer que l'expression de w_n trouvée à la question **2c** vérifie la relation $w_n = w_{n-1} + n^3$ pour tout $n \geqslant 1$.

TICE 2 Conjecturer une formule

Objectifs : • Utiliser un tableur pour construire les termes d'une suite définie par récurrence.
• Interpréter graphiquement un nuage de points et conjecturer une formule.

La suite (u_n) est définie par son premier terme $u_1 = 0$ et vérifie la relation $u_{n+1} = \dfrac{1}{2-u_n}$ pour tout $n \geqslant 1$.

1 À l'aide d'un tableur, dresser la table des 30 premiers termes de la suite (u_n).

2 Représenter graphiquement la suite (u_n). Conjecturer ses variations et sa limite.

3 On considère la suite (v_n) définie pour tout $n \geqslant 1$ par $v_n = \dfrac{1}{1-u_n}$.

a. Compléter la feuille de calcul de la question **1** avec les 30 premiers termes de (v_n).

b. Conjecturer l'expression du terme général de (v_n).

c. En déduire l'expression du terme général de (u_n).

d. Vérifier ce résultat en ajoutant une colonne pour l'expression trouvée.

4 En admettant l'expression trouvée en **3c**, démontrer les conjectures émises en **2**.

TP TICE 3

Intérêts simples et intérêts composés

Objectifs :
- Utiliser un tableur pour comparer deux suites.
- Découvrir les suites arithmétiques et géométriques.
- Modifier les paramètres d'une suite pour en comprendre les propriétés.

On appelle **intérêts simples** sur un capital, un placement où les intérêts sont calculés chaque année sur la base du capital de départ.
On appelle **intérêts composés** sur un capital, un placement où les intérêts s'ajoutent au capital. L'année suivante, les intérêts sont calculés sur le nouveau capital.

1 Avec un tableur, construire et prolonger le tableau ci-contre exprimant pour les valeurs de n variant de 0 à 40, les valeurs du capital après n années.

	A	B	C	D	E	F
1	Capital de départ	200			Capital avec intérêts simples	Capital avec intérêts composés
2	Taux intérêts simples	12%		Année		
3	Taux intérêts composés	6%		0	200	200
4				1	224	212
5				2	248	224,72

Les cellules E4 et F4 contiendront des formules copiables vers le bas et le tableau s'actualisera automatiquement lorsque le capital de départ ou les taux d'intérêts saisis dans les cellules B1 à B3 seront modifiés.

2 À l'aide du tableau obtenu, répondre aux questions suivantes.
a. Quel est le placement le plus intéressant pour 15 ans ? 20 ans ? 30 ans ?
b. Déterminer selon les valeurs de n le placement le plus intéressant.

3 Représenter graphiquement les deux suites de capitaux étudiées et vérifier sur le graphique les résultats de la question **2**.

4 **a.** Modifier le tableau en prenant comme capital de départ 2 000 € et reprendre la question **2**.
b. La valeur du capital de départ influe-t-elle sur ces réponses ? Justifier.

5 Le banquier souhaite modifier ses taux à intérêts composés pour les rendre plus attractifs. Il voudrait que ce placement devienne le plus intéressant à partir de la 15e année.
En modifiant le taux de la cellule B3, déterminer le taux minimal qu'il doit proposer (taux donné en % avec 2 décimales).

TP TICE 4

Croissante mais convergente ?

Objectifs :
- Utiliser la calculatrice pour construire la table des termes d'une suite définie par récurrence.
- Conjecturer puis démontrer les variations et la limite d'une suite.

Une suite (u_n) est définie par $u_0 = 1$ et vérifie pour tout $n \in \mathbb{N}$ la relation $u_{n+1} = 0{,}5u_n + 8{,}5$.

1 **a.** Afficher à la calculatrice la table des termes de (u_n).
b. Conjecturer les variations de la suite (u_n). Peut-on penser que (u_n) converge ?

2 On définit pour tout $n \in \mathbb{N}$ la suite $v_n = 17 - u_n$.
a. Montrer que pour $n \geqslant 1$, $v_n = 8{,}5 - 0{,}5u_{n-1}$.
b. Afficher à la calculatrice la table des termes de (v_n).
c. Conjecturer la nature de la suite (v_n). En déduire l'expression de son terme général.
d. Donner alors le terme général de la suite (u_n).
Peut-on en déduire ses variations et sa limite conjecturées à la question **1b** ?

TICE 5 Le flocon de Koch

Objectifs : • Utiliser un tableur pour construire les termes d'une suite définie par récurrence.
• Conjecturer puis démontrer les variations et la limite d'une suite.

Le flocon de Koch est obtenu en poursuivant indéfiniment la construction de polygones réguliers dont les premières étapes sont dessinées ci-dessous :

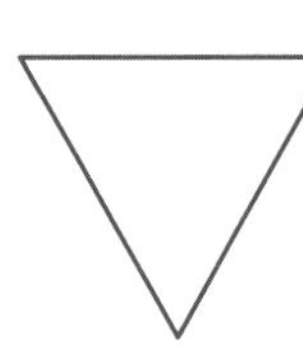
Étape 1

Étape 2

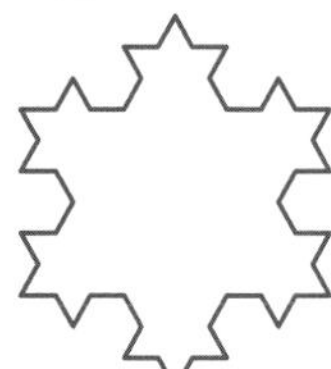
Étape 3

...

On souhaite trouver avec un tableur le périmètre du flocon ainsi que son aire à une étape quelconque, en déterminant les formules permettant de compléter la feuille de calcul ci-dessous.

	A	B	C	D	E	F	G
1	Étape	Longueur d'un côté	Nombre de côtés	Périmètre	Aire d'un nouveau triangle ajouté	Aire totale ajoutée	Aire du flocon
2	1	1	3	3	0.433012702	0.433012702	0.433012702
3	2						
4	3						
5	4						

Les valeurs de la ligne 1 ont été saisies en considérant que le côté du triangle équilatéral mesure 1 unité.
L'aire du triangle équilatéral de côté 1 vaut $\frac{\sqrt{3}}{4}$.

1 Périmètre

Chaque côté génère à l'étape suivante 4 côtés de longueur 3 fois plus petite.

a. En déduire les formules permettant de compléter les colonnes B à D.

b. Conjecturer la limite du périmètre du flocon.

2 Aire

Chaque côté génère à l'étape suivante un triangle équilatéral de côté 3 fois plus petit.

a. Justifier que l'aire d'un nouveau triangle est 9 fois plus petite que celle des triangles de l'étape précédente et compléter la colonne E.

b. Identifier le nombre de nouveaux triangles ajoutés à une étape donnée, et compléter les colonnes F et G.

c. En copiant ces formules pour un nombre important d'étapes, conjecturer la limite de l'aire du flocon.

3 Pour aller plus loin

On note (l_n), (c_n), (p_n), (a_n), (t_n) et (f_n) les suites définies respectivement par la longueur d'un côté, le nombre de côtés, le périmètre, l'aire d'un nouveau triangle ajouté, l'aire totale ajoutée et l'aire du flocon.

a. Montrer que les suites (l_n), (c_n) et (a_n) sont géométriques et donner leur terme général.

b. En déduire le terme général de (p_n) et confirmer la conjecture émise au **1b**.

c. En utilisant la relation $t_n = a_n \times c_{n-1}$, valable pour $n \geqslant 2$, montrer que $t_n = \frac{3\sqrt{3}}{16}\left(\frac{4}{9}\right)^{n-1}$.

d. En déduire que la suite (t_n) est géométrique et montrer que :

$$t_2 + t_3 + \ldots + t_n = \frac{3\sqrt{3}}{20}\left(1 - \left(\frac{4}{9}\right)^{n-1}\right)$$

e. En déduire l'aire du flocon à l'étape n, $f_n = t_1 + t_2 + t_3 + \ldots + t_n$, et calculer sa limite.

TP

Algorithmique 1 Calculer les termes d'une suite définie par récurrence

▶ Fiches Algorithmique p. 11

Objectifs : • Interpréter un algorithme programmé sur calculatrice.
• Écrire un algorithme avec une boucle et un test d'arrêt.

Une suite (u_n) est définie par un premier terme u_0 et chaque terme suivant est la moitié du précédent.

1 On a programmé ci-dessous un algorithme sur calculatrices.

```
PROGRAM:SUITE
:Prompt U,N
:For(I,1,N)
:U/2→U
:End
:Disp U
:
```

fig. a. Avec la *TI-83 Plus*.

fig. b. Avec la *Casio Graph 35+*.

a. Que représentent les variables U et N ?

b. Quelles sont les données d'entrée nécessaires à l'algorithme ?

c. Programmer cet algorithme et calculer u_{100} en choisissant $u_0 = 1\,000$.

2 On cherche désormais à déterminer la plus petite valeur de n telle que le terme u_n soit inférieur à un nombre p à choisir.

a. Quelles sont les données d'entrée nécessaires à l'algorithme ?

b. Quelle variable doit être affichée en sortie ?

c. À l'aide d'une boucle « tant que » (*while* en anglais), écrire en langage naturel l'algorithme voulu.

d. Programmer ce nouvel algorithme.

TP

Algorithmique  Le meilleur salaire 

▶ Fiches Algorithmique p. 11

Objectifs : • Lire et interpréter un algorithme avec boucle.
• Modifier un algorithme pour calculer et comparer la somme des termes de deux suites.

Luc se voit proposer deux offres d'emploi. Pour la première, chez Alphamat, il lui est proposé un salaire annuel de 20 000 € avec une augmentation annuelle de 800 €. Pour la seconde, chez Bétamat, il lui est proposé 18 500 € de salaire annuel et une augmentation annuelle de 5 %.

1 Pour comparer ces salaires, Luc a programmé l'algorithme ci-contre avec AlgoBox.

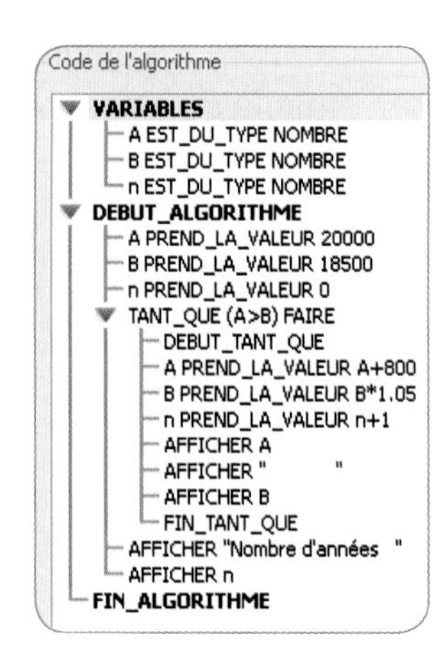

a. Décrire ce que réalise cet algorithme.

b. En exécutant cet algorithme, le dernier nombre affiché est 7.
Que représente ce nombre ?
Combien de nombres auront été affichés au total ?

2 Luc réalise que ces informations sont insuffisantes. Si au bout d'un certain nombre d'années, le salaire devient plus intéressant chez Bétamat, il faut encore quelques années pour rattraper les pertes du début du contrat. Il décide donc de comparer les salaires cumulés.

a. En introduisant les variables Atotal et Btotal, modifier l'algorithme pour qu'il détermine le nombre d'années nécessaires pour que le salaire cumulé soit plus intéressant chez Bétamat.
b. Exécuter cet algorithme et déterminer ce nombre d'années.

3 Pour aller plus loin
Luc souhaite vraiment travailler chez Bétamat et voudrait négocier son salaire initial pour que le salaire cumulé soit meilleur dès la sixième année. En modifiant progressivement la valeur initiale de B, déterminer, en exécutant l'algorithme, le salaire initial qu'il doit obtenir.

TP

Algorithmique 3 Sommes convergentes ou divergentes ?

▶ Fiches Algorithmique p. 11

Objectifs :
- Lire un algorithme programmé en Python avec un calcul itératif effectuant une somme.
- Étudier les variations et la convergence de suites définies par des sommes.

On s'intéresse aux trois suites (u_n), (v_n) et (w_n) définies pour $n \geqslant 1$ par :

$$u_n = \frac{1}{1^2}+\frac{1}{2^2}+\frac{1}{3^2}+\frac{1}{4^2}+\ldots+\frac{1}{n^2}\ ;\ v_n = 1+\frac{1}{2}+\frac{1}{3}+\frac{1}{4}+\ldots+\frac{1}{n}\ ;\ w_n = 1-\frac{1}{2}+\frac{1}{3}-\frac{1}{4}+\ldots+\frac{(-1)^{n+1}}{n}.$$

1 Justifier les variations de chacune de ces suites

2 Pour étudier la limite de (u_n), on a programmé en Python la fonction sommeU permettant de calculer des termes de rang très élevés de cette suite. La seconde fenêtre montre son exécution pour certaines valeurs de n.

```
def sommeU(n):
    S=0
    for i in range(1,n+1):
        S=S+1.0/pow(i,2)
    print (S)
```

```
>>> sommeU(4)
1.42361111111
>>> sommeU(10)
1.54976773117
>>> sommeU(100)
1.63498390018
>>> sommeU(10000)
1.64483407185
>>> sommeU(1000000)
1.64493306685
```

REMARQUES

- En Python, range(n) donne la liste de valeurs de 0 à $n-1$, et range(1, n) donne celle de 1 à $n-1$.
Pour obtenir la liste de valeurs de 1 à n, il faut donc utiliser range(1, n + 1).
- On pourra se reporter à la page IV pour se familiariser avec l'opération de division selon les versions de Python.

a. Calculer la valeur exacte de u_4 et contrôler le résultat affiché ci-dessus.
b. Quel est l'ordre de grandeur de la différence entre $u_{10\,000}$ et $u_{1\,000\,000}$?
c. Que peut-on conjecturer quant à la convergence de (u_n) ?

3 Programmer les suites (v_n) et (w_n) et reprendre les questions **2**a à **2**c.

Étonnant !

Il a été démontré par le mathématicien suisse Leonhard Euler en 1735 que la suite (u_n) converge vers $\frac{\pi^2}{6}$. On peut le vérifier à la calculatrice.

Quant à (w_n), elle converge vers ln(2) où ln signifie logarithme népérien, une fonction qui sera étudiée en classe de Terminale (cette fonction apparaît aussi sur la calculatrice).

TP

Algorithmique  Rapidité de convergence 

▶ Fiches Algorithmique p. 11

Objectifs : • Programmer un algorithme pour mesurer la rapidité de convergence d'une suite.
• Comparer deux suites à l'aide d'un test conditionnel.

1 La suite (u_n) est définie par un premier terme u_0 et pour tout $n \in \mathbb{N}$ par la relation $u_{n+1} = 1 + \frac{1}{1+u_n}$.

```
saisir(u);
saisir(n);
pour j de 1 jusque n
faire u:=1+1/(1+u);
afficher(u);
fpour;
```

```
u:6/5
u:16/11
u:38/27
u:92/65
u:222/157
u:536/379
u:1294/915
u:3124/2209
Evaluation time: 2.703
```

a. Le programme Xcas ci-contre (en rouge) calcule les n premiers termes de la suite (u_n).
La fenêtre inférieure affiche (en bleu) le résultat de son exécution.
Quelles valeurs ont été saisies pour u et n afin d'obtenir ces résultats ?

b. Justifier la nature des nombres u_n pour tout $n \in \mathbb{N}$.

c. En calculant les valeurs approchées des termes affichés, reconnaître une valeur particulière ℓ comme probable limite de (u_n).

d. Pour étudier la rapidité de convergence de (u_n) vers ℓ, on modifie l'algorithme pour qu'il n'affiche plus en sortie que la distance de u_n à ℓ pour tout $n \geqslant 1$.
Programmer cet algorithme et le tester pour $u = 4$ et $n = 8$.
Que peut-on penser de la convergence de (u_n) ?

COUP DE POUCE
La distance entre deux nombres a et b est $|b - a|$.

2 Au Ier siècle de notre ère, Héron d'Alexandrie avait déjà trouvé une suite convergeant vers la même limite.
Cette suite (v_n) est définie par un premier terme v_0 et pour tout $n \in \mathbb{N}$ par la relation $v_{n+1} = \frac{v_n}{2} + \frac{1}{v_n}$.

a. Ajouter la suite (v_n) au programme et mesurer sa distance à ℓ.

b. Exécuter cet algorithme pour $v = 4$ et $n = 8$, puis comparer la rapidité de convergence des suites (u_n) et (v_n).

3 **Pour aller plus loin**
Pour comparer les rapidités de convergence des suites (u_n) et (v_n), modifier le programme afin qu'il n'affiche plus que « (u_n) converge plus rapidement » ou « (v_n) converge plus rapidement », en se basant sur le dernier terme.
Tester ce programme avec différentes valeurs de u et de n puis conclure.

REMARQUE Plus généralement, l'algorithme de Héron d'Alexandrie génère une suite de nombres rationnels convergeant vers la racine de n'importe quel entier. Il suffit de construire la suite définie par la relation $u_{n+1} = \frac{1}{2}\left(u_n + \frac{A}{u_n}\right)$ où A est un réel positif. Cette suite converge vers $\sqrt{A}$, et ce quel que soit le terme u_0 initial.

Manuscrit grec du IXe siècle représentant Héron d'Alexandrie. Ce mathématicien grec du Ier siècle de notre ère est surtout connu pour ses travaux en optique.

TP Problème ouvert 1 Suite royale

Un roi décide de répartir son héritage en pièces d'or à ses quatre enfants.
Il répartit ainsi les pièces : il donne 200 pièces d'or à l'aîné et il donne à chacun des enfants suivants, la moitié du montant donné à l'enfant précédent plus 40 pièces d'or.
À combien de pièces d'or s'élève l'héritage du roi ?

TP Problème ouvert 2 Sur le chantier

Pour empiler des tuyaux cylindriques sur un chantier, un grutier décide d'en positionner un certain nombre en parallèle au sol, de les caler, puis de monter la pile en en mettant toujours un de moins sur la ligne suivante.

Combien doit-il mettre de tuyaux au minimum sur la première ligne pour empiler 160 tuyaux ?

TP Problème ouvert 3 Balle de match

Le tournoi de tennis hommes de Roland-Garros se dispute en 7 tours successifs.
Combien y avait-il de joueurs au départ et combien de matchs ont été joués ?

TP Problème ouvert 4 Intersections

Soit 10 points du plan, trois à trois non alignés.
Déterminer le nombre de droites que l'on peut construire en joignant deux à deux chacun de ces points.

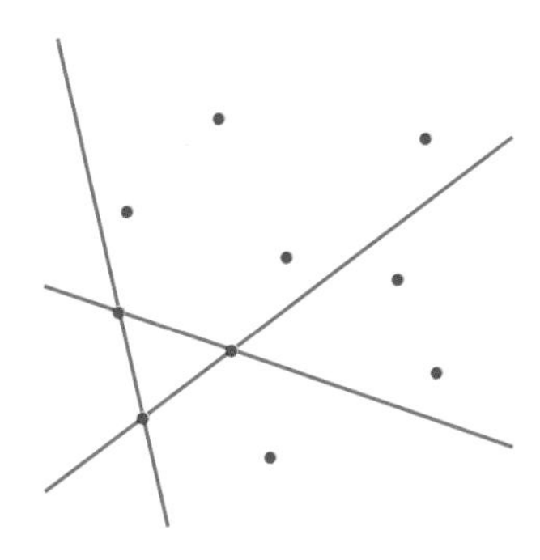

POUR ALLER PLUS LOIN

Les suites de polygones d'Archimède

Voici une présentation « moderne » du calcul d'Archimède pour résoudre la quadrature du cercle.

Polygones réguliers inscrits dans le cercle

Nous avons vu qu'Archimède double le nombre des côtés des polygones réguliers (à $3 \times 2^{n-1}$ côtés) *inscrits* dans le cercle. Nous avons donc deux questions à traiter : **a)** comprendre l'effet du doublement du nombre de côtés sur la longueur des côtés d'un polygone inscrit dans un cercle Γ (de diamètre 1) ; **b)** calculer le côté du triangle équilatéral inscrit dans Γ.

Pour cela, notons c_n la longueur du côté du $n^{\text{ième}}$ polygone considéré.

a) *Effet du doublement du nombre de côtés sur la longueur des côtés du polygone inscrit dans* Γ

Calculons donc, pour $n \geqslant 1$, c_n en fonction de c_{n-1}. Posons $y = c_n$ et $x = c_{n-1}$ (**fig. a**).

En appliquant le théorème de Pythagore, nous obtenons :

$$\left(\frac{1}{2} - h\right)^2 = \frac{1}{4} - \frac{x^2}{4} \quad \text{et} \quad y^2 = h^2 + \frac{x^2}{4}$$

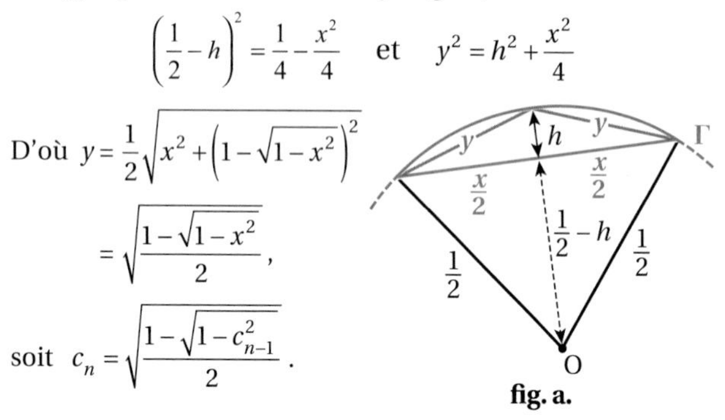

D'où $y = \frac{1}{2}\sqrt{x^2 + \left(1 - \sqrt{1 - x^2}\right)^2}$

$= \sqrt{\frac{1 - \sqrt{1 - x^2}}{2}}$,

soit $c_n = \sqrt{\frac{1 - \sqrt{1 - c_{n-1}^2}}{2}}$.

fig. a.

b) *Calcul du côté du triangle équilatéral inscrit dans* Γ

Posons $c_1 = l$ et appliquons le théorème de Pythagore dans les triangles rectangles OIB puis AIB (**fig. b**) ; nous trouvons :

$$h^2 + \frac{l^2}{4} = \frac{1}{4}$$

$$\text{et} \quad \left(h + \frac{1}{2}\right)^2 + \frac{l^2}{4} = l^2$$

En éliminant h de ces relations, nous obtenons

$0 < l = \frac{\sqrt{3}}{2}$, d'où $c_1 = \frac{\sqrt{3}}{2}$.

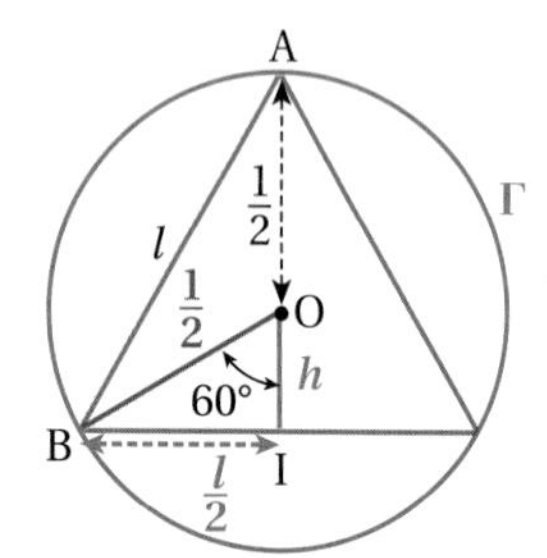

fig. b.

D'où la suite des polygones inscrits dans Γ :

$$\begin{cases} c_1 = \frac{\sqrt{3}}{2} \\ c_n = \sqrt{\frac{1 - \sqrt{1 - c_{n-1}^2}}{2}} \text{ pour } n \geqslant 1 \end{cases}$$

Polygones réguliers circonscrits au cercle

ARCHIMÈDE considère également la suite de polygones réguliers *circonscrits* à Γ. Il inaugure ainsi la notion d'*encadrement*, très importante en analyse. Ces nouveaux polygones sont produits par le même processus de doublement du nombre des côtés que les précédents. Il aboutit à la suite des côtés des polygones circonscrits à Γ :

$$\begin{cases} d_1 = \sqrt{3} \\ d_n = \frac{\sqrt{1 + d_{n-1}^2} - 1}{d_{n-1}} \text{ pour } n \geqslant 2 \end{cases}$$

Portrait d'Archimède de Syracuse, Giuseppe Maria Soli (1745-1822), huile sur toile.

Les suites : de fil en aiguille vers l'infini

Les suites sont présentes dans bien des sciences, par exemple en biologie des populations, pour décrire le cycle de reproduction des lapins, en astronomie, dans les lois de répartition des planètes, en physique, dans la théorie des particules élémentaires, en informatique, dans les algorithmes et les simulations – et via les ordinateurs, dans toutes nos activités numériques. Mais cette omniprésence n'est pas un hasard car tous ces domaines se servent d'équations mathématiques. Or les suites occupent une place de choix en mathématiques depuis plus de 2000 ans.

L'étrangeté des suites

Pourquoi un tel intérêt, alors qu'il s'agit simplement de ranger une succession de nombres liés par une loi - comme quand on énumère les jours du mois ? Parce que cette simplicité n'est qu'apparente : l'étrange n'est jamais loin. Prenons la suite des "puissances de un demi" – 1, 1/2, 1/4, 1/8, 1/16, ..., 1/2n,... – et la série associée : 1 + 1/2 + 1/4 + 1/8 +...+ 1/2n +... Si ces nombres représentaient des tiges en bois mesurant chacune la moitié de la précédente (en commençant par 1 mètre), n'est-ce pas étonnant que la longueur maximale qu'on puisse atteindre en les mettant bout à bout ne dépasse pas

Calcul d'une valeur approchée de π

La méthode d'encadrement du cercle d'Archimède (▶ *Pour aller plus loin*) permet d'approcher π.
Le périmètre du $n^{\text{ième}}$ polygone inscrit (resp. circonscrit) vaudra $p_n = 3 \times 2^{n-1} \times c_n$ (resp. $q_n = 3 \times 2^{n-1} \times d_n$).
En considérant les polygones à 96 côtés ($n = 6$), Archimède obtint l'*encadrement* :

$$3{,}139\,350\,203\,05 < \pi < 3{,}146\,086\,215\,13$$

qui assure une erreur moindre que 7.10^{-3}.

Vous trouverez sur le site www.odyssee-hatier.com l'algorithme en Python qui permet d'obtenir les valeurs des suites encadrantes p (polygones inscrits) et q (polygones circonscrits) des périmètres de nos polygones réguliers. Si on pousse les calculs plus loin que le rang 6, ce programme donne $p_{19} = 3{,}141\,593\,669\,85\ldots$ qui s'éloigne de π !

De même, vous avez sûrement constaté qu'en calculant $\sqrt{\sqrt{\ldots\sqrt{2}}}$ on tombe rapidement sur 1 qui, élevé au carré autant de fois que la racine a été extraite, ne redonnera que 1 ! Ce problème est de la même nature que celui des erreurs, liées aux calculs itératifs par ordinateur, auxquelles conduit ***informatiquement*** la méthode d'Archimède pour le calcul de π.

La suite de Fibonacci

Au XIIIe siècle, le mathématicien Léonard de Pise, dit Fibonacci, écrivait : « Un homme met un couple de lapins dans un lieu isolé de tous les côtés par un mur. Combien de couples obtient-on en un an si chaque couple engendre tous les mois un nouveau couple à compter du troisième mois de son existence ? »... Fibonacci constata que le nombre F_n de couples de lapins qu'on peut attendre au bout de n générations diffère peu du $n^{\text{ième}}$ terme d'une suite géométrique de raison $\frac{1+\sqrt{5}}{2}$. Ces résultats peuvent être considérés comme une étape constitutive de la science appelée démographie. Depuis lors, la suite de Fibonacci est la plus célèbre de toutes ; on la retrouverait même dans la nature, par exemple dans la disposition en spirale des étamines du tournesol.

Sachez par ailleurs que $\frac{1+\sqrt{5}}{2}$ est nommé Nombre d'Or, et qu'à partir du XVe siècle en Europe, il est devenu une vedette rebaptisée "Divine proportion", dont on se servait en art et en architecture...

2 mètres, même avec une infinité de tiges ? Cela a stupéfait les savants qui l'on découvert au XVIIIe siècle. Comment admettre que l'infini (le nombre de tiges) puisse être contenu dans le fini (2 mètres) ? Il s'en est suivi de violentes disputes, entre les pro-infini et les contre, qui n'ont fait que s'amplifier jusqu'au XXe siècle. Bref, ce sont les suites qui ont introduit l'infini dans l'arithmétique et l'analyse...

Archimède, le découvreur

Mais si le XVIIIe siècle est un tournant dans l'histoire des suites et de l'infini, leur origine remonte à Archimède de Syracuse, le mathématicien grec du IIIe siècle av. J.-C. Archimède voulait résoudre une question qui n'avait rien à voir avec l'infini, le problème de la *quadrature du cercle*, grande énigme des maths anciennes : étant donné un cercle, comment construire une figure de même surface mais composée de carrés ou de triangles – figures que les Grecs savaient bien mesurer. Tel était le but d'Archimède... Mais à la place, il a découvert les suites et, sans le savoir, il a mis les mathématiciens sur la voie de l'infini.

Archimède voulait résoudre la quadrature du cercle.

Comment cela s'est-il produit ? Archimède pensait que la bonne méthode pour "quarrer" le cercle était de l'encadrer entre deux figures faites de triangles, puis de faire converger la taille de ces triangles jusqu'à les faire coïncider – comme si l'on cherchait à emprisonner un objet entre des murs qui se rapprochent... Archimède choisit comme figures connues et quarrables pour coincer le cercle, les polygones réguliers (▶ Pour aller plus loin), faits de triangles disposés en pétales de fleur, en commençant par l'hexagone (six côtés, six triangles équilatéraux) : il encadre le cercle entre l'hexagone inscrit et l'hexagone circonscrit. Ensuite il passe au dodécagone (12 côtés), puis il enchaîne sur le polygone à 24 côtés puis 48 côtés, enfin 96... À chaque pas, les mesures se rapprochent, mais jamais elles ne s'égalent... Las ! Archimède ne résoudra pas le problème de la quadrature du cercle – les mathématiciens du XIXe siècle démontreront qu'il n'a pas de solution, d'où l'expression « C'est la quadrature du cercle ! ». Mais Archimède a bel et bien inauguré l'histoire des suites car dans sa méthode, il montre comment calculer la surface du polygone n en fonction de celui qui le précède (le $(n-1)^{\text{ième}}$). Le terme u_n défini par le terme u_{n-1}, c'est bien-là une suite, la première du genre, et qui peut être prolongée autant que l'on veut... jusque dans l'infini.

Polygones réguliers à 6 et 12 côtés inscrits et circonscrits à un même cercle.

Suites numériques

1 Dans chaque cas, déterminer les cinq premiers termes de la suite.

a. La suite (u_n) est définie pour tout $n \in \mathbb{N}$ par :
$$u_n = 10 - \frac{12}{n+1}$$
b. La suite (v_n) est définie pour tout $n \in \mathbb{N}$ par :
$$v_n = 3^n - 2^n$$
c. La suite (w_n) est définie pour tout $n \geqslant 1$ par :
$$w_n = \frac{3^n}{n^3}$$

2 Dans chaque cas, déterminer les six premiers termes de la suite et la représenter graphiquement.

a. La suite (u_n) est définie pour tout $n \in \mathbb{N}$ par :
$$u_n = \frac{10}{n^2+1}$$
b. La suite (v_n) est définie pour tout $n \in \mathbb{N}$ par :
$$v_n = (-1)^n \times n$$
c. La suite (w_n) est définie pour tout $n \in \mathbb{N}$ par :
$$w_n = 1 - \left(\frac{1}{2}\right)^n$$

3 Dans chaque cas, déterminer les cinq premiers termes de la suite.

a. La suite (u_n) est définie par un premier terme $u_0 = 1$ et vérifie pour tout $n \in \mathbb{N}$ la relation $u_{n+1} = 2u_n - 3$.

b. La suite (v_n) est définie par un premier terme $v_0 = 3$ et vérifie pour tout $n \in \mathbb{N}$ la relation $v_{n+1} = \dfrac{1}{v_n + 1}$.

c. La suite (w_n) est définie par un premier terme $w_0 = 1$ et vérifie pour tout $n \geqslant 1$ la relation $w_n = w_{n-1} + 2n + 3$.

▸ Savoir-faire 1 p. 142

4 Dans chaque cas, déterminer les cinq premiers termes de la suite.

a. La suite (u_n) est définie par un premier terme $u_0 = 5$ puis chaque terme est le double du précédent.

b. La suite (v_n) est définie par un premier terme $v_0 = 4$ puis chaque terme est la moitié du carré du précédent.

c. La suite (w_n) est définie par un premier terme $w_0 = 1$ puis chaque terme est le quotient du terme précédent par le rang.

5 Compléter chacune des suites ci-dessous à l'aide d'une construction logique.

a. 1 ; −2 ; 3 ; −4 ; ...

b. 1 ; 8 ; 27 ; 64 ; ...

c. 3 ; 2,1 ; 1,2 ; 0,3 ; ...

d. 1 ; 4 ; 8 ; 13 ; ...

6 Dans chaque cas, donner une relation de récurrence permettant de générer une suite dont les premiers termes sont les nombres proposés.

a. $u_0 = 1$; $u_1 = 5$; $u_2 = 9$; $u_3 = 13$.

b. $u_0 = 1$; $u_1 = \dfrac{2}{3}$; $u_2 = \dfrac{4}{9}$; $u_3 = \dfrac{8}{27}$.

c. $u_0 = 1$; $u_1 = 4$; $u_2 = 9$; $u_3 = 16$.

7 Dans chaque cas, donner une expression possible du terme général des suites dont les premiers termes sont les nombres proposés.

a. $u_0 = 1$; $u_1 = \dfrac{7}{2}$; $u_2 = 6$; $u_3 = \dfrac{17}{2}$.

b. $u_0 = 1$; $u_1 = -1$; $u_2 = 1$; $u_3 = -1$.

c. $u_0 = 9$; $u_1 = 99$; $u_2 = 999$; $u_3 = 9\,999$.

d. $u_0 = 2$; $u_1 = \dfrac{1}{2}$; $u_2 = 2$; $u_3 = \dfrac{1}{2}$.

8 Dans chaque cas, déterminer à l'aide de la calculatrice le terme de rang 10 de la suite proposée.

a. La suite (u_n) est définie par un premier terme $u_0 = 2$ et vérifie pour tout $n \geqslant 1$ la relation $u_n = 3u_{n-1} - 1$.

b. La suite (v_n) est définie par un premier terme $v_2 = 3$ et vérifie pour tout $n \geqslant 2$ la relation $v_{n+1} = \dfrac{3}{v_n + 2}$.

c. La suite (w_n) est définie par un premier terme $w_1 = 1$ et vérifie pour tout $n \geqslant 2$ la relation $w_n = w_{n-1} + n^2$.

▸ Savoir-faire 2 p. 142

9 Dans chaque cas, déterminer à l'aide de la calculatrice le terme de rang 10 de la suite proposée.

a. La suite (t_n) est définie pour tout $n \in \mathbb{N}$ par :
$$t_n = 1 + 2 + 3 + \ldots + n$$
b. La suite (u_n) est définie pour tout $n \in \mathbb{N}$ par :
$$u_n = 0 - 1 + 2 - 3 + 4 + \ldots + (-1)^n \times n$$
c. La suite (v_n) est définie pour tout $n \in \mathbb{N}$ par :
$$v_n = 1^2 + 2^2 + 3^2 + \ldots + n^2$$
d. La suite (w_n) est définie pour tout $n \geqslant 1$ par :
$$w_n = 1 + \frac{1}{2^2} + \frac{1}{3^2} + \ldots + \frac{1}{n^2}$$

10 On considère la suite (u_n) définie pour tout $n \in \mathbb{N}$ par :
$$\begin{cases} u_0 = 6 \\ u_{n+1} = 2u_n - 5 \end{cases}$$
a. Déterminer les cinq premiers termes de la suite (u_n).

b. Contrôler que les cinq premiers termes de cette suite vérifient la relation suivante :
$$u_n - 5 = 2^n$$
c. En admettant que la formule conjecturée en **b** soit exacte, déterminer u_{12}.

11 Algorithmique

L'algorithme suivant définit une suite (u_n).

```
Entrée :       U
Traitement     Afficher U.
et sortie :    Tant que U ≠ 1 :
                  Si U est pair
                     Affecter la valeur U÷2 à U.
                  Sinon
                     Affecter la valeur
                     (3U+1)÷2 à U.
                  Afficher U.
```

a. Que représente U ?

b. Tester l'algorithme pour U = 10 puis pour U = 21.

c. Quelle condition est suffisante sur U pour que l'algorithme construise bien une suite d'entiers ?

d. Trouver un entier U tel que l'algorithme affiche exactement 5 nombres.

Sens de variation d'une suite numérique

12 Représenter à l'aide de la calculatrice le nuage de points de chacune des suites suivantes puis conjecturer leurs variations.

a. (u_n) est définie pour tout $n \in \mathbb{N}$ par $u_n = \dfrac{n^3}{n^2+1}$.

b. (v_n) est définie par un premier terme $v_0 = 5$ et vérifie, pour tout $n \geqslant 1$, la relation $v_n = \dfrac{1}{2} v_{n-1} + 2$.

c. (w_n) est définie pour tout $n \in \mathbb{N}^*$ par $w_n = (-1)^n \times \dfrac{10}{n}$.

13 Une fonction f définie sur $[0 ; +\infty[$ est représentée ci-dessous.

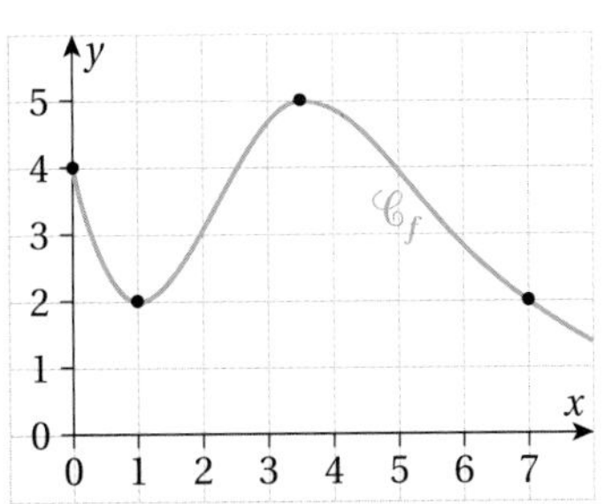

À l'aide de la représentation graphique de f :

a. proposer un tableau de variations de f.

b. en déduire les variations de la suite définie pour tout $n \in \mathbb{N}$ par $u_n = f(n)$.

Savoir-faire 3 p. 144

14 La suite (u_n) est définie pour tout $n \geqslant 1$ par :

$$u_n = 1 + \frac{10}{n}$$

a. En étudiant le signe de $u_{n+1} - u_n$, montrer que la suite (u_n) est décroissante à partir de $n \geqslant 1$.

b. Retrouver ce résultat en étudiant les variations de $f(x) = 1 + \dfrac{10}{x}$ définie sur $]0 ; +\infty[$.

15 **a.** Montrer que la suite (u_n) définie pour tout $n \in \mathbb{N}$ par $u_n = 5n - n^2$ est décroissante à partir d'un certain rang à préciser.

b. Montrer que la suite (v_n) définie pour tout $n \in \mathbb{N}$ par $v_n = n^2 - 10n + 16$ est croissante à partir d'un certain rang à préciser.

16 La suite (u_n) est définie par un premier terme $u_0 = 1$ et vérifie pour tout $n \in \mathbb{N}$ la relation $u_{n+1} = u_n + n^2 - \dfrac{15}{2}$.

En étudiant le signe de $u_{n+1} - u_n$, déterminer les variations de (u_n).

17 La suite (u_n) est définie par un premier terme $u_1 = 1$ et vérifie pour tout $n \in \mathbb{N}^*$ la relation $u_{n+1} = \dfrac{7u_n}{n}$.

a. Construire la table de valeurs de (u_n), afficher son nuage de points et conjecturer ses variations.

b. Comparer $\dfrac{u_{n+1}}{u_n}$ à 1.

c. En admettant que tous les termes de la suite (u_n) sont strictement positifs, montrer que la suite (u_n) est décroissante à partir d'un certain rang à préciser.

18 La suite (u_n) est définie par $u_0 = 1$ et pour tout entier $n \geqslant 1$ par $u_n = \dfrac{n \times u_{n-1}}{n+1}$.

En admettant que tous les termes de la suite (u_n) sont positifs, montrer que la suite (u_n) est décroissante à partir d'un certain rang à préciser.

19 Algorithmique

Voici un algorithme :

```
Entrées :        U, n
Initialisation : Affecter la valeur 0 à i.
Traitement :     Répéter n fois :
                    Affecter la valeur U à V.
                    Affecter la valeur
                       0,5×U+1 à U.
                    Si U<V :
                       Affecter la valeur
                       i+1 à i.
                 Si i = n :
                    Afficher : « (un) est
                    décroissante sur ℕ. »
                 Sinon
                    Afficher : « (un) n'est pas
                    décroissante sur ℕ. »
```

a. Exécuter cet algorithme pour U = 4 et $n = 3$.

b. Comment est définie la suite utilisée dans l'algorithme ?

c. Que souhaite-t-on tester avec cet algorithme ?

d. Que représente n ?

e. Que donne l'algorithme en sortie si on le teste avec U = 1 et $n = 100$?

20 La suite (u_n) est définie pour tout $n \geqslant 0$ par :

$$u_n = \frac{n^2}{2^n}$$

a. Calculer u_0, u_1, u_2 et u_3.

b. Montrer que $\frac{u_{n+1}}{u_n} < 1$ à partir d'un certain rang à préciser.

c. En déduire les variations de la suite (u_n).

21 La suite (u_n) est définie par un premier terme $u_0 = 1$ et vérifie pour tout $n \in \mathbb{N}$ la relation $u_{n+1} = \frac{5u_n}{n+1}$.

a. Calculer u_1, u_2 et u_3.

b. Montrer que $\frac{u_{n+1}}{u_n} < 1$ à partir d'un certain rang à préciser.

c. En déduire les variations de la suite (u_n).

22 Justifier les variations de la suite (u_n) définie pour tout entier $n \geqslant 1$ par :

$$u_n = 1 + \frac{1}{2} + \frac{1}{3} + \frac{1}{4} + \ldots + \frac{1}{n}$$

Notion de limite d'une suite numérique

23 On a représenté ci-dessous trois suites.

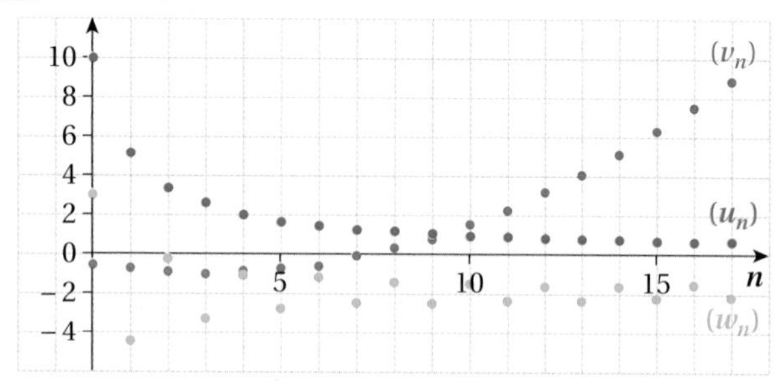

Lesquelles semblent converger ? (On précisera leur limite éventuelle.)

24 Dans chaque cas, déterminer si la suite converge en précisant sa limite éventuelle.

a. La suite (u_n) est définie pour tout $n \in \mathbb{N}$ par :

$$u_n = 1 + \frac{1}{n+1}$$

b. La suite (v_n) est définie pour tout $n \in \mathbb{N}$ par :

$$v_n = (-1)^n \times n$$

c. La suite (w_n) est définie pour tout $n \in \mathbb{N}$ par :

$$w_n = n - \frac{1}{n+1}$$

25 Dans chaque cas, conjecturer à l'aide de la calculatrice la limite de la suite.

a. La suite (u_n) est définie par un premier terme $u_0 = 1$ et vérifie pour tout $n \in \mathbb{N}$ la relation $u_{n+1} = 0{,}5u_n + 3$.

b. La suite (v_n) est définie par un premier terme $v_0 = 3$ et vérifie pour tout $n \in \mathbb{N}$ la relation $v_{n+1} = \sqrt{v_n}$.

c. La suite (w_n) est définie pour tout $n \geqslant 1$ par :

$$w_n = 1 + \frac{1}{2^3} + \frac{1}{3^3} + \ldots + \frac{1}{n^3}$$

26 La suite (u_n) est définie par un premier terme $u_0 = 1$ et vérifie pour tout $n \in \mathbb{N}$ la relation $u_{n+1} = \frac{1}{2}u_n - \frac{1}{2}$.

1. Conjecturer à la calculatrice la limite de (u_n).

2. La suite (v_n) est définie par $v_n = u_n + 1$ pour tout $n \in \mathbb{N}$.

a. Montrer que (v_n) est une suite géométrique et préciser sa raison.

b. En déduire la limite de (v_n) puis celle de (u_n).

27 Une suite (u_n) est décroissante et converge vers 0. La suite (v_n) est telle que pour tout $n \in \mathbb{N}$, $v_n < u_n$.
Dans chaque cas, indiquer la (les) bonne(s) réponse(s).

1. Si la suite (v_n) a tous ses termes positifs alors :

a. la suite (v_n) est décroissante.

b. la suite (v_n) est convergente.

c. la suite (v_n) a une limite l négative.

2. Si la suite (v_n) est croissante alors :

a. la suite (v_n) a tous ses termes négatifs ou nuls.

b. la suite (v_n) est convergente.

c. la suite (v_n) converge vers 0.

COUP DE POUCE

Illustrer la situation par un graphique.

REMARQUE

Une généralisation de ces phénomènes sera vue en classe de Terminale. Ces raisonnements permettent de déterminer la convergence de bon nombre de suites.

Suites arithmétiques et suites géométriques

28 (u_n) est une suite arithmétique de premier terme $u_0 = 7$ et vérifiant pour tout $n \in \mathbb{N}$ la relation $u_{n+1} = u_n + 4$.

a. Donner les quatre premiers termes de (u_n).

b. Préciser la raison de (u_n) et donner son terme général.

c. Calculer u_{84}.

29 (u_n) est une suite arithmétique de premier terme $u_0 = 49$ et de raison -3.

a. Donner le terme général de (u_n).

b. Déterminer le premier terme négatif de la suite (u_n).

30 Le village de Uhène compte 283 habitants mais en perd 5 par an au profit du village voisin de Véhène qui en compte actuellement 147. On note (u_n) et (v_n) les suites des nombres d'habitants de chaque village.

a. Déterminer la nature et donner les éléments caractéristiques de chacune de ces suites.

b. Donner le terme général de chacune de ces suites et calculer les populations de ces villages au bout de 10 ans.

c. Au bout de combien d'années le village de Uhène comptera-t-il moins d'habitants que celui de Véhène ?

31 (u_n) est une suite arithmétique de premier terme $u_3 = 10$ et de raison $\frac{2}{3}$.

a. Donner le terme général de (u_n).

b. Déterminer le premier terme de la suite (u_n) supérieur à 81.

32 La suite (u_n) est définie pour tout $n \in \mathbb{N}$ par :

$$u_n = (n+1)^2 - n^2 + 7$$

a. Calculer u_0, u_1, u_2 et u_3.

b. Cette suite est-elle arithmétique ? Justifier.

Savoir-faire 4 p. 144

33 La suite (u_n) est définie pour tout $n \in \mathbb{N}$ par :

$$u_n = (n-1)^3$$

a. Calculer u_0, u_1 et u_2.

b. Cette suite est-elle arithmétique ? Justifier.

34 (u_n) est une suite arithmétique telle que $u_6 = 36$ et $u_9 = 81$.

a. Calculer la raison de (u_n).

b. Déterminer u_{20}.

Savoir-faire 5 p. 145

35 (u_n) est une suite arithmétique telle que $u_5 = 150$ et $u_{12} = 59$.

a. Calculer la raison de (u_n).

b. Déterminer son premier terme u_0.

c. Déterminer son premier terme négatif.

36 Problème ouvert

Les suites arithmétiques (u_n) et (v_n) sont telles que :

- (u_n) a pour premier terme $u_0 = 167$ et pour raison –4 ;
- (v_n) a pour premier terme $v_0 = 42$ et pour raison 2,5.

Existe-t-il un rang n tel que $u_n = v_n$?

37 (u_n) est une suite arithmétique représentée ci-dessous.

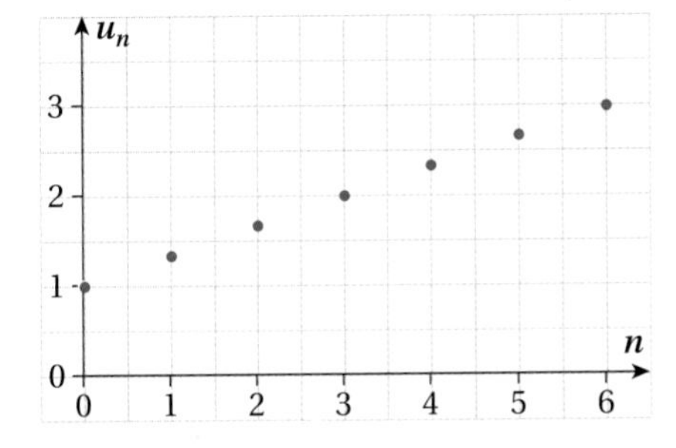

a. Déterminer son premier terme u_0 et sa raison.

b. Donner son terme général et calculer u_{100}.

38 (u_n) est une suite arithmétique représentée par un nuage dont les points sont sur la droite d'équation $y = 3x + 7$.

a. Déterminer son premier terme u_0 et sa raison.

b. 500 et 1 000 sont-ils des termes de la suite (u_n) ? Si oui, préciser leur rang.

39 (u_n) est une suite arithmétique de premier terme $u_0 = 3$ et de raison 10.

a. Donner le terme général de (u_n) et calculer u_{20}.

b. Calculer la somme $S_{20} = u_0 + u_1 + u_2 + \ldots + u_{20}$.

c. Calculer de deux façons différentes la somme $S'_{20} = u_{10} + u_{11} + u_{12} + \ldots + u_{20}$.

Savoir-faire 6 p. 145

40 (u_n) est une suite arithmétique de premier terme $u_0 = 17$ et de raison –2.

a. Donner le terme général de (u_n).

b. Montrer que la somme $S_{17} = u_0 + u_1 + u_2 + \ldots + u_{17} = 0$.

41 Le nombre $S = 7 + 13 + 19 + \ldots + 85 + 91$ est la somme des termes consécutifs d'une suite arithmétique.

a. Déterminer la raison de cette suite et préciser le nombre de termes qui composent S.

b. Calculer S.

42 Soit la somme des entiers consécutifs suivante :

$$S = 2\,011 + 2\,012 + 2\,013 + \ldots + 2\,098 + 2\,099$$

Calculer S.

43 (u_n) est une suite arithmétique de premier terme $u_0 = 1$ et de raison 3.

a. Donner le terme général de (u_n).

b. Exprimer la somme $S_n = u_0 + u_1 + u_2 + \ldots + u_n$ des termes consécutifs de (u_n) en fonction de n.

c. Déterminer n tel que $S_n = 145$.

44 TICE Dans un musée, depuis le 1er janvier 2011, il entre chaque jour 3 visiteurs de plus que la veille.

1. On souhaite compléter la feuille de calcul suivante :

	A	B	C
1	Jour	Nombre de visiteurs	Nombre total de visiteurs
2	1	18 351	18 351
3	2	18 354	36 705
4	3	18 357	55 062
5	4	18 360	73 422
6	5	18 363	91 785
7	6	18 366	110 151
8	7	18 369	128 520

a. Quelle formule a-t-on saisie dans la cellule B3 afin de la recopier vers le bas ?

b. Quelle formule a-t-on saisie dans la cellule C3 afin de la recopier vers le bas ?

2. Soit (u_n) le nombre de visiteurs le $n^{\text{ième}}$ jour de l'année 2011.

a. Préciser la nature de la suite (u_n).

b. Exprimer u_n en fonction de n.

c. Déterminer le nombre de visiteurs de ce musée le 31 décembre 2011.

d. Déterminer le nombre de visiteurs durant l'année 2011.

45 À la rentrée, il y avait 620 élèves qui mangeaient à la cantine au moins une fois par semaine. Depuis, chaque semaine, 7 élèves décident de ne plus s'y rendre.
On s'intéresse à la suite (u_n) du nombre d'élèves mangeant à la cantine au moins une fois la $n^{\text{ième}}$ semaine.
a. Expliquer pourquoi la suite (u_n) est arithmétique. Préciser son premier terme et sa raison.
b. Exprimer u_n en fonction de n.
c. Combien d'élèves sont allés au moins une fois à la cantine lors de la semaine de Noël (15ᵉ semaine de cours) ?
d. Sachant qu'un élève allant à la cantine y mange en moyenne trois fois par semaine, combien de repas seront servis cette année, après 36 semaines de cours ?

46 Problème ouvert
Paul fume deux paquets de 20 cigarettes par jour. Il décide enfin d'arrêter, mais progressivement, en fumant chaque jour deux cigarettes de moins que la veille.
a. Combien de jours aura-t-il mis pour arrêter de fumer ?
b. Combien de cigarettes aura-t-il fumées en trop comparé à un arrêt immédiat de la cigarette ?

47 Problème ouvert
Une suite arithmétique a pour premier terme 13 et pour centième terme 2011.
Calculer la moyenne des cent premiers termes de cette suite.

48 (u_n) est une suite géométrique de premier terme $u_0 = 3$ et vérifiant pour tout $n \in \mathbb{N}$ la relation $u_{n+1} = 2 \times u_n$.
a. Donner les quatre premiers termes de (u_n).
b. Préciser la raison de (u_n) et donner son terme général.
c. Calculer u_{10}.

49 (u_n) est une suite géométrique de premier terme $u_0 = 486$ et de raison $\frac{1}{3}$.
a. Donner les quatre premiers termes de (u_n).
b. Donner le terme général de (u_n).
c. Déterminer le premier terme de (u_n) inférieur à 1.

50 La suite (u_n) est définie pour tout $n \in \mathbb{N}$ par :
$$u_n = \frac{2^{2n}}{3^{3n}}$$
a. Calculer u_0, u_1, u_2 et u_3.
b. Cette suite est-elle géométrique ? Justifier.

▸ Savoir-faire 7 p. 146

51 La suite (u_n) définie pour tout $n \in \mathbb{N}$ par $u_n = 2^{2^n}$ est-elle géométrique ? Justifier.

52 (u_n) est une suite arithmétique définie sur $\mathbb{N}$. Montrer que la suite (v_n) définie pour tout $n \in \mathbb{N}$ par $v_n = 2^{u_n}$ est une suite géométrique et préciser sa raison.

53 (u_n) est une suite géométrique de raison positive telle que $u_0 = 8$ et $u_2 = \frac{1}{8}$.
a. Déterminer la raison de la suite (u_n) et donner les quatre premiers termes de (u_n).
b. Donner le terme général de (u_n).
c. Déterminer le premier terme inférieur à 10^{-3} de la suite (u_n).
d. Justifier la valeur limite de la suite (u_n).

54 On a représenté ci-dessous les suites géométriques (u_n) et (v_n).

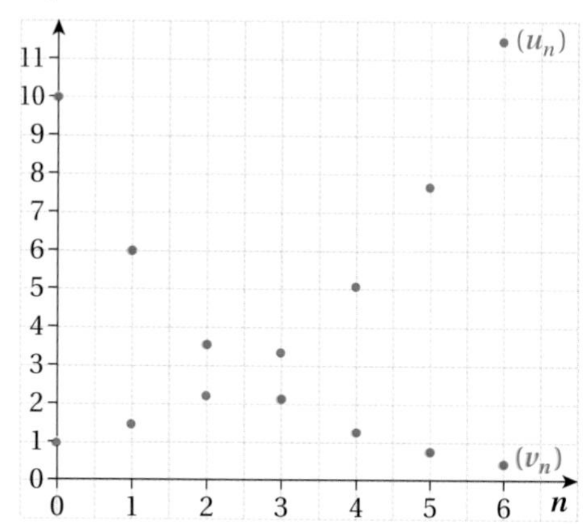

a. Déterminer le terme général de chacune de ces suites.
b. Quelle est la nature de la suite de terme général $w_n = u_n \times v_n$?
Préciser ses éléments caractéristiques.

55 On définit pour tout $n \in \mathbb{N}$ une suite (u_n) arithmétique de premier terme $u_0 = -1$ et de raison 2,5, et une suite (v_n) géométrique de premier terme $v_0 = 12$ et de raison 0,7.
a. Déterminer les variations de ces deux suites.
b. Déterminer un entier n tel que $u_n > 12$.
En déduire qu'il existe $n_0 \in \mathbb{N}$ tel que pour tout $n \geqslant n_0$, $u_n > v_n$.
c. Représenter graphiquement les suites (u_n) et (v_n).
d. En déduire la plus petite valeur de n_0.

56 Une feuille de papier format A4 mesure 0,1 mm d'épaisseur. Julia décide de la plier et la replier en deux autant que possible.
On note (u_n) la suite donnant l'épaisseur obtenue au $n^{\text{ième}}$ pliage en supposant qu'on puisse réaliser correctement ce pliage.
a. Préciser la nature et les éléments caractéristiques de la suite (u_n).
b. Donner le terme général de (u_n) et calculer l'épaisseur obtenue au cinquième pliage.
c. À cause du bord plié de la feuille, Julia ne peut dépasser une épaisseur de 13 mm.
Combien de pliages a-t-elle réalisés ?

57 La population mondiale augmente actuellement de 1 % par an. En 2010, elle était de 6,9 milliards.
On note u_n la population mondiale l'année 2010 + n.

a. Expliquer pourquoi la suite (u_n) est géométrique. Préciser son premier terme u_0 et sa raison.

b. Exprimer u_n en fonction de n.

c. En supposant que le taux d'accroissement se maintienne, estimer la population mondiale en 2025.

d. À l'aide de la calculatrice, estimer en quelle année les 9 milliards d'habitants seront atteints.

Savoir-faire 8 p. 146

58 En 2009, le nombre de morts sur la route en France s'élevait à 4 400.
L'État espère assurer une baisse de 7 % par an.
On note (u_n) la suite donnant le nombre de morts sur la route l'année 2009 + n si la baisse suit cette prévision.

a. Préciser la nature et les éléments caractéristiques de la suite (u_n).

b. Donner le terme général de (u_n).

c. Combien peut-on craindre de victimes pour l'année 2015 ?

d. À l'aide de la calculatrice, déterminer en quelle année serait franchi le seuil des 2 000 victimes.

e. Comparer ces prévisions avec des données actuelles.

59 Camille est championne de gymnastique. Elle veut tenter un triple saut périlleux sur un trampoline.

Départ arrêté, son premier bond l'élève à 1 m de hauteur, puis la hauteur de chaque bond l'élève aux $\frac{5}{4}$ du bond précédent.
On désigne par u_n la hauteur en centimètres du $n^{\text{ième}}$ bond et par $u_1 = 100$ cm la hauteur du premier bond.

a. Calculer u_2 et u_3.

b. Justifier la nature de la suite (u_n) et donner son terme général.

c. Calculer la hauteur du 6e rebond à 1 cm près.

d. Camille a besoin de 3 m par saut périlleux.
Combien devra-t-elle effectuer de bonds avant de tenter l'exploit ?

60 Un inconnu lance la chaîne de messages suivante sur Internet :
« Fais un vœu et, pour qu'il se réalise, renvoie ce message à 5 personnes. Je t'assure que ça marche ! Mais attention, ton souhait ne se réalisera pas si tu ne renvoies pas ce message à exactement 5 personnes. »
On note (u_n) la suite décrivant le nombre de personnes atteintes si chacun se conforme au message. On choisit $u_0 = 1$ pour l'auteur d'origine du message.

a. Préciser la nature et les éléments caractéristiques de la suite (u_n).

b. En supposant que chaque message touche cinq nouvelles personnes, en combien d'étapes le message peut-il atteindre 6 milliards d'internautes ?

61 On définit la suite géométrique (u_n) de premier terme $u_0 = 1$ et de raison -2.

1. Calculer les six premiers termes de (u_n).

2. Donner le terme général de (u_n).

3. On définit la suite (v_n) telle que $v_n = u_{2n}$ pour $n \in \mathbb{N}$.

a. Exprimer v_n en fonction de n.

b. Montrer que (v_n) est une suite géométrique et préciser sa raison.

62 (u_n) est une suite géométrique de premier terme $u_0 = 10$ et de raison 4.

a. Donner les quatre premiers termes de (u_n).

b. Calculer la somme $S_{10} = u_0 + u_1 + \ldots + u_{10}$.

Savoir-faire 9 p. 146

63 (u_n) est une suite géométrique de premier terme $u_0 = 80$ et de raison $\frac{1}{2}$.

a. Donner les quatre premiers termes de (u_n).

b. Exprimer la somme $S_n = u_0 + u_1 + \ldots + u_n$ en fonction de n.

c. Calculer S_{100} puis S_{200}.
Que peut-on conjecturer ?

d. Justifier la valeur limite de la suite (S_n).

64 La suite (u_n) est définie pour tout $n \geqslant 0$ par :

$$u_n = 1 - \frac{1}{2} + \frac{1}{4} - \frac{1}{8} + \ldots + \left(-\frac{1}{2}\right)^n$$

a. Montrer que (u_n) est la somme des termes d'une suite géométrique.

b. Exprimer (u_n) en fonction de n et calculer u_{10}.

c. Déterminer la limite de (u_n).

65 On considère la somme suivante des termes d'une suite géométrique :

$$S = 1 - 2 + 4 - 8 + 16 - \ldots + 16\,384$$

a. Déterminer la raison de cette suite ainsi que le nombre de termes de la somme S.

b. Calculer S.

66 En 2007, la consommation annuelle mondiale de pétrole était de 31 milliards de barils. Pour tenir compte des engagements internationaux à réduire la consommation de pétrole, on supposera que celle-ci diminue de 2 % par an.

On note u_n la consommation mondiale de pétrole l'année 2007 + n.

a. Déterminer la nature et les éléments caractéristiques de la suite (u_n).

b. Exprimer u_n en fonction de n.

c. Estimer la consommation mondiale en 2025.

d. Déterminer la consommation de pétrole de 2007 à 2025.

e. En 2007, on évalue les quantités de pétrole restantes à exploiter à 1 238 milliards de barils.

En étudiant la somme $S_n = u_0 + u_1 + ... + u_n$, conclure quant à l'avenir énergétique de la planète.

REMARQUE En réalité, ce scénario est plutôt optimiste puisque la consommation de pétrole n'a diminué qu'une année dans la première décennie du siècle.

67 Algorithmique Mathieu a programmé l'algorithme ci-après avec AlgoBox pour calculer la limite de la somme des termes d'une suite géométrique.

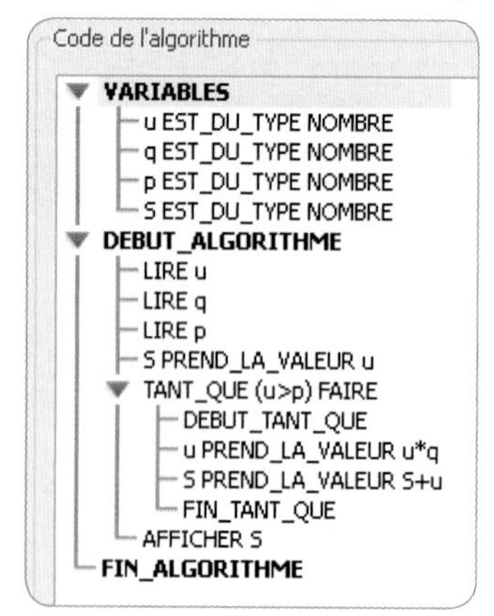

```
Code de l'algorithme
VARIABLES
  u EST_DU_TYPE NOMBRE
  q EST_DU_TYPE NOMBRE
  p EST_DU_TYPE NOMBRE
  S EST_DU_TYPE NOMBRE
DEBUT_ALGORITHME
  LIRE u
  LIRE q
  LIRE p
  S PREND_LA_VALEUR u
  TANT_QUE (u>p) FAIRE
    DEBUT_TANT_QUE
    u PREND_LA_VALEUR u*q
    S PREND_LA_VALEUR S+u
    FIN_TANT_QUE
  AFFICHER S
FIN_ALGORITHME
```

a. Exécuter cet algorithme avec $u = 2$, $q = \frac{1}{2}$ et $p = 0{,}4$.

b. Quel rôle jouent les variables p et q ?

c. Que représentent les valeurs successives de u ?

d. Le programme de Mathieu ne fonctionne que si $-1 < q < 1$. Expliquer ses dysfonctionnements pour les autres valeurs de q.

68 Une banque propose un placement avec un taux de rémunération annuel de 7 %.

En réalité, les intérêts sont calculés chaque mois sur le capital en début de mois sur le compte.

Anaëlle ouvre un compte et dépose 1 000 €.

a. En notant t le taux mensuel de rémunération du livret, montrer que la suite (C_n) du capital d'Anaëlle suit une progression géométrique dont on précisera le premier terme et la raison en fonction de t.

b. Montrer que t vérifie la relation $(1 + t)^{12} = 1{,}07$.

En déduire la valeur de t.

COUP DE POUCE

Pour trouver un nombre x tel que $x^{12} = A$, on peut saisir à la calculatrice A^(1/12).

c. Déterminer le capital d'Anaëlle qui retire son argent au bout de 3 mois.

69 Pour réduire les inégalités entre salariés, une entreprise propose que, pour ses salariés de catégorie B gagnant 2 000 € par mois, on augmente les salaires de 2 % par an, alors que pour ceux de catégorie C gagnant 1 500 € par mois, on augmente les salaires de 5 % par an, jusqu'à ce que les salaires des deux catégories s'équilibrent.

On note (B_n) et (C_n) les suites des salaires annuels de chaque catégorie.

1. Déterminer la nature et les éléments caractéristiques des suites (B_n) et (C_n).

2. On définit la suite $u_n = \dfrac{C_n}{B_n}$.

a. Déterminer la nature et les éléments caractéristiques de la suite (u_n).

b. Justifier qu'il existe $n \in \mathbb{N}$ tel que $u_n > 1$.

En déduire qu'il existe $n \in \mathbb{N}$ tel que $C_n > B_n$.

c. Déterminer à l'aide de la calculatrice l'année où C_n deviendrait supérieur à B_n.

3. Pour que les salariés de catégorie C rattrapent en seulement 6 ans l'écart de salaire, quel taux d'augmentation devrait-on leur proposer ?

70 Quels sont la nature et les éléments caractéristiques de la suite (u_n) définie pour tout $n \in \mathbb{N}$ par $u_n = 5n - 7$?

71 Une suite (u_n) a pour premiers termes 25, 47 et 79.

Cette suite peut-elle être arithmétique ? géométrique ?

72 On définit la suite (u_n) pour $n \geqslant 1$ par la relation :

$$u_n = 9n^2 - 21n + 14$$

1. a. Calculer u_1, u_2 et u_3.

b. Cette suite peut-elle être arithmétique ? géométrique ?

2. a. Écrire u_{n+1} en fonction de n.

b. Montrer que l'équation $u_{n+1} = 4 \times u_n$ équivaut à $n^2 - 3n + 2 = 0$.

c. Résoudre cette équation et conclure sur la nature de la suite (u_n).

73 **a.** Déterminer la raison d'une suite arithmétique telle que ses deux premiers termes sont, dans l'ordre, 15 et 5.

b. Déterminer la raison d'une suite géométrique telle que ses deux premiers termes sont, dans l'ordre, 15 et 5.

74 **a.** Une suite arithmétique (u_n) est telle que $u_3 = 7$ et $u_8 = 12$. Déterminer u_{11}.

b. Une suite géométrique (v_n) de raison négative est telle que $v_3 = 3$ et $v_5 = 12$. Déterminer v_8.

Raisonnement logique

▶ Fiches Raisonnement logique p. 8 à 10

75 Vrai ou faux ?

Pour chaque affirmation, indiquer si elle est vraie ou fausse ; justifier.

a. Si une suite (u_n) est définie pour tout $n \in \mathbb{N}$ par $u_n = f(n)$ avec f une fonction croissante sur $[0 ; +\infty[$, alors la suite (u_n) est croissante.

b. Si une suite (u_n) est définie pour tout $n \in \mathbb{N}$ par $u_n = f(n)$ et si (u_n) est croissante pour $n \in \mathbb{N}$, alors f est une fonction croissante sur $[0 ; +\infty[$.

76 Vrai ou faux ?

Pour chaque affirmation, indiquer si elle est vraie ou fausse ; justifier.

a. Si les termes d'une suite géométrique sont tous négatifs, alors sa raison est négative.

b. Si les termes d'une suite arithmétique sont tous négatifs, alors sa raison est négative.

c. Une suite géométrique converge si sa raison est négative.

d. Une suite géométrique converge si sa raison est inférieure à 1.

e. Une suite géométrique diverge si sa raison est supérieure à 1.

77 Quantificateurs

Dans chaque cas, énoncer des propositions vraies en utilisant un quantificateur universel ou existentiel ainsi que les groupes de mots proposés.

a. Suites décroissantes sur $\mathbb{N}$; majorées.

b. Suites décroissantes sur $\mathbb{N}$; convergentes.

c. Suites convergentes ; décroissantes.

78 Réciproque, contraposée

(u_n) et (v_n) sont deux suites numériques croissantes telles que $u_n < v_n$ pour tout $n \in \mathbb{N}$.

On considère la proposition (P_1) suivante :

« Si (u_n) est divergente alors (v_n) est divergente. »

1. a. Énoncer la réciproque (P_2) de la proposition (P_1).

b. Énoncer la contraposée (P_3) de la proposition (P_1).

c. Énoncer la réciproque (P_4) de la proposition (P_3).

2. Parmi les propositions (P_1), (P_2), (P_3) et (P_4), préciser lesquelles sont équivalentes.

3. Ces propositions sont-elles toutes vraies ? Justifier.

79 Raisonnement par contre-exemple

Les affirmations suivantes sont fausses. Dans chaque cas, proposer une suite comme contre-exemple.

a. Toute suite décroissante converge.

b. Toute suite croissante est positive.

c. Toute suite est monotone à partir d'un certain rang.

d. Toute suite est soit arithmétique, soit géométrique.

80 Condition nécessaire, suffisante

Dans chaque cas, préciser si la condition proposée est nécessaire, suffisante, ou nécessaire et suffisante, pour que la propriété soit vraie.

a. Propriété : La suite (u_n) est positive et croissante sur $\mathbb{N}$.

Condition : $\dfrac{u_{n+1}}{u_n} > 1$ pour tout $n \in \mathbb{N}$

b. Propriété : La suite (u_n) est décroissante sur $\mathbb{N}$.

Condition : $u_{n+1} - u_n < 0$ pour tout $n \in \mathbb{N}$.

Restitution des connaissances

81 On suppose connue pour une suite géométrique de premier terme u_0 et de raison $q \neq 1$,

la formule de la somme : $S_n = u_0 + u_1 + \ldots + u_n = u_0 \times \dfrac{1-q^{n+1}}{1-q}$.

Soit (u_n) une suite géométrique de raison $q \neq 1$.

a. Démontrer que pour tout entier $p \leqslant n$, on a : $u_p + u_{p+1} + \ldots + u_n = u_p \times \dfrac{1-q^{n-p+1}}{1-q}$

b. En déduire la formule plus générale pour une suite géométrique de raison $q \neq 1$:

$$\text{Somme des termes consécutifs} = (\text{premier terme de la somme}) \times \frac{1-q^{\text{nombre de termes}}}{1-q}$$

82 a. Les suites (u_n) et (v_n) sont arithmétiques.

Montrer que la suite (w_n) définie par $w_n = u_n - 2v_n$ est arithmétique.

b. Les suites (u_n) et (v_n) sont géométriques.

Montrer que la suite (w_n) définie par $w_n = \dfrac{2u_n}{v_n}$ est géométrique.

83 Démontrer que si une suite est à la fois arithmétique et géométrique, alors elle est constante.

Se tester sur... les suites

CORRIGÉ P. 342

Pour chaque question, indiquer la (les) bonne(s) réponse(s).

Suites numériques

84 La suite (u_n) est définie par un premier terme $u_0 = 1$ et vérifie pour tout $n \in \mathbb{N}$ la relation $u_{n+1} = -u_n + 3$.
u_2 a pour valeur :
[A] -2 [B] 1 [C] 2 [D] 3

85 La suite (u_n) est définie par un premier terme $u_0 = 1$ et vérifie pour tout $n \in \mathbb{N}$ la relation $u_{n+1} = 2 \times u_n + n$.
u_2 a pour valeur :
[A] 1 [B] 2 [C] 5 [D] 8

86 La suite (u_n) est définie par un premier terme u_0 et chaque terme est la racine carrée du double du précédent.
a. Si $u_0 = 8$, alors u_2 vaut :
[A] $2\sqrt{2}$ [B] 4 [C] 8 [D] $\sqrt{8}$
b. La suite (u_n) est constante si u_0 vaut :
[A] 1 [B] 2 [C] 4 [D] 8
c. $u_2 = 4$ si u_0 vaut :
[A] $2\sqrt{\sqrt{2}}$ [B] $\sqrt{8}$ [C] 8 [D] 32

Sens de variation et limite d'une suite

87 La suite (u_n) est définie pour tout $n \in \mathbb{N}$ par :
$$u_n = 2n^2 - n - 7$$
[A] La suite (u_n) est croissante pour tout $n \in \mathbb{N}$.
[B] La suite (u_n) est décroissante pour tout $n \in \mathbb{N}$.
[C] La suite (u_n) est croissante pour tout $n \geqslant 1$.
[D] La suite (u_n) est décroissante pour tout $n \geqslant 1$.

88 La suite (u_n) est définie par un premier terme $u_0 = 1$ et vérifie pour tout $n \in \mathbb{N}$ la relation $u_{n+1} = u_n - n + 5$.
[A] La suite (u_n) est croissante pour tout $n \in \mathbb{N}$.
[B] La suite (u_n) est décroissante pour tout $n \in \mathbb{N}$.
[C] La suite (u_n) est croissante pour tout $n \geqslant 5$.
[D] La suite (u_n) est décroissante pour tout $n \geqslant 5$.

89 La suite (u_n) est définie pour tout $n \geqslant 1$ par $u_n = \frac{n-1}{n}$.
La suite (u_n) est :
[A] croissante pour tout $n \geqslant 1$ et converge vers 0.
[B] croissante pour tout $n \geqslant 1$ et converge vers 1.
[C] décroissante pour tout $n \geqslant 1$ et converge vers 0.
[D] décroissante pour tout $n \geqslant 1$ et converge vers 1.

Suites arithmétiques et géométriques

90 La suite (u_n) est définie par un premier terme $u_0 = 3$ et vérifie pour tout $n \in \mathbb{N}$ la relation $u_{n+1} = u_n + n$.
La suite (u_n) est :
[A] arithmétique de raison n.
[B] géométrique de raison n.
[C] ni arithmétique, ni géométrique.

91 La suite (u_n) est définie pour tout $n \in \mathbb{N}$ par $u_n = \frac{5 \times 2^n}{3^n}$. La suite (u_n) est :
[A] arithmétique. [B] géométrique.
[C] ni arithmétique, ni géométrique.

92 La suite (u_n) est arithmétique telle que $u_{997} = 2{,}5$ et $u_{1010} = -4$. Le terme u_{1012} est égal à :
[A] $-10{,}5$ [B] 1,5 [C] -3 [D] -5

93 La suite (u_n) est géométrique telle que $u_{17} = 0{,}5$ et $u_{20} = 2$. Le terme u_{23} est égal à :
[A] 3,5 [B] 4 [C] 8 [D] 1

94 Une suite arithmétique de raison $-\frac{1}{2}$:
[A] converge vers 0. [B] converge vers $-\frac{1}{2}$.
[C] diverge vers $-\infty$. [D] diverge vers $+\infty$.

95 Une suite géométrique de raison $-\frac{1}{2}$:
[A] converge vers 0. [B] converge vers $-\frac{1}{2}$.
[C] diverge vers $-\infty$. [D] diverge vers $+\infty$.

PRÊT POUR LE CONTRÔLE ?

96 Soit la suite (u_n) définie pour tout $n \in \mathbb{N}$ par :
$$u_n = 2^n - 4n$$
a. Calculer les trois premiers termes de la suite (u_n).
b. La suite (u_n) est-elle arithmétique ? géométrique ?
c. Étudier les variations de (u_n).
d. Montrer que pour tout $n \geqslant 4$, $u_n \geqslant 0$.

Problèmes

97 Pile de cubes

Les suites (u_n) et (v_n) sont définies par :

$$u_n = 1 + 2 + 3 + \ldots + n \quad \text{et} \quad v_n = 1^3 + 2^3 + 3^3 + \ldots + n^3$$

a. En comparant leurs premiers termes, conjecturer une relation entre u_n et v_n.

b. Donner le terme général de (u_n).

c. Conjecturer alors un terme général de (v_n).

d. Vérifier cette conjecture avec la calculatrice.

REMARQUE
Cette conjecture sera démontrée en classe de Terminale en utilisant un raisonnement par récurrence.

98 Somme sing

1. Réduire les nombres suivants au même dénominateur :

a. $\dfrac{1}{1\times 2}+\dfrac{1}{2\times 3}$

b. $\dfrac{1}{1\times 2}+\dfrac{1}{2\times 3}+\dfrac{1}{3\times 4}$

c. $\dfrac{1}{1\times 2}+\dfrac{1}{2\times 3}+\dfrac{1}{3\times 4}+\dfrac{1}{4\times 5}$

2. a. Soit la suite définie pour tout $n \geqslant 1$ par :

$$u_n = \frac{1}{1\times 2}+\frac{1}{2\times 3}+\ldots+\frac{1}{n(n+1)}$$

Conjecturer une expression de (u_n) en fonction de n.

b. Vérifier cette conjecture avec la calculatrice.

REMARQUE
Cette conjecture sera démontrée en classe de Terminale en utilisant un raisonnement par récurrence.

99 Sweet suite

Soit la suite logique (u_n) commençant par les termes $u_2 = \dfrac{3}{2}$; $u_3 = \dfrac{4}{3}$; $u_4 = \dfrac{5}{4}$; $u_5 = \dfrac{6}{5}$.

1. Déterminer u_6, puis exprimer u_n en fonction de n.

2. Soit la suite (v_n) définie pour tout $n \geqslant 1$ par :

$$\begin{cases} v_{n+1} = 2 - \dfrac{1}{v_n} \\ v_1 = 2 \end{cases}$$

a. Calculer v_2, v_3 et v_4. Que peut-on conjecturer ?

b. Exprimer u_{n+1} en fonction de n puis montrer que la suite (u_n) vérifie bien la relation $u_{n+1} = 2 - \dfrac{1}{u_n}$.

c. Conclure.

100 Limite pittoresque — Problème ouvert

Le mathématicien indien Madhava de Sangamagrama (1350 - 1425) a démontré que la somme $4\left(1-\dfrac{1}{3}+\dfrac{1}{5}-\dfrac{1}{7}+\ldots\right)$ converge vers un nombre surprenant.

a. Découvrir ce nombre à l'aide de la calculatrice.

b. Combien de termes faut-il calculer pour obtenir trois chiffres significatifs ?

101 La convergence de l'escargot

1. Étudier, pour tout réel x positif, le signe de $\sqrt{x} - x$.

2. La suite (u_n) est définie par un premier terme u_0 et vérifie pour tout $n \in \mathbb{N}$ la relation $u_{n+1} = \sqrt{u_n}$.

a. Lorsque $u_0 = 4$, donner des valeurs approchées des quatre premiers termes de la suite (u_n).

b. Lorsque $u_0 = 4$, on admet que tous les termes de la suite (u_n) sont supérieurs à 1. Étudier les variations de la suite (u_n).

c. Lorsque $u_0 = 0{,}04$, on admet que tous les termes de la suite (u_n) sont inférieurs à 1. Étudier les variations de la suite (u_n).

3. Pour représenter la suite (u_n) lorsque $u_0 = 4$, on peut s'appuyer sur la représentation ci-dessous de $f(x) = \sqrt{x}$. On construit u_0, puis $u_1 = f(u_0)$. On reporte u_1 sur l'axe des abscisses à l'aide de la droite d'équation $y = x$ puis on peut construire $u_2 = f(u_1)$, et ainsi de suite.

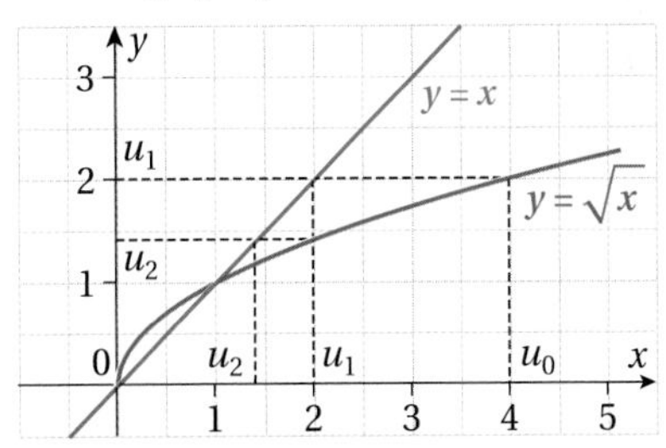

a. Vérifier les valeurs calculées en **2a**.

b. Sur le même principe, construire les six premiers termes de la suite (u_n) lorsque $u_0 = 0{,}04$.

c. Conjecturer la limite de la suite (u_n).
Ce résultat dépend-il du terme initial ?

4. La suite (v_n) est définie par un premier terme $v_0 = 4$ et vérifie pour tout $n \in \mathbb{N}$ la relation $v_{n+1} = \dfrac{1}{v_n + 1}$.

a. Par le même procédé qu'à la question **3**, construire la représentation graphique de la suite (v_n) et conjecturer sa limite.

b. À l'aide de ces observations graphiques, déterminer par le calcul la valeur de la limite de (v_n).

102 Persévérance

Lors d'une soirée de ski nocturne, Augustin apprend à prendre le téléski en snowboard.

La première fois, il parcourt 40 mètres avant de tomber du téléski.
La deuxième fois, il parcourt 45 mètres.
Puis, à chaque tentative, il réussit à tenir sur la perche 5 mètres de plus que la fois précédente.
Le téléski mesure 300 mètres de long.

a. Combien devra-t-il faire de tentatives pour arriver au sommet ?

b. Le téléski avance à la vitesse de 4 mètres par seconde. Combien de temps Augustin aura-t-il passé sur le téléski ?

103 Château de cartes

Pour construire un château de carte de p étages, il faut u_n cartes au $n^{\text{ième}}$ étage, avec $1 \leqslant n \leqslant p$.

a. Justifier que $u_1 = 3p - 1$.

b. Montrer que la suite (u_n) vérifie la relation :

$$u_{n+1} = u_n - 3$$

c. En déduire la nature et les éléments caractéristiques de la suite (u_n).

d. Exprimer u_n en fonction de n et p.

e. Vérifier à l'aide de l'expression précédente que $u_p = 2$. Interpréter ce résultat.

f. Exprimer en fonction de p le nombre de cartes nécessaires pour faire un château de p étages.

g. Combien peut-on faire d'étages avec un jeu de 52 cartes ?

104 Pairs contre impairs

a. À l'aide de suites arithmétiques, déterminer le terme général de la suite définie pour tout $n \geqslant 1$ par :

$$u_n = \frac{1+3+5+\ldots+(2n-1)}{2+4+6+\ldots+2n}$$

b. Calculer :

$$\frac{1+3+5+\ldots+999}{2+4+6+\ldots+1000}$$

105 Trop fort !

Manu a 13 de moyenne en mathématiques cette année. À chacun des neuf contrôles de l'année, il a progressé de 1,5 point.
Quelle était sa plus mauvaise note de l'année ?

106 Poursuite

Un lièvre et une tortue décident de faire une petite course de 100 m.
La tortue, lente mais courageuse, avance de 4 mètres par minute. Le lièvre, lui, parcourt 10 % de la distance la première minute puis 10 % de la distance restante à chaque minute suivante, car rien ne sert de courir.
On appelle (u_n) et (v_n) les distances en mètres restant à parcourir après n minutes de course. On a donc $u_0 = 100$ et $v_0 = 100$.

a. Quelles sont les valeurs de u_1 et v_1 ?

b. Déterminer la nature de la suite (u_n) et donner son expression en fonction de n.

c. Déterminer la nature de la suite (v_n) et donner son expression en fonction de n.

d. Construire avec la calculatrice la table de valeurs de ces deux suites.

e. Au bout de combien de temps la tortue dépasse-t-elle le lièvre ?

f. Déterminer par le calcul le temps mis par la tortue pour arriver.
Quel sera le retard du lièvre ?

107 La juerga

En un edificio triangular los pisos están numerados a partir del vértice Superior, como se indica a continuación :

El propietario del piso número 2007 se queja de que su vecino de arriba no para de hacer la juerga.
¿ Cuál es el número del piso de este vecino juerguista ?

D'après *Mathématiques sans frontières*, février 2007.

108 Augmentation ou illusion ?

Une catégorie de salariés est augmentée une fois par an. Dans le même temps, le taux annuel d'inflation moyen est de 1,8 %. Un de ces salariés gagne 1 800 € nets par mois.

1. a. Quel salaire mensuel devrait-il obtenir au bout d'un an pour conserver son pouvoir d'achat ?

b. Sachant que son augmentation annuelle est de 0,5 %, quel est son salaire mensuel au bout d'un an ?

2. Mêmes questions après dix années avec les mêmes conditions (taux inchangé).

3. Quel est le montant après 10 ans du retard de salaire mensuel représentant la perte de pouvoir d'achat ?

4. Quel pourcentage d'augmentation le salarié est-il en droit de réclamer pour récupérer son pouvoir d'achat d'il y a 10 ans ?

REMARQUE Pour garder un pouvoir d'achat constant, le salaire et le coût de la vie doivent augmenter dans les mêmes proportions.

109 Effet de seuil

Marc possède 200 €. Il décide de dépenser chaque mois la moitié de son argent car, pour compenser, il travaille et économise 180 € par mois. Il espère ainsi pouvoir dépenser plus tout en augmentant ses économies.
On note (u_n) le montant de ses économies le $n^{\text{ième}}$ mois.

1. a. Déterminer u_0, u_1, u_2 et u_3.

b. Peut-on confirmer les espérances de Marc ?

c. Donner la relation de récurrence liant u_{n+1} à u_n.

2. On note (v_n) la suite définie sur $\mathbb{N}$ par $v_n = u_n - 360$.

a. Montrer que pour tout $n \in \mathbb{N}$, $v_{n+1} = \frac{1}{2} v_n$.

b. En déduire le terme général de (v_n) puis de (u_n).

c. Préciser ce que peut espérer Marc en étudiant les variations et la limite de (u_n).

3. a. Plus généralement, en notant C le montant initial des économies de Marc, exprimer u_n en fonction de n et de C.

b. Le montant initial de ses économies influe-t-il sur la limite de (u_n) ? sur ses variations ?

110 La suite de Fibonacci — Algorithmique

Le mathématicien Léonardo Fibonacci (1175 - 1250) propose un modèle amusant pour évaluer la croissance d'une population de lapins : « Un homme met un couple de lapins dans un lieu isolé de tous les côtés par un mur. Combien de couples obtient-on en un an si chaque couple engendre tous les mois un nouveau couple à compter du troisième mois de son existence ? »
On peut modéliser le phénomène en notant (u_n) la suite décrivant le nombre de couples de lapins au $n^{\text{ième}}$ mois.
On a donc $u_1 = 1$ et $u_2 = 1$ car les couples n'engendrent qu'à partir du troisième mois.

a. Déterminer les valeurs de u_3 et u_4.

b. Expliquer pourquoi les mois suivants, la suite vérifie la relation de récurrence $u_{n+2} = u_{n+1} + u_n$.

c. Le(s)quel(s) des algorithmes ci-dessous programmés en Xcas a (ont) permis d'obtenir les premiers termes de la suite donnés dans la première fenêtre ?

```
u:1
v:1
v:2
v:3
v:5
v:8
v:13
```

1
```
saisir(n);
u:=1;v:=1;
afficher(u);afficher(v);
pour j de 2 jusque n
faire v:=u+v; u:=v-u;
afficher(v);
fpour;
```

2
```
saisir(n);
u:=1;v:=1;
afficher(u);afficher(v);
pour j de 1 jusque n
faire w:=u+v; u:=v; v:=w;
afficher(v);
fpour;
```

3
```
saisir(n);
u:=1;v:=1;
afficher(u);afficher(v);
pour j de 2 jusque n
faire v:=u+v; u:=v;
afficher(v);
fpour;
```

111 Billets d'avion

La compagnie à bas coût Rêveair propose 300 billets pour une destination de rêve à un prix initial incroyable : 25 € l'aller-retour. En réalité, le tarif évolue toutes les semaines de manière inversement proportionnelle au nombre de places restantes à vendre.
On note (u_n) la suite donnant le nombre de places restantes après n semaines et (v_n) la suite déterminant le prix de vente de la $n^{\text{ième}}$ semaine. Ainsi on a $u_0 = 300$ et $v_1 = 25$ (prix de vente la première semaine).
Le prix de vente suit pour tout $n \geqslant 0$ la relation $v_{n+1} = \frac{7500}{u_n}$ tant que $u_n \neq 0$.

1. On suppose que la première semaine se sont vendus 50 billets et la deuxième semaine 30 billets.

a. Déterminer la recette de la première semaine et le prix de vente de la deuxième semaine.

b. Déterminer la recette de la deuxième semaine et le prix de vente de la troisième semaine.

c. Montrer que la recette de la $n^{\text{ième}}$ semaine vaut $7\,500 - u_n \times v_n$.

2. On suppose que 15 billets sont vendus chaque semaine.

a. Exprimer u_n en fonction de n, et préciser le nombre de semaines nécessaires pour vendre tous les billets.

b. En déduire l'expression de v_n en fonction de n, puis le prix d'un billet la dernière semaine de vente.

3. En réalité, le tarif en début de vente est attractif et la suite (u_n) suit une progression géométrique de raison 0,6.

a. Exprimer u_n en fonction de n.
Préciser alors les valeurs de u_1 et v_2.

b. En déduire l'expression de v_n en fonction de n.

c. On lance les ventes 10 semaines avant le départ. Déterminer le nombre de places invendues et le prix d'un billet la dernière semaine de vente.

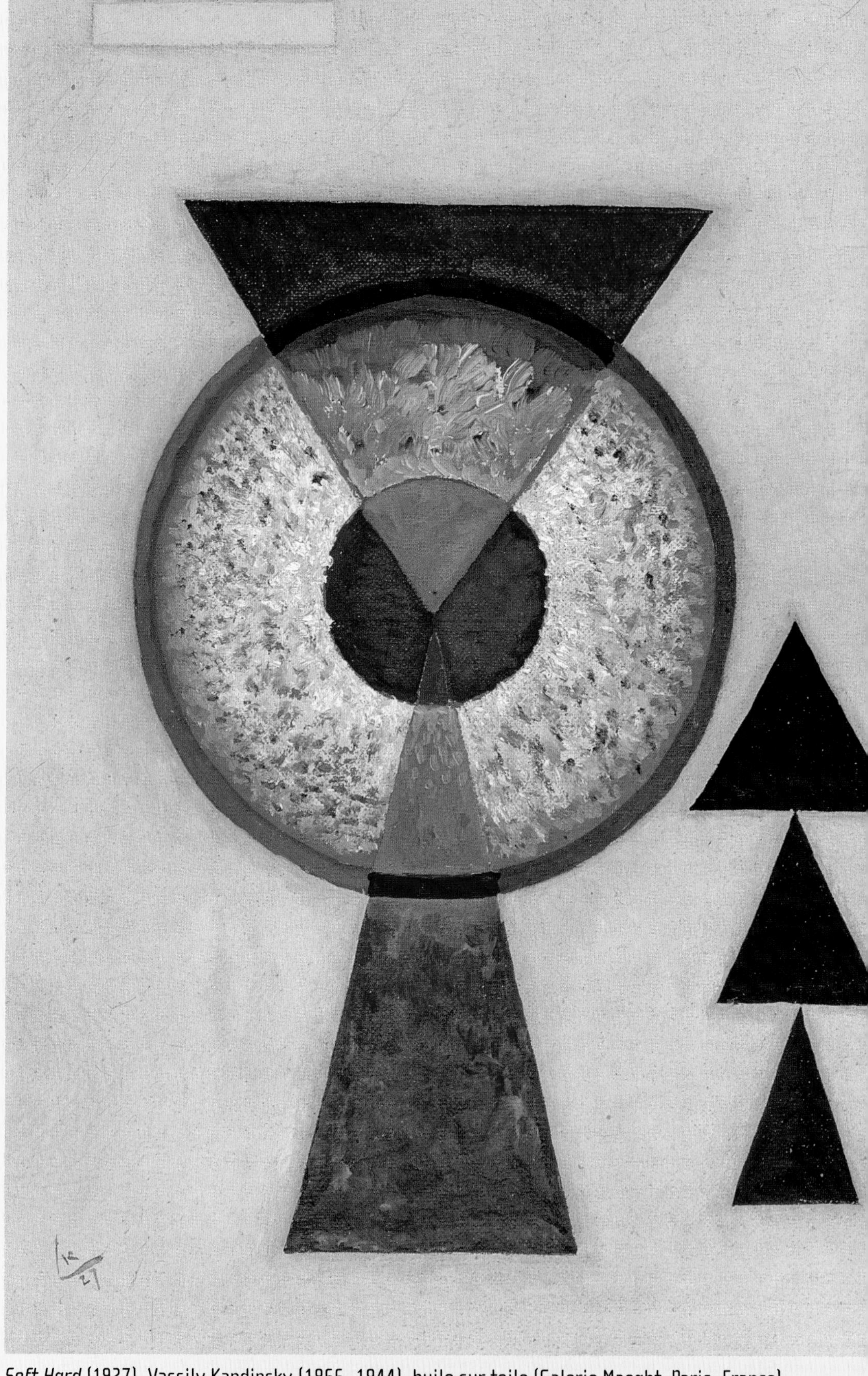

Soft Hard (1927), Vassily Kandinsky (1866-1944), huile sur toile (Galerie Maeght, Paris, France).

GÉOMÉTRIE

QCM Pour bien commencer

Pour chaque question, indiquer la (les) bonne(s) réponse(s).

CORRIGÉ P. 342

1 Si ABCD est un parallélogramme de centre O alors :

A $\overrightarrow{AB} = \overrightarrow{CD}$

B $\overrightarrow{AC} = \overrightarrow{DB}$

C $\overrightarrow{AO} = \overrightarrow{OC}$

D $\overrightarrow{DO} + \overrightarrow{AO} = \overrightarrow{AB}$

2 Sur la figure ci-contre, on a :

A H est l'image de E par la translation de vecteur $\overrightarrow{FE}$.

B $\mathscr{C} \cap (HF) = \{E\}$

C $\overrightarrow{IG} + \frac{1}{2}\overrightarrow{IF} = \vec{0}$

D $\|\overrightarrow{OJ}\| = OG$

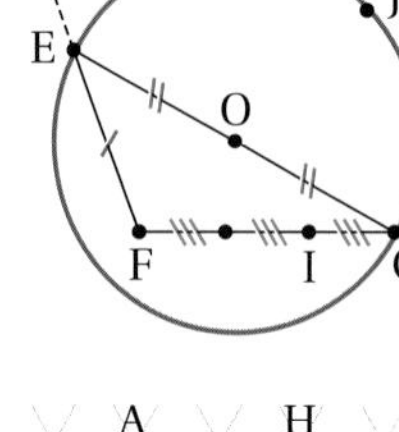

3 Sur la figure ci-contre, on a :

A $\overrightarrow{AF} = 2\overrightarrow{HG}$

B $\overrightarrow{BG} = \frac{1}{4}\overrightarrow{DE}$

C $\overrightarrow{FA} - \overrightarrow{FC} = \overrightarrow{HF}$

D $-4\overrightarrow{CD} = \overrightarrow{AF}$

4 A, B, C et D sont 4 points du plan vérifiant $-3\overrightarrow{AB} = \overrightarrow{DC}$. On peut affirmer que :

A A, B, C et D sont alignés.

B les vecteurs $\overrightarrow{AB}$ et $\overrightarrow{CD}$ sont colinéaires.

C les droites (AC) et (BD) sont parallèles.

D ABCD est un trapèze.

5 Dans quels cas les vecteurs $\vec{u}$ et $\vec{v}$ sont-ils colinéaires ?

A $\vec{u} = \pi\vec{v}$

B $\vec{u}(-1\,;4)$ et $\vec{v}(2\,;-8)$ dans le repère $(O\,;\vec{i},\vec{j})$.

C $\vec{u}$ est le vecteur nul.

D $5\vec{u} - \vec{v} = \vec{u} + 5\vec{v}$

6 Le vecteur $\overrightarrow{AB}$ a pour coordonnées $(3\,;-2)$ lorsque :

A A(−10 ; 2) et B(−7 ; 4).

B B est le symétrique de A(−1,5 ; 1) par rapport à O.

C $\overrightarrow{AB} = 3\vec{i} - 2\vec{j}$

D $\overrightarrow{AB} = \frac{2}{3}\vec{u}$ où $\vec{u}$ est le vecteur ci-contre.

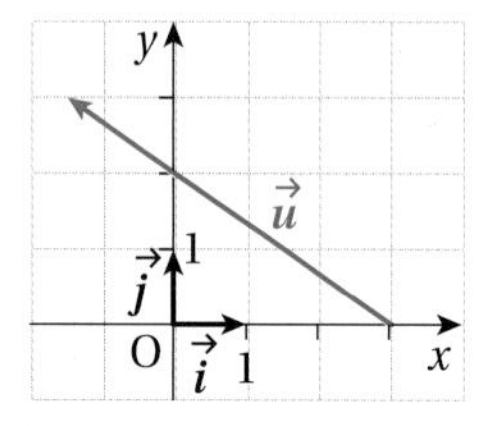

7 La droite d représentée ci-contre :

A a pour coefficient directeur −1.

B a pour équation :

$$y = -\frac{9}{8}x + \frac{5}{2}$$

C a pour vecteur directeur $\vec{u}(18\,;-16)$.

D a pour équation $y = -\frac{7}{8}x + 2{,}5$.

8 On considère la droite d qui a pour équation $y = -3x + 2$ dans le repère $(O\,;\vec{i},\vec{j})$.

On peut dire que :

A d passe par les points A(−10 ; 32) et B(4 ; 10).

B le point d'intersection de d avec l'axe des abscisses a pour coordonnées $\left(\frac{2}{3}\,;0\right)$ et son ordonnée à l'origine est −3.

C d passe par le point A(−1 ; 5) et est parallèle à la droite Δ d'équation $y = -3x + 10$.

D la droite d passe par le point A et $\vec{u}$ est un vecteur directeur de d (A et $\vec{u}$ ci-contre).

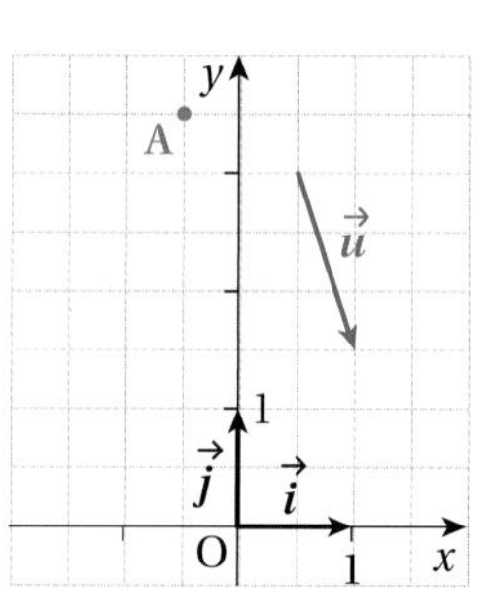

9 Le système $\begin{cases} 3x - 4y = -1 \\ -9x + 12y = 3 \end{cases}$ admet :

A le couple (5 ; 4) pour solution.

B une unique solution.

C le couple (9 ; 7) pour solution.

D une infinité de solutions.

10 ABCD est un rectangle de centre O.

Les coordonnées du point O sont :

A $\left(1\,;\frac{1}{2}\right)$ dans le repère $(C\,;\overrightarrow{CB},\overrightarrow{CD})$.

B $\left(\frac{1}{2}\,;0\right)$ dans le repère $(A\,;\overrightarrow{AC},\overrightarrow{AD})$.

C (1 ; 0) dans le repère $(D\,;\overrightarrow{DC},\overrightarrow{DO})$.

D $\left(\frac{1}{2}\,;\frac{1}{2}\right)$ dans le repère $(B\,;\overrightarrow{BA},\overrightarrow{BC})$.

Vecteurs et droites

5

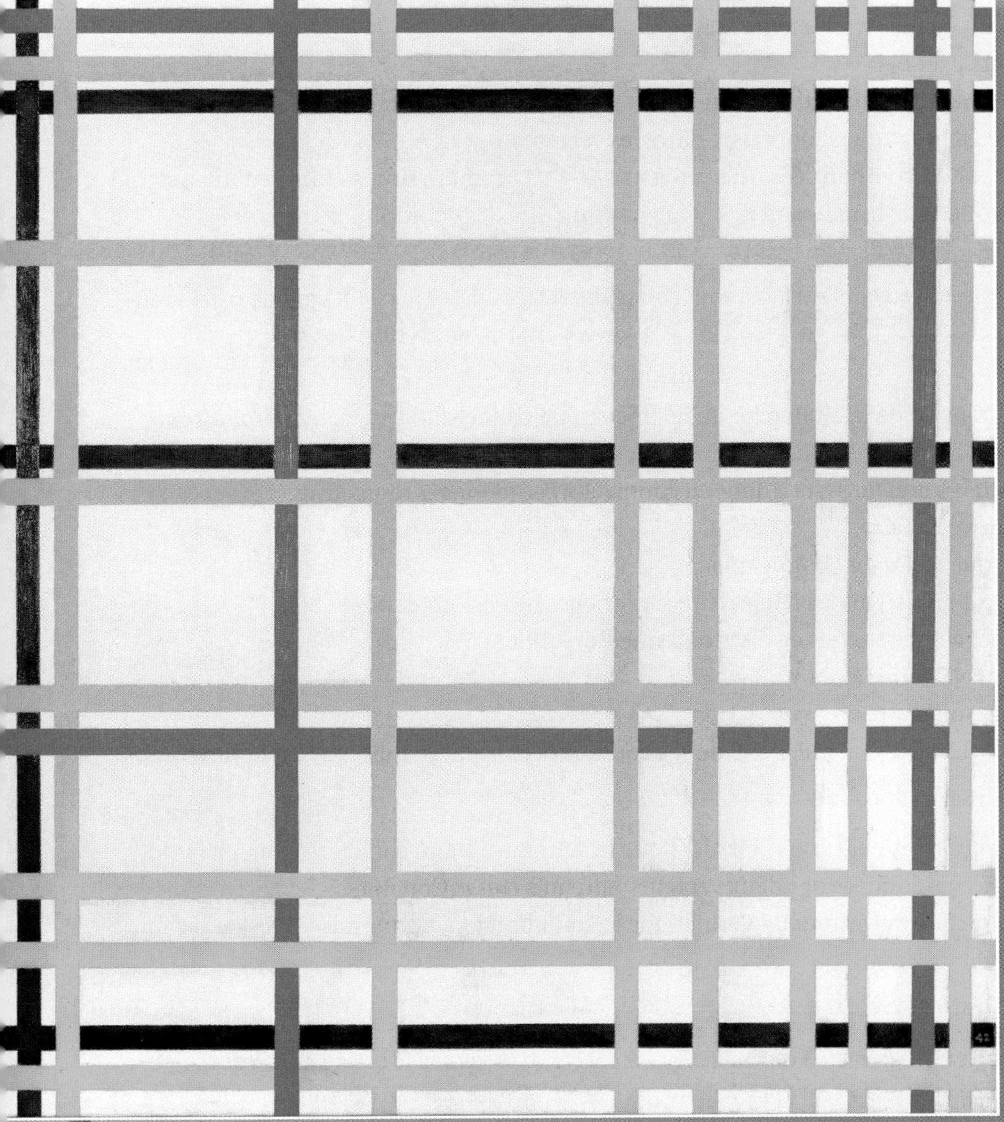

New York City (1942), Piet Mondrian (1872-1944), huile sur toile (Collection particulière).

Les premières toiles de Piet Mondrian (1872-1944), peintre néerlandais, sont principalement des paysages. Mais sa curiosité le pousse à essayer différents courants artistiques : fauvisme, pointillisme et surtout cubisme, jusqu'à aboutir à une peinture de lignes horizontales et verticales. Piet Mondrian est le principal fondateur de l'abstraction géométrique.

Le chapitre en bref

Réinvestir

- Vecteurs du plan
- Colinéarité de deux vecteurs
- Coordonnées et repérage dans le plan

Découvrir

- Condition analytique de colinéarité de deux vecteurs
- Vecteur directeur d'une droite
- Équation cartésienne d'une droite
- Décomposition de vecteurs dans une base

Activités

1 Une condition de colinéarité de deux vecteurs

Réinvestir : Utiliser la définition de colinéarité de deux vecteurs et les coordonnées de vecteurs.
Découvrir : Établir la condition analytique de colinéarité de deux vecteurs.

1 Définition de la colinéarité

a. Que possèdent en commun les vecteurs $\vec{u}$, $\vec{v_1}$, $\vec{v_2}$ et $\vec{v_3}$?
Que possèdent en plus les vecteurs $\vec{u}$ et $\vec{v_3}$?
Et les vecteurs $\vec{v_1}$ et $\vec{v_3}$?

b. Quel mot traduit le fait que les vecteurs $\vec{u}$ et $\vec{v_i}$ ont la même direction ?

c. Écrire l'égalité vectorielle qui existe entre les vecteurs $\vec{u}$ et $\vec{v_i}$.

d. Connaissant les coordonnées de $\vec{u}(x\,;\,y)$ et $\vec{v_i}(x'\,;\,y')$, traduire sous la forme d'un système l'égalité vectorielle de la question 1c. Que peut-on dire des coordonnées de $\vec{u}$ et $\vec{v_i}$?

2 Démontrer la colinéarité de deux vecteurs

Démontrer que les vecteurs suivants sont colinéaires en précisant le coefficient de colinéarité.

a. $\vec{u}(1\,;\,4)$ et $\vec{v}(3\,;\,12)$ b. $\vec{u}'(-12\,;\,4)$ et $\vec{v}'(135\,;\,-45)$

3 Établir une condition nécessaire et suffisante de colinéarité

On veut s'affranchir de la recherche du coefficient de colinéarité k et trouver un test numérique simple pour prouver la colinéarité de deux vecteurs.
Soit deux vecteurs non nuls $\vec{u}$ et $\vec{v}$ dont on connaît les coordonnées respectives $(x\,;\,y)$ et $(x'\,;\,y')$.

a. **Condition nécessaire**
On suppose que $\vec{u}$ et $\vec{v}$ sont colinéaires.
Traduire ce que cela signifie à l'aide des coordonnées de ces vecteurs.
Montrer qu'en combinant les égalités obtenues, on obtient :
si $\vec{u}$ et $\vec{v}$ sont colinéaires alors $xy' - yx' = 0$.

b. **Condition suffisante**
Comme $\vec{u}$ est supposé non nul, l'une de ses coordonnées est non nulle, par exemple son abscisse x. Posons alors $k = \dfrac{x'}{x}$.
Exprimer y' en fonction de y. Vérifier alors que le système obtenu caractérise bien la proportionnalité des coordonnées des deux vecteurs non nuls $\vec{u}$ et $\vec{v}$. Conclure.

c. Que peut-on dire du vecteur $\vec{0}$? Vérifier que la condition fonctionne aussi avec ce vecteur.

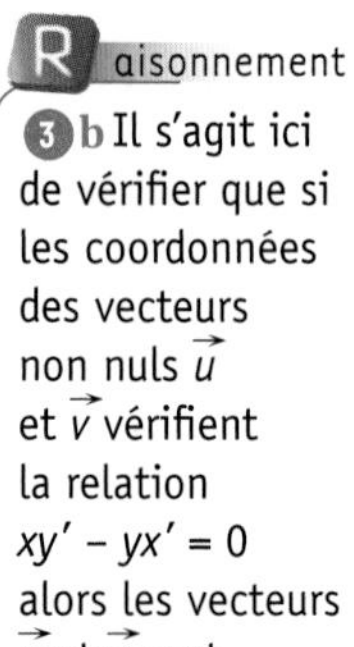
Raisonnement
3b Il s'agit ici de vérifier que si les coordonnées des vecteurs non nuls $\vec{u}$ et $\vec{v}$ vérifient la relation $xy' - yx' = 0$ alors les vecteurs $\vec{u}$ et $\vec{v}$ sont colinéaires.

2 Une caractérisation unifiée pour toutes les droites

Découvrir : À l'aide d'un logiciel de géométrie dynamique (ici *GeoGebra*), conjecturer la nature du lieu des points M dont les coordonnées x et y vérifient la relation $ax + by + c = 0$ avec a, b et c curseurs variables.

1 Constructions et conjectures

a. Dans *GeoGebra*, afficher la fenêtre d'algèbre : dans le menu *Affichage*, cocher « Fenêtre algèbre ».

b. À l'aide de l'icône [a=2], créer trois curseurs a, b et c.

c. Dans le champ de saisie, entrer l'expression : « $a*x + b*y + c = 0$ » et tracer la courbe en rouge.
En manipulant les curseurs a, b et c, conjecturer la nature du lieu des points M dont les coordonnées x et y vérifient la relation $ax + by + c = 0$.

d. Déterminer les valeurs de a, b et c pour lesquelles on obtient des cas particuliers (par exemple l'ensemble vide, le plan…).

2 Démonstration

Dans un repère, on considère une droite d quelconque. Soit $A(x_0\,;\,y_0)$ l'un de ses points, $\vec{u}(\alpha\,;\,\beta)$ un vecteur non nul possédant la même direction que d et $M(x\,;\,y)$ un point quelconque du plan.

a. Donner une condition vectorielle qui traduit l'appartenance du point M à la droite d.

b. Utiliser la condition analytique sur les coordonnées établie dans l'**Activité 1** pour montrer que le test d'appartenance du point M à la droite d est bien de la forme $ax + by + c = 0$ (avec a, b et c à déterminer en fonction de x_0, y_0, α, β).

c. L'expression $ax + by + c = 0$ est appelée **une** équation cartésienne de la droite d.
Expliquer pourquoi on utilise l'article indéfini « une ».
Montrer que les types d'équations de droites étudiées en classe de Seconde peuvent à présent trouver une **version unifiée** grâce à l'utilisation de l'expression $ax + by + c = 0$ en précisant les valeurs de a, b et c dans chaque cas (droites parallèles ou non à l'axe des ordonnées).

Raisonnement
La démonstration du théorème **réciproque** (« Toute équation du type $ax + by + c = 0$ caractérise toujours une droite ») est proposée dans le cours p. 176.

3 Pour aller plus loin…

Auriane est une élève curieuse… Elle utilise un logiciel de géométrie dynamique pour étudier d'autres ensembles de points : dans le champ de saisie, elle entre l'équation « a*x^2 + b*y + c = 0 », puis « a*x^2 + b*y^2 + c = 0 ».

a. Faire tracer respectivement en bleu et en vert les courbes correspondant à ces équations.

b. En manipulant les curseurs a, b et c, essayer de reconnaître ces courbes.

3 Décomposition d'un vecteur du plan

Découvrir : • Combinaison linéaire de vecteurs.
• Utilisation dans une démonstration.

Partie A. Lecture

Dès lors que l'on choisit deux vecteurs non colinéaires du plan, on crée un moyen de repérer tous les autres vecteurs de ce plan : on a choisi une **base**.
On considère les deux figures ci-dessous.

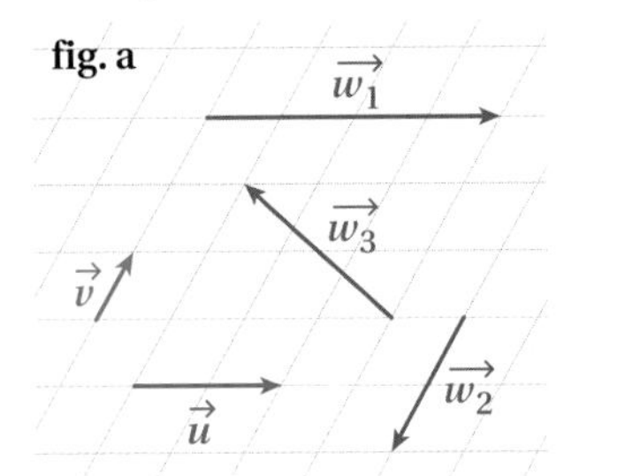

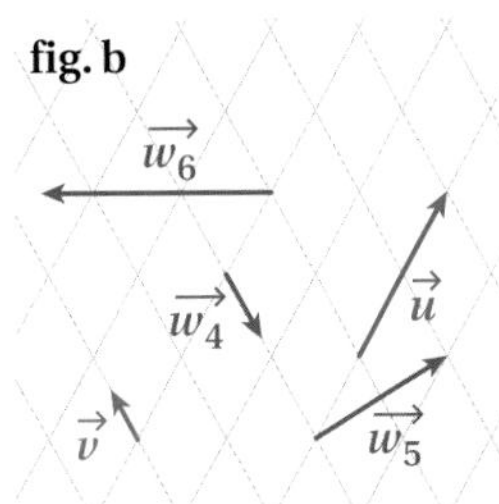

Vocabulaire
On dit que $\vec{w_i}$ s'écrit sous la forme d'une **combinaison linéaire** des vecteurs $\vec{u}$ et $\vec{v}$, ou encore que le vecteur $\vec{w_i}$ est exprimé dans la **base** $(\vec{u}, \vec{v})$.

Écrire chaque vecteur $\vec{w_i}$ sous la forme d'une somme vectorielle du type : $\vec{w_i} = ■\,\vec{u} + ■\,\vec{v}$ (où les carrés de couleur désignent des réels à déterminer).

Partie B. Utilisation de la décomposition de vecteurs pour démontrer un alignement de points

1 Construire un parallélogramme ABCD.
Placer les points I et J définis par : $\overrightarrow{BI} = \frac{1}{2}\overrightarrow{AB}$ et $\overrightarrow{AJ} = 2\overrightarrow{AC} + \overrightarrow{BD} + \overrightarrow{CD}$.

2 On désire prouver l'alignement des points J, C et I à l'aide de relations vectorielles.

a. Exprimer $\overrightarrow{AC}$ dans la base $(\overrightarrow{AB}, \overrightarrow{AD})$ et montrer que $\overrightarrow{AI}$ s'écrit $\frac{3}{2}\overrightarrow{AB}$ et que $\overrightarrow{AJ}$ s'écrit $3\overrightarrow{AD}$.

b. En déduire l'expression des vecteurs $\overrightarrow{IJ}$ et $\overrightarrow{IC}$ dans la base $(\overrightarrow{AB}, \overrightarrow{AD})$. En comparant les deux décompositions obtenues, prouver que les vecteurs $\overrightarrow{IJ}$ et $\overrightarrow{IC}$ sont colinéaires. Conclure.

A. Colinéarité de deux vecteurs

1 Vecteurs colinéaires

DÉFINITION

Soit $\vec{u}$ et $\vec{v}$ deux vecteurs **non nuls**.
Les vecteurs $\vec{u}$ et $\vec{v}$ sont **colinéaires** si l'un est le produit de l'autre par un réel non nul, c'est-à-dire s'il existe un réel k non nul tel que $\vec{u} = k\,\vec{v}$.

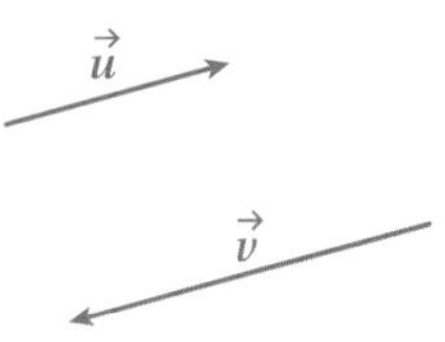

Ainsi, deux vecteurs non nuls sont colinéaires s'ils ont même direction.

REMARQUES

- On conviendra que le vecteur nul est colinéaire à tout vecteur.
- Dans l'égalité $\vec{u} = k\,\vec{v}$, le réel k est le **coefficient de colinéarité.**

2 Caractérisation analytique de la colinéarité de deux vecteurs

PROPRIÉTÉ

Soit $(O ; \vec{i}, \vec{j})$ un repère dans lequel $\vec{u}$ et $\vec{v}$ ont pour coordonnées respectives $(x ; y)$ et $(x' ; y')$.
On peut traduire la colinéarité des vecteurs $\vec{u}$ et $\vec{v}$ par :
(a) la proportionnalité des coordonnées ($x = kx'$ et $y = ky'$ avec k le coefficient de colinéarité).
(b) la relation $\boldsymbol{xy' - yx' = 0}$.

EXEMPLES

(a) Parfois, à la lecture des coordonnées, le coefficient de proportionnalité k se détermine de façon immédiate. Par exemple, si $\vec{u}(-3 ; 5)$ et $\vec{v}(15 ; -25)$ alors $\vec{u}$ et $\vec{v}$ sont colinéaires car $\vec{v} = -5\vec{u}$.
(b) Sinon, on utilise la relation $xy' - yx' = 0$.
Afin de retenir facilement la formule, les calculs peuvent être présentés de façon visuelle.
Par exemple, en notant les vecteurs en colonne :
$\vec{u}\begin{pmatrix} 4 \\ 5 \end{pmatrix} \; (-) \; \vec{v}\begin{pmatrix} 5 \\ 6 \end{pmatrix}$ D'où $4 \times 6 - 5 \times 5 = 24 - 25 = -1$ ($\neq 0$), donc $\vec{u}$ et $\vec{v}$ ne sont pas colinéaires.

DÉMONSTRATION

Soit $(O ; \vec{i}, \vec{j})$ un repère du plan dans lequel les vecteurs $\vec{u}$ et $\vec{v}$ ont pour coordonnées respectives $(x ; y)$ et $(x' ; y')$.
- Démontrons tout d'abord l'**énoncé direct** : *si* $\vec{u}$ et $\vec{v}$ sont colinéaires *alors* $xy' - yx' = 0$.
– Supposons que l'un des vecteurs est nul : alors la relation est clairement vérifiée.
– Supposons à présent que les deux vecteurs $\vec{u}$ et $\vec{v}$ sont non nuls : comme $\vec{u}$ et $\vec{v}$ sont colinéaires alors il existe un réel k non nul tel que $\vec{u} = k\vec{v}$. Ceci se traduit sur les coordonnées par :

$$x = kx' \text{ et } y = ky'$$

On a donc : $xy' - yx' = (kx')y' - (ky')x' = kx'y' - kx'y' = 0$. ■
- Démontrons maintenant l'**énoncé réciproque** : *si* $xy' - yx' = 0$ *alors* $\vec{u}$ et $\vec{v}$ sont colinéaires.
Comme $\vec{u}$ est supposé non nul, l'une de ses coordonnées est non nulle : par exemple son abscisse x. On peut donc définir le réel k tel que $k = \dfrac{x'}{x}$.
Si $xy' - yx' = 0$ alors $y' = \dfrac{x'}{x}y = ky$ (en divisant par x qui est non nul).
Comme $x' = kx$ et $y' = ky$, on a $\vec{v} = k\vec{u}$. Ce qui prouve que $\vec{u}$ et $\vec{v}$ sont colinéaires. ■

▶ Savoir-faire 1
Utiliser la condition de colinéarité, p. 178

B. Caractérisation analytique d'une droite

1 Vecteur directeur d'une droite

DÉFINITION

Soit d une droite du plan.
On appelle **vecteur directeur** de d tout vecteur non nul $\vec{u}$ qui possède la même direction que la droite d.

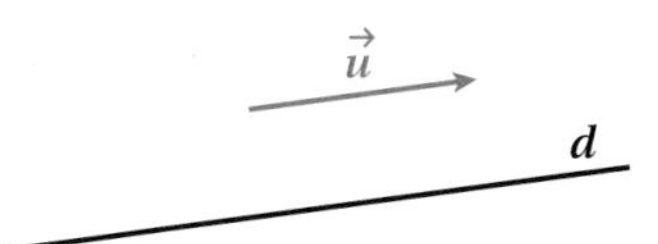

EXEMPLES

Pour une droite d donnée, il y a une infinité de choix possibles :

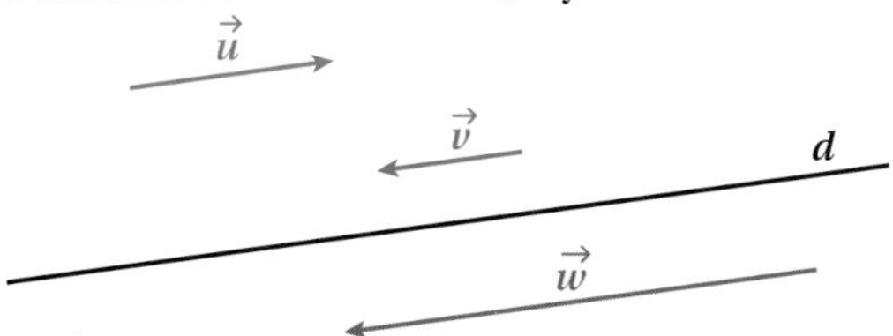

Si $\vec{u}$ est un vecteur directeur de la droite d, alors tout vecteur non nul colinéaire à $\vec{u}$ est aussi un vecteur directeur de d.

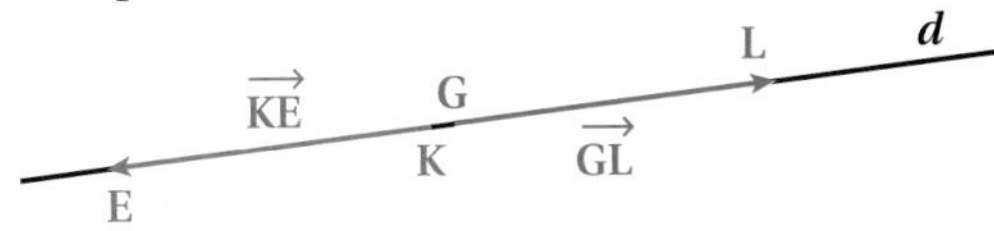

Le choix de deux points distincts quelconques de la droite d définit un vecteur directeur de cette droite.

REMARQUE Le parallélisme de deux droites d et d' peut être traduit par le fait que tout vecteur directeur de l'une est vecteur directeur de l'autre.

2 Équations cartésiennes d'une droite

THÉORÈME

Toute droite d du plan admet une équation de la forme :

$$ax + by + c = 0$$

où a, b et c sont trois réels à déterminer.
Cette équation est **une équation cartésienne** de la droite d.

DÉMONSTRATION

Dans un plan muni d'un repère $(O ; \vec{i}, \vec{j})$, soit une droite d quelconque et un point $M(x ; y)$.
Déterminons à quelle condition le point M appartient à la droite d.
La droite d peut être définie par la donnée d'un de ses points (par exemple le point A de coordonnées $(x_0 ; y_0)$) et d'un vecteur directeur $\vec{u}$ de coordonnées $(\alpha ; \beta)$ (par définition, $\vec{u}$ est non nul donc $(\alpha ; \beta) \neq (0 ; 0)$).

M est un point de d. $\Leftrightarrow$ Les vecteurs $\overrightarrow{AM}\begin{pmatrix} x - x_0 \\ y - y_0 \end{pmatrix}$ et $\vec{u}\begin{pmatrix} \alpha \\ \beta \end{pmatrix}$ sont colinéaires.

$\Leftrightarrow (x - x_0) \times \beta - (y - y_0) \times \alpha = 0$

$\Leftrightarrow \beta x - \beta x_0 - \alpha y + \alpha y_0 = 0$

$\Leftrightarrow \beta x - \alpha y + \underbrace{(-\beta x_0 + \alpha y_0)}_{\text{constante réelle}} = 0$

Posons alors $a = \beta$, $b = -\alpha$ et $c = -\beta x_0 + \alpha y_0$.
Le point M est un point de la droite d *si et seulement si* ses coordonnées vérifient l'équation $ax + by + c = 0$ où a, b et c sont trois réels (et $(a ; b) \neq (0 ; 0)$ puisque $a = \beta$, $b = -\alpha$ et $(\alpha ; \beta) \neq (0 ; 0)$). ■

▶ Savoir-faire 2
Déterminer une équation cartésienne de droite connaissant un point et un vecteur directeur, p. 178

REMARQUE Une droite admet une infinité d'équations cartésiennes. En effet, si $ax + by + c = 0$ est une équation de d, alors pour tout réel k non nul, $kax + kby + kc = 0$ est également une équation de d.

THÉORÈME RÉCIPROQUE

L'ensemble des points $M(x ; y)$ vérifiant l'équation $ax + by + c = 0$ (avec $(a ; b) \neq (0 ; 0)$) est une droite de vecteur directeur $\vec{u}(-b ; a)$.

Raisonnement
On procède par **disjonction des cas.**

DÉMONSTRATION

On se place dans un plan $\mathcal{P}$ muni d'un repère $(O\,;\vec{i},\vec{j})$.
Soit Γ l'ensemble des points $M(x\,;y)$ tels que $ax+by+c=0$ avec a, b et c réels fixés.

a) Cas où a et b sont nuls.

L'équation $ax+by+c=0$ se réduit alors à $c=0$. Γ est donc l'ensemble vide dans le cas où c est non nul et Γ est le plan $\mathcal{P}$ dans le cas où c est nul.

b) Cas où $(a\,;b)\neq(0\,;0)$. On peut par exemple supposer que $a\neq 0$.

Le point $M(x\,;y)$ appartient à Γ si et seulement si $ax+by+c=0 \Leftrightarrow ax-(-b)y+a\left(\frac{c}{a}\right)=0$

$\Leftrightarrow a\left(x+\frac{c}{a}\right)-(-b)y=0$ (1)

Considérons alors le point $A\left(-\frac{c}{a}\,;0\right)$ et le vecteur $\vec{u}$ de coordonnées $(-b\,;a)$.

Le vecteur $\overrightarrow{AM}$ a pour coordonnées $\left(x+\frac{c}{a}\,;y\right)$ et la relation (1) traduit la colinéarité des vecteurs $\overrightarrow{AM}$ et $\vec{u}$.

M appartient donc à Γ si et seulement si $\overrightarrow{AM}$ et $\vec{u}$ sont colinéaires.

Γ est donc la droite passant par le point A et de vecteur directeur $\vec{u}$. ■

▶ Savoir-faire 3 Déterminer une équation cartésienne de droite connaissant deux points distincts, p. 179

3 Équations cartésiennes et équations réduites

Vocabulaire
Si la droite d a pour équation réduite $y=mx+p$, une équation cartésienne est $mx-1\,y+p=0$. Un vecteur directeur a pour coordonnées $(1\,;m)$. D'où l'appellation « coefficient directeur » pour le réel m.

▶ Savoir-faire 4 Déterminer un vecteur directeur d'une droite définie par une équation cartésienne ou réduite, p. 179

	Cas où $b=0$ et $a\neq0$	Cas où $a=0$ et $b\neq0$	Cas où $c=0$ et $a\neq0$ et $b\neq0$	Cas où $c\neq0$ et $a\neq0$ et $b\neq0$
Équation cartésienne	$ax+0+c=0$ donc $x=\frac{-c}{a}$	$0+by+c=0$ donc $y=\frac{-c}{b}$	$ax+by+0=0$ donc $y=\frac{-a}{b}x$	$ax+by+c=0$ donc $y=\frac{-a}{b}x+\frac{-c}{b}$
Équation correspondante vue en Seconde	$x=$ constante	$y=$ constante	Équation réduite : $y=mx$ m est le coefficient directeur.	$y=mx+p$ p est l'ordonnée à l'origine.
Représentation graphique	Droite parallèle à (Oy).	Droite parallèle à (Ox).	Droite passant par O (non parallèle aux axes).	Autre droite.
		Représentations graphiques d'une **fonction affine.**		

4 Équations cartésiennes et parallélisme

NOTE
Si on connaît les équations réduites $y=mx+p$ et $y=m'x+p'$ de d et d', la condition pour que d et d' soient parallèles se simplifie en $m=m'$.

PROPRIÉTÉ

Les droites d'équations $ax+by+c=0$ et $a'x+b'y+c'=0$ sont parallèles **si et seulement si** $ab'-a'b=0$.

DÉMONSTRATION

Soit d la droite d'équation $ax+by+c=0$ et d' la droite d'équation $a'x+b'y+c'=0$.

Un vecteur directeur de d est $\vec{u}\begin{pmatrix}-b\\a\end{pmatrix}$ et un vecteur directeur de d' est $\vec{u'}\begin{pmatrix}-b'\\a'\end{pmatrix}$.

d et d' sont parallèles $\Leftrightarrow$ $\vec{u}$ et $\vec{u'}$ sont colinéaires $\Leftrightarrow -ba'-a(-b')=0 \Leftrightarrow ab'-a'b=0$. ■

C. Décomposition d'un vecteur dans une base

1 Base du plan et décomposition de vecteurs

DÉFINITION

On appelle **base** du plan vectoriel tout **couple** de deux vecteurs **non colinéaires.**

EXEMPLES

- Deux vecteurs $\vec{u}$ et $\vec{v}$ **non colinéaires** forment **une** base notée $(\vec{u}, \vec{v})$.
- Les côtés d'un triangle ABC quelconque **non aplati** permettent de former des bases :

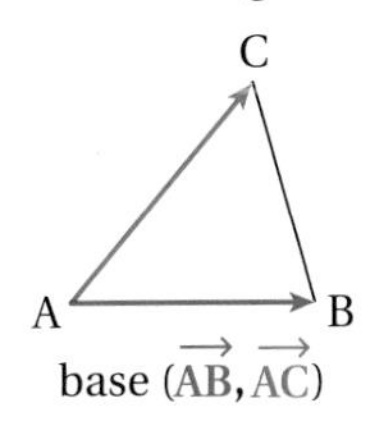

base $(\overrightarrow{AB}, \overrightarrow{AC})$

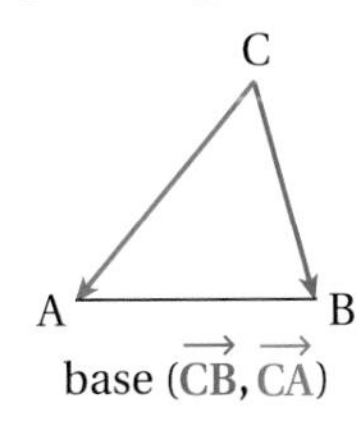

base $(\overrightarrow{CB}, \overrightarrow{CA})$

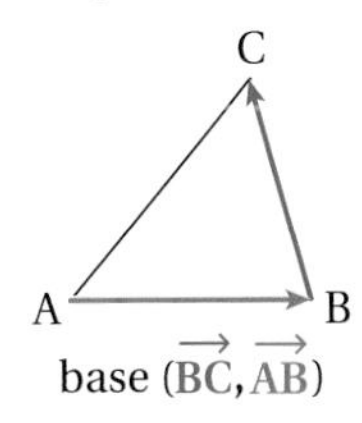

base $(\overrightarrow{BC}, \overrightarrow{AB})$

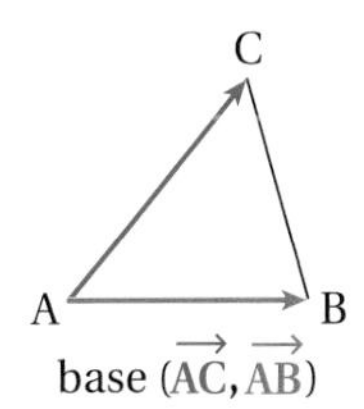

base $(\overrightarrow{AC}, \overrightarrow{AB})$

PROPRIÉTÉ

Lorsqu'une base $(\vec{u}, \vec{v})$ est définie, **tout** vecteur $\vec{w}$ du plan s'exprime comme une somme de deux multiples de $\vec{u}$ et de $\vec{v}$ (on dit que l'on a obtenu une combinaison linéaire des vecteurs $\vec{u}$ et $\vec{v}$) :

$$\vec{w} = k\vec{u} + m\vec{v}$$

où k et m sont des réels à déterminer.

Notation
Dans la base $(\vec{u}, \vec{v})$, prendre la bonne habitude d'écrire les sommes sous la forme : vecteur = ■ $\vec{u}$ + ■ $\vec{v}$ où ■ et ■ représentent chacun un réel à déterminer.

L'écriture $\vec{w} = k\vec{u} + m\vec{v}$ signifie que le vecteur $\vec{w}$ a pour coordonnées $(k\,;m)$ dans la base $(\vec{u}, \vec{v})$ (le réel k est l'abscisse du vecteur et le réel m son ordonnée dans cette base).

EXEMPLE

Dans la base $(\vec{u}, \vec{v})$, les vecteurs $\vec{w_1}$ et $\vec{w_2}$ s'écrivent :

$$\vec{w_1} = 2\vec{u} + 1\vec{v} = 2\vec{u} + \vec{v}$$

$$\vec{w_2} = 1\vec{u} + (-0{,}5)\vec{v} = \vec{u} - 0{,}5\vec{v}$$

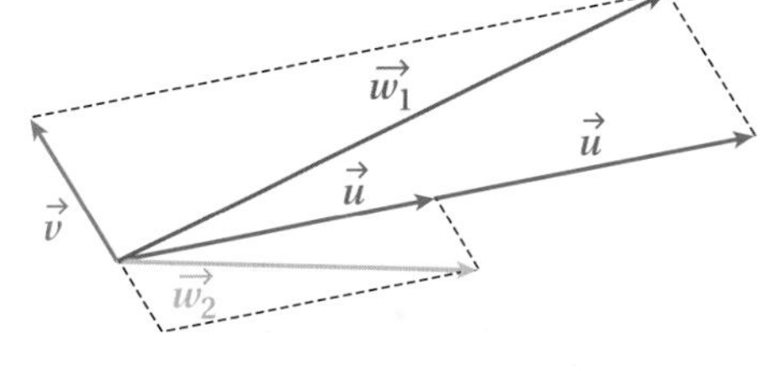

Dans la base $(\vec{u}, \vec{v})$, le vecteur $\vec{w_1}$ a pour coordonnées $(2\,;1)$ et le vecteur $\vec{w_2}$ a pour coordonnées $(1\,;-0{,}5)$.

REMARQUE On représente souvent les vecteurs avec une même origine pour plus de lisibilité.

▶ Savoir-faire 5 Décomposer des vecteurs dans une base donnée, p. 180

2 Décomposition de vecteurs et résolution de problèmes

La décomposition de vecteurs peut être utilisée pour démontrer un alignement de points.

EXEMPLE

Soit le parallélogramme ABCD ci-contre. Le point I est tel que $\overrightarrow{DI} = \frac{3}{2}\overrightarrow{AD}$ et le point J est le symétrique de K par rapport à B.

Montrons que les points I, C et J sont alignés.

Exprimons les vecteurs $\overrightarrow{IC}$ et $\overrightarrow{IJ}$ dans la base $(\overrightarrow{AB}, \overrightarrow{AD})$.

Comme $\overrightarrow{AC} = \overrightarrow{AB} + \overrightarrow{AD}$, $\overrightarrow{AJ} = \frac{5}{3}\overrightarrow{AB}$ et $\overrightarrow{AI} = \frac{5}{2}\overrightarrow{AD}$ (traduction vectorielle des hypothèses), on a :

$$\overrightarrow{IC} = \overrightarrow{IA} + \overrightarrow{AC} = \left(-\frac{5}{2}\overrightarrow{AD}\right) + (\overrightarrow{AB} + \overrightarrow{AD}) = \overrightarrow{AB} - \frac{3}{2}\overrightarrow{AD}$$

et $\overrightarrow{IJ} = \overrightarrow{IA} + \overrightarrow{AJ} = \left(-\frac{5}{2}\overrightarrow{AD}\right) + \left(\frac{5}{3}\overrightarrow{AB}\right) = \frac{5}{3}\overrightarrow{AB} - \frac{5}{2}\overrightarrow{AD} = \frac{5}{3}\left(\overrightarrow{AB} - \frac{3}{2}\overrightarrow{AD}\right) = \frac{5}{3}\overrightarrow{IC}$.

Les vecteurs $\overrightarrow{IJ}$ et $\overrightarrow{IC}$ de même origine étant colinéaires, l'alignement des points I, C et J est démontré.

▶ Savoir-faire 6 Utiliser une décomposition de vecteurs pour démontrer, p. 180

Savoir-faire 1 Utiliser la condition de colinéarité

ÉNONCÉ On considère les points A, B et C du plan rapporté au repère $(O ; \vec{i}, \vec{j})$.

a. Que dire des points A, B et C ?

b. Si le point D a pour coordonnées (120 ; 75), le quadrilatère BADO est-il un trapèze ?

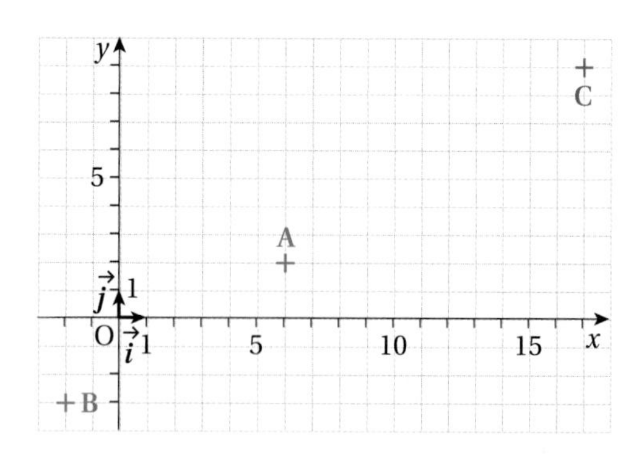

SOLUTION

a. À l'aide d'une règle, on peut **conjecturer** que les trois points sont alignés.

On lit : A(6 ; 2), B(–2 ; –3), C(17 ; 9).

D'où $\overrightarrow{AB}(-8 ; -5)$ et $\overrightarrow{AC}(11 ; 7)$.

Appliquons le critère de colinéarité :

$$-8 \times 7 - 11 \times (-5) = -56 + 55 = -1 \neq 0$$

Donc les vecteurs $\overrightarrow{AB}$ et $\overrightarrow{AC}$ ne sont pas colinéaires.

Par conséquent, les points A, B et C ne sont pas alignés.

b. On a : $\overrightarrow{AB}(-8 ; -5)$ et $\overrightarrow{OD}(120 ; 75)$.

D'où : $-8 \times 75 - 120 \times (-5) = -600 + 600 = 0$.

Les vecteurs $\overrightarrow{AB}$ et $\overrightarrow{OD}$ sont donc colinéaires.

Par conséquent, les droites (AB) et (OD) sont parallèles et le quadrilatère BADO est un trapèze.

▶ Exercices 7 à 12 p. 190

MÉTHODE

Dans ce type d'exercices, il faut être capable de traduire de façon vectorielle et analytique les propriétés géométriques. Voici un tableau résumant ces correspondances :

	Figure géométrique	Traduction vectorielle	Traduction analytique $(xy'-yx'=0)$
Alignement de points	A B C Les points A, B et C sont alignés.	A B C $\overrightarrow{AB}$ et $\overrightarrow{AC}$ sont colinéaires.	$\overrightarrow{AB}(x ; y)$ − $\overrightarrow{AC}(x' ; y')$
Parallélisme de droites	A B C D Les droites (AB) et (CD) sont parallèles.	A B C D $\overrightarrow{AB}$ et $\overrightarrow{CD}$ sont colinéaires.	$\overrightarrow{AB}(x ; y)$ − $\overrightarrow{CD}(x' ; y')$

Savoir-faire 2 Déterminer une équation cartésienne de droite connaissant un point et un vecteur directeur

ÉNONCÉ On considère $(O ; \vec{i}, \vec{j})$ un repère du plan.

Déterminer une équation cartésienne de la droite d passant par le point A(2 ; –1) et de vecteur directeur $\vec{u}(-1 ; 2)$.

SOLUTION

Soit M un point de coordonnées $(x ; y)$.

M est un point de d.

$\Leftrightarrow$ Les vecteurs $\overrightarrow{AM}\begin{pmatrix} x-2 \\ y-(-1) \end{pmatrix}$ et $\vec{u}\begin{pmatrix} -1 \\ 2 \end{pmatrix}$ sont colinéaires.

$\Leftrightarrow (x-2) \times 2 - (y+1) \times (-1) = 0$

$\Leftrightarrow 2x - 4 + y + 1 = 0$

$\Leftrightarrow 2x + y - 3 = 0$

Une équation cartésienne de la droite d est :

$$2x + y - 3 = 0$$

▶ Exercices 15 et 16 p. 191

MÉTHODE

Il s'agit de déterminer une équation de droite de la forme $ax + by + c = 0$. Pour cela, on peut :

- appliquer le critère de colinéarité comme dans la démonstration du paragraphe **B2** p. 175 du cours, puis développer et réduire l'expression obtenue ;
- à partir de la connaissance d'un vecteur directeur, obtenir immédiatement un couple de réels $(a ; b)$ satisfaisant. Le dernier paramètre c s'obtient alors en exprimant qu'un point connu appartient à cette droite, et donc que ses coordonnées en vérifient l'équation (▶ Savoir-faire 3 ci-après).

Savoir-faire 3 — *Déterminer une équation cartésienne de droite connaissant deux points distincts*

ÉNONCÉ On considère $(O ; \vec{i}, \vec{j})$ un repère du plan.
Déterminer une équation cartésienne de la droite d passant par les points A(15 ; –10) et B(–25 ; 30).

SOLUTION

$\overrightarrow{AB}$ est un vecteur directeur de d. Or on a :

$\overrightarrow{AB}\begin{pmatrix} -25-15 \\ 30-(-10) \end{pmatrix}$, soit $\overrightarrow{AB}\begin{pmatrix} -40 \\ 40 \end{pmatrix}$.

Donc $\vec{u}(-1 ; 1)$ est un vecteur directeur de d. On peut donc prendre $b = 1$ et $a = 1$.

Une équation cartésienne de d est donc de la forme :

$$x + y + c = 0$$

Il reste à déterminer la valeur de c. Comme le point A(15 ; –10) est un point de d, ses coordonnées vérifient l'équation :

$$15 - 10 + c = 0$$

d'où $c = -5$

Une équation cartésienne de la droite d est :

$$x + y - 5 = 0$$

MÉTHODE

Une droite du plan a une équation cartésienne de la forme $ax + by + c = 0$ et admet $\vec{u}(-b ; a)$ pour vecteur directeur.
Ainsi, la connaissance d'un vecteur directeur, donné dans l'énoncé ou bien déduit par la donnée de deux points, permet d'obtenir immédiatement un couple de réels $(a ; b)$ satisfaisant.
Le paramètre c s'obtient alors en exprimant qu'un point connu appartient à cette droite, et donc que ses coordonnées en vérifient l'équation.

▶ Exercices 17 à 21 p. 191

Savoir-faire 4 — *Déterminer un vecteur directeur d'une droite définie par une équation cartésienne ou réduite*

ÉNONCÉ On considère $(O ; \vec{i}, \vec{j})$ un repère du plan.

a. Donner une équation cartésienne de la droite d passant par le point A(5 ; –1) et parallèle à la droite d_1 dont une équation cartésienne est $3x - y + 12 = 0$.

b. La droite d est-elle parallèle à la droite d_2 dont l'équation réduite est $y = -3x + 14$?

SOLUTION

a. Un vecteur directeur de d_1 d'équation :

$$3x - y + 12 = 0$$

est $\vec{u}(1 ; 3)$. $\vec{u}$ est aussi un vecteur directeur de la droite d, puisque d et d_1 sont parallèles. Une équation cartésienne de d est donc $3x - y + c = 0$.

Comme le point A(5 ; –1) est un point de d, ses coordonnées vérifient l'équation : $3 \times 5 - (-1) + c = 0$, soit $c = -16$.

Une équation cartésienne de la droite d est donc :

$$3x - y - 16 = 0$$

b. À l'aide de l'équation réduite de d_2, on peut connaître un de ses vecteurs directeurs, à savoir $\vec{v}(1 ; -3)$.

$\vec{u}(1 ; 3)$ et $\vec{v}(1 ; -3)$ ne sont clairement pas colinéaires ; les droites d et d_2 ne sont donc pas parallèles.

MÉTHODE

a. Une droite du plan dont une équation cartésienne est $ax + by + c = 0$ admet $\vec{u}(-b ; a)$ pour vecteur directeur.
Connaissant ce vecteur directeur, on procède ensuite comme au Savoir-faire 3 pour déterminer une équation cartésienne de d.

b. Deux droites sont parallèles si et seulement si leurs vecteurs directeurs sont colinéaires.

▶ Exercices 23 à 25 p. 191

Savoir-faire 5 *Décomposer des vecteurs dans une base donnée*

ÉNONCÉ On considère ABCD un parallélogramme non aplati.

1. Donner la décomposition des vecteurs $\overrightarrow{CA}$, $\overrightarrow{BD}$, $\overrightarrow{AO}$ et $\overrightarrow{BC}$ dans la base $(\overrightarrow{CB}, \overrightarrow{CD})$.

2. Exprimer le vecteur $\overrightarrow{CA}$ dans chacune des bases suivantes :

a. $(\overrightarrow{AB}, \overrightarrow{AD})$ **b.** $(\overrightarrow{OB}, \overrightarrow{OC})$ **c.** $(\vec{u}, \vec{v})$ où $\vec{u} = 2\overrightarrow{CB}$ et $\vec{v} = -0{,}5\overrightarrow{CD}$.

3. Quelles sont les coordonnées du vecteur $\vec{w} = \overrightarrow{CA} + 2\overrightarrow{BD}$ dans la base $(\overrightarrow{CB}, \overrightarrow{CD})$?

SOLUTION

1. Dans la base $(\overrightarrow{CB}, \overrightarrow{CD})$, on peut écrire :

$\overrightarrow{CA} = 1\overrightarrow{CB} + 1\overrightarrow{CD} = \overrightarrow{CB} + \overrightarrow{CD}$ $\overrightarrow{BD} = (-1)\overrightarrow{CB} + 1\overrightarrow{CD} = -\overrightarrow{CB} + \overrightarrow{CD}$

$\overrightarrow{AO} = (-0{,}5)\overrightarrow{CB} + (-0{,}5)\overrightarrow{CD} = -0{,}5\overrightarrow{CB} - 0{,}5\overrightarrow{CD}$ $\overrightarrow{BC} = -1\overrightarrow{CB} + 0\overrightarrow{CD} = -\overrightarrow{CB}$

D C O A B

2. a. Dans la base $(\overrightarrow{AB}, \overrightarrow{AD})$: $\overrightarrow{CA} = (-1)\overrightarrow{AB} + (-1)\overrightarrow{AD} = -\overrightarrow{AB} - \overrightarrow{AD}$

b. Dans la base $(\overrightarrow{OB}, \overrightarrow{OC})$: $\overrightarrow{CA} = 0\overrightarrow{OB} + (-2)\overrightarrow{OC} = -2\overrightarrow{OC}$

c. Dans la base $(\vec{u}, \vec{v})$: $\overrightarrow{CA} = \overrightarrow{CB} + \overrightarrow{CD} = (0{,}5)(2\overrightarrow{CB}) + (-2)(-0{,}5\overrightarrow{CD}) = (0{,}5)\vec{u} + (-2)\vec{v} = 0{,}5\vec{u} - 2\vec{v}$

REMARQUE Exprimer un même vecteur dans différentes bases illustre l'effet d'un changement de base.

3. Comme $\overrightarrow{CA} = \overrightarrow{CB} + \overrightarrow{CD}$ et $\overrightarrow{BD} = -\overrightarrow{CB} + \overrightarrow{CD}$, on a : $\vec{w} = \overrightarrow{CA} + 2\overrightarrow{BD} = (\overrightarrow{CB} + \overrightarrow{CD}) + 2(-\overrightarrow{CB} + \overrightarrow{CD}) = -\overrightarrow{CB} + 3\overrightarrow{CD}$

Le vecteur $\vec{w}$ a donc pour coordonnées (–1 ; 3) dans la base $(\overrightarrow{CB}, \overrightarrow{CD})$.

▶ Exercices 34 à 36 p. 192 et 193

Savoir-faire 6 *Utiliser une décomposition de vecteurs pour démontrer*

ÉNONCÉ Soit ABC un triangle. Le point I est tel que $\overrightarrow{BI} = \frac{2}{5}\overrightarrow{BA}$, le point J est l'image de C par la translation de vecteur $\overrightarrow{AC}$, et le point K est défini par la relation vectorielle : $-3\overrightarrow{AK} + 3\overrightarrow{BK} + 10\overrightarrow{CK} = \vec{0}$ (1)

a. Montrer que les points I, J et K sont alignés.

b. Préciser la position de K sur [IJ].

SOLUTION

MÉTHODE

Pour prouver l'alignement des trois points I, J et K, on va établir la colinéarité de deux vecteurs, par exemple les vecteurs $\overrightarrow{IJ}$ et $\overrightarrow{IK}$.

Pour cela, nous allons ici les exprimer dans la base $(\overrightarrow{AB}, \overrightarrow{AC})$.

a. On choisit de travailler dans la base $(\overrightarrow{AB}, \overrightarrow{AC})$ car les points I et J sont définis à partir de ces vecteurs : $\overrightarrow{AI} = \frac{3}{5}\overrightarrow{AB}$ et $\overrightarrow{AJ} = 2\overrightarrow{AC}$.

Donc : $\overrightarrow{IJ} = \overrightarrow{IA} + \overrightarrow{AJ} = \left(-\frac{3}{5}\overrightarrow{AB}\right) + (2\overrightarrow{AC}) = -\frac{3}{5}\overrightarrow{AB} + 2\overrightarrow{AC}$

En utilisant la relation de Chasles, on introduit le point A dans la relation vectorielle (1) :

$$-3\overrightarrow{AK} + 3(\overrightarrow{BA} + \overrightarrow{AK}) + 10(\overrightarrow{CA} + \overrightarrow{AK}) = \vec{0}$$

soit $-3\overrightarrow{AK} + 3\overrightarrow{BA} + 3\overrightarrow{AK} + 10\overrightarrow{CA} + 10\overrightarrow{AK} = \vec{0}$

D'où : $\overrightarrow{AK} = \frac{3}{10}\overrightarrow{AB} + \overrightarrow{AC}$

Finalement : $\overrightarrow{IK} = \overrightarrow{IA} + \overrightarrow{AK} = \left(-\frac{3}{5}\overrightarrow{AB}\right) + \left(\frac{3}{10}\overrightarrow{AB} + \overrightarrow{AC}\right) = -\frac{3}{10}\overrightarrow{AB} + \overrightarrow{AC}$

On a donc : $2\overrightarrow{IK} = 2\left(-\frac{3}{10}\overrightarrow{AB} + \overrightarrow{AC}\right) = -\frac{3}{5}\overrightarrow{AB} + 2\overrightarrow{AC} = \overrightarrow{IJ}$

Les vecteurs $\overrightarrow{IK}$ et $\overrightarrow{IJ}$ étant colinéaires, l'alignement des points I, K et J est démontré.

b. De plus, la relation $\overrightarrow{IK} = \frac{1}{2}\overrightarrow{IJ}$ prouve que K est le milieu du segment [IJ].

▶ Exercices 39 p. 193 et 53 p. 195

Travaux pratiques

TICE 1 Équations définies à l'aide d'un paramètre k (k réel)

Objectifs :
- Utiliser un logiciel de géométrie dynamique (ici, *GeoGebra*) pour étudier un ensemble de points dont les coordonnées vérifient une équation dépendant d'un paramètre k (k réel).
- Réinvestir la résolution d'équations du second degré et les études de signes.

Pour chaque valeur du paramètre k, notons E_k l'ensemble des points dont les coordonnées vérifient l'équation $-3kx + k^2 y - 9y = 1 - 2k^2$.

Partie A. Construction

a. Dans le menu *Affichage*, cocher « Axes » et « Grille » puis à l'aide de l'icône a = 2, créer un curseur k.
b. Dans le champ de saisie, entrer l'équation de l'ensemble E_k puis conjecturer la nature de E_k en modifiant les valeurs de k.
c. Après avoir mis l'équation de E_k sous la forme appropriée, prouver que quelle que soit la valeur du réel k l'ensemble de points obtenu est une droite ; préciser alors un vecteur directeur de cette droite.

Partie B. Conjectures et démonstrations

Pour établir les conjectures demandées, on pourra modifier les valeurs du curseur.

1 **a.** Trouver les valeurs de k pour que E_k soit parallèle aux axes.
b. Démontrer ce résultat en explicitant les conditions que cela impose sur les coefficients de l'équation de E_k.

2 **a.** Trouver les valeurs de k pour que E_k passe par l'origine du repère.
b. Vérifier cette conjecture par le calcul.

3 **a.** Placer le point A de coordonnées (11 ; –4).
Trouver à l'aide du logiciel la (les) droite(s) E_k qui passe(nt) par A.
b. Résoudre la question **3**a par le calcul.
Pourquoi la configuration du logiciel ne donne-t-elle pas toutes les solutions ?

4 **a.** Trouver à l'aide du logiciel les valeurs de k pour que le coefficient directeur de E_k soit compris entre –3 et 3.

COUP DE POUCE

On pourra tracer les droites d'équation $y = 3x$ et $y = -3x$.

b. Donner en fonction de k la valeur du coefficient directeur de E_k, puis retrouver par le calcul les valeurs de k de la question **4**a.

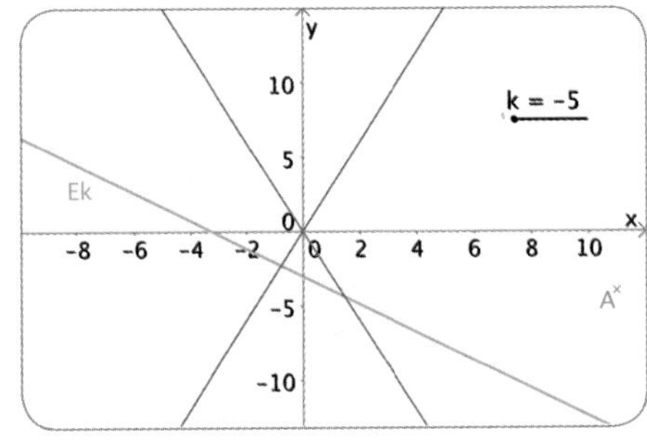

5 **a.** Changer à présent les bornes de votre curseur k en utilisant le menu *Propriétés* (k compris entre –25 et 25, puis entre –100 et 100, puis entre –500 et 500…).
Quelle position semble occuper la droite E_k lorsque le réel k devient de plus en plus grand ?
b. Donner l'équation de cette « droite limite » et expliquer ce phénomène en utilisant l'équation réduite de E_k (k différent de –3 et de 3).

TP TICE 2

Modélisation d'un jeu de billard

Objectifs : • Utiliser un logiciel de géométrie dynamique (ici, *GeoGebra*) pour modéliser une situation.
• Réinvestir les notions sur les équations de droites, les propriétés des symétries axiales.

Titouan aimerait impressionner ses amis au billard en réussissant à rentrer sa boule en quatre bandes successives.
On suppose que la boule de billard rebondit de façon symétrique sur chaque bord (**fig. 1**).
Aidons Titouan à ajuster son tir en fabriquant un billard virtuel !

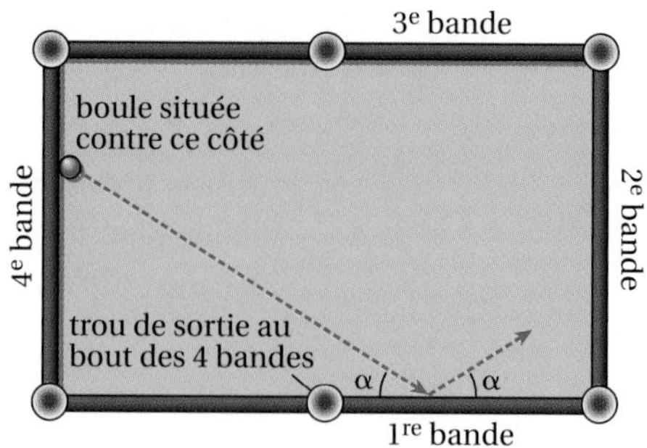

fig. 1

Partie A. Construction

1 Dans le menu *Affichage*, cocher « Axes » puis construire un rectangle EFGH tel que les coordonnées des points E, F et H soient respectivement (0 ; 0), (16 ; 0) et (0 ; 9).
Construire les milieux J et K des segments [EF] et [HG]. E, F, G, H, J et K symboliseront les trous du billard.
Placer un point libre B sur le segment [EH] puis le déplacer pour qu'il soit, par exemple, situé au tiers du côté en partant de H.

fig. 2

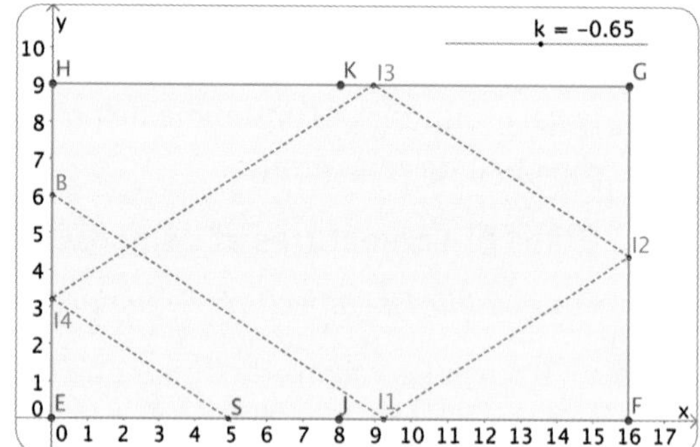

2 **a.** À l'aide de l'icône [a=2], créer un curseur k. Dans le champ de saisie, entrer l'équation de la droite passant par B de coefficient directeur k. Construire son intersection avec le segment [EF].
b. En créant les éléments géométriques nécessaires, construire la suite du chemin emprunté par la boule ; nommer I_1, I_2… les points d'impact successifs sur les côtés du billard et S le point final du parcours. (**fig. 2**).

COUP DE POUCE

On pourra utiliser les icônes , et . Pour une meilleure lisibilité, on pourra mettre en couleur le chemin de la boule et utiliser les icônes et A A pour cacher les objets et les étiquettes superflus.

Partie B. Conjectures

Pour établir les conjectures demandées, on pourra modifier les valeurs du curseur.

1 **a.** Trouver des valeurs de k pour que la boule réalise 4 bandes successives avant de revenir sur le côté [EF].
b. En explicitant les conditions que cela impose sur le lieu du premier impact, montrer que k doit être compris entre –0,75 et –0,375.
Prendre à présent ces valeurs comme bornes de votre curseur k en utilisant le menu *Propriétés*.

2 **a.** Conjecturer la valeur de k pour laquelle la boule sort au trou J après 4 bandes consécutives, ainsi que les coordonnées du point I_1 que Titouan doit viser pour réussir son coup.
b. Même question pour le trou F.

3 **a.** Déplacer à présent votre point B pour qu'il soit situé au tiers du côté en partant de E. Établir un encadrement de k d'amplitude 10^{-2} pour lequel la boule sort au trou J.
Prendre alors ces valeurs comme bornes de votre curseur k en utilisant le menu *Propriétés* puis choisir 0,001 comme pas d'incrémentation.
b. Mener un travail similaire pour le cas où la boule sort au trou F.
Grâce à notre billard virtuel, Titouan peut donc savoir exactement quel point viser quelle que soit la position de sa boule le long du côté [EH].

PARTIE C. Résolution géométrique

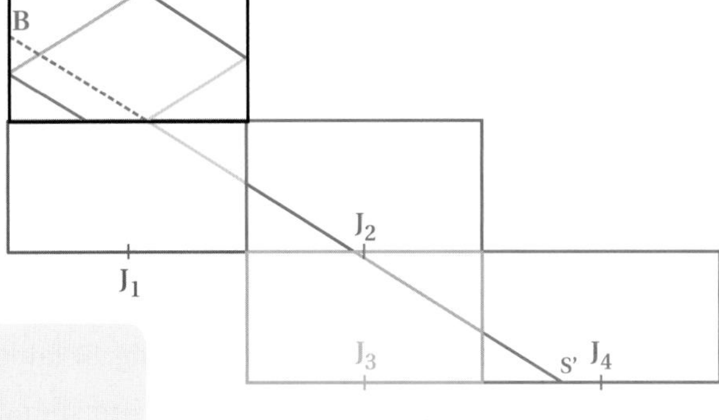

fig. 3

1 Dans une revue de mathématiques, Titouan a lu qu'on pouvait facilement résoudre ce problème avec la méthode du « dépliage » du billard (**fig. 3**). Expliquer, grâce aux propriétés de la symétrie, comment trouver la solution.

COUP DE POUCE

Le « dépliage » consiste à appliquer quatre symétries axiales successives.

2 Quelles sont les coordonnées du point J_4 ?
Grâce à la droite (BJ_4), démontrer les conjectures établies aux questions **2** et **3** de la **Partie B**.

TICE 3 Interpolation linéaire et tableur

Objectif : Utiliser un tableur pour ajuster un nuage de points par différentes droites.

Leïla est inscrite depuis le 1er janvier 2009 sur un réseau social d'Internet.
Chaque fin de trimestre, elle a noté le nombre de ses « amis virtuels ». En 2009, elle a ainsi relevé les nombres 28, 50, 80 et 90 ; en 2010, elle a noté les valeurs 122, 130, 160 et enfin 168.

PARTIE A

1 En numérotant les trimestres de 1 à 8, saisir ces données dans une feuille de calcul.
Dans la suite, ce tableau sera appelé tableau (1).

2 Tracer le nuage de points correspondant. Que peut-on dire de ces points ?
Par quel type de fonction peut-on approcher ce nuage de points ?

PARTIE B

Pour estimer le nombre d'amis qu'elle pourrait avoir pour ses 30 ans (au 1er juillet 2022), Leïla décide de chercher quelle droite peut approcher au mieux son nuage de points.

1 **Première idée : « la droite des extrêmes »**
Il s'agit de la droite passant par le premier et le dernier point du nuage (**fig. 1**).

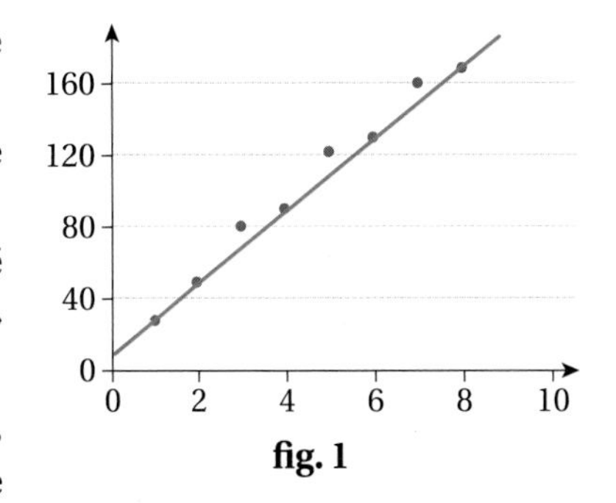

fig. 1

a. Leïla décide de créer un tableau permettant de déterminer une équation cartésienne d'une droite connaissant deux de ses points.
Dans une feuille de calcul, saisir le tableau de la **figure 2** (appelé tableau (2)) et compléter les cellules ☐ par les « formules tableur » permettant de calculer les coordonnées d'un vecteur directeur.
En utilisant la forme générale d'une équation cartésienne de droite, déduire les « formules tableur » permettant de déterminer les valeurs de a, b et c ; les saisir dans les cellules ☐.

	Point 1	Point 2	Vecteur directeur	$ax + by + c = 0$	
				a	
Abscisse				b	
Ordonnée				c	

fig. 2. Tableau (2).

b. Déterminer une équation cartésienne de « la droite des extrêmes » à l'aide du tableau (2).

c. Ajouter à la feuille de calcul les cellules correspondant au tableau (3) ci-dessous (**fig. 3**) permettant de calculer l'ordonnée d'un point de la droite connaissant son abscisse ; la cellule ▭ devra comporter une « formule tableur ».

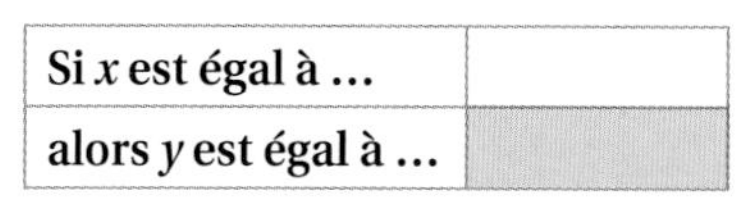

Si x est égal à ...	
alors y est égal à ...	

fig. 3. Tableau (3).

d. Quel est le numéro du trimestre correspondant à l'anniversaire de Leïla ?
Faire calculer par le tableur une prévision de son nombre d'amis à cette date.

2 Deuxième idée : « la droite des points moyens »

Le point moyen d'un nuage est le point dont l'abscisse (respectivement l'ordonnée) est égale à la moyenne des abscisses (respectivement des ordonnées) des points du nuage.

a. À l'aide de la formule MOYENNE(...) et du tableau (1), déterminer une équation cartésienne de *la droite de Mayer*, droite passant par le point moyen G_1 des quatre premiers points du nuage et par le point moyen G_2 des quatre derniers points du nuage (**fig. 4**).

b. Vérifier avec le tableau (3) que le point moyen G du nuage des huit points est un point de *la droite de Mayer*.

c. Donner une prévision du nombre d'amis de Leïla le jour de ses 30 ans grâce à cette nouvelle droite.

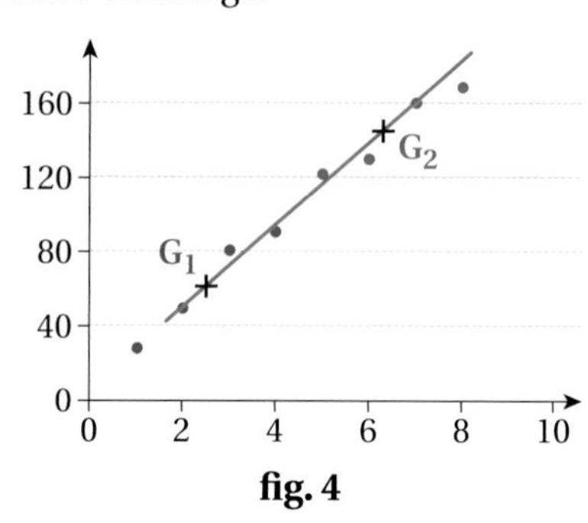

fig. 4

3 Troisième idée : ajouter une courbe de tendance

a. En effectuant un clic droit sur un point du nuage, on peut « ajouter une courbe de tendance ». On choisira le type « linéaire » et on cochera la case « Afficher l'équation sur le graphique » (**fig. 5**).

b. Le point moyen G du nuage est-il un point de cette droite ?

c. Quel nombre d'amis peut-on prévoir avec cette droite ?
Expliquer quelle hypothèse est sous-entendue lorsque l'on réalise ce type d'extrapolation.

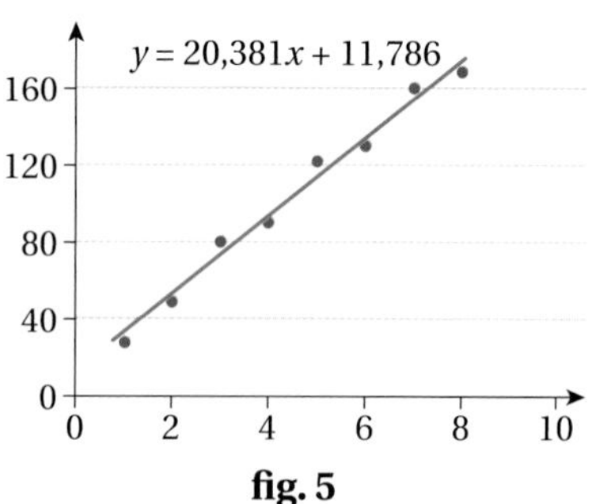

fig. 5

4 Comparaison des trois solutions

On cherche à déterminer, parmi toutes les droites approximant le nuage, celle qui peut prétendre être la plus performante.

Pour cela, on calcule l'écart qui existe entre les points du nuage et ceux de même abscisse situés sur la droite choisie (**fig. 6**). On calcule ensuite la somme des carrés de ces écarts, c'est-à-dire la somme :

$$S = M_1N_1^2 + M_2N_2^2 + ... + M_8N_8^2$$

Il s'agit donc de déterminer la droite qui **permet de minimiser cette somme.**

Grâce au tableur, comparer les « performances » des droites des questions **1**, **2** et **3** ci-dessus.

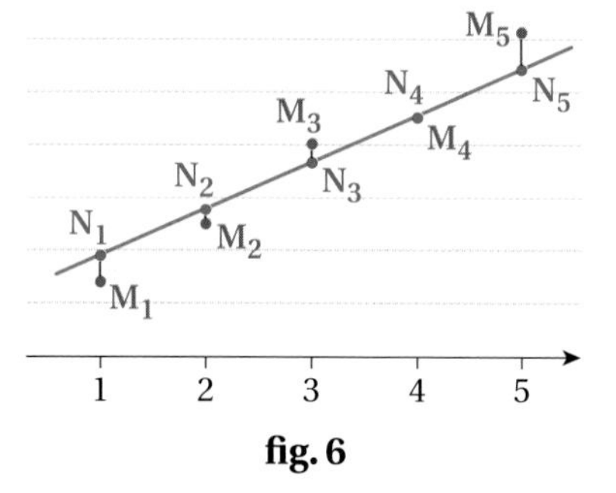

fig. 6

REMARQUE 

Vos calculatrices utilisent les mêmes formules que le tableur : grâce à « la méthode des moindres carrés », elles vous proposent l'équation réduite de la droite ajustant au mieux un nuage de points.

Algorithmique 1 Test de colinéarité de deux vecteurs

▶ Fiches Algorithmique p. 11

Objectif : Compléter un algorithme avec des instructions conditionnelles.

On donne les coordonnées des vecteurs $\vec{u}(x\,;y)$ et $\vec{v}(x'\,;y')$.

1 Pour tester la colinéarité de ces deux vecteurs, Basile veut construire un algorithme écrit en langage naturel.
Recopier l'algorithme suivant et compléter les données et instructions manquantes.

```
Entrée :      Les réels x, y, ..., ....
Traitement    Si ...
et sortie :   alors afficher « Les vecteurs sont colinéaires. »
              Sinon ...
```

2 Basile désire ajouter une instruction donnant le coefficient de colinéarité.
a. Les conjonctions ET et OU causent du souci à Basile.
Recopier les lignes suivantes et compléter les pointillés.

```
Traitement : Si (x = 0 ... y = 0) ... (x' = 0 ... y' = 0)
             alors afficher « Le coefficient de colinéarité vaut 0. »
```

b. Terminer l'algorithme en donnant le coefficient de colinéarité dans le cas de deux vecteurs non nuls.
Attention ! L'**une** des deux coordonnées **peut être nulle.**

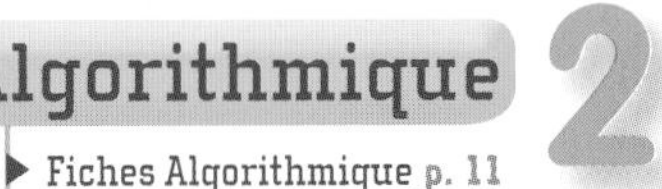

Algorithmique 2 Donner une équation cartésienne de droite connaissant deux points distincts

▶ Fiches Algorithmique p. 11

Objectif : Lire, faire fonctionner et compléter un algorithme écrit en Python.

1 Mathilde a programmé en Python un algorithme qui permet de déterminer une équation cartésienne d'une droite d passant par deux points donnés.
Son programme est donné en **figure 1**. Il est suivi du test qu'elle a ensuite réalisé.
a. Quelles sont les coordonnées des points avec lesquels elle a essayé son programme ?
b. Faire tourner l'algorithme avec des points possédant la même abscisse.

```
def droite (xa,ya,xb,yb) :
    a = yb-ya
    b = xa-xb
    c = -a*xa-b*ya
    print  a,'x+ ',b,'y+ ',c,'= 0'
>>> droite(5,4,-2,-1)
-5 x+  7 y+  -3 = 0
```

fig. 1

2 Mathilde complète le programme par les lignes données en **figure 2**.
a. Expliquer ce que réalisent ces instructions.
b. Alix pense que Mathilde a fait une erreur en tapant deux fois le signe égal.
Expliquer la différence entre = et = = .
c. Cependant le programme lui retourne une erreur ! À vous de la trouver !

```
x = input ('x = ')
y = input ('y = ')
if a*x+b*y+c == 0 :
      print 'M se trouve sur d.'
else
      print 'M ne se trouve pas sur d.'
```

fig. 2

3 Compléter le programme par une ligne donnant les coordonnées d'un vecteur directeur de la droite d.

TP 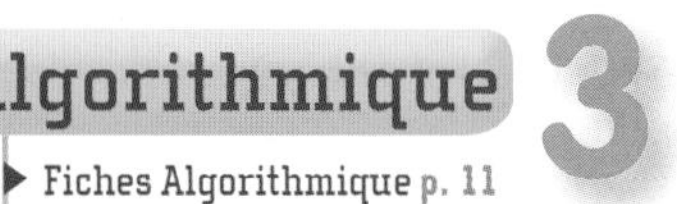

Algorithmique 3 Trouver une combinaison linéaire reliant trois vecteurs du plan

▶ Fiches Algorithmique p. 11

Objectif : Écrire et programmer un algorithme avec une instruction conditionnelle.

On connaît les coordonnées des vecteurs $\vec{u}$, $\vec{v}$ et $\vec{w}$ dans une base $(\vec{i}, \vec{j})$. En supposant que $(\vec{u}, \vec{v})$ forme une base, il s'agit de trouver les réels k et m tels que : $\vec{w} = k\vec{u} + m\vec{v}$.

1 On pose $\vec{u}(x\,;y)$, $\vec{v}(x'\,;y')$ et $\vec{w}(a\,;b)$.

a. Écrire le système qu'il faut résoudre pour déterminer les réels k et m.

b. Qu'implique le fait que les vecteurs $\vec{u}$ et $\vec{v}$ forment une base pour les réels x, x', y et y' ?

2 Écrire, en langage naturel, un algorithme permettant de déterminer les réels k et m.

3 Tester votre algorithme avec les vecteurs $\vec{u}(2\,;5)$, $\vec{v}(3\,;-1)$ et $\vec{w}(4\,;-7)$.

4 Tester votre algorithme avec les vecteurs $\vec{u}(0\,;4)$, $\vec{v}(5\,;2)$ et $\vec{w}(5\,;10)$.
Modifier alors votre programme si vous n'aviez pas envisagé ce cas.

5 Samir a entré les vecteurs $\vec{u}(2\,;-6)$, $\vec{v}(-3\,;9)$ et $\vec{w}(10\,;7)$.
Modifier votre programme pour empêcher ce cas de figure.

6 Programmer l'algorithme obtenu dans le langage de votre choix.

TP

Algorithmique  4 Dénombrer les couples d'entiers naturels vérifiant une condition

▶ Fiches Algorithmique p. 11

Objectif : Améliorer un algorithme avec boucles imbriquées et instruction conditionnelle.

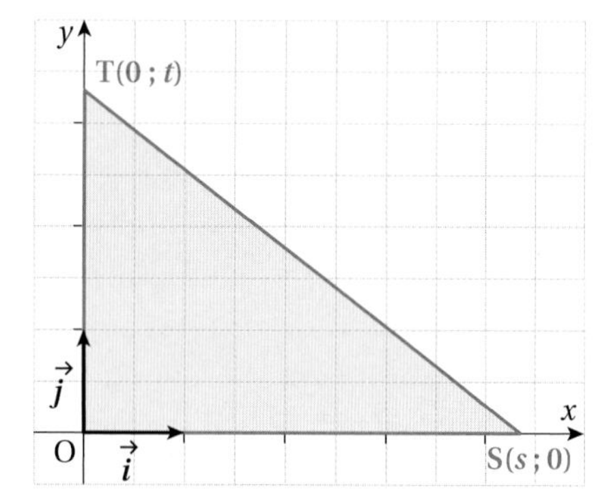

On considère $(O\,;\vec{i}, \vec{j})$ un repère du plan.
Soit deux points S et T variables situés respectivement sur]Ox) et]Oy). On notera s l'abscisse du point S et t l'ordonnée du point T.
On désire dénombrer le nombre de couples à coordonnées entières qui appartiennent au domaine rose, frontières comprises, ci-contre.

1 Qu'implique l'énoncé sur les réels s et t ?

2 On note $M(x\,;y)$ un point du plan.
Quelle(s) condition(s) doivent vérifier x et y pour appartenir aux frontières du domaine ? à l'intérieur du domaine ?

3 Enzo a rédigé l'algorithme suivant.

```
Entrée :          Les réels s, t ; les entiers naturels x, y et k.
Initialisation :  k = 0
Traitement :      Pour x = 0 à [s]     {[s] désigne la partie entière du réel s}
                       Pour y = 0 à [t]
                       si tx + sy - ts ⩽ 0 alors incrémenter k d'une unité.
Sortie :          Afficher k.
```

Le faire fonctionner pour $s = 2{,}5$ et $t = 3{,}25$.

4 Nadia constate que certains points font toujours partie du domaine (par exemple, l'origine). Elle constate aussi que l'algorithme d'Enzo vérifie des points inutiles (par exemple, le point de coordonnées $([s]\,;[t])$).
Modifier l'algorithme pour réduire le nombre de boucles.

Problème ouvert 1 Lieu de points

On considère un triangle ABC non aplati.

On définit le point K par la relation vectorielle :

$$\overrightarrow{AK} - \overrightarrow{BK} + 2\overrightarrow{CK} = \vec{0}$$

Quel est le lieu des points K lorsque A décrit une droite fixée ?

On pourra faire des conjectures avec un logiciel de géométrie dynamique.

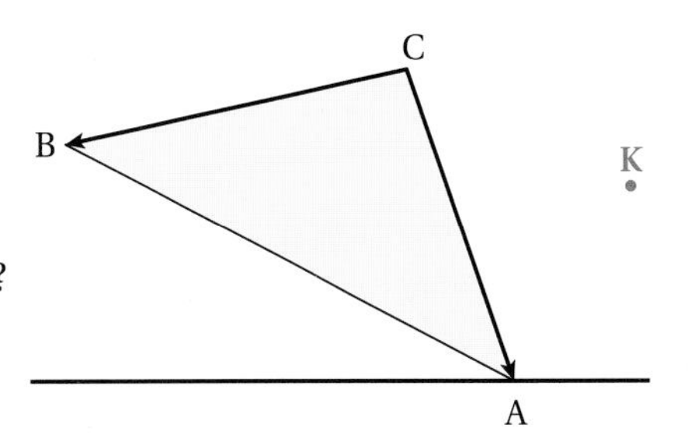

Problème ouvert 2 La chasse au trésor

Mon trésor est aligné avec le tonneau et la fontaine. Il se trouve sur la parabole passant par l'arbre tordu et dont le sommet est le pied de la statue. Si tu hésites encore, sache que moins de 10 pas le séparent du pigeonnier !

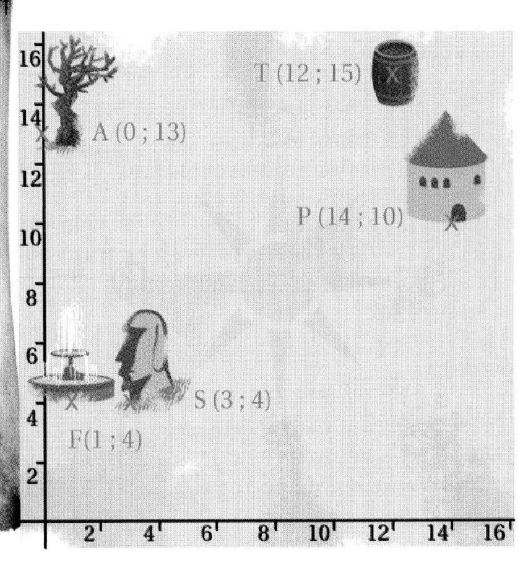

Problème ouvert 3 Le centre équestre

Julia va ouvrir son centre équestre ! Elle dispose de 330 m^2 pour réaliser les box. Elle prévoit 16 m^2 par box cheval et 9 m^2 par box poney.

Elle a par ailleurs un budget de 62 200 € pour l'achat de sa cavalerie. Elle compte 3 500 € par cheval et 1 000 € par poney.

De plus, en considérant les installations extérieures (prés, paddocks…) et la nature de sa clientèle, elle doit se limiter à un maximum de 16 chevaux et de 16 poneys.

Sachant qu'un cheval sera 1,9 fois plus rentable qu'un poney, aider Julia à trouver la configuration optimale pour sa cavalerie.

POUR ALLER PLUS LOIN

Newton, les forces et les vecteurs

Des deux premières lois du mouvement, Newton déduit l'additivité vectorielle des forces :
« *Un corps poussé par deux forces parcourt, par leurs actions réunies, la diagonale d'un parallélogramme dans le même temps que celui nécessaire pour parcourir chacun de ses côtés séparément.* »

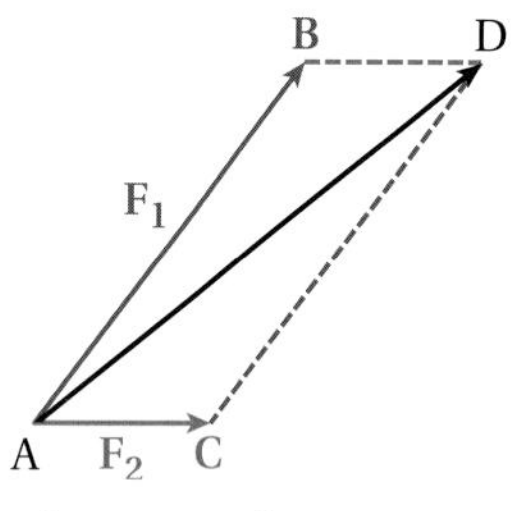

Voici le raisonnement de Newton : sous l'effet de la force F_1, le corps qui se trouve en A est transporté en B dans le temps *t*. Si on lui applique en plus, à l'instant où il se trouve en A, la force F_2, celle-ci n'agit que suivant la droite (AC) et n'a donc pas d'effet sur la manière dont le corps mobile s'approche de la droite (BD). On en déduit que, dans le temps *t*, le corps soumis à F_1 et F_2 atteint la droite (BD). Le même raisonnement s'applique symétriquement pour prouver que, dans le temps *t*, le corps atteint aussi la droite (CD). Le corps soumis à F_1 et F_2 atteint donc finalement le point D, intersection des droites (BD) et (CD).
Ainsi les forces vérifient la relation de Chasles, ce qui en fait des **vecteurs**.

Newton a également appliqué les lois du mouvement à d'autres cas, par exemple celui du levier, montage qui permet de démultiplier une force pour soulever un objet très lourd. Il a ainsi abouti à l'explicitation du principe du levier, fondamental en mécanique.
De son raisonnement (www présenté sur le site www.odyssee-hatier.com) Newton conclut : "*From hence are easily deduced the forces of machines, which are compounded of wheels, pulleys, levers, cords and weights, ascending directly or obliquely, and other mechanical powers; as also the force of the tendons to move the bones of animals.*"
(D'après une traduction anglaise de 1729 de *Philosophiæ Naturalis Principia Mathematica.*)

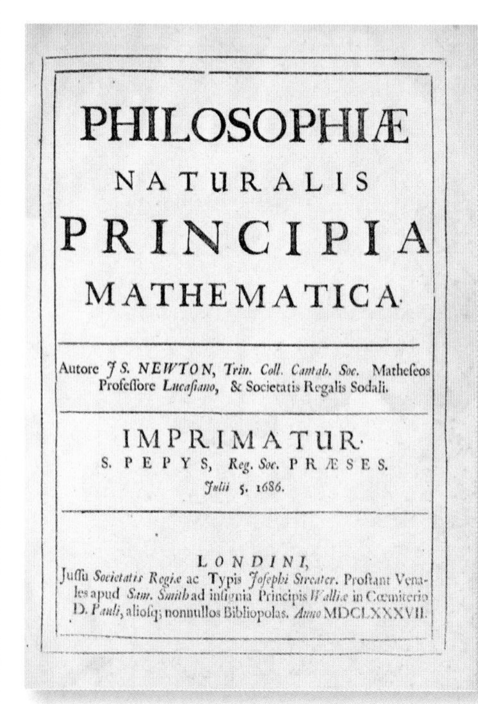
PHILOSOPHIÆ
NATURALIS
PRINCIPIA
MATHEMATICA.

Autore J. S. NEWTON, Trin. Coll. Cantab. Soc. Matheseos Professore Lucasiano, & Societatis Regalis Sodali.

IMPRIMATUR.
S. PEPYS, Reg. Soc. PRÆSES.
Julii 5. 1686.

LONDINI,
Jussu Societatis Regiæ ac Typis Josephi Streater. Prostant Venales apud Sam. Smith ad insignia Principis Walliæ in Cœmiterio D. Pauli, aliosq; nonnullos Bibliopolas. Anno MDCLXXXVII.

Page de titre de l'édition originale (en latin) de *Philosophiae Naturalis Principia Mathematica* d'Isaac Newton, 1687.

Isaac Newton (1642 – 1727), huile sur toile, par Godfrey Kneller (1646 - 1723).

Une flèche qui a mis des siècles à se fixer

Une flèche plus ou moins longue qui pointe dans une direction. Elle n'est ancrée à rien, même si elle peut se fixer sur un point précis d'un objet physique... Telle est l'essence étrange des vecteurs, à mi-chemin entre une droite bien concrète et une représentation abstraite. Représentation de quoi ? D'un mouvement ou d'une force physique, comme la gravité qui nous rive au sol... De fait, c'est leur caractère abstrait qui explique que les vecteurs aient mis des siècles pour passer de la notion intuitive à un concept mathématique et physique formel, au XIXe siècle.

Une droite peu maniable

En particulier, c'est la nature peu maniable de la droite géométrique, telle que l'avait définie le Grec Euclide au IIIe siècle av. J.-C., qui a progressivement conduit à l'invention des vecteurs. En effet, dans sont ouvrage *Les Éléments*, Euclide définit la ligne droite comme « *une longueur sans largeur* » (définition 2) dont « *les limites sont des points* » (définition 3) et « *qui est placée de manière égale par rapport aux points qui sont sur elle* » (définition 4). Si ces définitions conduisent à l'idée de distance entre points, cela laisse peu de place aux opérations mathématiques : peut-on additionner des droites entre elles quand elles n'ont pas la même direction ? Cette question n'a aucun sens pour les Grecs : elle leur aurait fait le même effet que d'additionner une pomme et une pierre...

Représentation d'Omar Khayyâm (1048 - 1123).

De la géométrie à l'algèbre

Au XIe siècle, le poète, philosophe et mathématicien perse Omar Khayyâm, très grand connaisseur d'Euclide, a l'idée d'associer les figures géométriques à des équations. En faisant cela, il ouvre la voie vers un maniement purement numérique (algébrique) des figures, qui servira de terreau à la formalisation mathématique des vecteurs. Mais la symbiose entre la géométrie et l'algèbre sera effectuée par René Descartes au XVIIe siècle grâce à l'invention des coordonnées (dites cartésiennes) associant à une figure géométrique un système des couples de nombres (x, y) dans un plan muni de repères.

Galilée (1564 - 1642), dessin, par Ottavio Leoni (1587 – 1630).

Galilée et la chute des corps

Voici comment Galilée démontre que la chute des corps est la même pour tous les solides quelle que soit leur masse. Il s'agit d'une « expérience de pensée » car son raisonnement est purement théorique :

« S'il était vrai que les petites masses tombent moins vite que les grandes, considérons une petite masse reliée par un fil rigide à une masse triple. La petite masse, tombant moins vite que la grande, la freine et l'ensemble, plus lourd que ses parties, tombe donc moins vite que sa grande masse ; contrairement aux prémisses ! »

La physique prend le relais des mathématiques

Mais l'œuvre d'Euclide traverse les siècles et progressivement les manipulations de figures sont associées à des équations algébriques qui libèrent la droite de ses contraintes géométriques (▶ encadré). Pourtant c'est la physique, entre 1604 et 1687, qui rendra les vecteurs indispensables car ils incarneront les notions de vitesse, d'accélération et de force s'exerçant sur un solide. C'est Galilée qui lance ce processus, en 1604, par la découverte des premières lois du mouvement d'un solide.

Il démontre d'abord que tous les corps, quel que soit leur poids ou masse (on ne les distingue pas à l'époque), chutent avec la même vitesse, uniformément accélérée en fonction du temps (▶ encadré). Il comprend ensuite qu'un corps lancé à l'horizontale chute en décrivant une parabole faite d'un mouvement horizontal à vitesse constante et d'un mouvement vertical de chute uniformément accéléré.

C'est la physique qui rendra les vecteurs indispensables.

Newton, l'inventeur des vecteurs

Chez Galilée, les notions de vitesse et d'accélération restent informelles, tout comme celle de force qui attire les corps vers le sol, mais elles conduiront l'Anglais Isaac Newton, en 1687, à leur donner un sens clair *via* le concept de vecteur – qui est donc son invention. Dans son livre *Principes mathématiques de philosophie naturelle*, il définit l'accélération comme le changement de mouvement ou de vitesse d'un solide, et la force comme la cause d'un tel changement. Newton écrit ainsi les deux premières lois du mouvement :

I. *Tout corps persévère dans l'état de repos ou de mouvement uniforme en ligne droite dans lequel il se trouve, à moins que quelque* ***force*** *n'agisse sur lui et ne le contraigne à changer d'état.*

II. *Le changement de mouvement est toujours* ***proportionnel*** *à la force motrice appliquée ; et il se fait dans la direction de la ligne droite dans laquelle cette force est appliquée.*

Newton instaure également les règles d'addition entre forces, entre accélérations, entre vitesses… qui sont celles des vecteurs tels qu'on les connaît aujourd'hui (▶ Pour aller plus loin). Ainsi, plusieurs forces s'exerçant sur un solide agissent comme une seule force résultant de leur addition vectorielle, ce qu'on écrit $\sum \vec{F_i} = m\vec{a}$, m étant la masse du solide. On retrouve bien les deux opérations de base des vecteurs : addition et multiplication par un scalaire (m). Disons, pour finir, que les savants du XIXe siècle incluront les vecteurs dans un cadre plus large, celui des *tenseurs*… dont Einstein fera grand usage dans sa théorie de la Relativité qui généralise la théorie de Newton.

Exercices d'application

Colinéarité de deux vecteurs

1 On considère $(O ; \vec{i}, \vec{j})$ un repère du plan. Dans chaque cas, dire si les vecteurs $\vec{u}$ et $\vec{v}$ sont colinéaires.

a. $\vec{u}(5 ; -12)$ et $\vec{v}(10 ; -24)$.

b. $\vec{u}(1 ; 3)$ et $\vec{v}(2 ; 1{,}5)$.

c. $\vec{u}(15 ; -12)$ et $\vec{v}(2 ; -1{,}5)$.

2 On considère $(O ; \vec{i}, \vec{j})$ un repère du plan. Dans chaque cas, dire si les vecteurs $\vec{u}$ et $\vec{v}$ sont colinéaires.

a. $\vec{u}\left(\frac{-2}{33} ; \frac{7}{22}\right)$ et $\vec{v}\left(\frac{10}{7} ; -\frac{15}{4}\right)$.

b. $\vec{u}(5\sqrt{6} ; \sqrt{75})$ et $\vec{v}(2 ; \sqrt{2})$.

c. $\vec{u}\left(3^{22} ; \frac{1}{3^{25}}\right)$ et $\vec{v}(3^{71} ; 9^{12})$.

3 On considère $(O ; \vec{i}, \vec{j})$ un repère du plan.
Dans chaque cas, déterminer le(s) réel(s) k tel(s) que les vecteurs $\vec{u}$ et $\vec{v}$ soient colinéaires.

a. $\vec{u}(k ; 1)$ et $\vec{v}(5 ; k+1)$.

b. $\vec{u}(-k+1 ; -2)$ et $\vec{v}(k^2+17 ; 5k-4)$.

4 On considère $(O ; \vec{i}, \vec{j})$ un repère du plan.
On donne les vecteurs :

$$\vec{u}(k ; 2),\ \vec{v}(28 ; k-1) \text{ et } \vec{w}(k-7 ; 4)$$

Existe-t-il un réel k tel que les trois vecteurs $\vec{u}$, $\vec{v}$ et $\vec{w}$ soient colinéaires ?

5 **Vrai ou faux ?**
Dans le repère $(O ; \vec{i}, \vec{j})$, on considère les vecteurs :

$$\vec{u}(10 ; -15) \text{ et } \vec{v}\left(-\frac{7}{2} ; \frac{21}{4}\right)$$

Les affirmations suivantes sont-elles vraies ou fausses ? Justifier.

a. $\vec{u} = -15\vec{i} + 10\vec{j}$.

b. Les vecteurs $\vec{u}$ et $\vec{v}$ sont colinéaires.

c. Les vecteurs $\vec{u} - 7\vec{v}$ et $-2\vec{i} + 3\vec{j}$ sont colinéaires.

d. Le vecteur $\vec{w}$ ci-contre est colinéaire au vecteur $\vec{u}$.

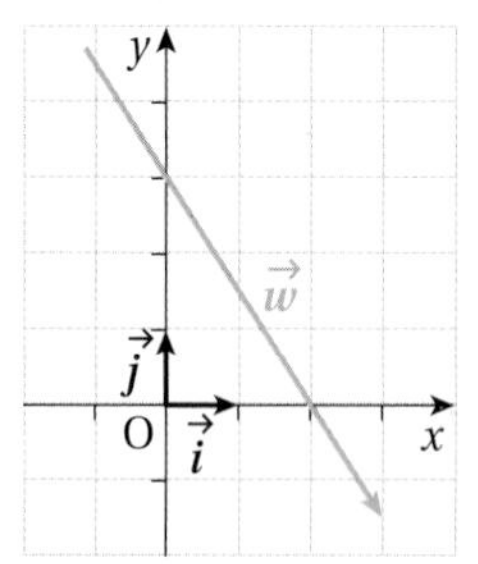

6 On considère $(O ; \vec{i}, \vec{j})$ un repère du plan.

a. Trouver un réel x tel que les vecteurs :

$$\vec{u}(\cos^2 x ; -3\sin x + 6) \text{ et } \vec{v}(\sin x ; 3)$$

soient colinéaires.

b. L'opposée de la valeur trouvée précédemment est-elle aussi une solution ?

c. Êtes-vous capable de donner d'autres valeurs solutions ? toutes les valeurs solutions ?

7 Dans un repère $(O ; \vec{i}, \vec{j})$, on considère les points A(10 ; 40), B(50 ; 45), C(55 ; 46), D(–25 ; 36) et E(–10 ; a) (où a est un réel).

a. Les points A, B et C sont-ils alignés ? Justifier.

b. Le quadrilatère ABCD est-il un trapèze ?

c. Déterminer les coordonnées du point E pour que ABCE soit un trapèze.

▶ Savoir-faire 1 p. 178

8 On considère $(O ; \vec{i}, \vec{j})$ un repère du plan.
Soit k un réel positif et les points suivants :

$$A(k+1 ; \sqrt{k}),\quad B(2k+1 ; 1)$$
$$\text{et}\quad C(2+k+\sqrt{k} ; k^2+\sqrt{k}-1).$$

Pour quelle valeur de k les points A, B et C sont-ils alignés ?

9 Soit EFG un triangle.
Le point I est tel que $\overrightarrow{GI} = \frac{1}{3}\overrightarrow{GF}$. Le point H est l'image de E par la translation de vecteur $\overrightarrow{FE}$.
Le point O est le milieu de [EG].

a. Faire une figure.

b. En se plaçant dans le repère $(F ; \overrightarrow{FG}, \overrightarrow{FE})$, démontrer que les points I, O et H sont alignés.

10 Soit A et B deux points distincts du plan.
Le point C est défini par : $4\overrightarrow{CA} - 5\overrightarrow{CB} = \overrightarrow{AB}$.

a. Construire le point C après avoir exprimé le vecteur $\overrightarrow{AC}$ en fonction du vecteur $\overrightarrow{AB}$.

b. Justifier que les points A, B et C sont alignés.

11 **a.** Tracer un quadrilatère quelconque ABCD.
Placer les milieux I, J, K et L des côtés [AB], [BC], [CD] et [AD].

b. Prouver que le quadrilatère IJKL est un parallélogramme.

12 Soit ABCD un carré de côté a ($a > 0$).
On considère les deux triangles équilatéraux DCE et DAF.

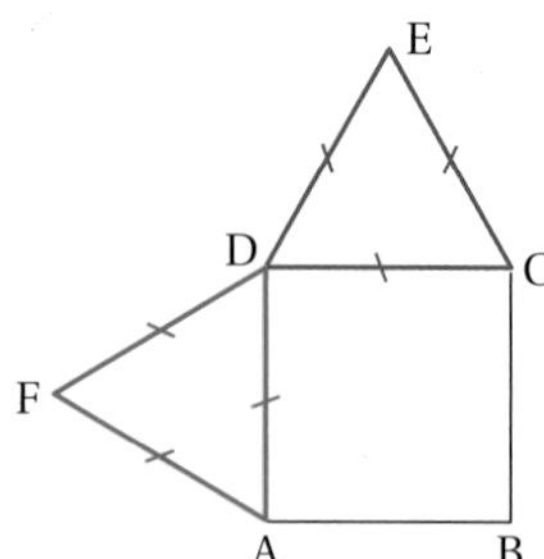

Démontrer que les droites (AC) et (EF) sont parallèles en vous plaçant dans le repère orthonormé $(A ; \overrightarrow{AB}, \overrightarrow{AD})$.

Caractérisation analytique d'une droite

Pour les exercices 13 à 29

Le plan est rapporté à un repère $(O ; \vec{i}, \vec{j})$.

13 Représenter les droites suivantes :
$d_1 : 3x - y + 2 = 0$ $d_2 : -x + y - 6 = 0$
$d_3 : 4x - 1 = 0$ $d_4 : -3x + y = 0$

14 Donner une équation cartésienne des droites d_1, d_2, d_3 et d_4 ci-dessous :

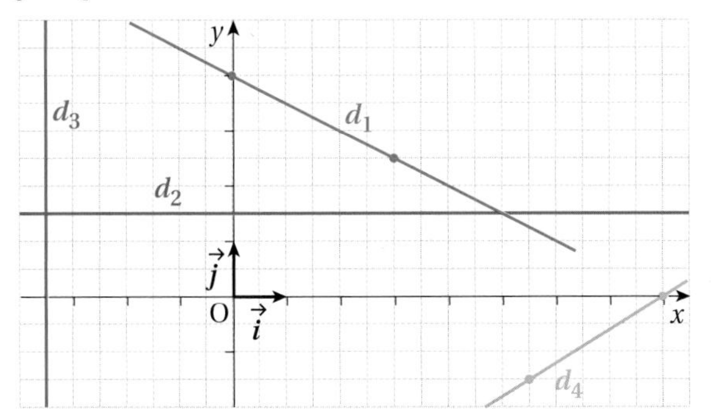

15 Soit d une droite passant par le point A et dont $\vec{u}$ est un vecteur directeur. Dans chaque cas, déterminer une équation cartésienne de la droite d.
a. $A(5 ; -2)$ et $\vec{u}\,(3 ; -10)$.
b. $A(4 ; -1)$ et $\vec{u}\,(-\sqrt{2} ; 2)$.
c. $A\left(\frac{1}{3} ; 2\right)$ et $\vec{u}\left(\frac{2}{5} ; -\frac{1}{4}\right)$.
Savoir-faire 2 p. 178

16 Soit d une droite passant par le point A et de coefficient directeur a. Dans chaque cas, déterminer une équation de la droite d.
a. $A(3 ; -5)$ et $a = 3$. **b.** $A(1 ; 8)$ et $a = -2$.

17 Soit A et B deux points appartenant à la droite d.
Dans chaque cas, déterminer une équation cartésienne de la droite d.
a. $A(1 ; -2)$ et $B(-3 ; 5)$.
b. $A(0 ; 1)$ et $B(-3 ; 0)$.
c. $A(45 ; -30)$ et $B(20 ; 10)$.
Savoir-faire 3 p. 179

18 Soit A et B deux points appartenant à la droite d.
Dans chaque cas, déterminer une équation cartésienne de la droite d.
a. $A\left(\frac{3}{2} ; -\frac{5}{3}\right)$ et $B\left(-\frac{1}{4} ; \frac{1}{3}\right)$.
b. $A\left(\frac{\pi}{2} ; 3\pi\right)$ et $B\left(-\frac{3\pi}{4} ; \frac{2\pi}{5}\right)$.

19 Soit les points $A(1 ; -4)$, $B(3 ; 4)$ et $C(2 ; 0)$.
a. Déterminer une équation de la droite (AB).
b. En déduire que les points A, B et C sont alignés.

20 On considère les points $K(2 ; 5)$ et $L(-2 ; 1)$.
a. Montrer que l'axe des ordonnées est la médiane issue de O du triangle OKL.
b. Donner une équation cartésienne de la médiane issue de L du triangle OKL.
c. En déduire de façon immédiate les coordonnées du centre de gravité du triangle OKL.

21 Soit les points $A(10 ; -2)$, $B(2 ; -1)$ et $C(-6 ; 12)$.
a. Déterminer des équations cartésiennes des trois médianes du triangle ABC.
b. Prouver que ces trois droites sont concourantes.

22 Les ensembles de points suivants définis par une équation cartésienne sont-ils des droites ?
$E_1 : y(7x - 1) = 7x(y + 5) + 10$
$E_2 : -3(-y + 2) + 2x + 4 = \frac{1}{2}(4x + 6) + 3y$
$E_3 : \frac{1}{3x - 6} = \frac{1}{y}$

23 Associer à chaque droite de la *liste I*, définie par une équation cartésienne, le(s) vecteur(s) de la *liste II* qui la dirige(nt).

Liste I (droites) :	*Liste II* (vecteurs) :
$d_1 : 3x + y - 4 = 0$	$\vec{u}(0 ; -12)$
$d_2 : 6x - 2y + 15 = 0$	$\vec{v}(1 ; 3)$
$d_3 : y + 4 = 0$	$\vec{w}(4 ; 12)$
$d_4 : -x + 4 = 0$	$\vec{a}(-1 ; 3)$
	$\vec{b}(-1 ; -3)$
	$\vec{c}(3 ; 0)$

Savoir-faire 4 p. 179

24 Représenter chacune des droites suivantes définies par une équation, en indiquant un de ses points et un vecteur directeur.
$d_1 : -4y - 25 = 0$ $d_2 : 6x = 2y + 5$
$d_3 : \frac{5}{2}y + \frac{1}{4}x - 1 = 0$ $d_4 : -x + \frac{5}{2} = 0$

25 On considère la droite d dont une équation cartésienne est $3x + 9y + 4 = 0$.
a. Les points $A(2 ; -1)$ et $B\left(-18 ; \frac{50}{9}\right)$ sont-ils des points de la droite d ? Justifier.
b. Déterminer les coordonnées du point C de d d'abscisse -1 et les coordonnées du point D de d d'ordonnée 2.
c. Déterminer les coordonnées des points d'intersection de la droite d et des axes du repère.
d. Donner un vecteur directeur de d.
Déterminer alors le coefficient directeur de d.
e. La droite d est-elle parallèle à la droite d_1 d'équation cartésienne $-3x - 9y + 4 = 0$? à la droite d_2 d'équation réduite $y = -3x + 5$?

26 Soit d la droite d'équation $-3x + 2y - 5 = 0$.
Soit la droite Δ passant par le point $A(6 ; -2)$ et coupant la droite d sur l'axe des abscisses.
Déterminer une équation de la droite Δ.

27 Soit d la droite passant par les points A(–5 ; 8) et B(5 ; –7) et d' la droite passant par l'origine du repère et dirigée par le vecteur $\vec{v}(-2\,;3)$.

1. a. Déterminer un vecteur directeur de la droite d.
b. En déduire la position relative des droites d et d'.

2. Donner une équation cartésienne de d et de d'.

3. a. Justifier que la droite d_1 dont l'ordonnée à l'origine est 1 et de vecteur directeur $\vec{u}(4\,;-7)$ est sécante avec les droites d et d'.
b. Trouver les coordonnées du point d'intersection des droites d_1 et d'. Même question avec les droites d_1 et d.

28 Soit d la droite d'équation $ax + 2y - 25 = 0$ où a est un nombre réel. Déterminer a dans chacun des cas suivants.
a. Le point A(–1 ; 3) appartient à la droite d.
b. Le point B(a ; a + 5) appartient à la droite d.
c. La droite d est parallèle à la droite Δ_1 d'équation réduite $y = 6x - \pi$.
d. La droite d est parallèle à la droite Δ_2 d'équation $a^2x + 3y - \sqrt{2a+5} = 0$.

29 Soit d la droite d'équation $(1-k)x + (4k^2-9)y - 8 = 0$, où k est un nombre réel.
Déterminer le(s) réel(s) k dans chacun des cas suivants.
a. d est une droite parallèle aux axes.
b. Le point A(1 ; 2) appartient à la droite d.
c. $B\left(-1-k\,;\,\frac{1}{9}k^2\right)$ appartient à la droite d.
d. La droite d est parallèle à la droite Δ d'équation $x + 2ky - 6k = 0$.

30 Soit ABCD un parallélogramme non aplati. S est un point du segment]AB[* et T est un point du segment]AD[. La parallèle à la droite (AD) menée par le point S coupe le segment [DC] en L. La parallèle à la droite (AB) passant par le point T coupe le segment [BC] en P.
1. Faire une figure.
2. Dans le repère $(A\,;\overrightarrow{AB},\overrightarrow{AD})$, on note s l'abscisse du point S et t l'ordonnée du point T.
a. Écrire les coordonnées des points A, C, T, S, L et P.
b. En déduire les coordonnées des vecteurs $\overrightarrow{TL}$, $\overrightarrow{AC}$ et $\overrightarrow{SP}$.
3. a. Trouver une condition sur s et t pour que les droites (TL), (AC) et (SP) soient parallèles.
b. Prouver que lorsque la condition trouvée en **3a** n'est pas vérifiée, les droites (TL), (AC) et (SP) sont concourantes.

COUP DE POUCE

3. a. Écrire la condition analytique de colinéarité pour $\overrightarrow{TL}$ et $\overrightarrow{AC}$ d'une part, $\overrightarrow{SP}$ et $\overrightarrow{AC}$ d'autre part.
b. Donner les équations des droites (TL), (AC) et (SP). Prouver que lorsque les droites (TL) et (SP) sont sécantes en un point, ce même point appartient aussi à la droite (AC).

* On note]AB[le segment [AB] privé des extrémités A et B.

Décomposition d'un vecteur dans une base

31 Dans chaque cas, décomposer le vecteur $\vec{w}$ en fonction des vecteurs $\vec{u}$ et $\vec{v}$.

a.

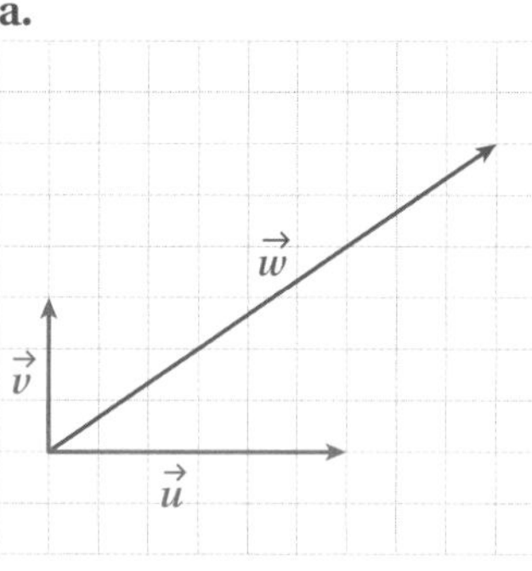

b.

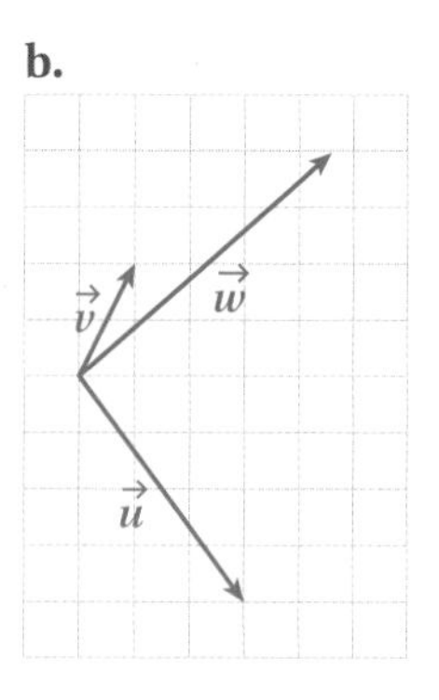

32 Décomposer chacun des vecteurs $\vec{w_i}$ suivants en fonction des vecteurs $\vec{u}$ et $\vec{v}$.

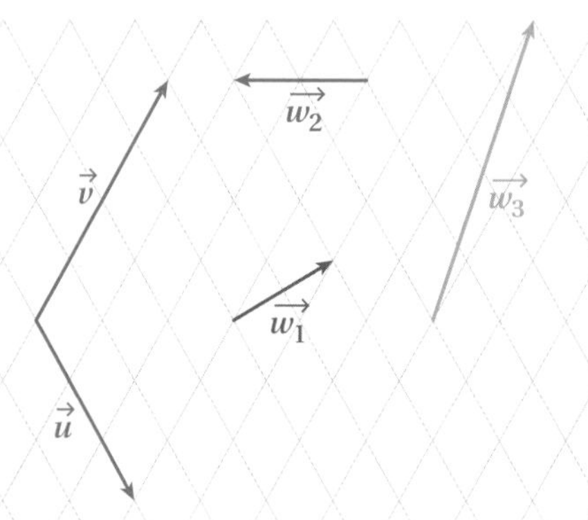

33 On considère $(O\,;\vec{i},\vec{j})$ un repère du plan.
Soit les points A(6 ; –1) et B(–2 ; 3).
Écrire en fonction de $\vec{i}$ et de $\vec{j}$ les vecteurs suivants :
a. $\overrightarrow{OA}$ **b.** $\overrightarrow{OB}$ **c.** $\overrightarrow{AB}$

34 Soit ABCD un parallélogramme de centre O.

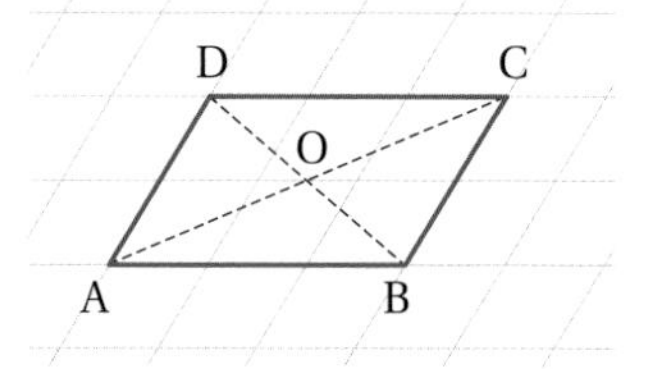

1. En vous aidant du quadrillage, construire les points E et F tels que :
$$\overrightarrow{CE} = -\frac{1}{3}\overrightarrow{AB} \quad \text{et} \quad \overrightarrow{BF} = \frac{1}{2}\overrightarrow{AC}$$

2. Décomposer les vecteurs $\overrightarrow{AB}$, $\overrightarrow{AO}$, $\overrightarrow{DF}$ et $\overrightarrow{OE}$ dans les bases suivantes :
a. $(\overrightarrow{DC},\overrightarrow{DA})$
b. $(\overrightarrow{CA},\overrightarrow{CB})$
c. $(\overrightarrow{OB},\overrightarrow{OA})$

▶ Savoir-faire 5 p. 180

35 On considère la figure ci-contre où $\overrightarrow{DE} = \frac{1}{2}\overrightarrow{AH}$

Exprimer les vecteurs $\overrightarrow{BI}$, $\overrightarrow{CH}$, $\overrightarrow{AI}$, $\overrightarrow{FE}$ et $\overrightarrow{ED}$ dans les bases suivantes :

a. $(\overrightarrow{IG}, \overrightarrow{IH})$ **b.** $(\overrightarrow{AF}, \overrightarrow{HC})$

c. $(\overrightarrow{GB}, \overrightarrow{CD})$

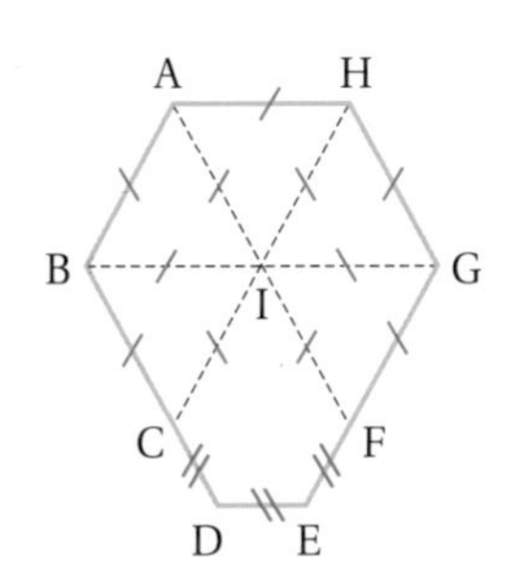

36 Dans le rectangle ABCD (tel que AB = 2AD), on considère le triangle équilatéral ABE. On note I le milieu du segment [AB].

Exprimer les vecteurs $\overrightarrow{AB}$, $\overrightarrow{AE}$ et $\overrightarrow{AD}$ dans les bases suivantes :

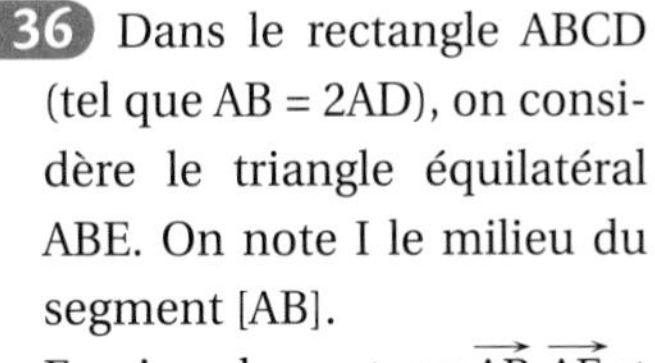

a. $(\overrightarrow{AI}, \overrightarrow{AD})$ **b.** $(\overrightarrow{EA}, \overrightarrow{EB})$

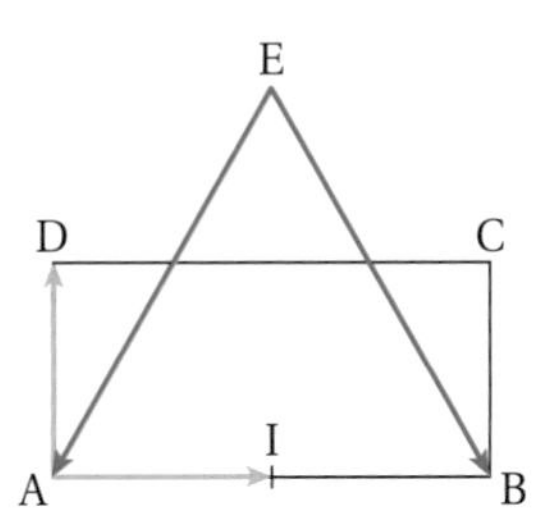

37 On considère un triangle ABC non aplati.

L'affirmation suivante est-elle vraie ou fausse ?

« Si $\vec{u} = 3\overrightarrow{AB} + \overrightarrow{AC}$ et $\vec{v} = 6\overrightarrow{AB} + 2\overrightarrow{CA}$ alors le couple $(\vec{u}, \vec{v})$ forme une base. »

38 On considère un triangle ABC non aplati.

On définit les vecteurs $\vec{u}$ et $\vec{v}$ par :

$\vec{u} = (7 + \sqrt{13})\overrightarrow{AB} - 6\overrightarrow{BC}$ et $\vec{v} = 6\overrightarrow{AB} + (\sqrt{13} - 7)\,\overrightarrow{BC}$.

Montrer que les vecteurs $\vec{u}$ et $\vec{v}$ sont colinéaires.

39 Soit EFG un triangle non aplati.

Les points P et R sont tels que :

$$\overrightarrow{EP} = \frac{1}{4}\overrightarrow{FG} \quad \text{et} \quad \overrightarrow{ER} = \frac{1}{5}\overrightarrow{EG}$$

a. Faire une figure.

b. Démontrer que les points F, P et R sont alignés.

▸ Savoir-faire 6 p. 180

Raisonnement logique

▸ Fiches Raisonnement logique p. 8 à 10

40 **Vrai ou faux ?**

Pour chaque affirmation, indiquer si elle est vraie ou fausse ; justifier.

a. Si ABCD est un parallélogramme alors $\|\overrightarrow{AC}\| = \|\overrightarrow{BD}\|$.

b. Les vecteurs $\vec{u} + \vec{v}$ et $\vec{u} - \vec{v}$ n'ont aucune caractéristique en commun.

c. Soit I le milieu du segment [AB]. Le point M tel que $\overrightarrow{IM} = k\overrightarrow{AB}$ avec $k \in [-1 ; 1]$ décrit le segment [AB].

d. Toute droite représentée dans un repère du plan $(O ; \vec{i}, \vec{j})$ est la représentation graphique d'une fonction.

e. Les droites qui ont une équation de la forme $x = m$ (où m est une constante réelle) n'ont pas de vecteur directeur.

f. Les droites d et d' sont sécantes. $\Leftrightarrow$ Les droites d et d' ont des vecteurs directeurs distincts.

g. Soit un repère $(O ; \vec{i}, \vec{j})$ et les points K(2 ; 5) et L(−2 ; 1). L'axe des ordonnées est une médiane du triangle OKL.

h. Soit A, B et C trois points non alignés. Le point M défini par $\overrightarrow{AM} = 118\overrightarrow{AB} - 118\overrightarrow{AC}$ appartient à (BC).

41 **Implication et équivalence**

Dans chacun des cas suivants, on considère deux propositions (P) et (Q).

Dire si (P) implique (Q), si (Q) implique (P), ou si (P) et (Q) sont équivalentes.

a. (P) : $\overrightarrow{AB} = \overrightarrow{CD}$

(Q) : Le quadrilatère ABDC est un parallélogramme.

b. (P) : Il existe un réel k tel que $\overrightarrow{AB} = k\overrightarrow{CD}$.

(Q) : Les points A, B, C et D sont alignés.

c. (P) : Le vecteur $\overrightarrow{AB}$ a pour coordonnées (2 ; 2) dans la base $(\vec{i}, \vec{j})$.

(Q) : Dans un repère de base $(\vec{i}, \vec{j})$, le point A a pour coordonnées (2 ; 0) et le point B a pour coordonnées (4 ; 2).

d. (P) : Les droites d'équations $ax + by + c = 0$ et $a'x + b'y + c' = 0$ sont strictement parallèles.

(Q) : Les réels a, b, a' et b' vérifient la relation $ab' - a'b = 0$.

Restitution des connaissances

42 On considère $(O ; \vec{i}, \vec{j})$ un repère du plan. Soit K et L deux points mobiles respectivement sur l'axe des abscisses et sur l'axe des ordonnées, tous deux distincts de l'origine O.

Montrer que la droite (KL) a pour équation $\frac{x}{k} + \frac{y}{l} = 1$ où k représente l'abscisse du point K et l l'ordonnée du point L.

Se tester sur... les vecteurs et les droites

CORRIGÉ P. 342

Pour chaque question, indiquer la (les) bonne(s) réponse(s).

Colinéarité de deux vecteurs

43 On considère $(O ; \vec{i}, \vec{j})$ un repère du plan.

Soit $\vec{u}(-2 ; 3)$ et $\vec{v}\left(\frac{21}{6} ; -\frac{63}{12}\right)$ deux vecteurs.

On peut affirmer que :

A le vecteur $\vec{v}$ est colinéaire au vecteur $\vec{u}$.

B le point M tel que $\overrightarrow{OM} = \vec{u} - \vec{v}$ a pour coordonnées $(1 ; -1)$.

C le vecteur $\vec{u} - 12\vec{v}$ est colinéaire au vecteur $2\vec{i} - 3\vec{j}$.

D il existe un réel a tel que $\vec{u}$ ne soit pas colinéaire au vecteur $\vec{w}\left((a+1)^2 ; -3a\left(\frac{a+2}{2}\right) - \frac{3}{2}\right)$.

44 Soit ABCD un parallélogramme de centre O.

Le point K est le symétrique du milieu I de [AB] par rapport à B. Le point L est tel que $\overrightarrow{DL} = -2\overrightarrow{DA}$.

On peut affirmer que :

A DCKI n'est pas un trapèze.

B $\overrightarrow{OI} = -\frac{1}{2}\overrightarrow{AD}$.

C le lieu des points M_t définis par $\overrightarrow{IM_t} = t\overrightarrow{CD}$ pour t décrivant $[-1 ; 1]$ est le segment [AK].

D les points L, C et K sont alignés.

Caractérisation analytique d'une droite

45 On considère $(O ; \vec{i}, \vec{j})$ un repère du plan.

La droite d a pour équation cartésienne $-2x + 3y - 1 = 0$.

On peut affirmer que :

A le coefficient directeur de d est $\frac{3}{2}$.

B un vecteur directeur de d est $\vec{u}(1{,}5 ; 1)$.

C le point A(10 ; 7) appartient à la droite d.

D la droite d et la droite d'équation $y = \frac{2}{3}x + 18$ sont sécantes.

46 On considère $(O ; \vec{i}, \vec{j})$ un repère du plan.

Soit d une droite passant par le point A(3 ; 5) et dont un vecteur directeur est $\vec{u}(1 ; -7)$.

On peut affirmer que :

A le point B de coordonnées (2 ; 12) appartient à d.

B d coupe l'axe des abscisses au point C de coordonnées (0 ; 4).

C d est parallèle à la droite d'équation cartésienne $21x + 3y + 2 = 0$.

D l'ordonnée à l'origine de la droite d est -26.

Décomposition d'un vecteur dans une base

47 On considère la figure suivante sur laquelle les droites de même couleur sont parallèles. Le point I est tel que $\overrightarrow{CI} = \frac{1}{4}\overrightarrow{CA}$.

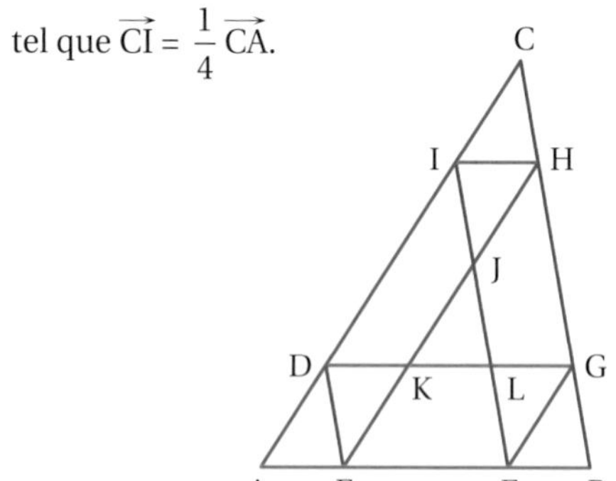

On peut affirmer que :

A dans la base $(\overrightarrow{AB}, \overrightarrow{AC})$, on a $\overrightarrow{AG}\left(\frac{3}{4} ; \frac{1}{4}\right)$.

B dans la base $(\overrightarrow{CH}, \overrightarrow{CD})$, on a K(1 ; 1).

C $\overrightarrow{DG} = -3\overrightarrow{ED} + \overrightarrow{FG}$.

D dans la base $(\overrightarrow{GL}, \overrightarrow{GH})$, on a $\overrightarrow{AG}(-2 ; 4)$.

PRÊT POUR LE CONTRÔLE ?

48 Dans un repère du plan $(O ; \vec{i}, \vec{j})$, soit les points A(3 ; 4), B(1 ; −1) et C(6 ; −2).

1. Déterminer une équation cartésienne de la droite (AB).

2. Déterminer une équation cartésienne de la droite d passant par le milieu I de [AC] et parallèle à (AB).

3. Δ est la droite d'équation $-16x + y + 98 = 0$.

a. Prouver que Δ et (AB) sont sécantes en D de coordonnées à déterminer.

b. Montrer que le milieu J de [DC] est un point de d de deux manières différentes.

49 Soit un triangle ABC non aplati.

Pour tout réel t, on considère le point M_t défini par la relation vectorielle : $\overrightarrow{BM_t} = t\overrightarrow{BA} + \overrightarrow{BC}$.

a. Construire sur la même figure M_0, M_1 et M_{-1}.

b. Déterminer et construire le lieu géométrique des points M_t lorsque t décrit $\mathbb{R}$.

Problèmes

50 Collés-serrés

Sur les cinq parallélogrammes accolés ci-dessous, on a construit M le milieu de [LB] et N le point d'intersection des droites (AI) et (JC).

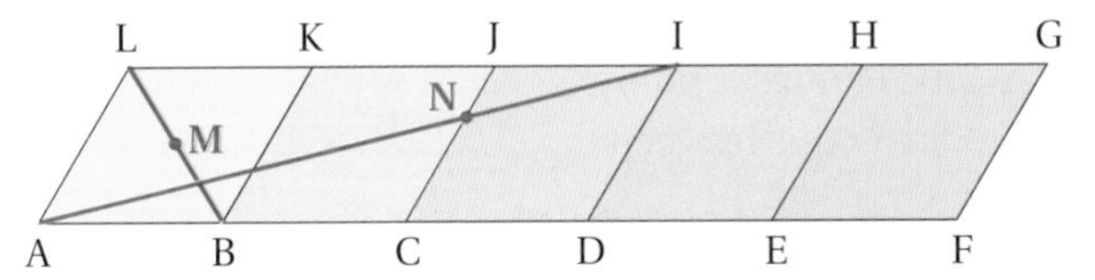

a. Préciser la position du point N sur le segment [CJ] grâce au triangle KCI.

b. Montrer que les points M, N et G sont alignés.

COUP DE POUCE

Établir la colinéarité des vecteurs $\overrightarrow{MN}$ et $\overrightarrow{MG}$ à l'aide de leurs coordonnées dans le repère $(A ; \overrightarrow{AB}, \overrightarrow{AL})$.

51 Droites sécantes

Soit $(O ; \vec{i}, \vec{j})$ un repère orthonormé du plan.
Soit S et T deux points mobiles respectivement sur l'axe des abscisses et sur l'axe des ordonnées, tous deux distincts de l'origine O. On note s l'abscisse du point S et t l'ordonnée du point T.

a. Déterminer une équation cartésienne de la droite (ST).

b. Déterminer à quelle condition la droite (ST) et une droite passant par l'origine sont sécantes.
Déterminer alors les coordonnées de leur point d'intersection que l'on nommera K.

c. En vous aidant du cercle de diamètre [OS], déterminer la condition pour qu'une droite passant par l'origine du repère soit perpendiculaire à la droite (ST) (s et t fixés).

52 Droites parallèles

Soit un carré ABCD dont la longueur du côté est a.
Soit E le milieu de [AD] et F le milieu de [BC].

1. Faire une figure.

2. On souhaite démontrer que les droites (EB) et (DF) sont parallèles de différentes manières.

a. Méthode 1 : Exprimer le vecteur $\overrightarrow{EB}$ en fonction de $\overrightarrow{AB}$ et $\overrightarrow{AD}$. Faire de même pour le vecteur $\overrightarrow{DF}$. Conclure.

b. Méthode 2 : Dans le repère $(D ; \overrightarrow{DC}, \overrightarrow{DA})$, donner les coordonnées des points D, C, B, A, E et F. Calculer les coordonnées des vecteurs $\overrightarrow{EB}$ et $\overrightarrow{DF}$. Conclure.

c. Méthode 3 : Dans le repère $(B ; \overrightarrow{BC}, \overrightarrow{BA})$, déterminer les équations cartésiennes des droites (EB) et (DF). Conclure.

d. Méthode 4 : Pour finir, démontrer le résultat en considérant les angles.

53 Alignement de points

On considère un triangle ABC non aplati.
Le point D est tel que $\overrightarrow{AD} = 2(\overrightarrow{AB} + \overrightarrow{AC})$.
I est le milieu de [AB] et J celui de [CD].

1. a. Faire une figure.

b. Le point E est tel que $3\overrightarrow{EB} + \overrightarrow{ED} = \vec{0}$. Construire le point E.

COUP DE POUCE

On pourra transformer cette égalité vectorielle en introduisant le point B dans le second vecteur.

c. Le point F est tel que $3\overrightarrow{FA} + \overrightarrow{FC} = \vec{0}$.
Construire le point F en vous inspirant de la méthode de la question **1b**.

d. Construire le point K milieu de [EF].

2. Montrer que les points I, K et J sont alignés et préciser la position de K sur le segment [IJ].

▸ Savoir-faire 6 p. 180

54 Lieux mystères

Soit A, B, C et D quatre points distincts et non alignés du plan.
Déterminer et représenter les ensembles de points caractérisés par chacune des propositions suivantes.

a. Les vecteurs $\overrightarrow{MA} + \overrightarrow{MB}$ et $\overrightarrow{MC} + \overrightarrow{MD}$ sont colinéaires.

b. Les vecteurs $\overrightarrow{MB} + \overrightarrow{MC}$ et $\overrightarrow{MC} - \overrightarrow{MA}$ sont colinéaires.

c. $\|\overrightarrow{MA} + \overrightarrow{MB}\| = \|\overrightarrow{MC} + \overrightarrow{MD}\|$

d. $\|\overrightarrow{MB} + \overrightarrow{MC}\| = \|\overrightarrow{MC} - \overrightarrow{MA}\|$

COUP DE POUCE

Introduire des milieux...

55 Quadrilatères et compagnie TICE

Soit ABCD un parallélogramme et k un réel.
On considère les points P, Q, R et S définis par :

$\overrightarrow{AP} = k\overrightarrow{AB}$ $\quad \overrightarrow{BQ} = k\overrightarrow{BC}$ $\quad \overrightarrow{CR} = k\overrightarrow{CD}$ $\quad \overrightarrow{DS} = k\overrightarrow{DA}$

1. a. À l'aide d'un logiciel de géométrie, construire une figure.

b. En manipulant le curseur à la souris, quelle conjecture peut-on faire au sujet de la nature du quadrilatère SRQP ? Existe-t-il des valeurs de k pour lesquelles on obtient un rectangle ? un losange ? un carré ?

2. Démontrer que, quelle que soit la valeur de k, SRQP est un parallélogramme.

COUP DE POUCE

Exprimer les vecteurs dans la base $(\overrightarrow{AB}, \overrightarrow{AD})$.

56 Melting pot

Soit ABCD un parallélogramme non aplati.
On note C' le symétrique de C par rapport à D.
Le point K est défini par $\overrightarrow{AK} = -2\overrightarrow{AB}$.
L est le centre de gravité du triangle ACC'.

1. Faire une figure.

2. On désire prouver l'alignement des points K, L et C de quatre manières différentes.

a. Méthode 1 : Exprimer dans la base $(\overrightarrow{AB}, \overrightarrow{AD})$ les vecteurs $\overrightarrow{AL}$, $\overrightarrow{AK}$ et $\overrightarrow{AC}$.
En déduire la décomposition de $\overrightarrow{KC}$ et $\overrightarrow{KL}$. Conclure.

b. Méthode 2 : Se servir d'un point intermédiaire, à savoir J, milieu de [AC'], et de considérations géométriques simples.
Montrer l'alignement de J, L et C, puis celui de K, J et C. Conclure.

c. Méthode 3 : Déterminer dans le repère $(A ; \overrightarrow{AB}, \overrightarrow{AD})$ l'équation de la droite (CK) et montrer que l'intersection avec l'axe des ordonnées est le point L.

d. Méthode 4 : Déterminer dans le repère $(A ; \overrightarrow{AB}, \overrightarrow{AD})$ les coordonnées des points K, L et C, puis des vecteurs $\overrightarrow{KL}$ et $\overrightarrow{KC}$. Conclure.

57 $mm' = -1$ Restitution des connaissances

Soit $(O ; \vec{i}, \vec{j})$ un repère orthonormé du plan.
On considère deux droites d et d' sécantes en un point O_1 et non parallèles aux axes.

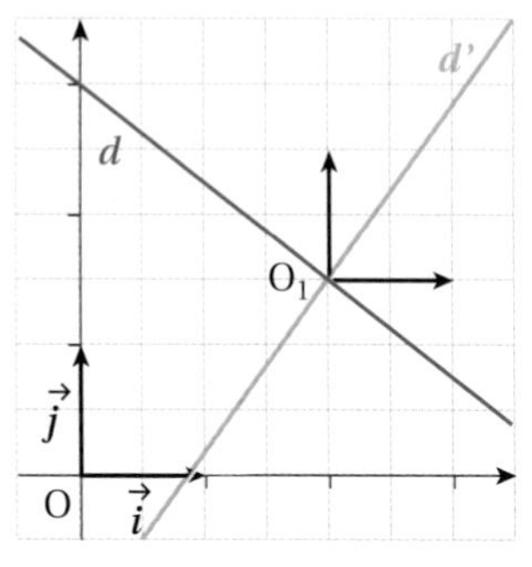

On souhaite démontrer la proposition suivante :

« d et d' sont perpendiculaires lorsque le produit de leurs coefficients directeurs est égal à -1 ». (*)

Les droites d et d' ont pour équations cartésiennes $ax + by + c = 0$ et $a'x + b'y + c' = 0$.

1. Exprimer les coefficients directeurs m et m' des droites d et d'.

2. On se place à présent dans le repère $(O_1 ; \vec{i}, \vec{j})$.

a. Écrire alors les équations de d et de d' en fonction de m et de m'.

b. Soit A le point de d d'abscisse x_A et B le point de d' d'abscisse x_B tous deux distincts de l'origine O_1.
En considérant le triangle O_1AB, démontrer la proposition (*).

58 Petite excursion dans l'espace

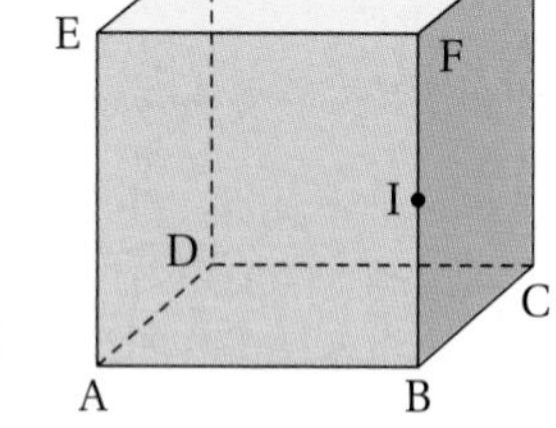

ABCDEFGH est un cube.
Soit I le milieu de [FB].

a. Construire les points L et M tels que :
$\overrightarrow{DL} = 2\overrightarrow{DC} + \overrightarrow{DA}$
et $\overrightarrow{DM} = \overrightarrow{DC} + 2\overrightarrow{DA}$.

b. Montrer que les points E, I et L sont alignés.

c. Montrer que les points G, I et M sont alignés.

d. Montrer que les vecteurs $\overrightarrow{EG}$ et $\overrightarrow{ML}$ sont égaux.

59 Alignement exigé TICE

On considère un triangle ABC non aplati.
Soit I le milieu de [AB] et J le symétrique du point C par rapport à B. Le point K est défini par $\overrightarrow{AK} = k\overrightarrow{AC}$ où k est un réel quelconque.

1. a. À l'aide d'un logiciel de géométrie, construire le triangle ABC ainsi que les points I et J.

b. Définir un curseur nommé k.

c. Créer le vecteur $\overrightarrow{AC}$ (nommé u par *GeoGebra*), puis construire le point K.

COUP DE POUCE

En saisissant : « K=Point[A, k*u] », K sera l'extrémité du vecteur d'origine A égal à $k\overrightarrow{AC}$.

d. Faire varier k. Que constate-t-on ? Expliquer.

e. Conjecturer la valeur de k pour laquelle les points K, I et J sont alignés (on pourra changer les bornes et l'incrémentation du curseur dans le menu *Propriétés*).

2. Démontrer la conjecture de la question **1e** en vous plaçant dans la base $(\overrightarrow{AB}, \overrightarrow{AC})$.

60 La transformation perdue TICE

Soit A, B et C trois points et d une droite. Le point M est un point quelconque variable sur la droite d. On associe à ce point M le point M' défini par l'égalité vectorielle :

$$\overrightarrow{MM'} = \overrightarrow{MA} - \overrightarrow{MB} + 2\overrightarrow{MC} \quad (1)$$

Il s'agit de déterminer le lieu géométrique du point M' lorsque le point M parcourt la droite d.

1. a. À l'aide d'un logiciel de géométrie, construire les points A, B et C, la droite d et un point M libre sur la droite d.

b. Construire le point M' associé au point M.

c. En déplaçant le point M, quelle conjecture peut-on faire sur la nature du lieu géométrique du point M' ?

2. a. Démontrer qu'il existe un unique point M tel que $\overrightarrow{MA} - \overrightarrow{MB} + 2\overrightarrow{MC} = \vec{0}$. On nommera ce point K.

b. En introduisant le point K dans la relation (1), en déduire que le point K est le milieu du segment [MM'].

c. Déterminer alors la transformation du plan qui transforme M en M' et conclure sur la nature du lieu géométrique du point M'.

61 Points alignés — Algorithmique

a. Écrire un algorithme en langage naturel qui permettrait, connaissant les coordonnées de trois points, de déterminer s'ils sont alignés ou non.

b. Programmer l'algorithme de la question **a** sur votre calculatrice.

62 Secret — Algorithmique

On donne une droite d'équation cartésienne :

$$ax + by + c = 0$$

Que produit la fonction *secret* définie dans le programme en Python ci-dessous ?

```
def secret (a,b,c) :
    a,b,c=float(a),float(b),float(c)
    if b == 0:
        x=-c/a
        for i in range(5) :
            print  (x,i)
    else :
        y=-c/b
        for i in range(5) :
            print  (i,y)
            y=y-a/b
```

63 Machine part movement

Problème ouvert

In the machine that Pierre has just disassembled there is a metallic part shaped like a rhombus. It slides along the inner walls of the machine as shown in the diagram below.

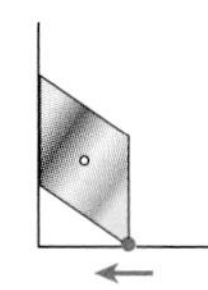
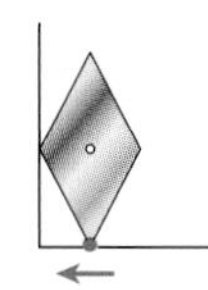
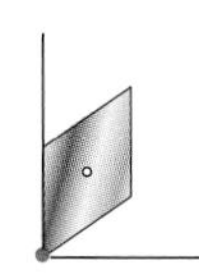
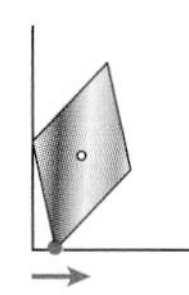

The rhomboid part has a hole in its center that lets through a single ray of light. If we place a light-sensitive screen in front of this device, what is the curve traced on the screen by the ray of light ?

64 Rectangle désirant être un carré — Problème ouvert

Soit $(O ; \vec{i}, \vec{j})$ un repère orthonormé du plan et les points A(2 ; 1), B(7 ; 1) et C(5 ; 4).

On note IJKL un rectangle construit sur les côtés du triangle ABC ($I \in [AB]$, $J \in [AC]$, $K \in [CB]$ et $L \in [AB]$).

Déterminer la position du point I sur le segment [AB] pour que IJKL soit un carré.

65 Grande randonnée dans l'espace

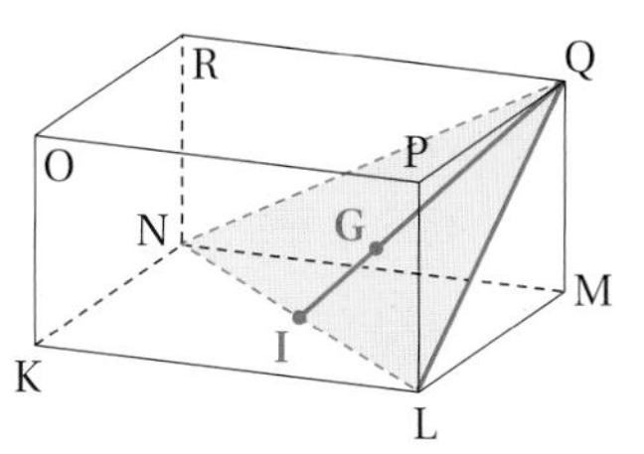

On considère un pavé droit KLMNOPQR.

Soit I le milieu du segment [NL] et G le centre de gravité du triangle LNQ.

On désire montrer que les points O, G et M sont alignés.

On utilisera pour cela les propriétés d'un pavé droit.

a. Exprimer $\overrightarrow{MO}$ à l'aide des vecteurs $\overrightarrow{ML}$, $\overrightarrow{MN}$ et $\overrightarrow{MQ}$.

b. Montrer que le vecteur $\overrightarrow{IQ}$ peut s'écrire :

$$-\frac{1}{2}\overrightarrow{ML} - \frac{1}{2}\overrightarrow{MN} + \overrightarrow{MQ}$$

c. Exprimer $\overrightarrow{IG}$ en fonction du vecteur $\overrightarrow{IQ}$.

d. Exprimer $\overrightarrow{MG}$ à l'aide des vecteurs $\overrightarrow{ML}$, $\overrightarrow{MN}$ et $\overrightarrow{MQ}$.

COUP DE POUCE

Introduire le point I grâce à la relation de Chasles et utiliser les questions **b** et **c.**

e. En déduire l'alignement des points O, G et M.

66 Optimisation dans l'espace

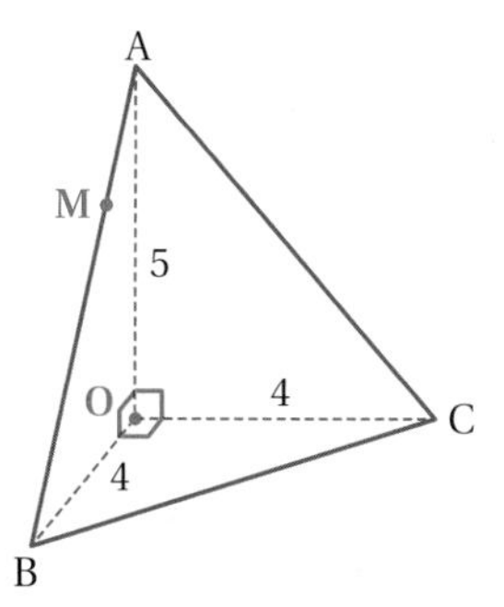

On considère un tétraèdre OABC tel que :

- les triangles OBC, OAC et OAB sont rectangles en O ;
- OB = OC = 4 et OA = 5.

Soit un point M quelconque sur le segment [AB].

La parallèle à (OB) passant par M coupe [OA] en K et la parallèle à (OC) passant par K coupe [AC] en L. La parallèle à (AO) passant par M coupe [OB] en P et la parallèle à (AO) passant par L coupe [OC] en Q.

On s'intéresse au prisme MKLPOQ et plus précisément à son volume.

a. Faire une figure.

b. On se place dans le repère $\left(O ; \frac{\overrightarrow{OB}}{\|\overrightarrow{OB}\|}, \frac{\overrightarrow{OA}}{\|\overrightarrow{OA}\|}\right)$.

On note x l'abscisse du point M. Exprimer son ordonnée en fonction de x. Dans quel intervalle varie x ?

c. En déduire, en fonction de x, le volume $V(x)$ du prisme MKLPOQ, puis calculer sa valeur lorsque M se trouve :

- au tiers du segment [AB] en partant de A ;
- au milieu du segment [AB].

COUP DE POUCE

Le volume du prisme MKLPOQ est égal au produit de l'aire du triangle isocèle rectangle MKL et de la hauteur MP.

d. En étudiant les variations de la fonction V, déterminer la position du point M sur le segment [AB] qui maximise le volume du prisme MKLPOQ.

QCM Pour bien commencer

Pour chaque question, indiquer la (les) bonne(s) réponse(s).

CORRIGÉ P. 342

1 Soit le triangle ABC rectangle en A ci-dessous.

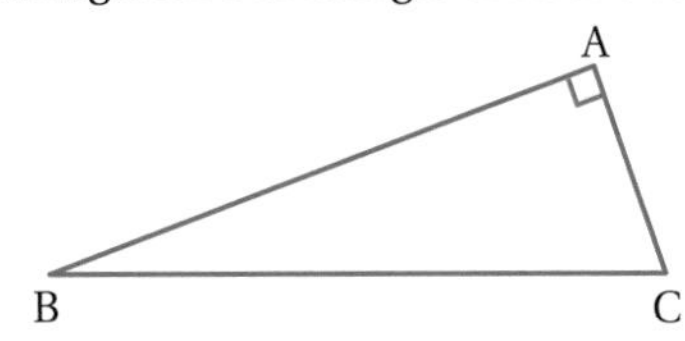

On a alors :

[A] $\sin\widehat{B} = \dfrac{AB}{AC}$ [B] $\sin\widehat{B} + \sin\widehat{C} = \dfrac{AB+AC}{BC}$

[C] $\sin\widehat{B} = \dfrac{AC}{BC}$ [D] $\sin\widehat{B} = \dfrac{BC}{AC}$

2 Soit le triangle ABC rectangle en A ci-dessous.

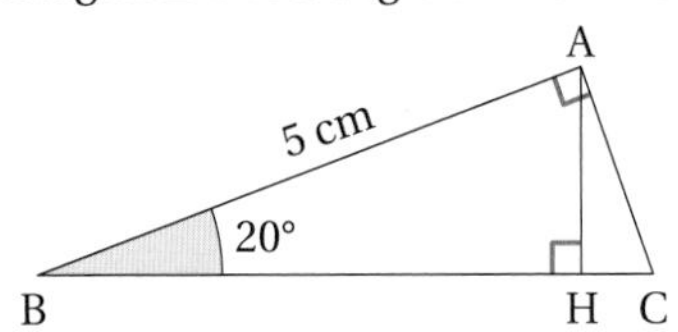

Les longueurs à 10^{-1} près sont :

a. pour AH :
[A] 1,5 [B] 1,7 [C] 1,9 [D] 2

b. pour BC :
[A] 5,23 [B] 5,32 [C] 5,33 [D] 5,5

c. pour AC :
[A] 1,8 [B] 1,9 [C] 2 [D] 2,1

3 Cette droite d est enroulée autour du cercle $\mathscr{C}$ de rayon 1. N_1, N_2 et N_3 sont situés sur d, avec $EN_1 = 3$, $EN_2 = 4$ et $EN_3 = 2\pi$.

a. Le point N_1 se retrouve :
[A] en E. [B] en F.
[C] en G. [D] ni en F, ni en G.

b. Le point N_2 se retrouve :
[A] sur l'arc $\overset{\frown}{FG}$.
[B] en F.
[C] ni en E, ni en F.
[D] sur l'arc $\overset{\frown}{GH}$.

c. Le point N_3 se retrouve :
[A] en E. [B] en F. [C] en H. [D] ni en E, ni en H.

4 Un immeuble à deux étages est vu depuis le point O situé à 34 mètres du pied de l'immeuble. Les angles $\widehat{OAC}$, $\widehat{AOB}$ et $\widehat{BOC}$ mesurent respectivement 90°, 5° et 5°.

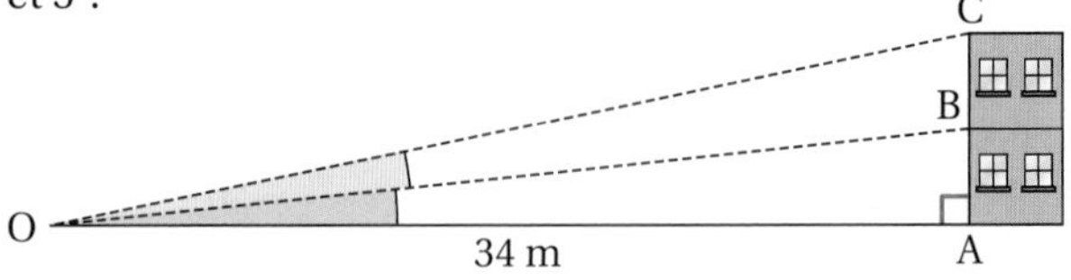

On peut affirmer que :

[A] BC – AB est négatif.
[B] BC – AB est inférieur à 3 cm.
[C] BC – AB est inférieur à 4 cm.
[D] BC – AB est inférieur à 5 cm.

5 Dans un triangle ABC rectangle en A, il est possible que :

[A] $\cos\widehat{B} = \cos\widehat{C}$ [B] $\cos\widehat{B} + \sin\widehat{C} = 2$
[C] $\cos\widehat{B} = 1$ [D] $\sin(\widehat{B} + \widehat{C}) = 1$

6 $\cos(30\,000°)$ vaut :

[A] 0 [B] $-0{,}5$ [C] $\dfrac{\sqrt{3}}{2}$ [D] 1

7 L'égalité vraie pour tout nombre réel x est :

[A] $\sin^2 x - \cos^2 x = 1$
[B] $\sin x^2 + \cos x^2 = 1$
[C] $(\sin x + \cos x)^2 = 1$
[D] $(\sin x)^2 + (\cos x)^2 = 1$

8 Dans un triangle équilatéral de côté a, la hauteur mesure :

[A] $2a$ [B] $1{,}5a\sqrt{3}$ [C] $a\sqrt{2}$ [D] $\dfrac{a\sqrt{3}}{2}$

9 Dans un carré de côté a, la diagonale mesure :

[A] a^2 [B] 2a [C] $a\sqrt{2}$ [D] $a\sqrt{3}$

10 L'équation $\sin x + \cos x = 2$ d'inconnue x :

[A] n'admet aucune solution dans $\mathbb{R}$.
[B] admet deux solutions dans $\mathbb{R}$.
[C] admet une solution dans $\mathbb{R}$.
[D] admet une infinité de solutions dans $\mathbb{R}$.

Trigonométrie

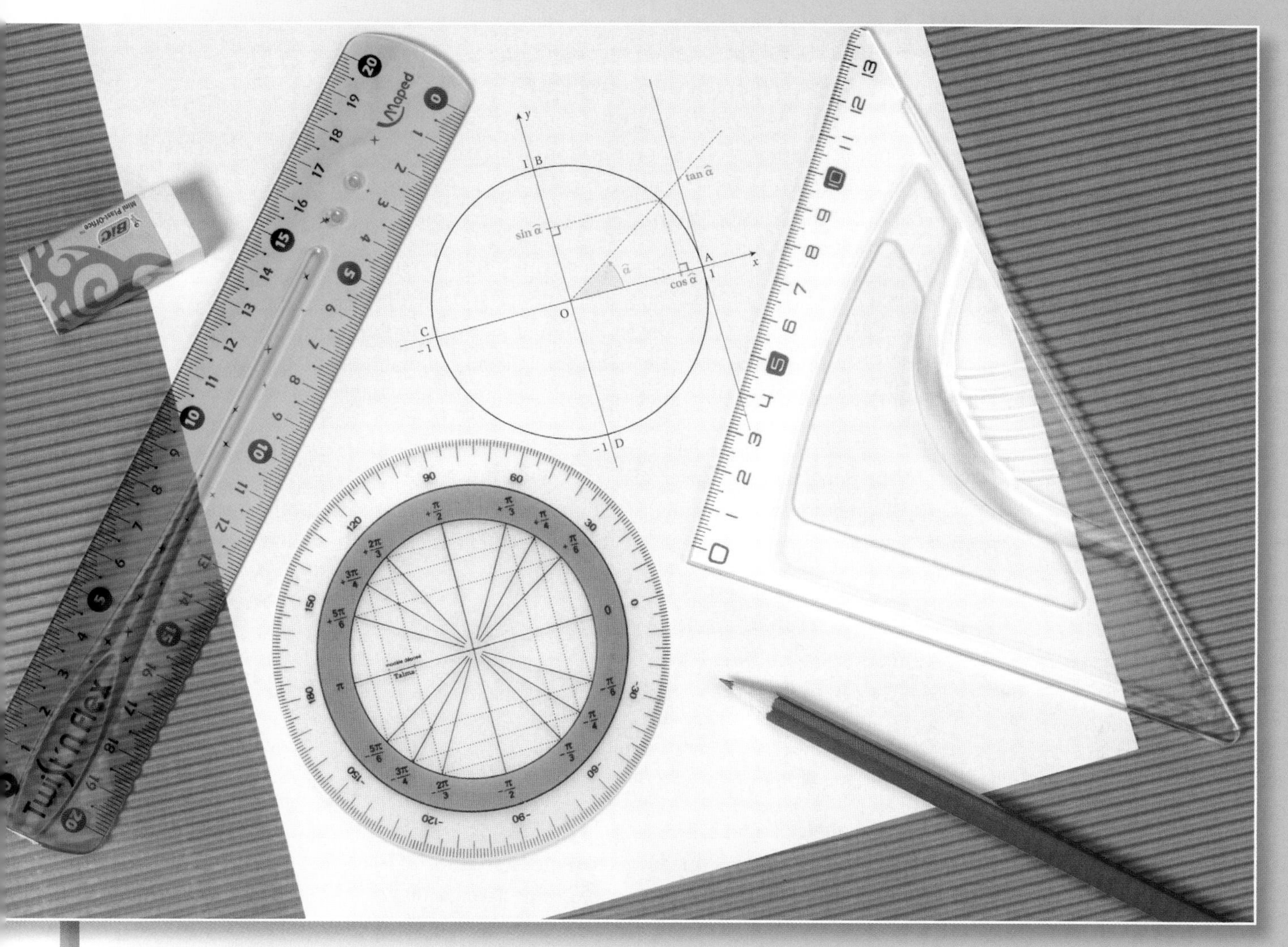

O mon âme ! toi et moi sommes ensemble pareils à un compas.
En dépit de nos deux pointes, nous ne formons qu'un seul corps.
Nous continuerons à tourner en cercle sur le même point,
Jusqu'à ce que nos deux pointes finissent par se joindre.

Omar Khayyâm (~1048 - ~1123),
mathématicien, philosophe et poète persan.

Le chapitre en bref

Réinvestir

- Cercle trigonométrique
- Cosinus et sinus d'un nombre réel

Découvrir

- Le radian
- Mesure d'un angle orienté

Activités

1 À la pêche

Réinvestir : Enroulement de la droite réelle sur le cercle trigonométrique.
Découvrir : Définition du radian.

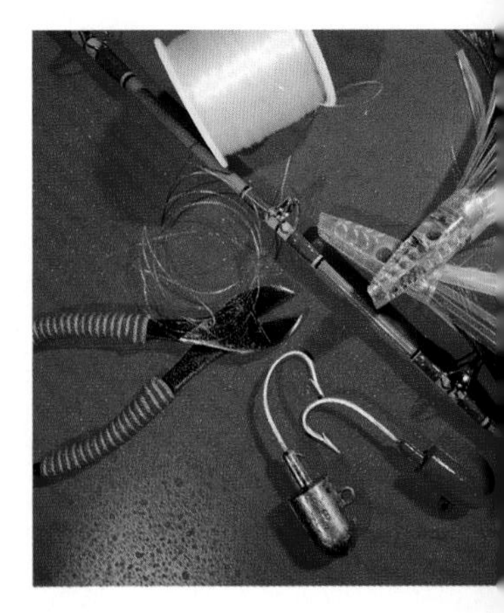

Du fil de pêche de diamètre 0,45 mm est conditionné en bobines de 5 m. Pour contrôler qualité et longueur de ce fil de pêche, celui-ci est enroulé par une machine sur une autre bobine B de rayon 1 dm. Comme l'épaisseur du fil est fine et que la longueur totale enroulée n'est pas très grande, on supposera qu'à tout moment le rayon de la bobine B à l'endroit où le fil s'enroule reste constant à 1 dm.

1 Les réponses seront données en valeur exacte puis en valeur approchée.
a. Combien de tours fait-on sur B avec une longueur de fil de 1 dm ?
b. Combien de tours fait-on sur B avec une longueur de fil de 1 m ?
c. Combien de tours fait-on sur B avec tout le fil de la bobine initiale s'il a effectivement une longueur de 5 m comme prévu par le processus de fabrication ?

2 Les réponses seront données en dm.
a. Quelle longueur faut-il enrouler sur B pour faire un seul tour ?
b. Après enroulement sur B de tout le fil d'une des bobines fabriquées, on constate que l'on a enroulé exactement un nombre entier de tours. Quelle est la longueur de la partie enroulée sachant qu'elle est comprise entre 4,50 m et 5,50 m ?

2 De remarquables irrationnels !

Réinvestir : Les lignes trigonométriques des angles remarquables.

Partie A

1 **a.** Tracer un triangle équilatéral.
b. Dans ce triangle de côté a, quelle est la longueur d'une des hauteurs en fonction de a ?
c. Calculer la valeur exacte de $\sin 30°$, $\cos 30°$, $\sin 60°$ et $\cos 60°$.

2 **a.** Tracer un carré.
b. Dans ce carré de côté a, quelle est la longueur d'une des diagonales en fonction de a ?
c. Calculer la valeur exacte de $\sin 45°$ et $\cos 45°$.

Partie B

1 Sur la figure ci-contre, on sait que :
- les points B, C, …, N, P et R sont sur le cercle de centre O et de rayon OA ;
- AEIM et CGKP sont des carrés ;
- BHJR et DFLN sont des rectangles ;
- C est au milieu de l'arc $\overset{\frown}{AE}$;
- les points B et D partagent l'arc $\overset{\frown}{AE}$ en trois arcs de même longueur.

Reproduire cette figure à la règle et au compas.

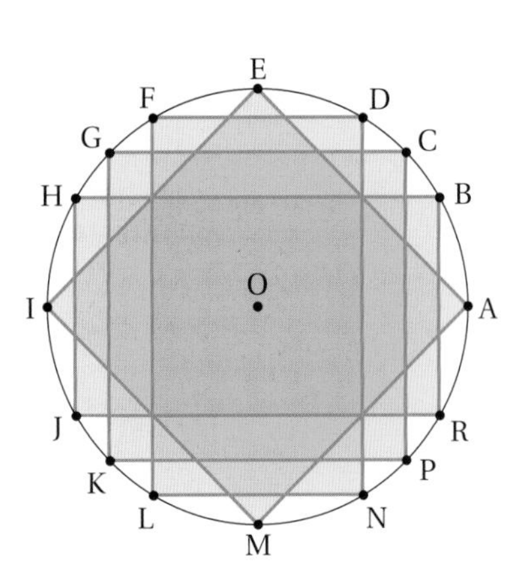

2 Dans le repère $(O\,;\overrightarrow{OA},\overrightarrow{OE})$, déterminer les coordonnées exactes des points A, B, …, N, P et R.

A. Radian et cercle trigonométrique

1 Le radian

En géométrie, il est d'usage de prendre le degré comme unité de mesure d'un angle. Cette unité convient parfaitement pour la trigonométrie dans un triangle rectangle.
Mais pour mettre en œuvre des notions qui seront abordées dans les classes ultérieures, il est nécessaire de définir une autre unité de mesure des angles : le radian.

DÉFINITION

On appelle **radian** (symbole : rad) la mesure d'un angle qui intercepte un arc dont la longueur est égale à son rayon R.

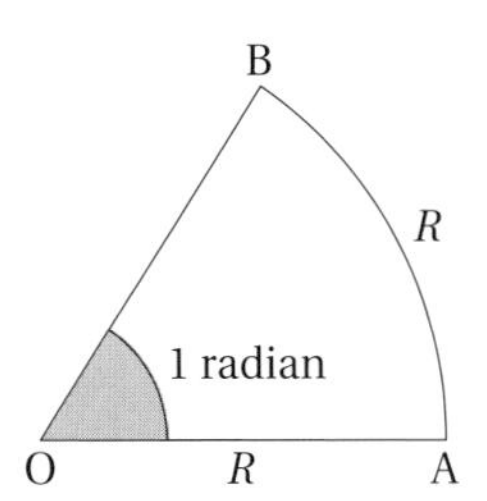

REMARQUES

• Cette définition ne dépend pas du rayon R de l'arc.
En effet, sur la figure ci-contre le rapport de la longueur de l'arc par le rayon correspondant est constant :

$$\frac{l_1}{r_1} = \frac{l_2}{r_2}$$

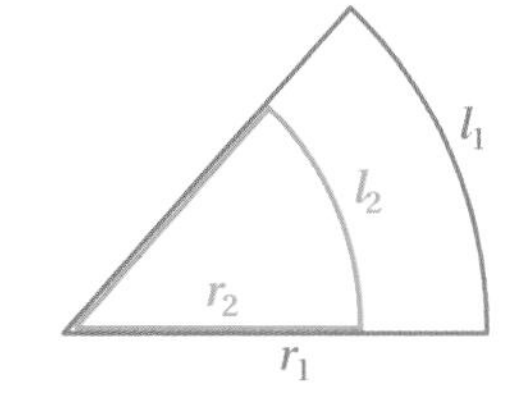

▶ Savoir-faire 1
Convertir une mesure d'angle, p. 208

• Comme la longueur du segment [AB] est inférieure à la longueur de l'arc $\overset{\frown}{AB}$, le triangle OAB n'est pas un triangle équilatéral, et 1 radian est inférieur à 60°.
On peut montrer que 1 radian est peu différent de 57° 17' 44''.

PROPRIÉTÉS

• La longueur l d'un arc de cercle intercepté par un angle α, exprimé en radians, est donnée par :

$$l = R\alpha$$

• La mesure en radians d'un angle plein (tour complet) est de 2π radians.

DÉMONSTRATIONS

• L'angle de mesure α radians intercepte l'arc de longueur l.
L'angle de mesure 1 radian intercepte l'arc de longueur R.
Donc par proportionnalité, on obtient :

$$\frac{\alpha}{1} = \frac{l}{R}$$

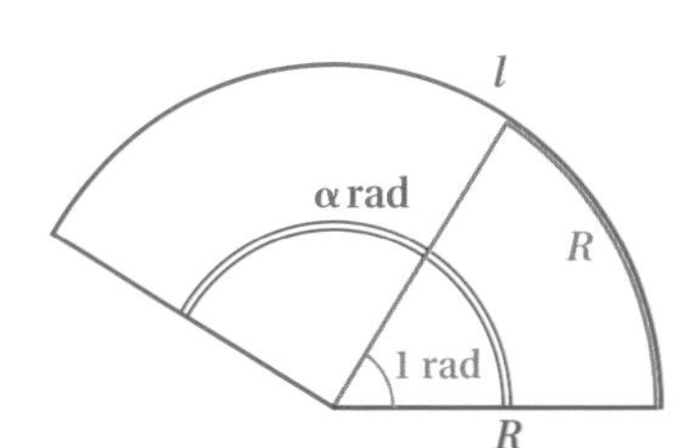

On en déduit que :

$$l = R\alpha \ \blacksquare$$

• En appliquant la formule $l = R\alpha$ à l'angle plein β, comme le périmètre du cercle de rayon R vaut $2\pi R$, on obtient :

$$2\pi R = R\beta$$

La mesure en radians de l'angle plein vaut donc :

$$\beta = 2\pi \ \blacksquare$$

2π rad
O
A

2 Cercle trigonométrique

DÉFINITION

Le plan est dit **orienté** lorsque l'on a choisi un sens positif de rotation.

REMARQUE

Dans le plan, par convention, on définit le sens positif comme l'inverse de celui des aiguilles d'une montre. Il est appelé **sens trigonométrique.**

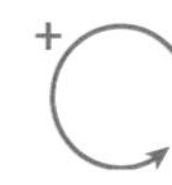

DÉFINITION

Dans le plan muni d'un repère orthonormé $(O ; \vec{i}, \vec{j})$ et orienté, le **cercle trigonométrique** est le cercle de centre O et de rayon 1.

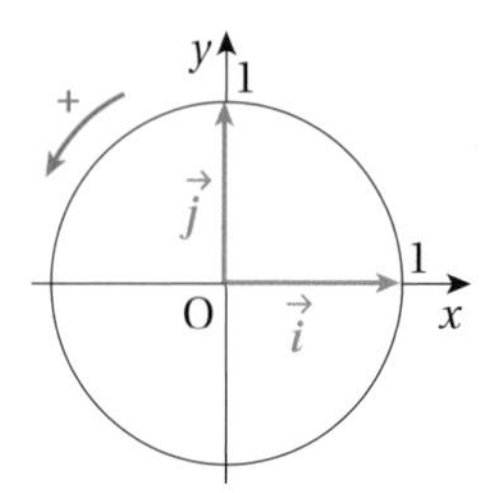

3 Enroulement d'une droite autour d'un cercle trigonométrique

Dans le plan muni d'un repère orthonormé $(O ; \vec{i}, \vec{j})$, on considère le cercle trigonométrique $\mathscr{C}$.
Soit A le point tel que $\overrightarrow{OA} = \vec{i}$ et d la droite orientée, perpendiculaire à l'axe des abscisses, qui passe par A, **munie du repère $(A ; \vec{j})$.**
En « enroulant » cette droite d autour du cercle $\mathscr{C}$, on obtient une correspondance entre un point N de la droite d et un unique point M du cercle $\mathscr{C}$.

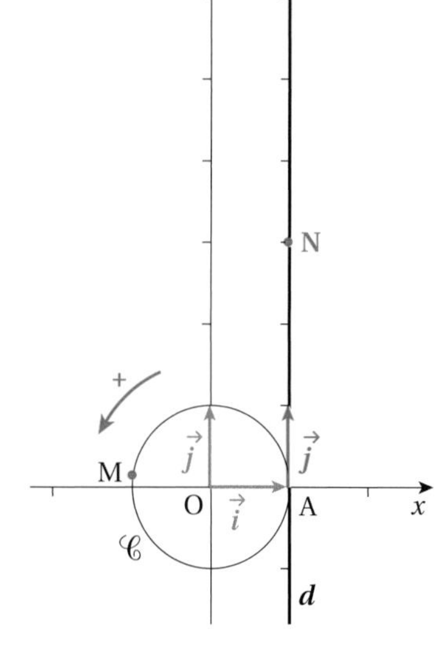

REMARQUE

Le point A_1 de d d'abscisse 2π dans le repère $(A ; \vec{j})$ se retrouve ainsi en A. Cela correspond à un tour complet.

EXEMPLE

Sur le schéma ci-contre, le point N d'abscisse 3 sur la droite orientée d, se retrouve, après « enroulement » de d sur $\mathscr{C}$, en M tel que la longueur de l'arc $\overset{\frown}{AM}$ est égale à la longueur AN.

PROPRIÉTÉ

Si un point de la droite d d'abscisse a se retrouve en M après enroulement sur $\mathscr{C}$, alors les points de d d'abscisse ..., $a - 4\pi$, $a - 2\pi$, $a + 2\pi$, $a + 4\pi$, $a + 6\pi$, ... se retrouvent également en M après enroulement sur $\mathscr{C}$.

DÉMONSTRATION

Comme le cercle trigonométrique est de rayon 1, son périmètre est de longueur 2π. Le point de d d'abscisse $a + 2\pi$ se retrouve donc après enroulement au même endroit que le point de d d'abscisse a.
Il en est de même si on ajoute à a un multiple de 2π.
Les points de d d'abscisse $a + 2k\pi$, où $k \in \mathbb{Z}$, se retrouvent en M après enroulement. ■

B. Mesure d'un angle orienté et mesure principale

1 Angle orienté de vecteurs de norme 1

Soit $\vec{u}$ et $\vec{v}$ deux vecteurs de norme 1 (vecteurs **unitaires**).

Dans le plan orienté, muni d'un repère orthonormé $(O\,;\vec{i},\vec{j})$, on considère les points M_1 et M_2 tels que $\overrightarrow{OM_1} = \vec{u}$ et $\overrightarrow{OM_2} = \vec{v}$, le cercle trigonométrique $\mathscr{C}$, le point A tel que $\overrightarrow{OA} = \vec{i}$ et d la droite orientée, perpendiculaire à l'axe des abscisses, qui passe par A, munie du repère $(A\,;\vec{j})$.

Soit N_1 et N_2 deux points de la droite d qui, par enroulement de cette droite autour du cercle $\mathscr{C}$, se retrouvent respectivement en M_1 et M_2.

Dans le repère $(A\,;\vec{j})$, notons n_1 l'abscisse de N_1 et n_2 l'abscisse de N_2.

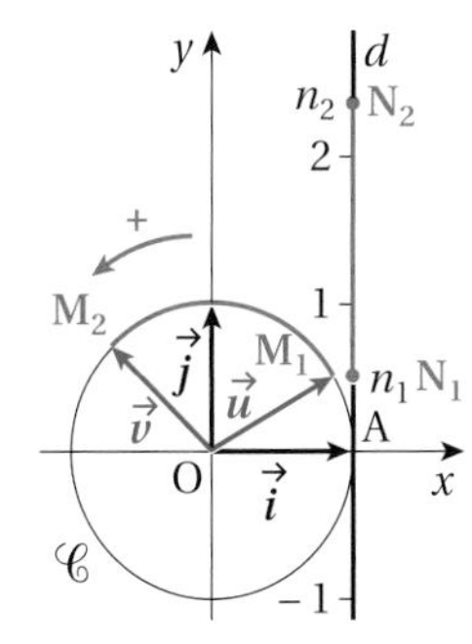

Notation
La notation $(\vec{u}, \vec{v})$ désignera dans la suite l'angle orienté ou une mesure de cet angle orienté.

DÉFINITION

Une mesure de l'angle orienté $(\vec{u}, \vec{v})$ est la différence $n_2 - n_1$.

EXEMPLE

Sur la figure ci-dessus, on a :

$(\vec{i}, \vec{u}) = \frac{\pi}{6} - 0 = \frac{\pi}{6}$, $(\vec{i}, \vec{v}) = \frac{3\pi}{4} - 0 = \frac{3\pi}{4}$ et $(\vec{u}, \vec{v}) = \frac{3\pi}{4} - \frac{\pi}{6} = \frac{7\pi}{12}$.

CODAGE D'UN ANGLE ORIENTÉ

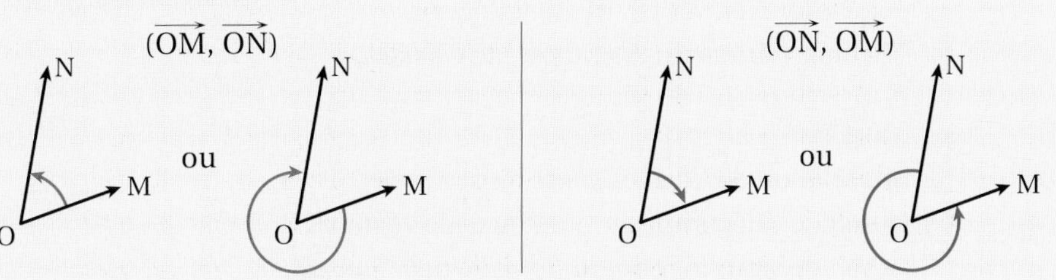

PROPRIÉTÉ

Si α est une mesure de l'angle orienté $(\vec{u}, \vec{v})$, les autres mesures de $(\vec{u}, \vec{v})$ sont égales à $\alpha + 2k\pi$ avec k entier relatif quelconque.

DÉMONSTRATION

Soit N_1 et N_1' deux points différents de la droite d qui se retrouvent après enroulement en M_1, et N_2 et N_2' deux points différents de la droite d qui se retrouvent après enroulement en M_2.

$n_2 - n_1$ et $n_2' - n_1'$ sont donc deux mesures de $(\vec{u}, \vec{v})$.

D'après la propriété vue au paragraphe A3, $n_1' = n_1 + 2k_1\pi$ avec k_1 entier relatif et $n_2' = n_2 + 2k_2\pi$ avec k_2 entier relatif. D'où $n_2' - n_1' = n_2 - n_1 + 2(k_2 - k_1)\pi$.

Comme $k_2 - k_1$ est un entier relatif, les mesures $n_2 - n_1$ et $n_2' - n_1'$ diffèrent de $2k\pi$ avec k entier relatif. ■

2 Angle orienté de vecteurs quelconques non nuls

Soit $\vec{u_1}$ et $\vec{v_1}$ deux vecteurs non nuls.

Les deux vecteurs $\vec{u} = \frac{1}{\|\vec{u_1}\|}\vec{u_1}$ et $\vec{v} = \frac{1}{\|\vec{v_1}\|}\vec{v_1}$ sont de norme 1.

DÉFINITION

Une mesure de l'angle orienté $(\vec{u}, \vec{v})$ est égale à une mesure de l'angle orienté $(\vec{u_1}, \vec{v_1})$.

REMARQUE

La notion d'angle des deux vecteurs $\vec{u}$ et $\vec{v}$ n'est définie que lorsque ces vecteurs sont non nuls.

Mesure principale d'un angle orienté

D'après la propriété vue au paragraphe A3, si α est une mesure d'un angle orienté, d'autres mesures sont $\alpha - 2\pi$, $\alpha + 2\pi$, $\alpha + 4\pi$, $\alpha + 6\pi$...

DÉFINITION

Parmi toutes les mesures d'un angle orienté, celle qui se situe dans l'intervalle $]-\pi\ ;\ \pi]$ est appelée **mesure principale.**

EXEMPLE

▶ Savoir-faire 2
Déterminer une mesure d'un angle orienté, p. 208

Une mesure d'un angle orienté est égale à 3π. D'autres mesures de cet angle orienté sont :

$$\ldots,\quad 3\pi - 2\times2\pi,\quad 3\pi - 2\pi,\quad 3\pi + 2\pi,\quad 3\pi + 2\times2\pi,\quad \ldots$$

Soit : $\ldots,\quad -\pi,\quad \pi,\quad 5\pi,\quad 7\pi,\quad \ldots$

La mesure principale de cet angle orienté vaut donc π.

Relation de Chasles

PROPRIÉTÉ (ADMISE)

Soit O, M, N et P quatre points du plan tels que $O \neq M$, $O \neq N$ et $O \neq P$.
On a la relation suivante :

$$(\overrightarrow{OM}, \overrightarrow{OP}) + (\overrightarrow{OP}, \overrightarrow{ON}) = (\overrightarrow{OM}, \overrightarrow{ON}) + 2k\pi$$

où k est un entier relatif quelconque.
Cette propriété est la **relation de Chasles.**

REMARQUE

▶ Savoir-faire 3
Utiliser la relation de Chasles, p. 209

La relation de Chasles écrite ainsi permet :
- soit de « décomposer » un angle de vecteurs ;
- soit de simplifier une somme de deux mesures.

Angle orienté et angle géométrique

Soit O, M et N trois points deux à deux distincts.
La relation de Chasles permet d'écrire :

$$(\overrightarrow{OM}, \overrightarrow{ON}) + (\overrightarrow{ON}, \overrightarrow{OM}) = 2k\pi$$

D'où, en parlant de mesure principale :

$$(\overrightarrow{OM}, \overrightarrow{ON}) = -(\overrightarrow{ON}, \overrightarrow{OM})$$

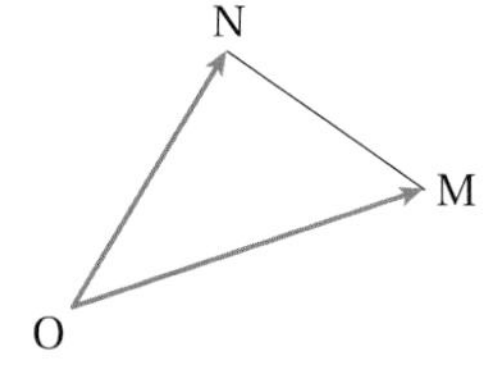

REMARQUE

Un angle de vecteurs $(\overrightarrow{OM}, \overrightarrow{ON})$ correspond à l'angle « géométrique » $\widehat{MON}$, auquel on ajoute l'information supplémentaire de son orientation par rapport au sens positif défini dans le plan.
Si α est la mesure principale de l'angle $(\overrightarrow{OM}, \overrightarrow{ON})$ alors $|\alpha|$ est la mesure de l'angle géométrique $\widehat{MON}$.

EXEMPLE

Dans le triangle équilatéral BAC ci-contre, l'angle géométrique $\widehat{BAC}$ vaut $\frac{\pi}{3}$.

La mesure principale de l'angle $(\overrightarrow{AB}, \overrightarrow{AC})$ vaut $\frac{\pi}{3}$.

La mesure principale de l'angle $(\overrightarrow{AC}, \overrightarrow{AB})$ vaut $-\frac{\pi}{3}$.

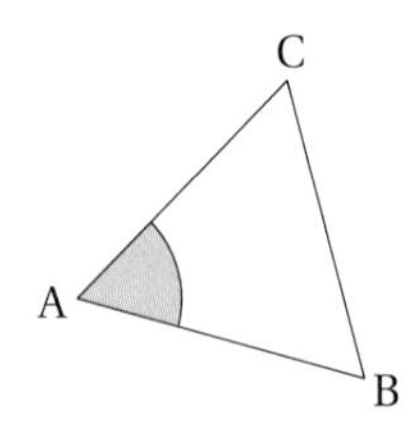

C. Cosinus et sinus d'un angle

1 Cosinus et sinus d'un angle orienté

Considérons le repère du plan $(O ; \vec{i}, \vec{j})$.
Soit α un nombre réel et M le point du cercle trigonométrique $\mathscr{C}$ tel qu'une mesure de $(\vec{i}, \overrightarrow{OM})$ soit égale à α.
L'abscisse et l'ordonnée du point M sont indiquées par les points H et K, projetés orthogonaux de M respectivement sur les deux axes $(O ; \vec{i})$ et $(O ; \vec{j})$.

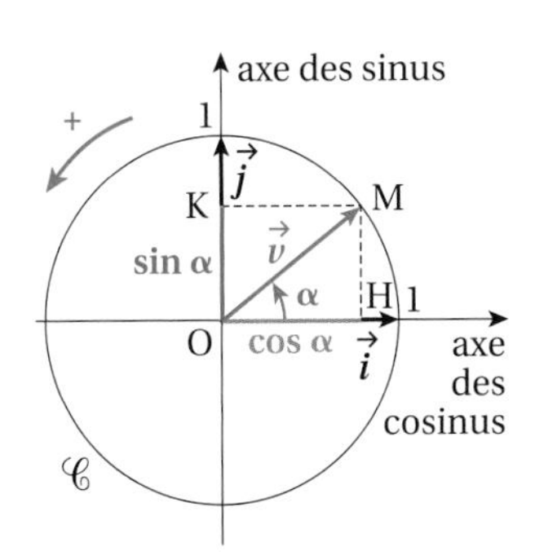

DÉFINITIONS

Le **cosinus du nombre réel α** est l'abscisse du point M ; cette valeur se note **$\cos\alpha$**.
Le **sinus du nombre réel α** est l'ordonnée du point M ; cette valeur se note **$\sin\alpha$**.

REMARQUES

- Les coordonnées du point M, situé sur le cercle trigonométrique, sont $(\cos\alpha ; \sin\alpha)$.
- Si α et β sont deux mesures en radians d'un angle orienté $(\vec{u}, \vec{v})$, elles diffèrent d'un multiple de 2π. Donc le point M tel qu'une mesure de $(\vec{i}, \overrightarrow{OM})$ soit égale à α et le point N tel qu'une mesure de $(\vec{i}, \overrightarrow{ON})$ soit égale à β sont confondus. On en déduit que $\sin\alpha = \sin\beta$ et $\cos\alpha = \cos\beta$.

DÉFINITIONS

Soit $\vec{u}$ et $\vec{v}$ deux vecteurs **non nuls** et α une mesure quelconque de l'angle $(\vec{u}, \vec{v})$.
Le **cosinus de l'angle orienté** $(\vec{u}, \vec{v})$ est le cosinus d'une de ses mesures et se note **$\cos(\vec{u}, \vec{v})$**.
Le **sinus de l'angle orienté** $(\vec{u}, \vec{v})$ est le sinus d'une de ses mesures et se note **$\sin(\vec{u}, \vec{v})$**.

▶ Savoir-faire 4
Déterminer le sinus et le cosinus d'un angle orienté, p. 210

REMARQUE Par la suite, on notera $\cos\alpha$ pour $\cos(\vec{u}, \vec{v})$ et $\sin\alpha$ pour $\sin(\vec{u}, \vec{v})$ où α est une mesure en radians de l'angle orienté $(\vec{u}, \vec{v})$.

PROPRIÉTÉ

Dans le repère $(O ; \vec{i}, \vec{j})$, A est un point distinct de O, tel qu'une mesure en radians de l'angle $(\vec{i}, \overrightarrow{OA})$ soit égale à α.
Les coordonnées de A sont $(OA\cos\alpha ; OA\sin\alpha)$.

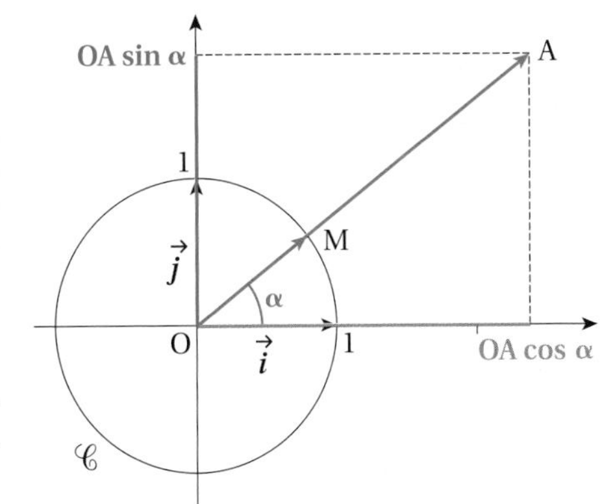

DÉMONSTRATION

Soit M le point d'intersection de la demi-droite [OA) et du cercle trigonométrique. Les coordonnées de M sont $(\cos\alpha ; \sin\alpha)$. Les coordonnées du vecteur $\overrightarrow{OM}$ sont donc $(\cos\alpha ; \sin\alpha)$.
Or $\overrightarrow{OA} = OA.\overrightarrow{OM}$ donc les coordonnées du vecteur $\overrightarrow{OA}$ sont $(OA\cos\alpha ; OA\sin\alpha)$, qui sont également les coordonnées du point A. ■

Notation
$\sin^2\alpha$ est une notation pour $(\sin\alpha)^2$.

PROPRIÉTÉS

Pour tout nombre réel α, on a :
- $\sin^2\alpha + \cos^2\alpha = 1$
- $-1 \leqslant \sin\alpha \leqslant 1$ et $-1 \leqslant \cos\alpha \leqslant 1$

DÉMONSTRATIONS

- Considérons le projeté orthogonal du point M sur l'axe $(O ; \vec{j})$. Le théorème de Pythagore donne : $\sin^2\alpha + \cos^2\alpha = OM^2 = 1$. ■
- Le cercle trigonométrique est de rayon 1 ; on en déduit donc que :

$$-1 \leqslant \sin\alpha \leqslant 1 \quad \text{et} \quad -1 \leqslant \cos\alpha \leqslant 1. \blacksquare$$

 Cosinus et sinus d'angles associés

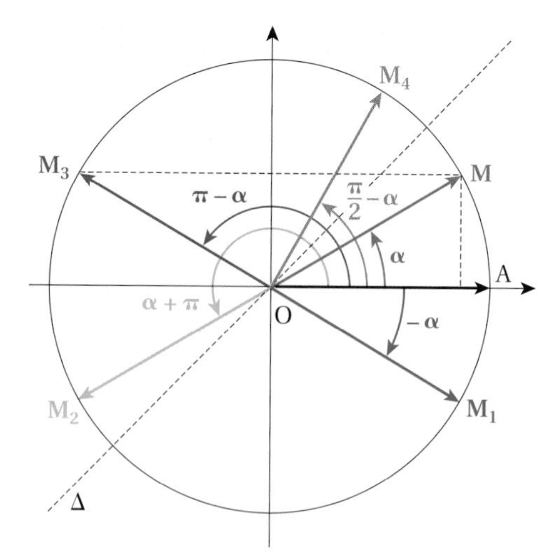

Soit α une mesure d'un angle orienté $(\overrightarrow{OA}, \overrightarrow{OM})$.
M_1, M_2, M_3 et M_4 sont les symétriques de M respectivement par rapport à l'axe des abscisses, l'origine, l'axe des ordonnées et la première bissectrice Δ.

Pour des raisons de symétrie, les angles $(\overrightarrow{OA}, \overrightarrow{OM_1})$, $(\overrightarrow{OA}, \overrightarrow{OM_2})$, $(\overrightarrow{OA}, \overrightarrow{OM_3})$ et $(\overrightarrow{OA}, \overrightarrow{OM_4})$ mesurent respectivement :

$$-\alpha, \alpha + \pi, \pi - \alpha \text{ et } \frac{\pi}{2} - \alpha.$$

Vocabulaire

Ces angles sont dits **angles associés** à l'angle $(\overrightarrow{OA}, \overrightarrow{OM})$.

PROPRIÉTÉS

Pour tout nombre réel α, on a :

- $\sin(-\alpha) = -\sin\alpha$ et $\cos(-\alpha) = \cos\alpha$
- $\sin(\alpha + \pi) = -\sin\alpha$ et $\cos(\alpha + \pi) = -\cos\alpha$
- $\sin(\pi - \alpha) = \sin\alpha$ et $\cos(\pi - \alpha) = -\cos\alpha$
- $\sin\left(\frac{\pi}{2} - \alpha\right) = \cos\alpha$ et $\cos\left(\frac{\pi}{2} - \alpha\right) = \sin\alpha$

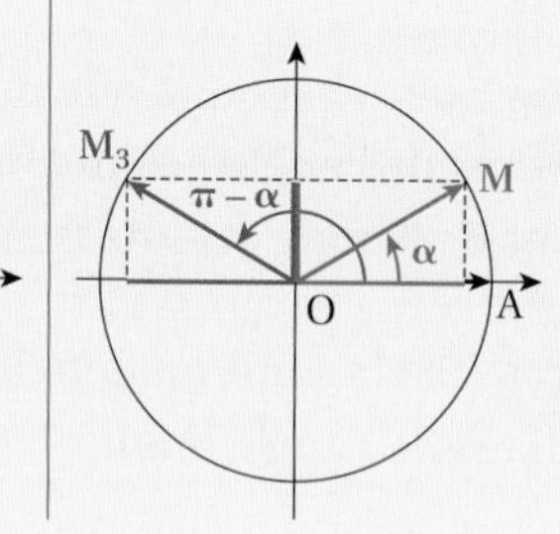

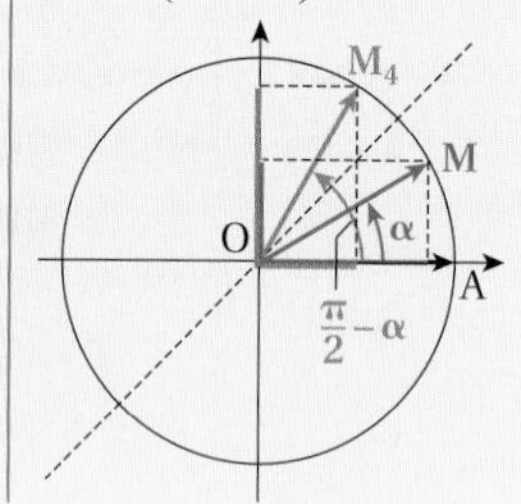

DÉMONSTRATIONS

- Les angles de mesures α et $-\alpha$ sont symétriques par rapport à l'axe des abscisses.
On en déduit que :

$$\sin(-\alpha) = -\sin\alpha \quad \text{et} \quad \cos(-\alpha) = \cos\alpha.$$ ■

- Les angles de mesures α et $\alpha + \pi$ sont symétriques par rapport à l'origine.
On en déduit que :

$$\sin(\alpha + \pi) = -\sin\alpha \quad \text{et} \quad \cos(\alpha + \pi) = -\cos\alpha.$$ ■

- Les angles de mesures α et $\pi - \alpha$ sont symétriques par rapport à l'axe des ordonnées.
On en déduit que :

$$\sin(\pi - \alpha) = \sin\alpha \quad \text{et} \quad \cos(\pi - \alpha) = -\cos\alpha.$$ ■

- Les angles de mesures α et $\frac{\pi}{2} - \alpha$ sont symétriques par rapport à la première bissectrice.
On en déduit que :

$$\sin\left(\frac{\pi}{2} - \alpha\right) = \cos\alpha \quad \text{et} \quad \cos\left(\frac{\pi}{2} - \alpha\right) = \sin\alpha.$$ ■

D. Équations trigonométriques

1 Équations $\cos x = \cos a$

PROPRIÉTÉ

Soit a un nombre réel et l'équation d'inconnue x, $\cos x = \cos a$.

- Si $\cos a$ est différent de 1 ou de -1, les solutions de l'équation $\mathbf{\cos x = \cos a}$ sont les nombres $\boldsymbol{a + 2k\pi}$ et $\boldsymbol{-a + 2k'\pi}$ où k et k' sont des entiers relatifs quelconques.
- Si $\cos a = 1$, l'équation est $\mathbf{\cos x = 1}$ et ses solutions sont les nombres $\boldsymbol{2k\pi}$ où k est un entier relatif quelconque.
- Si $\cos a = -1$, l'équation est $\mathbf{\cos x = -1}$ et ses solutions sont les nombres $\boldsymbol{\pi + 2k\pi}$ où k est un entier relatif quelconque.

DÉMONSTRATION

- Si $|\cos a| < 1$, considérons le point H du segment [AA'] d'abscisse $\cos a$. La perpendiculaire en H à la droite (AA') coupe le cercle trigonométrique en M et M' associés aux réels a et $-a$. Les solutions de l'équation sont donc les réels $a + 2k\pi$ et $-a + 2k\pi$ où $k \in \mathbb{Z}$.
- Si $\cos a = 1$, alors H est en A. Les solutions sont donc les réels $0 + 2k\pi = 2k\pi$ où $k \in \mathbb{Z}$.
- Si $\cos a = -1$, alors H est en A'. Les solutions sont donc les réels $\pi + 2k\pi$ où $k \in \mathbb{Z}$. ■

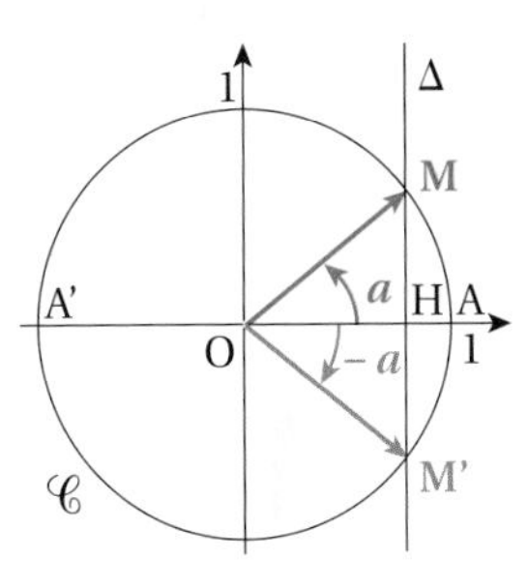

▶ Savoir-faire 5
Résoudre une équation trigonométrique, p. 211

2 Équations $\sin x = \sin a$

PROPRIÉTÉ

Soit a un nombre réel et l'équation d'inconnue x, $\sin x = \sin a$.

- Si $\sin a$ est différent de 1 ou de -1, les solutions de l'équation $\mathbf{\sin x = \sin a}$ sont les nombres $\boldsymbol{a + 2k\pi}$ et $\boldsymbol{\pi - a + 2k'\pi}$ où k et k' sont des entiers relatifs quelconques.
- Si $\sin a = 1$, l'équation est $\mathbf{\sin x = 1}$ et ses solutions sont les nombres $\boldsymbol{\frac{\pi}{2} + 2k\pi}$ où k est un entier relatif quelconque.
- Si $\sin a = -1$, l'équation est $\mathbf{\sin x = -1}$ et ses solutions sont les nombres $\boldsymbol{-\frac{\pi}{2} + 2k\pi}$ où k est un entier relatif quelconque.

DÉMONSTRATION

- Si $|\sin a| < 1$, considérons le point K du segment [BB'] d'ordonnée $\sin a$. La perpendiculaire en K à la droite (BB') coupe le cercle trigonométrique en M et M' associés aux réels a et $\pi - a$. Les solutions de l'équation sont donc les réels $a + 2k\pi$ et $\pi - a + 2k\pi$ où $k \in \mathbb{Z}$.
- Si $\sin a = 1$, alors K est en B. Les solutions sont donc les réels $\frac{\pi}{2} + 2k\pi$ où $k \in \mathbb{Z}$.
- Si $\sin a = -1$, alors K est en B'. Les solutions sont donc les réels $-\frac{\pi}{2} + 2k\pi$ où $k \in \mathbb{Z}$. ■

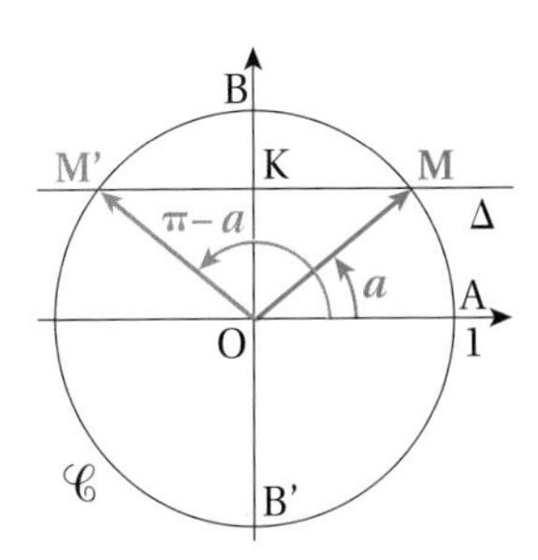

▶ Savoir-faire 5
Résoudre une équation trigonométrique, p. 211

Savoir-faire

Savoir-faire 1 Convertir une mesure d'angle

ÉNONCÉ **1. a.** Tracer un triangle ABC dont les angles en A et en B mesurent respectivement 15° et 60°.

b. Calculer les mesures en radians des trois angles de ce triangle.

2. Soit DEF un triangle dont les angles $\widehat{D}$ et $\widehat{E}$ mesurent respectivement $\frac{\pi}{4}$ rad et $\frac{5\pi}{12}$ rad.

Calculer les mesures en degrés des trois angles de ce triangle puis tracer un tel triangle.

SOLUTION

1. a.

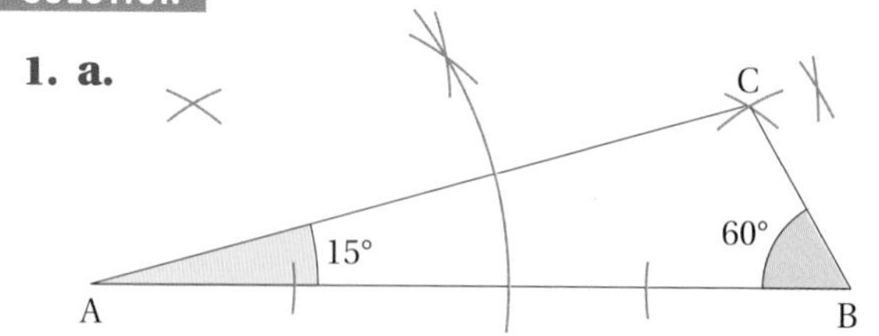

b. Angle $\widehat{A}$: $15 \times \frac{\pi}{180} = \frac{\pi}{12}$ rad

Angle $\widehat{B}$: $60 \times \frac{\pi}{180} = \frac{\pi}{3}$ rad

Angle $\widehat{C}$: $\pi - \left(\frac{\pi}{12} + \frac{\pi}{3}\right) = \frac{7\pi}{12}$ rad

2. Angle $\widehat{D}$: $\frac{\pi}{4} \times \frac{180}{\pi} = 45°$

Angle $\widehat{E}$: $\frac{5\pi}{12} \times \frac{180}{\pi} = 75°$

Angle $\widehat{F}$: $180 - (45 + 75) = 60°$

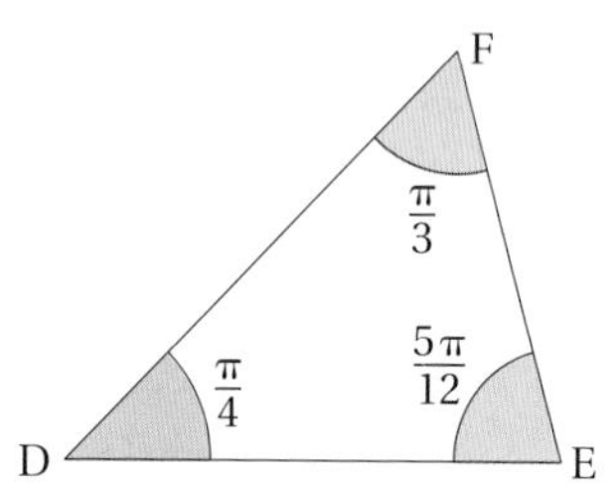

MÉTHODE

1. a. et **2.** Les tracés demandés peuvent être réalisés au compas : un angle de mesure 15°, 30° ou 45° étant la moitié d'un angle de mesure 30°, 60° ou 90°.

1. b. et **2.** Un angle plat mesure 180° ou π rad. Cette correspondance permet, par proportionnalité, de convertir des mesures.

Il est recommandé de mémoriser les correspondances suivantes :

Mesure en degrés (°)	0	30	45	60	90	180
Mesure en radians (rad)	0	$\frac{\pi}{6}$	$\frac{\pi}{4}$	$\frac{\pi}{3}$	$\frac{\pi}{2}$	π

▶ Exercices 1 à 5 p. 218

Savoir-faire 2 Déterminer une mesure d'un angle orienté

ÉNONCÉ Les points A, B, C et D sont les sommets d'un carré situés sur un cercle de centre O.

E et F sont les milieux des arcs $\overset{\frown}{AB}$ et $\overset{\frown}{CD}$.

a. Déterminer trois mesures (en radians) de chacun des angles orientés $(\overrightarrow{OA}, \overrightarrow{OE})$ et $(\overrightarrow{OA}, \overrightarrow{OF})$.

b. Indiquer si parmi les mesures données pour $(\overrightarrow{OA}, \overrightarrow{OE})$ et $(\overrightarrow{OA}, \overrightarrow{OF})$ se trouve la mesure principale.

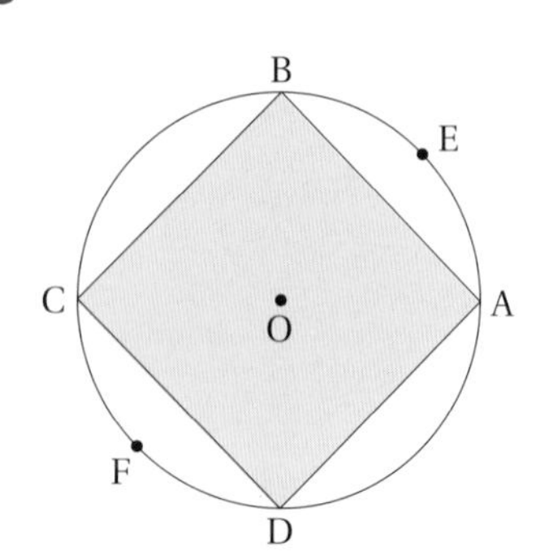

SOLUTION

a. Des mesures de l'angle $(\overrightarrow{OA}, \overrightarrow{OE})$ sont par exemple :

$$\frac{\pi}{4} ; \frac{9\pi}{4} ; -\frac{7\pi}{4}.$$

Des mesures de l'angle $(\overrightarrow{OA}, \overrightarrow{OF})$ sont par exemple :

$$-\frac{3\pi}{4} ; \frac{5\pi}{4} ; \frac{13\pi}{4}.$$

b. La mesure principale de l'angle $(\overrightarrow{OA}, \overrightarrow{OE})$ est $\frac{\pi}{4}$.

La mesure principale de l'angle $(\overrightarrow{OA}, \overrightarrow{OF})$ est $-\frac{3\pi}{4}$.

▶ Exercices 7 à 13 p. 218 et 219

MÉTHODE

a. L'angle $(\overrightarrow{OA}, \overrightarrow{OE})$ correspond à $\frac{1}{8}$ tour parcouru dans le sens positif. Une mesure sera donc : $+\frac{1}{8} \times 2\pi = \frac{\pi}{4}$.

L'angle $(\overrightarrow{OA}, \overrightarrow{OF})$ correspond à $\frac{3}{8}$ tour parcouru dans le sens négatif ou $\frac{5}{8}$ tour parcouru dans le sens positif.

b. Parmi les différentes mesures d'un angle, la mesure principale est celle qui appartient à l'intervalle $]-\pi ; \pi]$.

Savoir-faire 3 *Utiliser la relation de Chasles*

ÉNONCÉ Soit A, B et C trois points quelconques distincts deux à deux.

Calculer la somme des mesures des trois angles orientés codés sur la figure.

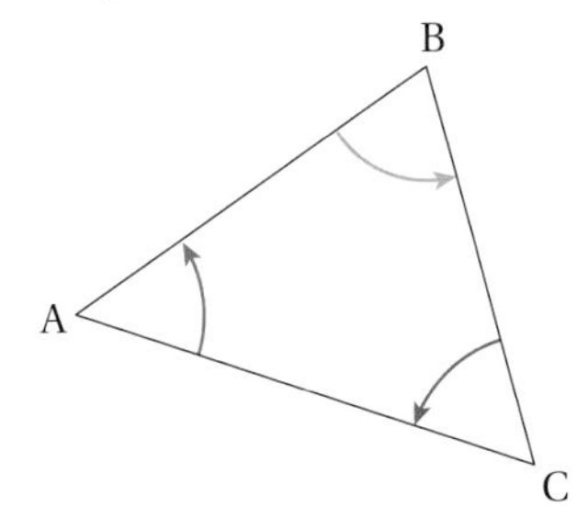

SOLUTION

$$\begin{aligned}(\overrightarrow{AC}, \overrightarrow{AB}) + (\overrightarrow{BA}, \overrightarrow{BC}) + (\overrightarrow{CB}, \overrightarrow{CA}) &\overset{(1)}{=} (\overrightarrow{AC}, \overrightarrow{AB}) + (\overrightarrow{BA}, \overrightarrow{AB}) + (\overrightarrow{AB}, \overrightarrow{BC}) + 2k_1\pi + (\overrightarrow{CB}, \overrightarrow{BC}) + (\overrightarrow{BC}, \overrightarrow{CA}) + 2k_2\pi \quad (2)\\ &= (\overrightarrow{AC}, \overrightarrow{AB}) + \pi + (\overrightarrow{AB}, \overrightarrow{BC}) + \pi + (\overrightarrow{BC}, \overrightarrow{CA}) + 2k_3\pi \quad (3)\\ &= (\overrightarrow{AC}, \overrightarrow{BC}) + (\overrightarrow{BC}, \overrightarrow{CA}) + 2k_4\pi \quad (3)\\ &= (\overrightarrow{AC}, \overrightarrow{CA}) + 2k\pi \quad (4)\\ &= \pi + 2k\pi\end{aligned}$$

REMARQUE On retrouve que la somme des mesures des angles dans un triangle vaut π (soit 180°).

MÉTHODE

ATTENTION ! Avant de calculer des mesures d'angles de vecteurs, il convient de s'assurer qu'aucun des vecteurs n'est nul.

(1) La relation de Chasles est appliquée deux fois pour « décomposer ».

(2) $(\overrightarrow{BA}, \overrightarrow{AB}) = \pi + 2k\pi$ et $(\overrightarrow{CB}, \overrightarrow{BC}) = \pi + 2k\pi$ car ce sont des angles orientés de deux vecteurs opposés.

(3) La relation de Chasles est appliquée deux fois pour simplifier.

(4) $(\overrightarrow{AC}, \overrightarrow{CA}) = \pi + 2k\pi$ (angle orienté de deux vecteurs opposés).

REMARQUE

Dans toute égalité qui porte sur des mesures d'angles orientés figure le terme « $+2k\pi$ » car deux mesures d'un même angle orienté diffèrent de 2π. Comme la somme de deux multiples de 2π est un multiple de 2π, on peut regrouper ces multiples. En toute rigueur, on change à chaque fois la constante k en k_1, k_2...

▶ Exercices 14 à 16 p. 219

Savoir-faire 4 — Déterminer le sinus et le cosinus d'un angle orienté

ÉNONCÉ On considère la figure ci-dessous constituée d'un carré et d'un triangle équilatéral.

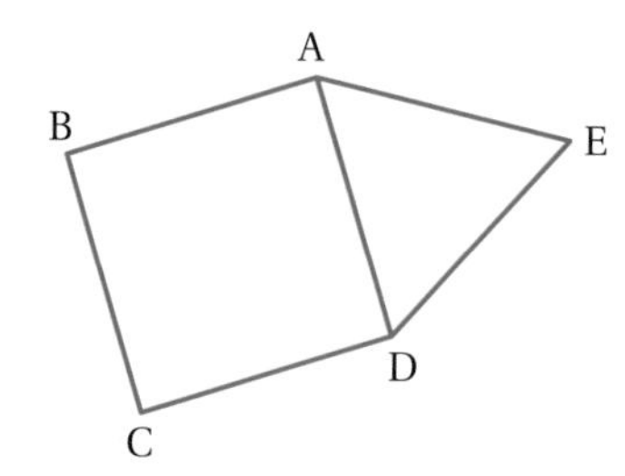

a. Déterminer le sinus et le cosinus de l'angle $(\overrightarrow{DA}, \overrightarrow{DE})$.

b. Déterminer le sinus et le cosinus de l'angle $(\overrightarrow{CD}, \overrightarrow{AE})$.

SOLUTION

a. Comme le triangle ADE est équilatéral, une mesure de l'angle $(\overrightarrow{DA}, \overrightarrow{DE})$ est $-\dfrac{\pi}{3}$.

On en déduit que :

$\sin(\overrightarrow{DA}, \overrightarrow{DE}) = -\dfrac{\sqrt{3}}{2}$ et $\cos(\overrightarrow{DA}, \overrightarrow{DE}) = 0{,}5$.

b. Par la relation de Chasles, on a :

$(\overrightarrow{CD}, \overrightarrow{AE}) = (\overrightarrow{CD}, \overrightarrow{AB}) + (\overrightarrow{AB}, \overrightarrow{AD}) + (\overrightarrow{AD}, \overrightarrow{AE})$

Donc une mesure de l'angle $(\overrightarrow{CD}, \overrightarrow{AE})$ est égale à :

$$\pi + \frac{\pi}{2} + \frac{\pi}{3} = \frac{11\pi}{6}$$

Une autre mesure de l'angle $(\overrightarrow{CD}, \overrightarrow{AE})$ est égale à :

$$\frac{11\pi}{6} - 2\pi = -\frac{\pi}{6}$$

Le tracé ci-dessous permet de vérifier ce dernier résultat.

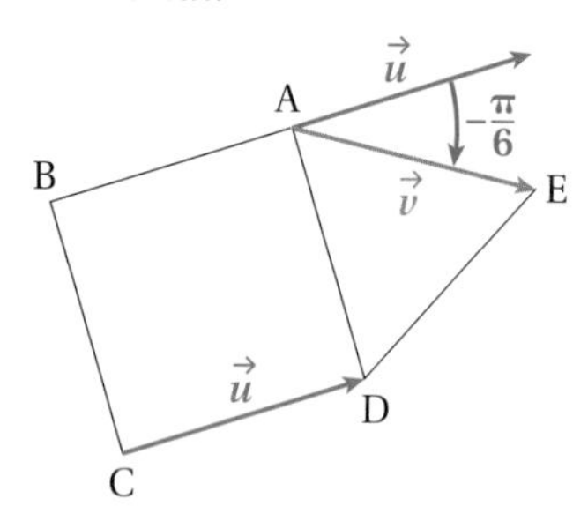

On en déduit que :

$\sin(\overrightarrow{CD}, \overrightarrow{AE}) = -0{,}5$ et $\cos(\overrightarrow{CD}, \overrightarrow{AE}) = \dfrac{\sqrt{3}}{2}$.

MÉTHODE

b. Pour déterminer une mesure d'un angle, il est préférable de représenter les vecteurs à partir d'un même point.

Décomposer en utilisant la relation de Chasles peut permettre de faire apparaître des angles dont une mesure est connue.

Pour vérifier une mesure, il peut être utile d'additionner ou de retrancher un ou plusieurs multiples de 2π.

Le tracé d'un cercle trigonométrique permet de se souvenir des valeurs des sinus et cosinus des angles.

REMARQUES

- La calculatrice (en mode « radian ») affiche, selon le modèle, une valeur approchée ou la valeur exacte du sinus et du cosinus cherchés :

TI-83 Plus **TI-Nspire**

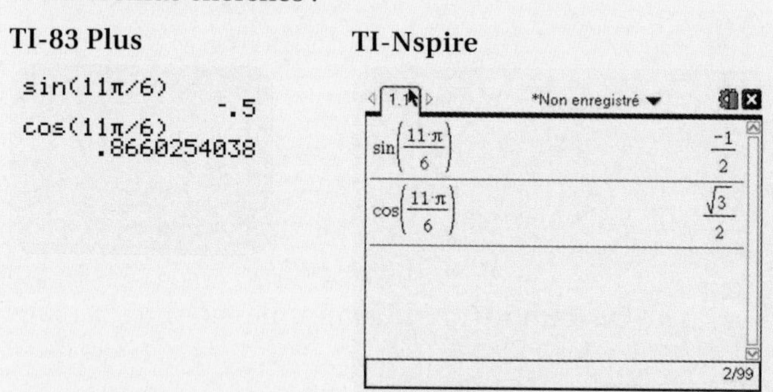

Casio Graph 35+ **Casio Classpad 330**

```
sin (11π÷6)
                -0.5
cos (11π÷6)
        0.8660254038
LIST MAT CPLX CALC STAT ▷
```

```
sin(11π/6)
              -1/2
cos(11π/6)
              √3/2
```

- Le calcul du cosinus d'un angle orienté est utile pour déterminer un produit scalaire (voir chapitre 7).

▶ Exercices 24 et 27 à 29 p. 220

Savoir-faire 5 Résoudre une équation trigonométrique

ÉNONCÉ Résoudre dans $\mathbb{R}$ les équations d'inconnue x suivantes.

a. $\cos x = \cos\frac{\pi}{3}$ **b.** $\sin x = -0{,}5$ **c.** $2\cos^2 x + 2\sqrt{2}\cos x + 1 = 0$ **d.** $2\sin^2 x + 5\sin x - 3 = 0$

SOLUTION

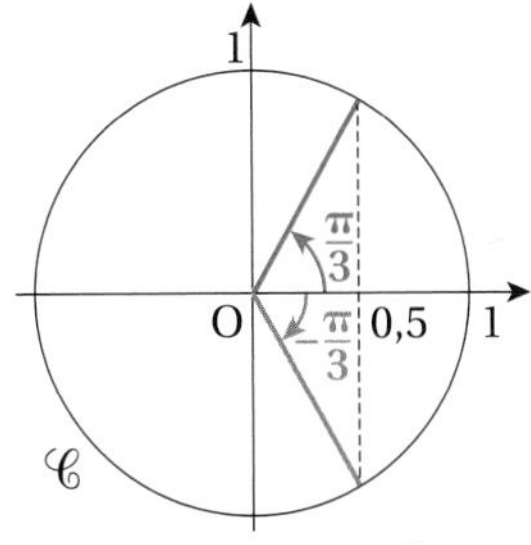

a. Les solutions d'une équation du type $\cos x = \cos a$ sont de la forme $a + 2k\pi$ et $-a + 2k'\pi$ avec k et k' entiers relatifs. En notant S l'ensemble des solutions, on peut écrire :

$$S = \left\{\frac{\pi}{3} + 2k\pi\,;\, -\frac{\pi}{3} + 2k'\pi \text{ avec } k \in \mathbb{Z} \text{ et } k' \in \mathbb{Z}\right\}$$

b. Comme $\sin\left(-\frac{\pi}{6}\right) = -0{,}5$,

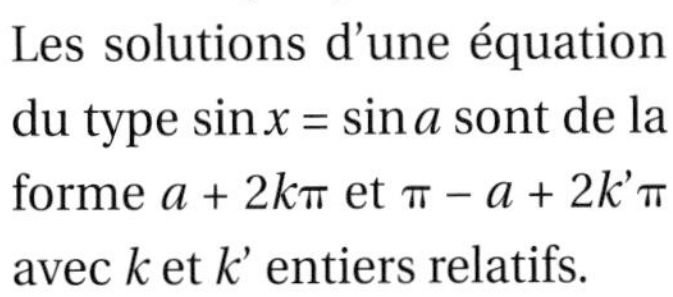

l'équation est équivalente à $\sin x = \sin\left(-\frac{\pi}{6}\right)$.

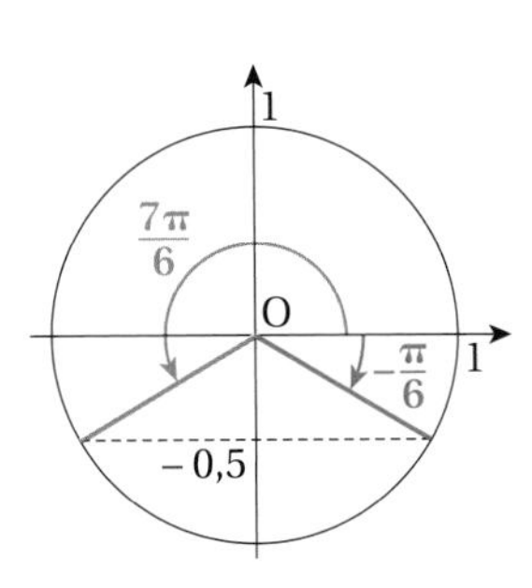

Les solutions d'une équation du type $\sin x = \sin a$ sont de la forme $a + 2k\pi$ et $\pi - a + 2k'\pi$ avec k et k' entiers relatifs.

En notant S l'ensemble des solutions, on peut écrire :

$$S = \left\{-\frac{\pi}{6} + 2k\pi\,;\, \frac{7\pi}{6} + 2k'\pi \text{ avec } k \in \mathbb{Z} \text{ et } k' \in \mathbb{Z}\right\}$$

c. On peut écrire :

$$2\cos^2 x + 2\sqrt{2}\cos x + 1 = 0 \iff (\sqrt{2}\cos x + 1)^2 = 0$$
$$\iff \cos x = -\frac{\sqrt{2}}{2}$$
$$\iff \cos x = \cos\frac{3\pi}{4}$$

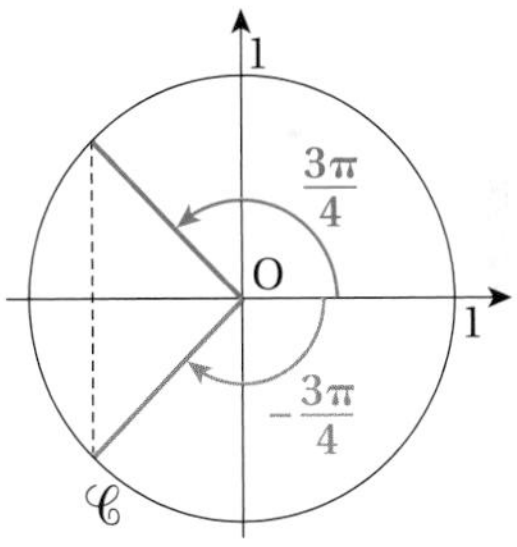

L'ensemble S des solutions de l'équation est :

$$S = \left\{\frac{3\pi}{4} + 2k\pi\,;\, -\frac{3\pi}{4} + 2k'\pi \text{ avec } k \in \mathbb{Z} \text{ et } k' \in \mathbb{Z}\right\}$$

d. On reconnaît un trinôme du second degré en $\sin x$.

Posons alors $X = \sin x$ et résolvons l'équation $2X^2 + 5X - 3 = 0$.

Le discriminant du trinôme est 49, donc cette équation admet deux solutions :

$$X_1 = \frac{-5 - \sqrt{49}}{4} = -3 \quad \text{et} \quad X_2 = \frac{-5 + \sqrt{49}}{4} = \frac{1}{2}$$

Nous avons maintenant deux équations trigonométriques à résoudre :

$$\sin x = -3 \quad \text{et} \quad \sin x = \frac{1}{2}$$

La première n'a pas de solution et la seconde a pour solutions les nombres :

$$\frac{\pi}{6} + 2k\pi \text{ où } k \in \mathbb{Z} \quad \text{et} \quad \pi - \frac{\pi}{6} + 2k'\pi = \frac{5\pi}{6} + 2k'\pi \text{ où } k' \in \mathbb{Z}$$

L'ensemble S des solutions de l'équation est :

$$S = \left\{\frac{\pi}{6} + 2k\pi\,;\, \frac{5\pi}{6} + 2k'\pi \text{ avec } k \in \mathbb{Z} \text{ et } k' \in \mathbb{Z}\right\}$$

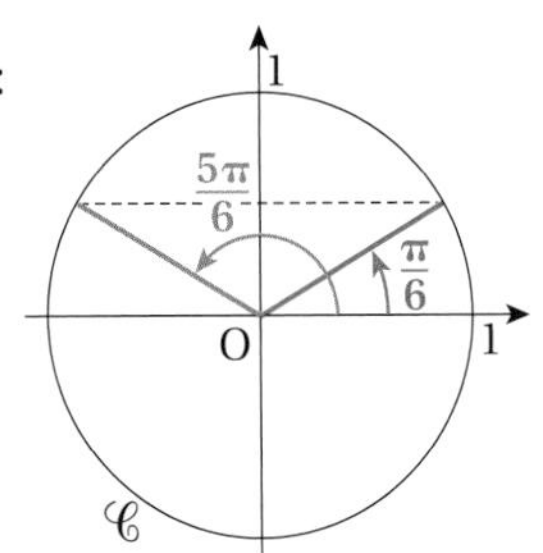

MÉTHODE

a. et **b.**

- Pour résoudre une équation trigonométrique, il est intéressant de transformer l'écriture pour se ramener à un des deux types d'équations dont les solutions sont données dans le cours :

$\cos x = \cos a$ ou $\sin x = \sin a$.

- La représentation des solutions sur un cercle trigonométrique permet de contrôler les résultats annoncés.

c. et **d.** Lorsque l'équation trigonométrique comporte des termes en $\cos^2 x$ ou $\sin^2 x$, différentes méthodes de transformation sont envisageables pour se ramener à une forme connue. Ici, on utilise la factorisation.

▶ Exercices 33 à 35, 37, 38, 41 et 42 p. 221

Travaux pratiques

TP TICE 1 Variation du cosinus et du sinus

Objectif : À l'aide d'un logiciel de géométrie, observer l'évolution des nombres $\sin x$ et $\cos x$ lorsque x varie.

Partie A : Construction

1 **a.** À l'aide d'un logiciel de géométrie, placer les points O, A et B de coordonnées respectives (0 ; 0), (1 ; 0) et (0 ; 1).

b. Construire le cercle trigonométrique.

c. Choisir un point quelconque M de ce cercle. Placer le point H, intersection de (OA) et de la perpendiculaire à (OA) passant par M, et le point K, intersection de (OB) et de la perpendiculaire à (OB) passant par M.

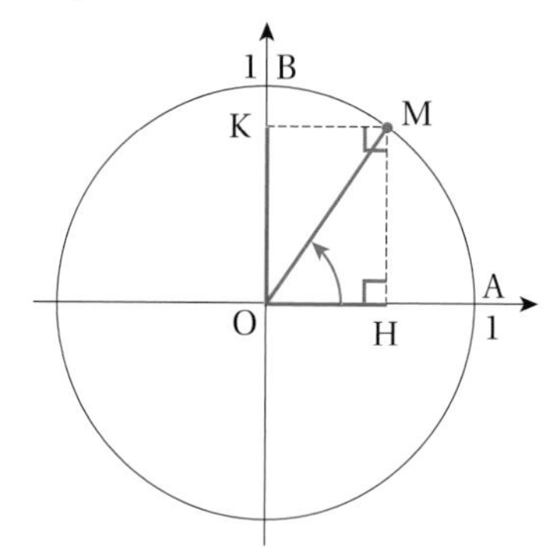

d. Dans le repère $(O ; \overrightarrow{OA}, \overrightarrow{OB})$, faire apparaître :
- la valeur a de l'abscisse de H ;
- la valeur b de l'ordonnée de K ;
- une mesure de l'angle $(\overrightarrow{OA}, \overrightarrow{OM})$.

2 Quel est le lien entre les nombres a et b, et l'angle $(\overrightarrow{OA}, \overrightarrow{OM})$?

Partie B : Observations

1 **Variations de la valeur a**

a. Lorsqu'une mesure de l'angle $(\overrightarrow{OA}, \overrightarrow{OM})$ se trouve dans l'intervalle $\left[0 ; \frac{\pi}{2}\right]$, décrire la variation de la fonction qui à cette mesure associe le nombre a.
Décrire ces variations pour chacun des trois autres quarts de cercle.

b. Reproduire le tableau suivant et le compléter en donnant la valeur de a pour les différentes valeurs de l'angle $(\overrightarrow{OA}, \overrightarrow{OM})$.

Mesure de $(\overrightarrow{OA}, \overrightarrow{OM})$	0	$\frac{\pi}{6}$	$\frac{\pi}{3}$	$\frac{\pi}{2}$	$\frac{2\pi}{3}$	$\frac{5\pi}{6}$	π	$\frac{7\pi}{6}$	$\frac{4\pi}{3}$	$\frac{3\pi}{2}$	$\frac{5\pi}{3}$	$\frac{11\pi}{6}$	2π
a													

c. Placer dans un repère les points correspondant à ce tableau. On reportera les mesures de l'angle $(\overrightarrow{OA}, \overrightarrow{OM})$ sur l'axe des abscisses et les valeurs de a sur l'axe des ordonnées.

2 **Variations de la valeur b**

Reprendre les questions **1**a à **1**c de la **Partie B** pour la valeur b.

TICE 2 Valeurs exactes ou approchées

Objectifs : • Mettre en œuvre une formule trigonométrique pour obtenir certaines valeurs exactes de cosinus.
• Approcher $\cos x$ par une fonction polynôme du second degré en x.

Partie A

1 Dans le chapitre 7 sur le produit scalaire (p. 238), on démontre que pour tous nombres réels a et b on a :

$$\cos(a - b) = \cos a \cos b + \sin a \sin b$$

En déduire la formule qui donne $\cos 2a$ en fonction de $\cos a$.

2 Déterminer $\cos a$ en fonction de $\cos 2a$.

3 Calculer la valeur exacte de $\cos \frac{\pi}{8}$.

Partie B

1 À l'aide d'un tableur, déterminer les valeurs approchées de $\cos \frac{\pi}{2^n}$ pour n entier naturel tel que $1 \leqslant n \leqslant 15$ de deux manières différentes :
a. directement à partir d'une valeur de n en utilisant la fonction COS() du tableur.
b. sans utiliser la fonction COS() du tableur mais à l'aide de la formule trouvée à la question **2** de la **Partie A.**

2 Comment expliquer les différences de résultats entre les deux méthodes ?

Partie C

Il s'agit dans cette partie d'approcher les valeurs de $\cos \frac{\pi}{2^n}$ par une expression polynômiale en $\frac{\pi}{2^n}$.

1 Dans un tableur :
a. indiquer en colonne A les valeurs de n et en colonne B les valeurs de $\frac{\pi}{2^n}$ pour n entier naturel tel que $4 \leqslant n \leqslant 14$;
b. mettre en colonne C les valeurs de $\cos \frac{\pi}{2^n}$ pour n entier naturel tel que $4 \leqslant n \leqslant 14$.
(On utilisera, au choix, une des méthodes vues à la question **1** de la **Partie B.**)

2 **a.** Tracer la représentation graphique des valeurs de la colonne C en fonction des valeurs de la colonne B.
b. Une fonction du second degré semble-t-elle adaptée pour modéliser la situation ?

3 **a.** Saisir en D2 la formule « =1-(B2)^2/2 » puis recopier cette formule vers le bas.

D2 =1-(B2)^2/2

	A	B	C	D
1	**n**	**π/2^n**	**cos(π/2^n)**	**=1-(B1)^2/2**
2	4	0,196349541	0,98078528	0,98072343
3	5	0,09817477	0,99518473	
4	6	0,049087385	0,99879546	
5	7	0,024543693	0,99969882	
6	8	0,012271846	0,9999247	
7	9	0,006135923	0,99998118	

b. Que remarque-t-on ?

4 Quelle fonction du second degré semble donner des valeurs approchées de $\cos x$ lorsque x est petit ?

TP

Algorithmique 1 Autre mesure ?

▶ Fiches Algorithmique p. 11

Objectif : Comprendre le lien entre les différentes mesures d'un angle.

Partie A

On donne l'algorithme ci-contre écrit en Scilab.

```
1 //Entrée
2 a=input("a=?")
3 //Traitement
4 tour=2*%pi
5 while a>%pi
6     a=a-tour
7 end
8 //Affichage
9 afficher("Résultat : "+string(a))
```

1 a. Indiquer la sortie de cet algorithme pour les valeurs de a en entrée suivantes : 0 ; π ; 3π et 10.

b. Que fait l'algorithme ?

c. Indiquer la sortie de l'algorithme pour $a = -3\pi$.

2 a. Modifier l'algorithme pour qu'il donne la mesure principale d'un angle de mesure a.

b. Programmer l'algorithme modifié à la calculatrice ou à l'aide d'un logiciel.

Partie B

Soit x_1 et x_2 deux nombres réels quelconques.

1 Proposer un algorithme qui, à partir d'une mesure a en radians d'un angle, donne toutes les mesures de cet angle qui appartiennent à l'intervalle $[x_1 ; x_2]$.

2 Programmer cet algorithme.

TP

Algorithmique 2 Équation trigonométrique

▶ Fiches Algorithmique p. 11

Objectif : Voir les différents cas dans une résolution d'équation trigonométrique.

On donne l'équation d'inconnue réelle x :

$$\cos x = a \quad (1)$$

1 a. Écrire un algorithme qui donne le nombre de solutions de l'équation (1) dans l'intervalle $[0 ; 2\pi[$.

Entrée : valeur du nombre réel a.

Sortie : nombre de solutions de l'équation (1).

b. Programmer cet algorithme à la calculatrice ou à l'aide d'un logiciel.

2 On souhaite résoudre le système d'inconnue réelle x :

$$\begin{cases} \cos x = a \\ \sin x > 0 \end{cases} \quad (2)$$

a. Modifier l'algorithme donné à la question **1** pour qu'il donne la (les) éventuelle(s) solution(s) du système (2) dans l'intervalle $[0 ; 2\pi[$.

b. Programmer cet algorithme à la calculatrice ou à l'aide d'un logiciel.

3 Reprendre la question **2** avec le système d'inconnue réelle x :

$$\begin{cases} \cos x = a \\ \sin x < 0 \end{cases} \quad (3)$$

Problème ouvert 1 Où arrivera-t-il ?

Un escargot se déplace dans un potager rectangulaire de dimensions 3 m × 4 m.
Un repère orthonormé $(O ; \vec{i}, \vec{j})$ est tracé sur le sol tel que :
- O est le centre du potager ;
- $\vec{i}$ a pour direction la longueur du potager ;
- le plan est orienté.

L'escargot part de O et avance à la vitesse de 6 cm.min^{-1} en suivant l'axe des abscisses dans le sens positif pendant 1 minute, puis tourne d'un angle de $\frac{\pi}{45}$.
Il poursuit son chemin pendant 1 minute, tourne encore et ainsi de suite.
Arrivera-t-il sur une des clôtures en moins de 2 heures ?

Problème ouvert 2 Alignement

A et B sont deux points situés sur un rivage et on assimile deux bateaux aux points C et D.

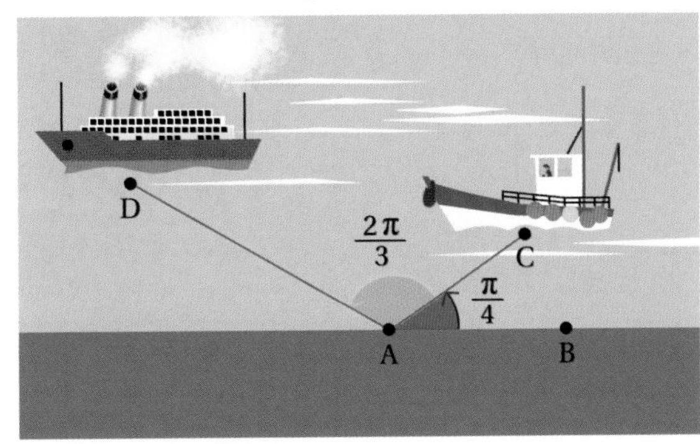

On dispose des informations suivantes :

$$AC = 1\,000 \text{ m} ; \quad AD = 3\,000 \text{ m} ; \quad (\overrightarrow{AB}, \overrightarrow{AC}) = \frac{\pi}{4} \quad \text{et} \quad (\overrightarrow{AC}, \overrightarrow{AD}) = \frac{2\pi}{3}.$$

En quel point M faut-il se placer sur le rivage supposé rectiligne pour que les points M, C et D soient alignés ?

Problème ouvert 3 Formules fausses ?

Un élève propose deux « nouvelles » formules à ajouter aux formules trigonométriques classiques :

$$\cos 2a = 2\cos a \quad (1)$$
$$\sin 2a = 2\sin a \quad (2)$$

Ces deux formules sont-elles :
- vraies pour tout nombre réel a ?
- vraies pour quelques valeurs de a ? Si oui, lesquelles ?
- fausses pour toute valeur de a ?

Représentation d'Hipparque de Nicée (–IIe siècle).

Sinus et cosinus : du cercle aux étoiles

Avec la trigonométrie et ses fonctions sinus, cosinus, tangente, etc., on croit parler uniquement de cercles et de triangles inscrits... alors qu'en réalité on parle de lasers et d'ondes électromagnétiques, de puissance électrique, de son et d'autres phénomènes qui *a priori* n'ont aucun rapport avec le cercle. Par exemple, une onde électromagnétique – lasers, lumière visible, rayons X, UV, infrarouges, ondes radio, etc. – a pour équation : $E = A.\cos(\omega t - \alpha + \varphi)$ où t est le temps, ω une fréquence, α et φ des paramètres physiques... Et la puissance électrique délivrée par une prise de courant alternatif est $P = U.I.\cos\varphi$ où U est la tension électrique, I son intensité et φ leur « déphasage » (ou décalage). La fonction cosinus y joue un rôle essentiel pourtant il n'y a ni cercle ni triangle... Telle est la force de la trigonométrie ! Elle ne donne pas seulement les rapports entre les angles et les longueurs ; elle permet de décrire des phénomènes périodiques, c'est-à-dire qui se répètent : ainsi un point de coordonnées $(x\,;y)$ tel que $x = \cos(t)$ et $y = \sin(t)$ où t est le temps, est un point qui tourne en cercle, revenant au départ à chaque période de 2π (c'est-à-dire toutes les 6,28 secondes). Et si on a $x = t$ et $y = \sin(t)$, alors le point se déplace horizontalement en décrivant une « sinusoïde » : c'est une onde qui se propage...

POUR ALLER PLUS LOIN

Distance entre deux points inaccessibles

Voici comment les astronomes parviennent à calculer la distance des étoiles. Il s'agit de mesurer la distance UV, les points U et V n'étant pas accessibles.

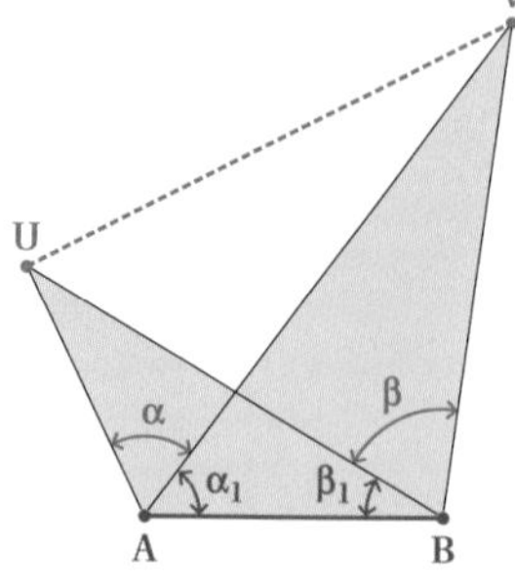

- On se place successivement en A et B. Les quatre points restent coplanaires et le segment AB est accessible, on le mesure.
- On mesure, en radians et depuis A, les angles :

$$\alpha_1 = \widehat{BAV}, \alpha = \widehat{VAU}$$

puis, pareillement, depuis B :

$$\beta_1 = \widehat{ABU} \text{ et } \beta = \widehat{UBV}.$$

- On applique non symétriquement la loi des sinus (cf. problème 107 p. 265, 1d) dans les triangles ABU puis ABV :

$$\frac{AU}{\sin\beta_1} = \frac{AB}{\sin(\pi - \alpha - \alpha_1 - \beta_1)} = \frac{AB}{\sin(\alpha + \alpha_1 + \beta_1)}$$

$$\frac{AV}{\sin(\beta + \beta_1)} = \frac{AB}{\sin(\pi - \beta - \beta_1 - \alpha_1)} = \frac{AB}{\sin(\beta + \beta_1 + \alpha_1)}$$

Le théorème de Pythagore généralisé (cf. p. 236) donne alors :

$$UV^2 = AU^2 + AV^2 - 2AU \cdot AV \cdot \cos\alpha$$

$$= AB^2\left(\frac{\sin^2\beta_1}{\sin^2(\alpha + \alpha_1 + \beta_1)} + \frac{\sin^2(\beta + \beta_1)}{\sin^2(\beta + \beta_1 + \alpha_1)} - 2\frac{\sin\beta_1 \sin(\beta + \beta_1)\cos\alpha}{\sin(\alpha + \alpha_1 + \beta_1)\sin(\beta + \beta_1 + \alpha_1)}\right)$$

D'où la formule utilisée par les ingénieurs :

$$UV = AB\sqrt{\left(\frac{\sin^2\beta_1}{\sin^2(\alpha + \alpha_1 + \beta_1)} + \frac{\sin^2(\beta + \beta_1)}{\sin^2(\beta + \beta_1 + \alpha_1)} - 2\frac{\sin\beta_1 \sin(\beta + \beta_1)\cos\alpha}{\sin(\alpha + \alpha_1 + \beta_1)\sin(\beta + \beta_1 + \alpha_1)}\right)}$$

En astronomie, il faut disposer d'une distance AB très grande. Les astronomes se servent de deux positions diamétralement opposées de la Terre sur son orbite, soit une distance de 300 millions de kilomètres, ce qui leur demande d'attendre 6 mois entre les mesures pour A et celles pour B.

Altitude du sommet d'une montagne

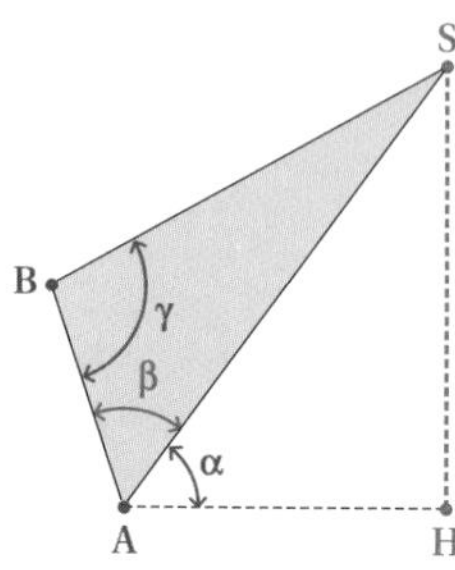

Comment mesurer l'altitude SH d'une montagne sans GPS ? Il suffit de se placer successivement aux points A et B. Les points A, B, S, H sont situés dans un plan vertical. Il est alors possible de mesurer les trois angles : α, β, γ.
Un calcul facile, utilisant encore la loi des sinus, conduit à la formule

$$SH = AB\frac{\sin\alpha\sin\gamma}{\sin(\beta + \gamma)}.$$

Le calcul du méridien terrestre par Ératosthène

Ératosthène, se fiant à l'hypothèse de la rotondité de la Terre d'Aristarque de Samos, a procédé à la première mesure de sa circonférence. Il avait remarqué que dans la ville de Syène, le jour du solstice d'été (21 juin) à midi, le Soleil se reflétait directement dans l'eau du fond du puits. Mais qu'à Alexandrie, à 900 km de Syène et située sur le même méridien, le jour du solstice d'été à midi, les objets avaient une ombre, ce qui signifiait que le Soleil ne « tombait » pas comme à Syène. Aussi, il mesura l'angle de l'ombre d'un obélisque d'Alexandrie : 7,2°. Considérant que cet angle était le même que celui qui séparait Syène d'Alexandrie vu depuis le centre de la Terre, il fit le raisonnement suivant : si 7,2° représentent 900 km sur la surface terrestre, combien représentent 360° ? Réponse : 900 divisé par 7,2 multiplié par 360. Soit : 45 000 km. Ce qui est proche des mesures actuelles (40 075,02 km) !

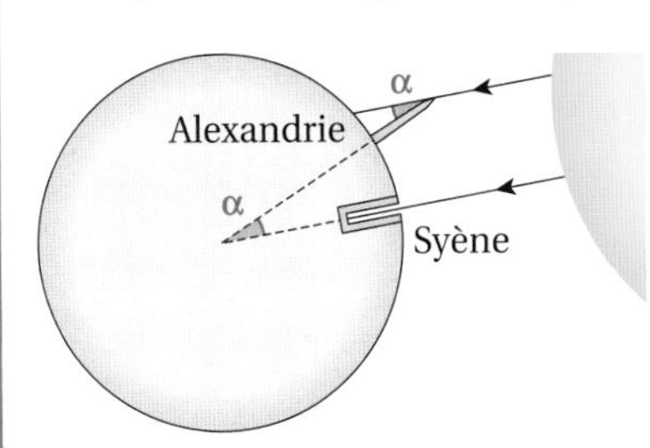

Représentation d'Eratosthène (~276 - 194 av. J.-C.).

Des pyramides tangentes

D'où l'omniprésence des sinus et cosinus dans tous les phénomènes répétitifs (courant alternatif) ou mettant en jeu des ondes progressives (lumière, son, particules). De fait, la trigonométrie a toujours eu un grand rapport avec la réalité. Par exemple, dans un papyrus égyptien du XVIIe siècle av. J.-C. concernant la construction d'une pyramide, un scribe pose la question suivante : si l'on veut une pyramide de 250 coudées de hauteur (1 coudée ≈ 45 cm) avec quatre bases de 360 coudées de long chacune, quelle doit être la pente des côtés ? Sa solution, empirique, revient à cela : si R est la longueur du segment qui part du milieu d'une des bases et parvient au sommet, l'angle α cherché est tel que $R.\sin\alpha = 250$ et $R.\cos\alpha = 180$. D'où $\sin\alpha/\cos\alpha = 25/18$, ce qui s'écrit : $\tan\alpha = 25/18$, soit $\alpha \approx 54{,}25°$.

Un Univers trigonométrique

Néanmoins, la trigonométrie ne commence à se constituer vraiment qu'avec les inventeurs du raisonnement mathématique moderne : les Grecs Anciens. Et cela n'est pas étonnant car les Grecs considéraient le monde comme constitué de sphères emboîtées les unes dans les autres et centrées sur la Terre (modèle « géocentrique ») : sphère des étoiles, sphère du Soleil, sphères des planètes. Dès lors qu'il est question de sphère ou de cercle dont on est le centre, comment ne pas s'intéresser aux relations entre angles et distances ? Ainsi, Ératosthène, vers −200, calcule la circonférence terrestre à l'aide de considérations liant un angle et la longueur d'un arc (▶ encadré). Mais le père de la trigonométrie, c'est Hipparque de Nicée (vers −150) : il élabore la première table de correspondances entre l'angle et la longueur de la corde de deux rayons d'un cercle de 360° (figure). C'est Aristarque de Samos qui aurait introduit la division en 360° vers −260, ainsi que l'idée que la Terre est ronde.

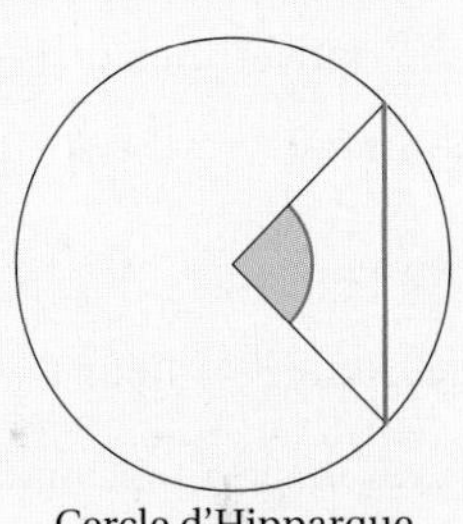
Cercle d'Hipparque de Nicée.

Dès lors que l'Univers est fait de sphères emboîtées dont on est le centre, comment ne pas s'intéresser aux relations entre angles et distances ?

La trigonométrie arrive à maturité

Au IIe siècle, l'astronome grec Ptolémée publie une synthèse des connaissances trigonométriques de ses prédécesseurs dans l'*Almageste*, livre d'astronomie qui institue le modèle géocentrique pour les 1 300 ans à venir – il ne sera détrôné que par le modèle héliocentrique de Copernic en 1543. Le retentissement de l'*Almageste* dans les sciences arabes (Xe au XVe siècle) puis européennes mettra la trigonométrie au premier plan : peu à peu les diverses formules qui la peuplent – $\sin^2 x + \cos^2 x = 1$, $\cos a.\cos b = ½[\cos(a + b) + \cos(a - b)]$, etc. – seront établies, jusqu'à ce que, à la fin du XVIIIe siècle, la trigonométrie n'ait plus de secrets pour les mathématiciens.

Exercices d'application

Radian et cercle trigonométrique

1 Convertir en radians les mesures d'angles.

a. $\alpha = 30°$; $\beta = 120°$; $\gamma = 135°$.

b. $\alpha = 75°$; $\beta = 170°$; $\gamma = 1°$.

▸ Savoir-faire 1 p. 208

Le radian

Le **radian** est l'unité du « système international d'unités » (SI) pour la mesure des angles. Le nom radian vient du mot latin *radius* qui signifie « rayon ». Ce terme a été introduit en 1873 par l'ingénieur James Thomson (1822 – 1892).

2 Convertir en degrés les mesures d'angles.

a. $\alpha = \frac{\pi}{4}$ rad ; $\beta = \frac{\pi}{5}$ rad ; $\gamma = \frac{7\pi}{18}$ rad.

b. $\alpha = 1$ rad ; $\beta = 3{,}14$ rad ; $\gamma = \frac{77}{144}$ rad.

3 **1.** Convertir en radians les mesures d'angles.

a. 45 ° **b.** –210 ° **c.** 1 470 ° **d.** 2 520 °

2. Convertir en degrés les mesures d'angles.

a. 3 rad **b.** 2,5 rad **c.** $-\frac{7\pi}{2}$ rad **d.** $\frac{\pi}{5}$ rad

4 Soit ABC un triangle rectangle en A dont l'angle $\widehat{B}$ mesure $\frac{\pi}{12}$ radians.

a. Calculer la mesure en radians de l'angle $\widehat{C}$.

b. Tracer à la règle et au compas un tel triangle ABC.

5 Soit ABC un triangle isocèle en A dont l'angle $\widehat{B}$ mesure 1 radian.

a. Calculer la mesure en radians de l'angle $\widehat{A}$.

b. Donner des valeurs approchées des mesures en degrés des trois angles de ce triangle.

c. Tracer un tel triangle ABC.

6 ABCDE est un pentagone régulier de centre O.

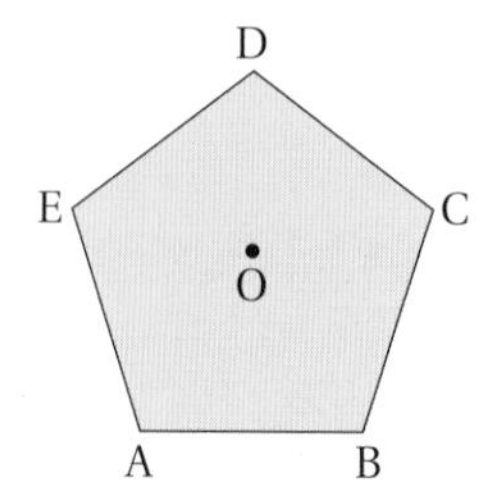

a. Déterminer, en radians, la mesure de l'angle $\widehat{OAB}$.

b. Déterminer, en radians, la mesure de l'angle $\widehat{ABC}$. (On pourra considérer le triangle OBC.)

c. Déterminer, en radians, la mesure de l'angle $\widehat{ABD}$. (On pourra considérer le triangle BCD.)

Mesure d'un angle orienté, mesure principale

7 **a.** Tracer un triangle équilatéral ABC tel que la mesure principale de l'angle orienté $(\overrightarrow{AB}, \overrightarrow{AC})$ soit égale à $\frac{\pi}{3}$.

b. Déterminer une mesure des angles suivants : $(\overrightarrow{AC}, \overrightarrow{AB})$; $(\overrightarrow{BA}, \overrightarrow{BC})$; $(\overrightarrow{BC}, \overrightarrow{BA})$; $(\overrightarrow{CA}, \overrightarrow{CB})$ et $(\overrightarrow{CB}, \overrightarrow{CA})$.

▸ Savoir-faire 2 p. 208

8 **1.** Reproduire la figure suivante, constituée de triangles équilatéraux.

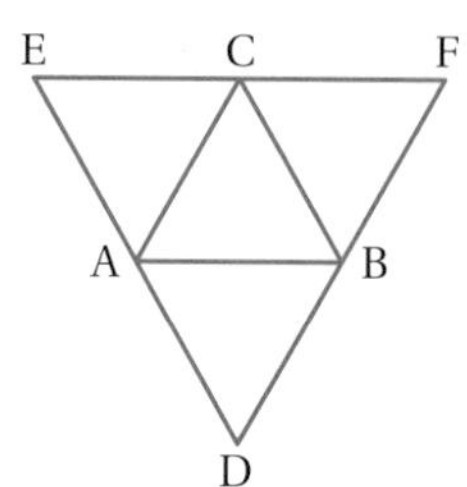

2. Déterminer une mesure des angles suivants.

a. $(\overrightarrow{AB}, \overrightarrow{AF})$; $(\overrightarrow{AF}, \overrightarrow{AD})$ et $(\overrightarrow{CB}, \overrightarrow{CE})$.

b. $(\overrightarrow{CF}, \overrightarrow{BD})$; $(\overrightarrow{AD}, \overrightarrow{BC})$ et $(\overrightarrow{EB}, \overrightarrow{CD})$.

9 **1.** Reproduire la figure suivante sachant que :
- ABC est un triangle équilatéral ;
- le point D est le milieu du segment [BC] ;
- ADE, AFG, AHI et AJK sont des triangles équilatéraux.

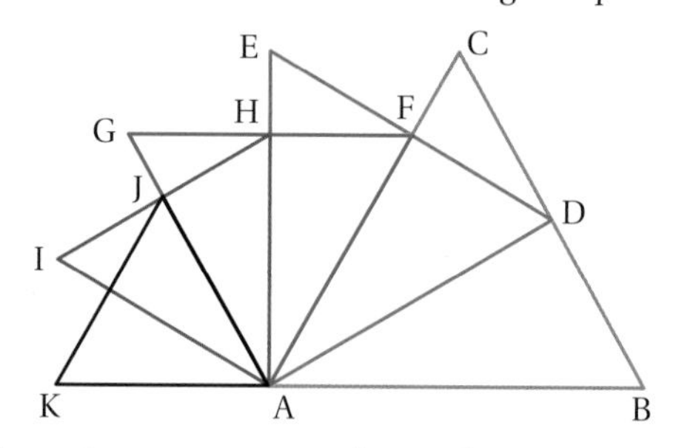

2. Déterminer une mesure des angles suivants.

a. $(\overrightarrow{AB}, \overrightarrow{AD})$; $(\overrightarrow{AB}, \overrightarrow{AG})$; $(\overrightarrow{AD}, \overrightarrow{AK})$ et $(\overrightarrow{AB}, \overrightarrow{AK})$.

b. $(\overrightarrow{AB}, \overrightarrow{GF})$; $(\overrightarrow{AB}, \overrightarrow{ED})$; $(\overrightarrow{AB}, \overrightarrow{IH})$ et $(\overrightarrow{AB}, \overrightarrow{KJ})$.

c. $(\overrightarrow{KJ}, \overrightarrow{BC})$ et $(\overrightarrow{IH}, \overrightarrow{ED})$.

10 **a.** Dans le plan orienté muni du repère $(O ; \vec{i}, \vec{j})$, on donne le point A(1 ; 0).

Représenter les points M_1, M_2, ..., M_6 du cercle trigonométrique tels que les angles $(\overrightarrow{OA}, \overrightarrow{OM_i})$ aient comme mesures respectives :

$$3\pi \ ; \ \frac{9\pi}{2} \ ; \ -\frac{7\pi}{2} \ ; \ \frac{11\pi}{4} \ ; \ 20\pi \ ; \ \frac{19\pi}{3}.$$

b. Déterminer la mesure principale de chacun de ces angles orientés de vecteurs.

11 Déterminer la mesure principale des angles orientés de vecteurs ayant comme mesure :

a. 7π **b.** $-1\,000\pi$ **c.** $\frac{2015\pi}{4}$

d. $-\frac{500\pi}{3}$ **e.** 100 **f.** -25

12 **a.** Indiquer, parmi les nombres suivants, ceux qui correspondent aux mesures d'un même angle de vecteurs.

$\frac{\pi}{2}$; $\frac{3\pi}{2}$; $-\frac{\pi}{2}$; $\frac{7\pi}{2}$; $-\frac{3\pi}{2}$; $-\frac{7\pi}{2}$; $\frac{5\pi}{2}$.

b. Dans l'intervalle $[0 ; 8\pi]$, combien de mesures différentes existe-t-il pour un angle de vecteurs ayant comme mesure $\frac{\pi}{2}$? Justifier.

13 On donne un intervalle I et un angle de vecteurs dont une mesure est α.
Dans chaque cas, indiquer le nombre de mesures différentes du même angle qui se trouvent dans I.

a. $I = [0 ; 20\pi]$; $\alpha = 0$.

b. $I = [0 ; 100]$; $\alpha = \frac{\pi}{3}$.

c. $I = [-50 ; 50]$; $\alpha = \frac{\pi}{2}$.

14 A, B, C et D sont des points distincts deux à deux. Simplifier les sommes suivantes :

$S_1 = (\overrightarrow{AC}, \overrightarrow{AD}) + (\overrightarrow{AD}, \overrightarrow{AC})$

$S_2 = (\overrightarrow{AD}, \overrightarrow{AB}) + (\overrightarrow{AC}, \overrightarrow{AD})$

$S_3 = (\overrightarrow{AD}, \overrightarrow{AB}) + (\overrightarrow{BA}, \overrightarrow{DA})$

▶ Savoir-faire 3 p. 209

15 A, B, C et D sont des points distincts deux à deux. Simplifier les sommes suivantes :

$S_1 = (\overrightarrow{BC}, \overrightarrow{BD}) + (\overrightarrow{BA}, \overrightarrow{BC})$

$S_2 = (\overrightarrow{DC}, \overrightarrow{CA}) + (\overrightarrow{AC}, \overrightarrow{AD})$

$S_3 = (\overrightarrow{BD}, \overrightarrow{BA}) + (\overrightarrow{DA}, \overrightarrow{BC}) + (\overrightarrow{AB}, \overrightarrow{AD})$

16 Soit ABCD un quadrilatère ayant les 4 sommets deux à deux distincts.
Calculer $(\overrightarrow{AD}, \overrightarrow{AB}) + (\overrightarrow{BA}, \overrightarrow{BC}) + (\overrightarrow{CB}, \overrightarrow{CD}) + (\overrightarrow{DC}, \overrightarrow{DA})$.

17 Sur la figure ci-dessous, trois carrés entourent un triangle équilatéral.

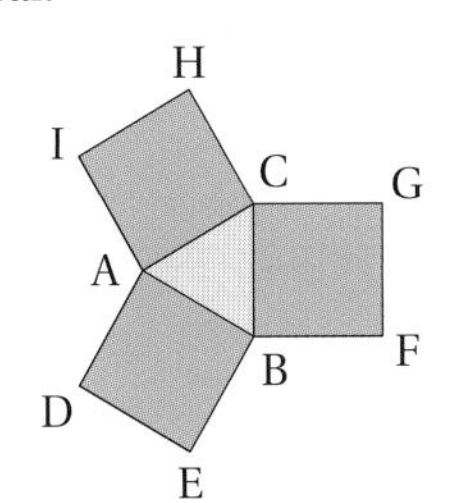

Déterminer une mesure des angles orientés suivants :

a. $(\overrightarrow{BE}, \overrightarrow{BA})$ **b.** $(\overrightarrow{AC}, \overrightarrow{CB})$

c. $(\overrightarrow{AD}, \overrightarrow{EB})$ **d.** $(\overrightarrow{CG}, \overrightarrow{CH})$

e. $(\overrightarrow{AB}, \overrightarrow{CF})$ **f.** $(\overrightarrow{DB}, \overrightarrow{IC})$

18 On considère le carré ABCD de centre O ci-dessous.

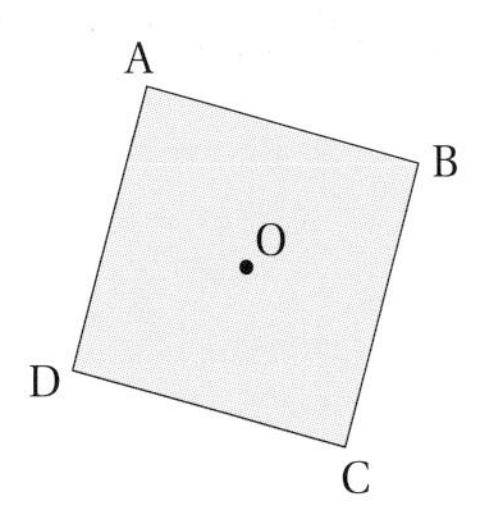

Déterminer la mesure principale des angles suivants :
$(\overrightarrow{AB}, \overrightarrow{AD})$; $(\overrightarrow{AD}, \overrightarrow{AC})$; $(\overrightarrow{AC}, \overrightarrow{DB})$; $(\overrightarrow{AD}, \overrightarrow{CB})$.

19 La figure ci-dessous est formée de deux carrés de même centre O avec $(\overrightarrow{OA}, \overrightarrow{OE}) = -\frac{\pi}{3}$.

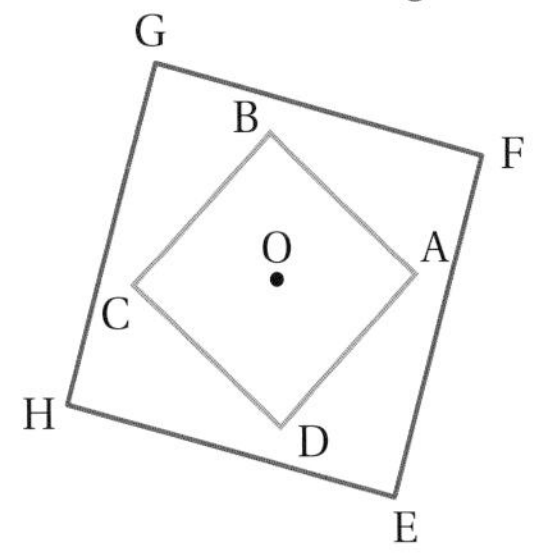

a. Déterminer une mesure des angles $(\overrightarrow{OA}, \overrightarrow{OF})$ et $(\overrightarrow{OA}, \overrightarrow{OG})$.

b. Soit I et J les milieux respectifs des segments [AB] et [FG].
Déterminer une mesure des angles $(\overrightarrow{OI}, \overrightarrow{OA})$ et $(\overrightarrow{OF}, \overrightarrow{OJ})$.
En déduire la mesure principale de l'angle $(\overrightarrow{OI}, \overrightarrow{OJ})$.

20 **a.** Démontrer qu'il n'existe pas de triangle ABC tel que les deux angles orientés de vecteurs $(\overrightarrow{AB}, \overrightarrow{AC})$ et $(\overrightarrow{BA}, \overrightarrow{BC})$ aient comme mesure $\frac{\pi}{3}$.

b. Existe-t-il un triangle ABC non aplati tel que $(\overrightarrow{AB}, \overrightarrow{AC}) = (\overrightarrow{BA}, \overrightarrow{BC}) + 2k\pi$ (k entier relatif) ? Justifier.

21 ABCD est un polygone tel que les angles $(\overrightarrow{AB}, \overrightarrow{AD})$, $(\overrightarrow{BA}, \overrightarrow{BC})$ et $(\overrightarrow{DA}, \overrightarrow{DC})$ mesurent respectivement $-\frac{\pi}{3}$, $\frac{\pi}{4}$ et $-\frac{\pi}{6}$.

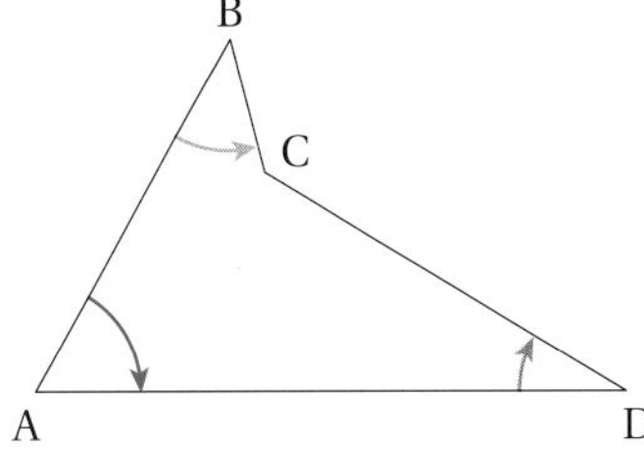

a. Dessiner ce polygone tel que AB = 4 cm et AD = 6 cm.

b. Déterminer des mesures de $(\overrightarrow{CB}, \overrightarrow{AB})$ et $(\overrightarrow{AD}, \overrightarrow{CD})$.

c. Montrer que :
$$(\overrightarrow{CB}, \overrightarrow{CD}) = (\overrightarrow{CB}, \overrightarrow{AB}) + (\overrightarrow{AB}, \overrightarrow{AD}) + (\overrightarrow{AD}, \overrightarrow{CD}) + 2k\pi$$
avec k un entier relatif.

d. Calculer la mesure principale de $(\overrightarrow{CB}, \overrightarrow{CD})$.

22 A et B sont deux points du plan tels que AB = 5 cm.

1. Tracer un quadrilatère ABCD tel que des mesures de $(\overrightarrow{AB}, \overrightarrow{AD})$, $(\overrightarrow{DA}, \overrightarrow{DC})$ et $(\overrightarrow{BA}, \overrightarrow{BC})$ soient respectivement $\frac{\pi}{2}$, $\frac{\pi}{4}$ et $-\frac{\pi}{2}$.

2. Tracer un quadrilatère ABEF tel que des mesures de $(\overrightarrow{BA}, \overrightarrow{BE})$, $(\overrightarrow{AB}, \overrightarrow{AF})$ et $(\overrightarrow{FE}, \overrightarrow{FA})$ soient respectivement $\frac{\pi}{3}$, $-\frac{\pi}{2}$ et $\frac{\pi}{2}$.

3. Déterminer une mesure de :

a. $(\overrightarrow{CB}, \overrightarrow{CD})$

b. $(\overrightarrow{EB}, \overrightarrow{EF})$

23 La longitud del lado d'un octógono regular es 12 m. Hallar los radios de la circunferencia inscrita y circunscrita.

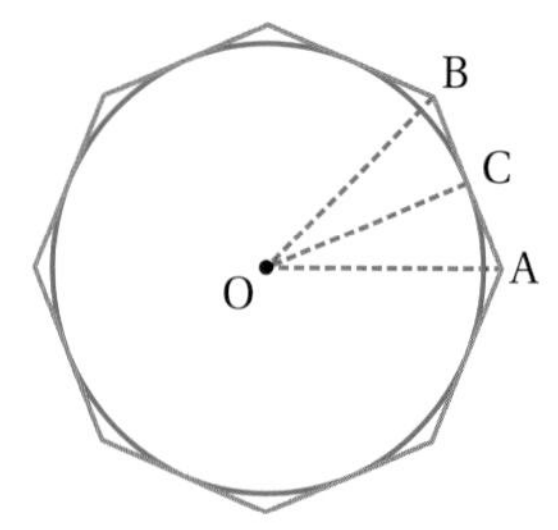

Cosinus et sinus d'un angle

24 Le plan orienté est muni d'un repère orthonormé direct $(O ; \vec{i}, \vec{j})$.

Déterminer :

a. $\sin(\vec{i}, \vec{j})$

b. $\cos(2\vec{i}, 3\vec{j})$

c. $\sin(-\vec{i}, 5\vec{j})$

d. $\cos(\vec{i}, \vec{i}+\vec{j})$

e. $\cos(-\vec{i}-\vec{j}, \vec{j})$

f. $\sin(\sqrt{3}\vec{i}+\vec{j}, -5\vec{j})$

g. $\cos(42\vec{i}-7\vec{j}, \vec{j}-6\vec{i})$

▸ Savoir-faire 4 p. 210

25 Dans un plan orienté muni d'un repère orthonormé, ABC est un triangle quelconque non aplati.

a. Démontrer que ABC est rectangle en A si et seulement si $\cos(\overrightarrow{AB}, \overrightarrow{AC}) = 0$.

b. Démontrer que ABC est rectangle en A si et seulement si $|\sin(\overrightarrow{AB}, \overrightarrow{AC})| = 1$.

26 Dans un plan orienté muni d'un repère orthonormé, ABC est un triangle quelconque non aplati.

a. Démontrer que son aire est égale à :

$$\frac{1}{2} \times AB \times AC \times |\sin(\overrightarrow{AB}, \overrightarrow{AC})|$$

b. Trouver de manière similaire deux autres expressions pour cette aire.

c. Démontrer que :

$$\frac{|\sin(\overrightarrow{AB}, \overrightarrow{AC})|}{BC} = \frac{|\sin(\overrightarrow{BA}, \overrightarrow{BC})|}{AC} = \frac{|\sin(\overrightarrow{CA}, \overrightarrow{CB})|}{AB}$$

27 OAB et BAC sont des triangles équilatéraux de hauteurs respectives (BH) et (AK).

1. Déterminer les valeurs exactes de :

a. $\sin(\overrightarrow{OA}, \overrightarrow{OB})$

b. $\cos(\overrightarrow{OB}, \overrightarrow{CA})$

c. $\cos(\overrightarrow{HK}, \overrightarrow{AB})$

2. Posons $OA = a$.

a. Calculer en fonction de a les longueurs AK et OK.

b. Déterminer le sinus de l'angle géométrique $\widehat{KOA}$.

3. Déterminer une valeur approchée de $\sin(\overrightarrow{AB}, \overrightarrow{OK})$.

28 A est un point de coordonnées $(3\sqrt{2}\ ;\ 3\sqrt{2})$ dans un repère orthonormé direct $(O ; \vec{i}, \vec{j})$ du plan orienté. ABCDE est un pentagone régulier de centre O tel que $(\overrightarrow{OA}, \overrightarrow{OB}) = \frac{2\pi}{5}$.

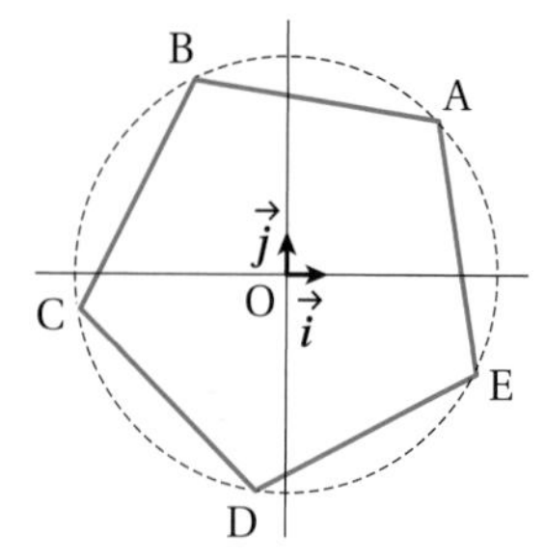

a. Déterminer la mesure principale des angles orientés suivants :

$(\vec{i}, \overrightarrow{OA})$; $(\vec{i}, \overrightarrow{OB})$; $(\vec{i}, \overrightarrow{OC})$; $(\vec{i}, \overrightarrow{OD})$ et $(\vec{i}, \overrightarrow{OE})$.

b. Déterminer les coordonnées exactes des sommets du pentagone.

c. Tracer le pentagone en se servant des valeurs approchées de ces coordonnées.

29 Dans un repère orthonormé direct $(O ; \overrightarrow{OA}, \overrightarrow{OB})$ du plan orienté, E est un point du cercle trigonométrique $\mathscr{C}$ de centre O.

1. Faire une figure. On prendra comme échelle 5 cm pour 1 unité.

2. a. Pour les valeurs usuelles de $(\overrightarrow{OA}, \overrightarrow{OE})$ du tableau suivant, placer le point E correspondant sur la figure puis compléter le tableau avec les valeurs exactes des cosinus et sinus.

$(\overrightarrow{OA}, \overrightarrow{OE})$	0	$\frac{\pi}{6}$	$\frac{\pi}{4}$	$\frac{\pi}{3}$	$\frac{\pi}{2}$
$\cos(\overrightarrow{OA}, \overrightarrow{OE})$					
$\sin(\overrightarrow{OA}, \overrightarrow{OE})$					

b. En utilisant l'angle $\pi - \alpha$ associé à l'angle α, compléter, à partir des valeurs données à la question **2a**, le tableau suivant :

$(\overrightarrow{OA}, \overrightarrow{OE})$	$\frac{2\pi}{3}$	$\frac{3\pi}{4}$	$\frac{5\pi}{6}$	π
$\cos(\overrightarrow{OA}, \overrightarrow{OE})$				
$\sin(\overrightarrow{OA}, \overrightarrow{OE})$				

Placer les points correspondant sur le cercle $\mathscr{C}$.

c. En utilisant l'angle $-\alpha$ associé à l'angle α, compléter, à partir des valeurs données aux questions **2a** et **2b**, le tableau suivant :

$(\overrightarrow{OA}, \overrightarrow{OE})$	$\frac{7\pi}{6}$	$\frac{5\pi}{4}$	$\frac{4\pi}{3}$	$\frac{3\pi}{2}$	$\frac{5\pi}{3}$	$\frac{11\pi}{6}$	2π
$\cos(\overrightarrow{OA}, \overrightarrow{OE})$							
$\sin(\overrightarrow{OA}, \overrightarrow{OE})$							

Placer les points correspondant sur le cercle $\mathscr{C}$.

30 Calculer :

$$A = \sin 0 + \sin\frac{\pi}{3} + \sin\frac{2\pi}{3} + \sin\frac{3\pi}{3} + \sin\frac{4\pi}{3} + \sin\frac{5\pi}{3}$$

$$B = \cos 0 + \cos\frac{\pi}{3} + \cos\frac{2\pi}{3} + \cos\frac{3\pi}{3} + \cos\frac{4\pi}{3} + \cos\frac{5\pi}{3}$$

31 Calculer de deux manières différentes :

$$\cos\left(\frac{3\pi}{2} + \frac{\pi}{3}\right)\cos\left(\frac{\pi}{3}\right) + \sin\left(\frac{3\pi}{2} + \frac{\pi}{3}\right)\sin\left(\frac{\pi}{3}\right)$$

32 Simplifier les expressions suivantes où x est un nombre réel quelconque.

a. $\cos x + \cos(-x)$

b. $\sin(\pi - x) + \sin x + \cos(\pi - x) + \cos x$

c. $\cos\left(\frac{\pi}{2} - x\right) + \sin\left(\frac{\pi}{2} - x\right) + \sin(-x) + \cos(-x)$

d. $\sin x + \sin(x + \pi) + \sin(x + 2\pi) + \sin(x + 3\pi)$
$+ \sin(x + 4\pi) + \sin(x + 5\pi)$

Équations trigonométriques

33 Résoudre dans $\mathbb{R}$ les équations trigonométriques suivantes.

a. $\sin x = \sin\frac{\pi}{4}$

b. $\cos x = \cos\frac{\pi}{4}$

c. $\sin x = \frac{1}{2}$

d. $\cos x = -\frac{\sqrt{3}}{2}$

Savoir-faire 5 p. 211

34 **a.** Montrer que $\cos\frac{\pi}{5} = \sin\frac{3\pi}{10}$.

b. Résoudre dans $\mathbb{R}$ l'équation trigonométrique :

$$\cos x = \sin\frac{3\pi}{10}$$

35 **a.** Déterminer un réel α tel que $\sin\alpha = \cos\frac{5\pi}{3}$.

b. Résoudre dans $\mathbb{R}$ l'équation trigonométrique :

$$\sin x = \cos\frac{5\pi}{3}$$

36 Démontrer que l'équation trigonométrique d'inconnue x, $\sin 2x + 1 = 0$, admet exactement deux solutions sur l'intervalle $[0 ; 2\pi[$.

Pour les exercices 37 et 38

On munit le plan orienté d'un repère direct $(O ; \overrightarrow{OA}, \overrightarrow{OB})$ et $\mathscr{C}$ est le cercle trigonométrique.
On donne une équation trigonométrique (E).

a. Résoudre dans $\mathbb{R}$ l'équation (E).

b. Tracer tous les points M de $\mathscr{C}$ tels que $(\overrightarrow{OA}, \overrightarrow{OM})$ soit solution de (E).

37 (E) : $\sin 3x = 1$

38 (E) : $\cos 5x = -0,5$

39 On considère le plan orienté muni d'un repère direct $(O ; \overrightarrow{OA}, \overrightarrow{OB})$. $\mathscr{C}$ est le cercle trigonométrique. On note α une mesure de l'angle orienté $(\overrightarrow{OA}, \overrightarrow{OM})$.

a. Combien existe-t-il de points M sur $\mathscr{C}$ tels que $\cos(5\alpha + \pi) = \cos\frac{\pi}{2}$?

b. Placer ces points.

40 **a.** Sachant que $\cos\left(\frac{\pi}{2} + \alpha\right) = \frac{2}{3}$ et que $\pi < \alpha < \frac{3\pi}{2}$, déterminer une valeur approchée de α (en radians).

b. Sachant que $\sin(\pi + \alpha) = \frac{3}{4}$ et que $\frac{3\pi}{2} < \alpha < 2\pi$, déterminer une valeur approchée de α (en radians).

41 Résoudre dans $\mathbb{R}$ les équations d'inconnue x.

a. $2\cos^2 x - 1 = 0$

b. $4\sin^2 x - 3 = 0$

42 **a.** Résoudre dans $\mathbb{R}$ l'équation d'inconnue u :

$$2u^2 + u - 1 = 0$$

b. En déduire les solutions de l'équation d'inconnue x :

$$2\sin^2 x + \sin x - 1 = 0$$

Savoir-faire 5 p. 211

43 Soit (E) l'inéquation d'inconnue t :

$$4\cos^2 t - 1 \leqslant 0$$

Démontrer que sur l'intervalle $]-\pi ; \pi]$ les solutions sont les nombres réels t appartenant à :

$$\left[-\frac{2\pi}{3} ; -\frac{\pi}{3}\right] \cup \left[\frac{\pi}{3} ; \frac{2\pi}{3}\right]$$

44 Résoudre les équations d'inconnue x suivantes.

a. $x^2 + 2\sin a + 1 = \cos^2 a$

b. $x\cos a = x\cos\frac{\pi}{3}$

c. $x\sin^3 a = 2\sqrt{1 - \cos^2 a} - x\cos^2 a \sin a$

Raisonnement logique

▶ Fiches Raisonnement logique p. 8 à 10

45 Vrai ou faux ?

Pour chaque affirmation, indiquer si elle est vraie ou fausse ; justifier.

a. Les mesures des angles en radians sont proportionnelles aux mesures des angles en degrés.

b. Le sinus de 90 est strictement inférieur à 0,9.

c. Pour tous nombres réels non nuls α et β, et tous vecteurs $\vec{u}$ et $\vec{v}$ non nuls, $(\alpha\vec{u}, \beta\vec{v}) = (\vec{u}, \vec{v}) + 2k\pi$.

d. Pour tous vecteurs $\vec{u}$ et $\vec{v}$ non nuls, il existe un entier relatif k tel que $(\vec{u}, \vec{v}) = -(\vec{v}, \vec{u}) + 2k\pi$.

e. La relation de Chasles permet de dire que :
$(\overrightarrow{BA}, \overrightarrow{BC}) + (\overrightarrow{CB}, \overrightarrow{CA}) = (\overrightarrow{BA}, \overrightarrow{CA}) + 2k\pi$, avec k entier relatif.

f. Le sinus d'un angle orienté est toujours différent de son cosinus.

g. Quand on ajoute π à un angle orienté, son sinus et son cosinus sont toujours multipliés par -1.

h. L'équation trigonométrique d'inconnue x,
$\sin x = 2 + \sin\frac{\pi}{3}$ n'a pas de solution dans $\mathbb{R}$.

i. Il existe un intervalle I sur lequel l'équation $\sin x = \frac{1}{2}$ a exactement 123 456 789 solutions.

46 Condition nécessaire, condition suffisante

Soit a un nombre réel de l'intervalle $[0 ; \pi]$.

a. Donner une condition suffisante sur a pour que l'équation $\cos x = \cos a$ admette exactement une solution dans l'intervalle $]-\pi ; \pi]$.

b. Donner une condition nécessaire pour que l'équation $\cos x = \cos a$ admette exactement une solution dans l'intervalle $]-\pi ; \pi]$.

c. Donner une condition nécessaire et suffisante sur a pour que l'équation $\cos 2x = \cos a$ admette exactement 4 solutions sur $]-\pi ; \pi]$.

47 Valeurs approchées

On considère le nombre :

$$X = \frac{720 \times \pi}{720 + \pi}$$

Donner une valeur approchée de $\sin(X)$ lorsque la calculatrice est en mode « radian », puis lorsqu'elle est en mode « degré ».

Expliquer le phénomène observé.

48 Régulier ?

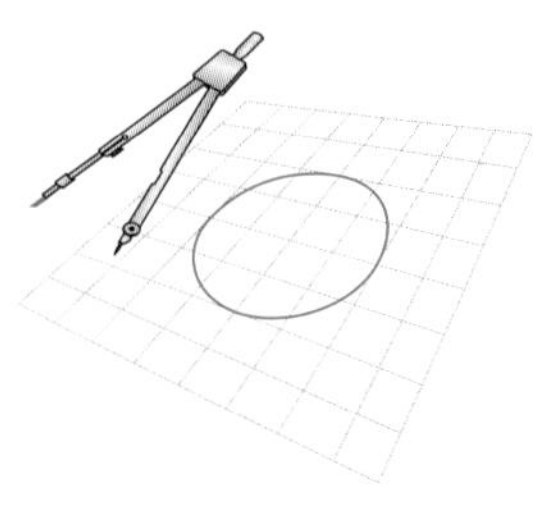

Sur un quadrillage formé de carrés, on trace un cercle dont le centre est un nœud du quadrillage et le rayon est le double du côté des carrés.

Ce cercle coupe le quadrillage en 12 points qui sont les sommets d'un dodécagone.

Ce dodécagone est-il régulier ? Justifier.

D'après *Mathématiques sans frontières*, 2000.

Restitution des connaissances

49 Soit trois points A, B et C distincts deux à deux.

Démontrer que :

$$(\overrightarrow{AB}, \overrightarrow{AC}) + (\overrightarrow{CA}, \overrightarrow{CB}) = (\overrightarrow{AB}, \overrightarrow{BC}) + 2k\pi$$

50 Soit le point A(2 ; 0) dans le plan orienté muni d'un repère orthonormé d'origine O, M un point du cercle $\mathscr{C}$ de centre O qui passe par A et d la droite d'équation $y = x$.

On considère M' le symétrique du point M par rapport à d.

Posons α une mesure de l'angle $(\overrightarrow{OA}, \overrightarrow{OM})$ et β une mesure de l'angle $(\overrightarrow{OA}, \overrightarrow{OM'})$.

Montrer que, quelle que soit la position de M sur $\mathscr{C}$, on a :

$$\sin^2\alpha + \sin^2\beta = 1$$

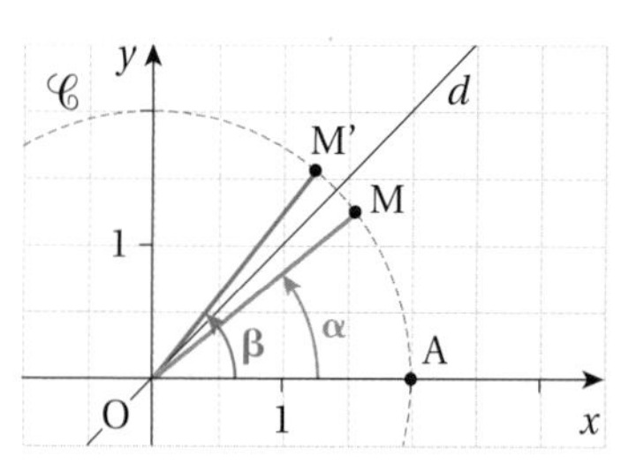

51 Soit a un nombre réel quelconque.

Démontrer que l'équation trigonométrique d'inconnue x, $\cos x = \cos a$, admet au moins une solution supérieure ou égale à 100.

Se tester sur… la trigonométrie

CORRIGÉ P. 342

Pour chaque question, indiquer la (les) bonne(s) réponse(s).

Radian et cercle trigonométrique

52 Un angle qui mesure $\frac{5\pi}{6}$ radians :

- [A] est plus petit qu'un angle droit.
- [B] est plus grand qu'un angle droit.
- [C] est égal à $\frac{5}{3}$ d'un angle droit.
- [D] peut se trouver dans un triangle isocèle dont un des angles mesure $\frac{\pi}{10}$ radians.

53 La longueur d'un arc de cercle de rayon 15 cm dont l'angle au centre mesure 3 radians est :

- [A] inférieure au périmètre du cercle.
- [B] égale à $15 \times 3 = 45$ cm.
- [C] égale à $\frac{15 \times 2\pi}{3} = 10\pi$ cm.
- [D] inférieure au rayon du cercle.

Mesure d'un angle orienté

54 Lorsque la droite d est enroulée autour du cercle $\mathscr{C}$ de rayon 1, les points C' et D' se retrouvent respectivement en C et D.

a. Une mesure pour l'angle orienté $(\overrightarrow{OA}, \overrightarrow{OC})$ est :

[A] inférieure à 0 [B] π [C] $1\,000\pi$ [D] 3

b. Une mesure pour l'angle orienté $(\overrightarrow{DA}, \overrightarrow{DC})$ est :

[A] $\frac{\pi}{2}$ [B] $-\frac{\pi}{2}$ [C] $\frac{2\,011\pi}{2}$ [D] $\frac{2\,013\pi}{2}$

55 La figure ci-contre est composée de deux triangles équilatéraux.

a. Une mesure pour l'angle orienté $(\overrightarrow{AC}, \overrightarrow{DC})$ est :

[A] $\frac{\pi}{2}$ [B] $-\frac{4\pi}{3}$ [C] $\frac{2\pi}{3}$ [D] $-\frac{2\pi}{3}$

b. Une mesure pour l'angle orienté $(\overrightarrow{AD}, \overrightarrow{BC})$ est :

[A] $\frac{\pi}{2}$ [B] $\frac{\pi}{3}$ [C] $\frac{3\pi}{2}$ [D] $-\frac{\pi}{2}$

Cosinus et sinus d'un angle

56 Le sinus de $\frac{\pi}{4}$ est égal à :

[A] $\frac{\sqrt{2}}{2}$ [B] $\sqrt{2}$ [C] $-\frac{1}{\sqrt{2}}$ [D] $\sqrt{\frac{1}{2}}$

57 $\cos\left(\frac{4\pi}{3}\right)$ est égal à :

[A] $\cos\left(-\frac{4\pi}{3}\right)$ [B] $\cos\left(\frac{2\pi}{3}\right)$ [C] $\sin\left(\frac{7\pi}{6}\right)$ [D] $\sin\left(-\frac{2\pi}{3}\right)$

Équations trigonométriques

58 L'ensemble S des solutions de l'équation d'inconnue réelle x, $\sin x = \sin\frac{\pi}{6}$:

- [A] contient plus de 50 valeurs.
- [B] est l'ensemble des nombres réels $\frac{\pi}{6} + 2k\pi$ avec k entier relatif quelconque.
- [C] est inclus dans l'intervalle $[0\,;2\pi]$.
- [D] contient l'ensemble $S' = \left\{-\frac{7\pi}{6}\right\}$.

59 L'équation d'inconnue x réelle $\cos x + \sin x = 1$:

- [A] n'a aucune solution dans $\mathbb{R}$.
- [B] a exactement une solution dans $\mathbb{R}$.
- [C] a trois solutions sur l'intervalle $[-\pi\,;\pi]$.
- [D] a une infinité de solutions dans $\mathbb{R}$.

PRÊT POUR LE CONTRÔLE ?

60 Dans un repère orthonormé direct $(O\,;\overrightarrow{OA}, \overrightarrow{OB})$ du plan, C et D sont les points du cercle trigonométrique tels que les mesures de $(\overrightarrow{OA}, \overrightarrow{OC})$ et $(\overrightarrow{OB}, \overrightarrow{OD})$ sont respectivement $\frac{3\pi}{4}$ et $-\frac{\pi}{6}$.

a. Faire une figure.

b. Calculer la mesure principale de l'angle $(\overrightarrow{OC}, \overrightarrow{OD})$.

c. Calculer la longueur de l'arc $\overset{\frown}{CD}$.

61 Dans un repère orthonormé $(O\,;\overrightarrow{OA}, \overrightarrow{OB})$ du plan, on considère le point C de coordonnées $(10\,;0)$. D et E sont deux points tels que le triangle CDE est équilatéral de centre O.

a. Faire une figure.

b. Déterminer une mesure des angles $(\overrightarrow{OA}, \overrightarrow{OD})$ et $(\overrightarrow{OA}, \overrightarrow{OE})$.

c. Calculer les valeurs exactes des coordonnées des points D et E.

62 La bicyclette pour les pentes !

La roue avant d'une bicyclette a 60 cm de diamètre alors que sa roue arrière a 70 cm de diamètre.
Quelle est la distance parcourue par cette bicyclette sachant que la roue avant a fait 70 tours de plus que la roue arrière ?

Rallye mathématique de l'académie de Lyon, 2007.

63 Cálculos del ángulo

a. Una autopista describe un arco de circunferencia de 200 metros de longitud.
¿Cuál es el radio de la circunferencia en cuestión, si el ángulo del centro mide 2 rad ?.

b. Una rueda cuyo radio es 2 pies se desplaza rodando 3 pies.
¿En cuántos radianes gira ?.

64 Un logo

Le logo suivant est constitué d'un disque de centre O et de 6 secteurs circulaires d'angles au centre égaux à 1 radian.

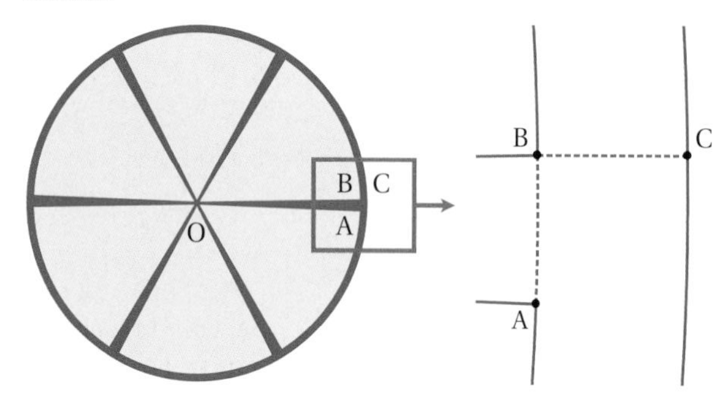

L'arc $\overset{\frown}{AB}$, de rayon OA, mesure 1 cm. La longueur du segment [BC], en prolongement du rayon [OB], mesure également 1 cm.
Calculer le rapport entre l'aire de la partie bleue et l'aire de la partie violette.

65 Changement de vitesse

Le système d'entraînement d'un VTT est composé :
- d'une cassette arrière comprenant des roues dentées, appelées pignons, à 12, 14, 16, 18, 21, 26 et 32 dents ;
- d'un pédalier avant ayant des roues dentées, appelées plateaux, à 22, 32 et 44 dents.

La transmission par chaîne permet d'affirmer que la relation qui exprime le nombre de tours effectués par la roue arrière en fonction du nombre de tours que fait le pédalier avant est la fonction linéaire $x \mapsto \frac{N_1}{N_2}x$ où N_1 est le nombre de dents de la roue dentée choisie à l'avant et N_2 est le nombre de dents de la roue dentée choisie à l'arrière.
La roue arrière est de taille 26'' ce qui signifie que le diamètre de la roue est de 26 pouces (1 pouce = 2,54 cm).

1. Les changements de vitesse sont réglés en position 44 dents à l'avant et 12 dents à l'arrière.
Lorsque le cycliste effectue un tour de pédale, quel(le) est :

a. l'angle, en radians, que parcourt une des dents du pédalier ?

b. l'angle, en radians, que parcourt une des dents du pignon ?

c. la distance, en mètres, parcourue par le VTT ?

2. Les changements de vitesse sont réglés cette fois-ci en position 22 dents à l'avant et 32 dents à l'arrière. Quelle est, en mètres, la distance parcourue par le VTT lorsque le cycliste effectue un tour de pédale ?

3. a. Dresser le tableau à double entrée qui donne, en fonction du plateau et du pignon choisis, la distance parcourue à chaque tour de pédale. On pourra utiliser un tableur.

b. Existe-t-il des réglages différents qui donnent une vitesse similaire pour le cycliste ?

4. Calculer, en km/h, les vitesses atteintes lorsque le cycliste effectue 1 tour de pédale à la seconde dans les cas des réglages extrêmes.

66 Radar — Algorithmique

Dans un même plan vertical, un radar repère deux avions A_1 et A_2, chacun par la distance qui le sépare du radar (d_1 et d_2) et par l'angle mesuré par rapport à l'horizontale (α_1 et α_2).
Depuis 2001, la distance verticale minimum qui doit séparer deux avions est de 304 mètres (1 000 pieds). Cette mesure s'applique dans les altitudes comprises entre 29 000 et 41 000 pieds (8 840 et 12 500 mètres).

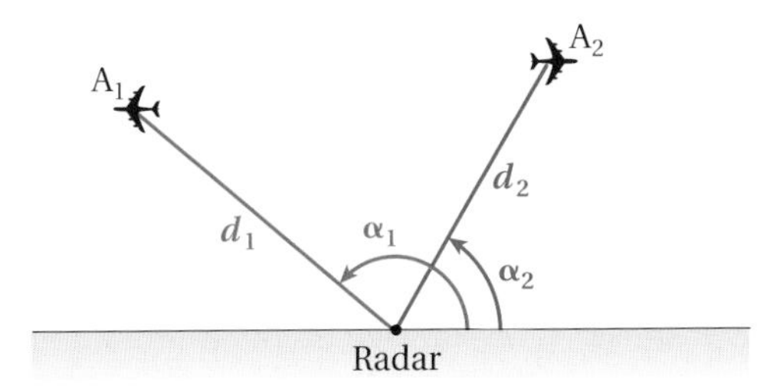

1. Dans chacun des cas suivants, indiquer si les deux avions respectent cette norme de sécurité :

a. $d_1 = 29\,000$ m ; $\alpha_1 = \dfrac{8\pi}{9}$; $d_2 = 10\,000$ m ; $\alpha_2 = \dfrac{5\pi}{12}$.

b. $d_1 = 11\,300$ m ; $\alpha_1 = 1$; $d_2 = 14\,200$ m ; $\alpha_2 = 2{,}5$.

2. a. Décrire un algorithme qui, à partir des données, indique si les deux avions respectent cette norme de sécurité.

b. Programmer cet algorithme à la calculatrice ou avec un logiciel.

67 Course d'orientation — Algorithmique

On se place dans un plan orienté muni d'un repère $(A\,;\vec{i},\vec{j})$. Le nord est indiqué par la direction du vecteur $\vec{j}$.
Pour décrire un parcours formé d'une succession de segments, on les schématise par des vecteurs. Pour une des étapes schématisée par un vecteur $\vec{u}$, on donne la mesure principale de l'angle orienté $(\vec{j}, \vec{u})$ et la norme de $\vec{u}$.
Par exemple, les indications successives $\left(-\dfrac{\pi}{6};4\right)$, $\left(\dfrac{\pi}{2};5\right)$ et $\left(-\dfrac{\pi}{4};6\right)$ décrivent le parcours ABCD ci-contre.

1. a. Calculer les coordonnées exactes du point B.

b. Décrire un algorithme qui calcule une position connaissant la précédente.

c. Calculer les coordonnées exactes des points C et D.

2. a. Décrire un algorithme qui permet d'obtenir la longueur du parcours.

b. Programmer cet algorithme à la calculatrice ou avec un logiciel.

68 Distance

Sur la figure ci-dessous, ABC est un triangle équilatéral, ADC un demi-carré et ABE un demi-triangle équilatéral.

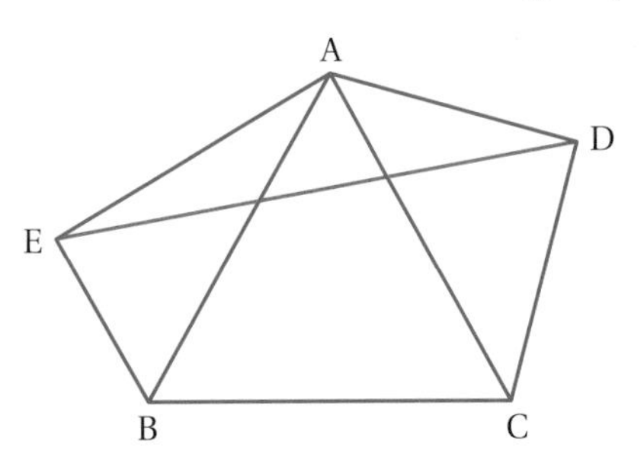

Édouard a réalisé la figure à l'aide d'un logiciel de géométrie dynamique.
Il prétend que s'il s'arrange pour que AE soit égal à 6 cm, DE vaut 10 cm.
Le but de ce problème est de voir si l'affirmation d'Édouard est vraie ou fausse.

1. Tracer la figure avec AE = 6 cm.
Que peut-on dire pour la longueur DE ?

2. Soit I le milieu du segment [BC].

a. Montrer que AE = AI.

b. Calculer AC en fonction de AI.

c. Montrer que $AD = \dfrac{\sqrt{6}}{3} AI$.

3. Posons AE = a.

a. Tracer le repère orthonormal $(A\,;\vec{i},\vec{j})$ du plan orienté tel que $\overrightarrow{AI} = a\vec{i}$ et $(\vec{i},\vec{j}) = \dfrac{\pi}{2}$.

b. Quelles sont, dans ce repère, les coordonnées des points A et I ?

c. Montrer que les angles orientés $(\overrightarrow{AI}, \overrightarrow{AE})$ et $(\overrightarrow{AI}, \overrightarrow{AD})$ ont pour mesures respectives $-\dfrac{\pi}{3}$ et $\dfrac{5\pi}{12}$.

d. Exprimer AD en fonction de a.

e. Calculer les valeurs exactes des coordonnées des points E et D en fonction de a.

f. Calculer une valeur approchée de ED lorsque $a = 6$.

g. Édouard avait-il raison ?

4. Édouard prétend qu'une affirmation qui s'appuie sur des valeurs approchées ne prouve rien.

a. Avec un logiciel de calcul formel, montrer que si a vaut 6 la longueur ED est égale à $2\sqrt{6\sqrt{3}+15}$.

b. Édouard avait-il raison ?

REMARQUE

Avec beaucoup de patience, le résultat de la question **4a** peut être trouvé sans logiciel car avec une méthode similaire à celle de la partie A du TP TICE 2 p. 213, on peut d'abord montrer que :

$$\cos\frac{5\pi}{12} = \frac{\sqrt{6}-\sqrt{2}}{4} \quad \text{et} \quad \sin\frac{5\pi}{12} = \frac{\sqrt{6}+\sqrt{2}}{4}$$

69 Démonstration de la relation de Chasles

Dans le repère orthonormé $(O ; \vec{i}, \vec{j})$ du plan, $\mathscr{C}$ est le cercle trigonométrique, A est le point tel que $\overrightarrow{OA} = \vec{i}$ et d est la droite orthogonale à la droite (OA) passant par A, munie du repère $(A ; \vec{j})$.
Soit $\vec{u}$, $\vec{v}$ et $\vec{w}$ trois vecteurs unitaires quelconques et M, P et N les trois points du cercle trigonométrique tels que $\overrightarrow{OM} = \vec{u}$, $\overrightarrow{OP} = \vec{v}$ et $\overrightarrow{ON} = \vec{w}$.

1. Faire une figure.

2. Soit M', P' et N' des points de la droite d qui après enroulement de d sur le cercle $\mathscr{C}$ se retrouvent respectivement en M, P et N.
Notons m, p et n leur abscisse respective sur cette droite.
a. Montrer que, d'après la définition, les mesures des angles orientés $(\overrightarrow{OM}, \overrightarrow{OP})$ sont égales à $p - m + 2k_1\pi$.
b. De la même manière, exprimer les mesures des angles orientés $(\overrightarrow{OP}, \overrightarrow{ON})$ et $(\overrightarrow{OM}, \overrightarrow{ON})$ en fonction de m, p ou n.
c. Montrer que $(\overrightarrow{OM}, \overrightarrow{OP}) + (\overrightarrow{OP}, \overrightarrow{ON}) = (\overrightarrow{OM}, \overrightarrow{ON}) + 2k\pi$.

70 Se déplacer sur un polygone — Algorithmique

Soit ABCDEFGHIJKL un décagone régulier inscrit dans un cercle de centre O et de rayon 10 cm.

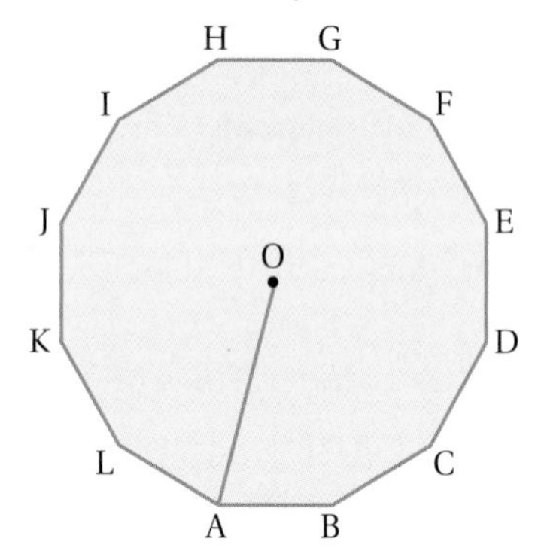

On souhaite décrire un algorithme qui permet de se déplacer sur tous les segments tracés en partant de O pour arriver en O (tracé bleu de la figure).
Les fonctionnalités possibles sont :

- « Avancer de … cm. »
- « Tourner à droite de … radians. »
- « Tourner à gauche de … radians. »

1. On considère le triangle AOB.
a. Calculer la mesure en radians de l'angle $\widehat{AOB}$.
b. Calculer la mesure en radians des deux autres angles de ce triangle.
c. On pose a la longueur OA.
Calculer AB en fonction de a.

2. Écrire l'algorithme permettant de parcourir le tracé bleu en partant de O. On utilisera notamment une boucle.

3. On souhaite ajouter au tracé décrit par l'algorithme de la question **2** les 12 rayons de l'hexagone.
Écrire un algorithme qui permet de parcourir le tracé rouge de la figure suivante :

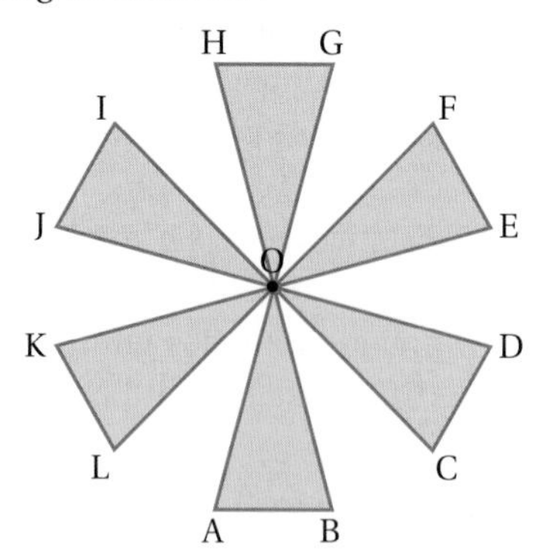

4. Justifier, sans les écrire, pourquoi les algorithmes proposés aux questions **2** et **3** ne sont pas uniques.

5. Pour aller plus loin
Si vous disposez d'un langage de programmation adéquat, programmer les algorithmes des questions **2** et **3**.

71 La fleur

La fleur rose est dessinée à partir des points B, C, D, E, F et G qui se trouvent sur le cercle trigonométrique Γ.

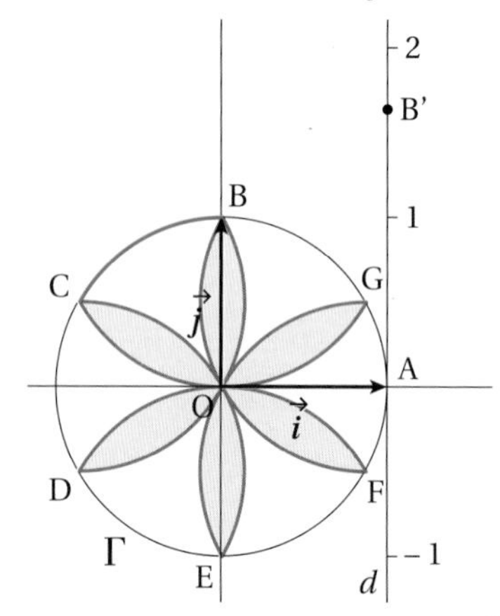

1. a. Donner des mesures des angles $(\overrightarrow{OA}, \overrightarrow{OB})$ et $(\overrightarrow{OB}, \overrightarrow{OC})$.
b. Donner une mesure de $(\overrightarrow{BC}, \overrightarrow{BO})$.
c. Donner une mesure de $(\overrightarrow{BC}, \overrightarrow{BG})$ et $(\overrightarrow{GB}, \overrightarrow{GE})$.
En déduire la mesure principale de $(\overrightarrow{BC}, \overrightarrow{GE})$.

2. Le point B', situé sur la droite d, se retrouve en B après enroulement de d sur le cercle Γ.
a. Reproduire la figure et placer des points C', D', E', F' et G' sur d qui, après enroulement, vont se retrouver respectivement en C, D, E, F et G.
b. Placer sur d un point B'', différent de B', qui se retrouvera après enroulement également sur B.
c. Quelle est la longueur de l'arc $\overset{\frown}{BC}$?
d. La longueur de cet arc $\overset{\frown}{BC}$ est-elle égale à la longueur du segment [B'C'] ? Expliquer.

3. a. Quelle est la somme des longueurs des arcs rouges ?
b. Quelle est l'aire de l'arc de disque OBC ?
c. Quelle est l'aire du triangle OBC ?
d. En déduire l'aire de la fleur rouge.

72 Rectangle TICE

Dans le plan orienté muni d'un repère orthonormé direct $(O ; \vec{i}, \vec{j})$, $\mathscr{C}$ est un cercle de centre O et de rayon R. Le point A est un point de l'axe des abscisses et le point B un point de $\mathscr{C}$ tel que OABC soit un rectangle.

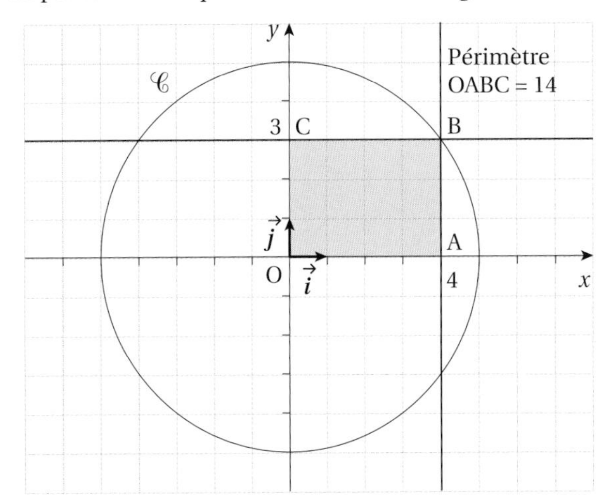

1. a. À l'aide d'un logiciel de géométrie dynamique, réaliser la figure.

b. Conjecturer les positions de B qui rendent le périmètre du rectangle OABC maximal.

2. *Cette question peut être traitée indépendamment de la question* **1**.

En utilisant la formule $\cos(a - b) = \cos a \cos b + \sin a \sin b$, démontrer que pour tout nombre réel x, on a :

$$\sin x + \cos x = \sqrt{2}\cos\left(x - \frac{\pi}{4}\right)$$

3. Notons x une mesure de l'angle $(\vec{i}, \overrightarrow{OB})$.

a. Montrer que le périmètre du rectangle OABC est égal à $(|\sin x|+|\cos x|)\times 2R$.

b. Montrer que si le point B se trouve dans le premier quadrant du plan, ce périmètre est maximal lorsque $\cos\left(x - \frac{\pi}{4}\right)$ est maximal.

c. Dans le premier quadrant du plan, déterminer le(s) point(s) du cercle $\mathscr{C}$ qui rend(ent) le périmètre du rectangle OABC maximal.

d. Quelles sont les positions de B qui rendent le périmètre du rectangle OABC maximal ?

4. Le but de cette partie est de rechercher d'éventuels points B du cercle $\mathscr{C}$ tels que le périmètre du rectangle OABC soit égal à $2R$.

a. Montrer que si le point B se trouve dans le premier quadrant du plan, le périmètre de OABC est égal à $2R$ si et seulement si $\sin x + \cos x = 1$.

b. Résoudre sur l'intervalle $\left[0 ; \frac{\pi}{2}\right]$ l'équation d'inconnue x, $\sin x + \cos x = 1$

c. Existe-t-il des points B du cercle $\mathscr{C}$ tels que le périmètre du rectangle OABC soit égal à $2R$? Justifier.

5. Le périmètre du rectangle OABC peut-il être égal à $R\sqrt{6}$?

73 Les deux disques

Deux disques $\mathscr{D}$ et $\mathscr{D}'$, de rayons R et R', tournent dans le même sens autour de leur centre respectif O et O'.
M et M' sont deux points de la circonférence de ces disques. À l'instant $t = 0$, M et M' sont respectivement en A et A'. On admet qu'à chaque instant les points M et M' ont parcouru des distances identiques.

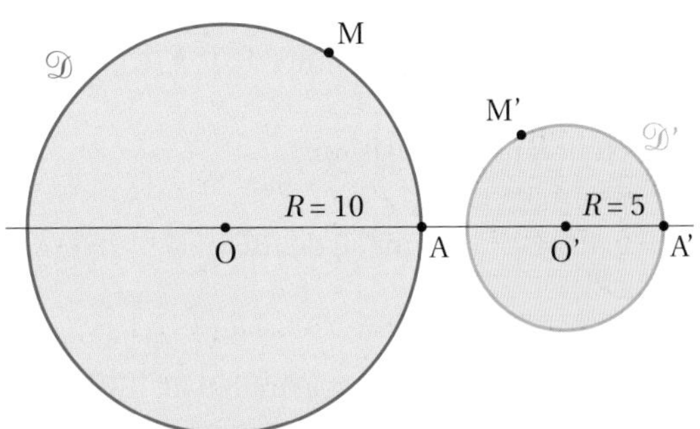

Le but de ce problème est de voir si M et M' peuvent se retrouver à nouveau dans la même position à un autre moment.

Partie A

1. Soit x et x' le nombre de tours effectués respectivement par le disque $\mathscr{D}$ et par le disque $\mathscr{D}'$ à un instant donné t.

a. Montrer qu'à l'instant t la distance parcourue par le point A est égale à $2\pi xR$.

b. Montrer que $2\pi xR = 2\pi x'R'$.

c. Que représentent les nombres $2\pi xR$ et $2\pi x'R'$ pour les angles $(\overrightarrow{OA}, \overrightarrow{OM})$ et $(\overrightarrow{OA'}, \overrightarrow{OM'})$?

2. Supposons qu'à l'instant t le point M se trouve en A et le point M' se trouve en A'.

a. Montrer qu'il existe alors deux entiers naturels k et k' tels que $2\pi xR = 2kR\pi$ et $2\pi x'R' = 2k'R'\pi$.

b. En déduire qu'il existe alors deux entiers naturels k et k' tels que $kR = k'R'$.

3. Réciproquement, supposons qu'il existe deux entiers naturels k et k' tels que $kR = k'R'$. Démontrer qu'il existera un instant $t \neq 0$ où les points M et M' de ces deux disques se trouveront en même temps respectivement en A et A'.

Partie B

Dans chacun des cas suivants, indiquer après combien de tours les points M et M' se trouveront en A et A' pour la première fois.

a. $R = 10$ et $R' = 5$.

b. $R = 12$ et $R' = 18$.

c. $R = 1$ et $R' = \sqrt{2}$.

Partie C

Considérons la situation où $R = 12$ et $R' = 18$. Mais cette fois-ci à l'instant 0, le disque de rayon R a un quart de tour d'avance sur le disque de rayon R'.
Est-il possible que les points M et M' se trouvent respectivement en A et A' un peu plus tard ?

QCM Pour bien commencer

Pour chaque question, indiquer la (les) bonne(s) réponse(s).

CORRIGÉ P. 342

1 Soit A, B, C et D quatre points deux à deux distincts.
Si $\vec{u} = \overrightarrow{AC} + \overrightarrow{AD} - \overrightarrow{BC}$, alors :

A le vecteur $\vec{u}$ n'est jamais nul.

B $\vec{u} = \overrightarrow{AB} + \overrightarrow{AD}$

C $\overrightarrow{IA} = 0{,}5\vec{u}$ où I est le milieu de [BD].

D $\|\vec{u}\| = BD$

2 ABC est un triangle et I est le milieu de [BC].
Si $2\overrightarrow{KA} + \overrightarrow{KB} + \overrightarrow{KC} = \vec{0}$, alors :

A $4\overrightarrow{KB} + 2\overrightarrow{BA} + \overrightarrow{BC} = \vec{0}$

B $4\overrightarrow{KA} = \overrightarrow{AB} + \overrightarrow{AC}$

C $4\overrightarrow{KA} = -2\overrightarrow{AI}$

D K est le milieu de [AI].

3 Dans un repère $(O\ ;\ \vec{i}, \vec{j})$, si A(−0,5 ; 3), B(1 ; −3) et C(−1 ; 6), on a alors :

A A, B et C sont alignés.

B les vecteurs $\overrightarrow{OA}$ et $\overrightarrow{CO}$ sont colinéaires.

C $\overrightarrow{AC} = 2\overrightarrow{OA}$

D le milieu I de [AC] a pour coordonnées $\left(-\frac{3}{4} ; \frac{9}{2}\right)$.

4 Dans un repère orthonormé $(O ; \vec{i}, \vec{j})$, si A(1 ; 1), B(2 ; 4) et C(−1 ; 5), on a alors :

A $\|\overrightarrow{AB}\| = 10$

B $\|\overrightarrow{AB}\| = \|\overrightarrow{CB}\|$

C le triangle ABC est rectangle en B.

D $\|\overrightarrow{AB} + \overrightarrow{CB}\| = 2\sqrt{10}$

5 On considère la figure suivante.

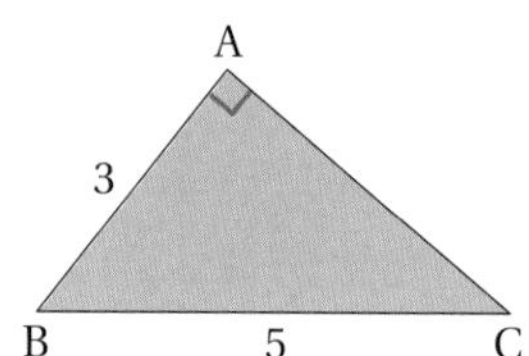

On a alors :

A $\cos\widehat{B} = \frac{5}{3}$

B l'arrondi au degré de l'angle $\widehat{B}$ est 53°.

C $\cos\widehat{C} = \frac{4}{5}$

D $\tan\widehat{A} = 0$

6 ABC est un triangle rectangle en A et $\sin\widehat{B} = \frac{\sqrt{2}}{2}$.
On a alors :

A $\sqrt{2}\,AC = 2BC$

B $\sqrt{2}\,\|\overrightarrow{BC}\| = 2\|\overrightarrow{AC}\|$

C $\tan\widehat{C} = 1$

D ABC est isocèle en A.

7 On considère la figure suivante :

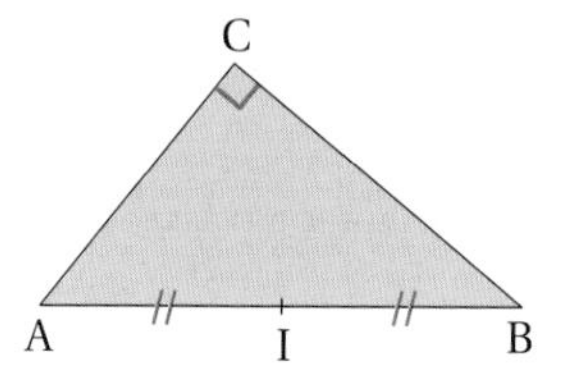

On note Δ la médiatrice du segment [AB].
Soit $\mathscr{E}$ l'ensemble des points M du plan tels que :

$$(\overrightarrow{MA}, \overrightarrow{MB}) = \frac{\pi}{2}$$

On a alors :

A $\mathscr{E} = \{C\}$

B $\mathscr{E} \cap \Delta = \varnothing$

C $\mathscr{E}$ est le cercle de centre I et de rayon $\frac{AB}{2}$.

D $\mathscr{E}$ est le demi-cercle de diamètre [AB] contenant le point C.

8 Si $a = \frac{\pi}{3}$, alors :

A son sinus est égal à $\sqrt{\frac{3}{4}}$.

B le cosinus de son opposé est égal à $-\frac{1}{2}$.

C son cosinus est égal à $\frac{\sqrt{3}}{2}$.

D $\sin(4\pi - a)$ et $\sin(4\pi + a)$ sont opposés.

9 Les propositions suivantes sont vraies :

A Il existe un unique réel a tel que $\sin(2a) = 2\sin(a)$.

B Si $a = \frac{\pi}{6}$ ou $a = \pi - \frac{\pi}{6}$ alors $\sin a = \frac{1}{2}$.

C Pour tout réel a, $\sin\left(\frac{\pi}{2} - a\right) = \sin\left(\frac{\pi}{2} + a\right)$.

D $\sin a = \frac{1}{2}$ si et seulement si $a = \frac{\pi}{6}\ (\pi)$ ou $a = \pi - \frac{\pi}{6}\ (\pi)$.

Produit scalaire

Les unités de camping à Roquebrune-Cap-Martin (Alpes-Maritimes).
Architectes : Le Corbusier (1887 - 1965) et Thomas Rebutato, 1954 - 1957.

C'est en construisant un nouvel ensemble des nombres, contenant l'ensemble des réels, que le mathématicien William Rowan Hamilton (1805 - 1865) est amené à considérer une opération sur des vecteurs dont le résultat est un nombre réel : le produit scalaire de deux vecteurs. Hermann Günther Grassmann (1809 - 1877) établit les propriétés de cette opération produit et montre comment il simplifie les calculs en mécanique analytique.

Le chapitre en bref

Réinvestir

- Vecteurs et angles de vecteurs
- Géométrie analytique dans un repère orthonormé

Découvrir

- Produit scalaire de deux vecteurs
- Application aux problèmes d'orthogonalité, de calculs d'angles et de distances, de lieux…

Activités

1 À la découverte du produit scalaire (1)

Réinvestir : Colinéarité de deux vecteurs.
Découvrir : Projection orthogonale sur un vecteur donné.

1 Projeté d'un point sur une droite

Soit d une droite du plan.
On considère l'application P_d qui à tout point M du plan associe le point M' de la droite d tel que (MM') $\perp$ d. M' est donc le projeté orthogonal de M sur la droite d : $M' = P_d(M)$.

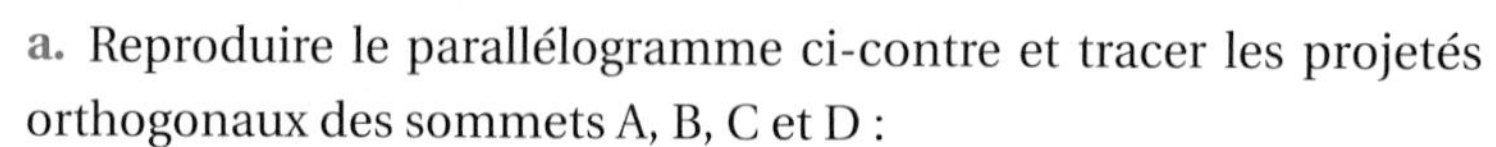

a. Reproduire le parallélogramme ci-contre et tracer les projetés orthogonaux des sommets A, B, C et D :
- par la projection orthogonale sur (BD) en rouge : A_1, B_1, C_1 et D_1.
- par la projection orthogonale sur (AD) en vert : A_2, B_2, C_2 et D_2.

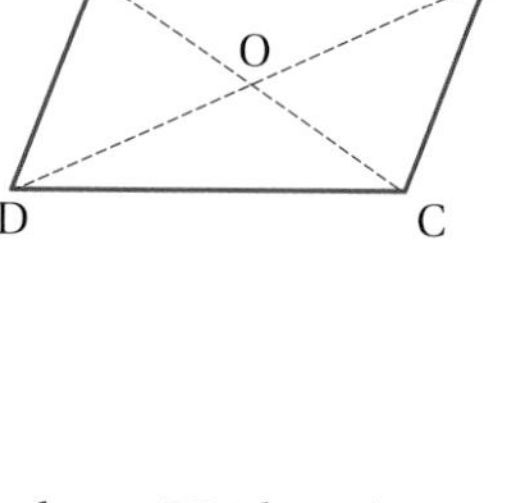

b. Que peut-on dire du projeté orthogonal d'un point situé sur la droite où l'on projette ?

c. Existe-t-il d'autres points M tels que $P_{(BD)}(M) = A_1$?

d. Tracer en noir l'ensemble des points qui ont pour projeté orthogonal sur (BD) le point A_1.

2 Projeté d'un segment sur une droite

Soit A et B deux points distincts dont A' et B' sont les projetés orthogonaux sur une droite d.
On dit que **le segment [A'B'] est le projeté orthogonal du segment [AB]** sur la droite d.
Dans chaque cas :
- reproduire la figure et construire le projeté de [AB] sur d ;
- comparer les longueurs AB et A'B'.

a. (AB) $\perp$ d

A'B' … AB

b. (AB) // d

A'B' … AB

(AB) et d ne sont ni perpendiculaires, ni parallèles.

c.

d.

A'B' … AB

3 Projeté d'un vecteur

Soit $\vec{u}$ un vecteur non nul dont $\overrightarrow{AB}$ et $\overrightarrow{CD}$ sont deux représentants. Soit d_1 et d_2 deux droites parallèles.

a. Construire A_1, B_1, C_1 et D_1 les projetés orthogonaux de A, B, C et D sur d_1.

b. Construire A_2, B_2, C_2 et D_2 les projetés orthogonaux de A, B, C et D sur d_2.

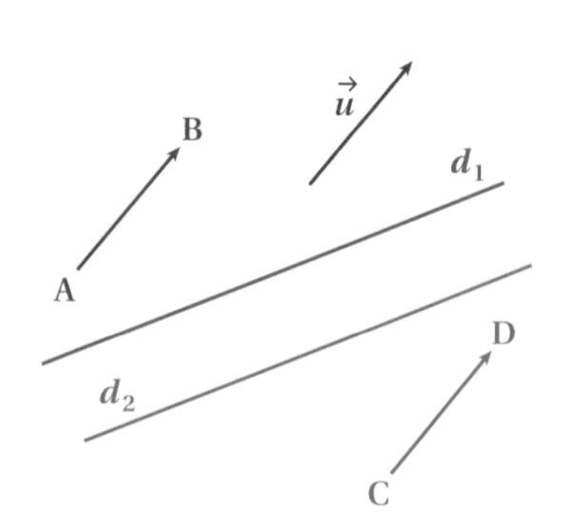

c. Que peut-on dire des vecteurs $\overrightarrow{A_1B_1}$, $\overrightarrow{C_1D_1}$, $\overrightarrow{A_2B_2}$ et $\overrightarrow{C_2D_2}$?

d. Expliquer pourquoi cela permet de définir le vecteur $\vec{u}'$ projeté orthogonal du vecteur $\vec{u}$ sur la droite d.

2 À la découverte du produit scalaire (2)

Réinvestir : Calculs dans un triangle rectangle.

On considère un triangle ABC.
Notons H le projeté orthogonal du point C sur la droite (AB).

1 Dans chacun des cas suivants, calculer le nombre :

$$AB \times AC \times \cos(\widehat{BAC})$$

en fonction de AB et de AH.

a. L'angle $\widehat{BAC}$ est aigu :

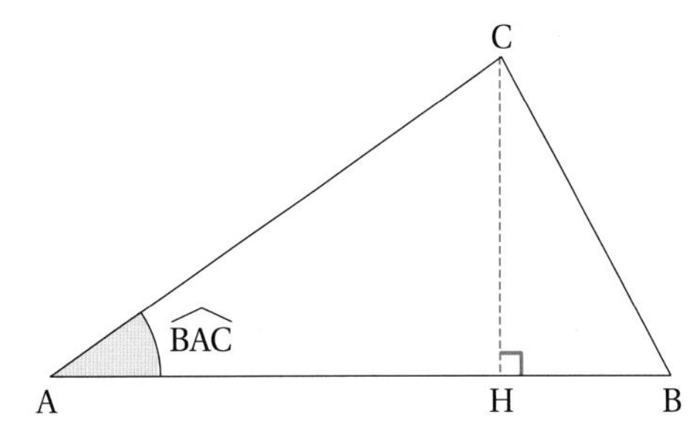

b. L'angle $\widehat{BAC}$ est obtus :

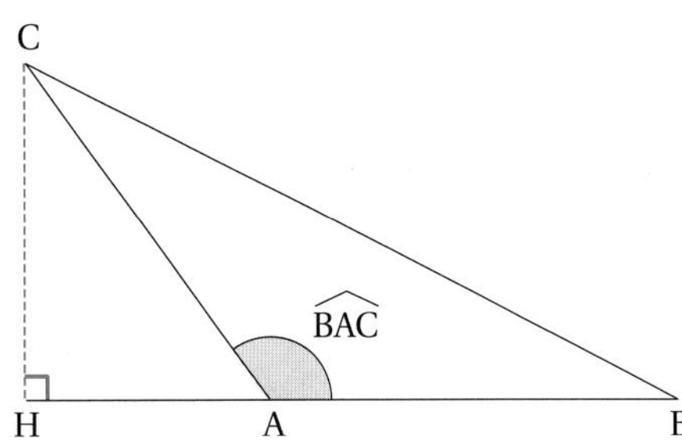

c. Que peut-on dire lorsque l'angle $\widehat{BAC}$ est droit ?

2 Considérons à présent le projeté orthogonal K du point B sur la droite (AC).

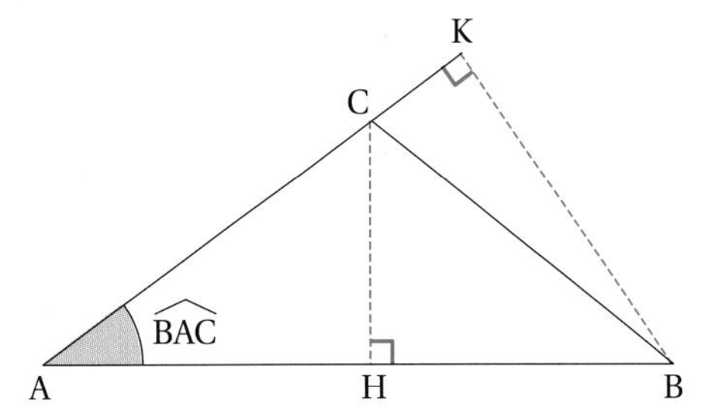

En utilisant la question **1**, démontrer que :

$$AB \times AH = AC \times AK$$

A. Produit scalaire, propriétés de calcul et orthogonalité

1 Produit scalaire

NOTE
Le produit scalaire de deux vecteurs est un nombre réel ou scalaire.

DÉFINITION

Soit $\vec{u}$ et $\vec{v}$ deux vecteurs du plan.
On appelle **produit scalaire** de $\vec{u}$ par $\vec{v}$, le nombre réel noté $\vec{u}.\vec{v}$ égal à :

- 0 si l'un des deux vecteurs $\vec{u}$ ou $\vec{v}$ est nul.
- $\|\vec{u}\|\,\|\vec{v}\|\cos(\vec{u}, \vec{v})$ si $\vec{u} \neq \vec{0}$ et $\vec{v} \neq \vec{0}$.

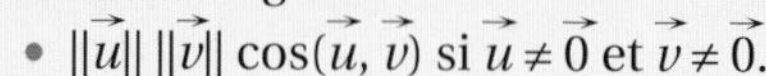

REMARQUES

- Considérons $\overrightarrow{AB}$ et $\overrightarrow{AC}$ deux représentants des vecteurs non nuls $\vec{u}$ et $\vec{v}$.
On peut écrire : $\overrightarrow{AB}.\overrightarrow{AC} = AB \times AC \times \cos\widehat{BAC}$
On a les trois cas particuliers suivants :

$\overrightarrow{AB}.\overrightarrow{AC} = AB \times AC$ (car $\cos(0°) = 1$)	$\overrightarrow{AB}.\overrightarrow{AC} = 0$ (car $\cos(90°) = 0$)	$\overrightarrow{AB}.\overrightarrow{AC} = -AB \times AC$ (car $\cos(180°) = -1$)

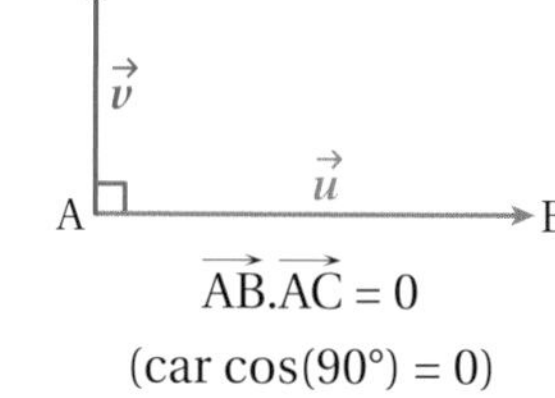

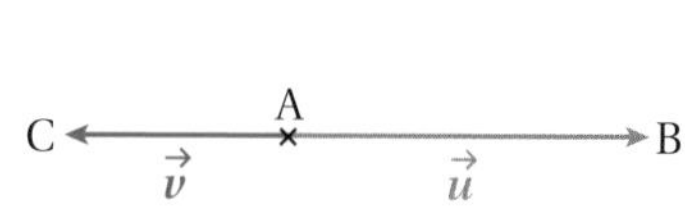

- Le signe du produit scalaire de deux vecteurs non nuls est celui du cosinus de leur angle : il est donc positif lorsque l'angle est aigu et négatif lorsqu'il est obtus.

EXEMPLE

Soit ABC un triangle équilatéral de côté a.
On a : $\overrightarrow{AB}.\overrightarrow{AC} = AB \times AC \times \cos(60°) = AB \times AC \times \frac{1}{2} = \frac{a^2}{2}$

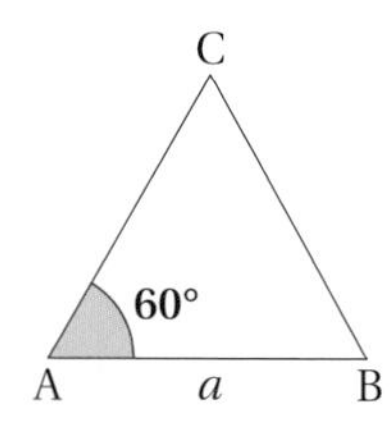

NOTE
On dit que le produit scalaire est symétrique.

PROPRIÉTÉ

Quels que soient les vecteurs $\vec{u}$ et $\vec{v}$, on a : $\vec{u}.\vec{v} = \vec{v}.\vec{u}$

DÉMONSTRATION

La relation est évidemment vérifiée lorsque l'un des vecteurs est nul.
Dans les autres cas, on a vu (chapitre 6) que $\cos(\vec{u}, \vec{v}) = \cos(\vec{v}, \vec{u})$, d'où la relation de symétrie. ■

2 Propriétés de calcul

NOTE
On retiendra que les règles de calcul avec le produit scalaire sont analogues à celles de la multiplication des réels.

PROPRIÉTÉS

Soit $\vec{u}$, $\vec{v}$ et $\vec{w}$ trois vecteurs et k un nombre réel. On admet les propriétés suivantes :

- $\vec{u}.(\vec{v} + \vec{w}) = \vec{u}.\vec{v} + \vec{u}.\vec{w}$
- $\vec{u}.(k\vec{v}) = k\vec{u}.\vec{v}$

EXEMPLES

1. $5\vec{u}.(3\vec{v} - 2\vec{w}) = 5\vec{u}.(3\vec{v}) - 5\vec{u}.(2\vec{w}) = 15\vec{u}.\vec{v} - 10\vec{u}.\vec{w}$

2. Avec $k = -1$, on a : $\overrightarrow{AB}.\overrightarrow{AC} = -\overrightarrow{BA}.\overrightarrow{AC} = \overrightarrow{BA}.(-\overrightarrow{AC}) = \overrightarrow{BA}.\overrightarrow{CA}$

3. Soit ABCD un rectangle avec AB = a et AD = b.
En utilisant la relation de Chasles, on peut décomposer les vecteurs et développer grâce aux propriétés du produit scalaire :

$$\overrightarrow{AC}.\overrightarrow{DB} = (\overrightarrow{AB} + \overrightarrow{BC}).(\overrightarrow{DA} + \overrightarrow{AB}) = \overrightarrow{AB}.\overrightarrow{DA} + \overrightarrow{AB}.\overrightarrow{AB} + \overrightarrow{BC}.\overrightarrow{DA} + \overrightarrow{BC}.\overrightarrow{AB}$$
$$= 0 + AB \times AB - BC \times DA + 0 = a^2 - b^2$$

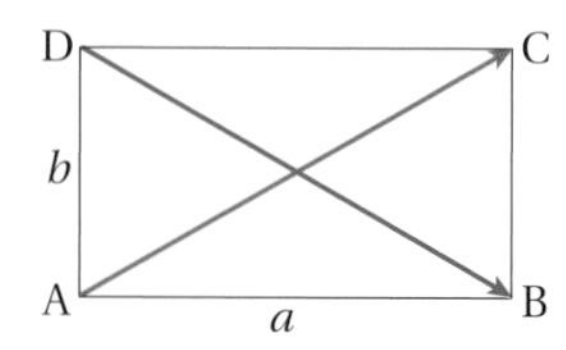

▶ Savoir-faire 2
Utiliser les propriétés du produit scalaire pour démontrer une égalité, p. 239

Produit scalaire et orthogonalité

On dit que deux vecteurs non nuls sont orthogonaux lorsque leurs directions sont orthogonales. On conviendra que le vecteur nul est orthogonal à tout autre vecteur du plan.

THÉORÈME

Les vecteurs $\vec{u}$ et $\vec{v}$ sont orthogonaux si et seulement si $\vec{u}.\vec{v} = 0$.

DÉMONSTRATION

- Si $\vec{u}.\vec{v} = 0$, alors soit l'un des vecteurs est nul, soit $\cos(\vec{u},\vec{v}) = 0$, ce qui entraîne bien l'orthogonalité des deux vecteurs $\vec{u}$ et $\vec{v}$.
- Réciproquement, si les deux vecteurs non nuls $\vec{u}$ et $\vec{v}$ sont orthogonaux, alors $\cos(\vec{u},\vec{v}) = 0$ et donc $\vec{u}.\vec{v} = 0$.

Si l'un des vecteurs est nul, l'égalité est également vérifiée. ■

REMARQUES

- Le théorème précédent nous donne une condition nécessaire et suffisante d'orthogonalité de deux droites : les droites (AB) et (CD) sont orthogonales si et seulement si $\overrightarrow{AB}.\overrightarrow{CD} = 0$.
- Soit $\vec{u}$, $\vec{v}$ et $\vec{w}$ trois vecteurs tels que $\vec{u}.\vec{v} = \vec{u}.\vec{w}$.

Il ne faut pas en conclure (trop rapidement) que les vecteurs $\vec{v}$ et $\vec{w}$ sont égaux !

En effet, $\vec{u}.\vec{v} = \vec{u}.\vec{w} \Leftrightarrow \vec{u}.\vec{v} - \vec{u}.\vec{w} = 0 \Leftrightarrow \vec{u}.(\vec{v} - \vec{w}) = 0$

ce qui est équivalent à dire que les vecteurs $\vec{u}$ et $\vec{v} - \vec{w}$ sont orthogonaux, ce qui peut être le cas sans que les vecteurs $\vec{v}$ et $\vec{w}$ ne soient égaux.

▶ Savoir-faire 4
Montrer l'orthogonalité en utilisant le produit scalaire, p. 241

B. Autres expressions du produit scalaire

Produit scalaire et projection orthogonale

NOTE

Ce théorème est particulièrement intéressant à utiliser dans les configurations comprenant des angles droits.

THÉORÈME

Soit $\vec{u}$ et $\vec{v}$ deux vecteurs.

Notons $\vec{v}'$ le vecteur projeté orthogonal de $\vec{v}$ sur la direction du vecteur $\vec{u}$.

On a alors :

$$\vec{u}.\vec{v} = \vec{u}.\vec{v}'$$

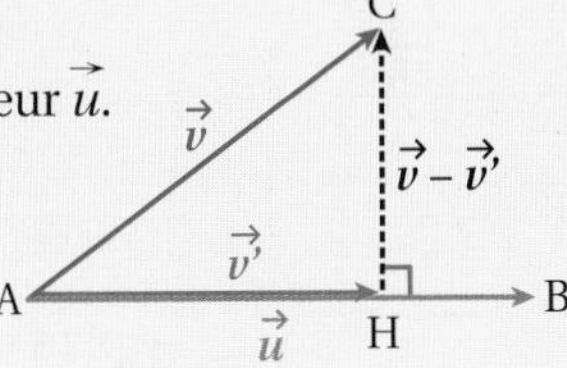

DÉMONSTRATION

D'après les règles de calcul, on a :

$$\vec{u}.\vec{v} = \vec{u}.(\vec{v}' + (\vec{v} - \vec{v}')) = \vec{u}.\vec{v}' + \vec{u}.(\vec{v} - \vec{v}')$$

Or les vecteurs $\vec{u}$ et $\vec{v} - \vec{v}'$ sont orthogonaux, donc leur produit scalaire est nul.

Nous obtenons bien :

$$\vec{u}.\vec{v} = \vec{u}.\vec{v}'$$ ■

EXEMPLE

Soit ABCD un carré de côté a.

On a alors :

$$\overrightarrow{AB}.\overrightarrow{AC} = \overrightarrow{AB}.\overrightarrow{AB} = a^2$$

car le point C se projette orthogonalement en B sur (AB).

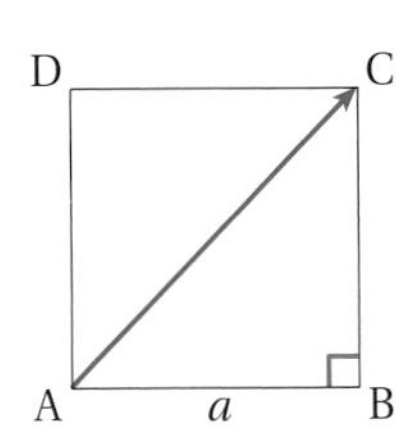

2 Carré scalaire

DÉFINITION

Soit $\vec{u}$ un vecteur du plan.
Le **carré scalaire** du vecteur $\vec{u}$ est le produit scalaire du vecteur $\vec{u}$ par lui-même.
On utilise une notation analogue à celle des nombres réels : $\vec{u}.\vec{u} = \vec{u}^2$.

Notation

REMARQUES

- Pour tout vecteur $\vec{u}$ non nul, on a :

$$\vec{u}.\vec{u} = \vec{u}^2 = \|\vec{u}\|\,\|\vec{u}\|\cos(\vec{u}, \vec{u}) = \|\vec{u}\|^2$$

car $\cos(\vec{u}, \vec{u}) = 1$.

- Si $\overrightarrow{AB}$ est un représentant du vecteur $\vec{u}$, on a les égalités suivantes :

$$\overrightarrow{AB}^2 = \|\overrightarrow{AB}\|^2 = AB^2$$

PROPRIÉTÉS

Quels que soient les vecteurs $\vec{u}$ et $\vec{v}$, on a les relations :

- $(\vec{u} + \vec{v})^2 = \vec{u}^2 + 2\vec{u}.\vec{v} + \vec{v}^2$
- $(\vec{u} - \vec{v})^2 = \vec{u}^2 - 2\vec{u}.\vec{v} + \vec{v}^2$
- $(\vec{u} + \vec{v}).(\vec{u} - \vec{v}) = \vec{u}^2 - \vec{v}^2$

DÉMONSTRATIONS

- $(\vec{u} + \vec{v})^2 = (\vec{u} + \vec{v})\,(\vec{u} + \vec{v}) = \vec{u}.\vec{u} + \vec{u}.\vec{v} + \vec{v}.\vec{u} + \vec{v}.\vec{v} = \vec{u}^2 + \vec{u}.\vec{v} + \vec{u}.\vec{v} + \vec{v}^2 = \vec{u}^2 + 2\vec{u}.\vec{v} + \vec{v}^2$ ■
- La démonstration des deux autres propriétés est l'objet de l'exercice 66 p. 259.

REMARQUE Si on réécrit les égalités ci-dessus en utilisant la relation $\vec{u}^2 = \|\vec{u}\|^2$, on obtient :

$$\|\vec{u} + \vec{v}\|^2 = \|\vec{u}\|^2 + 2\vec{u}.\vec{v} + \|\vec{v}\|^2, \text{ d'où } \vec{u}.\vec{v} = \frac{1}{2}(\|\vec{u} + \vec{v}\|^2 - \|\vec{u}\|^2 - \|\vec{v}\|^2)$$

et $$\|\vec{u} - \vec{v}\|^2 = \|\vec{u}\|^2 - 2\vec{u}.\vec{v} + \|\vec{v}\|^2, \text{ d'où } \vec{u}.\vec{v} = \frac{1}{2}(\|\vec{u}\|^2 + \|\vec{v}\|^2 - \|\vec{u} - \vec{v}\|^2)$$

PROPRIÉTÉ

Ceci nous fournit une autre manière d'écrire le produit scalaire sans utiliser les angles.
Soit A, B et C trois points du plan. On a alors :

$$\overrightarrow{AB}.\overrightarrow{AC} = \frac{1}{2}\left(AB^2 + AC^2 - \left\|\overrightarrow{AB} - \overrightarrow{AC}\right\|^2\right) = \frac{1}{2}\left(AB^2 + AC^2 - \left\|\overrightarrow{CB}\right\|^2\right) = \frac{1}{2}\left(AB^2 + AC^2 - BC^2\right)$$

3 Produit scalaire et base orthonormée

Le plan est rapporté à une base orthonormée $(\vec{i}, \vec{j})$.
Le produit scalaire de deux vecteurs se calcule grâce aux coordonnées de ces vecteurs dans la base $(\vec{i}, \vec{j})$.

THÉORÈME

Soit $\vec{u}(x\,;y)$ et $\vec{v}(x'\,;y')$ deux vecteurs repérés dans la base orthonormée $(\vec{i}, \vec{j})$. On a :

$$\vec{u}.\vec{v} = xx' + yy'$$

DÉMONSTRATION

Cette nouvelle expression se déduit des propriétés de calcul du produit scalaire ; en effet :

$$\vec{u}.\vec{v} = (x\vec{i} + y\vec{j}).\,(x'\vec{i} + y'\vec{j}) = xx'\|\vec{i}\|^2 + xy'\vec{i}.\vec{j} + x'y\vec{j}.\vec{i} + yy'\|\vec{j}\|^2 = xx' + yy'$$

car $\|\vec{i}\| = \|\vec{j}\| = 1$ et $\vec{i}.\vec{j} = \vec{j}.\vec{i} = 0$. ■

EXEMPLE

▶ Savoir-faire 1 Quelle expression du produit scalaire choisir ?, p. 239

Dans la base orthonormée $(\vec{i}, \vec{j})$, on peut montrer que les vecteurs $\vec{u}(3-\sqrt{5};2)$ et $\vec{v}(3+\sqrt{5};-2)$ sont orthogonaux. En effet :

$$\vec{u}.\vec{v} = (3-\sqrt{5})(3+\sqrt{5}) + 2\times(-2) = 3^2 - (\sqrt{5})^2 - 4 = 9 - 5 - 4 = 0$$

C. Application au calcul d'angles et de longueurs

1 Produit scalaire et calcul d'angles

▶ Savoir-faire 3
Déterminer un angle en utilisant le produit scalaire, p. 240

L'idée est d'exprimer **de deux manières différentes** le produit scalaire de deux vecteurs pour obtenir des relations entre les distances et les angles.

Ainsi, par exemple : si $\vec{u}.\vec{v} = \|\vec{u}\| \times \|\vec{v}\| \times \cos(\vec{u}, \vec{v})$ et si dans un repère orthonormé on a $\vec{u}.\vec{v} = xx' + yy'$, on obtient que : $\cos(\vec{u}, \vec{v}) = \dfrac{xx' + yy'}{\sqrt{x^2+y^2} \times \sqrt{x'^2 + y'^2}}$

Il ne reste plus qu'à déterminer une mesure de l'angle par résolution d'une équation trigonométrique (ou une valeur approchée grâce à la fonction *Arccos*, $\cos^{-1}$ ou *Acs* de la calculatrice).

2 Théorème de la médiane

THÉORÈME

Soit A et B deux points distincts fixés et I le milieu du segment [AB].
Pour tout point M du plan, on a :

$$MA^2 + MB^2 = 2MI^2 + \frac{AB^2}{2}$$

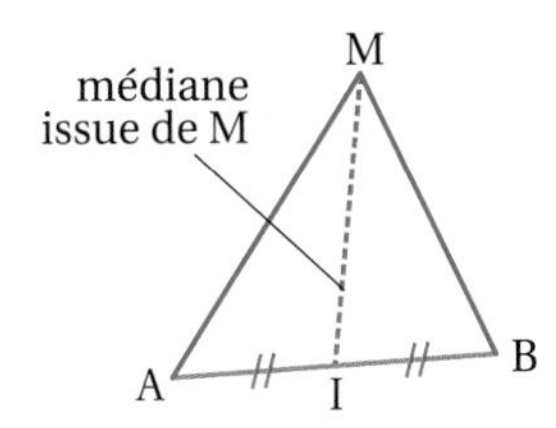

DÉMONSTRATION

$MA^2 + MB^2 = \overrightarrow{MA}^2 + \overrightarrow{MB}^2 = (\overrightarrow{MI} + \overrightarrow{IA})^2 + (\overrightarrow{MI} + \overrightarrow{IB})^2 = 2\overrightarrow{MI}^2 + 2\overrightarrow{MI}.\overrightarrow{IA} + 2\overrightarrow{MI}.\overrightarrow{IB} + \overrightarrow{IA}^2 + \overrightarrow{IB}^2$

$= 2MI^2 + 2 \times \overrightarrow{MI}.(\overrightarrow{IA} + \overrightarrow{IB}) + IA^2 + IB^2$

Or I est le milieu du segment [AB], donc $IA = IB = \dfrac{AB}{2}$ et $\overrightarrow{IA} + \overrightarrow{IB} = \vec{0}$.

D'où : $MA^2 + MB^2 = 2MI^2 + \dfrac{AB^2}{2}$ ■

EXEMPLE

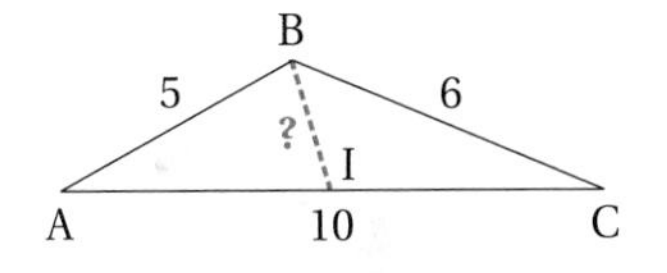

Dans le triangle ABC dont on connaît la longueur des côtés, on a,

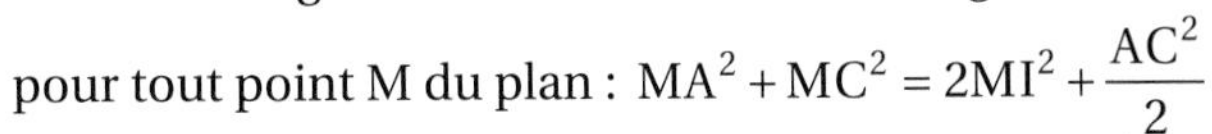

pour tout point M du plan : $MA^2 + MC^2 = 2MI^2 + \dfrac{AC^2}{2}$

Le théorème étant vrai pour tout point M du plan, en particulier pour le point B, on a :

$$BA^2 + BC^2 = 2BI^2 + \frac{AC^2}{2}$$

On a donc : $BI^2 = \dfrac{1}{2}\left(BA^2 + BC^2 - \dfrac{AC^2}{2}\right) = \dfrac{1}{2}\left(5^2 + 6^2 - \dfrac{10^2}{2}\right) = \dfrac{11}{2}$, soit $BI = \sqrt{\dfrac{11}{2}} = \dfrac{\sqrt{22}}{2}$.

3 Produit scalaire et relation généralisée de Pythagore

NOTE

Cette relation est souvent appelée formule d'Al-Kachi. Massoud Al-Kachi (~1380-~1429) est un mathématicien et astronome d'origine persane. On lui doit le calcul de π avec une précision de 16 décimales.

RELATION GÉNÉRALISÉE DE PYTHAGORE

Avec les notations ci-contre, on a dans tout triangle ABC :

- $a^2 = b^2 + c^2 - 2bc \cos \widehat{A}$
- $b^2 = c^2 + a^2 - 2ca \cos \widehat{B}$
- $c^2 = a^2 + b^2 - 2ab \cos \widehat{C}$

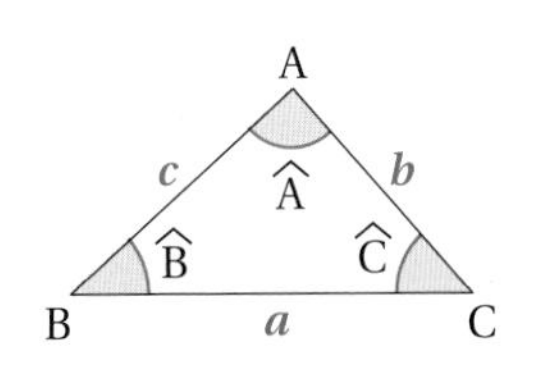

DÉMONSTRATIONS

- Calculons de deux manières différentes le produit scalaire des vecteurs $\overrightarrow{AB}$ et $\overrightarrow{AC}$:

$$\overrightarrow{AB}.\overrightarrow{AC} = AB \times AC \times \cos \widehat{A} \quad \text{et} \quad \overrightarrow{AB}.\overrightarrow{AC} = \frac{AB^2 + AC^2 - BC^2}{2}$$

On en déduit : $BC^2 = AB^2 + AC^2 - 2AB \times AC \times \cos \widehat{A}$

Soit, à l'aide des notations de la figure ci-dessus : $a^2 = b^2 + c^2 - 2bc \cos \widehat{A}$

- Les autres relations se démontrent de manière identique. ■

EXEMPLE

Soit EFG un triangle tel que EF = 7, FG = 4 et EG = 5.
On cherche à déterminer les mesures de ses angles (au dixième de degré près).
On note : EF = g = 7, FG = e = 4 et EG = f = 5.
D'après la relation généralisée de Pythagore, on a $g^2 = e^2 + f^2 - 2ef\cos\widehat{G}$.
Soit $7^2 = 4^2 + 5^2 - 2 \times 4 \times 5 \times \cos\widehat{G}$ ou encore $49 = 16 + 25 - 40\cos\widehat{G}$.
D'où : $\cos\widehat{G} = \dfrac{-8}{40} = -0{,}2$ soit une mesure de $\widehat{G}$ valant environ 101,5°.
De même : $f^2 = e^2 + g^2 - 2eg\cos\widehat{F}$, soit $25 = 16 + 49 - 56\cos\widehat{F}$.
D'où : $\cos\widehat{F} = \dfrac{40}{56} = \dfrac{5}{7}$ soit une mesure de $\widehat{F}$ valant environ 44,4°.
Enfin : $\widehat{E} = 180° - (\widehat{G} + \widehat{F})$, soit une mesure de $\widehat{E}$ valant environ 34,1°.

D. Produit scalaire et géométrie analytique

On se place maintenant dans un **repère orthonormé** du plan $(O\,;\vec{i}, \vec{j})$. On peut alors utiliser l'expression analytique du produit scalaire (à savoir : si $\vec{u}(x\,;y)$ et $\vec{v}(x', y')$ alors $\vec{u}.\vec{v} = xx' + yy'$).

1 Vecteur normal à une droite

DÉFINITION

Soit d une droite quelconque du plan.
Un **vecteur normal** à d est un vecteur *non nul* qui est orthogonal à un vecteur directeur de d.

EXEMPLES

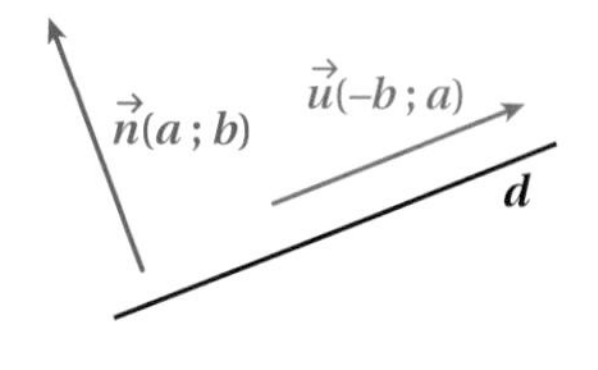

- Dans un repère orthonormé du plan $(O\,;\vec{i}, \vec{j})$, une droite d d'équation cartésienne $ax + by + c = 0$ admet pour vecteur directeur $\vec{u}(-b\,;a)$ et pour vecteur normal $\vec{n}(a\,;b)$.
En effet $\vec{u}$ et $\vec{n}$ sont orthogonaux car $\vec{u}.\vec{n} = -b \times a + a \times b = 0$.
$\vec{u}(-b\,;a)$ et $\vec{n}(a\,;b)$ ont de plus la même norme.
- Soit d la droite d'équation $-2x + 5y - 18 = 0$.
Un vecteur normal à d est $\vec{n}(-2\,;5)$ et un vecteur directeur de d est $\vec{u}(-5\,;-2)$.

2 Équation d'une droite de vecteur normal donné

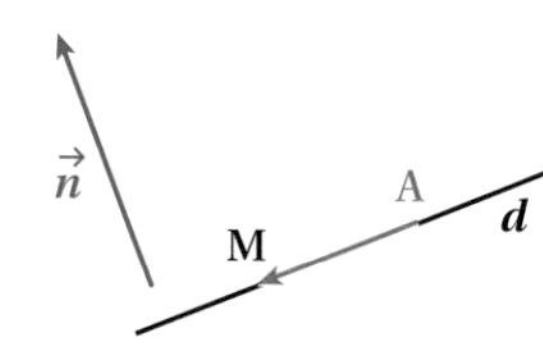

Considérons un point A du plan et un vecteur $\vec{n}$ non nul.
L'ensemble des points M du plan vérifiant la relation $\overrightarrow{AM}.\vec{n} = 0$ est la droite d passant par A et de vecteur normal $\vec{n}$.

PROPRIÉTÉ

Dans un repère orthonormé, une droite de vecteur normal $\vec{n}(a\,;b)$ admet une équation cartésienne de la forme $ax + by + c = 0$ où c est un réel à déterminer.

▶ Savoir-faire 5
Déterminer une équation cartésienne de droite connaissant un point et un vecteur normal, p. 242

DÉMONSTRATION

Soit $(O\,;\vec{i}, \vec{j})$ un repère orthonormé du plan. Soit le point A de la droite d de coordonnées $(x_0\,;y_0)$ et un vecteur $\vec{n}$ normal à d de coordonnées $(a\,;b)$.
M est un point de d si et seulement si les vecteurs $\overrightarrow{AM}\begin{pmatrix} x - x_0 \\ y - y_0 \end{pmatrix}$ et $\vec{n}\begin{pmatrix} a \\ b \end{pmatrix}$ sont orthogonaux, c'est-à-dire si et seulement si $\overrightarrow{AM}.\vec{n} = 0$.
$\overrightarrow{AM}.\vec{n} = 0 \Leftrightarrow (x - x_0) \times a + (y - y_0) \times b = 0 \Leftrightarrow ax - ax_0 + by - by_0 = 0$
$\Leftrightarrow ax + by + (-ax_0 - by_0) = 0 \Leftrightarrow ax + by + c = 0$ où on a posé $c = -ax_0 - by_0$ ■

Équation cartésienne d'un cercle

PROPRIÉTÉ

Une équation du cercle $\mathscr{C}$ de centre $\Omega(x_0\,;\,y_0)$ et de rayon r est :

$$(x - x_0)^2 + (y - y_0)^2 = r^2$$

DÉMONSTRATION

Un point $M(x\,;\,y)$ appartient au cercle $\mathscr{C}$ de centre $\Omega(x_0\,;\,y_0)$ et de rayon r si et seulement si $\Omega M^2 = r^2$, ce qui est équivalent à $(x - x_0)^2 + (y - y_0)^2 = r^2$ ■

On peut aussi obtenir une équation d'un cercle directement à partir d'un de ses diamètres. En effet, un point M appartient au cercle de diamètre [AB] si et seulement si le triangle AMB est rectangle en M, c'est-à-dire si et seulement si les vecteurs $\overrightarrow{AM}$ et $\overrightarrow{BM}$ sont orthogonaux. On obtient alors une équation de ce cercle en écrivant $\overrightarrow{AM}.\overrightarrow{BM} = 0$.

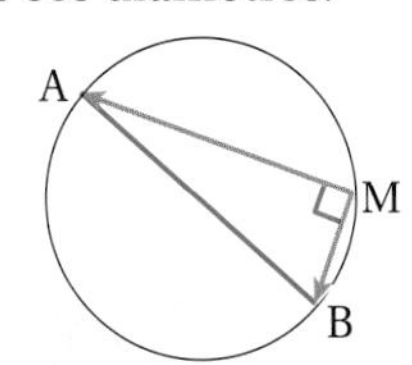

EXEMPLES

1. Déterminer l'équation d'un cercle

- Dans un repère orthonormé $(O\,;\,\vec{i}, \vec{j})$, l'équation du cercle de centre O et de rayon 3 est :

$$(x - 0)^2 + (y - 0)^2 = 3^2 \quad \text{soit} \quad x^2 + y^2 = 9$$

- Dans un repère orthonormé $(O\,;\,\vec{i}, \vec{j})$, l'équation du cercle de centre $\Omega(-2\,;\,3)$ passant par le point $A(2\,;\,1)$ est :

$$(x + 2)^2 + (y - 3)^2 = 20$$

car $\Omega A^2 = (2 - (-2))^2 + (1 - 3)^2 = 4^2 + (-2)^2 = 16 + 4 = 20$.

- Dans un repère orthonormé $(O\,;\,\vec{i}, \vec{j})$, le cercle $\mathscr{C}$ de diamètre [AB] où $A(2\,;\,-1)$ et $B(-2\,;\,5)$ a pour équation :

$$x^2 + y^2 - 4y - 9 = 0$$

En effet : $M(x\,;\,y) \in \mathscr{C} \Leftrightarrow \overrightarrow{AM}.\overrightarrow{BM} = 0$. Avec $\overrightarrow{AM}(x - 2\,;\,y + 1)$ et $\overrightarrow{BM}(x + 2\,;\,y - 5)$ on obtient :

$$M \in \mathscr{C} \Leftrightarrow (x - 2)(x + 2) + (y + 1)(y - 5) = 0 \Leftrightarrow x^2 + y^2 - 4y - 9 = 0$$

2. Reconnaître l'équation d'un cercle

On se ramène à une relation du type $(x - x_0)^2 + (y - y_0)^2 = r^2$ en utilisant la forme canonique.

- Soit l'ensemble des points $M(x\,;\,y)$ vérifiant $x^2 + y^2 + 6x - 2y + 8 = 0$.

$$x^2 + y^2 + 6x - 2y + 8 = 0 \Leftrightarrow [x^2 + 6x] + [y^2 - 2y] + 8 = 0 \Leftrightarrow [(x + 3)^2 - 9] + [(y - 1)^2 - 1] + 8 = 0$$
$$\Leftrightarrow (x + 3)^2 + (y - 1)^2 = 2$$

On reconnaît l'équation du cercle de centre $\Omega(-3\,;\,1)$ et de rayon $\sqrt{2}$.

- Soit l'ensemble des points $M(x\,;\,y)$ vérifiant $x^2 + y^2 - 10x + 2y + 26 = 0$.

$$x^2 + y^2 - 10x + 2y + 26 = 0 \Leftrightarrow [x^2 - 10x] + [y^2 + 2y] + 26 = 0 \Leftrightarrow [(x - 5)^2 - 25] + [(y + 1)^2 - 1] + 26 = 0$$
$$\Leftrightarrow (x - 5)^2 + (y + 1)^2 = 0$$

On reconnaît l'équation du cercle de centre $\Omega(5\,;\,-1)$ et de rayon 0.
L'ensemble est donc réduit au seul point $\Omega(5\,;\,-1)$.

- Soit l'ensemble des points $M(x\,;\,y)$ vérifiant $x^2 + y^2 - \frac{1}{2}x + y + 1 = 0$.

$$x^2 + y^2 - \frac{1}{2}x + y + 1 = 0 \Leftrightarrow \left[x^2 - \frac{1}{2}x\right] + \left[y^2 + y\right] + 1 = 0$$
$$\Leftrightarrow \left[\left(x - \frac{1}{4}\right)^2 - \frac{1}{16}\right] + \left[\left(y + \frac{1}{2}\right)^2 - \frac{1}{4}\right] + 1 = 0$$
$$\Leftrightarrow \left(x - \frac{1}{4}\right)^2 + \left(y + \frac{1}{2}\right)^2 = -\frac{11}{16}$$

La somme de deux carrés ne pouvant être strictement négative, l'ensemble des points M est l'ensemble vide.

▶ Savoir-faire 6
Cercles et produit scalaire, p. 242

4 Formules de trigonométrie

FORMULES D'ADDITION

Soit a et b deux réels quelconques. On a :

- $\cos(a-b)=\cos a\cos b+\sin a\sin b$
- $\cos(a+b)=\cos a\cos b-\sin a\sin b$
- $\sin(a+b)=\sin a\cos b+\cos a\sin b$
- $\sin(a-b)=\sin a\cos b-\cos a\sin b$

DÉMONSTRATIONS

- Soit a et b deux réels quelconques. Plaçons-nous dans un repère orthonormé direct $(O\,;\vec{i},\vec{j})$.

Soit A le point du cercle trigonométrique associé au réel a : $A(\cos a\,;\sin a)$.

Soit B le point du cercle trigonométrique associé au réel b : $B(\cos b\,;\sin b)$.

Par application de la relation de Chasles pour les angles orientés, $b-a$ est une mesure de l'angle $(\overrightarrow{OA}\,;\overrightarrow{OB})$.

Calculons le produit scalaire $\overrightarrow{OA}.\overrightarrow{OB}$ de deux manières :

$\overrightarrow{OA}.\overrightarrow{OB}=OA\times OB\times\cos(b-a)=1\times1\times\cos(b-a)=\cos(b-a)=\cos(a-b)$

et $\overrightarrow{OA}.\overrightarrow{OB}=\cos a\cos b+\sin a\sin b$ (expression analytique).

En égalant ces deux expressions, on a pour tous réels a et b : $\cos(a-b)=\cos a\cos b+\sin a\sin b$ (*) ■

- L'expression $\cos(a+b)=\cos a\cos b-\sin a\sin b$ s'obtient en remplaçant b par $-b$ dans la formule (*) et en utilisant les relations $\cos(-x)=\cos x$ et $\sin(-x)=-\sin x$. ■

- Pour tout réel x, $\sin x=\cos\left(\frac{\pi}{2}-x\right)$; on peut en déduire l'expression de $\sin(a+b)$:

$$\sin(a+b)=\cos\left(\frac{\pi}{2}-(a+b)\right)=\cos\left(\left(\frac{\pi}{2}-a\right)-b\right)=\cos\left(\frac{\pi}{2}-a\right)\cos b+\sin\left(\frac{\pi}{2}-a\right)\sin b$$
$$=\sin a\cos b+\cos a\sin b\ ■$$

- L'expression $\sin(a-b)=\sin a\cos b-\cos a\sin b$ s'obtient en remplaçant b par $-b$ dans la formule ci-dessus et en utilisant les relations $\cos(-x)=\cos x$ et $\sin(-x)=-\sin x$. ■

NOTE

En remplaçant a par π ou par $\frac{\pi}{2}$, on retrouve les formules de $\cos(\pi+x)$, ..., $\sin\left(\frac{\pi}{2}-x\right)$ vues au chapitre 6.

FORMULES DE DUPLICATION

Soit a un réel quelconque. On a : • $\cos(2a)=\cos^2 a-\sin^2 a$ • $\sin(2a)=2\cos a\sin a$

DÉMONSTRATIONS

Il suffit de remplacer b par a dans les formules donnant $\cos(a+b)$ et $\sin(a+b)$. ■

REMARQUE En utilisant la relation $\cos^2 a+\sin^2 a=1$, on obtient d'autres expressions de $\cos(2a)$:

$$\cos(2a)=2\cos^2 a-1 \quad\text{et}\quad \cos(2a)=1-2\sin^2 a$$

EXEMPLES Connaissant les cosinus et sinus de $\frac{\pi}{3}$ et $\frac{\pi}{4}$, on en déduit ceux d'autres angles.

- Comme $\frac{\pi}{12}=\frac{\pi}{3}-\frac{\pi}{4}$, en utilisant les **formules d'addition**, on obtient :

$$\cos\frac{\pi}{12}=\cos\left(\frac{\pi}{3}-\frac{\pi}{4}\right)=\cos\frac{\pi}{3}\cos\frac{\pi}{4}+\sin\frac{\pi}{3}\sin\frac{\pi}{4}=\frac{1}{2}\times\frac{\sqrt{2}}{2}+\frac{\sqrt{3}}{2}\times\frac{\sqrt{2}}{2}=\frac{\sqrt{2}}{4}\left(1+\sqrt{3}\right)$$
$$\sin\frac{\pi}{12}=\sin\left(\frac{\pi}{3}-\frac{\pi}{4}\right)=\sin\frac{\pi}{3}\cos\frac{\pi}{4}-\cos\frac{\pi}{3}\sin\frac{\pi}{4}=\frac{\sqrt{3}}{2}\times\frac{\sqrt{2}}{2}-\frac{1}{2}\times\frac{\sqrt{2}}{2}=\frac{\sqrt{2}}{4}\left(\sqrt{3}-1\right)$$

- Comme $\frac{\pi}{4}=2\times\frac{\pi}{8}$, en utilisant les **formules de duplication**, on obtient :

$$\cos\left(\frac{\pi}{4}\right)=\cos\left(2\times\frac{\pi}{8}\right)=2\cos^2\left(\frac{\pi}{8}\right)-1 \quad\text{d'où}\quad \cos^2\left(\frac{\pi}{8}\right)=\frac{1}{2}\left(\cos\left(\frac{\pi}{4}\right)+1\right)=\frac{1}{2}\left(\frac{\sqrt{2}}{2}+1\right)$$
$$\cos\left(\frac{\pi}{4}\right)=\cos\left(2\times\frac{\pi}{8}\right)=1-2\sin^2\left(\frac{\pi}{8}\right) \quad\text{d'où}\quad \sin^2\left(\frac{\pi}{8}\right)=\frac{1}{2}\left(1-\cos\left(\frac{\pi}{4}\right)\right)=\frac{1}{2}\left(1-\frac{\sqrt{2}}{2}\right)$$

Les nombres $\cos\left(\frac{\pi}{8}\right)$ et $\sin\left(\frac{\pi}{8}\right)$ étant positifs, on obtient que :

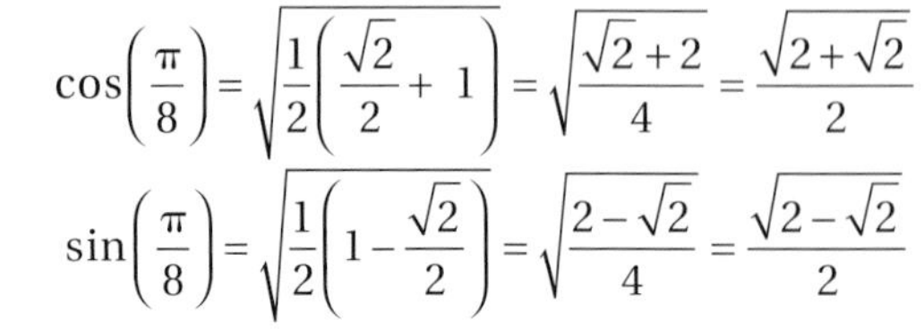

$$\cos\left(\frac{\pi}{8}\right)=\sqrt{\frac{1}{2}\left(\frac{\sqrt{2}}{2}+1\right)}=\sqrt{\frac{\sqrt{2}+2}{4}}=\frac{\sqrt{2+\sqrt{2}}}{2}$$
$$\sin\left(\frac{\pi}{8}\right)=\sqrt{\frac{1}{2}\left(1-\frac{\sqrt{2}}{2}\right)}=\sqrt{\frac{2-\sqrt{2}}{4}}=\frac{\sqrt{2-\sqrt{2}}}{2}$$

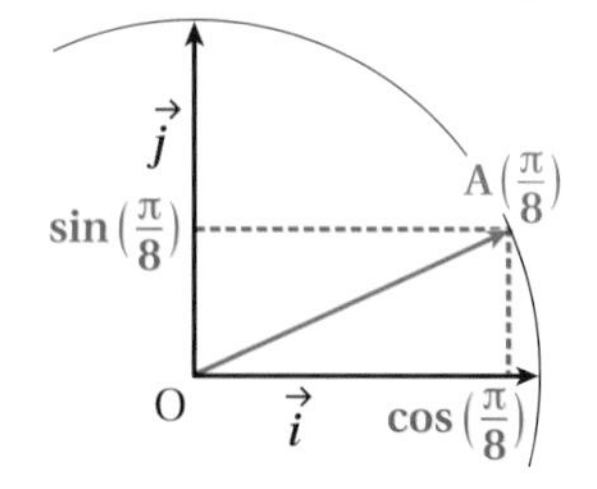

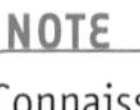

NOTE

Connaissant la valeur exacte de $\cos a$, on peut aussi en déduire celle de $\sin a$ à l'aide de $\cos^2 a+\sin^2 a=1$.

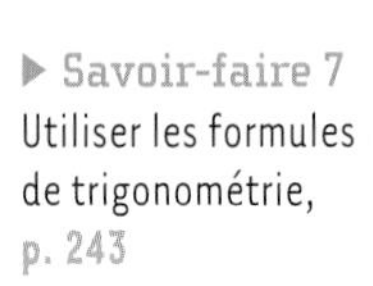

▶ Savoir-faire 7 Utiliser les formules de trigonométrie, p. 243

Savoir-faire

Savoir-faire 1 Quelle expression du produit scalaire choisir ?

ÉNONCÉ Dans chaque cas, choisir l'expression la plus adaptée pour calculer le produit scalaire $\overrightarrow{AB}.\overrightarrow{AC}$.

a.
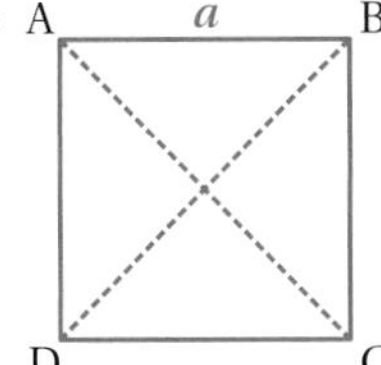

b.
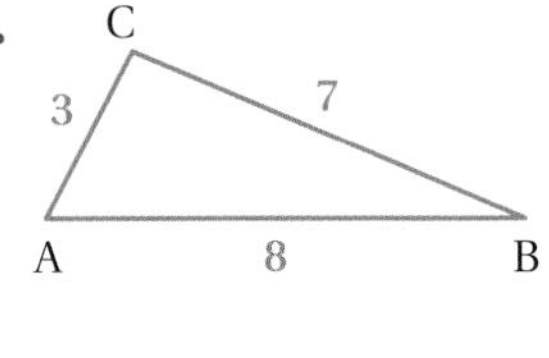

c.
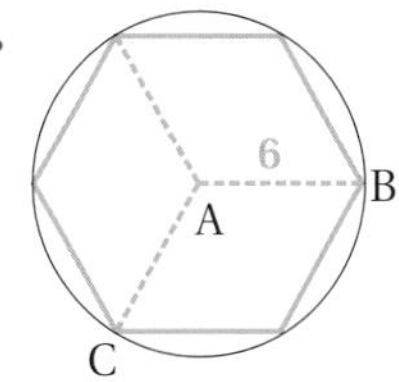

d.
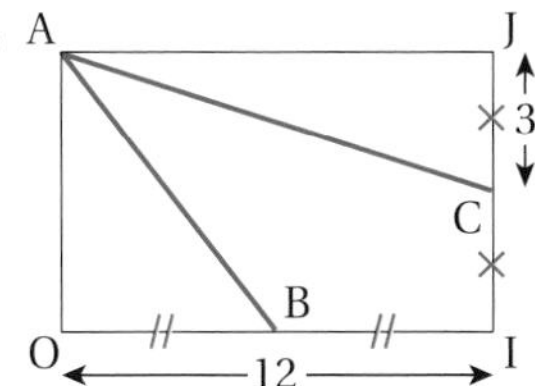

SOLUTION

a. $\overrightarrow{AB}.\overrightarrow{AC} = \overrightarrow{AB}.\overrightarrow{AB} = AB \times AB = a^2$

b. $\overrightarrow{AB}.\overrightarrow{AC} = \frac{1}{2}(||\overrightarrow{AB}||^2 + ||\overrightarrow{AC}||^2 - ||\overrightarrow{AB} - \overrightarrow{AC}||^2)$

$= \frac{1}{2}(AB^2 + AC^2 - CB^2)$

$= \frac{1}{2}(8^2 + 3^2 - 7^2) = \frac{1}{2}(64 + 9 - 49) = 12$

c. $\overrightarrow{AB}.\overrightarrow{AC} = AB \times AC \times \cos\widehat{CAB}$

$= 6 \times 6 \times \cos\left(\frac{2\pi}{3}\right) = 36 \times \left(-\frac{1}{2}\right) = -18$

d. Dans le repère orthonormé $(O ; \vec{i}, \vec{j})$ avec $\vec{i} = \frac{\overrightarrow{OI}}{\|\overrightarrow{OI}\|}$ et $\vec{j} = \frac{\overrightarrow{OA}}{\|\overrightarrow{OA}\|}$, on a B(6 ; 0), A(0 ; 6) et C(12 ; 3).

D'où $\overrightarrow{AB}(6 ; -6)$ et $\overrightarrow{AC}(12 ; -3)$.

Ainsi : $\overrightarrow{AB}.\overrightarrow{AC} = 6 \times 12 + (-6) \times (-3) = 72 + 18 = 90$

▶ Exercices 2 à 20 p. 252 et 253

MÉTHODE

a. On utilise l'expression projetée car le point C se projette sur B.

b. On ne connaît que des longueurs donc des normes. On utilise par conséquent l'expression avec les normes : $\vec{u}.\vec{v} = \frac{1}{2}(||\vec{u}||^2 + ||\vec{v}||^2 - ||\vec{u} - \vec{v}||^2)$

Par ailleurs, $\overrightarrow{AB} - \overrightarrow{AC} = \overrightarrow{CA} + \overrightarrow{AB} = \overrightarrow{CB}$.

c. On connaît les longueurs AB et AC et l'angle $\widehat{CAB}$. On utilise par conséquent l'expression avec le cosinus : $\vec{u}.\vec{v} = ||\vec{u}|| \times ||\vec{v}|| \times \cos(\vec{u}, \vec{v})$

d. On a bien $||\vec{i}|| = ||\vec{j}||$ (= 1) et $\vec{i}$ et $\vec{j}$ sont orthogonaux. Dans un repère orthonormé, si l'on a facilement les coordonnées des vecteurs $\vec{u}$ et $\vec{v}$, on peut utiliser la formule analytique :

$$\vec{u}.\vec{v} = xx' + yy'$$

Savoir-faire 2 Utiliser les propriétés du produit scalaire pour démontrer une égalité

ÉNONCÉ On considère un losange ABCD de centre O.

Démontrer que :

a. $\overrightarrow{AB}.\overrightarrow{AD} = OA^2 - OB^2$

b. $AB^2 + AD^2 = 2AO^2 + \frac{BD^2}{2}$

SOLUTION

a. $\overrightarrow{AB}.\overrightarrow{AD} = (\overrightarrow{AO} + \overrightarrow{OB}).(\overrightarrow{AO} + \overrightarrow{OD})$

$= \overrightarrow{AO}.\overrightarrow{AO} + \overrightarrow{AO}.\overrightarrow{OD} + \overrightarrow{OB}.\overrightarrow{AO} + \overrightarrow{OB}.\overrightarrow{OD}$

$= ||\overrightarrow{AO}||^2 + \overrightarrow{AO}.\overrightarrow{OD} + \overrightarrow{OB}.\overrightarrow{AO} + \overrightarrow{OB}.\overrightarrow{OD}$ *

$= ||\overrightarrow{AO}||^2 + 0 + 0 + \overrightarrow{OB}.\overrightarrow{OD}$ *

$= ||\overrightarrow{AO}||^2 - \overrightarrow{OB}.\overrightarrow{OB}$ *

$= OA^2 - OB^2$

MÉTHODE

a. * On utilise la relation $\vec{u}.\vec{u} = ||\vec{u}||^2$.

* On utilise le fait que dans un losange les diagonales sont perpendiculaires et que le produit scalaire de vecteurs orthogonaux est nul.

* O est le milieu de la diagonale [BD] donc $\overrightarrow{OD} = -\overrightarrow{OB}$.

b. $AB^2 + AD^2 = \overrightarrow{AB}^2 + \overrightarrow{AD}^2$

$= (\overrightarrow{AO} + \overrightarrow{OB})^2 + (\overrightarrow{AO} + \overrightarrow{OD})^2$ *

$= \overrightarrow{AO}^2 + \overrightarrow{OB}^2 + 2\overrightarrow{AO}.\overrightarrow{OB} + \overrightarrow{AO}^2 + \overrightarrow{OD}^2 + 2\overrightarrow{AO}.\overrightarrow{OD}$ *

$= 2AO^2 + 2OB^2 + 2\overrightarrow{AO}.\overrightarrow{OB} + 2\overrightarrow{AO}.\overrightarrow{OD}$

$= 2AO^2 + 2OB^2 + 2\overrightarrow{AO}.(\overrightarrow{OB} + \overrightarrow{OD})$

$= 2AO^2 + 2OB^2 + 0$ *

$= 2AO^2 + 2\left(\frac{1}{2}BD\right)^2$ *

$= 2AO^2 + \frac{BD^2}{2}$

REMARQUE On (re)démontre ainsi le théorème de la médiane.

▶ Exercices 27 et 28 p. 254

b. * On transforme les distances au carré en des carrés scalaires puis on introduit le point O.

* On développe :

$$(\vec{u} + \vec{v})^2 = \vec{u}^2 + \vec{v}^2 + 2\vec{u}.\vec{v}$$

* O est le milieu des diagonales donc $\overrightarrow{OB} + \overrightarrow{OD} = \vec{0}$.

* O est le milieu des diagonales du losange donc $OB = \frac{1}{2}BD$.

Savoir-faire 3 Déterminer un angle en utilisant le produit scalaire

ÉNONCÉ Soit ABCD un rectangle tel que AB = 1 et AD = 2. Soit I et J les milieux respectifs des segments [AB] et [AD]. Calculer une valeur approchée à 10^{-2} près en degrés de l'angle α.

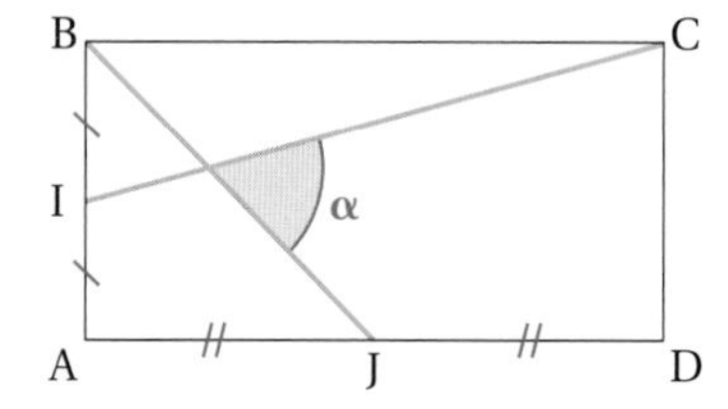

SOLUTION

Exprimons de deux façons différentes la valeur du réel :

$$\overrightarrow{BJ}.\overrightarrow{IC}$$

- Dans le repère orthonormé $(A ; \overrightarrow{AJ}, \overrightarrow{AB})$, on a :

$$B(0 ; 1), J(1 ; 0), I\left(0 ; \frac{1}{2}\right) \text{ et } C(2 ; 1)$$

Ainsi, $\overrightarrow{BJ}(1 ; -1)$ et $\overrightarrow{IC}\left(2 ; \frac{1}{2}\right)$.

Donc :

$$\overrightarrow{BJ}.\overrightarrow{IC} = 1 \times 2 + (-1) \times \frac{1}{2} = 2 - \frac{1}{2} = \frac{3}{2}$$

- Avec l'expression à l'aide du cosinus, on a :

$$\overrightarrow{BJ}.\overrightarrow{IC} = BJ \times IC \times \cos\alpha$$

En utilisant le repère orthonormé $(A ; \overrightarrow{AJ}, \overrightarrow{AB})$, on obtient :

$$BJ = \sqrt{1^2 + (-1)^2} = \sqrt{2} \text{ et } IC = \sqrt{2^2 + \left(\frac{1}{2}\right)^2} = \sqrt{\frac{17}{4}} = \frac{\sqrt{17}}{2}$$

Donc :

$$\overrightarrow{BJ}.\overrightarrow{IC} = \sqrt{2} \times \frac{\sqrt{17}}{2} \times \cos\alpha$$

En égalant les deux expressions de $\overrightarrow{BJ}.\overrightarrow{IC}$, on obtient :

$$\frac{3}{2} = \sqrt{2} \times \frac{\sqrt{17}}{2} \times \cos\alpha$$

D'où : $\cos\alpha = \frac{3}{\sqrt{2} \times \sqrt{17}} = \frac{3}{\sqrt{34}}$

Soit : $\alpha \approx 59{,}036\,243...$

Une valeur approchée à 10^{-2} près de α est donc 59,04°.

▶ Exercice 35 p. 256

MÉTHODE

Pour résoudre un exercice, on a souvent besoin d'exprimer un produit scalaire à l'aide de deux expressions.

Ici, on a choisi celle qui utilise la forme analytique : $\vec{u}.\vec{v} = xx' + yy'$ et celle qui utilise la trigonométrie : $\vec{u}.\vec{v} = \|\vec{u}\| \times \|\vec{v}\| \times \cos(\vec{u}, \vec{v})$ (qui permet de trouver le cosinus et donc la valeur de α).

ATTENTION ! Pour la forme analytique, il faut veiller à bien choisir un repère orthonormé car sinon la formule $\vec{u}.\vec{v} = xx' + yy'$ n'est pas valable.

On rappelle que, dans un repère orthonormé, si $\vec{u}(x ; y)$ alors $\|\vec{u}\| = \sqrt{x^2 + y^2}$.

ATTENTION ! Pour obtenir une valeur approchée de α à l'aide de la fonction *Arccos* ou *Acs* de la calculatrice, il faut veiller à être en mode degrés comme demandé dans l'énoncé et faire attention à arrondir correctement.

Savoir-faire 4 Montrer l'orthogonalité en utilisant le produit scalaire

ÉNONCÉ Soit ABC un triangle rectangle et isocèle en A.
Le cercle de centre A et de rayon r ($0 < r < \text{AB}$) coupe les segments [AB] et [AC] respectivement en K et en L.
Soit I le milieu de [CK].
Démontrer que les droites (AI) et (LB) sont perpendiculaires.

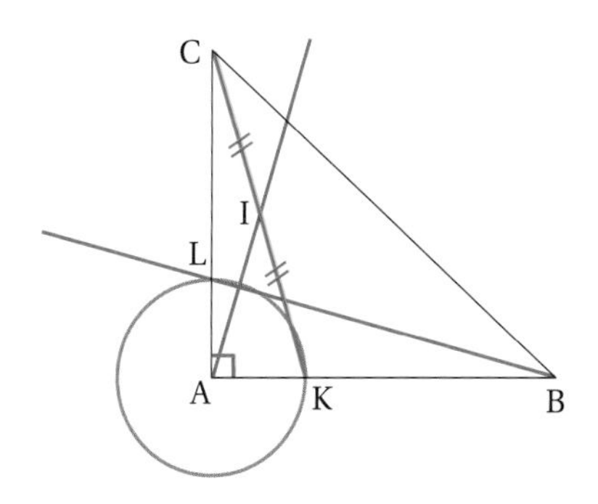

SOLUTION

• **Solution 1 :**

$$\overrightarrow{AI}.\overrightarrow{LB} = \overrightarrow{AI}.(\overrightarrow{LA} + \overrightarrow{AB})$$

Or, d'après la règle du parallélogramme, $\overrightarrow{AI} = \frac{1}{2}(\overrightarrow{AK} + \overrightarrow{AC})$. Donc :

$$\overrightarrow{AI}.\overrightarrow{LB} = \frac{1}{2}(\overrightarrow{AK} + \overrightarrow{AC}).(\overrightarrow{LA} + \overrightarrow{AB})$$

$$= \frac{1}{2}(\overrightarrow{AK}.\overrightarrow{LA} + \overrightarrow{AK}.\overrightarrow{AB} + \overrightarrow{AC}.\overrightarrow{LA} + \overrightarrow{AC}.\overrightarrow{AB})$$

$$= \frac{1}{2}(0 + \overrightarrow{AK}.\overrightarrow{AB} + \overrightarrow{AC}.\overrightarrow{LA} + 0) \quad *$$

Les vecteurs $\overrightarrow{AK}$ et $\overrightarrow{AB}$ sont colinéaires de même sens et les vecteurs $\overrightarrow{AC}$ et $\overrightarrow{LA}$ sont colinéaires de sens contraires, d'où :

$$\overrightarrow{AI}.\overrightarrow{LB} = \frac{1}{2}(\text{AK} \times \text{AB} - \text{AC} \times \text{LA}) \quad *$$

ABC étant isocèle en A, on a : AC = AB.
K et L sont sur le cercle de centre A donc LA = AK.
Ainsi :

$$\overrightarrow{AI}.\overrightarrow{LB} = \frac{1}{2}(\text{AK} \times \text{AB} - \text{AB} \times \text{AK}) = 0$$

Les droites (AI) et (LB) sont donc perpendiculaires.

MÉTHODE

Pour montrer que les droites (AI) et (LB) sont perpendiculaires, montrons que les vecteurs $\overrightarrow{AI}$ et $\overrightarrow{LB}$ sont orthogonaux, c'est-à-dire que $\overrightarrow{AI}.\overrightarrow{LB} = 0$.

• **Solution 1 :** En utilisant la relation de Chasles.

* ABC étant rectangle en A, (AC) et (AB) sont perpendiculaires (de même pour (AK) et (AL)) et donc :

$$\overrightarrow{AC}.\overrightarrow{AB} = 0 \text{ et } \overrightarrow{AK}.\overrightarrow{LA} = 0.$$

* Si $\vec{u}$ et $\vec{v}$ sont deux vecteurs colinéaires alors :

$$\vec{u}.\vec{v} = \begin{cases} \|\vec{u}\| \times \|\vec{v}\| \text{ si } \vec{u} \text{ et } \vec{v} \text{ sont de même sens.} \\ -\|\vec{u}\| \times \|\vec{v}\| \text{ si } \vec{u} \text{ et } \vec{v} \text{ sont de sens contraires.} \end{cases}$$

• **Solution 2 :** En utilisant un repère orthonormé.

Dans le repère orthonormé $(A ; \vec{i}, \vec{j})$ avec $\vec{i} = \frac{\overrightarrow{AB}}{\|\overrightarrow{AB}\|}$ et $\vec{j} = \frac{\overrightarrow{AC}}{\|\overrightarrow{AC}\|}$, on a bien $\|\vec{i}\| = \|\vec{j}\|$ (= 1) et $\vec{i}$ et $\vec{j}$ sont orthogonaux.

ATTENTION ! La formule $\vec{u}.\vec{v} = xx' + yy'$ n'est valable que dans une base orthonormée.

• **Solution 2 :**

Dans le repère orthonormé $(A ; \vec{i}, \vec{j})$ avec $\vec{i} = \frac{\overrightarrow{AB}}{\|\overrightarrow{AB}\|}$ et $\vec{j} = \frac{\overrightarrow{AC}}{\|\overrightarrow{AC}\|}$, et en posant AB = AC = a, on a :

$$A(0 ; 0),\ B(a ; 0),\ C(0 ; a),\ K(r ; 0) \text{ et } L(0 ; r).$$

Le milieu I de [KC] a pour coordonnées $\left(\frac{0+r}{2} ; \frac{a+0}{2}\right)$ soit $I\left(\frac{r}{2} ; \frac{a}{2}\right)$.

On a donc $\overrightarrow{AI}\left(\frac{r}{2} ; \frac{a}{2}\right)$ et $\overrightarrow{LB}(a ; -r)$.

D'où :

$$\overrightarrow{AI}.\overrightarrow{LB} = \frac{r}{2} \times a + \frac{a}{2} \times (-r) = \frac{ra}{2} - \frac{ra}{2} = 0$$

Les droites (AI) et (LB) sont donc perpendiculaires.

▸ Exercices 29 à 32 p. 255

Savoir-faire 5 Déterminer une équation cartésienne de droite connaissant un point et un vecteur normal

ÉNONCÉ Dans un repère orthonormé $(O ; \vec{i}, \vec{j})$ du plan, on considère le cercle $\mathscr{C}$ de centre K(2 ; 1,5) passant par les points A(3 ; 4,5), B(3 ; –1,5) et C(–1 ; 2,5).

Déterminer une équation cartésienne des droites suivantes.

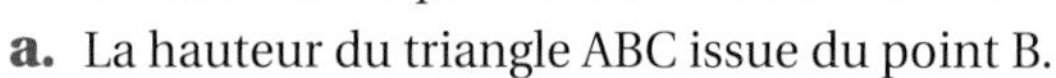

a. La hauteur du triangle ABC issue du point B.

b. La médiatrice du segment [BC].

c. La tangente en A au cercle $\mathscr{C}$.

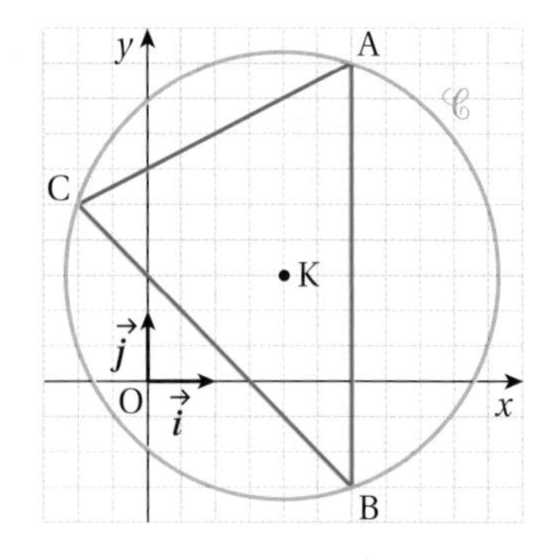

SOLUTION

a. La hauteur du triangle ABC issue de B est la droite d de vecteur normal $\overrightarrow{AC}$ passant par B.

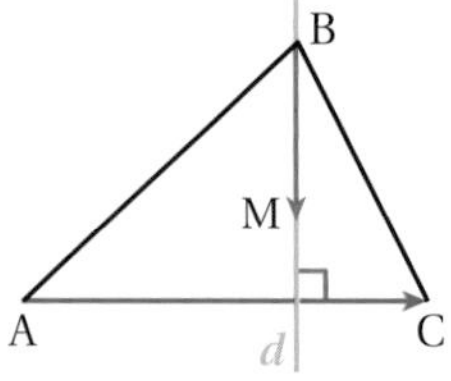

$M(x ; y) \in d \Leftrightarrow \overrightarrow{BM}\begin{pmatrix} x-3 \\ y-(-1,5) \end{pmatrix}$ et $\overrightarrow{AC}\begin{pmatrix} -4 \\ -2 \end{pmatrix}$ sont orthogonaux.

$\Leftrightarrow \overrightarrow{BM}.\overrightarrow{AC} = 0$

$\Leftrightarrow (x-3) \times (-4) + (y+1,5) \times (-2) = 0$

$\Leftrightarrow -4x + 12 - 2y - 3 = 0$

Une équation cartésienne de la hauteur du triangle ABC issue du point B est $4x + 2y - 9 = 0$.

b. La médiatrice du segment [BC] est la droite d de vecteur normal $\overrightarrow{BC}$ passant par le milieu I de [BC].

Comme $\overrightarrow{BC}(-4 ; 4)$, une équation cartésienne de d est donc :

$$-4x + 4y + c = 0$$

Le milieu I de [BC] a pour coordonnées $\left(\dfrac{3+(-1)}{2} ; \dfrac{-1,5+2,5}{2}\right)$, soit I(1 ; 0,5).

Comme le point I(1 ; 0,5) est un point de d, ses coordonnées vérifient l'équation de d :

$$-4 \times 1 + 4 \times 0,5 + c = 0, \text{ soit } c = 2.$$

Une équation cartésienne de la médiatrice du segment [BC] est $-4x + 4y + 2 = 0$ ou encore $-2x + 2y + 1 = 0$.

c. La tangente en A au cercle $\mathscr{C}$ est la droite d de vecteur normal $\overrightarrow{KA}$ passant par A.

Par la méthode du **a**, on montre qu'une équation cartésienne de d est $x + 3y - 16,5 = 0$.

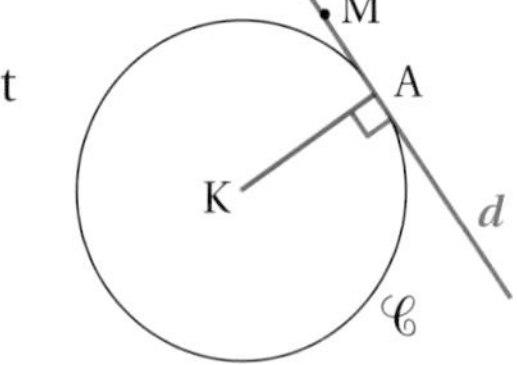

▶ Exercices 39 à 42 p. 256

MÉTHODE

b. On cherche un vecteur normal à la droite car on sait que l'équation cartésienne sera de la forme $ax + by + c = 0$ où a et b sont les coordonnées de $\vec{n}(a ; b)$ vecteur normal.

Les coordonnées du milieu de [BC] sont :

$$\left(\frac{x_B + x_C}{2} ; \frac{y_B + y_C}{2}\right)$$

Il ne reste plus qu'à trouver la valeur de c en se servant des coordonnées d'un point dont on sait qu'il appartient à la droite, ici le point I.

c. La tangente en un point à un cercle passe par ce point (dit « de contact ») et est perpendiculaire au rayon en ce point.

Savoir-faire 6 Cercles et produit scalaire

ÉNONCÉ Dans un repère orthonormé $(O ; \vec{i}, \vec{j})$ du plan, on considère les points A(–2 ; 3), B(5 ; –1) et C(3 ; 4).

a. Déterminer une équation du cercle $\mathscr{C}_1$ de centre A passant par le point C.

b. Déterminer une équation du cercle $\mathscr{C}_2$ de diamètre [AB].

c. Déterminer la nature et les caractéristiques de l'ensemble Γ d'équation : $4x^2 + 4y^2 - 40x - 24y + 71 = 0$.

SOLUTION

a. Le rayon r du cercle $\mathscr{C}_1$ est égal à AC, soit :
$r^2 = AC^2 = (x_C - x_A)^2 + (y_C - y_A)^2$
$= (3 - (-2))^2 + (4 - 3)^2 = 5^2 + 1^2 = 26$
Une équation du cercle $\mathscr{C}_1$ est :
$$(x + 2)^2 + (y - 3)^2 = 26$$
b. $M(x ; y)$ appartient au cercle $\mathscr{C}_2$ de diamètre [AB]
$\Leftrightarrow \overrightarrow{AM}\begin{pmatrix} x-(-2) \\ y-3 \end{pmatrix}$ et $\overrightarrow{BM}\begin{pmatrix} x-5 \\ y-(-1) \end{pmatrix}$ sont orthogonaux.
$\Leftrightarrow \overrightarrow{AM}.\overrightarrow{BM} = 0 \Leftrightarrow (x + 2)(x - 5) + (y - 3)(y + 1) = 0$
$\Leftrightarrow x^2 + y^2 - 3x - 2y - 13 = 0$
Une équation du cercle $\mathscr{C}_2$ est :
$$x^2 + y^2 - 3x - 2y - 13 = 0$$

MÉTHODE

a. Une équation du cercle $\mathscr{C}$ de rayon r et de centre $\Omega(x_0 ; y_0)$ est : $(x - x_0)^2 + (y - y_0)^2 = r^2$.

b. Une équation du cercle de diamètre [AB] s'obtient en écrivant la relation $\overrightarrow{AM}.\overrightarrow{BM} = 0$ à l'aide des coordonnées des points A, B et M.

c. Pour déterminer la nature et les caractéristiques de l'ensemble Γ, on transforme l'écriture de l'équation de Γ en écrivant **sous forme canonique** l'expression en x et l'expression en y.
On reconnaît ensuite s'il s'agit de l'équation d'un cercle.

c. $4x^2 + 4y^2 - 40x - 24y + 71 = 0 \Leftrightarrow 4(x^2 + y^2 - 10x - 6y + 17{,}75) = 0 \Leftrightarrow (x^2 - 10x) + (y^2 - 6y) + 17{,}75 = 0$
$\Leftrightarrow [(x - 5)^2 - 25] + [(y - 3)^2 - 9] + 17{,}75 = 0$
$\Leftrightarrow (x - 5)^2 + (y - 3)^2 - 25 - 9 + 17{,}75 = 0 \Leftrightarrow (x - 5)^2 + (y - 3)^2 = 16{,}25$
Γ est donc un cercle de centre $\Omega(5 ; 3)$ et de rayon $\sqrt{16{,}25}$.

▶ Exercices 45 à 48 et 53 à 55 p. 257

Savoir-faire 7 Utiliser les formules de trigonométrie

ÉNONCÉ **a.** Exprimer $A(x) = \sin\left(3x + \frac{\pi}{6}\right)$, où x est un réel, à l'aide de $\cos x$ et de $\sin x$.
b. Résoudre dans $\mathbb{R}$ l'équation $\sin x + \cos x = \sqrt{2}$.

SOLUTION

a. Pour tout x réel, on a :
$A(x) = \sin(3x) \cos\left(\frac{\pi}{6}\right) + \cos(3x) \sin\left(\frac{\pi}{6}\right)$
$= \sin(3x) \times \frac{\sqrt{3}}{2} + \cos(3x) \times \frac{1}{2}$
- $\sin(3x) = \sin(2x + x)$
$= \mathbf{\sin(2x)}\cos(x) + \mathbf{\cos(2x)}\sin(x)$
$= \mathbf{2\sin(x)\cos(x)}\cos(x) + \mathbf{(2\cos^2(x) - 1)}\sin(x)$
$= 2\sin(x)\cos^2(x) + 2\sin(x)\cos^2(x) - \sin(x)$
$= 4\sin(x)\mathbf{\cos^2(x)} - \sin(x)$
$= 4\sin(x)\mathbf{(1 - \sin^2(x))} - \sin(x)$
$= 3\sin(x) - 4\sin^3(x)$
- On montre par un raisonnement similaire que :
$\cos(3x) = 4\cos^3(x) - 3\cos(x)$

Finalement, pour tout x réel, on a :
$$A(x) = \frac{1}{2}\left[\sqrt{3}\left(3\sin x - 4\sin^3(x)\right) + 4\cos^3(x) - 3\cos(x)\right]$$

MÉTHODE

a. On utilise la formule :
$$\sin(a + b) = \sin a \cos b + \cos a \sin b$$
avec $a = 3x$ et $b = \frac{\pi}{6}$.
On écrit ensuite que $3x = 2x + x$, puis on utilise les formules d'addition et de duplication.
On utilise également la relation $\cos^2 x + \sin^2 x = 1$.

b. • On utilise la formule d'addition à l'envers ; en factorisant $\frac{2}{\sqrt{2}}$, on fait apparaître :
$$\sin a \cos x + \cos a \sin x \text{ avec } a = \frac{\pi}{4}.$$
• $\sin\alpha = 1 \Leftrightarrow \alpha = \frac{\pi}{2}$ (modulo 2π).

ATTENTION ! Dans $\mathbb{R}$ l'équation a une infinité de solutions, définies à un multiple de 2π près.

b. Pour tout x réel, on a :
$$\sin x + \cos x = \frac{2}{\sqrt{2}}\left[\frac{\sqrt{2}}{2}\sin x + \frac{\sqrt{2}}{2}\cos x\right] = \frac{2}{\sqrt{2}}\left[\cos\frac{\pi}{4}\sin x + \sin\frac{\pi}{4}\cos x\right] = \frac{2}{\sqrt{2}}\sin\left(x + \frac{\pi}{4}\right)$$
Résoudre dans $\mathbb{R}$ l'équation $\sin x + \cos x = \sqrt{2}$ revient à résoudre :
$$\frac{2}{\sqrt{2}}\sin\left(x + \frac{\pi}{4}\right) = \sqrt{2} \Leftrightarrow \sin\left(x + \frac{\pi}{4}\right) = 1 \Leftrightarrow x + \frac{\pi}{4} = \frac{\pi}{2}\ (2\pi) \Leftrightarrow x = \frac{\pi}{2} - \frac{\pi}{4}\ (2\pi) \Leftrightarrow x = \frac{\pi}{4}\ (2\pi)$$

▶ Exercices 56 à 62 p. 258

Travaux pratiques

TP TICE 1 Visualiser toutes les expressions du produit scalaire 

Objectif : À l'aide d'un logiciel de géométrie dynamique (ici *GeoGebra*), conjecturer les quatre expressions différentes du produit scalaire.

Partie A. Construction

1 Placer un point et le renommer O. Tracer le cercle $\mathscr{C}$ de centre O et de rayon 5.

2 Placer un point A tel que OA = 8. Créer un point mobile B sur le cercle $\mathscr{C}$.
En utilisant l'icône tracer en bleu $\overrightarrow{OA}$ (= $\vec{u}$), et en vert $\overrightarrow{OB}$ (= $\vec{v}$).

Partie B. Conjectures

Pour établir les conjectures, on manipulera à la souris le point B mobile sur le cercle $\mathscr{C}$.

1 Produit scalaire de deux vecteurs

a. Pour calculer le produit scalaire des vecteurs $\vec{u}$ et $\vec{v}$ à l'aide du logiciel, entrer dans le champ de saisie : « PS = u*v » ou « PS = u v » (avec un espace entre les lettres u et v).

b. Lorsque le point B se déplace sur $\mathscr{C}$, discuter de la valeur de ce réel noté $\vec{u}.\vec{v}$: comment évolue son signe ? quand a-t-il l'air de valoir 0 ? quand a-t-il l'air d'être facile à calculer ?

2 Expression du produit scalaire à l'aide de la projection orthogonale

a. Construire le point C, projeté orthogonal de B sur la droite (OA) (on créera la droite perpendiculaire à (OA) passant par B). Tracer en rouge $\overrightarrow{OC}$, représentant du vecteur $\vec{w}$.

b. Calculer avec le logiciel le réel $e = \vec{u}.\vec{w}$.
Lorsque le point B se déplace sur $\mathscr{C}$, que peut-on dire de $\vec{u}.\vec{v}$ et $\vec{u}.\vec{w}$?

3 Expression trigonométrique du produit scalaire

a. En utilisant l'icône , mesurer l'angle $\alpha = (\vec{u}, \vec{v})$.

b. Entrer dans le champ de saisie : « f = 40 cos(α) ».
Lorsque le point B se déplace sur $\mathscr{C}$, que constate-t-on ? À quoi correspond le nombre 40 ?
En généralisant, conjecturer la formule calculant $\vec{u}.\vec{v}$.

4 Expression du produit scalaire à l'aide des normes

a. Créer le parallélogramme OADB.
$\overrightarrow{OD}$ est le représentant du vecteur $\vec{u} + \vec{v}$.
En utilisant l'icône , créer les longueurs OA, OB et OD (on renommera « distanceOA » en « OA », …).

b. Créer le nombre s en entrant dans le champ de saisie : « s = 0.5*(OD^2 – OA^2 – OB^2) ».
Lorsque le point B se déplace sur $\mathscr{C}$, que constate-t-on ?
En généralisant, conjecturer la formule calculant $\vec{u}.\vec{v}$ en remplaçant OA, OB, OD par leurs normes.

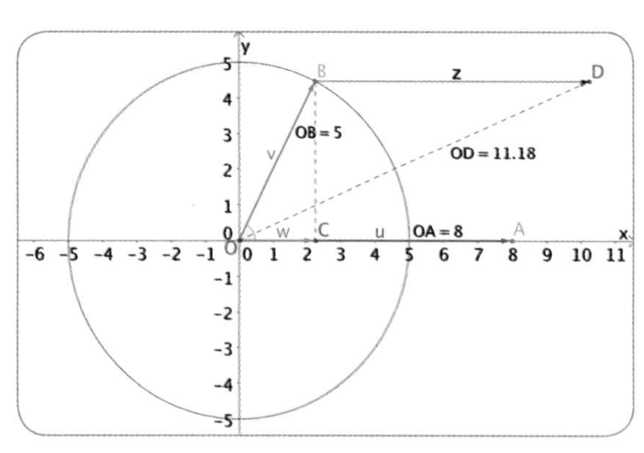

5 Expression analytique du produit scalaire dans un repère orthonormé

Entrer dans le champ de saisie : « t = x(u)*x(v) + y(u)*y(v) ». (Les fonctions x(.) et y(.) donnent respectivement l'abscisse et l'ordonnée d'un point ou d'un vecteur.)
Lorsque le point B se déplace sur $\mathscr{C}$, que constate-t-on ?
En généralisant, conjecturer la formule calculant $\vec{u}.\vec{v}$ grâce aux coordonnées de ces vecteurs.

TICE 2 Lieu de points : le rectangle animé 

Objectifs : • Modéliser une situation avec un logiciel.
• Démontrer et utiliser le théorème de la médiane.

1 Construction

a. À l'aide de l'icône a=2, créer un curseur R et, dans le menu *Propriétés*, choisir pour bornes 0 et 6.
Construire un cercle $\mathscr{C}$ de centre O et de rayon R.
Pour la suite, on pourra placer le curseur R à 4.
Construire un point A, distinct de O, à l'intérieur de $\mathscr{C}$.

b. Construire un point B mobile sur $\mathscr{C}$.

c. Construire le rectangle ABCD tel que le sommet D soit sur le cercle $\mathscr{C}$ et que l'angle $(\overrightarrow{AB} ; \overrightarrow{AD})$ soit un angle droit direct.
Construire M le centre du rectangle ABCD.

REMARQUE Pour une meilleure lisibilité, on pourra utiliser les icônes et AA afin de cacher objets et étiquettes superflus.

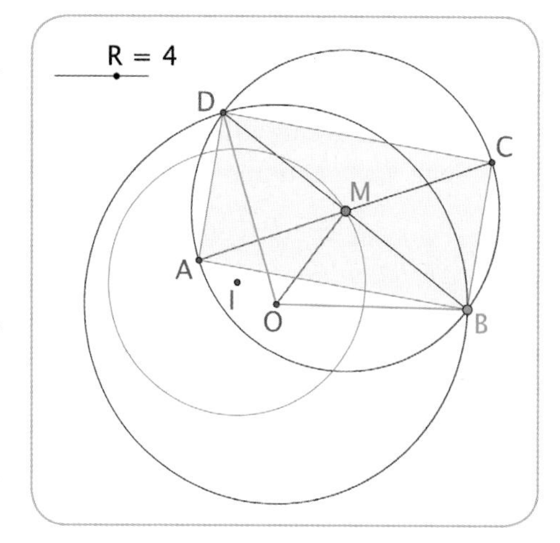

2 Conjectures

Pour établir les conjectures, on manipulera à la souris le point B mobile sur le cercle $\mathscr{C}$.
On s'intéresse au lieu du point M lorsque le point B se déplace sur le cercle $\mathscr{C}$.

a. Avec un clic droit sur M, choisir dans le menu Trace activée et déplacer le point B sur $\mathscr{C}$.

b. Dans le 4ᵉ menu de la barre d'outils, choisir l'icône, puis cliquer sur M (le point dont on veut faire apparaître le lieu) puis sur B (le point mobile dont dépend M).

Essayer de donner les caractéristiques du lieu de M et constater que la conjecture coïncide avec la trace et le lieu proposés par le logiciel.

c. Créer les segments [MO] et [MA] en pointillés rouge.
Grâce à l'icône cm située dans le 8ᵉ menu de la barre d'outils, créer la distance MO (que l'on renommera u) et la distance MA (que l'on renommera v).
Créer pour finir le nombre s en entrant dans le champ de saisie : « s = u^2 + v^2 ».
Faire circuler le point B sur le cercle $\mathscr{C}$. Que peut-on conjecturer au sujet de s ?
Positionner à présent le curseur R par exemple à la valeur 2, puis 3, puis 5, puis 6.
Que peut-on conjecturer de plus au sujet de s ?

3 Démonstrations

a. *Montrons que la quantité* $s = \text{MO}^2 + \text{MA}^2$ *est une constante.*
Tracer en vert les segments [OD] et [OB].
En considérant le triangle OBD, démontrer que $s = R^2$.

b. *Trouvons une autre expression de s.*
Soit I le milieu du segment [AO].
Introduire le point I dans chacun des carrés scalaires $\overrightarrow{\text{MO}}^2$ et $\overrightarrow{\text{MA}}^2$ et démontrer que :

$$s = 2\text{MI}^2 + \frac{\text{OA}^2}{2}$$

REMARQUE Vous venez de (re)démontrer le théorème de la médiane.

c. En égalant les deux expressions de s trouvées en 3 **a** et **b**, conclure sur la nature du lieu de M et préciser avec soin ses caractéristiques.

TP TICE 3

Étude de lignes de niveau

Objectifs : • Découvrir la notion de lignes de niveau sur des exemples simples.
• Étudier des lignes de niveau à l'aide du produit scalaire.

Une « **ligne de niveau** » est un ensemble de points vérifiant une même condition, le plus souvent numérique.

Pour chacune des **Parties A** *à* **C**, *ouvrir une feuille GeoGebra et dans Affichage, sélectionner* Grille *et décocher* Axes.

Quelques lignes de niveau

• En géographie, les cartes topographiques (exemple ci-contre) représentent les « lignes de découpe » : **isohypse** pour les points d'une surface situés à la même altitude et **isobath** pour les profondeurs sous-marines.

• En océanographie, on représente les **isohalines** : ensemble des points où la salinité de l'océan est la même.

• En sciences économiques, les **isochrones** représentent des lignes (ou zones) de « temps équivalent » de voyage à partir d'un endroit donné.

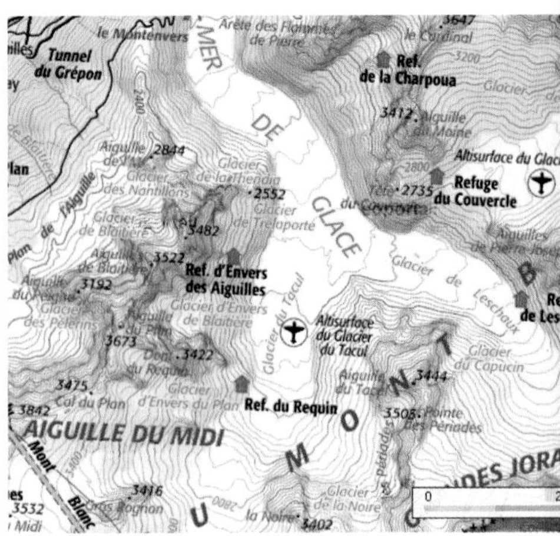

Extrait de la carte de la région de Chamonix – © IGN-Paris 2011.

Partie A. Exemples simples de recherche de lignes de niveau

1 a. Créer un segment [AB] de longueur 5. Tracer en rouge (respectivement en vert) l'ensemble des points M tels que la distance de M au point le plus proche du segment [AB] soit égale à 2 (respectivement 4).

b. Si on note D l'application du plan à valeurs dans $\mathbb{R}$ qui à tout point M associe sa distance au point le plus proche du segment [AB], on a ainsi tracé en rouge la ligne de niveau 2 de D (notée $\mathscr{L}_2$) et en vert la ligne de niveau 4 de D (notée $\mathscr{L}_4$). Décrire les lignes de niveau $\mathscr{L}_k$ suivant la valeur du réel k.

2 a. Créer un segment [AB] de longueur 10. Créer un point M quelconque dans le plan. Après avoir tracé le triangle ABM, faire afficher son aire par le logiciel.

b. Déplacer le point M dans le plan pour conjecturer le lieu des points M tels que l'aire du triangle ABM soit égale à 15 puis à 25.

c. Soit A l'application qui à tout point M associe l'aire du triangle ABM. Tracer en rouge la ligne de niveau 15 (notée $\mathscr{L}_{15}$) et en vert celle de niveau 25 (notée $\mathscr{L}_{25}$).
Décrire les lignes de niveau $\mathscr{L}_k$ suivant la valeur du réel k et expliquer leur construction.

Partie B. Lignes de niveau liées au produit scalaire : $\overrightarrow{MA}.\overrightarrow{MB} = k$

1 a. Créer un segment [AB] de longueur 10. Créer un point M quelconque dans le plan.
On recherche l'ensemble $\mathscr{L}_k$ des points M du plan tels que $\overrightarrow{MA}.\overrightarrow{MB} = k$ où k est un réel fixé.

b. Quel est l'ensemble $\mathscr{L}_0$? Tracer $\mathscr{L}_0$ en rouge.

c. Après avoir construit les vecteurs $\overrightarrow{MA}$ et $\overrightarrow{MB}$ (notés u et v par le logiciel), entrer dans le champ de saisie : « PS = u*v ». Conjecturer la nature des lignes de niveau 11 et –16. Les tracer.

2 Soit I le milieu de [AB]. Réécrire la condition $\overrightarrow{MA}.\overrightarrow{MB} = k$ en introduisant le point I dans chacun des deux vecteurs. Après calculs, obtenir un résultat permettant de décrire les lignes de niveau $\mathscr{L}_k$ suivant la valeur du réel k.

Partie C. Lignes de niveau liées au produit scalaire : $\overrightarrow{AM}.\vec{u} = k$

a. Créer un point A, un vecteur $\vec{u}$ (représentant d'origine A et de norme 6) et un point M.
On recherche l'ensemble $\mathscr{L}_k$ des points M du plan tels que $\overrightarrow{AM}.\vec{u} = k$ où k est un réel fixé.

b. Quel est l'ensemble $\mathscr{L}_0$? Tracer $\mathscr{L}_0$ en rouge.

c. Après avoir construit le vecteur $\overrightarrow{AM}$ (noté v par le logiciel), entrer dans le champ de saisie : « PS = u*v ». Conjecturer la nature des lignes de niveau –12, 36 et 54. Les tracer.

Algorithmique 1 Test sur l'orthogonalité de deux vecteurs

▶ Fiches Algorithmique p. 11

Objectif : Lire, corriger et compléter un algorithme écrit en Python.

Louise propose l'algorithme en Python ci-dessous pour tester si deux vecteurs sont orthogonaux.

```
def ortho(x1,y1,x2,y2):
    ps=x1*x2-y1*y2
    if ps=0:
        print "oui"
    else:
        print "non"
```

1 Pourquoi est-il impossible d'utiliser les notations habituelles $(x\ ;\ y)$ et $(x'\ ;\ y')$ dans le programme ?

2 Trouver les deux erreurs qui se sont glissées dans l'algorithme de Louise.

3 Modifier cet algorithme pour qu'il donne la norme des deux vecteurs de coordonnées (x1 ; y1) et (x2 ; y2).

COUP DE POUCE

En Python, l'exposant se note **.
Par exemple, 3^2 s'écrira 3**2 et $\sqrt{3}$ s'écrira 3**0.5.

Algorithmique 2 Donner une équation cartésienne de droite connaissant un point et un vecteur normal

▶ Fiches Algorithmique p. 11

Objectif : Écrire un algorithme puis le programmer.

1 Écrire en langage naturel un algorithme qui :
- demande en entrée les coordonnées d'un point A et les coordonnées d'un vecteur $\vec{n}$;
- affiche en sortie une équation cartésienne de la droite passant par A et de vecteur normal $\vec{n}$.

Par exemple, pour A(3 ; 4) et $\vec{n}(2\ ;-3)$, cet algorithme s'exécute ainsi :

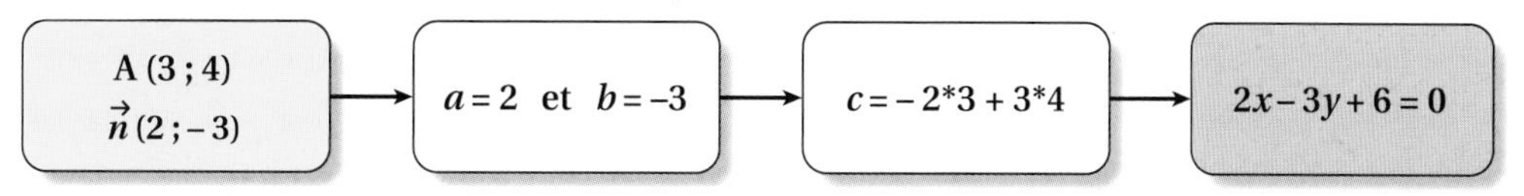

2 Programmer cet algorithme à la calculatrice ou dans un autre langage.

TP **Algorithmique** 

Test sur la nature d'un quadrilatère

▶ Fiches Algorithmique p. 11

Objectif : Lire, corriger et programmer un algorithme avec des instructions conditionnelles.

David a écrit un programme qui prend en entrée les coordonnées de quatre points A, B, C et D dans cet ordre et donne en sortie la nature du quadrilatère ABCD.

1 Reproduire et compléter le plan suivant permettant l'étude d'un quadrilatère : trouver les propriétés traduisibles vectoriellement qui caractérisent chaque niveau.

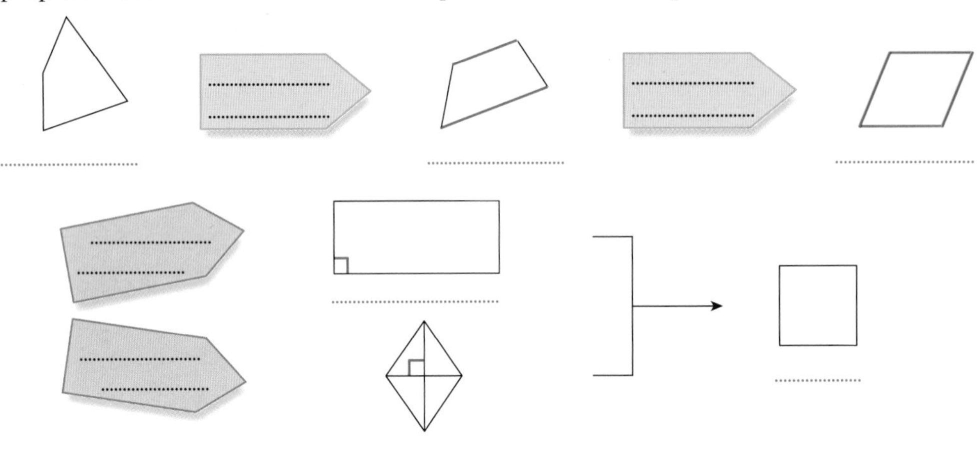

2 Voici l'algorithme de David :

```
Entrée :          Demander les abscisses des points A, B, C et D, dans cet ordre
                  (notées x1, x2, x3 et x4).
                  Demander les ordonnées des points A, B, C et D, dans cet ordre
                  (notées y1, y2, y3 et y4).
Initialisation :  Affecter à la variable i la valeur 1.
                  Pour k allant de 1 à 3
                        Pour j allant de k + 1 à 4
                           Affecter à la variable X(i) la valeur  xj - xk.
                           Affecter à la variable Y(i) la valeur  yj - yk.
                           Affecter à la variable i la valeur i + 1.
Traitement :      Affecter à la variable C1 la valeur X(1)*Y(6) - X(6)*Y(1).
                  Affecter à la variable C2 la valeur X(3)*Y(4) - X(4)*Y(3).
                  Affecter à la variable O1 la valeur X(1)*X(3) + Y(1)*Y(3).
                  Affecter à la variable O2 la valeur X(2)*X(5) + Y(2)*Y(5).
Sortie :          Si C1 = C2 = O1 = O2 = 0
                  alors  afficher « ABCD est un carré. »
                  sinon  si C1 = C2 = O1 = 0
                         alors  afficher « ABCD est un rectangle. »
                         sinon  si C1 = C2 = O2 = 0
                                alors  afficher « ABCD est un losange. »
                                sinon  si C1 = C2 = 0
                                       alors  afficher « ABCD est un parallélogramme. »
                                       sinon  si C1 = 0 ou exclusif C2 = 0
                                              alors  afficher « ABCD est un trapèze. »
                                              sinon  afficher « ABCD est quelconque. »
```

Expliquer l'initialisation et le rôle des variables **C1**, **C2**, **O1** et **O2**.

3 Isabelle propose à David d'ajouter le cas où le quadrilatère est aplati et celui où il est croisé. Écrire les quelques lignes manquantes pour compléter cet algorithme.

Problème ouvert 1 Six barres de bois rond

Pour rendre hommage à l'artiste roumain André Cadere (1934-1978), Arthur désire proposer au musée Pompidou de Metz de présenter l'une de ses œuvres, *Six barres de bois rond* (1975), de façon originale : on placerait les barres dans un immense cube en plexiglas d'arête a en compagnie de boules peintes en s'inspirant du découpage coloré si cher à Cadere.

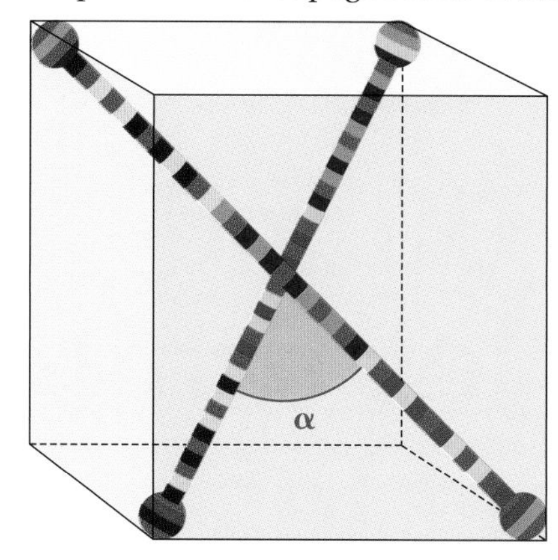

Avec quel angle α les visiteurs pourront-ils admirer ce montage ? On donnera une valeur arrondie au degré près.

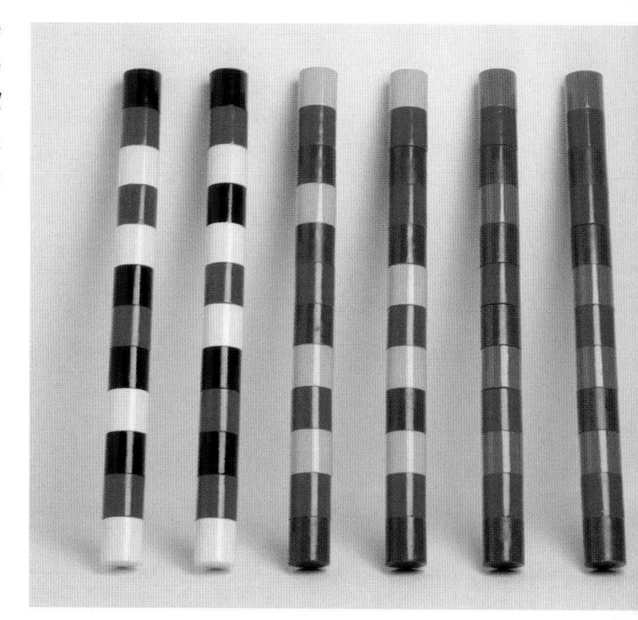

Six barres de bois rond, André Cadere, 1975, Collection musée national d'Art moderne – Centre Georges Pompidou, Paris.

Problème ouvert 2 Les tentures indiennes de Pondichéry

Dans l'atelier *Au Fils d'Indra*, à Pondichéry, de magnifiques tentures indiennes sont réalisées par des brodeuses hors pair. Le prix de ces pièces uniques dépend de la taille de la toile, du nombre d'heures de travail et de la nature des éléments utilisés.
Une de ces artistes veut broder avec du fil doré la surface interne d'un patchwork de trois morceaux de tissu.
Voici le schéma qu'elle a réalisé :

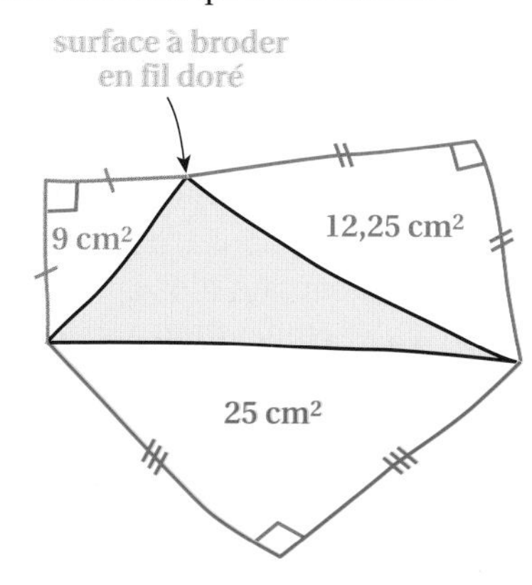

Retrouver l'aire de la surface en fil doré.

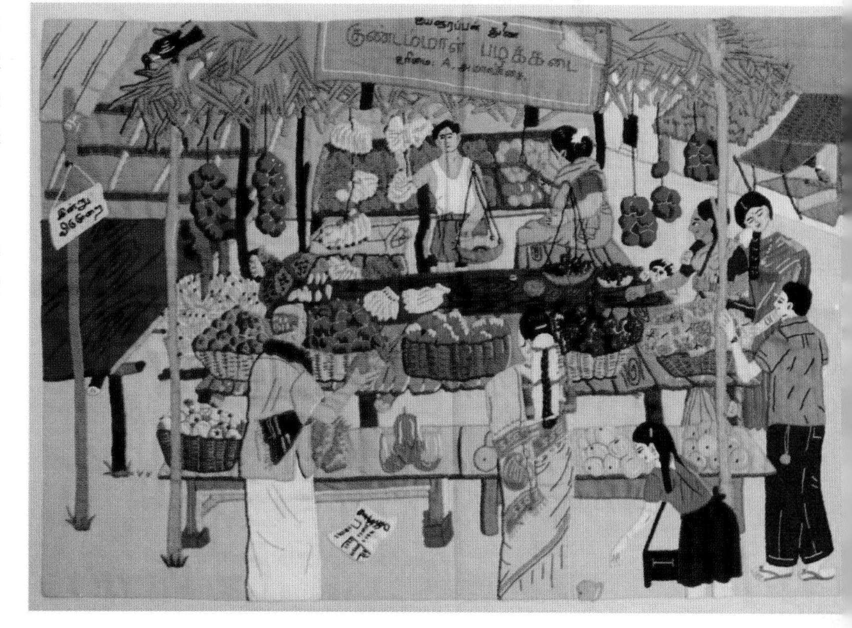

POUR ALLER PLUS LOIN

Un théorème de trigonométrie

Avec les notations déjà introduites, il s'agit de démontrer de façon purement vectorielle que :

$$\cos(\vec{u}, \vec{v}) = \frac{xx' + yy'}{\sqrt{x^2 + y^2}\sqrt{x'^2 + y'^2}}$$

C'est-à-dire que tout notre travail revient à donner de $\cos(\vec{u}, \vec{v})$ une « expression analytique ».
Voici la situation géométrique :

Le nombre $\cos(\alpha) = \cos(\vec{u}, \vec{v})$ est l'abscisse du vecteur $\vec{w} = \frac{\vec{v}}{\|\vec{v}\|}$

dans la base $(\vec{i}', \vec{j}') = \left(\frac{\vec{u}}{\|\vec{u}\|}, \vec{j}'\right)$

où le vecteur $\vec{j}'$ est déterminé par le fait que l'angle

$\left(\frac{\vec{u}}{\|\vec{u}\|}, \vec{j}'\right)$ mesure $+\frac{\pi}{2}$.

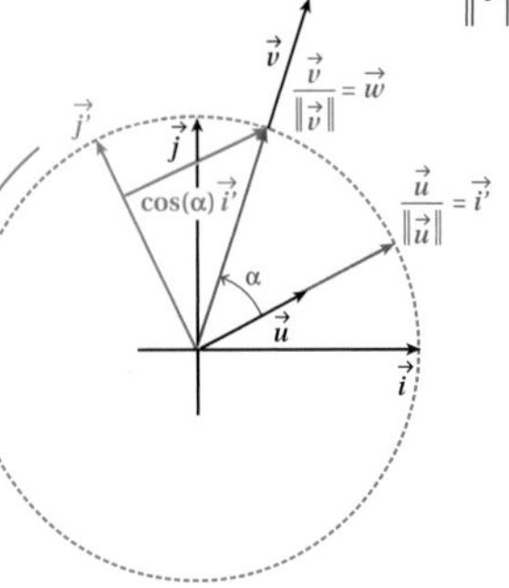

Comme nous savons que :

$$\vec{w} = \frac{x'}{\sqrt{x'^2 + y'^2}}\vec{i} + \frac{y'}{\sqrt{x'^2 + y'^2}}\vec{j} \quad (1)$$

il nous suffit de calculer les coordonnées des vecteurs $\vec{i}$ et $\vec{j}$ dans la base $(\vec{i}', \vec{j}')$; le coefficient de $\vec{i}'$ est le nombre $\cos(\alpha)$.
En fait nous disposons des formules inverses :

$$\vec{i}' = \frac{x}{\sqrt{x^2 + y^2}}\vec{i} + \frac{y}{\sqrt{x^2 + y^2}}\vec{j}$$

Donc, en tournant d'un angle droit :

$$\vec{j}' = \frac{x}{\sqrt{x^2 + y^2}}\vec{i} + \frac{y}{\sqrt{x^2 + y^2}}\vec{j}$$

De ces deux formules, il découle par combinaison :

$$y\vec{i}' + x\vec{j}' = \sqrt{x^2 + y^2}\,\vec{j} \quad \text{et} \quad x\vec{i}' - y\vec{j}' = \sqrt{x^2 + y^2}\,\vec{i}$$

On a donc inversé les formules qui donnaient $\vec{i}'$ et $\vec{j}'$ dans l'ancienne base $(\vec{i}, \vec{j})$:

$$\begin{cases} \vec{i} = \dfrac{x}{\sqrt{x^2 + y^2}}\vec{i}' - \dfrac{y}{\sqrt{x^2 + y^2}}\vec{j}' \\ \vec{j} = \dfrac{y}{\sqrt{x^2 + y^2}}\vec{i}' + \dfrac{x}{\sqrt{x^2 + y^2}}\vec{j}' \end{cases} \quad (2)$$

En substituant, dans la formule (1), les décompositions, dans la nouvelle base $(\vec{i}', \vec{j}')$, que (2) donne des vecteurs de l'ancienne base, on trouve :

$$\vec{w} = \frac{x'}{\sqrt{x'^2 + y'^2}}\left(\frac{x}{\sqrt{x^2 + y^2}}\vec{i}' - \frac{y}{\sqrt{x^2 + y^2}}\vec{j}'\right)$$

$$+ \frac{y'}{\sqrt{x'^2 + y'^2}}\left(\frac{y}{\sqrt{x^2 + y^2}}\vec{i}' + \frac{x}{\sqrt{x^2 + y^2}}\vec{j}'\right)$$

$$\vec{w} = \frac{xx' + yy'}{\sqrt{x'^2 + y'^2}\sqrt{x^2 + y^2}}\vec{i}' + \text{un vecteur colinéaire à } \vec{j}'$$

La formule souhaitée est donc démontrée.

Hermann Grassmann
(1809 - 1877).

Quand les droites et les vecteurs fusionnent

"Produit scalaire"... un nom étrange. Le terme "scalaire" provient du latin *scala*, échelle, via l'anglais *scalar* qui signale un nombre rangé dans une échelle, étant entendu que cette échelle peut être tout simplement celle des nombres réels ou, dans le domaine physique, celle des volts (électricité), des joules (énergie), etc. Quant au terme "produit", il signifie multiplication. En résumé : le produit scalaire est un nombre réel issu d'une opération de multiplication. Mais attention, ce concept a été forgé par Hermann Grassmann au milieu du XIXe siècle dans le cadre d'une réflexion sur les vecteurs : le produit scalaire est un nombre réel issu de la multiplication de deux ou plusieurs vecteurs entre eux... Là, ça devient plus intrigant car si depuis Newton, l'opération d'addition des vecteurs (▶ **Culture Maths** p. 188-189) se comprenait intuitivement – par exemple, pour trouver la force résultante de deux forces appliquées à un solide –, l'idée de multiplier les vecteurs entre eux ne renvoyait pas *a priori* à une intuition évidente. Que représente cette opération $\vec{u}.\vec{v}$ et à quoi peut-elle bien servir ?

L'interprétation physique

Il est facile de répondre par un exemple physique, même si l'invention du produit scalaire a été avant tout un immense progrès pour les mathématiques.

Deux définitions équivalentes

Le produit scalaire de deux vecteurs peut être défini par deux formules différentes dans l'écriture mais équivalentes au sens mathématique. Celle de la définition du cours :

$$\vec{u}\,.\,\vec{v} = \|\vec{u}\|.\|\vec{v}\|.\cos(\vec{u}, \vec{v})$$

Ou, si on est dans une base orthonormale $(\vec{i}, \vec{j})$ et si $\vec{u}(x\,;\,y)$ et $\vec{v}(x'\,;\,y')$, ont peut définir $\vec{u}\,.\,\vec{v}$ par la « ***formule analytique*** » suivante :

$$\vec{u}\,.\,\vec{v} = xx' + yy'$$

On peut démontrer que ces deux définitions sont équivalentes en n'utilisant presque pas les ***points*** du plan (▶ Pour aller plus loin) – c'est dans cet esprit que Grassmann réussit le saut de l'espace à trois dimensions aux espaces de dimensions supérieures...

Symétrie et généralisation

La formule $\vec{u}\,.\,\vec{v} = xx' + yy'$ est tellement simple par rapport à celle, d'origine géométrique, dont elle vient, qu'il est facile de la généraliser aux n-uplets de nombres réels $u = (x_1, x_2, \ldots, x_n)$ et $v = (x'_1, x'_2, \ldots, x'_n)$ par une formule qui respecte son évidente symétrie.

$$\vec{u}\,.\,\vec{v} = x_1\,x'_1 + x_2\,x'_2 + \ldots + x_n\,x'_n$$

Ce genre d'instrument permet, par exemple, aux statisticiens, d'étudier les corrélations qui existent entre divers caractères de populations constitués d'individus de même type. Avec $n = 4$, on peut considérer, pour chaque être humain, le « vecteur » u que constitue les mesures de son poids, sa taille, l'écartement de ses yeux, la longueur de ses bras. Vous rencontrerez ultérieurement, en statistiques, quelques notions qui généralisent encore ces « vecteurs multidimensionnels » ; celle d'écart-type est un exemple courant.

Imaginons un solide qui ne peut se déplacer que sur un rail sans frottements, et appliquons-lui une force (vecteur) $\vec{F}$. Il est assez clair que si cette force a la même direction que le rail, son efficacité pour déplacer le solide sera meilleure que si elle a une autre direction. La preuve ? Si $\vec{F}$ est orthogonale au rail (angle de 90° degrés ou $\pi/2$ radians), elle aura beau tirer sur le solide, celui-ci ne bougera pas : $\vec{F}$ est totalement inefficace. En revanche, si $\vec{F}$ n'est pas tout à fait orthogonale au rail – disons qu'elle fait un angle de 80° – le solide se déplacera un peu, mais bien moins efficacement que si l'angle est de 70°... bien sûr le cas le plus efficace est celui où $\vec{F}$ est parallèle au rail.

Utile en physique, le produit scalaire a surtout été une immense découverte en mathématiques.

Les forces travaillent aussi

Cet exemple conduit directement au produit scalaire car cette mesure d'efficacité de $\vec{F}$ sur le déplacement du solide, qu'on nomme "travail" de la force, se calcule rigoureusement ainsi : soit $\vec{F}$ la force, soit $\vec{R}$ le déplacement du solide – c'est un vecteur car le déplacement a une direction et un sens – alors le "travail" (noté W) de $\vec{F}$ sur le déplacement du solide est $W = \vec{F}.\vec{R}$, qui vaut exactement : $\|\vec{F}\|.\|\vec{R}\|.\cos(\vec{F}, \vec{R})$. Voilà donc, introduit par la voie physique, le secret du produit scalaire ! Il se lit ainsi : le produit scalaire de deux vecteurs est égal au produit de leurs normes (longueurs), multiplié par le cosinus de leur angle – orienté dans le sens du cercle trigonométrique. On retrouve bien alors notre intuition de départ : si $\vec{F}$ est orthogonale à $\vec{R}$, $\cos(\vec{F}, \vec{R}) = \cos(\pi/2 \pm \pi) = 0$, l'apport de $\vec{F}$ au déplacement du solide est nul... Remarquons que dans ce cas physique, comme la force est en newtons et le déplacement en mètres, l'échelle du produit scalaire est en N.m.

Le travail mécanique : un basketteur exerce sur la balle une force dont le travail est positif.

Un pont dans l'espace

Mais cette mise en scène ne nous dit pas en quoi le produit scalaire a un intérêt au sens mathématique. La réponse : l'introduction au XIXe siècle de cette opération dans le domaine des vecteurs, déjà muni notamment de l'addition et de la multiplication par un scalaire[1], a permis de retrouver tous les résultats de la géométrie classique (théorèmes de Pythagore, de Thalès, etc.). Autrement dit, le produit scalaire a fait office de pont reliant robustement deux domaines qui jusqu'alors s'étaient juxtaposés sans véritablement fusionner : les droites et les vecteurs (▶ encadré). Or, par l'existence de ce pont, les deux domaines ont été unifiés : la géométrie classique se déduit de la géométrie vectorielle... De telles synthèses, outre qu'elles réalisent une économie de mémoire importante pour les étudiants, prouvent la cohérence des mathématiques... et en font leur beauté.

1. Ne pas confondre la multiplication d'un vecteur par un scalaire et le produit scalaire de deux vecteurs.

Différentes expressions du produit scalaire

1 Absente au dernier cours de mathématiques, Carla recopie l'énoncé de ses devoirs à partir du cahier de Justine. Elle trouve la question suivante :

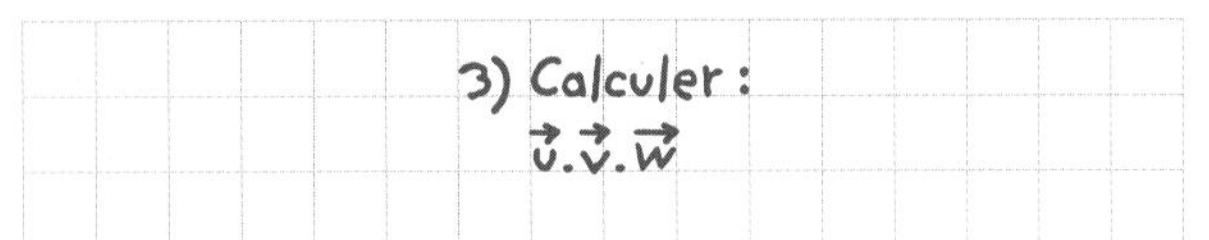

Elle pense que Justine s'est trompée…
Expliquer l'erreur et proposer une écriture correcte.

Pour les exercices 2 à 9

On utilisera l'expression projetée du produit scalaire.

2 Dans chaque cas, calculer $\vec{u}.\vec{v}$.

a.

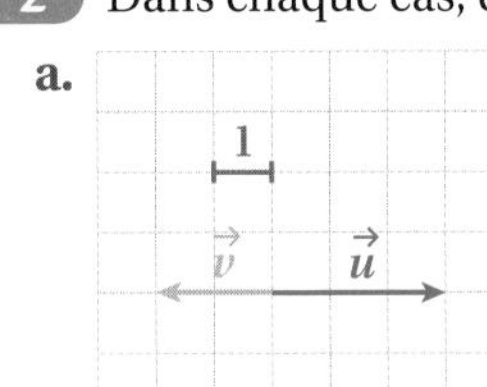

b.

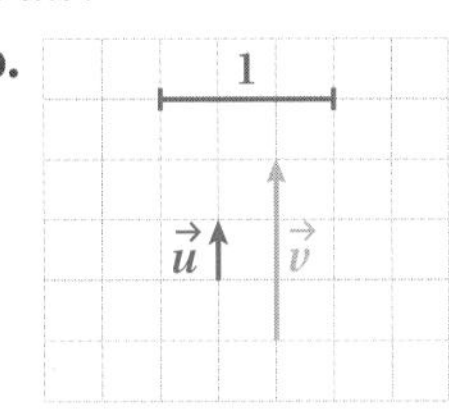

c.

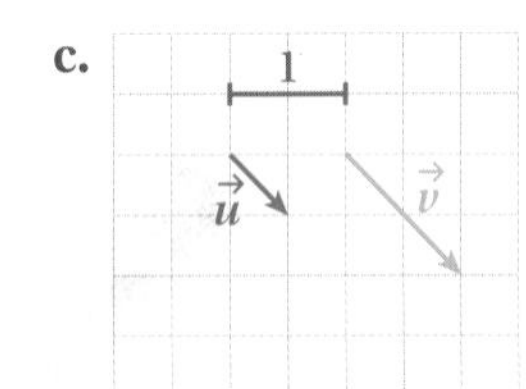

d.

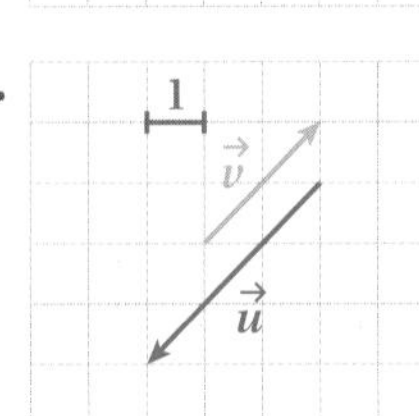

3 On considère la figure ci-dessous.

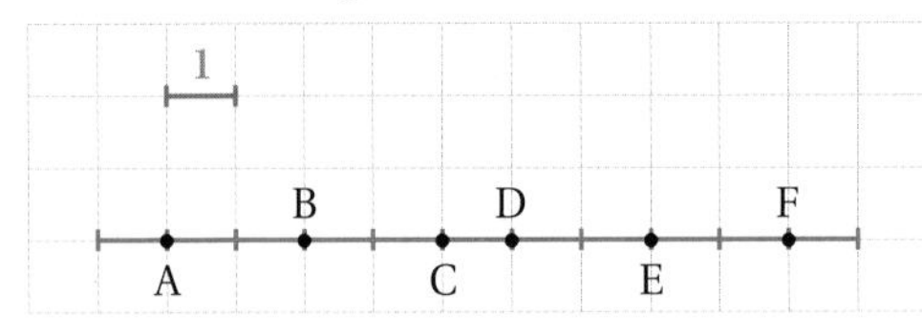

Calculer les produits scalaires suivants.

a. $\overrightarrow{AB}.\overrightarrow{AD}$ **b.** $\overrightarrow{DF}.\overrightarrow{EC}$
c. $\overrightarrow{CB}.\overrightarrow{CD}$ **d.** $\overrightarrow{DA}.\overrightarrow{BF}$

4 Tracer un segment [AB] tel que AB = 8.
Soit M un point de la droite (AB).

1. Que vaut $\overrightarrow{AB}.\overrightarrow{AM}$ si A est le milieu de [BM] ? si B est le milieu de [AM] ?

2. Placer les points M_i de (AB) tels que :

a. $\overrightarrow{AB}.\overrightarrow{AM_1} = -16$
b. $\overrightarrow{AB}.\overrightarrow{AM_2} = 16$
c. $\overrightarrow{AB}.\overrightarrow{AM_3} = 0$
d. $\overrightarrow{AB}.\overrightarrow{AM_4} = -48$

5 TICE **1.** Au moyen d'un logiciel de géométrie, construire un curseur k, un vecteur $\vec{u}$ de direction horizontale et de norme 5, et le vecteur $\vec{v} = k\vec{u}$.

2. Créer les vecteurs $\vec{v_i}$, colinéaires à $\vec{u}$, tels que :

a. $\vec{u}.\vec{v_1} = -15$ **b.** $\vec{u}.\vec{v_2} = 35$ **c.** $\vec{u}.\vec{v_3} = -27{,}5$

3. Vérifier les constructions en faisant calculer le produit scalaire $\vec{u}.\vec{v}$ par le logiciel et en manipulant le curseur k.

Coup de pouce

2. Pour construire le vecteur $\vec{v}$, dans le champ de saisie, entrer : « $v = k*u$ ».
3. Pour calculer le produit scalaire $\vec{u}.\vec{v}$, entrer « u*v » dans le champ de saisie.

6 On considère la figure ci-contre.
Calculer les produits scalaires suivants.

a. $\vec{u}.\vec{v}$ **b.** $\vec{u}.\vec{w}$
c. $\vec{u}.\vec{k}$ **d.** $\vec{v}.\vec{w}$
e. $\vec{k}.\vec{w}$ **f.** $\vec{k}.\vec{v}$

7 On considère la figure ci-contre.
Calculer les produits scalaires suivants.

a. $\overrightarrow{DC}.\overrightarrow{DE}$ **b.** $\overrightarrow{AF}.\overrightarrow{CB}$
c. $\overrightarrow{FC}.\overrightarrow{FA}$ **d.** $\overrightarrow{EC}.\overrightarrow{BF}$
e. $\overrightarrow{DA}.\overrightarrow{FC}$ **f.** $\overrightarrow{DE}.\overrightarrow{CB}$

8 On considère l'hexagone ci-contre.
Calculer les produits scalaires suivants.

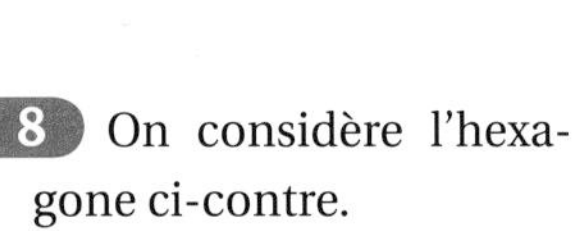

a. $\overrightarrow{AB}.\overrightarrow{DE}$ **b.** $\overrightarrow{CF}.\overrightarrow{BO}$
c. $\overrightarrow{OC}.\overrightarrow{ED}$ **d.** $\overrightarrow{AD}.\overrightarrow{FC}$
e. $\overrightarrow{DO}.\overrightarrow{FC}$ **f.** $\overrightarrow{DC}.\overrightarrow{AO}$

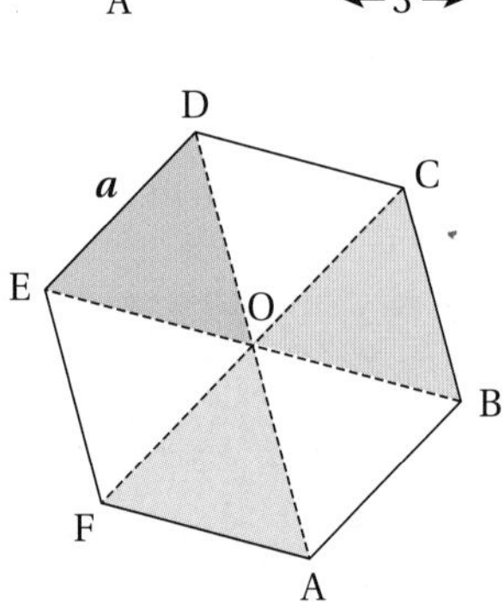

9 Soit le losange EFGH ci-contre.
Montrer que pour tout point M de la droite (HF), on a :

$$\overrightarrow{EG}.\overrightarrow{EM} = \overrightarrow{EG}.\overrightarrow{MG} = \frac{3\,l^2}{2}$$

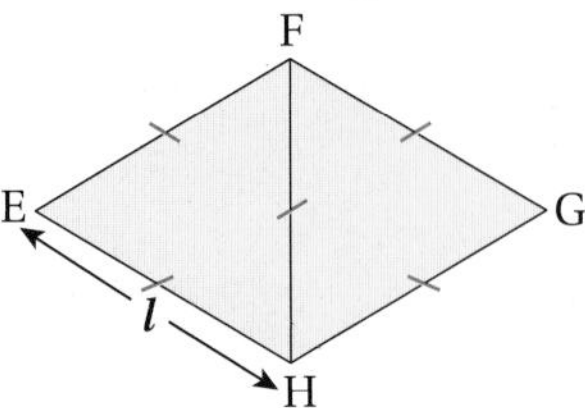

POUR LES EXERCICES 10 ET 11

On utilisera l'expression trigonométrique du produit scalaire.

10 Dans chaque cas, calculer $\vec{u}.\vec{v}$.

a. $\|\vec{u}\| = \sqrt{2}$, $\|\vec{v}\| = 5$ et $(\vec{u}, \vec{v}) = \frac{\pi}{4}$.

b. $\|\vec{u}\| = 3$, $\|\vec{v}\| = 2$ et $(\vec{u}, \vec{v}) = -\frac{2\pi}{3}$.

11 Calculer $\overrightarrow{AB}.\overrightarrow{AC}$ dans chacun des cas suivants.

a.

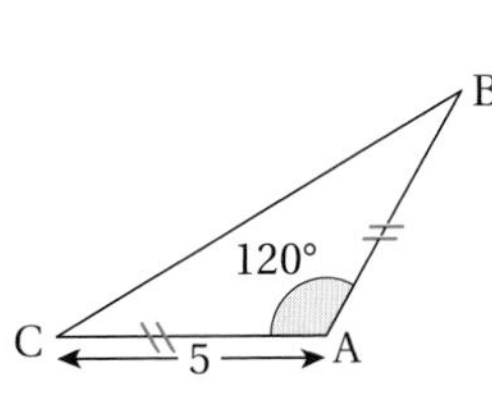

b.

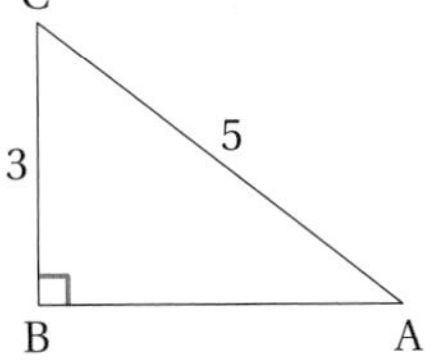

c.

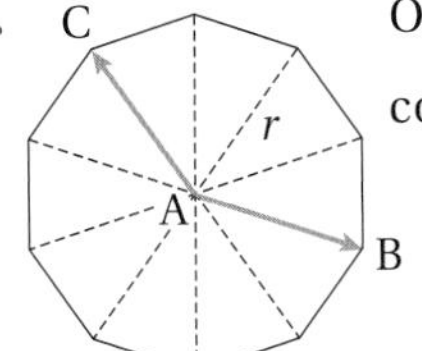

On donne $\cos\frac{\pi}{5} = \frac{1+\sqrt{5}}{4}$.

12 Restitution des connaissances

a. Montrer que pour tous vecteurs $\vec{u}$ et $\vec{v}$, on a :

$$|\vec{u}.\vec{v}| \leqslant \|\vec{u}\| \times \|\vec{v}\|$$

b. Dans quels cas a-t-on égalité ?

POUR LES EXERCICES 13 À 15

On utilisera l'expression analytique du produit scalaire.

13 Dans le repère orthonormé $(O ; \vec{i}, \vec{j})$, calculer $\vec{u}.\vec{v}$ dans les cas suivants.

a. $\vec{u}(3 ; 2)$ et $\vec{v}(-2 ; 3)$.

b. $\vec{u}(k-\sqrt{2} ; \sqrt{3}-k)$, $\vec{v}(k+\sqrt{2} ; \sqrt{3}+k)$, $k \in \mathbb{R}$.

c. $\vec{u} = -3\vec{i} + 5\vec{j}$ et $\vec{v} = 2\vec{i} - 3\vec{j}$

14 On considère la figure ci-dessous.

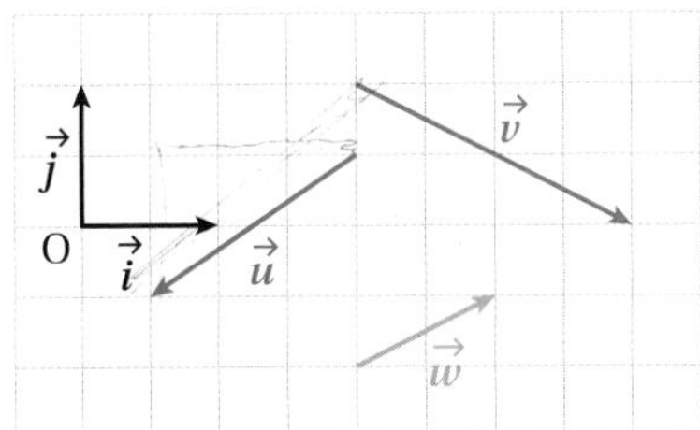

Calculer les produits scalaires suivants.

a. $\vec{u}.\vec{v}$ **b.** $\vec{u}.\vec{w}$ **c.** $\vec{v}.\vec{w}$

15 Dans le repère orthonormé $(O ; \vec{i}, \vec{j})$, on a :

$$A(1 ; -1),\ B(5 ; 3),\ C(10 ; -2) \text{ et } D(3 ; -5).$$

Calculer $\overrightarrow{AB}.\overrightarrow{AC}$ et $\overrightarrow{CB}.\overrightarrow{DA}$.

POUR LES EXERCICES 16 ET 17

On utilisera l'expression du produit scalaire avec les normes.

16 Dans chaque cas, calculer $\vec{u}.\vec{v}$.

a. $\|\vec{u}\| = 5$, $\|\vec{v}\| = 3$ et $\|\vec{u} - \vec{v}\| = 6$.

b. $\|\vec{u}\| = 3$, $\|\vec{v}\| = 2$ et $\|\vec{u} + \vec{v}\| = 4$.

17 Soit un parallélogramme ABCD.

Calculer $\overrightarrow{AB}.\overrightarrow{AC}$ sachant que AB = 6, AD = 3 et AC = 8.

POUR LES EXERCICES 18 À 20

À vous de choisir l'expression la mieux adaptée pour répondre à la question !

Savoir-faire 1 p. 239

18 Dans le triangle ABC, calculer AB sachant que :

- ABC est isocèle en A ;
- $\overrightarrow{AB}.\overrightarrow{AC} = -50$;
- une mesure de l'angle $(\overrightarrow{AB}, \overrightarrow{AC})$ est $\frac{-14\pi}{3}$.

19 Dans le repère orthonormé $(O ; \vec{i}, \vec{j})$, on a :

$$\vec{u}(k ; k+1) \text{ et } \vec{v}(k+1 ; -2) \text{ avec } k \in \mathbb{R}.$$

Déterminer la (les) valeur(s) de k pour que :

a. $\vec{u}.\vec{v}$ soit égal à 10.

b. $\vec{u}$ et $\vec{v}$ soient orthogonaux.

c. $\vec{u}$ ou $\vec{v}$ soit unitaire.

20 Dans un triangle ABC, on donne :

$$AB = 6,\ AC = 3 \text{ et } BC = 7.$$

Calculer $\overrightarrow{AB}.\overrightarrow{AC}$ et $\overrightarrow{AB}.\overrightarrow{BC}$.

21 Restitution des connaissances

On considère la figure suivante :

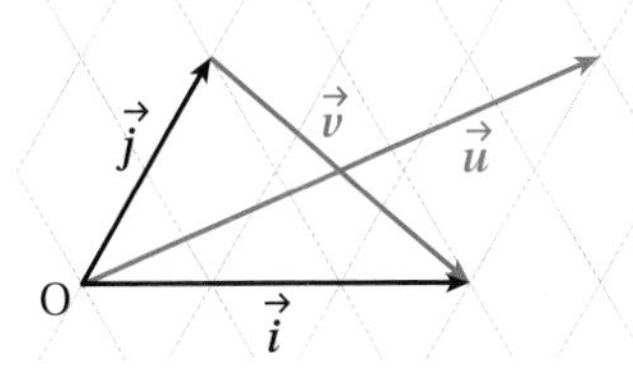

Voici la copie d'un élève :

Dans le repère $(O ; \vec{i}, \vec{j})$, le vecteur $\vec{u}$ a pour coordonnées (1 ; 1) et le vecteur $\vec{v}$ a pour coordonnées (1 ; –1).
On a : $\vec{u}.\vec{v} = 1 \times 1 + 1 \times (-1) = 0$
Donc les vecteurs $\vec{u}$ et $\vec{v}$ sont orthogonaux !

a. Quelle erreur classique a été commise par cet élève ?

b. Exprimer ce que vaut l'expression analytique du produit scalaire de $\vec{u}(x ; y)$ et $\vec{v}(x' ; y')$ dans le repère $(O ; \vec{i}, \vec{j})$.

22 Voici la copie d'un élève :

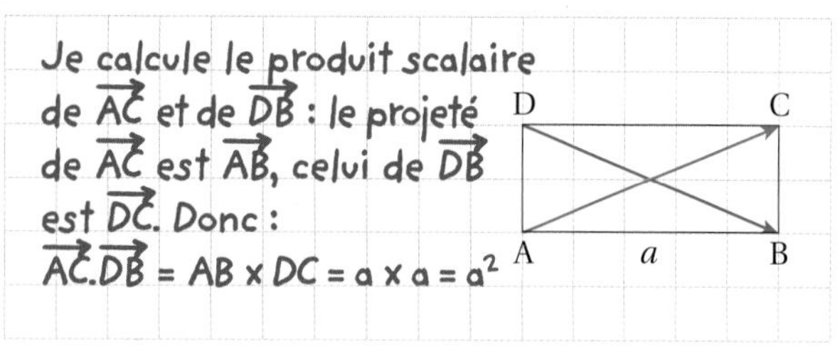

a. Quelle erreur classique a été commise par cet élève ?
b. Exprimer $\overrightarrow{AC}.\overrightarrow{DB}$ sachant que AD = b.

23 TICE

a. Avec un logiciel de géométrie, construire une droite d.
Créer deux droites Δ et Δ', perpendiculaires à la droite d.
Créer des points mobiles M et N respectivement sur les droites Δ et Δ'.
b. Créer un vecteur $\vec{u}$ dont la direction est celle de la droite d.
Créer le vecteur $\vec{v} = \overrightarrow{MN}$.
c. Calculer le produit scalaire de $\vec{u}$ et de $\vec{v}$.

COUP DE POUCE

Avec *GeoGebra*, on entrera « u v » ou « u*v » dans le champ de saisie.

d. Déplacer les points M et N.
Expliquer le phénomène observé.

24 Algorithmique 

a. Écrire un algorithme en langage naturel qui permettrait, connaissant les coordonnées de trois points A, B et C dans un repère orthonormé, de déterminer la nature du triangle ABC (aplati, rectangle, isocèle, équilatéral, ...).
b. Programmer l'algorithme de la question **a** sur la calculatrice.

Produit scalaire, propriétés de calcul et orthogonalité

25 Vrai ou faux ?

Pour chaque affirmation, indiquer si elle est vraie ou fausse ; justifier.

a. Pour tous vecteurs $\vec{u}$ et $\vec{v}$, on a :
$$(2\vec{u}).(3\vec{v}) = 5\vec{u}.\vec{v}$$
b. Pour tous points A, B et C, on a :
$$2\overrightarrow{AB}.(-3\overrightarrow{BC}) = 3\overrightarrow{BA}.2\overrightarrow{BC}$$
c. Pour tous vecteurs $\vec{u}$, $\vec{v}$ et $\vec{w}$, on a :
$$\text{si } \vec{u}.\vec{w} = \vec{v}.\vec{w} \text{ alors } \vec{u} = \vec{v}$$
d. Pour tous vecteurs $\vec{u}$ et $\vec{v}$, on a :
$$(3\vec{u} + 5\vec{v}).(3\vec{u} - 5\vec{v}) = \|3\vec{u}\|^2 - \|5\vec{v}\|^2$$
e. Pour tous points A, B et C, on a :
$$\overrightarrow{AB}^2 = \overrightarrow{AC}^2 + \overrightarrow{BC}^2 - 2\overrightarrow{CA}.\overrightarrow{CB}$$

26 Soit les vecteurs $\vec{u}$, $\vec{v}$ et $\vec{w}$ dont on connaît les normes et les produits scalaires :

- $\|\vec{u}\| = 2$
- $\|\vec{v}\| = 5$
- $\|\vec{w}\| = 3$
- $\vec{u}.\vec{v} = -6$
- $\vec{w}.\vec{v} = 9$
- $\vec{w}.\vec{u} = -6$

Parmi les expressions suivantes, calculer celles qui existent :

a. $(6\vec{v}).(2\vec{w}) + (-2\vec{v}).(-5\vec{u})$
b. $6(\vec{v}.\vec{w} - \vec{u})$
c. $(\vec{u} + 5\vec{v}).(3\vec{v} - \vec{w})$
d. $(\vec{u} + \vec{v}).(4\vec{v}.\vec{u})$
e. $\left(\frac{3}{2}\vec{u} + \vec{v}\right).\left(\frac{1}{12}\vec{v}\right) - \left(\vec{u} + \vec{v}\right).\left(\vec{u} - \vec{v}\right)$

27 On considère A, B, C et H quatre points quelconques du plan.

a. En introduisant le point A dans tous les vecteurs, évaluer le réel suivant :
$$\overrightarrow{AH}.\overrightarrow{BC} + \overrightarrow{AB}.\overrightarrow{CH} + \overrightarrow{AC}.\overrightarrow{HB} \quad (*)$$
b. En utilisant (*), montrer que dans un triangle ABC non aplati, les trois hauteurs sont concourantes.

COUP DE POUCE

Noter H l'intersection de deux hauteurs et prouver que la troisième hauteur passe aussi par H.

▸ Savoir-faire 2 p. 239

28 On considère ABCD un quadrilatère quelconque non croisé.

a. Montrer que les deux réels :
$$AB^2 - BC^2 \text{ et } DC^2 - AD^2$$
peuvent chacun s'écrire comme un produit scalaire où intervient le vecteur $\overrightarrow{AC}$.

COUP DE POUCE

Transformer les carrés en carrés scalaires.

b. En déduire que la somme des deux réels précédents est égale à :
$$2\overrightarrow{AC}.\overrightarrow{DB}$$
c. Démontrer alors la propriété suivante :
« Un quadrilatère ABCD possède des diagonales orthogonales lorsque les sommes des carrés des côtés opposés sont égales. »

▸ Savoir-faire 2 p. 239

29 On considère le damier coloré ci-dessous.

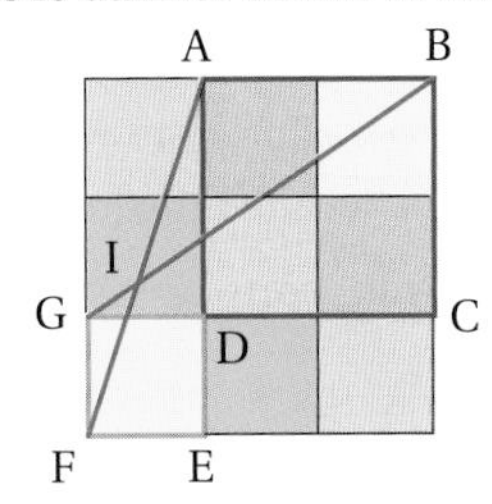

Montrer que les droites (AG) et (ID) sont orthogonales.

▶ Savoir-faire 4 p. 241

30 TICE

1. Construction et conjecture

a. À l'aide d'un logiciel de géométrie, construire un carré ABCD de côté a.

Construire les cercles $\mathscr{C}_A$, $\mathscr{C}_B$, $\mathscr{C}_C$ et $\mathscr{C}_D$ de rayon e où e est un curseur créé au préalable.

b. Construire les points E, F, G et H, intersections des cercles $\mathscr{C}_A$, $\mathscr{C}_B$, $\mathscr{C}_C$ et $\mathscr{C}_D$ respectivement avec les côtés [AB], [BC], [CD] et [DA].

c. Construire :

- I = (AG) ∩ (HB),
- J = (EC) ∩ (HB),
- K = (EC) ∩ (FD),
- L = (AG) ∩ (DF).

d. En manipulant le curseur, que peut-on conjecturer sur la nature des quadrilatères EFGH et IJKL ?

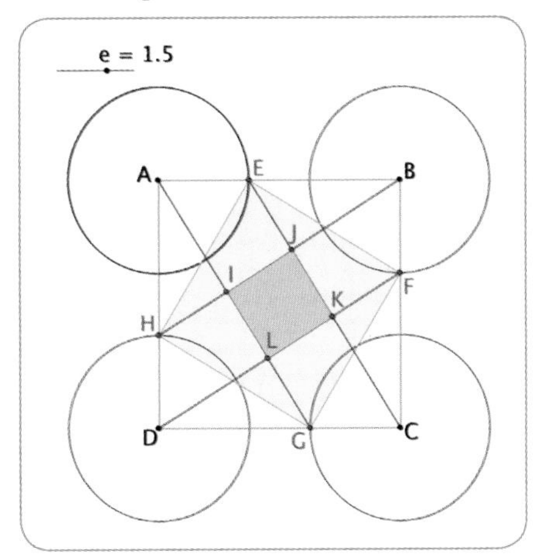

2. Démonstration pour EFGH

a. Montrer que :

$$\overrightarrow{EF}.\overrightarrow{EH} = 0$$

COUP DE POUCE

Introduire le point A dans le vecteur $\overrightarrow{EH}$ et le point B dans le vecteur $\overrightarrow{EF}$.

b. Conclure sur la nature du quadrilatère EFGH.

3. Démonstration pour IJKL

a. Montrer que :

$$\overrightarrow{AG}.\overrightarrow{HB} = 0$$

b. Montrer que :

$$\overrightarrow{IJ}.\overrightarrow{HB} = \overrightarrow{AE}.\overrightarrow{AB}$$

Exprimer alors IJ en fonction de a et e.

c. Conclure sur la nature du quadrilatère IJKL.

31 TICE

1. Construction et conjecture

Soit O un point du plan et deux demi-droites d_1 et d_2 d'origine O et perpendiculaires en O.

a. Faire une figure avec un logiciel de géométrie et créer M un point mobile de d_1 et N un point mobile de d_2, avec M et N distincts de O.

b. Tracer la bissectrice Δ de l'angle $\widehat{MON}$, puis construire les symétriques M' et N' des points M et N par rapport à la droite Δ.

c. Construire le point I milieu de [M'N'].

En jouant sur la position des points M et N, que peut-on conjecturer sur les droites (OI) et (MN) ?

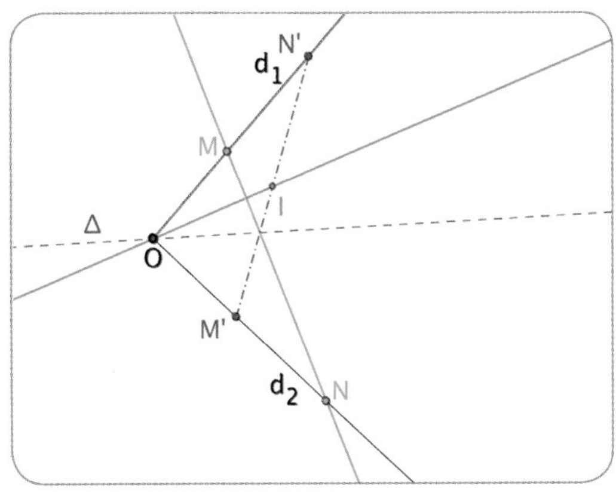

2. Démonstration

Montrer que les droites (OI) et (MN) sont perpendiculaires.

32 Soit EFG un triangle équilatéral de côté a.

On note H le point tel que :

$$\overrightarrow{EH} = \overrightarrow{EF} + \overrightarrow{EG}$$

a. Montrer que pour tout point M du plan, on a :

$$\overrightarrow{MF}.\overrightarrow{MG} = \frac{a^2}{2} + EM^2 - \overrightarrow{EM}.\overrightarrow{EH}$$

b. En déduire la nature de l'ensemble Φ :

$$\Phi = \left\{ M \text{ du plan tel que } \overrightarrow{MF}.\overrightarrow{MG} = \frac{a^2}{2} + EM^2 \right\}$$

33 Restitution des connaissances

$(O\,;\vec{i},\vec{j})$ est un repère orthonormé où $\vec{u}(a\,;b)$.

Montrer que $a = \vec{u}.\vec{i}$ et $b = \vec{u}.\vec{j}$.

Application au calcul d'angles et de longueurs

34 Dans chaque cas, déterminer une mesure de l'angle géométrique $\widehat{AOB}$ avec $\overrightarrow{OA} = \vec{u}$ et $\overrightarrow{OB} = \vec{v}$.

(On donnera une valeur exacte en radians.)

a. $\|\vec{u}\| = \sqrt{2}$, $\|\vec{v}\| = \frac{1}{2}$ et $\vec{u}.\vec{v} = -\frac{1}{2}$.

b. $\|\vec{u}\| = \sqrt{3}$, $\|\vec{v}\| = 4$ et $\vec{u}.\vec{v} = 6$.

c. $\|\vec{u}\| = 4\sqrt{2}$, $\|\vec{v}\| = \sqrt{\frac{1}{2}}$ et $\vec{u}.\vec{v} = \sqrt{8}$.

35 Soit un rectangle ABCD avec AB = a et AD = b ($a > 0$ et $b > 0$). Soit I le milieu de [DC].

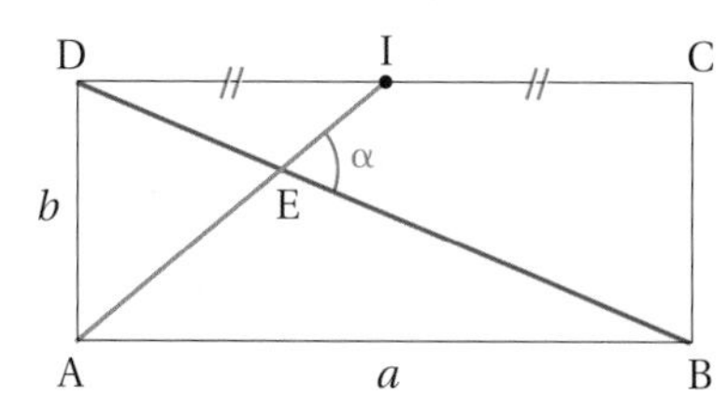

On s'intéresse à la mesure de l'angle géométrique $\widehat{IEB}$.

1. Méthode utilisant la relation de Chasles

a. En écrivant $\overrightarrow{AI} = \overrightarrow{AD} + \overrightarrow{DI}$ et $\overrightarrow{DB} = \overrightarrow{DA} + \overrightarrow{AB}$, exprimer $\overrightarrow{AI}.\overrightarrow{DB}$ en fonction de a et b.

b. Déterminer les distances AI et DB.

c. En déduire la valeur de $\cos(\alpha)$.

d. Dans le cas particulier où $a = 4$ et $b = 1$, déterminer alors une valeur approchée de l'angle géométrique $\widehat{IEB}$ au degré près.

2. Méthode utilisant un repère orthonormé

a. Dans le repère orthonormé $(A ; \vec{i}, \vec{j})$ où $\vec{i} = \frac{\overrightarrow{AB}}{a}$ et $\vec{j} = \frac{\overrightarrow{AD}}{b}$, donner les coordonnées des points A, B, D et I, puis celles des vecteurs $\overrightarrow{AI}$ et $\overrightarrow{DB}$.

b. Calculer $\overrightarrow{AI}.\overrightarrow{DB}$ en fonction de a et b.

c. Après avoir calculé la norme des vecteurs $\overrightarrow{AI}$ et $\overrightarrow{DB}$, en déduire $\cos(\alpha)$ en fonction de a et b.

d. On considère le cas particulier où $a = 3\sqrt{2}$ et $b = 3$. Que peut-on dire de l'angle géométrique $\widehat{IEB}$?

Savoir-faire 3 p. 240

36 IJK est un triangle avec IJ = 16, IK = 10 et KJ = 12.

a. Déterminer les mesures de ses trois angles (à 10^{-1} près en degrés).

b. En déduire la valeur exacte de $\overrightarrow{IJ}.\overrightarrow{IK}$, ainsi que la longueur de la hauteur issue de K.

37 ABC est un triangle avec AB = 6, AC = 10 et l'angle géométrique $\widehat{BAC}$ valant 30°.

a. Déterminer la longueur BC.

b. En déduire les mesures des deux autres angles du triangle ABC.

38 TICE Soit ABC un triangle quelconque et M un point mobile sur la droite (BC).

On recherche la position de M qui minimise le nombre $MA^2 + MC^2$.

1. Construction et conjecture

a. À l'aide d'un logiciel de géométrie, construire le triangle ABC, la droite (BC) et le point mobile M sur la droite (BC).

En utilisant l'icône [cm], créer les longueurs MA et MC.

Dans le champ de saisie, créer la grandeur suivante :

« m = distanceMA^2 + distanceMC^2 ».

b. Conjecturer la position de M qui minimise le nombre $MA^2 + MC^2$ en jouant sur la position de M.

2. Démonstration

a. Démontrer que la position de M minimisant le nombre $MA^2 + MC^2$ est celle qui minimise aussi la distance de M à I, I étant le milieu de [AC].

b. Proposer alors une construction géométrique du candidat.

Produit scalaire et géométrie analytique

Pour les exercices 39 à 55

Le plan est rapporté à un repère orthonormé $(O ; \vec{i}, \vec{j})$.

39 Déterminer une équation cartésienne de la droite d passant par le point $A\left(\frac{3}{2};-1\right)$ et de vecteur normal $\vec{n}(3 ; -4)$.

40 On considère les droites d_1 d'équation cartésienne $5x + 2y + 1 = 0$ et d_2 d'équation réduite $y = \frac{2}{5}x + \frac{5}{2}$.

Soit le point B(10 ; 2).

a. Déterminer une équation cartésienne de la droite Δ_1 perpendiculaire à d_1 et passant par B.

b. Déterminer une équation cartésienne de la droite Δ_2 perpendiculaire à d_2 et passant par B.

c. Que peut-on dire des droites d_1 et d_2 ? d_1 et Δ_2 ? Le montrer.

41 On considère les droites d_1 et d_2 et le point A de la figure ci-contre. Donner une équation cartésienne des droites passant par le point A et perpendiculaires aux droites d_1 et d_2.

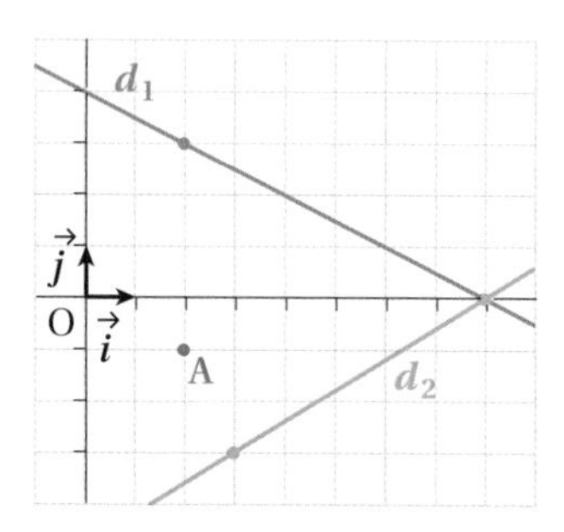

42 Soit les points A(2 ; 3), B(–1 ; 4) et C(4 ; –1).

Donner une équation cartésienne des droites suivantes.

a. La médiatrice de [AB].

b. La hauteur issue de B.

c. La tangente en C au cercle de diamètre [BC].

Savoir-faire 5 p. 242

43 Soit les points A(0 ; 3), B(–2 ; –1) et $C\left(\frac{1}{4};\frac{21}{8}\right)$.

Considérons H l'orthocentre du triangle ABC.

a. Expliquer pourquoi $\overrightarrow{AH}.\overrightarrow{BC} = 0$.

b. En écrivant une égalité similaire, écrire un système dont les solutions sont les coordonnées du point H.

c. Déterminer alors les coordonnées du point H.

44 Algorithmique 

a. Écrire un algorithme en langage naturel qui permettrait, connaissant les valeurs de a, b et c de l'équation cartésienne $ax + by + c = 0$ d'une droite d, de déterminer :
- les coordonnées de deux points A et B de d ;
- un vecteur directeur $\vec{u}$ de d ;
- un vecteur normal $\vec{n}$ de d.

b. Programmer cet algorithme sur la calculatrice.

45 Donner les coordonnées du centre et le rayon du cercle dont une équation est :

a. $\mathscr{C}_1 : (x-2)^2 + (y-1)^2 = 9$

b. $\mathscr{C}_2 : (x+5)^2 + (y-2)^2 = \pi$

46 Écrire une équation de chacun des cercles suivants.

a. Le cercle de centre O et de rayon 4.

b. Le cercle de centre P(–2 ; 1) et de rayon $\sqrt{5}$.

c. Le cercle de centre K(0 ; –5) et de rayon $\dfrac{5}{\sqrt{3}}$.

47 Écrire une équation de chacun des cercles suivants.

a. $\mathscr{C}_O$ de centre O passant par le point A(–3 ; 2).

b. $\mathscr{C}_\Omega$ de centre $\Omega(3 ; -1)$ passant par le point A.

Savoir-faire 6a p. 242

48 Soit les points A(10 ; –2), B(2 ; –1) et C(–2 ; 1).
Écrire une équation des cercles de diamètre [AB] et de diamètre [BC].

Savoir-faire 6b p. 242

49 On considère les ensembles $\mathscr{E}_i$ de points suivants :

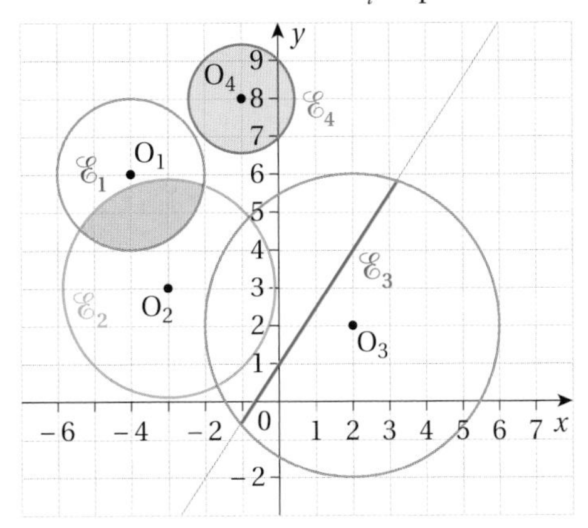

Retrouver pour chaque ensemble $\mathscr{E}_i$ l'équation cartésienne correspondante.

a. $(x-3)^2 + (y+3)^2 = 8$

b. $(x+3)^2 + (y-3)^2 \geqslant 8$

c. $\begin{cases} 3x - 2y + 2 = 0 \\ (x-2)^2 + (y-2)^2 \leqslant 16 \end{cases}$

d. $x^2 + y^2 + 2x - 16y + 63 \leqslant 0$

e. $(x+3)^2 + (y-3)^2 = 8$

f. $(x+3)^2 + (y-3)^2 = 2\sqrt{2}$

g. $\begin{cases} (x+4)^2 + (y-6)^2 \leqslant 4 \\ (x+3)^2 + (y-3)^2 \leqslant 8 \end{cases}$

50 On considère les ensembles $\mathscr{E}_i$ de points suivants :

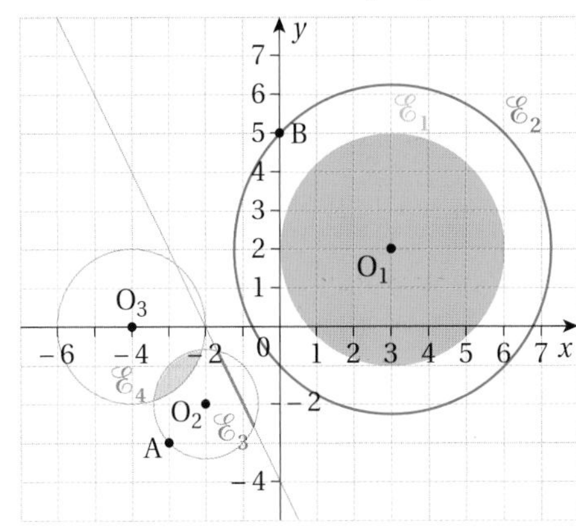

Écrire l'équation de chaque ensemble $\mathscr{E}_i$.

51 Soit les points A(4 ; 2), B(–2 ; 3) et C(4 ; –1).

1. Déterminer une équation des cercles suivants.

a. $\mathscr{C}_1$ de centre A et de rayon 2.

b. $\mathscr{C}_2$ de diamètre [AB].

c. $\mathscr{C}_3$ de centre B passant par le point C.

2. a. Pourquoi les cercles $\mathscr{C}_2$ et $\mathscr{C}_3$ ne sont-ils pas sécants ?

b. Les cercles $\mathscr{C}_1$ et $\mathscr{C}_2$ sont-ils sécants ? Si oui, sur quelle droite se trouve(nt) le(s) point(s) d'intersection.

52 Soit ABCD un losange.

1. a. Construire en noir les ensembles $\mathscr{E}_i$ des points M tels que : $\mathscr{E}_1 : \overrightarrow{MA}.\overrightarrow{MC} = 0$ $\quad \mathscr{E}_2 : \overrightarrow{MB}.\overrightarrow{MD} = 0$

b. Que remarque-t-on ? Expliquer.

2. a. Construire en vert les ensembles $\mathscr{E}_i$ des points M tels que : $\mathscr{E}_3 : \overrightarrow{MA}.\overrightarrow{MB} = 0$ $\quad \mathscr{E}_4 : \overrightarrow{MA}.\overrightarrow{MD} = 0$
$\mathscr{E}_5 : \overrightarrow{MD}.\overrightarrow{MC} = 0$ $\quad \mathscr{E}_6 : \overrightarrow{MB}.\overrightarrow{MC} = 0$

b. Que constate-t-on ? Justifier.

53 Déterminer les caractéristiques de chacun des ensembles suivants.

a. $\Gamma_1 : x^2 + y^2 - 2x - 3 = 0$ **b.** $\Gamma_2 : x^2 + y^2 + 10 = 0$

c. $\Gamma_3 : x^2 + y^2 - 2x + 2y + 2 = 0$ **d.** $\Gamma_4 : x^2 + y^2 + 2y + 5 = 0$

Savoir-faire 6c p. 242

54 Déterminer les caractéristiques de chacun des ensembles suivants.

a. $\Gamma_1 : x^2 + y^2 - 2x + 5y = 5$

b. $\Gamma_2 : x^2 + y^2 - \dfrac{2}{3}x + \dfrac{5}{7}y - \dfrac{15}{4} = 0$

c. $\Gamma_3 : x^2 + y^2 - \sqrt{3}x + \sqrt{5}y + 2\sqrt{2} = 0$

d. $\Gamma_4 : x^2 + y^2 - 8x + 6y + 24 \leqslant 0$

55 Soit l'ensemble Γ défini par $x^2 + y^2 - 6x + 2y = 15$.

a. Donner les caractéristiques de Γ.

b. Déterminer les coordonnées des points d'intersection entre Γ et l'axe des ordonnées.

c. Déterminer les équations des tangentes à Γ en les points trouvés à la question **b.**

56 En utilisant les formules de duplication, déterminer une expression du cosinus et du sinus du réel $\frac{\pi}{12}$.

57 En remarquant que $\frac{7\pi}{12} = \frac{\pi}{3} + \frac{\pi}{4}$, déterminer le cosinus et le sinus de $\frac{7\pi}{12}$.
En déduire alors le cosinus et le sinus de $\frac{5\pi}{12}$.

58 **Vrai ou faux ?**
Pour chaque affirmation, indiquer si elle est vraie ou fausse ; justifier.

a. Pour tous réels x et y, on a :
$$\sin(x + y) + \sin(x - y) = 2\sin x \cos y$$

b. Pour tout réel x, on a :
$$\cos\left(x - \frac{\pi}{6}\right) = \sin\left(x + \frac{\pi}{3}\right)$$

c. Soit x un réel.
Si $\cos x = -\frac{1}{2}$ alors $\sin(2x) = \frac{\sqrt{3}}{2}$.

d. Pour tout réel x, on a :
$$\sqrt{2}\sin\left(x + \frac{\pi}{4}\right) = \cos x + \sin x$$

e. Pour tout réel x, on a :
$$\cos(x) + \cos\left(x + \frac{2\pi}{3}\right) + \cos\left(x + \frac{4\pi}{3}\right) = 0$$

59 **a.** Montrer que pour tout réel x, on a :
$$\cos^4 x - \sin^4 x = \cos(2x)$$

b. Montrer que pour tous réels a et b, on a :
$$\cos(a + b)\cos(a - b) = \cos^2 a - \sin^2 b$$

c. Montrer que pour tous réels a et b, on a :
$$2\cos(a + b)\sin(a - b) = \sin(2a) - \sin(2b)$$

▶ Savoir-faire 7a p. 243

60 On considère l'expression suivante :
$$A(x) = \frac{\cos(3x)}{\cos(x)} - \frac{\sin(3x)}{\sin(x)}$$

a. Déterminer pour quelles valeurs de x l'expression $A(x)$ est définie. On notera $\mathcal{D}$ cet ensemble.

b. Démontrer que pour tout x de $\mathcal{D}$, l'expression $A(x)$ est en fait égale à une constante.

61 Résoudre dans $\mathbb{R}$ les équations suivantes.

a. $\sin(2x) = \sin(x)$

b. $\cos(2x) + \sin(x) = 1$

▶ Savoir-faire 7b p. 243

62 Résoudre dans $\mathbb{R}$ les équations suivantes.

a. $\cos x + \sin x = 1$

b. $\cos x - \sin x = \sqrt{2}$

Raisonnement logique

▶ Fiches Raisonnement logique p. 8 à 10

63 **Vrai ou faux ?**
Pour chaque affirmation, indiquer si elle est vraie ou fausse ; justifier.

a. La connaissance de $\overrightarrow{AB}^2$ permet d'en déduire AB, $\|\overrightarrow{AB}\|$ et $\overrightarrow{AB}$.

b. Si le produit scalaire de deux vecteurs est nul alors les deux vecteurs sont opposés.

c. $\overrightarrow{AB}.\overrightarrow{AM} = \overrightarrow{AB}.\overrightarrow{AN} \Leftrightarrow \overrightarrow{AB}$ et $\overrightarrow{MN}$ sont orthogonaux.

d. Si $B \in [AC]$ alors $\overrightarrow{AB}.\overrightarrow{AC} = AB \times AC$ et $\overrightarrow{CA}.\overrightarrow{CB} = CA \times CB$.

e. Si $B \in (AC)$ alors $\overrightarrow{AB}.\overrightarrow{AC} = AB \times AC$ ou $\overrightarrow{CA}.\overrightarrow{CB} = CA \times CB$.

f. Il existe des vecteurs $\vec{u}$ et $\vec{v}$ tels que $\|\vec{u} + \vec{v}\|^2 = \|\vec{u}\|^2 + \|\vec{v}\|^2$.

g. La droite d d'équation $3x - y + 13 = 0$ admet le vecteur $-3\vec{i} + \vec{j}$ comme vecteur normal.

h. L'ensemble des points $M(x\,;y)$ tels que :
$$x^2 + y^2 - 2x + 4y + 5 = 0$$
est égal à l'ensemble vide.

64 **Implication et équivalence**
Dans chaque cas, on donne deux propositions (P) et (Q). Dire si (P) implique (Q), si (Q) implique (P), ou si (P) et (Q) sont équivalentes.

a. (P) : $\vec{u}.\vec{v} = 0$
(Q) : $\vec{u} = \vec{0}$ ou $\vec{v} = \vec{0}$

b. (P) : Le produit scalaire des vecteurs $\vec{u}$ et $\vec{v}$ est positif.
(Q) : Une mesure de $(\vec{u}, \vec{v})$ est comprise entre 0 et $\frac{\pi}{2}$.

c. (P) : $\vec{u} = 2\vec{v}$
(Q) : $\vec{u}^2 = 4\vec{v}^2$

d. (P) : $\vec{u}.\vec{v} = 0$
(Q) : $\vec{u}$ et $\vec{v}$ sont orthogonaux.

Restitution des connaissances

65 **1. a.** En utilisant l'expression trigonométrique du produit scalaire, démontrer que :

$$\vec{u}.\vec{v} = \vec{v}.\vec{u}$$

b. Démontrer l'expression ci-dessus en utilisant l'expression du produit scalaire avec les normes.

2. En utilisant l'expression analytique du produit scalaire, démontrer que :

$$\vec{u}.(\vec{v} + \vec{w}) = \vec{u}.\vec{v} + \vec{u}.\vec{w}$$

3. a. En utilisant l'expression trigonométrique du produit scalaire, démontrer que :

$$k \times (\vec{u}.\vec{v}) = (k\vec{u}).\vec{v} = \vec{u}.(k\vec{v})$$

b. Démontrer l'expression ci-dessus en utilisant l'expression projetée du produit scalaire.

66 En vous inspirant du résultat démontré p. 234, démontrer les identités suivantes.

a. $(\vec{u} - \vec{v})^2 = \vec{u}^2 - 2\vec{u}.\vec{v} + \vec{v}^2$

b. $(\vec{u} + \vec{v}).(\vec{u} - \vec{v}) = \vec{u}^2 - \vec{v}^2$

67 Considérons deux vecteurs $\vec{u}$ et $\vec{v}$ non nuls.
Soit un repère orthonormé direct $(O\ ; \vec{i}, \vec{j})$ où $\vec{i}$ est le vecteur unitaire associé à $\vec{u}$: $\vec{i} = \dfrac{\vec{u}}{\|\vec{u}\|}$.

L'angle $(\vec{u}, \vec{v})$ est de mesure α. Montrer que :

Expression projetée du produit scalaire $\Rightarrow$ Expression trigonométrique du produit scalaire

68 Soit A, B et C trois points distincts du plan.
En calculant le produit scalaire des vecteurs $\overrightarrow{AB}$ et $\overrightarrow{AC}$ à l'aide de l'expression avec les normes, proposer une démonstration du théorème de Pythagore et de sa réciproque :

ABC est un triangle rectangle en A. $\Leftrightarrow$ $BC^2 = AB^2 + AC^2$

69 Démontrer les résultats suivants.

a. Les vecteurs $\vec{u}$ et $\vec{v}$ ont la même norme. $\Leftrightarrow$ Les vecteurs $\vec{u} + \vec{v}$ et $\vec{u} - \vec{v}$ sont orthogonaux.

b. Les vecteurs $\vec{u}$ et $\vec{v}$ sont orthogonaux. $\Leftrightarrow$ $\|\vec{u} + \vec{v}\| = \|\vec{u} - \vec{v}\|$

70 **Distance d'un point à une droite**

Soit $(O\ ; \vec{i}, \vec{j})$ un repère orthonormé.
On considère d une droite d'équation :

$$ax + by + c = 0$$

avec $(a\ ; b) \neq (0\ ; 0)$.
On note $\vec{n}(a\ ; b)$ un vecteur normal à d.
La distance d'un point A à la droite d est égale à la distance AH où H est le projeté orthogonal de A sur d.

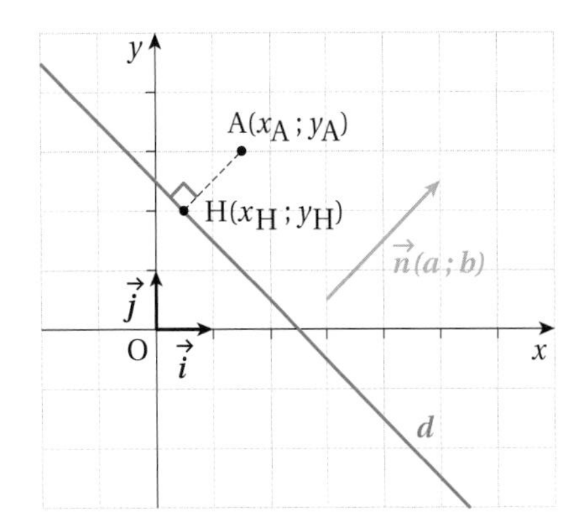

a. Expliquer pourquoi on a :

$$|\vec{n}.\overrightarrow{AH}| = \|\vec{n}\| \times \|\overrightarrow{AH}\|$$

b. En déduire que la distance AH peut se calculer avec la formule suivante :

$$AH = \frac{|ax_A + by_A + c|}{\sqrt{a^2 + b^2}}$$

c. Quelle est alors la distance de A à la droite d lorsque A a pour coordonnées $(3\ ; -5)$ et d a pour équation $5x - 3y - 40 = 0$?

71 Dans un repère orthonormé où $\vec{u}(x\ ; y)$ et $\vec{v}(x'\ ; y')$, on admet que la norme d'un vecteur est égale à la racine de la somme des carrés de son abscisse et de son ordonnée.
Montrer l'implication suivante :

Expression analytique du produit scalaire $\Rightarrow$ Expression du produit scalaire avec les normes

CORRIGÉ P. 342

Pour chaque question, indiquer la (les) bonne(s) réponse(s).

Différentes expressions du produit scalaire

72 On considère la figure ci-contre.

On a alors :

A $\overrightarrow{AB}.\overrightarrow{CA} = 17{,}5$

B $\|\overrightarrow{AB} + \overrightarrow{AC}\| = 12$

C $\overrightarrow{AB}.\overrightarrow{AC} = \dfrac{35\pi}{3}$

D $(\overrightarrow{AB} + \overrightarrow{AC})^2 = 109$

73 On considère la figure ci-dessous.

On a alors :

A $\overrightarrow{EB}.\overrightarrow{AC} = 30$

B $\overrightarrow{AE}.\overrightarrow{BC} = 25$

C $\overrightarrow{EC}.\overrightarrow{BF} = -34$

D $\overrightarrow{AD}.\overrightarrow{FC} = 100$

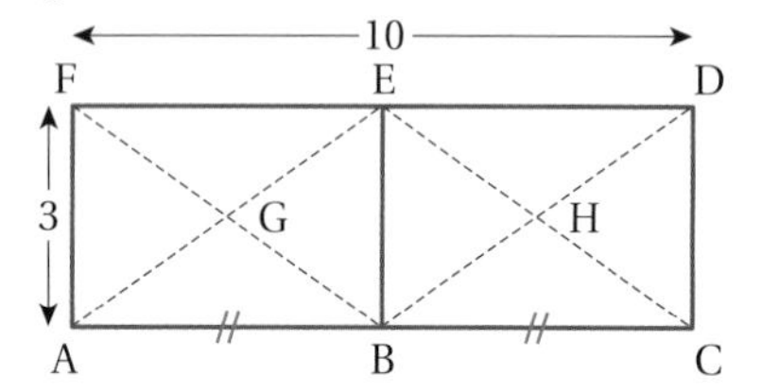

74 Dans un repère orthonormé du plan, on considère les points A(2 ; 1), B(–2 ; –5) et C(4 ; 3). On a alors :

A $\overrightarrow{AB}.\overrightarrow{AC} = -20$

B $\|\overrightarrow{AB} - \overrightarrow{AC}\|^2 = 10$

C Une mesure de l'angle $\widehat{BAC}$ est 169 rad.

D $\|\overrightarrow{AB} + \overrightarrow{AC}\|^2 = 20$

Application au calcul d'angles et de longueurs

75 On considère la figure ci-contre.

On a alors :

A $CF^2 = \dfrac{23}{2}$

B $BG = 3\sqrt{3}$

C FE = 3

D $(2AE)^2 = 79$

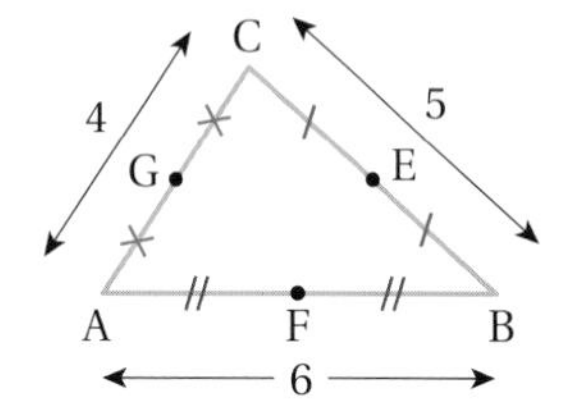

76 EFG est un triangle avec EG = 4, EF = 5 et GF = 6.

On a alors :

A $\cos(\widehat{E}) = -\dfrac{1}{8}$

B L'angle géométrique $\widehat{E}$ mesure environ 82,8°.

C $\sin(\widehat{F}) = \dfrac{\sqrt{7}}{4}$

D $\cos(\widehat{G})$ est solution de l'équation $4\sqrt{x} = 3$.

Produit scalaire et géométrie analytique

77 On considère $(O\,;\vec{i},\vec{j})$ un repère orthonormé.

Soit d une droite de vecteur normal $\vec{n}(3\,;-2)$.

On peut dire que :

A $\vec{u}(-2\,;3)$ est un vecteur directeur de d.

B d admet une équation cartésienne de la forme $-2x + 3y + c = 0$ où c est un réel.

C d est perpendiculaire à la droite Δ dont une équation cartésienne est $14x + 21y + 1 = 0$.

D l'ensemble des points M dont les coordonnées vérifient $x^2 + y^2 - 8x + 2y + 15 = 0$ est un cercle qui est tangent à la droite Δ.

78 Soit ABC un triangle non aplati et I le milieu de [AB].

On peut dire que :

A la médiatrice de [AB] est l'ensemble des points M tels que $\overrightarrow{MI}.\overrightarrow{AI} = 0$.

B $\overrightarrow{AI}.\overrightarrow{BC} = 0 \Leftrightarrow$ Le triangle ABC est rectangle.

C la hauteur issue de C est l'ensemble des points M tels que $\overrightarrow{CM}.\overrightarrow{BC} = 0$.

D l'ensemble des points M tels que $\overrightarrow{AM}.\overrightarrow{BM} = 0$ est un cercle passant par C. $\Leftrightarrow$ ABC est rectangle.

PRÊT POUR LE CONTRÔLE ?

79 Soit [AB] un segment dont I est le milieu.

a. Montrer que pour tout point M du plan, on a :

$$\overrightarrow{AB}.\overrightarrow{AM} + \overrightarrow{AB}.\overrightarrow{BM} = 2\overrightarrow{AB}.\overrightarrow{IM}$$

b. En déduire la nature de l'ensemble Φ :

$$\Phi = \{M \text{ du plan tel que } \overrightarrow{AB}.\overrightarrow{AM} = \overrightarrow{AB}.\overrightarrow{MB}\}$$

80 EFG est un triangle avec EF = 9, EG = 15 et FG = 18.

Soit K le milieu de [FG].

a. Calculer la longueur EK.

b. Déterminer le lieu des points M tels que :

$$MF^2 + MG^2 = 810$$

81 Soit les points :

A(–2 ; –3), B(–3 ; 3) et C(3 ; 0).

1. Déterminer une équation des cercles suivants.

a. $\mathscr{C}_1$ de centre A et tangent à l'axe des abscisses.

b. $\mathscr{C}_2$ passant par les trois points A, B et C.

c. $\mathscr{C}_3$ passant par les points B et C et dont le centre se trouve sur la droite d'équation $x = 0{,}5$.

2. Montrer que $\mathscr{C}_1$ et $\mathscr{C}_3$ sont sécants au point de tangence de $\mathscr{C}_1$ avec l'axe des abscisses.

Problèmes

82 Une médiane qui prend de la hauteur

Soit ABCD un carré de centre O et $\mathscr{C}$ le cercle inscrit dans le carré.

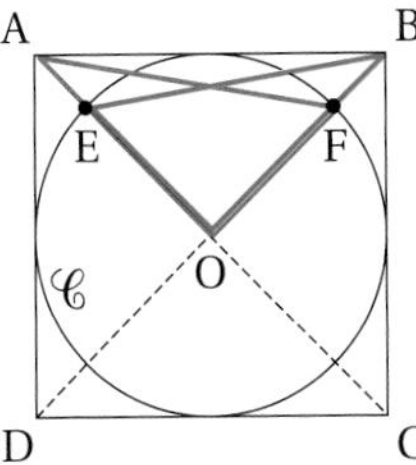

Montrer que la médiane issue de O du triangle AFO est la hauteur issue de O du triangle EBO.

83 Le cerf-volant

Mathilde veut construire un cerf-volant dans lequel la longueur du grand côté est le double de celle du petit côté.

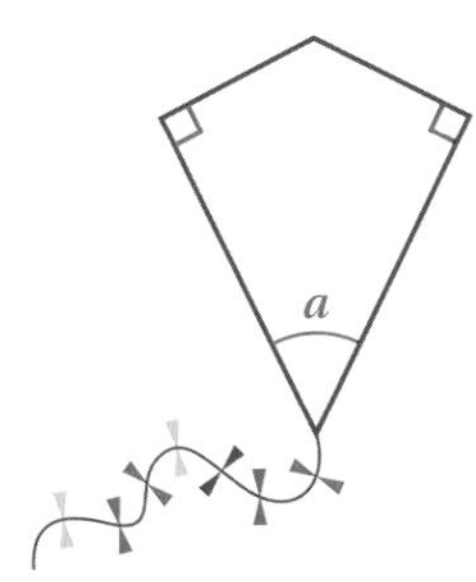

En respectant les consignes angulaires codées ci-dessus, déterminer la valeur de sin a.

84 Droites remarquables du triangle

Soit $(O ; \vec{i}, \vec{j})$ un repère orthonormé du plan.
On considère les points A(0 ; 3), B(1 ; 3) et C(–5 ; 1).

a. Déterminer les équations des hauteurs issues de A et de B du triangle ABC.
b. En déduire les coordonnées de l'orthocentre H du triangle ABC.
c. Déterminer les équations des médiatrices de [AB] et de [AC]. En déduire les coordonnées du centre Ω du cercle $\mathscr{C}$ circonscrit au triangle ABC.
d. Écrire une équation du cercle $\mathscr{C}$.
e. Déterminer les équations des médianes issues de A et de B du triangle ABC.
f. En déduire les coordonnées du centre de gravité G du triangle ABC.
g. Pour finir, démontrer que l'orthocentre, le centre du cercle circonscrit et le centre de gravité du triangle sont alignés.
Quel est le coefficient de colinéarité liant les vecteurs $\overrightarrow{\Omega H}$ et $\overrightarrow{\Omega G}$?

85 Magnetix®

Avec son jeu de barres et de billes magnétiques, Victor a construit le volume ci-contre. Calculer une mesure de l'angle $(\overrightarrow{AC} ; \overrightarrow{DB})$.

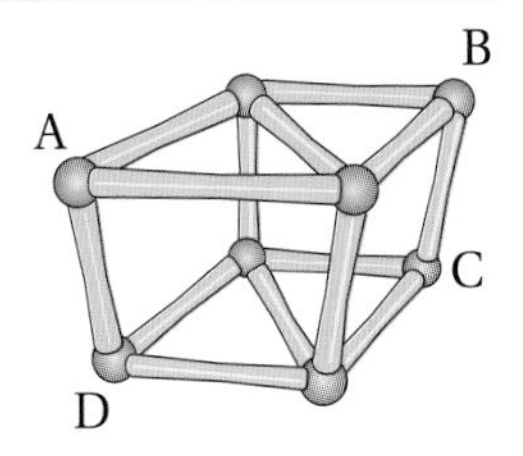

86 Second degré

Soit le triangle ABC ci-contre. Déterminer la longueur AC puis une mesure des angles $\widehat{B}$ et $\widehat{C}$ au degré le plus proche.

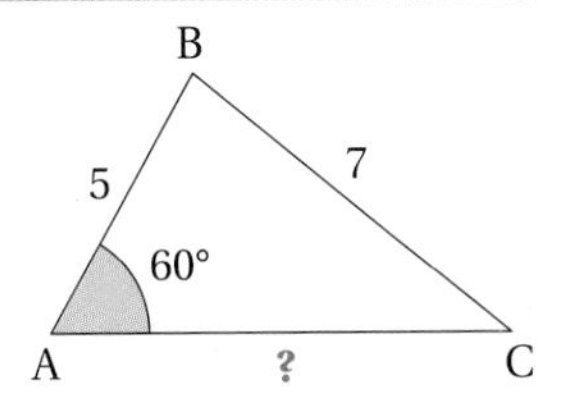

87 À la recherche de $\mathscr{E}$...

Soit quatre points distincts A, B, C et D.
On désire construire l'ensemble $\mathscr{E}$ des points M du plan tels que $(\overrightarrow{MA} + \overrightarrow{MB}).(\overrightarrow{MC} + \overrightarrow{MD}) = 0$.

a. Montrer que $\overrightarrow{MA} + \overrightarrow{MB} = 2\overrightarrow{MI}$ où I est le milieu du segment [AB].
b. Réduire la somme vectorielle $\overrightarrow{MC} + \overrightarrow{MD}$ en vous inspirant de **a** et conclure sur la nature de l'ensemble $\mathscr{E}$.
c. À quelle condition portant sur les points A, B, C et D l'ensemble $\mathscr{E}$ est-il réduit à un point ?

88 À la recherche de $\mathscr{E}$... seul ou presque !

On considère un triangle ABC et les points K et L de la figure ci-contre.

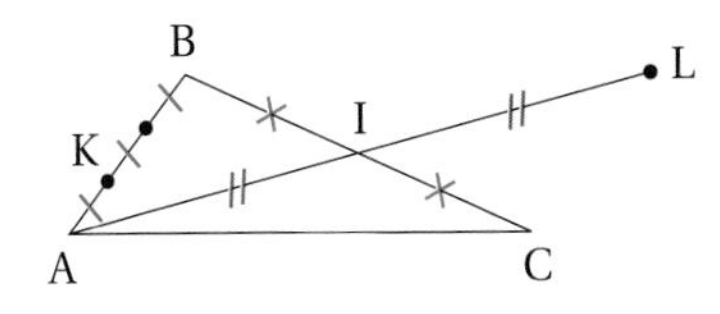

Construire l'ensemble $\mathscr{E}$ des points M du plan tels que :

$$(2\overrightarrow{MA} + \overrightarrow{MB}).(-\overrightarrow{MA} + \overrightarrow{MB} + \overrightarrow{MC}) = 0$$

COUP DE POUCE

On pourra introduire le point K dans la première parenthèse et le point L dans la seconde parenthèse.

89 Cercle ?

Algorithmique

a. Écrire un algorithme en langage naturel qui permettrait, connaissant les valeurs de a, b et c de l'équation $x^2 + y^2 + ax + by + c = 0$, de déterminer s'il s'agit de l'équation d'un cercle. Le cas échéant, préciser le centre et le rayon du cercle obtenu.
b. Programmer l'algorithme de la question **a** sur la calculatrice.

90 Hommage à Kandinsky

Pour produire un dessin « à la manière de » Vassily Kandinsky (1866-1944), artiste très inspiré par les formes géométriques, suivre les étapes du texte suivant codé grâce aux lignes de niveau du produit scalaire :

- Tracer un triangle ABC ($AB = 10$, $AC = 8$ et $CB = 6$).
- Colorier en jaune les points M tels que :
$$\overrightarrow{MA}.\overrightarrow{MB} < -12{,}5$$
- Colorier en vert les points M tels que :
$$-120 < MC^2 - MB^2 < -96$$
- Colorier en rose les points M tels que :
$$130 < AM^2 + CM^2 < 160$$

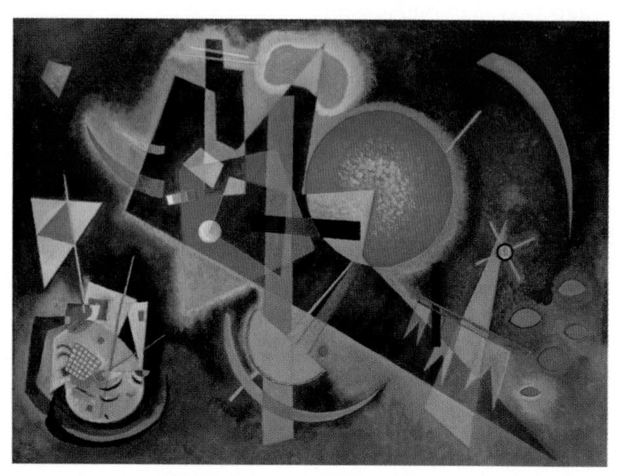

In Blue (1925), Vassily Kandinsky, huile sur toile.

91 Hommage à Kandinsky (2)

En vous inspirant de l'exercice 90, produire un texte codé permettant de réaliser « l'œuvre » ci-dessous où $OI = 1$.

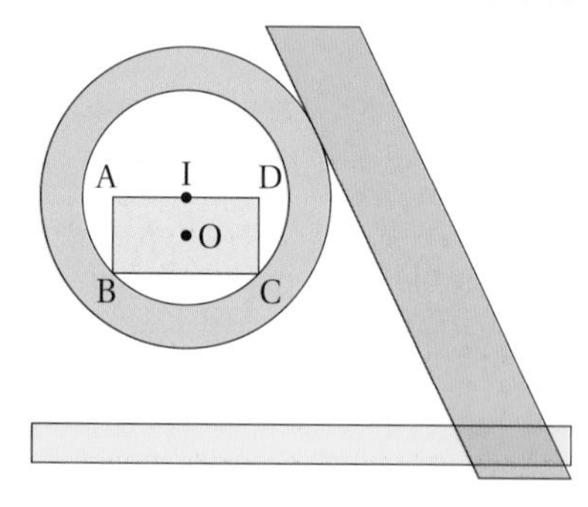

92 Devinette

Le professeur d'Arthur le met au défi de calculer la valeur de $\cos\left(\frac{\pi}{7}\right) \times \cos\left(\frac{2\pi}{7}\right) \times \cos\left(\frac{4\pi}{7}\right)$.

Comme Arthur se plaint de ne pas connaître les lignes trigonométriques de $\frac{\pi}{7}$, son amie Leyla lui souffle :

« Multiplie encore l'expression par $\sin\left(\frac{\pi}{7}\right)$… les formules feront le reste ! »

Aider Arthur à trouver la valeur mystère.

93 Pliage et compagnie

a. Prendre une feuille de type A4 et suivre les instructions de pliage ci-dessous :

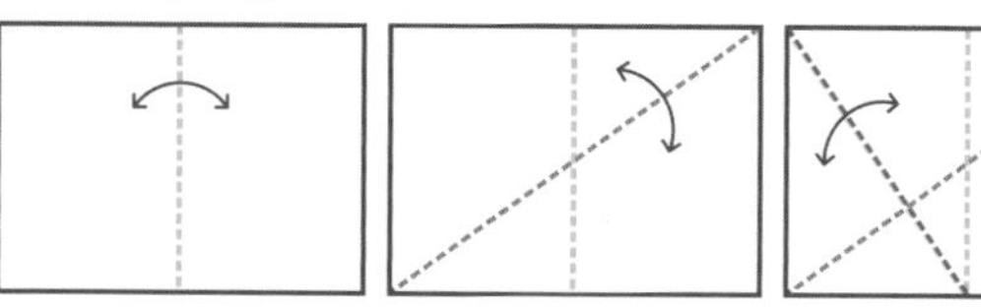

b. Après avoir constaté que l'on obtient deux plis perpendiculaires, démontrer ce résultat en modélisant la situation par un rectangle ABCD et en utilisant le produit scalaire dans un repère orthonormé à choisir.

COUP DE POUCE

Une feuille A4 a la particularité d'avoir sa longueur égale à sa largeur multipliée par $\sqrt{2}$.

94 Héritage, partage et contraintes

Enzo possède un magnifique terrain constructible de forme carrée. Il décide de le partager équitablement entre ses 4 fils. Prévoyant, il veut se réserver pour sa retraite une parcelle carrée se trouvant au centre du terrain, endroit où sont plantés les arbres fruitiers. Il exige aussi que sa parcelle soit de surface équivalente à chacune de celles qu'il compte donner à ses fils.

Voici le découpage que le notaire responsable du partage lui propose :

Montrer que les contraintes « parcelle carrée » et « cinq parcelles de surfaces équivalentes » sont respectées.

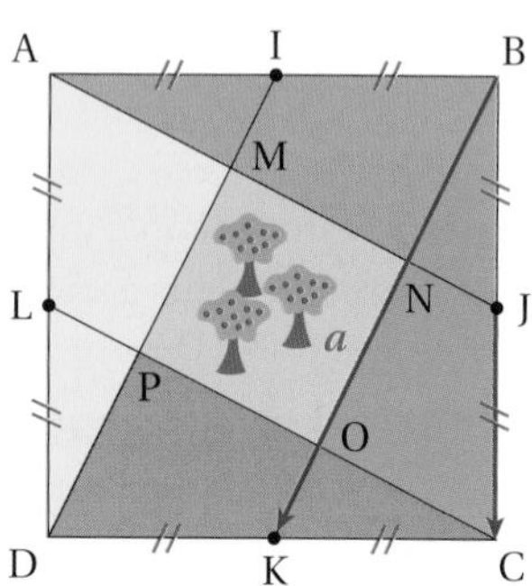

COUP DE POUCE

Calculer $\overrightarrow{KB}.\overrightarrow{LC}$ par la méthode de votre choix, puis calculer a en utilisant la forme projetée pour déterminer $\overrightarrow{BK}.\overrightarrow{JC}$.

95 Égalité triple exigée… TICE

Soit ABC un triangle rectangle en A. On désire construire un point M vérifiant : $\overrightarrow{AB}.\overrightarrow{AM} = \overrightarrow{AC}.\overrightarrow{AM} = \overrightarrow{BC}.\overrightarrow{BM}$

1. a. Au moyen d'un logiciel de géométrie, construire le triangle ABC, un point M mobile dans le plan, puis les vecteurs $\overrightarrow{AB}$, $\overrightarrow{AM}$, $\overrightarrow{AC}$, $\overrightarrow{BC}$ et $\overrightarrow{BM}$.

b. Créer les réels PS1, PS2 et PS3 correspondant respectivement à $\overrightarrow{AB}.\overrightarrow{AM}$, $\overrightarrow{AC}.\overrightarrow{AM}$ et $\overrightarrow{BC}.\overrightarrow{BM}$.

c. Jouer sur la position du point M afin d'obtenir l'égalité entre les réels PS1 et PS2.

Quel ensemble décrit alors le point M ?

d. On note : $b = \|\overrightarrow{AB}\|$ et $c = \|\overrightarrow{AC}\|$.
En se plaçant dans le repère orthonormé $\left(A\,;\,\frac{1}{b}\overrightarrow{AB},\ \frac{1}{c}\overrightarrow{AC}\right)$ où M a pour coordonnées $(x\,;y)$, traduire de façon analytique l'égalité des réels PS1 et PS2.
Tracer en rouge l'ensemble $\mathscr{E}$ de points obtenu.

e. Imposer à présent au point M de circuler sur $\mathscr{E}$.
Constater alors la valeur de PS3.
Jouer sur la position de M sur $\mathscr{E}$ jusqu'à obtenir la triple égalité désirée. Quelle conjecture peut-on émettre au sujet des vecteurs $\overrightarrow{AB}$ et $\overrightarrow{BM}$?

2. Démontrer la conjecture faite à la question **1e**.

96 Dans l'espace

On considère le cube ABCDEFGH, d'arête de longueur 1, et les milieux I et J des arêtes [AB] et [CG].
Pour chacune des affirmations suivantes, indiquer si elle est vraie ou fausse.

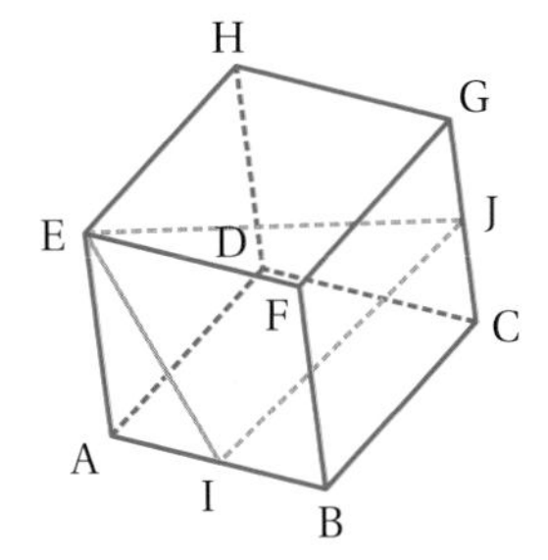

a. $\overrightarrow{AC}.\overrightarrow{AI} = \frac{1}{2}$

b. $\overrightarrow{AC}.\overrightarrow{AI} = \overrightarrow{AI}.\overrightarrow{AB}$

c. $\overrightarrow{AB}.\overrightarrow{IJ} = \overrightarrow{AB}.\overrightarrow{IC}$

d. $\overrightarrow{AB}.\overrightarrow{IJ} = AB \times IC \times \cos\frac{\pi}{3}$

D'après *Baccalauréat S*, Amérique du Sud, novembre 2005.

COUP DE POUCE

Pour travailler dans l'espace, il suffit de se placer dans le(s) plan(s) contenant les points considérés.

97 Orthogonalité dans l'espace

On considère un cube ABCDEFGH d'arête 1.

a. Exprimer plus simplement le vecteur $\overrightarrow{AB} + \overrightarrow{AD} + \overrightarrow{AE}$.

b. En déduire que le produit scalaire $\overrightarrow{AG}.\overrightarrow{BD}$ est nul.

c. Démontrer de même que le produit scalaire $\overrightarrow{AG}.\overrightarrow{BE}$ est nul.

d. Démontrer que la droite (AG) est orthogonale au plan (BDE).

D'après *Baccalauréat S*, Polynésie, septembre 2000.

COUP DE POUCE

Une droite est orthogonale à un plan lorsqu'elle est orthogonale à deux droites sécantes de ce plan.

98 Lignes de niveau — TICE

Étudions les ensembles de points définis par :

Φ_k = {M du plan tel que : $MA^2 + MB^2 = k$} (*)

Θ_m = {M du plan tel que : $MA^2 - MB^2 = m$} (**)

où k et m sont des réels fixés, A et B des points fixés.

Partie A. *Constructions et conjectures*

1. a. À l'aide de *GeoGebra*, créer un segment [AB] de longueur 10 (la longueur AB est automatiquement nommée a).

b. Créer un point M quelconque dans le plan, puis les segments [AM] et [BM].
Créer les longueurs AM et BM (automatiquement nommées b et c).

c. Dans le champ de saisie, entrer « k = b^2 + c^2 » puis « m = b^2 – c^2 ».

2. a. Lorsque m vaut 0, comment se traduit la condition (**) et quel ensemble de points reconnaît-on ?
Tracer en rouge l'ensemble Θ_0.

b. Conjecturer en jouant sur la position de M la nature des ensembles Θ_{-120}, Θ_{40} et Θ_{100}. Les tracer en rouge.

3. a. Placer à présent M en A puis en B. Que vaut k ?
Conjecturer la nature de l'ensemble Φ_{100}. Le tracer en vert.

b. Placer M en I milieu de [AB]. Que vaut k ?
Conjecturer la nature de l'ensemble Φ_{50}.

c. Lorsque k vaut 0, comment se traduit la condition (*) et quel ensemble de points reconnaît-on ?

Partie B. *Démonstrations*

1. a. Réécrire la condition (*) $MA^2 + MB^2 = k$ en transformant les carrés de longueur en carrés scalaires.

b. En introduisant le point I, milieu de [AB], dans chacun des vecteurs, obtenir après calculs un résultat permettant de décrire les ensembles Φ_k suivant la valeur du réel k.

2. a. Faire de même avec la relation (**) et montrer qu'elle est équivalente à $\overrightarrow{AB}.\overrightarrow{IM} = \frac{m}{2}$.

b. Utiliser un repère orthonormé judicieusement choisi pour obtenir un résultat permettant de décrire les ensembles Θ_m suivant la valeur du réel m.

99 Une application du plan dans $\mathbb{R}$

EFG est un triangle isocèle et rectangle en E avec EF = 8.
On considère l'application f qui à tout point M du plan associe le réel défini par :

$$f(M) = ME^2 + \overrightarrow{EF}.\overrightarrow{MG}$$

a. Soit I le milieu de [EF]. Montrer qu'il existe une expression plus simple pour f, à savoir $f(M) = MI^2 - 16$.

b. En déduire, en fonction du réel k, la nature de l'ensemble $\mathscr{E}_k$ des points M du plan vérifiant $f(M) = k$.

c. Tracer $\mathscr{E}_0$, $\mathscr{E}_{16}$ et $\mathscr{E}_9$.

100 The illuminated area

The rectangle OABC below represents the stage of a theater which is seen from above.

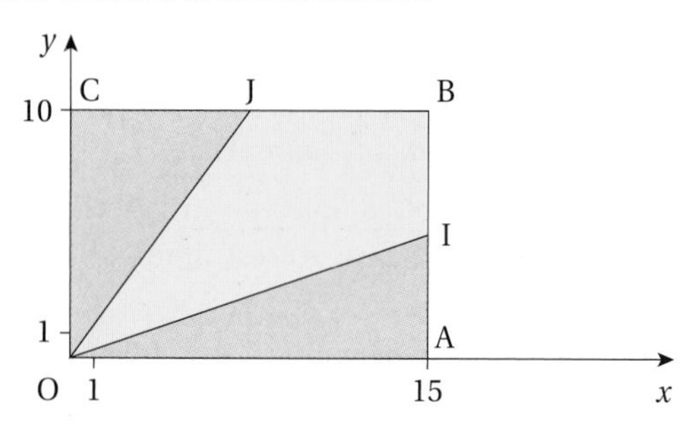

The dimensions of the scene are OA = 15 meters and OC = 10 meters. At the point O, a spotlight is placed in order to illuminate the area bounded by the line segments [OI] and [OJ] where I is the midpoint of [AB] and J is the midpoint of [BC].

a. Write, without justification, the coordinates of the points I and J.

b. Show, giving details of the calculations, the dot product $\overrightarrow{OI}.\overrightarrow{OJ}$ is equal to 162,5.

c. Calculate the norm $||\overrightarrow{OI}||$ and the norm $||\overrightarrow{OJ}||$.

d. Calculate the measure, to the nearest degree, of the angle $\widehat{IOJ}$ corresponding to the illuminated area.

D'après *"BacPro crafts and trades of art"*, 2001.

101 Puissance d'un point par rapport à un cercle TICE

Soit un cercle $\mathscr{C}$ de centre O et de rayon R.
Soit M un point du plan non situé sur le cercle $\mathscr{C}$.

1. Construction et conjecture

a. À l'aide de *GeoGebra*, construire O, $\mathscr{C}$ et M.

b. Créer deux points mobiles A et C sur le cercle $\mathscr{C}$. Construire la sécante à $\mathscr{C}$ passant par A et M (nommer B le 2e point d'intersection avec $\mathscr{C}$) et la sécante à $\mathscr{C}$ passant par C et M (nommer D le 2e point d'intersection avec $\mathscr{C}$).

c. Créer les vecteurs $\overrightarrow{MA}$, $\overrightarrow{MB}$, $\overrightarrow{MC}$ et $\overrightarrow{MD}$.

d. Faire calculer par le logiciel $\overrightarrow{MA}.\overrightarrow{MB}$ et $\overrightarrow{MC}.\overrightarrow{MD}$. Jouer sur la position de A et de C. Que peut-on conjecturer ?

2. Démonstration

Il s'agit de démontrer que pour tout point M (non situé sur $\mathscr{C}$), $\overrightarrow{MA}.\overrightarrow{MB} = \overrightarrow{MC}.\overrightarrow{MD}$.

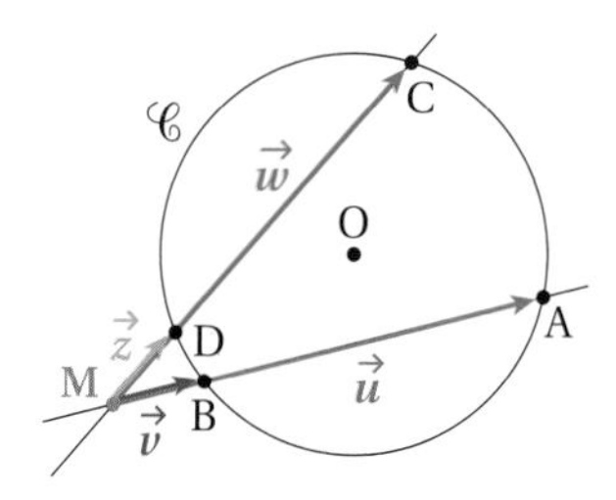

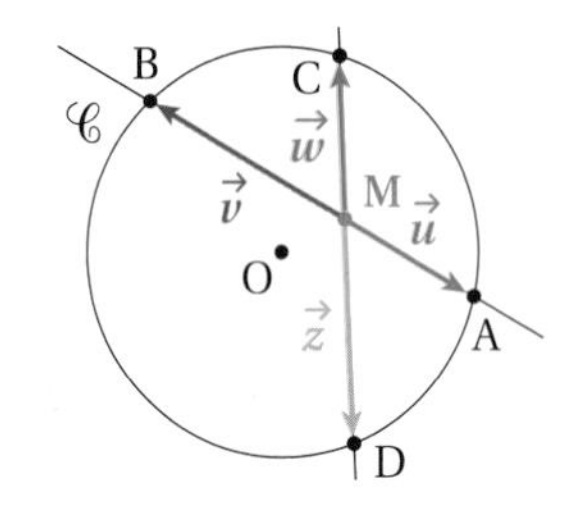

a. Soit A' le symétrique de A par rapport à O.
Montrer que :

$$\overrightarrow{MA}.\overrightarrow{MB} = \overrightarrow{MA}.\overrightarrow{MA'}$$

b. En déduire que :

$$\overrightarrow{MA}.\overrightarrow{MB} = OM^2 - R^2$$

Conclure.

REMARQUE

Si M est un point, $\mathscr{C}$ un cercle (de centre O et de rayon R) et d une sécante passant par M rencontrant $\mathscr{C}$ en A et B alors $\overrightarrow{MA}.\overrightarrow{MB}$ est indépendant de la sécante choisie et vaut $MO^2 - R^2$.
Ce nombre est la **puissance** du point M par rapport au cercle $\mathscr{C}$ (noté $P_{\mathscr{C}}(M)$).

102 Lieu de points Problème ouvert

Soit deux cercles $\mathscr{C}_1$ (de centre O_1 et rayon R_1) et $\mathscr{C}_2$ (de centre O_2 et rayon R_2) avec O_1 et O_2 distincts.

a. Déterminer l'ensemble Φ des points M de mêmes puissances* par rapport aux deux cercles :

$$\Phi = \{M \text{ du plan tel que} : P_{\mathscr{C}1}(M) = P_{\mathscr{C}2}(M)\}$$

b. Que devient l'ensemble Φ si on ajoute un troisième cercle $\mathscr{C}_3$ (de centre O_3 et rayon R_3) avec O_1, O_2 et O_3 distincts ?

* Voir l'exercice 101 pour la définition de la puissance d'un point M par rapport au cercle $\mathscr{C}$.

103 Lieu de points avec paramètre TICE

Soit $(O ; \vec{i}, \vec{j})$ un repère orthonormé du plan.
On note $\mathscr{E}_k$ l'ensemble des points $M(x ; y)$ dont les coordonnées vérifient :

$$x^2 + y^2 - 2kx + (2k - 10)y - k^2 - 11k + 22 = 0 \quad (*)$$

1. Constructions et conjectures

a. À l'aide de *GeoGebra*, créer un curseur k.
Entrer dans le champ de saisie la relation (*).
Conjecturer la nature de l'ensemble $\mathscr{E}_k$.

b. Construire, en explicitant la méthode, le centre O_k du cercle obtenu.
En basculant le point O_k en mode « trace », conjecturer la nature du lieu de O_k lorsque k décrit $\mathbb{R}$.

2. Démonstrations

a. Démontrer que pour tout réel k l'ensemble $\mathscr{E}_k$ est un cercle dont on précisera le rayon r_k et le centre O_k en fonction de k.

b. En déduire la nature et l'équation du lieu de O_k lorsque k décrit $\mathbb{R}$.

104 Conte de fées et tour penchée imprenable… Problème ouvert

Robin des bois, fier guerrier d'1,80 m, est caché derrière un rocher : il échafaude un plan pour libérer la belle captive. En comptant les pierres édifiant la tour, il évalue la longueur séparant le pied de la tour de la corniche à 25 m.

En étudiant la position du soleil, il a constaté que quand la tour penchée ne projetait pas d'ombre, la sienne, lorsqu'il est debout, mesurait environ 35 cm.

Lors de sa fuite du château, il a compté environ 40 m séparant la porte de sa cachette.

De combien de mètres de corde doit-il disposer au minimum pour pouvoir atteindre avec sa flèche la corniche située sur la tour et enfin secourir sa promise ?

105 Origami Problème ouvert

En origami, avant de se lancer dans des figures compliquées, il faut maîtriser les différentes bases du pliage. Voici celui du cerf-volant :

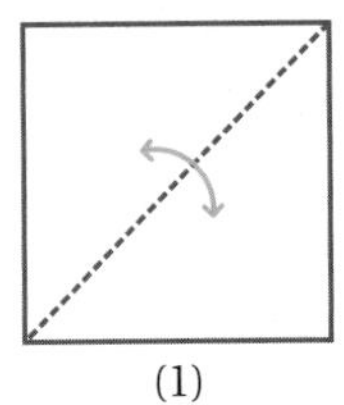
(1)

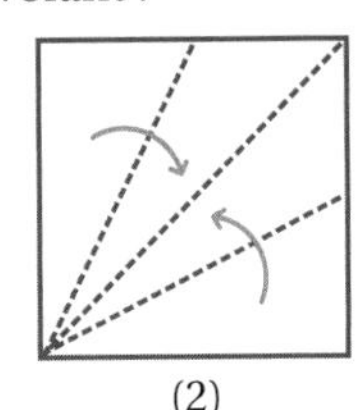
(2)

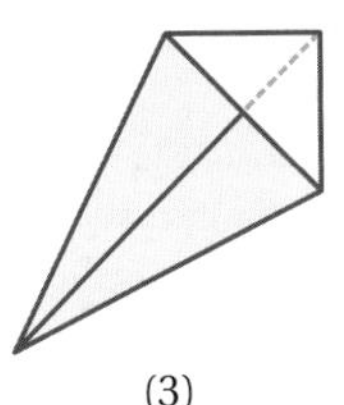
(3)

Grâce à ce pliage, retrouver la valeur de $\cos\left(\frac{\pi}{8}\right)$.

106 Le lac Problème ouvert

Trois propriétaires, P_1, P_2 et P_3, disposent chacun d'une parcelle de terrain carrée jouxtant un lac triangulaire ABC rectangle en A.

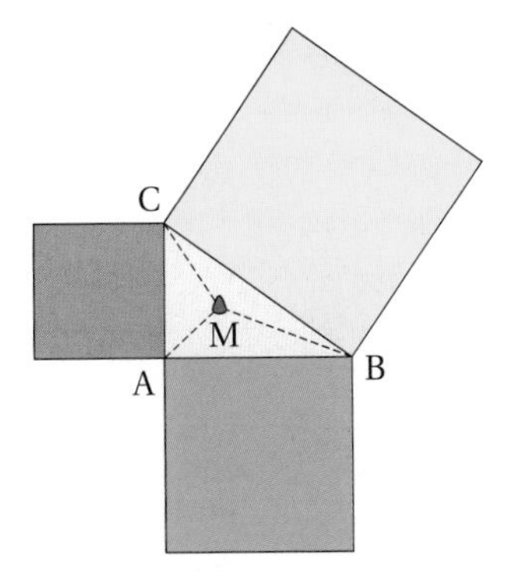

Ils décident de délimiter leurs « eaux territoriales » en plaçant une bouée M de telle sorte que les surfaces MAB, MBC et MCA soient proportionnelles aux aires des parcelles adjacentes.

Déterminer la position de cette bouée dans le lac.

D'après *Olympiade* 2003, Lyon.

107 Vous avez dit inaccessible ?

1. D'autres relations métriques dans le triangle

On considère un triangle ABC non aplati avec les conventions d'écriture ci-dessous.

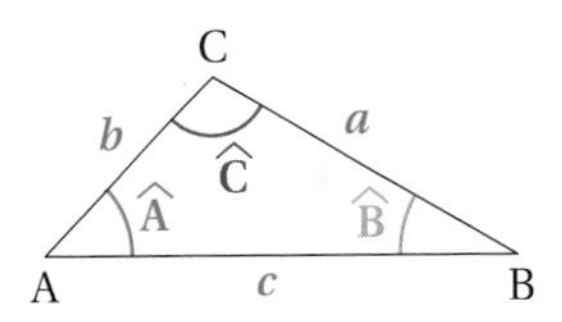

Son aire est notée $\mathcal{S}$.

a. Écrire la formule donnant l'aire d'un triangle.

b. En considérant les deux configurations ci-dessous, démontrer que pour tout triangle : $\mathcal{S} = \frac{1}{2}bc\sin\widehat{A}$.

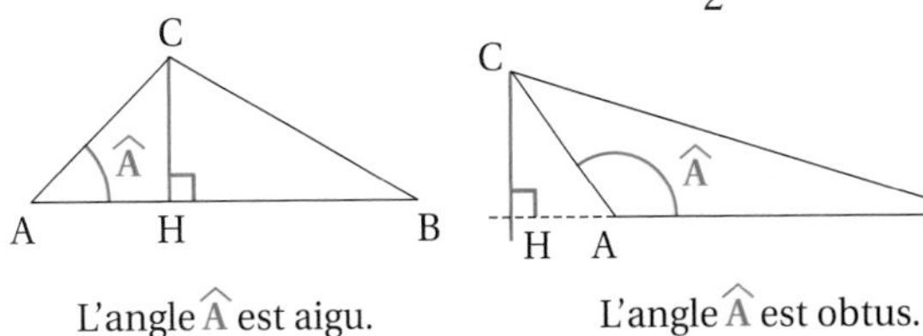

L'angle $\widehat{A}$ est aigu. L'angle $\widehat{A}$ est obtus.

c. Par permutation circulaire des sommets, en déduire deux autres relations similaires.

d. En utilisant les égalités obtenues, montrer que :

$$\frac{a}{\sin\widehat{A}} = \frac{b}{\sin\widehat{B}} = \frac{c}{\sin\widehat{C}}$$

2. Applications

Mesurer un angle est une activité « facile » pour un géomètre, tandis que certaines longueurs lui resteront à jamais inaccessibles (points en hauteur, obstacles naturels…).

a. Quelle distance sépare le prince de la princesse, prisonnière d'une tour encerclée de douves infestées de requins blancs ?

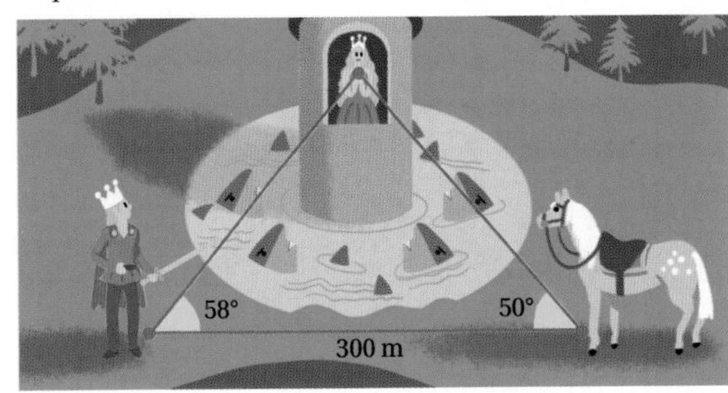

b. Déterminer la distance qui sépare les deux cavaliers indiens (on suppose que l'ensemble se déplace à une vitesse constante…).

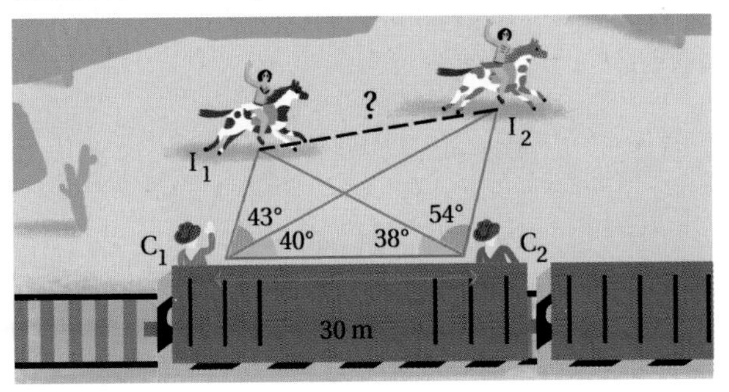

Jardin d'azalées à Ome, Kanto (Japon).

TIQUES ET PROBABILITÉS

QCM Pour bien commencer

Pour chaque question, indiquer la (les) bonne(s) réponse(s).

CORRIGÉ P. 342

1 Les résultats d'une étude statistique sont les suivants :

Valeur	12	13	14	15
Effectif	10	15	20	15

Le diagramme en bâtons des effectifs est :

A
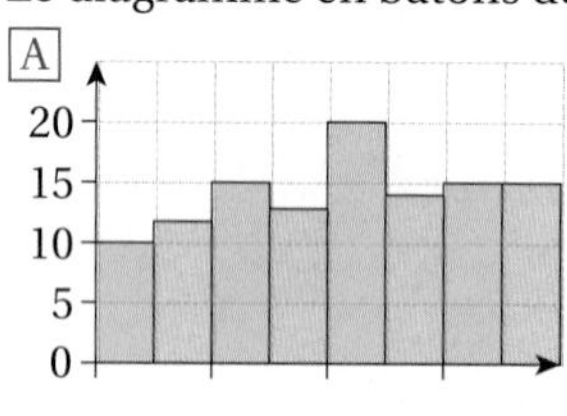

B
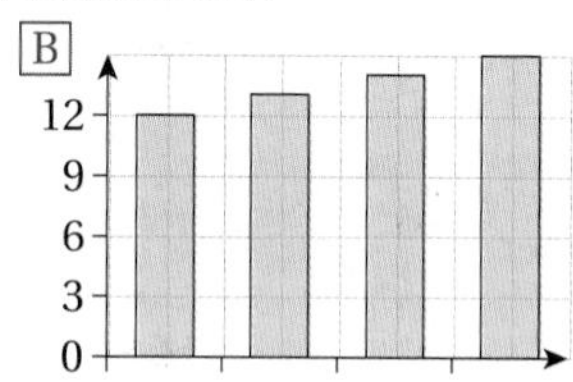

C
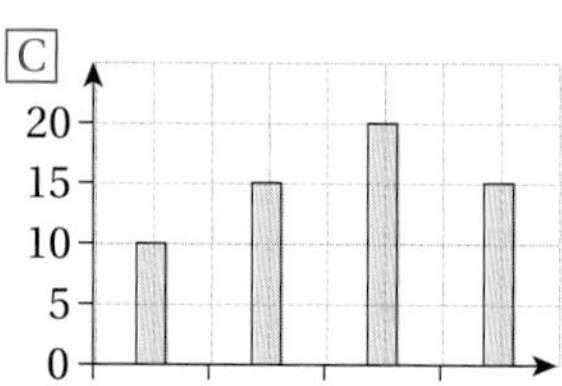

D
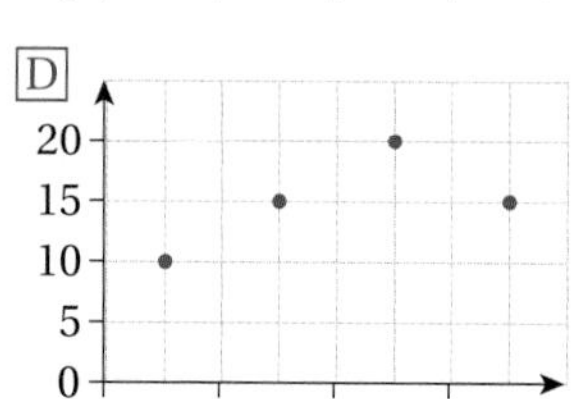

2 Les prix d'une baguette de pain dans les boulangeries et supermarchés d'une ville de province sont les suivants :

0,40 € ; 0,45 € ; 0,60 € ; 0,60 € ; 0,75 € ;
0,85 € ; 0,85 € ; 0,90 € ; 0,95 € ; 1,00 €.

a. Pour ces prix, la moyenne vaut :

A 0,72 € B 0,73 € C 0,74 € D 0,75 €

b. Pour ces prix, la médiane vaut :

A 0,70 € B 0,74 € C 0,75 € D 0,80 €

c. Pour ces prix, les quartiles Q_1 et Q_3 valent :

A 0,60 € et 0,90 € B 25 et 75

C $\frac{1}{4}$ et $\frac{3}{4}$ D 0,25 € et 0,75 €

3 Dans une étude statistique, on donne le diagramme en bâtons des effectifs suivant :

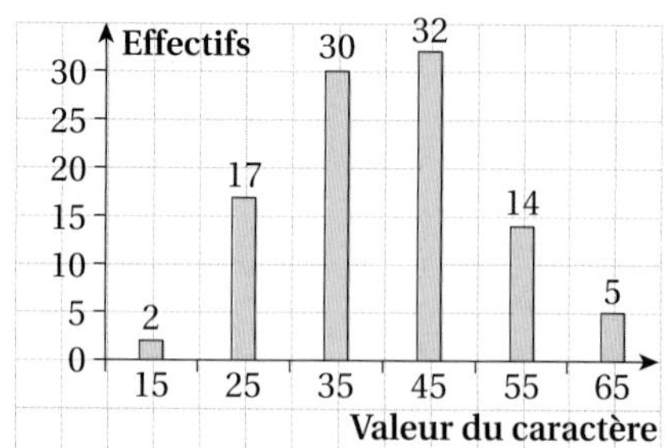

On peut affirmer que :

A l'effectif total de la population vaut 100.

B la moyenne du caractère étudié vaut 40.

C la médiane du caractère étudié vaut 40.

D le premier quartile du caractère étudié vaut 20.

4 Au lycée de Charmantville, il n'y a que deux classes de 1re S. Lors d'un devoir commun en mathématiques, la moyenne des notes en 1re S1 vaut 13,5 et celle en 1re S2 vaut 14,5. Notons M la moyenne des notes de tous les élèves de 1re S de ce lycée.

A Il est certain que M vaut 14.

B M est comprise entre 13,5 et 14,5.

C On n'a aucune information sur M.

D M peut être égale à $\frac{13{,}5+2\times 14{,}5}{3}$.

5 Après une étude statistique des notes obtenues par une classe à un devoir noté sur 20, on constate que la médiane vaut 10, le premier quartile 10 et le troisième quartile 17.

On peut affirmer :

A qu'il est impossible que le premier quartile soit égal à la médiane.

B que plus de 17 élèves ont une note de 10.

C qu'il y a au moins un élève qui a eu 10.

D qu'il y a au moins un élève qui a eu 17.

6 Après une étude statistique des notes obtenues par une classe de 30 élèves à un devoir noté sur 20, on constate que la médiane vaut 10, le premier quartile 8 et le troisième quartile 17.

On peut affirmer que :

A la moitié des élèves a une note supérieure ou égale à 10.

B moins de 60 % des élèves ont plus que 8.

C moins d'un quart des élèves a la moyenne.

D environ la moitié des élèves a une note comprise entre 8 et 17.

7 Le tableau des effectifs cumulés croissants d'une étude statistique portant sur une population d'effectif total 49 est le suivant :

Ligne 1	12	25	43	49
Ligne 2	12	35	50	60

On peut dire que :

A les effectifs se trouvent sur la ligne 1.

B les valeurs du caractère étudié sont comprises entre 12 et 50.

C la médiane est égale à 35.

D 13 éléments de la population ont le caractère de valeur 35.

Statistiques

Les statistiques ont pour objectif de recueillir et d'analyser des données sur une population. La statistique descriptive offre un ensemble de méthodes qui permettent de présenter et de résumer les données relevées.

Le chapitre en bref

Réinvestir

- Moyenne
- Médiane
- Quartiles

Découvrir

- Variance, écart-type
- Écart interquartile

Activités

Âge d'une population

Réinvestir : • Déterminer moyenne et quartiles.
• Représenter graphiquement des séries statistiques.

Découvrir : Étudier une répartition en classes.

Partie A

1 Pour l'année scolaire 2011/2012, les dates de naissance des 33 élèves d'une classe de 1re d'un lycée sont les suivantes :

08/02/1996 ; 21/08/1995 ; 08/08/1995 ; 17/10/1995 ; 14/11/1995 ; 24/01/1994 ; 15/01/1995 ; 24/05/1995 ; 14/01/1995 ; 08/10/1995 ; 07/08/1995 ; 16/09/1995 ; 09/06/1995 ; 03/03/1994 ; 07/02/1995 ; 24/04/1996 ; 31/08/1995 ; 11/09/1995 ; 21/03/1995 ; 20/01/1996 ; 25/05/1994 ; 21/09/1995 ; 07/05/1995 ; 20/09/1995 ; 17/12/1995 ; 27/04/1994 ; 17/04/1995 ; 02/03/1995 ; 19/07/1995 ; 04/06/1995 ; 26/07/1995 ; 11/11/1995 ; 07/01/1995.

NOTE
Ces données peuvent être remplacées par celles de votre classe.

a. Saisir ces dates dans un tableur.

b. Montrer que la formule « =2011-ANNEE(A2) » donne l'âge le 1er janvier 2012, en années entières, de l'élève dont la date de naissance est saisie dans la cellule A2.

c. Quelle formule donne le nombre de mois entiers entre le dernier anniversaire d'un élève et le 1er janvier 2012 ?

d. Vérifier que le 1er janvier 2012 les âges en mois entiers de ces élèves sont :

190 ; 196 ; 196 ; 194 ; 193 ; 215 ; 203 ; 199 ; 203 ; 194 ; 196
195 ; 198 ; 213 ; 202 ; 188 ; 196 ; 195 ; 201 ; 191 ; 211 ; 195
199 ; 195 ; 192 ; 212 ; 200 ; 201 ; 197 ; 198 ; 197 ; 193 ; 203.

e. Pour illustrer l'étude, le tableur permet de réaliser les trois graphiques suivants.

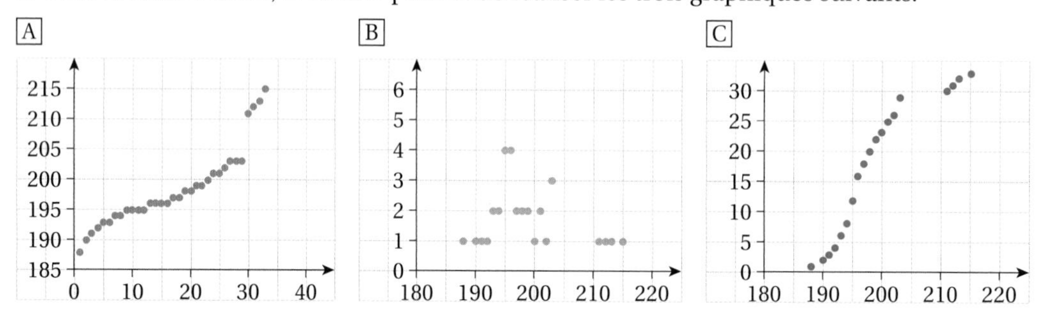

Pour chacun d'eux, expliquer sa signification et indiquer à quel type de question il permet de répondre.

2 **a.** Déterminer la moyenne en mois des âges des élèves au 1er janvier 2012.

b. Déterminer la médiane et les quartiles de la série statistique donnée à la question **1 d.**

c. On souhaite connaître D, une date telle que la moitié des élèves soient nés avant D et l'autre moitié après D.

Déterminer D d'une part à partir de la médiane, d'autre part à partir des dates de naissance.

Partie B

Étendons maintenant cette étude à tous les élèves du lycée. On dispose pour cela d'un fichier (disponible sur le site) donnant les dates de naissances, le sexe et le niveau de la classe pour les 663 élèves du lycée.
Voici un extrait de ce fichier :

	A	B	C
1	Date de naissance	Sexe	Classe
2	13/10/1996	M	Seconde
3	12/05/1996	M	Seconde
4	15/02/1995	M	Seconde
5	21/08/1996	M	Seconde
661	26/03/1994	M	Terminale
662	03/03/1994	M	Terminale
663	02/02/1994	M	Terminale
664	27/06/1994	F	Terminale

NOTE
Ces données peuvent être remplacées par celles de votre établissement.

1 Compléter les cellules **D2** à **D664** avec l'âge en mois des élèves le 1er janvier 2012.

2 Déterminer l'âge moyen en mois le 1er janvier 2012 de :

a. tous les élèves ;

b. toutes les filles ;

c. tous les garçons.

3 Comment peut-on obtenir l'âge moyen de tous les élèves à partir des âges moyens « filles » et « garçons » ?

4 Recopier dans une nouvelle feuille du tableur à partir de la 1re ligne de la colonne A, les valeurs des 663 âges en mois des élèves, puis trier ces nombres par ordre croissant.
Saisir 1 dans la cellule **B1**. Saisir la formule « =SI(A2=A1;B1+1;1) » dans la cellule **B2**, puis recopier cette formule vers le bas jusqu'à la cellule **B663**.
Expliquer ce qu'affiche la colonne B.

5 Représenter graphiquement les effectifs en fonction des âges (en mois) des élèves au 1er janvier 2012 pour cette série statistique.

Partie C

La représentation graphique de la question 5 de la **Partie B** n'est pas satisfaisante car elle est difficile à interpréter rapidement. C'est pourquoi il est préférable de répartir les 663 données en classes. Pour cela, les valeurs des âges sont réparties en intervalles et on détermine, pour chacun d'eux, l'effectif des élèves correspondant. Comme une demi-année correspond à 6 mois, chaque intervalle aura une étendue de 6.
Par exemple, dans l'intervalle [169 ; 175[, figure un élève ; dans l'intervalle [175 ; 181[, figurent huit élèves.

1 Reproduire et compléter le tableau suivant.

Classe	[169 ; 175[	[175 ; 181[	[181 ; 187[	[187 ; 193[	[193 ; 199[	…
Effectif	1	8	…			

2 Tracer l'histogramme correspondant à ce tableau.

Partie D

On s'intéresse maintenant, pour l'ensemble des élèves du lycée, à la différence en mois entiers entre leur âge et l'âge d'un élève qui n'a ni avance ni retard dans sa scolarité et qui est né un 1er juillet.

Exemples :

L'âge « standard » d'un élève en Seconde, né le 1er juillet, est : $6 + 12 \times 15 = 186$ mois.

Élève 1 :

13/10/1996	M	Seconde

Âge de cet élève : 182 ; différence : **–4**.

Élève 2 :

12/05/1996	M	Seconde

Âge de cet élève : 187 ; différence : **+1**.

1 Quelles sont, pour les élèves de ce lycée, les valeurs possibles de ces différences ?

2 Déterminer la moyenne de ces différences pour l'ensemble de tous les élèves.
Comment peut-on interpréter son signe ?

3 Déterminer la médiane, ainsi que les quartiles Q_1 et Q_3 de ces différences pour l'ensemble de tous les élèves.

Cours

Dans ce chapitre, tous les EXEMPLES *s'appuient sur la série de données suivante.*

Un site de comparaison de prix indique, pour un modèle de baladeur, les prix suivants (en €) :

129,51 ; 129,85 ; 129,85 ; 129,85 ; 129,98 ; 130,5 ; 131,08 ; 133,9 ; 135,99 ; 135,99.

A. Moyenne, médiane et quartiles

1 Représentation d'une série statistique

Lors de l'étude d'une série statistique, une représentation graphique permet souvent d'avoir une vue d'ensemble des données.

EXEMPLE

Une représentation graphique possible de la série ci-dessus est proposée ci-contre.

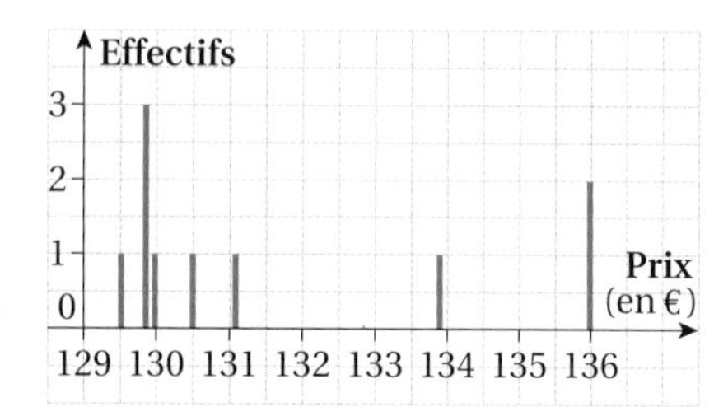

2 Moyenne

Notation

$\sum_{i=1}^{k} n_i x_i$ signifie : $n_1x_1 + \ldots + n_kx_k$

DÉFINITION

La **moyenne** d'une série statistique, dont les valeurs du caractère sont $x_1, x_2, \ldots, x_k$ et les effectifs correspondants $n_1, n_2, \ldots, n_k$, est notée $\overline{x}$ et vaut :

$$\boldsymbol{\overline{x} = \frac{1}{N}\sum_{i=1}^{k} n_i x_i} \quad \text{où } N = \sum_{i=1}^{k} n_i = n_1 + \ldots + n_k \text{ est l'effectif total.}$$

3 Médiane et quartiles

DÉFINITIONS

- La **médiane** est une valeur qui permet de partager une série statistique en deux populations de même effectif : les nombres d'observations inférieures et supérieures à la valeur médiane sont égaux.

Pour déterminer la médiane de N valeurs, on range ces valeurs par ordre croissant.

Si N est impair, la médiane m est la valeur du caractère de rang $\frac{N+1}{2}$.

Si N est pair, la médiane m est la demi-somme des termes de rangs $\frac{N}{2}$ et $\frac{N}{2}+1$.

- Le **premier quartile** est le plus petit élément Q_1 des valeurs de la série statistique tel qu'au moins 25 % des données sont inférieures ou égales à Q_1.
- Le **troisième quartile** est le plus petit élément Q_3 des valeurs de la série statistique tel qu'au moins 75 % des données sont inférieures ou égales à Q_3.

EXEMPLE

- En notant x_i les valeurs et n_i les effectifs de la série, la moyenne des prix est :

$$\overline{x} = \frac{n_1x_1 + \ldots + n_kx_k}{n_1 + \ldots + n_k} = \frac{1 \times 129{,}51 + 3 \times 129{,}85 + \ldots + 2 \times 135{,}99}{1 + 3 + \ldots + 2} = 131{,}65 \text{ €}.$$

- La moitié de l'effectif est $\frac{10}{2} = 5$. Les prix sont déjà rangés par ordre croissant. L'effectif est pair, donc la médiane est la demi-somme des 5e et 6e prix, c'est-à-dire $\frac{129{,}98 + 130{,}5}{2} = 130{,}24$ €.
- 25 % de l'effectif correspond à 2,5. Le 3e prix vaut 129,85 €. Donc $Q_1 = 129{,}85$ €.

75 % de l'effectif vaut 7,5. Le 8e prix vaut 133,9 €. Donc $Q_3 = 133{,}9$ €.

Vocabulaire

Moyenne, médiane et quartiles sont des « **paramètres de position** ».

B. Paramètres de dispersion

1 Variance et écart-type

Notation

$\sum_{i=1}^{k} n_i (x_i - \bar{x})^2$ signifie : $n_1(x_1 - \bar{x})^2 + \ldots + n_k(x_k - \bar{x})^2$

DÉFINITIONS

- La **variance** d'une série statistique dont les valeurs du caractère sont x_1, x_2, …, x_k, les effectifs correspondants n_1, n_2, …, n_k et la moyenne $\bar{x}$, est égale à :

$$V = \frac{1}{N}\sum_{i=1}^{k} n_i(x_i - \bar{x})^2 \quad \text{où } N = \sum_{i=1}^{k} n_i \text{ est l'effectif total.}$$

- L'**écart-type** d'une série statistique, noté σ, est égal à la racine carrée de la variance :

$$\sigma = \sqrt{V}$$

REMARQUES

- La variance est la moyenne des carrés des « écarts à la moyenne ».
- L'intérêt essentiel de l'écart-type par rapport à la variance est son unité : c'est la même que celle du paramètre étudié. Si, par exemple, le paramètre étudié est un prix en euros, l'écart-type sera également exprimé en euros.

EXEMPLE

- $V = \frac{1}{N}\sum_{i=1}^{k} n_i (x_i - \bar{x})^2$

$= \frac{1}{10}\left(1\times(129{,}51-131{,}65)^2 + 3\times(129{,}85-131{,}65)^2 + \ldots + 2\times(135{,}99-131{,}65)^2\right) \approx 6{,}147$

- $\sigma = \sqrt{V} \approx \sqrt{6{,}147} \approx 2{,}48$ €.

NOTE

Cette propriété fournit donc une deuxième formule pour calculer la variance qui comporte moins d'opérations que la première.

PROPRIÉTÉ

Avec les notations précédentes, la variance d'une série statistique est égale à :

$$V = \frac{1}{N}\sum_{i=1}^{k} n_i x_i^2 - \bar{x}^2$$

DÉMONSTRATION

$V = \frac{1}{N}\sum_{i=1}^{k} n_i (x_i - \bar{x})^2$ (Définition de la variance.)

$= \frac{1}{N}\sum_{i=1}^{k} n_i (x_i^2 - 2x_i\bar{x} + \bar{x}^2)$ (En utilisant une identité remarquable.)

$= \frac{1}{N}\sum_{i=1}^{k} (n_i x_i^2 - 2n_i x_i \bar{x} + n_i \bar{x}^2)$ (En développant.)

$= \frac{1}{N}\sum_{i=1}^{k} n_i x_i^2 - \frac{1}{N}\sum_{i=1}^{k} 2n_i x_i \bar{x} + \frac{1}{N}\sum_{i=1}^{k} n_i \bar{x}^2$ (En réécrivant.)

$= \frac{1}{N}\sum_{i=1}^{k} n_i x_i^2 - 2\bar{x}\frac{1}{N}\sum_{i=1}^{k} n_i x_i + \bar{x}^2\frac{1}{N}\sum_{i=1}^{k} n_i$ (En factorisant.)

$= \frac{1}{N}\sum_{i=1}^{k} n_i x_i^2 - 2\bar{x}\bar{x} + \bar{x}^2$ (Car $\frac{1}{N}\sum_{i=1}^{k} n_i x_i = \bar{x}$ et $\sum_{i=1}^{k} n_i = N$.)

$= \frac{1}{N}\sum_{i=1}^{k} n_i x_i^2 - \bar{x}^2$ (En simplifiant.) ■

EXEMPLE

$\frac{1}{N}\sum_{i=1}^{k} n_i x_i^2 - \bar{x}^2 = \frac{1}{10}(1\times129{,}51^2 + 3\times129{,}85^2 + \ldots + 2\times135{,}99^2) - 131{,}65^2 \approx 6{,}147$

On retrouve la valeur de la variance qui est de 6,147.

▶ Savoir-faire 1
Déterminer un écart-type, p. 275

2 Écart interquartile

DÉFINITION

L'**écart interquartile** d'une série statistique de premier quartile Q_1 et de troisième quartile Q_3 est égal à la différence $Q_3 - Q_1$.

EXEMPLE

$Q_3 - Q_1 = 133{,}90 - 129{,}85 = 4{,}05$ €.

REMARQUES

• Écart-type et écart interquartile sont des « **paramètres de dispersion** ». Ils permettent de comparer des séries statistiques de façon plus fine qu'à l'aide des paramètres de position :
– l'écart-type permet de visualiser si les valeurs d'une série statistique sont plus éloignées de la moyenne que celles d'une autre ;
– l'écart interquartile permet d'étudier si les valeurs d'une série statistique sont plus éloignées de la médiane que celles d'une autre.
Par ailleurs, l'écart interquartile n'est pas sensible aux valeurs extrêmes.
• L'intervalle interquartile est l'intervalle $[Q_1 ; Q_3]$.

C. Diagrammes en boîte

Après avoir étudié une série statistique, on peut reporter sur un axe gradué son minimum, son maximum, sa médiane, ainsi que ses quartiles Q_1 et Q_3.

DÉFINITION

On appelle **diagramme en boîte** d'une série statistique la représentation graphique ci-contre. Elle se compose de deux rectangles et de deux segments dont les longueurs correspondent aux paramètres de la série, représentés sur un axe gradué.

minimum Q_1 médiane Q_3 maximum

REMARQUES

• On parle également de « boîtes de *Tukey* » du nom de John Wilder Tukey (1915 - 2000), statisticien américain, ou de « boîtes à pattes ».
• L'épaisseur des rectangles tracés n'a pas de signification.
• D'autres représentations similaires sont usitées. Par exemple celle qui fait apparaître les déciles. Les déciles sont définis de manière identique aux quartiles :
– D_1 est le plus petit élément des valeurs de la série statistique tel qu'au moins 10 % des données sont inférieures ou égales à D_1 ;
– D_9 est le plus petit élément des valeurs de la série statistique tel qu'au moins 90 % des données sont inférieures ou égales à D_9.

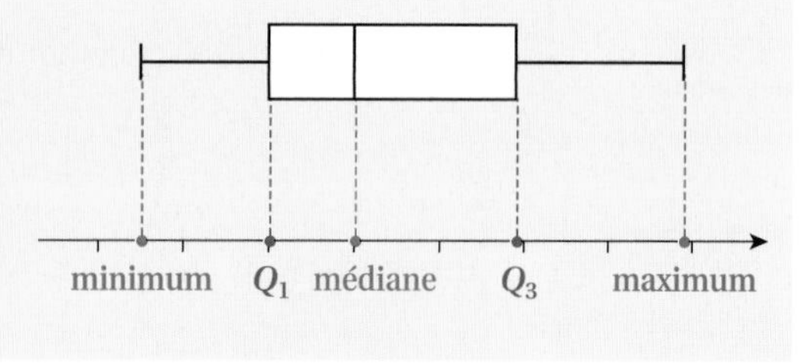

▶ Savoir-faire 2
Tracer un diagramme en boîte, p. 276

▶ Savoir-faire 3
Comparer deux séries statistiques, p. 277

EXEMPLE

Le diagramme en boîte correspondant aux prix des lecteurs MP3 est donné ci-contre.

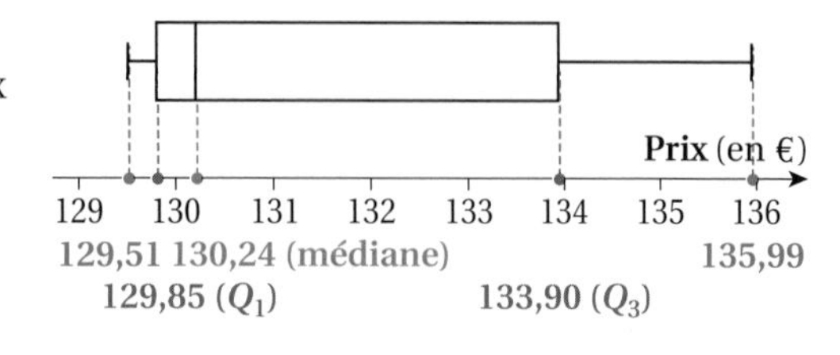

Savoir-faire

Savoir-faire 1 *Déterminer un écart-type*

ÉNONCÉ Sur les paquets préemballés de tranches de salami, le « poids net » indiqué est de 270 grammes. Un contrôle qualité en cours de fabrication est mis en place et les masses du contenu de 30 paquets sont relevées ci-dessous :

270,8 ; 270,6 ; 271 ; 270,7 ; 271,1 ; 271,4 ; 270,6 ; 271,3 ; 271,4 ; 272 ; 271,8 ; 272,1 ; 273,8 ; 271,3 ; 270,7 ; 271,8 ; 269,1 ; 271,3 ; 271,2 ; 272,1 ; 270,5 ; 270,4 ; 270 ; 271,7 ; 271,6 ; 270,9 ; 271,8 ; 271,3 ; 271 ; 269,9.

a. Déterminer la moyenne m et l'écart-type σ de ces données.

b. La fabrication est jugée satisfaisante si, lors d'un tel prélèvement, son écart-type est inférieur à 1 g et si les masses relevées sont comprises dans l'intervalle $[m-\sigma\,;\,m+\sigma]$.

D'après ce relevé, la fabrication va-t-elle être jugée satisfaisante ?

SOLUTION

a. Une calculatrice (ou un logiciel) permet de déterminer la moyenne et l'écart-type :

$$m = 271{,}17 \quad \text{et} \quad \sigma = 0{,}83.$$

b. L'intervalle $[m-\sigma\,;\,m+\sigma]$ est $[270{,}34\,;\,272]$.

Or la valeur maximale 273,80 est en dehors de cet intervalle. Donc, d'après ce relevé, la production ne sera pas jugée satisfaisante, même si l'écart-type respecte la contrainte imposée.

MÉTHODE

Pour calculer la moyenne et l'écart-type, il n'est pas nécessaire d'ordonner les valeurs.

La moyenne peut être calculée sans utiliser la fonctionnalité « statistique » de la calculatrice par :

$$\bar{x} = \frac{x_1 + x_2 ... + x_k}{N} = \frac{270{,}8 + 270{,}6 + ... + 269{,}9}{30} \approx 271{,}17$$

Ici $N = 30$ et les effectifs n_i dans la formule valent 1.

Il en est de même pour l'écart-type en déterminant d'abord la variance :

$$V = \frac{1}{N}\sum_{i=1}^{k} n_i x_i^2 - \bar{x}^2 = \frac{1}{30}(270{,}8^2 + 270{,}6^2 + ... + 269{,}9^2) - 271{,}17^2 \approx 0{,}6946$$

(ou $V = \frac{1}{N}\sum_{i=1}^{k} n_i (x_i - \bar{x})^2 = \frac{1}{30}\left((270{,}8 - 271{,}17)^2 + (270{,}6 - 271{,}17)^2 + ... + (269{,}9 - 271{,}17)^2\right) \approx 0{,}6946$)

On en déduit : $\sigma = \sqrt{V} \approx \sqrt{0{,}6946} \approx 0{,}83$

- **Avec la calculatrice**

Avec la TI-83 *Plus* :

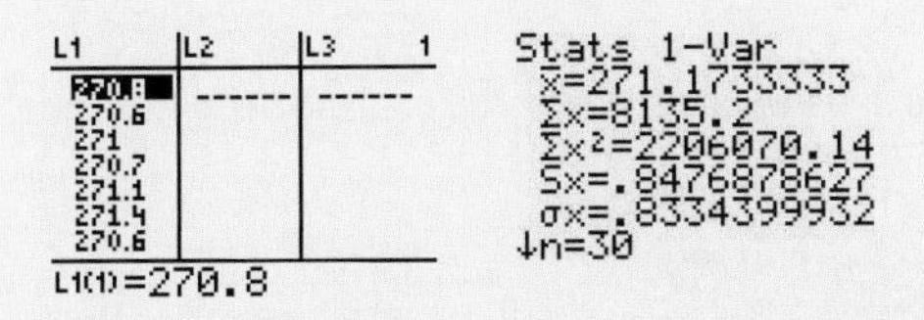

REMARQUE

Il faut penser à indiquer, le cas échéant, où se trouvent les effectifs en écrivant par exemple « Stats 1-Var L_1 L_2 ».

Avec la Casio *Graph* 35+ :

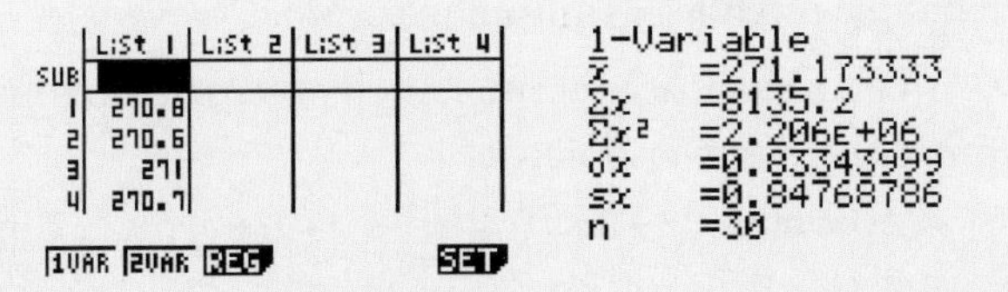

REMARQUE

Il faut penser à paramétrer dans le menu « SET » les effectifs : soit 1 comme ici, soit List2 si les effectifs sont donnés dans une deuxième colonne.

ATTENTION ! L'écart-type est donné par $\boldsymbol{\sigma_x}$ (et non s_x).

- **Avec un tableur**

ATTENTION ! L'écart-type est donné par la fonction **ECARTYPEP(...)** (et non ECARTYPE(...)).

▶ Exercices 1 à 10 p. 281 et 282

Savoir-faire 2 Tracer un diagramme en boîte

ÉNONCÉ Voici une série statistique donnant les salaires annuels bruts annoncés par de jeunes ingénieurs issus de différentes écoles après une première embauche :

30 844 ; 29 746 ; 35 841 ; 29 959 ; 29 011 ; 33 626 ; 32 803 ; 41 566 ; 30 906 ; 29 474 ; 29 784 ; 28 393 ; 29 475 ; 27 811 ; 32 514 ; 30 805 ; 26 578 ; 29 487 ; 32 467 ; 30 898 ; 33 648 ; 29 741 ; 32 362 ; 29 933 ; 30 381 ; 29 349 ; 31 113 ; 29 423 ; 30 056 ; 30 318 ; 28 899 ; 31 442 ; 31 800 ; 32 311 ; 32 007 ; 31 326 ; 29 604 ; 27 587 ; 25 851 ; 31 388 ; 32 372 ; 31 293 ; 27 333 ; 36 250 ; 29 770 ; 30 755 ; 35 419 ; 39 254 ; 34 918 ; 29 554 ; 31 236 ; 29 945 ; 32 194 ; 32 249 ; 30 787 ; 29 140 ; 31 215 ; 31 547 ; 30 852 ; 28 623 ; 30 637 ; 33 638 ; 31 559 ; 30 704 ; 27 999 ; 28 212 ; 28 789 ; 28 971 ; 31 425 ; 29 538 ; 30 377 ; 29 628 ; 31 178 ; 30 602 ; 30 888 ; 26 085 ; 30 932 ; 29 885 ; 37 627 ; 30 913 ; 32 686 ; 31 402 ; 32 205 ; 29 467 ; 32 326 ; 29 503 ; 29 707.

Représenter ces salaires sous forme de diagramme en boîte.

SOLUTION Les 87 données rangées par ordre croissant sont les suivantes :

25 851 ; 26 085 ; 26 578 ; 27 333 ; 27 587 ; 27 811 ; 27 999 ; 28 212 ; 28 393 ; 28 623 ; 28 789 ; 28 899 ; 28 971 ; 29 011 ; 29 140 ; 29 349 ; 29 423 ; 29 467 ; 29 474 ; 29 475 ; 29 487 ; 29 503 ; 29 538 ; 29 554 ; 29 604 ; 29 628 ; 29 707 ; 29 741 ; 29 746 ; 29 770 ; 29 784 ; 29 885 ; 29 933 ; 29 945 ; 29 959 ; 30 056 ; 30 318 ; 30 377 ; 30 381 ; 30 602 ; 30 637 ; 30 704 ; 30 755 ; 30 787 ; 30 805 ; 30 844 ; 30 852 ; 30 888 ; 30 898 ; 30 906 ; 30 913 ; 30 932 ; 31 113 ; 31 178 ; 31 215 ; 31 236 ; 31 293 ; 31 326 ; 31 388 ; 31 402 ; 31 425 ; 31 442 ; 31 547 ; 31 559 ; 31 800 ; 32 007 ; 32 194 ; 32 205 ; 32 249 ; 32 311 ; 32 326 ; 32 362 ; 32 372 ; 32 467 ; 32 514 ; 32 686 ; 32 803 ; 33 626 ; 33 638 ; 33 648 ; 34 918 ; 35 419 ; 35 841 ; 36 250 ; 37 627 ; 39 254 ; 41 566.

Comme l'effectif est 87 (impair), la médiane est la 44e donnée, c'est-à-dire 30 787.
Le quart de l'effectif est 21,75 donc le premier quartile est la 22e donnée soit 29 503.
Les trois quarts de l'effectif valent 65,25 donc le troisième quartile est la 66e donnée soit 32 007.

Le diagramme en boîte est donc : Ou, en y ajoutant les déciles :

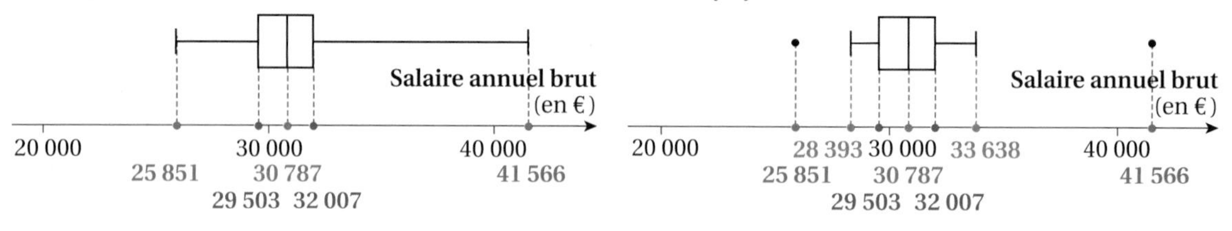

Cette dernière représentation permet de montrer que finalement 80 % de l'effectif se situent dans un intervalle d'amplitude relativement petite contrairement à ce que l'on aurait pu croire en remarquant que l'amplitude des valeurs est l'intervalle [25 851 ; 41 566].

MÉTHODE

- Les diagrammes en boîte peuvent être tracés à l'aide d'un logiciel.
Un des plus simples d'utilisation est *SineQuaNon*.
- Les calculatrices permettent d'obtenir les mêmes représentations graphiques, même si la saisie des données peut être fastidieuse.

Avec la TI-83 *Plus* :

```
Stats 1-Var
↑n=87
 minX=25851
 Q1=29503
 Med=30787
 Q3=32007
 maxX=41566
```

```
Graph1 Graph2 Graph3
Aff NAff
Type:
ListeX:L1
Effectifs:1
```

Avec la Casio *Graph* 35+ :

```
1-Variable
n    =87
minX =25851
Q1   =29503
Med  =30787
Q3   =32007
maxX =41566
```

```
StatGraph1
Graph Type  :MedBox
XList       :List1
Frequency   :1
Outliers    :Off
HIST BOX  N·DIS Brkn ▷
```

▶ Exercices 13, 14 et 17 p. 283

Savoir-faire 3 *Comparer deux séries statistiques*

ÉNONCÉ Dans une commune, le registre des naissances donne l'âge de la mère à la naissance de l'enfant. Ces données sont présentées ci-dessous pour deux années par ordre chronologique des naissances.

- En 1995 :

34 ; 33 ; 19 ; 32 ; 21 ; 23 ; 40 ; 24 ; 25 ; 25 ; 26 ; 27 ; 27 ; 28 ; 29 ; 30 ; 36 ; 30 ; 31 ; 32 ; 48 ; 32 ; 33 ; 33 ; 22 ; 33 ; 34 ; 35 ; 35 ; 36 ; 36 ; 45 ; 16 ; 37 ; 29 ; 38 ; 20 ; 39 ; 31 ; 30 ; 28 ; 43 ; 35 ; 34 ; 27.

- En 2005 :

17 ; 31 ; 34 ; 36 ; 33 ; 24 ; 29 ; 35 ; 35 ; 26 ; 27 ; 28 ; 29 ; 29 ; 30 ; 32 ; 33 ; 34 ; 34 ; 32 ; 33 ; 34 ; 35 ; 20 ; 36 ; 37 ; 38 ; 39 ; 30 ; 42 ; 30 ; 31 ; 35 ; 34 ; 28 ; 44 ; 33 ; 26 ; 22 ; 33 ; 33 ; 26 ; 25 ; 47 ; 23 ; 37 ; 34 ; 28.

À l'aide de diagrammes en boîte comparer ces âges.

SOLUTION

Ordonnons les valeurs, puis déterminons l'effectif, le minimum, le premier quartile, la médiane, le troisième quartile et le maximum de chacune de ces séries.

- Pour 1995 :

16 ; 19 ; 20 ; 21 ; 22 ; 23 ; 24 ; 25 ; 25 ; 26 ; 27 ; 27 ; 27 ; 28 ; 28 ; 29 ; 29 ; 30 ; 30 ; 30 ; 31 ; 31 ; 32 ; 32 ; 32 ; 33 ; 33 ; 33 ; 33 ; 34 ; 34 ; 34 ; 35 ; 35 ; 35 ; 36 ; 36 ; 36 ; 37 ; 38 ; 39 ; 40 ; 43 ; 45 ; 48.

- Pour 2005 :

17 ; 20 ; 22 ; 23 ; 24 ; 25 ; 26 ; 26 ; 26 ; 27 ; 28 ; 28 ; 28 ; 29 ; 29 ; 29 ; 30 ; 30 ; 30 ; 31 ; 31 ; 32 ; 32 ; 33 ; 33 ; 33 ; 33 ; 33 ; 33 ; 34 ; 34 ; 34 ; 34 ; 34 ; 34 ; 35 ; 35 ; 35 ; 35 ; 36 ; 36 ; 37 ; 37 ; 38 ; 39 ; 42 ; 44 ; 47.

D'où :

	Pour 1995	Pour 2005
Effectif	45	48
Minimum	16	17
Premier quartile Q_1	27	28
Médiane	32	33
Troisième quartile Q_3	35	35
Maximum	48	47

Les diagrammes en boîte correspondants sont :

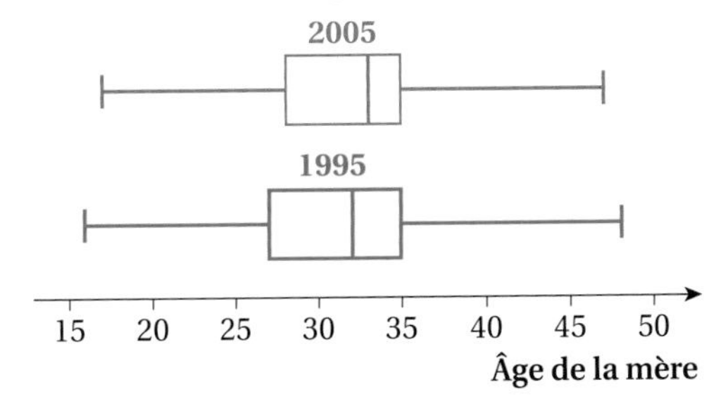

On peut remarquer quelques différences entre 1995 et 2005 :
- l'étendue (différence entre le maximum et le minimum) a diminué.
- l'âge médian a augmenté.

MÉTHODE

La médiane de la première série statistique se situe à la 23e donnée car la moitié de l'effectif est égale à 22,5.
La médiane de la deuxième série statistique est égale à la demi-somme des 24e et 25e valeurs car la moitié de l'effectif est égale à 24.

REMARQUE

Si l'on dispose d'un tableur, après avoir saisi les données, les paramètres minimum, Q_1, médiane, Q_3 et maximum se trouvent à l'aide des fonctions du tableur.
Les quartiles diffèrent légèrement de ceux obtenus en appliquant la définition du cours. Ces valeurs peuvent même varier d'un tableur à un autre.

▶ Exercices 15 et 17 p. 283

Travaux pratiques

TP

TICE 1 Dispersé ?

Objectifs : • Observer l'évolution de la moyenne et de l'écart-type lorsqu'une valeur change.
• Observer l'évolution de la moyenne et de l'écart-type lorsque les valeurs sont choisies de manière aléatoire.

Le but de cette activité est d'étudier les moyennes possibles des notes de 30 élèves obtenues à un devoir.

1 Dans les questions **2** et **3**, la lettre a désigne un nombre appartenant à l'intervalle $[10 ; 20]$ tel que a ou $2a$ soit un entier.
Quelles sont les valeurs possibles de a ?

2 On suppose que les 30 notes à ce devoir sont un 10, un 20 et toutes les autres notes égales à un même nombre a.
a. Déterminer en fonction de a la moyenne et l'écart-type de la série de notes.
b. Proposer une représentation graphique qui permet de synthétiser les réponses.
c. Démontrer qu'il existe une seule valeur a de l'intervalle $[10 ; 20]$ qui minimise l'écart-type.
d. Expliquer ce résultat.

3 On suppose maintenant que les 30 notes à ce devoir sont les suivantes : un 10, un 20, 14 fois la valeur a et 14 fois la valeur b où b est la valeur symétrique de a par rapport à 15.
a. Calculer b en fonction de a.
b. Reprendre les questions **2a** à **2d**.

4 On suppose dans cette question que les 30 notes sont des nombres choisis au hasard parmi les nombres suivants :

$$10 ; 10{,}5 ; 11 ; 11{,}5 ; 12 ; ... ; 19 ; 19{,}5 ; 20.$$

a. En réalisant une simulation, donner pour un devoir de ce type les sept paramètres observés suivants : minimum, maximum, moyenne, écart-type, médiane, premier quartile et troisième quartile.
Tracer un diagramme en boîte qui correspond à cette simulation.
b. En réalisant une dizaine de telles simulations, indiquer le minimum et le maximum de chacun des sept paramètres observés.

Algorithmique 1 Quartiles

▶ Fiches Algorithmique p. 11

Objectif : Constater qu'une recherche de quartile peut se faire à l'aide d'un algorithme.

On donne la série statistique suivante :

12 ; 15 ; 11 ; 18 ; 5 ; 6 ; 15 ; 19 ; 19 ; 10 ; 15 ; 14 ; 17 ; 14 ; 14 ; 14.

1 **a.** Énumérer la succession d'opérations à réaliser sur cette liste de nombres pour en déterminer le premier quartile Q_1.

b. Présenter cette énumération d'opérations sous forme d'algorithme.

En entrée, on prendra N la taille de la série statistique et L une liste de longueur N contenant les valeurs de la série statistique.

2 Mettre en œuvre l'algorithme de la question **1b** dans un langage de programmation.

À la calculatrice, les premières lignes pourront être les suivantes :

Avec la TI-83 *Plus* :

```
PROGRAM:QUARTILE
:EffToutListes
:Input "LISTE ?
",L1
:Tricroi(L1)
:dim(L1)/4→X
:Disp "LISTE TRI
EE",L1
```

Avec la Casio *Graph* 35+ :

```
======QUARTILE======
ClrList :"LISTE "↵
?→List 1↵
SortA(List 1)↵
List 1.
Dim List 1÷4→X↵
"1er QUARTILE"↵
CLR DISP REL I/O :
```

Algorithmique 2 Corrections de copies

▶ Fiches Algorithmique p. 11

Objectifs : • Constater que la répartition en classes influence les représentations graphiques.
• Choisir entre des répartitions différentes.

1 M. Concentré corrige 14 copies et représente graphiquement les notes ; il obtient la **figure a**.
M. Dispersé corrige les mêmes copies et obtient la représentation graphique de la **figure b**.

fig. a.

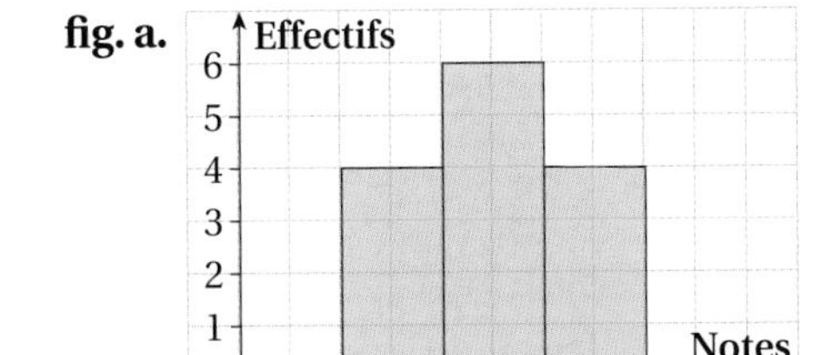

fig. b.

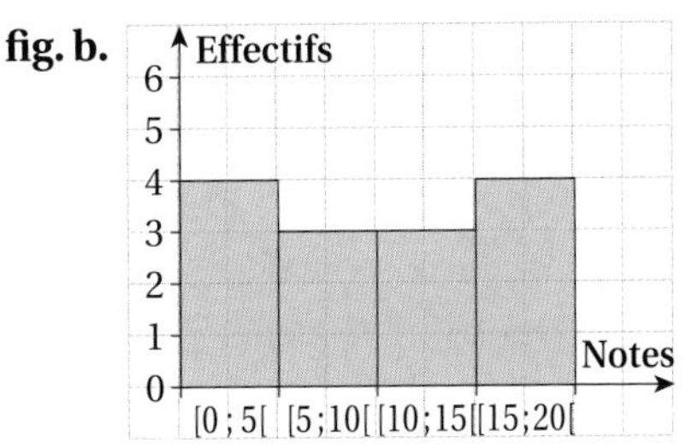

Les élèves demandent aux professeurs de se concerter pour harmoniser leur notation.
Il s'avère alors qu'ils ont donné exactement les mêmes notes aux copies :

4,5 ; 4,5 ; 4,5 ; 4,5 ; 9 ; 9 ; 9 ; 10 ; 10 ; 10 ; 15,5 ; 15,5 ; 15,5 ; 15,5.

En observant les intervalles (dits « **classes** ») indiqués sur les graphiques, expliquer l'aspect paradoxal de ces deux représentations graphiques.

2 Dans une représentation graphique d'une série statistique sous forme d'histogramme, le choix du nombre de classes influence la taille des rectangles.

a. Donner un algorithme qui :

- demande en entrée les valeurs de la série statistique et le nombre de classes souhaité ;
- calcule l'étendue commune des classes ;
- donne en sortie les effectifs par classe.

b. Programmer cet algorithme soit avec la calculatrice ou un logiciel, soit avec un tableur.

TP Problème ouvert 1 Existences ?

1 Soit une série statistique d'effectif N, de plus petite valeur a, de premier quartile Q_1, de médiane m, de troisième quartile Q_3, de plus grande valeur b et de moyenne $\overline{x}$.

a. Existe-t-il une série statistique d'effectif 4 avec des valeurs a, Q_1, m, Q_3, b et $\overline{x}$ distinctes deux à deux ?

b. Quel est le plus petit effectif N pour que les valeurs a, Q_1, m, Q_3, b et $\overline{x}$ soient distinctes deux à deux ?

2 Un diagramme en boîte a en général l'aspect suivant :

Un diagramme en boîte peut-il avoir l'un des quatre aspects suivants ?

a. **b.**

c. **d.**

3 On donne a et b deux nombres réels quelconques avec $a \neq b$.

a. Existe-t-il une série statistique de plus petite valeur a, de plus grande valeur b et de moyenne b ?

b. Quel est l'ensemble des valeurs des moyennes de toutes les séries statistiques de taille N, de plus petite valeur a et de plus grande valeur b ?

TP Problème ouvert 2 SMS

« Chaque client des opérateurs mobiles a envoyé en moyenne 134 SMS par mois au cours du troisième trimestre 2010 contre 87 un an auparavant. »

Source : ARCEP (Autorité de régulation des communications électroniques et des postes).

On peut se poser la question de savoir par quel(s) groupe(s) de la population les SMS sont le plus utilisés : hommes ou femmes ? adolescents ou adultes ?...
À vous de mener une enquête dans votre entourage, votre lycée.

1 Proposer un protocole pour étudier le nombre de SMS envoyés et reçus par une population dont vous définirez soigneusement le périmètre.

2 **a.** Recueillir les données.

b. Réaliser une présentation des résultats. Il pourra être intéressant d'utiliser entre autres des diagrammes en boîte.

3 **a.** Recueillir des données similaires quelques mois plus tard.

b. Présenter et commenter la comparaison des deux études.

Exercices d'application

Paramètres de dispersion

1 Déterminer la variance et l'écart-type de la série de notes suivante :

16 ; 19 ; 11 ; 14 ; 14 ; 11 ; 10 ; 17 ; 13 ; 15 ; 12 ; 18 ;
10 ; 11 ; 18 ; 15 ; 13 ; 10 ; 10 ; 13 ; 15 ; 11 ; 15 ; 11 ;
10 ; 10 ; 14 ; 17 ; 11 ; 19 ; 14 ; 14 ; 16 ; 13 ; 13.

▸ Savoir-faire 1 p. 275

2 Lors d'un contrôle de la fabrication de jus de pomme artisanal, les volumes nets mesurés de quelques bouteilles produites sont :

100,6 ; 100,1 ; 100,6 ; 100,3 ; 100,1 ; 100,6 ; 100,1 ;
100,3 ; 100,1 ; 100,6 ; 100,6 ; 100,6 ; 100,3 ; 100,3 ;
100,3 ; 100,1 ; 99,8 ; 99,8 ; 100,3 ; 100,3.

Déterminer la moyenne et l'écart-type des volumes mesurés.

3 Dans le tableau suivant, on donne deux listes de 36 notes.

Note	7	8	9	10	11	12	13	14	15	16
Effectifs liste 1	1	4	0	2	12	4	10	1	1	1
Effectifs liste 2	4	2	3	0	8	7	3	4	4	1

a. Comment peut-on expliquer la constance de la moyenne et la variation de l'écart-type ?

b. Dresser une liste de 30 notes ayant même moyenne que les deux listes ci-dessus mais ayant un écart-type de 0,5.

c. Reprendre la question **b** avec un écart-type de 4.

4 Pour anticiper les marchandises à commander, un commerçant note pendant trois semaines de suite le montant total dépensé par ses clients chaque jour.

	Lun	Mar	Mer	Jeu	Ven	Sam	Dim
Sem 1	4501	7023	5433	8726	12198	12634	5834
Sem 2	3770	7585	5694	8450	13100	13055	5684
Sem 3	3438	8159	4964	9185	12839	13999	5272

a. Déterminer pour chaque semaine la moyenne et l'écart-type du montant des ventes journalières.

b. Pour les différentes semaines, les montants dépensés, inscrits dans le tableau ci-dessus, semblent similaires. Quels changements dans les valeurs peuvent expliquer l'évolution de l'écart-type ?

5 Soit la série statistique suivante, composée de nombres entiers compris entre 1 et 16 :

11 ; 6 ; 13 ; 15 ; 5 ; 9 ; 9 ; 10 ; 6 ; 7 ; 11 ; 12 ; 16 ; 12 ; 10 ; 11 ; 13 ;
15 ; 11 ; 10 ; 10 ; 14 ; 1 ; 8 ; 11 ; 12 ; 11 ; 10 ; 13 ; 11 ; 10 ; 12 ; 11 ;
9 ; 7 ; 13 ; 11 ; 12 ; 12 ; 12 ; 9 ; 7 ; 12 ; 7 ; 12 ; 10 ; 12 ; 4 ; 12 ; 3.

a. Déterminer la moyenne m et l'écart-type σ de cette série statistique.

b. Représenter graphiquement la série.

c. Déterminer la proportion de la population qui se trouve dans l'intervalle [10 ; 11].

d. Déterminer la proportion de la population qui se trouve dans les intervalles $[m-\sigma\,;m+\sigma]$, $[m-2\sigma\,;m+2\sigma]$ et $[m-3\sigma\,;m+3\sigma]$.

6 Les données suivantes, obtenues à partir du site de l'INSEE, indiquent le nombre de « défaillances » d'entreprises en France dans divers secteurs.

- Entre octobre 2004 et septembre 2007 :

126 ; 74 ; 52 ; 103 ; 101 ; 113 ; 71 ; 99 ; 94 ; 103 ; 86 ; 86 ;
123 ; 88 ; 36 ; 75 ; 103 ; 105 ; 81 ; 79 ; 84 ; 96 ; 87 ; 101 ;
101 ; 103 ; 41 ; 104 ; 93 ; 86 ; 89 ; 110 ; 85 ; 81 ; 64 ; 130.

- Entre octobre 2007 et septembre 2010 :

114 ; 106 ; 45 ; 106 ; 93 ; 153 ; 120 ; 121 ; 164 ;
123 ; 126 ; 126 ; 146 ; 94 ; 101 ; 223 ; 183 ; 242 ;
164 ; 251 ; 232 ; 198 ; 186 ; 169 ; 215 ; 106 ; 131 ;
177 ; 148 ; 157 ; 118 ; 161 ; 169 ; 170 ; 102 ; 162.

a. Déterminer la moyenne et l'écart-type de ces deux séries statistiques.

b. Commenter l'évolution des paramètres entre les deux périodes.

REMARQUE La « défaillance » d'entreprise ne doit pas être confondue avec la notion plus large de cessation d'activité. La défaillance d'entreprise correspond dans les statistiques de l'INSEE à l'ouverture d'une procédure de jugement de redressement judiciaire à l'encontre d'une entreprise. Elle ne se traduit pas toujours par une liquidation.

7 Les tailles (en m) de 32 élèves sont les suivantes :

1,58 ; 1,58 ; 1,59 ; 1,62 ; 1,63 ; 1,64 ; 1,65 ; 1,65 ;
1,67 ; 1,67 ; 1,68 ; 1,68 ; 1,7 ; 1,7 ; 1,7 ; 1,71 ;
1,71 ; 1,71 ; 1,71 ; 1,72 ; 1,73 ; 1,74 ; 1,75 ; 1,75 ;
1,75 ; 1,77 ; 1,78 ; 1,79 ; 1,82 ; 1,84 ; 1,86 ; 1,88.

a. Déterminer la moyenne et l'écart-type de cette série statistique.

b. Déterminer l'intervalle interquartile $[a\,;\,b]$ de cette série statistique.

c. Compléter la phrase :
« **...** % des élèves de cette classe mesurent entre a et b. »

8 Dans l'entreprise A, les salaires mensuels nets en euros des personnels sont :

1 000 ; 1 100 ; 1 200 ; 1 300 ; 1 400 ; 1 500 ; 1 600 ; 1 700 ; 1 800 ; 1 900 ; 2 000 ; 2 100 ; 2 200 ; 2 300 ; 2 400 ; 2 500 ; 2 600 ; 2 700 ; 2 800 ; 2 900 ; 3 000 ; 3 100 ; 3 200 ; 3 300 ; 3 400 ; 3 500 ; 3 600 ; 3 700 ; 3 800 ; 3 900.

Dans l'entreprise B, les salaires mensuels nets en euros des personnels sont :

1 000 ; 1 000 ; 1 000 ; 1 000 ; 1 000 ; 1 900 ; 1 900 ; 1 900 ; 1 900 ; 1 900 ; 2 000 ; 2 000 ; 2 000 ; 2 000 ; 2 000 ; 2 000 ; 2 000 ; 2 000 ; 2 000 ; 2 500 ; 3 000 ; 3 100 ; 3 200 ; 3 300 ; 3 400 ; 3 900 ; 3 900 ; 3 900 ; 3 900 ; 3 900.

1. Pour les salaires dans chaque entreprise :
a. déterminer la moyenne et l'écart-type.
b. déterminer la médiane et l'intervalle interquartile.

2. Lequel des deux couples (moyenne ; écart-type) et (médiane ; intervalle interquartile) vous paraît le plus approprié pour comparer la situation dans les deux entreprises ?

9 Un contrôle qualité de la fabrication de balances électroniques est réalisé à deux dates différentes. À chacune de ces dates, un objet de masse 1 kg est pesé sur 20 balances prélevées dans la production.
Les résultats (en grammes) de ces pesées sont les suivants :

- Mois 1 :

983 ; 994 ; 1 013 ; 1 003 ; 986 ; 990 ; 990 ; 994 ; 992 ; 1 000 ; 994 ; 1 006 ; 1 014 ; 982 ; 989 ; 993 ; 991 ; 981 ; 994 ; 997.

- Mois 2 :

993 ; 1 002 ; 1 005 ; 1 018 ; 982 ; 981 ; 1 012 ; 989 ; 987 ; 1 002 ; 992 ; 1 019 ; 990 ; 1 005 ;1 015 ; 1 007 ; 988 ; 1 000 ; 985 ; 987.

Commenter les différences, s'il y en a, entre les paramètres statistiques de ces deux prélèvements.

10 Deux entreprises produisent des poteaux en béton d'une longueur qui devrait être 2 m.
Dans l'entreprise A, les longueurs des poteaux produits durant une journée sont :

198 ; 198 ; 198 ; 199 ; 199 ; 199 ; 199 ; 199 ; 199 ; 199 ; 199 ; 199 ; 199 ; 199 ; 200 ; 200 ; 200 ; 200 ; 200 ; 200 ; 201 ; 201 ; 201 ; 201 ; 201 ; 201 ; 202 ; 203 ; 203 ; 203.

Dans l'entreprise B, les longueurs des poteaux produits durant une journée sont :

199 ; 199 ; 199 ; 199 ; 199 ; 199 ; 199 ; 199 ; 199 ; 200 ; 200 ; 200 ; 200 ; 200 ; 200 ; 200 ; 200 ; 200 ; 200 ; 200 ; 200 ; 201 ; 201 ; 201 ; 201 ; 201 ; 201 ; 201 ; 201 ; 201.

1. Pour les longueurs dans chaque entreprise :
a. déterminer la moyenne et l'écart-type.
b. déterminer la médiane et l'intervalle interquartile.

2. Lequel des deux couples (moyenne ; écart-type) et (médiane ; intervalle interquartile) vous paraît le plus approprié pour comparer les productions ?

11 Soit une série statistique qui ne prend que les deux valeurs a et b, avec le même effectif $\frac{N}{2}$ pour chacune d'elles (N entier naturel pair non nul).
Quelle est la valeur :
a. de la moyenne ?
b. de l'écart-type ?

12 Sur un site Internet de vente d'appareils électroménagers, le nombre moyen des pages vues par un internaute à chacune de ses « visites » est indiqué dans le tableau suivant.

Nombre de pages vues	Nombre d'internautes
1	1 254
2	1 567
3	434
4	367
5	590
6	345
7	234
8	257
9	298
10	1 254
11	1 567
12	434
13	367
15	590
18	345
19	234
20	1
21	2
22	1
23	1
24	3
32	1
45	1
47	1

a. Déterminer la médiane, l'intervalle interquartile et les premier et dernier déciles des pages vues par un internaute.
b. Un des responsables du site souhaite savoir le mois suivant si les internautes sont plus fidèles, c'est-à-dire ne quittent pas le site après quelques clics.
Quel(s) paramètre(s) va-t-il observer de près ?

Diagrammes en boîte

13 Les moyennes journalières des températures à Landerspow pour les mois de janvier et juillet 1950 sont données ci-dessous.

- Janvier : –4 ; –2 ; –6 ; –5 ; –4 ; 0 ; 4 ; 3 ; 6 ; 5 ; 10 ; 11 ; 5 ; –1 ; –1 ; –1 ; –1 ; –4 ; –3 ; –1 ; 4 ; 7 ; 6 ; 7 ; 5 ; 6 ; 8 ; 9 ; 11 ; 11 ; 11.
- Juillet : 25 ; 26 ; 20 ; 14 ; 18 ; 17 ; 14 ; 17 ; 15 ; 19 ; 18 ; 21 ; 20 ; 14 ; 14 ; 18 ; 12 ; 14 ; 21 ; 13 ; 15 ; 17 ; 16 ; 27 ; 25 ; 22 ; 20 ; 21 ; 23 ; 24 ; 26.

Représenter ces séries de données à l'aide de diagrammes en boîte.

14 Pour une série statistique qui porte sur 1 500 valeurs, on connaît les paramètres ci-contre. Tracer un diagramme en boîte correspondant.

Moyenne	12
Minimum	4
Maximum	20
Médiane	10,5
Q_1	8
Q_3	15

▸ Savoir-faire 2 p. 276

15 Les diagrammes en boîte suivants représentent les séries statistiques donnant le nombre de livres empruntés par an et par abonné dans une médiathèque de quartier.

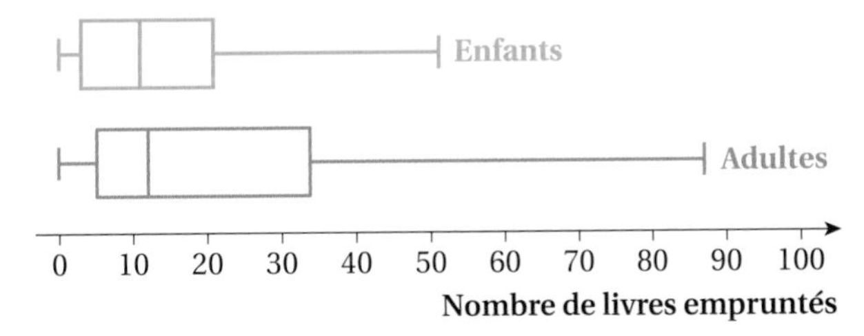

a. Peut-on connaître le nombre d'abonnés ?

b. Peut-on affirmer qu'un emprunteur sur deux a pris plus de 12 livres par an ?

c. Peut-on dire que les adultes empruntent plus de livres que les enfants ?

d. Peut-on affirmer qu'il existe au moins un adulte et au moins un enfant qui n'ont emprunté aucun livre cette année-là ?

e. Supposons que 135 adultes sont abonnés. Combien d'entre eux empruntent entre 4 et 34 livres par an ?

16 Une étude statistique du nombre d'appels téléphoniques par jour ouvrable à un service d'assistance informatique est illustrée par le graphique suivant :

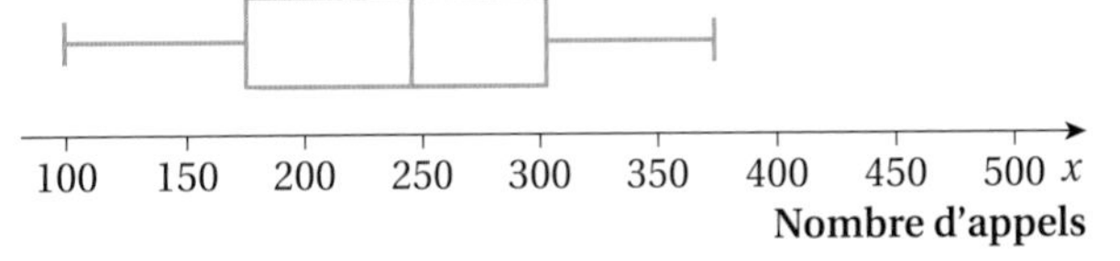

À partir de ce diagramme en boîte, indiquer le minimum, le maximum, la médiane, le premier quartile, le troisième quartile et l'écart interquartile de la série statistique.

17 Quatre entreprises du secteur BTP (Bâtiments et Travaux Publics) ont indiqué pour les salaires mensuels nets de leurs employés, toutes primes annualisées comprises, les données suivantes.

Entreprise	Agrue	Bpelle	Cétai	Dplan
Nombre de salariés	130	154	13	46
Salaire minimum (en €)	1 245	1 109	1 070	1 076
Q_1 (en €)	1 667	1 753	1 230	1 076
Médiane (en €)	1 732	1 905	1 367	1 670
Q_3 (en €)	2 356	2 120	1 650	1 827
Salaire maximum (en €)	3 589	3 756	1 745	1 900

a. Représenter ces données sous forme de diagrammes en boîte.

b. Comparer ces données. Les commentaires seront rédigés de manière impartiale en s'appuyant uniquement sur les valeurs des paramètres.

▸ Savoir-faire 3 p. 277

18 

Use the box-and-whisker plot below to find each value.

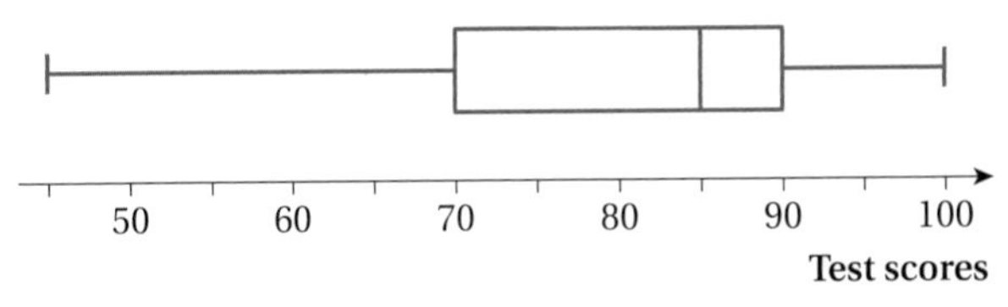

1. a. What is the median?

b. What is the upper quartile?

c. What is the lower quartile?

d. What is the greatest value, or upper extreme?

2. a. What percent of the class received below an 85%?

b. What percent of students passed with at least a 70%?

c. If there were 24 students in the class, how many of them passed with at least a 70%?

Effet de structure

Il peut arriver, en répartissant une population en plusieurs sous-groupes, qu'un caractère statistique évolue différemment dans ces sous-groupes que dans la population totale. Par exemple, le revenu moyen d'une population peut augmenter dans le temps alors que celui-ci peut baisser dans toutes les catégories socio-professionnelles suite à des changements de composition. Les exercices suivants illustrent ce paradoxe appelé effet de structure.

19 Dans un lycée, les 100 élèves de 1re sont, en cours d'espagnol, répartis en 5 groupes, chacun comportant 20 élèves.
Au cours du premier trimestre, deux groupes dits « faibles » ont chacun une moyenne de 8 et trois groupes dits « forts » ont chacun une moyenne de 12.
À la fin de ce trimestre, les professeurs d'espagnol modifient la répartition des élèves. À la suite des changements, au cours du deuxième trimestre, trois groupes dits « faibles » ont chacun une moyenne de 8,5 et deux groupes dits « forts » ont chacun une moyenne de 12,5.

a. Les professeurs affirment que les moyennes des élèves dans les groupes de niveau similaire ont augmenté. Est-ce vrai ?

b. Les élèves délégués prétendent que la moyenne des notes en espagnol au lycée est en baisse.
Est-ce possible ?

20 Deux équipementiers automobiles, *Sophare* et *Soclim*, fournissent les données suivantes afin de comparer leurs effectifs et leur politique salariale.

- *Sophare* :

	Femmes	Hommes
Effectif	46	39
Salaire moyen	1 695	1 904

- *Soclim* :

	Femmes	Hommes
Effectif	91	19
Salaire moyen	1 730	1 943

a. Comparer (en %) le salaire moyen des femmes de *Soclim* au salaire moyen des femmes de *Sophare*.

b. Comparer (en %) le salaire moyen des hommes de *Soclim* au salaire moyen des hommes de *Sophare*.

c. Comparer (en %) le salaire moyen des personnels de *Soclim* au salaire moyen des personnels de *Sophare*.

Raisonnement logique

▶ Fiches Raisonnement logique p. 8 à 10

21 **Vrai ou faux ?**
On considère une étude statistique. Pour chaque affirmation, indiquer si elle est vraie ou fausse ; justifier.

a. Si l'étude concerne des salaires, la moyenne est toujours supérieure à la médiane.

b. Si la plus grande valeur augmentait de 100, alors la médiane augmenterait de 50.

c. La moitié de la somme de la plus grande valeur et de la plus petite valeur est une bonne approximation de la moyenne de cette série statistique.

d. Son diagramme en boîte peut ne pas comporter les deux rectangles et être réduit à deux segments.

e. Sa moyenne se trouve toujours entre le premier quartile Q_1 et le troisième quartile Q_3.

22 **Vrai ou faux ?**
On considère une étude statistique qui concerne des élèves d'un lycée. Pour chaque affirmation, indiquer si elle est vraie ou fausse ; justifier.

a. Si la moyenne des tailles des élèves de la 1re S1 est supérieure de 5 cm à celle des élèves de la 1re S2, alors les écart-types des tailles des élèves des deux classes diffèrent également de 5 cm.

b. Si on sait que les classes de 1re ES1 et de 1re ES2 ont le même nombre d'élèves, que la moyenne des notes des filles de 1re ES1 est supérieure à celle des notes des filles de 1re ES2 et que la moyenne des notes des garçons de 1re ES1 est supérieure à celle des notes des garçons de 1re ES2 alors la moyenne des notes des élèves de 1re ES1 est supérieure à la moyenne des notes des élèves de 1re ES2.

Restitution des connaissances

23 On rappelle que la moyenne d'une série statistique à N valeurs $x_1, x_2, \ldots, x_N$ est égale à :

$$\overline{x} = \frac{1}{N}\sum_{i=1}^{N} x_i = \frac{x_1 + x_2 + \ldots + x_N}{N} \quad (N \neq 0)$$

Supposons que $N > 1$. Soit N_1 et N_2 deux entiers tels que $N_1 + N_2 = N$, avec N_1 et N_2 non nuls.

Soit $\overline{x}_1$ la moyenne des N_1 nombres $x_1, \ldots, x_{N1}$ et $\overline{x}_2$ la moyenne des N_2 nombres $x_{N1+1}, \ldots, x_N$.

Démontrer que $\overline{x} = \frac{N_1}{N}\overline{x}_1 + \frac{N_2}{N}\overline{x}_2$.

24 Est-il possible qu'une série statistique admette un écart-type nul ? Justifier.

CORRIGÉ P. 342

QCM

Pour chaque question, indiquer la (les) bonne(s) réponse(s).

25 Si m est la moyenne d'une série statistique et M sa médiane alors on a :

A $m \neq M$

B $m = M$

C $m \leqslant M$ ou $m \geqslant M$

D $m \leqslant M$ et $m \geqslant M$

26 On donne la série de notes suivante :

6 ; 6 ; 7 ; 7 ; 8 ; 9 ; 10 ; 10 ; 11 ; 11 ; 11 ;
12 ; 13 ; 13 ; 14 ; 14 ; 14 ; 14 ; 15 ; 15.

a. Une représentation graphique des effectifs des notes de cette série est :

A

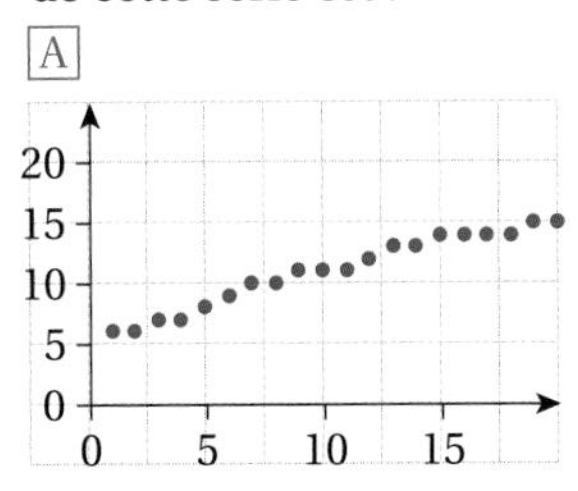

B

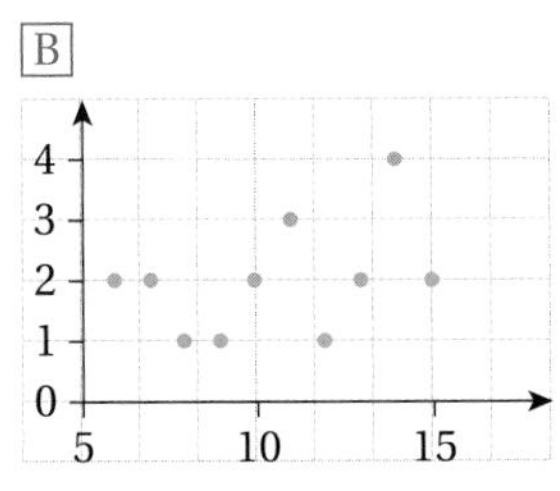

C

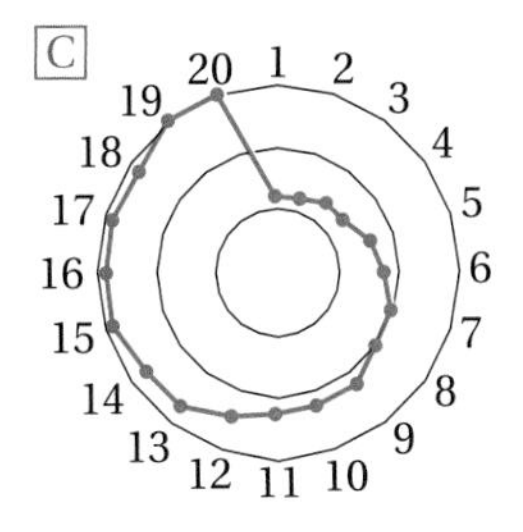

D

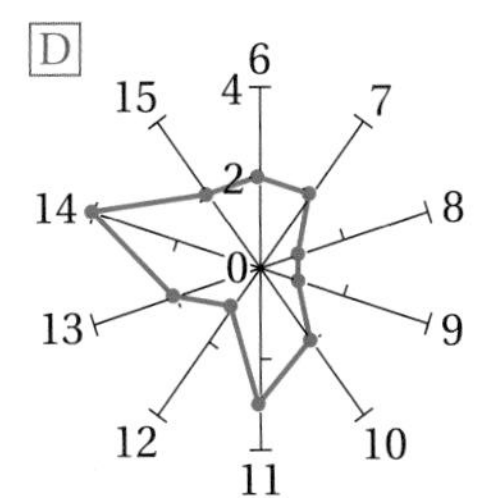

b. La moyenne de cette série est :

A 10 B 11 C 12 D 13

c. L'écart-type de cette série est :

A 2,94 B 2,95 C $\sqrt{\dfrac{87}{10}}$ D 3,02

d. L'écart interquartile de cette série est :

A 8 B 14 C 6 D [8 ; 14]

e. Le diagramme en boîte de la série est :

A

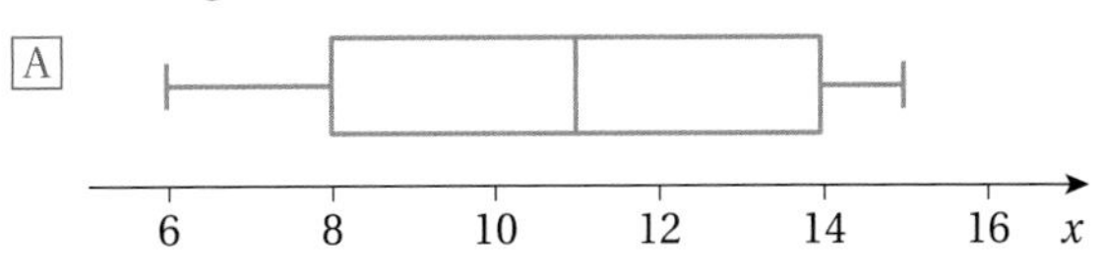

B

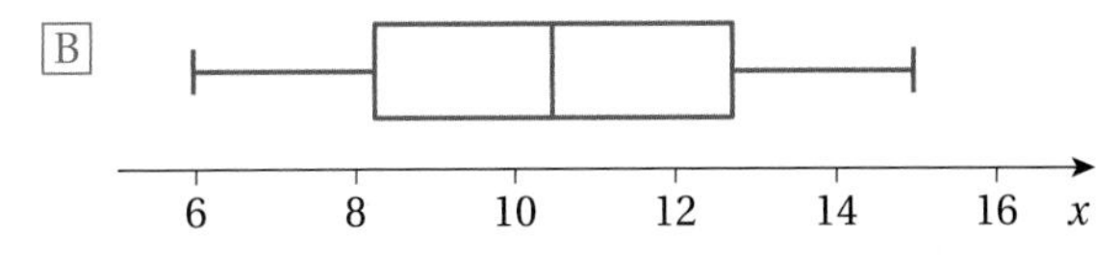

C

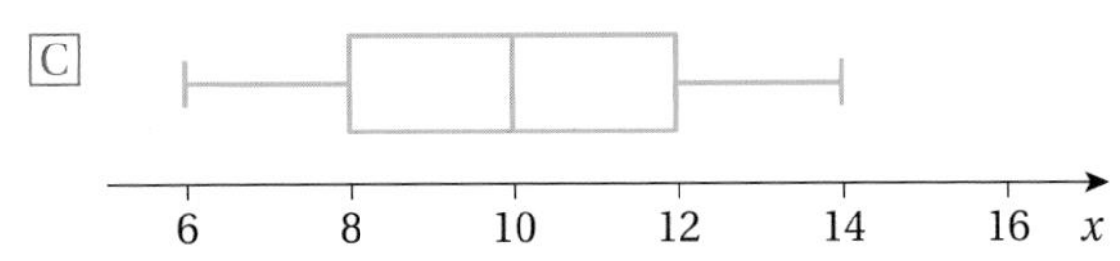

27 On note m_1, M_1 et σ_1 la moyenne, la médiane et l'écart-type de la série statistique suivante :

12 ; 14 ; 23 ; 45 ; 59 et 67.

On note m_2, M_2 et σ_2 la moyenne, la médiane et l'écart-type de la série statistique suivante :

1 200 ; 1 400 ; 2 300 ; 4 500 ; 5 900 et 6 700.

On peut affirmer que :

A $m_1 = m_2$ et $M_1 = M_2$

B $m_1 \neq m_2$ et $\sigma_1 = \sigma_2$

C $100m_1 = m_2$ et $10\,000\sigma_1 = \sigma_2$

D $m_1 \neq m_2$ et $100\sigma_1 = \sigma_2$

28 Dans l'étude d'une série statistique, la formule qui permet de calculer un écart-type est :

A $\sqrt{\text{Variance}}$

B $\sqrt{\dfrac{1}{N}\sum_{i=1}^{k} n_i\left(x_i - \overline{x}\right)^2}$

C $\sqrt{\dfrac{1}{N}\sum_{i=1}^{k} n_i x_i^2 - \sqrt{\overline{x}}}$

D $\sqrt{\dfrac{1}{N}\sum_{i=1}^{k} n_i x_i^2 - \overline{x}}$

PRÊT POUR LE CONTRÔLE ?

29 Calculer de deux manières l'écart-type de la série statistique suivante :

15 ; 25 ; 25 ; 25 ; 25 ; 25 ; 25 ; 25 ;
35 ; 35 ; 45 ; 45 ; 55 ; 55 ; 60.

30 **a.** Proposer une série de 10 valeurs comprises entre 0 et 20 dont la moyenne est 10, la médiane 12, le premier quartile 5 et le troisième quartile 15.

b. Tracer le diagramme en boîte de cette série.

Problèmes

31 Numérus clausus

Dans la principauté de Basmanie, l'école de caudatairologie a mis en place depuis de longues années le numérus clausus.
Les résultats des admissions au concours d'entrée à l'école sont affichés : sur les 1 254 candidats, seulement 323 sont admis.
Jean n'est pas parmi les reçus et pourtant il pense avoir très bien réussi les épreuves. C'est effectivement ce qu'il constate quand on lui fait parvenir ses notes. Sur l'ensemble des épreuves, il a une moyenne de 14 sur 20.
Après publication du rapport du jury, il constate que la moyenne des candidats a été de 8. Il connaît au moins 11 camarades qui ont abandonné à toutes les épreuves et qui ont donc eu une moyenne de 0.
Immédiatement, il est persuadé que le jury s'est trompé et souhaite déposer un recours.
Qu'en pensez-vous ?

32 La moitié ou 70 % ? Problème ouvert

Sur un site Internet, on peut lire :

« La moitié des Français gagnent-ils moins que le salaire moyen ?
Non, ils sont près de 70 pour cent. En revanche, la moitié des Français gagnent au plus le salaire médian, un indicateur plus fiable. » (09/01/2009)

Rechercher pour une année de votre choix, dans la population française, les données qui permettent de confirmer ou d'infirmer ces affirmations.

33 Le niveau en mathématiques des élèves est en hausse !

La principauté de Bortoumont publie en fin d'année les résultats en mathématiques des élèves au baccalauréat dans les cinq filières qui existent : ES, S, STG, STI2D et ST2S.
Voici ces résultats pour les années 3000 et 3001 :

	Année 3000						
	Effectif	Moy	Min	Q_1	Méd	Q_3	Max
ES	500	14	4	7	15	16	20
S	1 000	12	0	8	11	14	20
STG	200	12	3	12	13	14	20
STI2D	500	14	3	11	13	15	20
ST2S	100	12	2	11	13	14	18

	Année 3001						
	Effectif	Moy	Min	Q_1	Méd	Q_3	Max
ES	400	14,1	0	9	14	14	20
S	1 100	12,1	0	8	12	14,1	20
STG	300	12,1	1	11	13	15	19
STI2D	400	14,1	4	12	13	13	16
ST2S	100	12,1	3	13	13	15	20

1. a. Pour les notes des élèves de S et ES, dessiner les diagrammes en boîte des deux années.

b. Commenter sommairement ces 4 diagrammes.

2. a. Indiquer le nombre total d'élèves en 3000 et en 3001.

b. Montrer que la moyenne des notes en mathématiques de tous les élèves a baissé alors que les moyennes des notes des élèves par filière ont augmenté.

3. Proposer des effectifs théoriques pour l'année 3002 de manière à ce que les moyennes par filière aient toutes augmenté de 0,1 et que la moyenne de tous les élèves ait encore baissé.

34 Négociations salariales

Le but de cet exercice est d'étudier, au sein d'une entreprise, la différence entre une augmentation en pourcentage et une augmentation en fixe.

Partie A

Les salariés de l'entreprise *Çadiscute* sont répartis en 4 catégories : employés, maîtrise, cadres et direction. Les salaires mensuels nets en euros sont respectivement compris dans les intervalles [1 500 ; 3 500[, [3 500 ; 5 000[, [5 000 ; 8 000[et [8 000 ; $+\infty$ [.
Les salaires sont les suivants :

Employés (effectif : 20)	1 500 ; 1 600 ; 1 700 ; 1 800 ; 1 900 ; …
Maîtrise (effectif : 10)	3 500 ; 3 650 ; 3 800 ; 3 950 ; 4 100 ; …
Cadres (effectif : 5)	5 000 ; 5 500 ; 6 000 ; 6 500 ; 7 000.
Direction (effectif : 3)	8 000 ; 9 000 ; 10 000.

a. Montrer que la somme des salaires nets mensuels est de 147 750 €.

b. Calculer la médiane et les quartiles de ces salaires.

c. Tracer le diagramme en boîte de cette série statistique.

Partie B

Dans l'entreprise *Çadiscute*, le carnet de commandes est bien rempli. Cela permet de proposer une augmentation de salaire à tout le personnel. Le montant total des augmentations est fixé à 5 % de la somme des salaires.
Au cours des négociations salariales, deux stratégies sont envisagées.

1. Première stratégie : une augmentation de 5 % pour chaque membre du personnel.
a. Donner les salaires après augmentation dans un tableau similaire au tableau précédent.
b. Calculer la médiane et les quartiles de ces salaires.
c. Tracer le diagramme en boîte de ces nouveaux salaires.

2. Deuxième stratégie : une augmentation fixe pour chaque membre du personnel, correspondant au 38e de l'augmentation globale.

Reprendre les questions **1a** à **1c** pour cette deuxième stratégie.

Partie C

1. a. Indiquer comment la première stratégie modifie les effectifs des catégories.
b. Comment évolue le salaire moyen de chacune des catégories ?

2. Mêmes questions avec la deuxième stratégie.

3. Comment expliquer qu'avec la deuxième stratégie, la moyenne des salaires des cadres n'augmente quasiment pas ?

35 Répartition des salaires

1. Voici la répartition des salaires dans une entreprise. On dénombre cinq classes de salaires différentes.

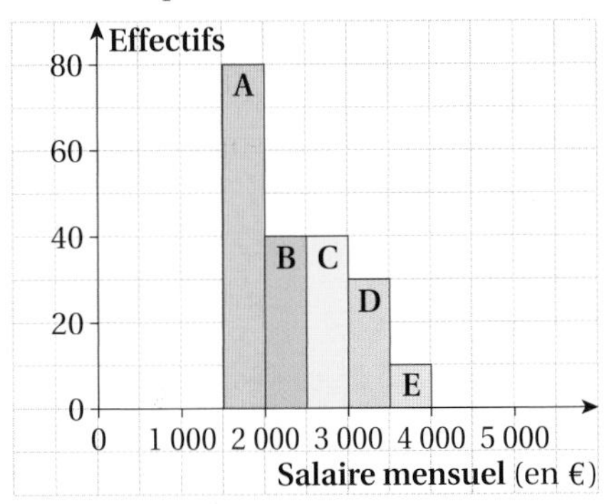

Par exemple, les salariés appartenant à la classe A touchent un salaire mensuel compris entre 1 500 € inclus et 2 000 € exclu.

a. Recopier et compléter à l'aide du diagramme le tableau ci-contre.
b. Justifier que le nombre de salariés dans l'entreprise est 200.

Salaires mensuels	Effectifs
[1 500 ; 2 000[	
[2 000 ; 2 500[	
[2 500 ; 3 000[	
[3 000 ; 3 500[	
[3 500 ; 4 000[	

2. Dans cette question, on suppose que les salaires mensuels des salariés de chaque classe sont égaux à ceux du centre de la classe.

a. Calculer moyenne, écart-type, médiane et quartiles de cette série statistique.

b. Tracer dans ce cas le diagramme en boîte de cette série statistique.

c. Calculer la somme des salaires versés par mois.

3. Dans cette question, on suppose que les salaires mensuels des salariés de chaque classe sont répartis régulièrement dans chaque classe.

a. Calculer moyenne, écart-type, médiane et quartiles de cette série statistique.

b. Tracer dans ce deuxième cas le diagramme en boîte de cette série statistique.

c. Calculer la somme des salaires versés par mois.

D'après *Baccalauréat STT C.G-I.G.*, Métropole, juin 2002.

36 Minimiser des sommes de carrés 

1. On donne la série statistique X suivante :

$$x_1 = 1 ; x_2 = 2 ; \ldots ; x_i = i ; \ldots ; x_8 = 8.$$

Soit a un nombre réel quelconque.

a. Montrer que $\frac{1}{8}\sum_{i=1}^{8}(a - x_i)^2$ vaut :

$$a^2 - 9a + 25{,}5$$

b. Déterminer la valeur de a telle que $\frac{1}{8}\sum_{i=1}^{8}(a - x_i)^2$ soit minimale.

c. Montrer que a est égal à la moyenne de la série statistique X.

2. On donne la série statistique Y suivante :

1,5 ; 2,31 ; 3,6 ; 3,8 ; 3,8 ; 3,9 ; 3,9 ; 3,9 ; 3,9 ; 3,9 ;
4,1 ; 4,1 ; 4,1 ; 4,1 ; 4,5 ; 4,5 ; 4,5 ; 5 ; 6,3 ; 6,7.

On note y_i chaque élément de la série Y pour i nombre entier compris entre 1 et 20.
Soit a un nombre réel quelconque.

a. Calculer à l'aide d'un logiciel de calcul formel $S(a) = \frac{1}{20}\sum_{i=1}^{20}(a - y_i)^2$ en fonction de a.

b. Montrer que la valeur de a qui minimise $S(a)$ est égale à la moyenne de la série statistique Y.

Remarque

De manière générale, pour une série statistique de N valeurs x_1 à x_N, la valeur de a qui minimise la somme $\frac{1}{N}\sum_{i=1}^{N}(a - x_i)^2$ est la moyenne de cette série.

QCM Pour bien commencer

Pour chaque question, indiquer la (les) bonne(s) réponse(s).

CORRIGÉ P. 342 www.

1 Une expérience consiste à piocher une boule dans une urne contenant trois boules vertes, trois boules rouges et une boule bleue indiscernables au toucher.

1. Pour que les événements élémentaires soient équiprobables, on considère comme issues de l'expérience :

A chaque couleur. B le nombre de couleurs.
C chaque boule. D le nombre de boules.

2. On considère désormais que les issues de l'expérience sont les couleurs obtenues.

a. L'univers de l'expérience est constitué de :

A 3 événements élémentaires.
B 7 événements élémentaires.
C 9 événements élémentaires.
D 18 événements élémentaires.

b. Les issues de l'expérience sont des événements :

A équiprobables.
B contraires.
C ni équiprobables ni contraires.
D équiprobables et contraires.

2 On tire une carte dans un jeu de 32 cartes.
On note A l'événement « tirer un as ».
On note B l'événement « tirer un cœur ».
On note C l'événement « tirer une carte noire ».

a. L'événement $\overline{A}$ est composé de :

A 1 événement élémentaire.
B 4 événements élémentaires.
C 28 événements élémentaires.
D 31 événements élémentaires.

b. L'événement $A \cup B$ est composé de :

A 1 événement élémentaire.
B 8 événements élémentaires.
C 11 événements élémentaires.
D 12 événements élémentaires.

c. L'événement $A \cap C$ est composé de :

A 1 événement élémentaire.
B 2 événements élémentaires.
C 16 événements élémentaires.
D 18 événements élémentaires.

d. Les événements B et C sont :

A compatibles. B incompatibles.
C complémentaires. D contraires.

3 Dans un QCM, on pose deux questions ayant chacune une seule bonne réponse parmi quatre propositions.
Le candidat doit choisir une réponse par question.

a. Le nombre de façons de répondre au QCM est :

A 2 B 4 C 8 D 16

b. La probabilité de répondre juste aux deux questions est :

A $\frac{1}{2}$ B $\frac{1}{4}$ C $\frac{1}{8}$ D $\frac{1}{16}$

c. La probabilité de répondre faux aux deux questions est :

A $\frac{1}{2}$ B $\frac{3}{4}$ C $\frac{9}{16}$ D $\frac{1}{16}$

d. La probabilité de répondre juste à au moins une question est :

A $\frac{1}{2}$ B $\frac{3}{4}$ C $\frac{3}{16}$ D $\frac{7}{16}$

4 Le code du cadenas des casiers des élèves d'un établissement se compose d'une lettre suivie de trois chiffres.

1. Le nombre de combinaisons est :

A 56 B 2 600 C 18 954 D 26 000

2. Tom a oublié les deux derniers chiffres de son code.

a. Le nombre de combinaisons qu'il devra tester est :

A 2 B 81 C 100 D 729

b. La probabilité qu'il ouvre son cadenas du premier coup est :

A $\frac{1}{2}$ B 0,01 C $\frac{100}{26\,000}$ D $\frac{1}{26\,000}$

5 Dans une classe de 35 élèves, 11 élèves viennent en deux roues et 15 élèves utilisent les transports en commun. Trois élèves de la classe utilisent alternativement ces deux moyens de transport.

a. Le nombre d'élèves utilisant au moins un de ces moyens de transport est :

A 20 B 23 C 26 D 29

b. Le nombre d'élèves n'utilisant aucun de ces moyens de transport est :

A 6 B 9 C 12 D 15

Probabilités 9

« Un peu, beaucoup, passionnément, à la folie, pas du tout... »
En effeuillant onze fleurs, combien de fois peut-on espérer tomber sur « passionnément » ?

Le chapitre en bref

Réinvestir

- Modélisation d'une expérience aléatoire
- Utilisation d'arbre de probabilité
- Simulation d'une expérience aléatoire

Découvrir

- Variable aléatoire discrète
- Répétition d'expériences identiques

Activité

Des boules dans l'arbre

Réinvestir : • Modéliser avec un arbre.
• Calculer des probabilités.

Découvrir : Répétition d'une expérience et moyenne espérée.

Une expérience consiste à tirer au hasard une boule dans un sac contenant trois boules blanches et deux boules noires, à remettre la boule tirée dans le sac et à répéter le tirage d'une boule.

1 On souhaite étudier les issues de l'expérience qui sont les couples ordonnés {(B ; B), (B ; N), (N ; B), (N ; N)}.

a. Quelle est la probabilité de tirer une boule blanche du sac lors du premier tirage ?

b. Quelle est la probabilité de tirer une boule blanche du sac lors du second tirage ?

c. Quelle est la probabilité d'obtenir le couple (B ; B) ?

d. On représente l'ensemble des issues à l'aide d'un arbre de probabilité.
Reproduire et compléter cet arbre.

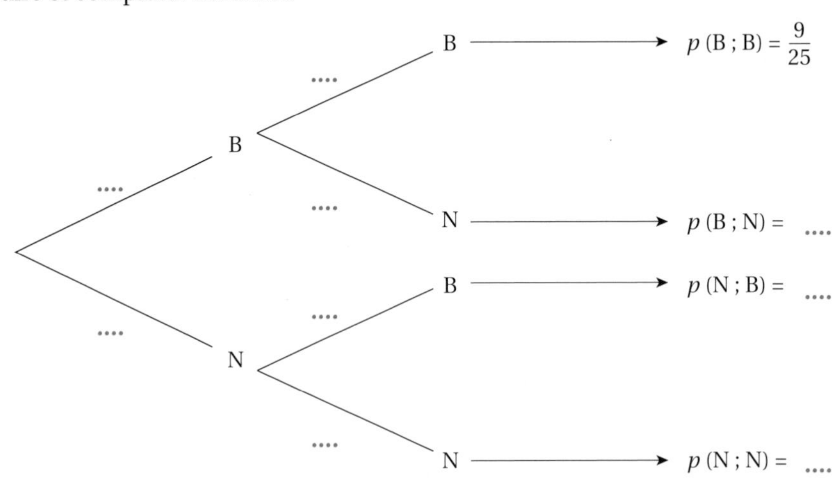

e. Déterminer la probabilité d'obtenir deux boules de la même couleur.

2 On souhaite désormais étudier le nombre de boules blanches obtenues.

a. Calculer la probabilité d'obtenir 0 boule blanche ; 1 boule blanche ; 2 boules blanches.

b. Si on répète 500 fois l'expérience en admettant que la probabilité de chaque issue soit respectée, combien d'expériences comptabiliseront 0 boule blanche ? 1 boule blanche ? 2 boules blanches ?

c. Calculer le nombre moyen de boules blanches ainsi obtenues.

d. Reprendre les questions **2**a et **2**c en considérant que l'on répète 10 000 fois l'expérience.

e. Le nombre moyen de boules blanches que l'on peut espérer dépend-il du nombre envisagé de répétitions de l'expérience ?

3 Un jeu consiste à miser un jeton et à gagner à l'issue de l'expérience autant de jetons que de boules blanches obtenues.

a. En projetant de jouer un grand nombre de fois, peut-on espérer faire des gains ou plutôt craindre des pertes ?

b. Quel(le) gain ou perte moyen(ne) peut-on espérer pour 100 parties ?

A. Variable aléatoire et loi de probabilité

1 Variable aléatoire

DÉFINITIONS (RAPPELS)

- L'ensemble des issues d'une expérience aléatoire s'appelle l'**univers** de l'expérience.
- Un **événement** de cette expérience est un sous-ensemble de son univers.
- Un **événement élémentaire** de cette expérience est un événement contenant une seule issue.

EXEMPLE

On lance un dé équilibré à six faces et on observe le résultat affiché sur la face supérieure.
L'univers de l'expérience est l'ensemble $\Omega = \{1 ; 2 ; 3 ; 4 ; 5 ; 6\}$.
L'événement A « obtenir un résultat pair » est l'ensemble $A = \{2 ; 4 ; 6\}$.
L'événement élémentaire B « obtenir un 6 » est l'ensemble $B = \{6\}$.

DÉFINITION

Soit une expérience aléatoire dont l'univers est l'ensemble Ω.
Une **variable aléatoire** est une fonction définie sur Ω et à valeurs dans $\mathbb{R}$. On la note X.

EXEMPLE Reprenons l'expérience de l'exemple précédent, et considérons le jeu suivant :

- « Si le résultat obtenu est 1 ou 6, je gagne 2 jetons. »
- « Si le résultat obtenu est 5, je gagne 1 jeton. »
- « Sinon, je perds 1 jeton. »

On peut définir une variable aléatoire X qui décrit les gains de ce jeu.
On a donc $X(1) = 2$, $X(2) = -1$, $X(3) = -1$, $X(4) = -1$, $X(5) = 1$, $X(6) = 2$.
On peut aussi représenter la situation par le schéma ci-contre.

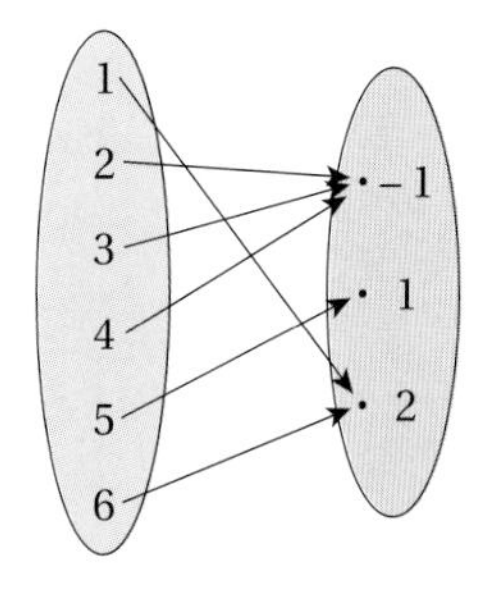

2 Loi de probabilité d'une variable aléatoire

DÉFINITION

Une variable aléatoire X est définie sur l'univers Ω d'une expérience aléatoire.
Notons $E = \{x_1, x_2, \ldots, x_n\}$ l'ensemble des valeurs prises par X.
La **loi de probabilité** de X est la fonction qui à chaque x_i de E lui associe sa probabilité notée $p(X = x_i)$. On peut la représenter sous forme d'un tableau de valeurs :

x_i	x_1	x_2	…	x_n
$p(X = x_i)$	$p(X = x_1)$	$p(X = x_2)$	…	$p(X = x_n)$

EXEMPLE Dans le jeu de l'exemple précédent, chaque issue du lancer de dé est équiprobable, de probabilité $\frac{1}{6}$.

Le gain est de deux jetons si le résultat obtenu est 1 ou 6. La probabilité correspondante est $\frac{1}{6} + \frac{1}{6} = \frac{1}{3}$, d'où $p(X = 2) = \frac{1}{3}$. On a de même $p(X = 1) = \frac{1}{6}$ et $p(X = -1) = \frac{3}{6} = \frac{1}{2}$.

La loi de probabilité est résumée dans le tableau suivant :

x_i	-1	1	2
$p(X = x_i)$	$\frac{1}{2}$	$\frac{1}{6}$	$\frac{1}{3}$

▶ Savoir-faire 1
Déterminer une loi de probabilité,
p. 295

Espérance, variance et écart-type d'une loi de probabilité

DÉFINITIONS

Une variable aléatoire X est définie sur l'univers Ω d'une expérience aléatoire.
Notons $E = \{x_1, x_2, ..., x_n\}$ l'ensemble des valeurs prises par X.
La loi de probabilité de X associe à chaque x_i de E sa probabilité $p_i = p(X = x_i)$.

- L'**espérance** mathématique de la loi de probabilité de X est la moyenne de la série des x_i pondérés par p_i ; on la note $E(X)$:

$$E(X) = p_1 x_1 + p_2 x_2 + ... + p_n x_n$$

$$\boldsymbol{E(x) = \sum_{i=1}^{n} p_i x_i}$$

- La **variance** de la loi de probabilité de X est la variance de la série des x_i pondérés par p_i ; on la note $V(X)$:

$$V(X) = p_1\left(x_1 - E(X)\right)^2 + p_2\left(x_2 - E(X)\right)^2 + ... + p_n\left(x_n - E(X)\right)^2$$

$$\boldsymbol{V(x) = \sum_{i=1}^{n} p_i\left(x_i - E(X)\right)^2}$$

- L'**écart-type** de la loi de probabilité de X est l'écart-type de la série des x_i pondérés par p_i ; on le note $\sigma(X)$:

$$\boldsymbol{\sigma(X) = \sqrt{V(X)}}$$

REMARQUE Le calcul de l'espérance est un calcul de moyenne.

$$E(X) = p_1 x_1 + p_2 x_2 + ... + p_n x_n = \frac{p_1 x_1 + p_2 x_2 + ... + p_n x_n}{p_1 + p_2 + ... + p_n}$$

car la somme des probabilités $p_1 + p_2 + ... + p_n$ vaut 1.
Donc l'espérance est bien la moyenne de la série des valeurs x_i pondérées par les probabilités p_i.

EXEMPLE

Reprenons le jeu de l'exemple précédent.
On a :

$$E(X) = \frac{1}{2} \times (-1) + \frac{1}{6} \times 1 + \frac{1}{3} \times 2 = -\frac{3}{6} + \frac{1}{6} + \frac{4}{6} = \frac{2}{6} = \frac{1}{3}$$

$$V(X) = \frac{1}{2}\left(-1 - \frac{1}{3}\right)^2 + \frac{1}{6}\left(1 - \frac{1}{3}\right)^2 + \frac{1}{3}\left(2 - \frac{1}{3}\right)^2 = \frac{1}{2} \times \frac{16}{9} + \frac{1}{6} \times \frac{4}{9} + \frac{1}{3} \times \frac{25}{9} = \frac{17}{9}$$

$$\sigma(X) = \sqrt{\frac{17}{9}} = \frac{\sqrt{17}}{3} \approx 1{,}37$$

▶ Savoir-faire 2
Calculer l'espérance, la variance et l'écart-type d'une loi de probabilité, p. 295

REMARQUE La loi des grands nombres nous permet d'interpréter l'espérance et l'écart-type de la loi de probabilité de X.
Elle nous dit en effet qu'en répétant un grand nombre de fois l'expérience, les fréquences observées se rapprochent de la probabilité théorique. En conséquence, la moyenne des résultats obtenus se rapproche de l'espérance de la loi de probabilité de X. L'espérance est donc la moyenne que l'on peut espérer en répétant l'expérience un grand nombre de fois.
De même pour l'écart-type, qui est un paramètre de dispersion pour une série statistique, il peut être interprété comme un paramètre de dispersion « espérée » ou « crainte » pour la loi de probabilité de X.
Pour le jeu proposé en exemple, l'espérance de $\frac{1}{3}$ signifie que l'on peut espérer gagner en moyenne $\frac{1}{3}$ de jeton par partie (ou 1 jeton toutes les 3 parties). Mais avec une moyenne proche de 0,33, l'écart-type d'environ 1,37 exprime le fait que le risque d'obtenir un gain négatif (une perte) est important.

 Transformation affine d'une variable aléatoire

PROPRIÉTÉ

Une variable aléatoire X est définie sur l'univers Ω d'une expérience aléatoire.
Soit a et b deux nombres réels.
Considérons la variable aléatoire Y définie par $Y = aX + b$.
On a alors :

- $E(Y) = aE(X) + b$
- $V(Y) = a^2V(X)$
- $\sigma(Y) = |a|\sigma(X)$

DÉMONSTRATION

Soit une variable aléatoire X dont la loi de probabilité est décrite dans le tableau suivant :

x_i	x_1	x_2	...	x_n
$p(X = x_i)$	p_1	p_2	...	p_n

Alors la loi de probabilité de la variable aléatoire $Y = aX + b$ est :

y_i	$ax_1 + b$	$ax_2 + b$	...	$ax_n + b$
$p(Y = y_i)$	p_1	p_2	...	p_n

- $E(Y) = \sum_{i=1}^{n} p_i(ax_i + b) = \sum_{i=1}^{n}(ap_ix_i + bp_i) = a\sum_{i=1}^{n} p_ix_i + b\sum_{i=1}^{n} p_i$

Or $\sum_{i=1}^{n} p_ix_i = E(X)$ et $\sum_{i=1}^{n} p_i = 1$.

D'où $E(Y) = aE(X) + b$.

- $V(Y) = \sum_{i=1}^{n} p_i(ax_i + b - (aE(X) + b))^2 = \sum_{i=1}^{n} p_i(ax_i - aE(X))^2$

$= \sum_{i=1}^{n} p_ia^2(x_i - E(X))^2 = a^2\sum_{i=1}^{n} p_i(x_i - E(X))^2 = a^2V(X)$

- $\sigma(Y) = \sqrt{V(Y)} = \sqrt{a^2V(X)} = |a|\sqrt{V(X)} = |a|\sigma(X)$ ■

EXEMPLE

Une usine fabrique des tiges métalliques de longueur théorique 2,40 mètres. Une étude a montré que ces mesures sont légèrement erronées. On extrait au hasard une tige de la production et on considère la variable aléatoire X qui associe à chaque tige sa taille au millimètre près.
La loi de probabilité de X est donnée par le tableau suivant :

x_i	2,399	2,4	2,401	2,402	2,403
$p(X = x_i)$	0,3	0,1	0,1	0,3	0,2

Pour simplifier les calculs, on définit la variable aléatoire $Y = 1\,000X - 2\,400$. La variable Y ainsi définie décrit alors en millimètres la différence entre la tige mesurée et 2,40 mètres.
La loi de probabilité de Y est alors définie par :

y_i	−1	0	1	2	3
$p(Y = y_i)$	0,3	0,1	0,1	0,3	0,2

$E(Y) = 0{,}3 \times (-1) + 0{,}1 \times 0 + 0{,}1 \times 1 + 0{,}3 \times 2 + 0{,}2 \times 3 = 1$

On en déduit $E(X)$ car $E(Y) = 1\,000E(X) - 2\,400$ d'où $E(X) = \dfrac{E(Y) + 2\,400}{1\,000} = 2{,}401$.

$V(Y) = 0{,}3 \times (-1 - 1)^2 + 0{,}1 \times (0 - 1)^2 + 0{,}1 \times (1 - 1)^2 + 0{,}3 \times (2 - 1)^2 + 0{,}2 \times (3 - 1)^2 = 2{,}4$

$\sigma(Y) = \sqrt{2{,}4} \approx 1{,}55$

On en déduit $\sigma(X) = \dfrac{\sigma(Y)}{1\,000} \approx 0{,}001\,55$.

B. Répétition d'expériences identiques et indépendantes

DÉFINITION

Deux expériences aléatoires sont considérées comme **identiques et indépendantes** si elles ont les mêmes issues et les mêmes probabilités pour chaque issue, et si la réalisation de l'une ne modifie pas les probabilités des issues de l'autre.

EXEMPLES

1. Si je lance un premier dé équilibré et j'observe la face supérieure, puis que je lance un second dé équilibré, ces deux expériences sont indépendantes.
2. Si le professeur fait deux jours de suite un contrôle surprise à ses élèves, ces deux expériences sont identiques, mais la probabilité que les élèves aient révisé le second jour est plus forte que le premier. Ces expériences ne sont pas indépendantes.

PROPRIÉTÉ (ADMISE)

Si A et B sont deux issues d'une expérience aléatoire, avec pour probabilités respectives $p(A)$ et $p(B)$, alors, si l'on peut répéter l'expérience de façon indépendante, la probabilité d'obtenir A puis B est le produit de leurs probabilités :

$$p(A) \times p(B)$$

On peut représenter toutes les issues de l'expérience avec un arbre pondéré de probabilité :

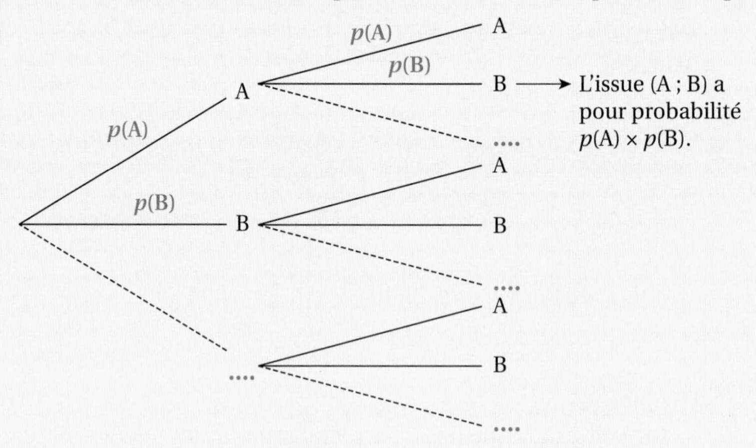

EXEMPLE

On lance deux fois de suite un dé équilibré à six faces et on note A l'événement « obtenir un 6 » et B l'événement « obtenir un nombre inférieur ou égal à 2 ». On a $p(A) = \frac{1}{6}$ et $p(B) = \frac{2}{6} = \frac{1}{3}$.

La probabilité d'obtenir la suite d'événements (A ; B) est $p_2 = \frac{1}{6} \times \frac{1}{3} = \frac{1}{18}$.

PROPRIÉTÉ

Lorsque l'on répète n fois de façon indépendante une expérience aléatoire dont les issues $A_1, A_2, ..., A_n$ ont pour probabilités respectives $p(A_1), p(A_2), ..., p(A_n)$, alors la probabilité d'obtenir la suite d'issues $(A_1 ; A_2 ; ... ; A_n)$ est le produit de leurs probabilités :

$$p(A_1) \times p(A_2) \times ... \times p(A_n)$$

▶ Savoir-faire 3
Modéliser une répétition d'expériences identiques et indépendantes avec un arbre, p. 296

EXEMPLE

On lance cinq fois de suite un dé équilibré à six faces et on note A l'événement « obtenir un 6 » et B l'événement « ne pas obtenir un 6 ». On a donc $p(A) = \frac{1}{6}$ et $p(B) = \frac{5}{6}$.

La suite d'événements (A ; A ; B ; A ; B) a pour probabilité $\frac{1}{6} \times \frac{1}{6} \times \frac{5}{6} \times \frac{1}{6} \times \frac{5}{6} = \frac{25}{6^5}$.

Savoir-faire

Savoir-faire 1 *Déterminer une loi de probabilité*

ÉNONCÉ On tire une carte dans un jeu de 32 cartes.
Si la carte tirée est un as, on gagne 3 jetons ; si c'est un cœur, on gagne 2 jetons ; pour toutes les autres cartes, on perd un jeton. Ces gains se cumulent si la carte tirée répond à plusieurs critères.
On appelle X la variable aléatoire qui associe à chaque carte le gain en jetons correspondant.
Déterminer la loi de probabilité de X.

SOLUTION

On calcule la probabilité associée à chaque valeur de X.
Si la carte tirée est l'as de cœur, $X = 5$ et $p(X = 5) = \frac{1}{32}$.
Si la carte tirée est un as autre que l'as de cœur, $X = 3$ et $p(X = 3) = \frac{3}{32}$.
Si la carte tirée est un cœur autre que l'as de cœur, $X = 2$ et $p(X = 2) = \frac{7}{32}$.
Dans les autres cas, $X = -1$ et $p(X = -1) = \frac{21}{32}$.

La loi de probabilité de X est :

x_i	-1	2	3	5
$p(X = x_i)$	$\frac{21}{32}$	$\frac{7}{32}$	$\frac{3}{32}$	$\frac{1}{32}$

▶ Exercices 1 à 8 p. 302 et 303

MÉTHODE

• Il faut avant tout bien identifier l'ensemble des valeurs que prend X.
Certains événements répondent à plusieurs critères : par exemple, l'as de cœur permet un gain de 5 jetons (3 car c'est un as, 2 car c'est un cœur). X prend donc la valeur 5 lorsque la carte tirée est l'as de cœur. On en déduit sa probabilité $\frac{1}{32}$.
• Il faut aussi interpréter la notion de gain en valeur numérique : « on perd un jeton » signifie $X = -1$.

Savoir-faire 2 *Calculer l'espérance, la variance et l'écart-type d'une loi de probabilité*

ÉNONCÉ Pour distribuer les places aux exposants lors d'un marché nocturne, un tirage au sort est organisé par la municipalité. Les emplacements sont numérotés de 1 à 20. 3 emplacements mesurent 5 mètres de large, 8 emplacements mesurent 3 mètres de large et les emplacements restant mesurent 2 mètres de large.
On appelle X la variable aléatoire qui associe à chaque emplacement sa largeur.
a. Déterminer la loi de probabilité de X.
b. Calculer l'espérance, la variance et l'écart-type de la loi de probabilité de X.
c. Interpréter l'espérance de la loi de probabilité de X.

SOLUTION

a. Pour chaque valeur de X, on calcule la probabilité qui lui est associée :

$$p(X = 5) = \frac{3}{20} = 0{,}15 \qquad p(X = 3) = \frac{8}{20} = 0{,}4 \qquad p(X = 2) = \frac{9}{20} = 0{,}45$$

La loi de probabilité de X est :

x_i	2	3	5
$p(X = x_i)$	0,45	0,4	0,15

b. $E(X) = 0{,}45 \times 2 + 0{,}4 \times 3 + 0{,}15 \times 5 = 2{,}85$
$V(X) = 0{,}45 \times (2 - 2{,}85)^2 + 0{,}4 \times (3 - 2{,}85)^2 + 0{,}15 \times (5 - 2{,}85)^2 = 1{,}027\,5$
$\sigma(X) = \sqrt{1{,}0275} \approx 1{,}014$

c. L'espérance est 2,85 mètres ; c'est la longueur moyenne des stands.
Elle donne à l'exposant une idée de ce qu'il peut espérer obtenir.

▶ Exercices 9 à 15 p. 303 et 304

Savoir-faire 3 Modéliser une répétition d'expériences identiques et indépendantes avec un arbre

ÉNONCÉ Une urne contient 5 boules blanches, 3 boules rouges et 2 boules noires.
On tire successivement deux boules au hasard dans l'urne avec remise de la première boule tirée.

1. À l'aide d'un arbre de probabilité, représenter l'ensemble des issues de cette expérience en précisant la probabilité de chacune.

2. a. Déterminer la probabilité d'obtenir exactement une boule blanche.

b. Déterminer la probabilité d'obtenir deux boules de la même couleur.

c. Déterminer la probabilité d'obtenir au moins une boule noire.

SOLUTION

1. On détermine les probabilités lors d'un tirage d'une boule, en nommant B, R et N les issues « blanche », « rouge » et « noire » :

$$p(\mathrm{B}) = \frac{5}{10} = 0{,}5 \qquad p(\mathrm{R}) = \frac{3}{10} = 0{,}3 \qquad p(\mathrm{N}) = \frac{2}{10} = 0{,}2$$

On en déduit l'arbre de probabilité suivant :

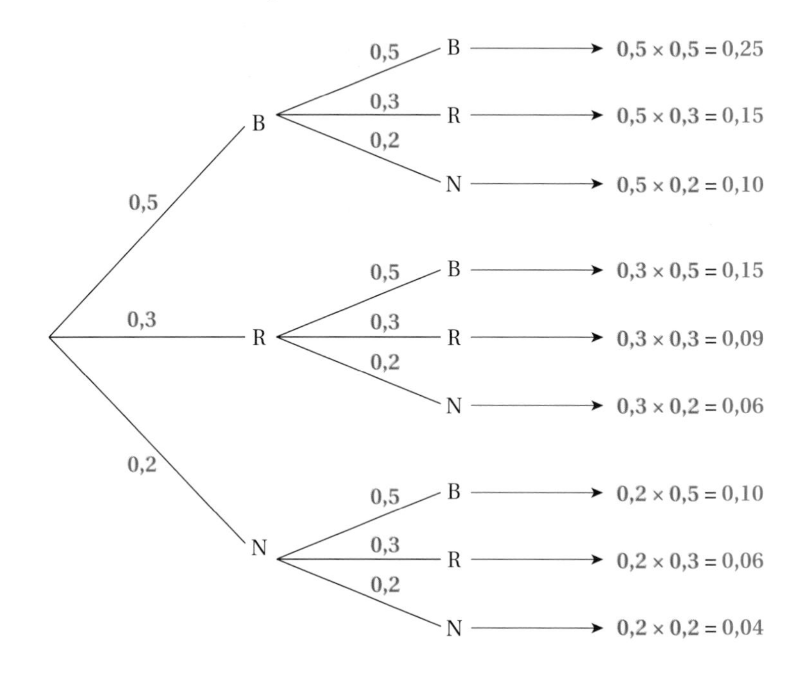

2. a. On additionne les probabilités des issues avec exactement une boule blanche, soit (B ; R), (B ; N), (R ; B) et (N ; B) :

$$p_1 = 0{,}15 + 0{,}10 + 0{,}15 + 0{,}10 = 0{,}5$$

b. On additionne les probabilités des issues avec deux boules de même couleur, soit (B ; B), (R ; R) et (N ; N) :

$$p_2 = 0{,}25 + 0{,}09 + 0{,}04 = 0{,}38$$

c. On additionne les probabilités des issues avec au moins une boule noire, soit (B ; N), (R ; N), (N ; B), (N ; R) et (N ; N) :

$$p_3 = 0{,}10 + 0{,}06 + 0{,}10 + 0{,}06 + 0{,}04 = 0{,}36$$

MÉTHODE

1. On identifie les probabilités d'un tirage et on applique la propriété du cours :
« Si A et B sont deux issues d'une expérience aléatoire, avec pour probabilités respectives $p(\mathrm{A})$ et $p(\mathrm{B})$, alors, si l'on peut répéter l'expérience de façon indépendante, la probabilité d'obtenir A puis B est le produit $p(\mathrm{A}) \times p(\mathrm{B})$. »

▶ Exercices 21 à 25 p. 305 et 306

Travaux pratiques

TICE 1 Pas si aléatoire que ça

Objectifs : • Simuler une expérience aléatoire et utiliser des fonctions conditionnelles.
• Interpréter l'espérance comme outil de prévision.

Mina organise un jeu pour la fête du lycée. Ce jeu consiste à lancer deux dés équilibrés à six faces et à considérer la somme des faces obtenues. Pour la mise d'1 €, on peut gagner : 2 € si la somme des dés vaut 10 ; 4 € si la somme des dés vaut 11 ; le jackpot si la somme des dés vaut 12.

Mina ne sait pas comment choisir le montant du jackpot pour que le jeu soit attractif tout en faisant un bénéfice raisonnable. Elle décide de simuler 100 fois le jeu dans une feuille de calcul partiellement représentée ci-contre de telle sorte à pouvoir modifier le montant du jackpot situé dans la cellule G4 et ainsi tester différentes valeurs.

	A	B	C	D	E	F	G
1							
2	Partie	Dé n°1	Dé n°2	Somme	Bénéfice		
3	1	6	6	12	-11		Montant du jackpot
4	2	5	1	6	1		12
5	3	4	4	8	1		
6	4	4	6	10	-1		Bénéfice total
7	5	4	2	6	1		18
8	6	5	6	11	-3		
9	7	3	5	8	1		
10	8	1	1	2	1		

1 Lecture et interprétation

a. Expliquer les différentes valeurs possibles du bénéfice de chaque partie.

b. En simulant 100 parties, sur quelle plage de cellules a été calculé le bénéfice total ?

c. Voici la formule saisie en E3 : « =SI(D3=10;-1;SI(D3=11;-3;SI(D3=12;1-G4;1))) ».
Expliquer en langage naturel la structure algorithmique de cette formule.

2 Construction et exploitation

a. Construire la feuille de calcul ci-dessus, puis jouer à l'aide de la touche F9.

b. Mina peut-elle ainsi espérer faire un bénéfice ? Avec certitude ?

c. Modifier la feuille de calcul pour simuler 5 000 parties.

d. En augmentant progressivement la valeur du jackpot, conjecturer sa valeur maximale permettant d'obtenir un bénéfice moyen d'environ 0,10 € par partie.

3 Modélisation

a. Calculer la probabilité d'une issue (dé n°1 ; dé n°2) de l'expérience.

b. Déterminer les trois couples (dé n°1 ; dé n°2) permettant d'obtenir une somme 10.
En déduire la probabilité que la somme fasse 10.

c. Déterminer de même la probabilité que la somme fasse 11, puis qu'elle fasse 12.

d. Déterminer la loi de probabilité de la variable aléatoire « bénéfice » en fonction de la valeur p du jackpot.

e. Exprimer l'espérance de cette loi en fonction de p.
Déterminer la valeur de p permettant d'espérer un bénéfice moyen de 0,10 € par partie ; comparer cette valeur à celle conjecturée en 2d.

4 Interprétation graphique

a. On a représenté ci-contre la courbe des bénéfices cumulés pour 5 000 lancers en choisissant $p = 18$ et on a ajouté sur le graphique la droite d'équation $y = 0{,}1x$. Interpréter cette représentation.

b. Compléter la feuille pour réaliser ce graphique, puis tester la stabilité des bénéfices cumulés de Mina.

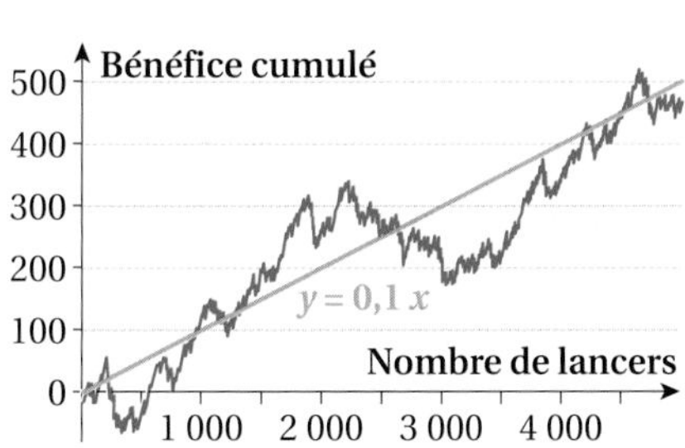

TP Algorithmique 1 Un jeu équitable est-il peu risqué ?

▸ Fiches Algorithmique p. 11

Objectifs : • Interpréter un algorithme programmé sur calculatrice.
• Programmer un algorithme avec une boucle et un test d'arrêt.

1 Premier jeu : avec 2 pièces

Un jeu consiste à lancer deux pièces de monnaie et compter le nombre de « face » obtenu. Si l'on n'obtient aucun « face », on perd 4 pièces ; sinon on gagne autant de pièces que de « face » obtenus.

On définit la variable aléatoire qui, à chaque partie, associe le gain du joueur.

On a programmé ce jeu sur calculatrice et calculé la moyenne et l'écart-type de la série obtenue (**fig. a** et **b**).

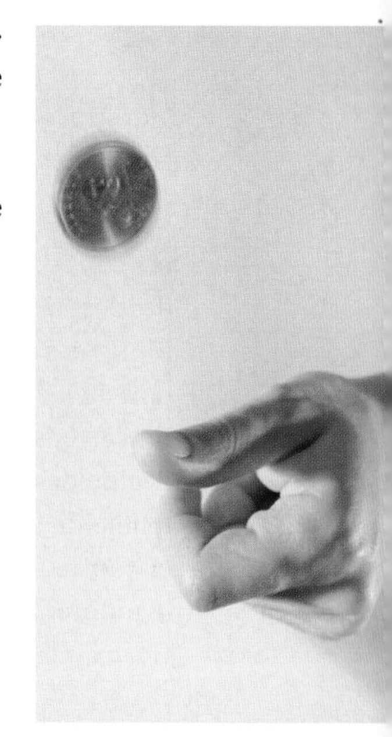

```
PROGRAM:PILEFACE
:Prompt N
:EffListe L1
:For(I,1,N)
:entAléat(0,1)+entAléat(0,1)→L1(I)
:If L1(I)=0
:Then
:-4→L1(I)
:End
:End
:Disp "MOYENNE",moyenne(L1)
:Disp "ECART-TYPE",ecart-type(L1)
```

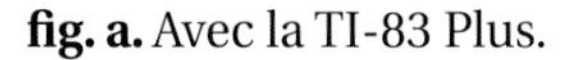

fig. a. Avec la TI-83 Plus.

fig. b. Avec la Casio *Graph* 35+.

a. Expliquer comment est simulé ici un lancer de deux pièces.

b. Expliquer le rôle des variables N et I.

c. On rappelle que L_1 est une liste de nombres. Que représente $L_1(I)$?

d. Programmer cet algorithme et l'exécuter plusieurs fois pour N = 50, puis N = 200 en notant les valeurs de la moyenne et de l'écart-type obtenues.

e. Ce jeu vous paraît-il favorable ou défavorable au joueur ? Justifier.

2 Second jeu : avec 3 pièces

On souhaite comparer ce jeu à un autre jeu. Le second jeu consiste à lancer trois pièces de monnaie et compter le nombre de « face » obtenu. Si l'on n'obtient aucun « face », on perd 12 pièces ; sinon on gagne autant de pièces que de « face » obtenus.

On définit la variable aléatoire qui, à chaque partie, associe le gain du joueur.

a. Modifier le programme de la question 1 afin de simuler ce nouveau jeu.

b. L'exécuter pour N = 50, puis N = 200 en notant les valeurs de la moyenne et de l'écart-type obtenues.

c. Ce jeu semble-t-il plus ou moins favorable au joueur que le premier jeu ?

d. En comparant les écarts-types, peut-on conjecturer lequel des deux jeux est le plus risqué ?

3 Une notion du risque

a. Modéliser à l'aide d'un arbre la loi de probabilité du premier jeu.
Calculer son espérance et son écart-type.

b. La loi de probabilité du second jeu est donnée ci-contre.
Calculer l'espérance et l'écart-type de la loi de probabilité du second jeu.

x_i	-12	1	2	3
$p(X = x_i)$	$\frac{1}{8}$	$\frac{3}{8}$	$\frac{3}{8}$	$\frac{1}{8}$

c. Comparer les paramètres des lois de probabilité de ces deux jeux.

d. Donner une interprétation des notions de jeu équitable et de jeu risqué.

Problème ouvert 1 Plus de chances de faire plus ?

Sur un dé à six faces, truqué, la probabilité d'obtenir chaque face est proportionnelle au numéro de la face.
Quelle est la probabilité d'obtenir 6 ?

Problème ouvert 2 Le dé de Platon

Un dé icosaédrique bien équilibré a ses 20 faces numérotées de 1 à 6. Le 1 et le 6 sont équiprobables, le 2 et le 5 sont équiprobables, le 3 et le 4 sont équiprobables. Le 3 est deux fois plus probable que le 2, lui-même trois fois plus probable que le 1.
Déterminer le nombre de faces portant chaque numéro.

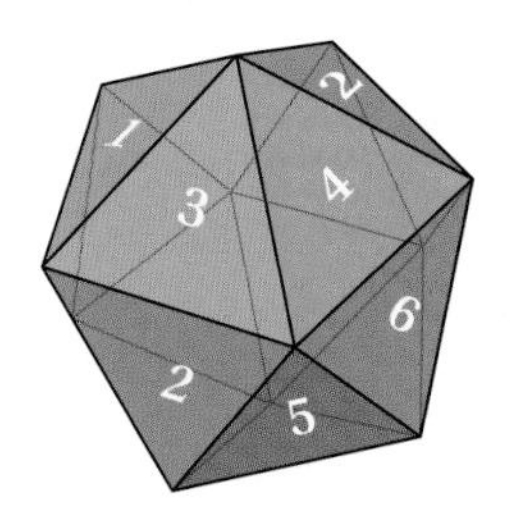

Problème ouvert 3 Série noire

On dispose d'une urne contenant 10 boules blanches et des boules noires.
Une expérience consiste à piocher au hasard une boule dans l'urne, noter sa couleur, la remettre dans l'urne et piocher une seconde boule.
On associe à cette expérience la variable aléatoire X donnant le nombre de boules blanches obtenues.
La loi de probabilité de X est donnée dans le tableau ci-contre.
Combien y-a-t-il de boules noires dans l'urne ?

x_i	0	1	2
$p(X = x_i)$	$\frac{9}{64}$	$\frac{30}{64}$	$\frac{25}{64}$

Problème ouvert 4 Investigations

Suite à un accident, des témoins pensent avoir identifié le numéro d'immatriculation d'un véhicule impliqué. Ce numéro d'immatriculation est composé de deux lettres, trois chiffres, deux lettres.
Le premier témoin pense que les deux premières lettres sont A et B, et que le nombre se termine par 74.
Le deuxième témoin croit que le nombre est 442 et les deux dernières lettres sont B et L.
Le troisième témoin a tout vu : AC 414 PL.

1 La gendarmerie croise ces témoignages et considère les immatriculations dont les chiffres ou les lettres ont été observés par deux témoins au moins.
Combien d'immatriculations peuvent ainsi être constituées ?

2 Ces résultats étant infructueux, les gendarmes décident d'élargir leurs recherches en considérant les témoignages séparément.
Combien d'immatriculations peuvent être constituées pour chacun des trois témoins ?

Blaise Pascal (1632 - 1662). Portrait, peinture anonyme, XVIIe siècle (Musée Carnavalet, Paris).

Pierre de Fermat (1601 - 1665). Portrait, huile sur toile de Robert Lefevre, XVIIe siècle (Musée d'Art et d'Histoire, Narbonne).

Probabilités et réalité : des rapports complexes

La théorie des probabilités est jeune par rapport aux autres grandes disciplines des mathématiques comme la géométrie, l'arithmétique, l'algèbre : elle est née en 1654 dans la correspondance entre Blaise Pascal, mathématicien, philosophe et théologien, et Pierre de Fermat, avocat et mathématicien "amateur", comme il se qualifiait lui-même – alors qu'il est une des grandes figures des mathématiques modernes.

La théorie des probabilités est née en 1654 de la correspondance entre Blaise Pascal et Pierre de Fermat.

On peut même suivre les premiers pas du nouveau-né, par la voix de Pascal : « *L'impatience me prend aussi-bien qu'à vous; et quoique je sois encore au lit, je ne puis m'empêcher de vous dire que je reçus hier au soir, de la part de M. de Carcavi, votre lettre sur les parties, que j'admire si fort, que je ne puis vous le dire*[1]. [...] *J'en ai trouvé un abrégé, et proprement une autre méthode bien plus courte et plus nette, que je voudrois pouvoir vous dire ici en peu de mots ;*

1. Cette première lettre, de Fermat, n'a pas été retrouvée.

POUR ALLER PLUS LOIN

Monsieur de Buffon (1707 - 1788), gravure colorée de E. Mennechet, 1835 (Bibliothèque des Arts Décoratifs, Paris).

Des probabilités, des aiguilles et π

Au XVIIIe siècle, le naturaliste Buffon trouva une manière de calculer une approximation de π en se servant des probabilités liées à la répartition d'aiguilles jetées sur un parquet à lattes ! Supposons que les aiguilles sont de longueur A et les lattes de largeur L : l'idée générale est que la probabilité théorique P_{th} qu'une aiguille recoupe le bord d'une latte est

$$P_{th} = \frac{2A}{\pi L}$$

L'approximation de π repose alors sur ce calcul de P_{th} et sa comparaison avec le résultat du décompte réel de l'expérience faite avec un grand nombre d'aiguilles : si n est le nombre d'aiguilles coupant une latte et Ω_n le nombre total d'aiguilles jetées, le résultat de l'expérience permet d'établir le rapport $\frac{n}{\Omega_n}$ qui tend vers P_{th} :

$$\frac{n}{\Omega_n} \to \frac{2A}{\pi L}$$

D'où :

$$\pi \to \frac{2A\Omega_n}{nL}$$

D'ailleurs, si l'aiguille est courbée, voire circulaire, ce résultat reste vrai à condition d'intégrer le fait qu'une aiguille peut couper deux fois le même bord, ce qui compte alors pour 2. Reste à montrer que $P_{th} = \frac{2A}{\pi L}$.

Où l'on démontre que $P_{th} = \frac{2A}{\pi L}$

Selon le mathématicien Jean-Paul Delahaye, dans son livre *Le fascinant nombre π*, le mathématicien Émile Borel en a donné la démonstration la plus simple.

I. Il faut d'abord considérer que :

1) plus la latte est large, moins il y a des chances qu'une aiguille recoupe son bord, donc P_{th} est proportionnel à $\frac{1}{L}$;

2) plus l'aiguille est longue, plus elle a des chances de chevaucher le bord, donc P_{th} est proportionnel à A.

D'où on déduit que P_{th} est proportionnel à $\frac{A}{L}$, ce qui s'écrit :

$$P_{th} = C \cdot \frac{A}{L}$$

II. Pour le calcul de C, on prend un cas limite : l'aiguille est circulaire de diamètre L (donc de longueur πL). Cette aiguille coupe nécessairement deux fois le bord d'une latte, d'où $P_{Limite} = 2$ (dans ce cas limite, la probabilité est supérieure à 1).

On a ainsi $P = C \cdot \frac{A}{L} = C \cdot \frac{\pi L}{L}$ et $P = 2$, d'où $C = \frac{2}{\pi}$.

Donc $P_{th} = \frac{2A}{\pi L}$. CQFD !

À programmer 

Un raisonnement complexe permet de montrer que la probabilité que deux entiers naturels tirés au hasard soient premiers entre eux est :

$$P = \frac{6}{\pi^2}, \text{ soit } 0{,}608.$$

Vous trouverez sur le site www.odyssee-hatier.com un programme en Python qui permet de tester cette loi de probabilités.
Ce résultat peut également servir à calculer $\pi \left(= \sqrt{\frac{6}{P}}\right)$ si l'on dispose d'un générateur de nombres entiers aléatoires. En 1995, Robert Matthews, de l'université d'Aston, a montré comment tirer ces nombres de la position des étoiles dans la voûte céleste, ce qui revient à calculer π par les étoiles !

car je voudrois désormais vous ouvrir mon cœur, s'il se pouvoit, tant j'ai de joie de voir notre rencontre. Je vois bien que la vérité est la même à Toulouse et à Paris. Voici à peu près comme je fais pour savoir la valeur de chacune des parties, quand deux joueurs jouent, par exemple, en trois parties, et chacun a mis 32 pistoles au jeu... » et Pascal de poursuivre avec ce qui est désormais connu comme les lois de la Combinatoire permettant le calcul des probabilités des jeux de hasard – cartes et dés.

L'étrangeté philosophique des probabilités

Si les probabilités ont attendu si longtemps avant de voir le jour, c'est peut-être à cause de l'étrangeté philosophique qu'elles véhiculent, à savoir l'idée qu'un évènement du monde physique soit pensé non pas dans les termes "il se produit ou il ne se produit pas" mais "il *peut* se produire avec X % de chances"... Cela ne vous pose *a priori* aucun problème ? Alors envisageons ce cas simple : si on dit qu'il y a 35,4 % de chances que demain il pleuve à 11 h à Toulouse, cela signifie-t-il qu'il pleuvra réellement à 11 h à Toulouse mais seulement à 35,4 % et qu'il fera beau à 64,6 % à la même heure ? Cela semble un pur non-sens... Ou cela signifie-t-il que la dynamique atmosphérique porte en elle une indétermination physique qui interdit de prévoir "à 100 %" ? Ou enfin qu'il n'y a aucune indétermination physique dans cette dynamique mais que nous, êtres pensants, n'avons pas assez d'informations et de moyens de calculs pour prédire parfaitement son évolution ? Réponse : ces trois façons d'interpréter un résultat de probabilités sont valables, chacune dans un certain domaine.

Réalité du monde ou manque d'information du physicien sur le monde ? Les deux interprétations sont vraies !

Être ici à 35 % *et* là-bas à 65 %

Ainsi, à l'échelle des particules élémentaires, la "mécanique quantique" instaure qu'une particule peut se trouver ici à 35,4 % et là-bas à 64,6 % tant qu'on n'a pas mesuré concrètement sa position. Attention : "ici *et* là-bas" et non pas "ici *ou* là-bas" ! Les physiciens admettent ainsi qu'avant une mesure, une particule unique peut être en plusieurs lieux (et états) simultanément... En ce qui concerne les deux autres interprétations – indétermination physique objective ou manque d'informations du physicien – le débat est ouvert depuis 1859, date à laquelle James Maxwell introduit les probabilités dans la physique, suivi par Ludwig Boltzmann dans les années 1870. Pour eux, la température d'un gaz est liée aux probabilités de mouvement (vitesses) des milliards de particules qui le composent... Très choquant pour les physiciens de l'époque car pour eux une probabilité calculée pour un évènement physique était nécessairement lié à notre manque de connaissance sur les bons paramètres à considérer : comment alors un phénomène aussi réel et objectif que la température d'un gaz pouvait-il dépendre d'un état de connaissance c'est-à-dire d'une donnée subjective ? Pourtant la théorie de Maxwell et Boltzmann est une des grandes réussites de la physique moderne... Ainsi, si la théorie mathématique des probabilités est aujourd'hui complète et achevée – ses lois étant celles que vous devez apprendre – dès qu'on cherche à en comprendre le sens physique, l'étonnement prend le dessus... et motive des générations de futurs chercheurs.

Exercices d'application

Variable aléatoire et loi de probabilité

1 Un enfant vise la cible ci-contre avec des fléchettes. S'il la rate, il obtient 0 point ; sinon, il obtient le nombre de points indiqués dans la zone atteinte.

a. Il lance une série de deux fléchettes. On appelle X la variable aléatoire qui associe à la série réalisée le score obtenu.
Déterminer l'ensemble des valeurs que peut prendre X.

b. Il lance une série de trois fléchettes. On appelle Y la variable aléatoire qui associe à la série réalisée le score obtenu.
Déterminer l'ensemble des valeurs que peut prendre Y.

Savoir-faire 1 p. 295

2 On lance deux dés cubiques équilibrés dont les faces sont numérotées de 1 à 6.

a. On appelle X la variable aléatoire qui associe au lancer réalisé le produit des nombres obtenus.
Déterminer l'ensemble des valeurs que peut prendre X.

b. On appelle Y la variable aléatoire qui associe au lancer réalisé la distance entre les deux nombres obtenus. Déterminer l'ensemble des valeurs que peut prendre Y.

c. On appelle Z la variable aléatoire qui associe au lancer réalisé le PGCD des deux nombres obtenus.
Déterminer l'ensemble des valeurs que peut prendre Z.

3 Un jeu sur un site Internet propose d'actionner la roue suivante composée de 20 secteurs identiques.

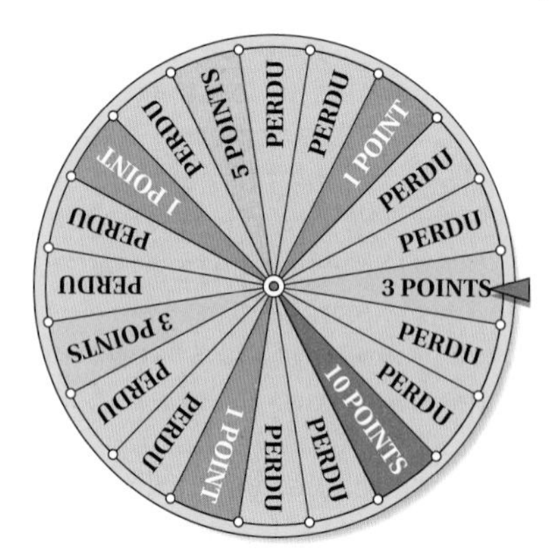

Déterminer la loi de probabilité de la variable aléatoire X associant à chaque tirage le gain obtenu.

4 Au Scrabble®, chaque lettre vaut un certain nombre de points :

A_1 B_3 C_3 D_2 E_1 F_4 G_2 H_4 I_1 J_8 K_{10} L_1 M_2

N_1 O_1 P_3 Q_8 R_1 S_1 T_1 U_1 V_4 W_{10} X_{10} Y_{10} Z_{10}

La version francophone comporte 102 jetons, dont deux jokers qui valent 0 point.
On donne ci-dessous la répartition des lettres.

Lettre	A	B	C	D	E	F	G	H	I	J	K	L	M
Quantité	9	2	2	3	15	2	2	2	8	1	1	5	3

Lettre	N	O	P	Q	R	S	T	U	V	W	X	Y	Z
Quantité	6	6	2	1	6	6	6	6	2	1	1	1	1

Déterminer la loi de probabilité de la variable aléatoire qui associe au tirage d'une lettre au hasard le nombre de points indiqués sur le jeton.

5 Un sac contient quatre cartons numérotés 1, 2, 3 et 4. On tire au hasard deux cartons dans le sac.

a. Montrer que le tirage possède six issues équiprobables.

b. Déterminer la loi de probabilité de la variable aléatoire X qui associe à chaque tirage la somme des valeurs inscrites sur les deux cartons tirés.

c. Déterminer $p(X \leqslant 4)$ et interpréter ce nombre.

6 Dans une classe de 1re S de 32 élèves, 12 élèves suivent l'option latin et 5 élèves l'option musique. On sait de plus que 3 élèves suivent les deux options.
On choisit un élève au hasard et on définit la variable aléatoire X qui associe à ce choix le nombre d'options suivies par l'élève.

a. Déterminer le nombre d'élèves qui suivent exactement une option.

b. Déterminer la loi de probabilité de X.

7 **1.** On lance deux dés tétraédriques équilibrés dont les faces sont numérotées de 1 à 4. L'issue du lancer d'un tel dé est la face non visible du dé.

a. Déterminer la probabilité d'une issue quelconque (dé 1 ; dé 2) d'un tel lancer.

b. Compléter le tableau ci-dessous avec les sommes des deux dés.

Dé 1 / Dé 2	1	2	3	4
1	2			
2				
3				
4				

c. En déduire la loi de probabilité de la variable aléatoire X qui à chaque lancer lui associe la somme obtenue.

2. Reprendre la question **1** avec deux dés cubiques équilibrés dont les faces sont numérotées de 1 à 6.

8 Un dé déséquilibré à six faces est tel que les faces paires ont toutes la même probabilité de sortir, les faces impaires ont toutes la même probabilité de sortir, et les faces paires ont deux fois plus de chances de sortir que les faces impaires.
On lance ce dé et on considère la variable aléatoire X qui associe à chaque lancer le nombre obtenu.

a. Montrer que $p(X = 1) = \frac{1}{9}$.

b. Déterminer la loi de probabilité de X.

9 On choisit au hasard un nombre entre 1 et 25 et on définit la variable aléatoire X qui lui associe la somme de ses chiffres.

a. Déterminer la loi de probabilité de X.

b. Calculer son espérance.

▸ Savoir-faire 2 p. 295

10 Dans un jeu de 52 cartes, les as valent 20 points, les figures 10 points et les autres cartes valent 5 points.
On tire une carte au hasard et on appelle X la variable aléatoire qui associe au tirage le nombre de points obtenus.

a. Déterminer la loi de probabilité de X.

b. Calculer l'espérance $E(X)$ de cette loi.

c. Interpréter $E(X)$.

11 Un sac contient les jetons numérotés ci-dessous.

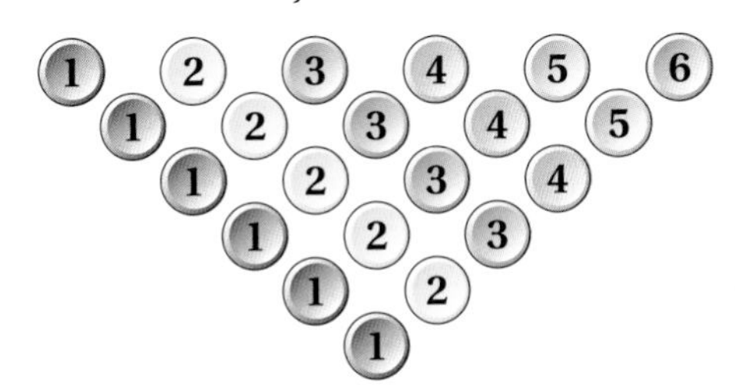

On pioche au hasard un jeton du sac et on définit la variable aléatoire X qui lui associe le nombre inscrit sur le jeton.

a. Déterminer la loi de probabilité de X.

b. Calculer $E(X)$.

12 À la mi-temps d'un match de football Angleterre - France, une chaîne de télévision propose le jeu suivant :

Grand jeu concours

Quel est le nom de la cloche installée dans la tour de l'Horloge de Londres ?

1. Little Bob

2. Big Ben

Envoyez 1 ou 2 par sms au 68380 et gagnez :

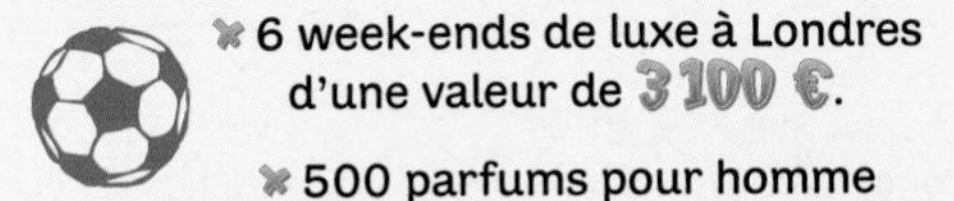

- 6 week-ends de luxe à Londres d'une valeur de 3 100 €.
- 500 parfums pour homme "Fleur de Tamise" d'une valeur de 52 €.
- 2 000 tee-shirts à l'effigie de la reine d'Angleterre d'une valeur de 12 €.

Coût 0,35 €/sms + prix du sms.
Tirage au sort des gagnants parmi les bonnes réponses.

1. Déterminer le nombre de participants nécessaire pour que le jeu soit rentable pour l'organisateur (on admettra que les 0,35 € par sms reviennent intégralement à l'organisateur du jeu).

2. Le jeu a réuni 280 000 participants (en considérant chaque sms comme un participant) ayant donné la bonne réponse.

a. Déterminer la loi de probabilité qui associe la valeur des gains obtenus à chaque participant au tirage au sort.

b. Calculer l'espérance de cette loi.

c. Quel bénéfice moyen l'organisateur réalise-t-il sur les sms ayant la bonne réponse ?

d. Quel bénéfice moyen l'organisateur réalise-t-il sur les sms ayant la mauvaise réponse ?

13 Dans un QCM, chaque question comporte quatre propositions de réponse dont une seule est correcte.
Une bonne réponse rapporte un point, une mauvaise réponse enlève un demi-point.
Un élève répond au hasard à une question.

a. En étudiant la variable aléatoire X donnant le nombre de points obtenus, déterminer le nombre de points qu'il peut espérer obtenir.

b. Combien de points une mauvaise réponse devrait-elle enlever pour qu'une réponse donnée au hasard ait une espérance de zéro point ?

14 Lors d'un sondage, on a demandé à tous les lycéens d'un établissement le nombre de sports qu'ils pratiquaient, au moins occasionnellement, en dehors de l'école. Voici la répartition des réponses obtenues :

Nombre de sports	0	1	2	3	4	5	6
Part des lycéens (en %)	35,6	23,1	20,5	13,1	7,2	0,4	0,1

On interroge un lycéen au hasard et on considère la variable aléatoire X qui associe à chaque lycéen le nombre de sports qu'il pratique.

a. Déterminer $p(X \geqslant 3)$ et interpréter ce nombre.

b. Entrer ces données dans deux listes de la calculatrice.

c. À l'aide des outils de calculs statistiques de la calculatrice, déterminer $E(X)$ et $\sigma(X)$.

Savoir-faire 2 p. 295

15 On souhaite comparer deux jeux de hasard en étudiant les variables aléatoires X et Y qui associent à chaque jeu le gain correspondant en euros.
Les lois de probabilité de X et Y sont les suivantes :

x_i	-2	1	2	5	10
$p(X = x_i)$	$\frac{1}{4}$	$\frac{1}{3}$	$\frac{1}{4}$	$\frac{1}{12}$	$\frac{1}{12}$

y_i	-5	1	2	5	10
$p(Y = y_i)$	$\frac{1}{3}$	$\frac{1}{6}$	$\frac{1}{12}$	$\frac{1}{4}$	$\frac{1}{6}$

a. Vérifier que les tableaux ci-dessus décrivent bien des lois de probabilité.

b. Calculer $E(X)$ et $E(Y)$. Interpréter l'espérance pour comparer les deux jeux.

c. Calculer $\sigma(X)$ et $\sigma(Y)$. Quelle information supplémentaire peut-on déduire de ces paramètres ?

16 Un sac contient les jetons numérotés ci-dessous.

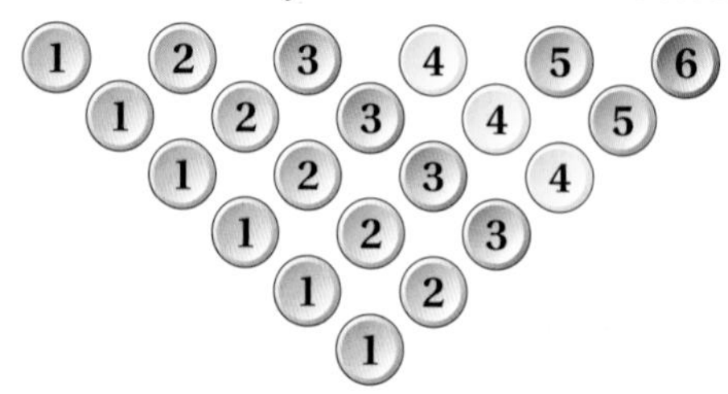

On pioche au hasard un jeton du sac.

1. Un jeu est organisé ainsi : pour une mise de trois euros, on gagne autant d'euros qu'indiqué sur le jeton.
On définit la variable aléatoire X qui lui associe le bénéfice d'un joueur.

a. Montrer que X prend des valeurs comprises entre -2 et 3.

b. Déterminer la loi de probabilité de X.

c. Calculer $E(X)$ et interpréter ce résultat.

2. Pour rendre ce jeu équitable (c'est-à-dire tel que $E(X) = 0$), on décide de modifier le gain correspondant au jeton numéroté 6.
Déterminer le gain à affecter au tirage du jeton numéroté 6.

17 On lance un dé dodécaédrique bien équilibré dont les faces sont numérotées de 1 à 12.

Si la face obtenue est paire, le joueur gagne 1 point.
Si la face obtenue est un multiple de 3, le joueur gagne 3 points.
Si la face obtenue est supérieure ou égale à 10, le joueur gagne 4 points.
Sinon le joueur perd 5 points.
Ces gains sont cumulables si la face obtenue réalise plusieurs de ces conditions.

a. Déterminer la loi de probabilité de la variable aléatoire X qui associe à un lancer le gain obtenu.

b. Déterminer $E(X)$.
Ce jeu est-il équitable ?

c. Quel montant devrait-on réclamer au joueur lorsqu'il perd pour que le jeu soit équitable ?

18 Une année non bissextile, on choisit un mois de l'année au hasard et on considère la variable aléatoire X donnant le nombre d'heures écoulées pendant ce mois.
On considère la variable aléatoire $Y = \frac{X}{24} - 30$.

a. Quelles données la variable Y décrit-elle ?

b. Déterminer la loi de probabilité de Y.

c. Calculer l'espérance, la variance et l'écart-type de Y.

d. En déduire l'espérance, la variance et l'écart-type de X, et interpréter ces résultats.

19 En 2012, dans une population, on choisit une personne au hasard et on considère la variable aléatoire X donnant son année de naissance.
Dans la population choisie, $E(X) = 1977$ et $\sigma(X) = 18$.
On considère la variable aléatoire Y donnant l'âge de la personne choisie.

a. Définir Y en fonction de X.

b. En déduire l'espérance et l'écart-type de Y.

20 X est une variable aléatoire.
On définit la variable aléatoire $Y = aX + b$.
Comment peut-on choisir a et b pour que $E(Y) = E(X) + 3$ et $\sigma(Y) = \sigma(X)$?

Répétition d'expériences identiques et indépendantes

21 Une rue comporte deux feux tricolores consécutifs indépendants. Chaque feu est vert 20 secondes, orange 5 secondes et rouge 25 secondes.
Lorsqu'un automobiliste emprunte cette rue, on étudie les couples formés des couleurs qu'il a rencontrées en se présentant devant chaque feu.

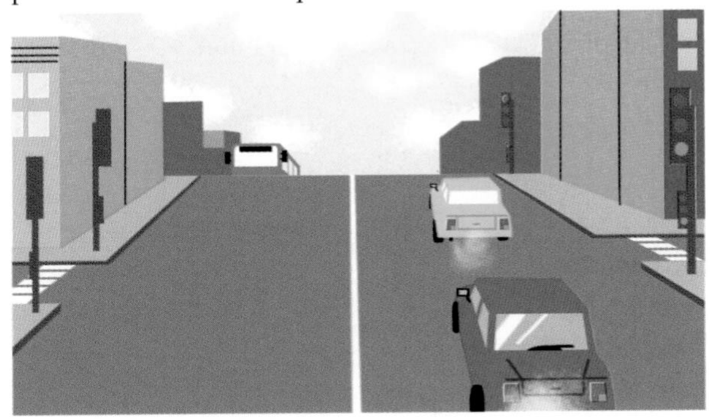

a. Lorsque l'automobiliste se présente devant un feu, déterminer la probabilité de chacune des couleurs de feu qu'il peut rencontrer.
b. À l'aide d'un arbre de probabilité, modéliser l'expérience consistant à emprunter la rue et compléter cet arbre en précisant la probabilité de chaque issue.
c. Sachant que l'automobiliste s'arrête dès que le feu est orange ou rouge, quelle est la probabilité qu'il s'arrête une seule fois ? deux fois ?
d. Si l'automobiliste ne s'arrête que lorsque le feu est rouge, quelle est alors la probabilité qu'il s'arrête une seule fois ? deux fois ?

▶ Savoir-faire 3 p. 296

22 Les groupes sanguins de la population française se répartissent ainsi :

Groupe O	Groupe A	Groupe B	Groupe AB
43 %	45 %	9 %	3 %

Lors d'un important carambolage de voitures, de nombreux blessés nécessitent une transfusion et des personnes se présentent spontanément pour donner leur sang.
On admettra que les groupes sanguins de ces personnes sont indépendants de leur choix de donner leur sang et que l'on peut les assimiler à des personnes choisies au hasard dans la population.
Les personnes du groupe O sont des donneurs universels (ils peuvent donner à une personne quel que soit son groupe sanguin).

1. Deux donneurs se présentent à l'hôpital.
a. Représenter à l'aide d'un arbre les probabilités des couples de groupes sanguins de ces deux premiers donneurs.
b. Quelle est la probabilité qu'au moins l'un des deux soit donneur universel ?
c. Un blessé du groupe A arrive en soins intensifs ; il peut recevoir du sang d'un donneur du groupe A ou du groupe O. Quelle est la probabilité qu'au moins un des deux donneurs soit compatible ?

2. Combien de donneurs doivent se présenter pour avoir 95 % de chance d'avoir au moins un donneur universel (groupe O) ?

23 On lance trois dés à six faces, bien équilibrés.
On considère les triplets ordonnés obtenus (dé 1 ; dé 2 ; dé 3).

1. a. Quelle est la probabilité d'obtenir le triplet (6 ; 6 ; 6) ?
b. Quelle est la probabilité d'obtenir trois chiffres identiques ?
c. Montrer que la probabilité d'obtenir trois chiffres deux à deux distincts est $\frac{20}{36}$.

2. Un jeu est basé sur l'expérience précédente. Pour une mise d'un euro, on gagne cinq euros si les trois chiffres sont identiques, deux euros si deux chiffres sont identiques, rien sinon.

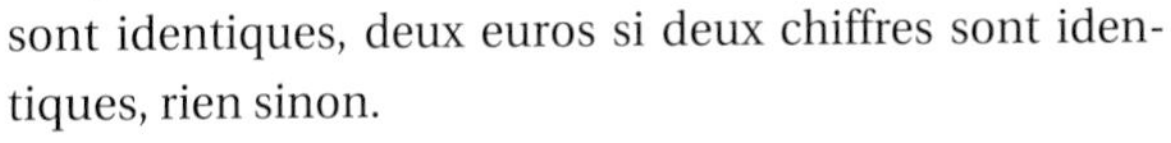

On considère la variable aléatoire X qui associe au jeu le gain du joueur.
a. Déterminer la loi de probabilité de X.
b. Calculer $E(X)$.
c. Interpréter $E(X)$.

24 On lance une pièce de monnaie équilibrée. Si « face » sort, on arrête ; sinon, on relance la pièce. On lance au maximum quatre fois la pièce. Les issues sont des séries du type (P ; P ; F).

1. Montrer à l'aide d'un arbre que cette expérience a cinq issues.

2. On définit la variable aléatoire X qui donne le nombre de lancers effectués.
a. Déterminer la loi de probabilité de X.
b. Calculer $E(X)$ et interpréter ce résultat.

3. On décide de faire la même expérience en lançant jusqu'à six fois la pièce.
a. Déterminer la nouvelle loi de probabilité de X.
b. Cette loi s'appelle loi géométrique tronquée. Justifier cette appellation.
c. Comment redéfinir l'expérience précédente pour qu'elle suive une loi géométrique non tronquée ?

25 Au grand jeu *Radioplus*, l'animateur téléphone à des personnes au hasard pour leur demander le montant de la cagnotte *Radioplus*. Si la personne donne la bonne réponse, elle remporte la cagnotte.
Dans la population, seuls les auditeurs de *Radioplus* connaissent le montant de la cagnotte. Ils représentent 15 % de la population.
Si la personne appelée donne la bonne réponse, le jeu s'arrête ; sinon, l'animateur appelle une autre personne.
Il appelle au maximum six personnes et, compte-tenu de la taille de la population, on considèrera que tous les appels suivent les mêmes probabilités et sont indépendants les uns des autres.

1. Modéliser avec un arbre de probabilité les issues du grand jeu *Radioplus*.

2. Déterminer la probabilité que personne ne remporte la cagnotte *Radioplus*.

3. On appelle X la variable aléatoire donnant le nombre de personnes appelées.

a. Déterminer la loi de probabilité de X.

b. Calculer $E(X)$ et interpréter ce résultat.

Raisonnement logique

▶ Fiches Raisonnement logique p. 8 à 10

26 **Vrai ou faux ?**

On associe une variable aléatoire X à l'univers d'une expérience aléatoire.
Pour chaque affirmation, indiquer si elle est vraie ou fausse ; justifier.

a. La variable aléatoire X est l'ensemble des issues de l'expérience.

b. À chaque issue de l'expérience, on associe une unique valeur de X.

c. À chaque valeur de X, on associe une unique issue de l'expérience.

27 **Vrai ou faux ?**

Une expérience consiste à mesurer en centimètres la taille d'individus choisis aléatoirement dans une population.
Pour chaque affirmation, indiquer si elle est vraie ou fausse ; justifier.

a. L'espérance $E(X)$ est la moyenne des tailles de la population.

b. L'espérance $E(X)$ est la moyenne des tailles des individus choisis aléatoirement.

c. L'écart-type est une longueur donnée en centimètres.

d. Toute la population est située dans l'intervalle $[E(X) - \sigma(X) ; E(X) + \sigma(X)]$.

28 **Quantificateurs**

Réécrire les implications suivantes en les complétant avec les quantificateurs « *toutes les … sont* » ou « *il existe des … qui sont* » afin qu'elles soient vraies.

a. Si … valeurs de X … dans l'intervalle $[3 ; 5]$ alors $E(X)$ est situé dans l'intervalle $[3 ; 5]$.

b. Si $E(X) = 7$ et $\sigma(X) = 2$ alors … valeurs de X … dans l'intervalle $[5 ; 9]$.

c. Si $\sigma(X) = 0$, alors … valeurs de X … égales à $E(X)$.

29 **Implication, réciproque, contraposée**

On associe une variable aléatoire X à une expérience aléatoire.
On considère la proposition (P_1) suivante :

« Si toutes les valeurs prises par X sont négatives alors $E(X)$ est négative. »

1. a. Énoncer la réciproque (P_2) de la proposition (P_1).

b. Énoncer la contraposée (P_3) de la proposition (P_1).

c. Énoncer la réciproque (P_4) de la proposition (P_3).

2. a. Préciser parmi ces propositions lesquelles sont équivalentes.

b. Préciser parmi ces propositions lesquelles sont vraies. Justifier.

Restitution des connaissances

30 On rappelle les formules donnant l'espérance et la variance d'une variable aléatoire X :

$$E(X) = \sum_{i=1}^{n} p_i x_i \qquad V(X) = \sum_{i=1}^{n} p_i (x_i - E(X))^2$$

a. Démontrer la formule suivante : $V(X) = \sum_{i=1}^{n} p_i x_i^2 - (E(X))^2$

b. On donne la loi de probabilité de X :

x_i	1	2	4	5
$p(X = x_i)$	0,1	0,3	0,4	0,2

Vérifier à l'aide de la formule trouvée à la question a que $V(X) = 1{,}81$.

CORRIGÉ P. 342

Pour chaque question, indiquer la (les) bonne(s) réponse(s).

Variable aléatoire et loi de probabilité

31 Une loi de probabilité X est définie par :

x_i	0	1	2	3	4
$p(X=x_i)$	$\frac{1}{12}$	$\frac{1}{4}$	$\frac{1}{12}$	$\frac{1}{4}$	a

a. Le nombre de valeurs admises par la variable X est :
A 4 B 5 C 12 D une infinité

b. La valeur de a est :
A 0 B $\frac{1}{12}$ C $\frac{1}{6}$ D $\frac{1}{3}$

c. L'espérance de X vaut :
A 0 B 1 C 2 D 2,5

32 On lance deux dés équilibrés à six faces.
On définit la variable aléatoire X donnant le plus grand diviseur commun (PGCD) des deux nombres obtenus.

a. Le nombre de valeurs que prend X est :
A 1 B 2 C 3 D 6

b. $p(X=6)$ vaut :
A 0 B $\frac{1}{36}$ C $\frac{1}{6}$ D $\frac{4}{6}$

c. $p(X=3)$ vaut :
A $\frac{1}{36}$ B $\frac{3}{36}$ C $\frac{4}{36}$ D $\frac{4}{6}$

Répétition d'expériences identiques et indépendantes

33 On tire deux boules avec remise de la première boule tirée dans une urne contenant 4 boules rouges, 4 boules vertes et 1 boule noire.

a. Le nombre de couples ordonnés issus de l'expérience est :
A 3 B 6 C 8 D 9

b. La probabilité de tirer deux boules rouges est :
A $\frac{4}{9}$ B $\frac{8}{9}$ C $\frac{16}{9}$ D $\frac{16}{81}$

c. La probabilité de tirer deux boules noires est :
A 0 B $\frac{1}{9}$ C $\frac{2}{9}$ D $\frac{1}{81}$

d. La probabilité de tirer deux boules de même couleur est :
A $\frac{16}{81}$ B $\frac{32}{81}$ C $\frac{11}{27}$ D $\frac{16\times16\times1}{81^3}$

e. La probabilité de tirer deux boules de couleurs différentes est :
A $\frac{16}{27}$ B $\frac{65}{81}$ C $\frac{16}{81}$ D $\frac{24}{81}$

PRÊT POUR LE CONTRÔLE ?

34 En misant 3 €, un joueur peut participer à un jeu défini ainsi :
« On lance un dé bien équilibré dont les faces sont numérotées de 1 à 6.
Si la face obtenue est 6, le joueur gagne 8 €.
Si la face obtenue est 4 ou 5, le joueur gagne 5 €.
Si la face obtenue est 1, le joueur rejoue une et une seule fois et les gains précédents s'appliquent.
Dans tous les autres cas, le joueur perd. »

a. Modéliser la situation à l'aide d'un arbre de probabilité.

b. Déterminer la loi de probabilité de la variable aléatoire X décrivant le bénéfice du joueur.

c. Calculer l'espérance de X et interpréter ce résultat.

Problèmes

35 Gratte-mania

Sur le site d'un jeu de grattage, voici les informations publicitaires fournies par l'organisateur du jeu :

> Pour 360 000 tickets ou 360 000 unités de jeu d'une valeur unitaire d'1 €,
> vous avez une chance sur 4,32 de remporter un gain et 63 % des mises sont redistribuées aux joueurs.
> **Alors pas d'hésitation, grattez illico !**

a. À l'aide du tableau des lots ci-dessous, vérifier les informations de la publicité.

Nombre de lots	Gains
8	1 000 €
6	200 €
560	100 €
950	15 €
9 400	5 €
28 000	2 €
44 350	1 €
TOTAL : 83 274 lots	

b. Déterminer la loi de probabilité des gains réalisés à ce jeu et calculer son espérance.

Source : Française des jeux.

36 Manchot mais malin !

À la fin du XIXe siècle, à San Francisco, Charles Frey inventa la première machine à sous, appelée aussi « bandit manchot ».

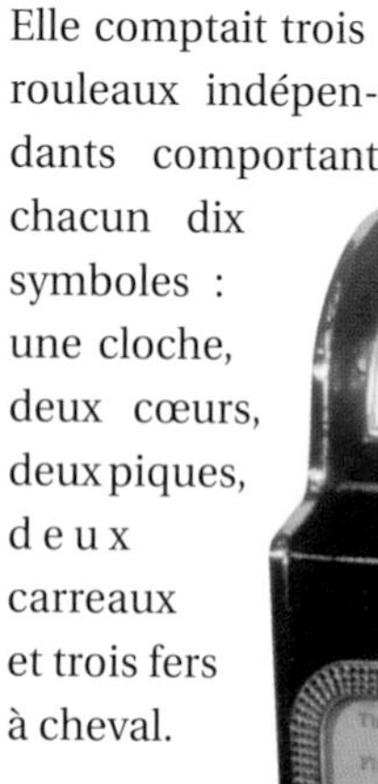

Elle comptait trois rouleaux indépendants comportant chacun dix symboles : une cloche, deux cœurs, deux piques, deux carreaux et trois fers à cheval.

Les gains sont décrits ci-dessous :

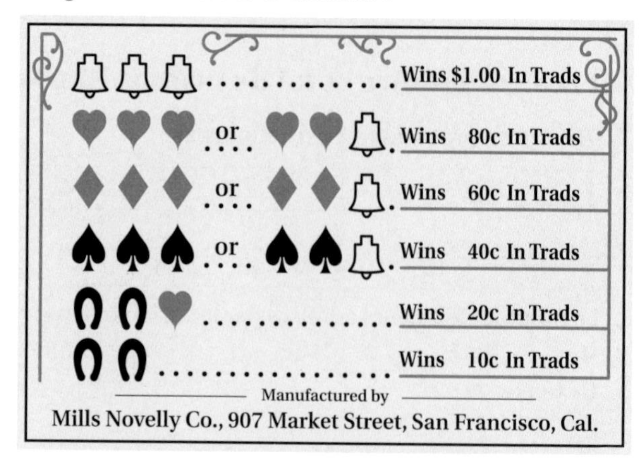

a. Combien de combinaisons ordonnées sont possibles ?

b. Déterminer la probabilité de gagner 1 $.

c. Déterminer la probabilité de gagner 80 c sachant que l'ordre du résultat « deux cœurs et une cloche » n'a pas d'importance.

37 Se faire rouler

Au jeu de la roulette, on peut miser sur un numéro ou sur des familles de numéros.

Les numéros vont de 0 à 36, le 0 est vert, les 36 autres numéros sont répartis équitablement entre rouge et noir. À la roulette, le 0 n'est ni pair ni impair.

- Lorsque l'on mise sur un numéro gagnant, on gagne 35 fois sa mise.
- Lorsque l'on mise sur « pair » ou « impair » et que le numéro gagnant a la bonne parité, on gagne 1 fois sa mise.
- Lorsque l'on mise sur une couleur et que le numéro gagnant a la bonne couleur, on gagne 1 fois sa mise.
- Lorsque l'on mise sur une douzaine (1 à 12 ; 13 à 24 ; 25 à 36) et que le numéro gagnant se situe dans le bon intervalle, on gagne 2 fois sa mise.

1. Pour chacun des paris précédents :

a. calculer la probabilité qu'il soit gagnant.

b. calculer l'espérance de ce pari.

2. Quel pari est le moins défavorable au joueur ?

3. Un joueur décide de jouer un jeton sur le rouge quatre parties d'affilée.

a. Quelle est la probabilité de gagner quatre fois de suite ?

b. Quelle est la probabilité de perdre quatre fois de suite ?

38 Blaue und rote Kugeln

Markus steht vor eine Urne in der sich 10 blaue und 15 rote Kugeln befinden.

1. Wie groß ist die Wahrscheinlichkeit, dass die erste, von Markus gezogene Kugel blau ist?

2. Die erste Kugel wird nicht zurückgelegt. Markus zieht jetzt eine zweite Kugel.

a. Wie groß ist die Wahrscheinlichkeit, dass beide Kugeln blau sind?

b. Die Zufallsvariable X beschreibt die Anzahl der blauen Kugeln in zwei Ziehungen.
Stellen Sie ihre möglichen Werte und die zugehörige Wahrscheinlichkeitsverteilung in einer Tabelle dar.

39 En deux coups

Sur un stand de tir, on propose la cible ci-contre. Les rayons des cercles sont de 3, 6 et 9 cm.
Un compétiteur a une probabilité de 10 % de rater la cible.

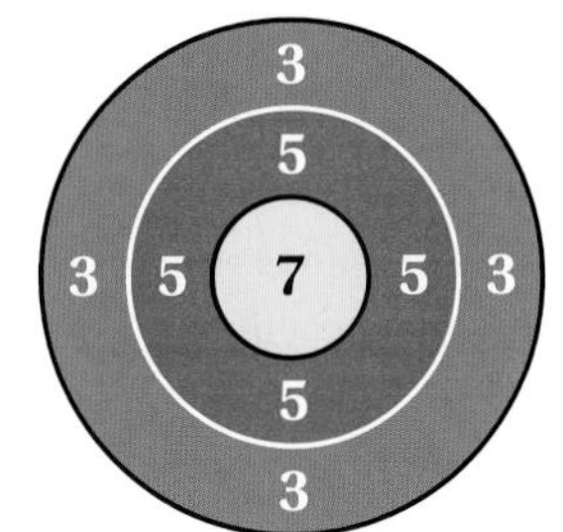

La probabilité de toucher une zone de la cible est proportionnelle à la surface de la zone touchée.

1. Montrer que la probabilité de toucher la zone jaune est 10 % et la zone rouge 30 %.

2. On note X la variable aléatoire donnant le score du tireur.

a. Déterminer la loi de probabilité de X.

b. Calculer $E(X)$ et $\sigma(X)$.

3. Un tireur tire deux coups. On note Y la variable aléatoire donnant le score du tireur.

a. Déterminer la loi de probabilité de Y.

b. Calculer $E(Y)$ et $\sigma(Y)$.
Peut-on conjecturer un lien entre les paramètres de X et Y ?

40 L'expérience interminable

Pour s'occuper, Robin décide de jouer à « pile » ou « face » jusqu'à ce que « face » sorte.

1. Déterminer la probabilité qu'il lance 10 fois la pièce.

2. Déterminer en fonction de n la probabilité que « face » sorte au $n^{\text{ième}}$ coup.

3. On note (u_n) la suite des probabilités que « face » sorte au $n^{\text{ième}}$ coup.

a. Quelle est la nature de la suite (u_n) ?

b. Déterminer sa limite et interpréter ce résultat.

41 Une loi géométrique — Algorithmique

Une expérience consiste à lancer un dé jusqu'à obtenir un 6.
On souhaite réaliser un algorithme permettant de répéter N fois l'expérience, en mémorisant le nombre de lancers nécessaires afin de proposer un histogramme décrivant ces résultats.

1. Algorithme

a. Écrire en langage naturel une boucle permettant de simuler l'expérience.

b. Cette boucle peut-elle ne jamais finir ?

c. Écrire en langage naturel l'algorithme permettant de répéter N fois l'expérience et d'afficher un histogramme illustrant les données obtenues.

2. Exécution

Charline a programmé l'algorithme précédent sur sa calculatrice, puis elle l'a exécuté pour N = 20. Elle obtient l'histogramme suivant :

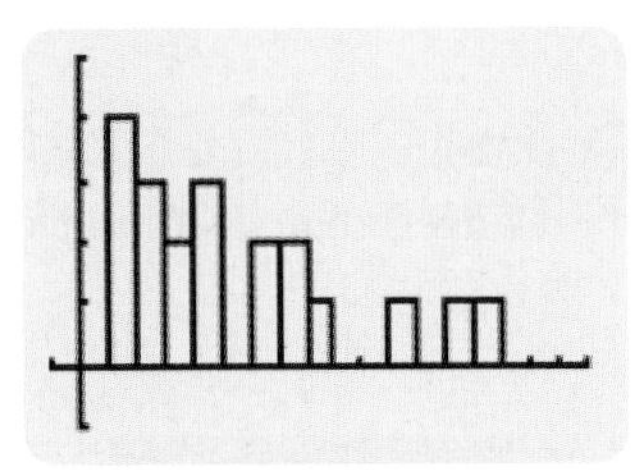

a. Préciser ce que représente chaque axe.

b. On peut lire sur le graphique que quatre expériences se sont arrêtées après un seul lancer. Ce résultat vous semble-t-il cohérent ?

c. Combien de lancers a comptés l'expérience la plus longue ?

3. Modélisation de l'expérience

a. Quelle est la probabilité que l'expérience s'arrête après un lancer ? Après deux lancers ?

b. Expliquer pourquoi la probabilité que l'expérience s'arrête après n lancers est $\frac{1}{6}\times\left(\frac{5}{6}\right)^{n-1}$.

4. Comparaison

Charline a exécuté son programme pour N = 400.
Pour comparer au modèle de la question **2**, elle a ajouté une suite (u_n) de points reliés sur son graphique :

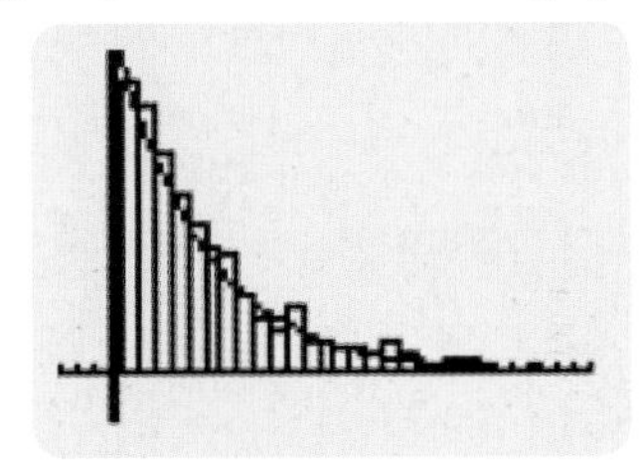

a. Quelle est la suite numérique (u_n) choisie par Charline ?

b. La modélisation vous semble-t-elle satisfaisante ?

c. Comment peut-on interpréter la limite de la suite (u_n) ?

QCM Pour bien commencer

Pour chaque question, indiquer la (les) bonne(s) réponse(s).

CORRIGÉ P. 342 www.

1 Une expérience aléatoire consiste à lancer deux dés à six faces et à faire la somme des numéros des faces supérieures obtenues.

a. La probabilité d'obtenir 12 est :

A $\frac{1}{6}$ B $\frac{1}{11}$ C $\frac{1}{12}$ D $\frac{1}{36}$

b. La probabilité d'obtenir 4 est :

A $\frac{1}{12}$ B $\frac{1}{18}$ C $\frac{1}{36}$ D $\frac{1}{11}$

c. La probabilité d'obtenir un total supérieur ou égal à 10 est :

A $\frac{1}{3}$ B $\frac{3}{11}$ C $\frac{1}{12}$ D $\frac{1}{6}$

2 L'algorithme ci-dessous calcule la fréquence d'apparition du 6 pour n lancers d'un dé à six faces.

```
Entrée :      Le nombre de lancers n.
Traitement :  Affecter à S la valeur 0.
              ██████████████
                   Affecter à A la valeur
                   du lancer aléatoire
                   d'un dé.
                   Si A = 6
                        alors ajouter 1
                        à S.
Sortie :      ██████████
```

1. a. La première zone cachée contient l'instruction :

A Tant que $S \leqslant n$ B Répéter n fois :

C Pour S allant de 0 à n : D Si $A \neq 6$

b. La seconde zone cachée contient l'instruction :

A Afficher $\frac{S}{n}$. B Afficher S.

C Afficher A. D Afficher $\frac{n}{6}$.

2. En programmant cet algorithme et en l'exécutant avec $n = 100$, Damien obtient comme réponse 0,21.

a. Combien le programme a-t-il réalisé de tests conditionnels ?

A 21 B 100 C 121 D 200

b. Combien le programme a-t-il réalisé d'affectations de variables ?

A 100 B 121 C 122 D 201

3 Le nombre affiché dans une cellule d'un tableur qui contient la formule « =ENT(2*ALEA()) » est :

A toujours 2. B parfois 1, parfois 2.

C parfois 0, parfois 1. D jamais 0,34.

4 Sur cet extrait de feuille de calcul, sont affichées les formules qui ont été saisies dans les cellules en jaune.

	A	B	C	D	E
1	Dé 1	=1+ENT(6*ALEA())		1	=NB.SI(B$1:B$10;D1)
2	Dé 2	=1+ENT(6*ALEA())		2	=NB.SI(B$1:B$10;D2)
3	Dé 3	=1+ENT(6*ALEA())		3	=NB.SI(B$1:B$10;D3)
4	Dé 4	=1+ENT(6*ALEA())		4	=NB.SI(B$1:B$10;D4)
5	Dé 5	=1+ENT(6*ALEA())		5	=NB.SI(B$1:B$10;D5)
6	Dé 6	=1+ENT(6*ALEA())		6	=NB.SI(B$1:B$10;D6)
7	Dé 7	=1+ENT(6*ALEA())			=SOMME(E1:E6)
8	Dé 8	=1+ENT(6*ALEA())			
9	Dé 9	=1+ENT(6*ALEA())			
10	Dé 10	=1+ENT(6*ALEA())			=E1/E$7

En repassant à un affichage normal (le contenu des cellules visible et non les formules), on verra :

a. dans la cellule B1 :

A un nombre entier.

B un nombre réel appartenant à l'intervalle [0 ; 1].

C 0,166 666

D un entier non nul inférieur ou égal à 6.

b. dans la cellule E1 :

A 0,166 666 B un entier compris entre 0 et 7.

C 10 D un entier compris entre 0 et 11.

c. dans la cellule E7 :

A 10 B toujours le même nombre.

C 0 D pas toujours le même nombre.

d. dans la cellule E10 :

A un nombre entier.

B un nombre réel appartenant à l'intervalle [0 ; 1].

C 0 ou 1.

D un entier non nul inférieur ou égal à 6.

5 On lance 1 000 fois une pièce de monnaie et on note le résultat « pile » ou « face ».

Sur ces lancers :

A il est possible que l'on n'ait que des « pile ».

B la proportion des « pile » est comprise entre 0 et 1.

C le nombre de « pile » est compris entre 0 et 600.

D il est impossible que l'on ait alternativement « pile » ou « face » du 1er au 1 000e lancer.

6 Un échantillon de taille 625 est prélevé dans une production qui contient 40 % de pièces défectueuses.

L'intervalle de fluctuation au seuil de 95 % de la fréquence de pièces défectueuses dans l'échantillon est :

A [0,36 ; 0,44] B [31 ; 594]

C [0 ; 1] D [225 ; 275]

Loi binomiale. Échantillonnage

10

Après un processus de fabrication, des tests permettent d'établir des statistiques et de vérifier la qualité des produits. Bien souvent, seul un échantillon est pris en compte. À l'aide des résultats, il est possible de détecter un éventuel défaut des automates de production.

Le chapitre en bref

Réinvestir

- Modélisation d'une expérience aléatoire avec un arbre de probabilité
- Répétition d'expériences identiques
- Échantillon, fluctuation

Découvrir

- Épreuve de Bernoulli
- Loi binomiale
- Échantillonnage
- Prise de décision à partir d'une fréquence

1 Probabilités en famille

Réinvestir : • Modélisation d'une expérience répétée avec un arbre.
• Calculs de probabilités.

Découvrir : Dénombrement de chemins sur un arbre.

En France, lors de la naissance d'un enfant, la probabilité que ce soit une fille ou un garçon est proche de $\frac{1}{2}$. On considérera donc ici que le sexe à la naissance est équiprobable.

1 On étudie des familles ayant trois enfants. L'expérience consiste à choisir au hasard une famille ayant trois enfants. À chaque famille, on peut associer un triplet ordonné du type (F ; G ; F).

a. À l'aide d'un arbre, représenter l'ensemble des triplets possibles.

b. Quelle est la probabilité de chacune de ces issues ?

c. Déterminer le nombre d'issues correspondant aux familles avec une fille et deux garçons.

d. Déterminer le nombre d'issues correspondant aux familles avec deux filles et un garçon.

e. Quelle est la probabilité pour qu'une famille ayant trois enfants, choisie au hasard, ait dans un ordre quelconque une fille et deux garçons ?

2 On souhaite désormais étudier des familles ayant quatre enfants.
Les issues sont donc des quadruplets ordonnés.

a. Sans utiliser d'arbre, dénombrer les issues en précisant leur probabilité.

b. On souhaite dénombrer les issues correspondant aux familles ayant deux garçons et deux filles.
Répondre aux questions suivantes à l'aide de la question **1**.
i) On considère les familles ayant eu un garçon en premier.
Combien y a-t-il de possibilités pour les enfants suivants ?
ii) On considère les familles ayant eu une fille en premier.
Combien y a-t-il de possibilités pour les enfants suivants ?
iii) Conclure et vérifier le résultat en construisant l'arbre décrivant l'ensemble des quadruplets possibles.

c. Quelle est la probabilité pour qu'une famille ayant quatre enfants, choisie au hasard, ait deux filles et deux garçons ?

3 Dans certains pays d'Asie, la proportion garçons-filles est différente : pour 11 naissances, on compte 6 garçons pour 5 filles.

a. Construire un arbre de probabilité décrivant l'ensemble des issues possibles pour les familles ayant trois enfants.

b. Quelle est la probabilité pour une famille de trois enfants d'avoir trois garçons ? trois filles ?

c. Vérifier que la probabilité des triplets (F ; F ; G), (F ; G ; F) et (G ; F ; F) sont les mêmes.
En déduire la probabilité pour une famille de trois enfants d'avoir dans un ordre quelconque deux filles et un garçon.

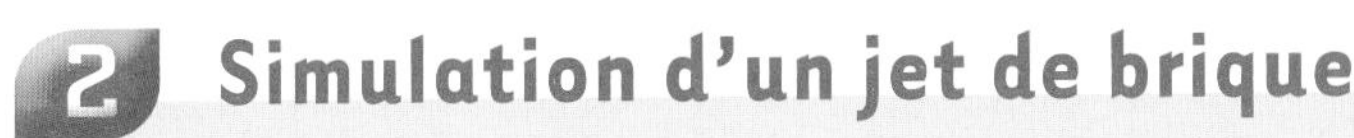

2 Simulation d'un jet de brique

Réinvestir : • Comprendre la fluctuation d'échantillonnage.
• Mettre en œuvre une simulation.

Découvrir : Observer un intervalle de fluctuation.

Partie A

Laurent jette une brique de Lego® sur une table. Il remarque qu'elle tombe plus rarement sur certaines faces que d'autres. Cela l'intrigue et il décide de noter le résultat pour 10 lancers de 10 briques identiques, puis de renouveler plusieurs fois la même manipulation.

Si la face supérieure a les tenons, il appelle la position de la brique « Endroit » ; si la face inférieure a les tenons, il l'appelle « Envers ». Dans les autres situations, il note « Autre ».

Les résultats donnant l'effectif des différentes positions obtenues lors de 100 lancers sont indiqués ci-contre.

	1er résultat	2e résultat	3e résultat	4e résultat
Endroit	36	36	36	40
Envers	45	50	45	40
Autre	19	14	19	20

1. Comment expliquer les différences que l'on observe entre ces résultats ?

2. Calculer la fréquence des trois possibilités « Endroit », « Envers » et « Autre » dans ces 400 lancers.

Partie B

Élodie, qui est au lycée, pense que Laurent n'a pas effectué le quatrième lancer mais mis des nombres au hasard. Elle prétend qu'il est possible de modéliser la situation à l'aide d'un logiciel pour constater si les résultats peuvent effectivement être aussi différents entre eux.

1. Que faudrait-il connaître pour pouvoir le faire ?

2. Elle trouve dans un exercice un extrait de tableur où les cellules A1 et B1 contiennent respectivement les formules suivantes : « =ENT(100*ALEA()+1) » et « =SI(A1<=37 ;1 ;0) ».
Dans l'exercice qu'Élodie a trouvé, quelles sont les valeurs qui peuvent être obtenues dans les deux cellules A1 et B1 lors d'un nouveau calcul ?

3. a. Avec un tableur, reproduire et compléter la feuille de calcul dont un extrait est donné ci-contre et telle que :
• dans les 100 lignes 3 à 102, la colonne A contient les entiers de 1 à 100 et la colonne B contient 100 entiers aléatoires compris entre 1 et 100 ;
• la cellule C3 contient une formule qui affiche 1 si B3 $\leqslant$ 37 et qui affiche 0 sinon ;
• la cellule D3 contient une formule qui affiche 1 si 37 < B3 < 83 et qui affiche 0 sinon ;
• la cellule E3 contient une formule qui affiche 1 si B3 $\geqslant$ 83 et qui affiche 0 sinon ;
• les cellules C4 à C102, D4 à D102 et E4 à E102 contiennent des copies vers le bas des cellules C3, D3 et E3.

	A	B	C	D	E
1					
2	Numéro	Entier	Endroit	Envers	Autre
3	1	34	1	0	0
4	2	80	0	1	0
5	3	88	0	0	1
6	4	18	1	0	0
7	5	2	1	0	0

b. Expliquer à quelle condition les cellules C3, D3 et E3 contiennent le résultat de la simulation du lancer d'une brique de Lego®.

4. On suppose que le fichier de la question 3 permet de simuler le lancer de 100 briques de Lego®.
a. Peut-on penser que Laurent n'a pas effectué le quatrième lancer ?
b. Proposer un algorithme qui rendra Élodie moins affirmative quand elle annonce que Laurent n'a pas effectué le quatrième lancer de 10 fois 10 briques de Lego®.
c. Programmer cet algorithme à la calculatrice ou dans un autre langage.

A. Loi binomiale

1 Schéma de Bernoulli

DÉFINITION

Une **épreuve de Bernoulli** est une expérience aléatoire à deux issues appelées « Succès » et « Échec ». On dit qu'une épreuve de Bernoulli est de paramètre p si la probabilité de l'issue « Succès » est p.

EXEMPLE

On lance un dé équilibré à six faces et on considère comme un succès d'obtenir un 1.

Cette expérience aléatoire est une épreuve de Bernoulli de paramètre $\frac{1}{6}$.

REMARQUE On utilisera communément la lettre q pour désigner la probabilité d'un échec. « Succès » et « Échec » étant des événements contraires, on a donc $q = 1 - p$.

Dans l'exemple précédent, un échec a la probabilité $q = 1 - \frac{1}{6} = \frac{5}{6}$.

DÉFINITION

Soit n un entier naturel non nul et p un nombre réel appartenant à l'intervalle $[0 ; 1]$.
Un **schéma de Bernoulli** est une expérience consistant à répéter n fois la même épreuve de Bernoulli.
Un schéma de Bernoulli a deux paramètres : n le nombre de répétitions de l'épreuve et p le paramètre de l'épreuve répétée.

PROPRIÉTÉ

On peut représenter un schéma de Bernoulli de paramètres n et p par un **arbre de probabilité** à 2^n branches.
Les issues sont des n-uplets dont les n termes sont S pour « Succès » ou $\overline{S}$ pour « Échec ».

EXEMPLE

Ci-contre un schéma de Bernoulli pour $n = 3$.
L'issue correspondant au chemin rouge peut être notée $(S, \overline{S}, S)$.

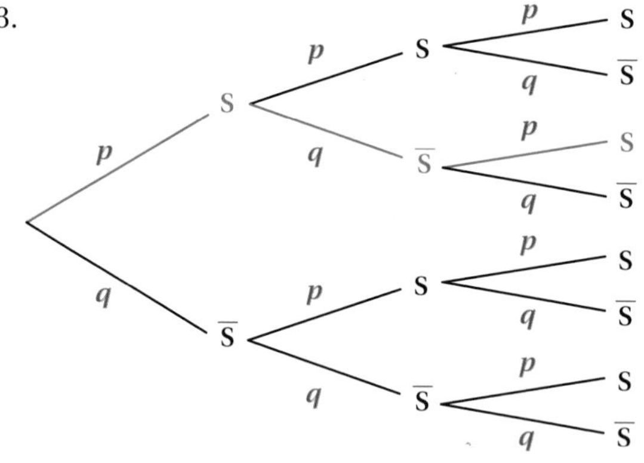

PROPRIÉTÉ (RAPPEL)

La probabilité d'une issue d'un schéma de Bernoulli s'obtient en faisant le produit des probabilités des issues obtenues à chaque épreuve de Bernoulli.

EXEMPLE

Si un schéma de Bernoulli a pour paramètres $n = 4$ et $p = 0{,}3$, alors l'issue $(S, \overline{S}, \overline{S}, S)$ a pour probabilité $0{,}3 \times 0{,}7 \times 0{,}7 \times 0{,}3 = 0{,}0441$.

2 Coefficients binomiaux, triangle de Pascal

DÉFINITION

Une expérience suit un schéma de Bernoulli de paramètres n et p.
k est un entier naturel tel que $0 \leqslant k \leqslant n$.
On appelle **coefficient binomial**, ou combinaison de k parmi n, le nombre de chemins conduisant à k succès sur l'arbre représentant l'expérience.

Notation

Ce nombre se note $\binom{n}{k}$ et se lit « k parmi n ».

REMARQUE Vocabulaire

Une issue de l'expérience ayant k succès étant un n-uplet de la forme (S, S, $\overline{\text{S}}$, ..., $\overline{\text{S}}$, S), elle contient k termes S et $n - k$ termes $\overline{\text{S}}$. Compter les issues ayant k succès revient à dénombrer les façons de choisir les places des succès S dans la liste des n termes. D'où le terme « **combinaison** » car on cherche à dénombrer toutes les combinaisons possibles de S et de $\overline{\text{S}}$.

PROPRIÉTÉS

Une expérience suit un schéma de Bernoulli de paramètres n et p.
k est un entier naturel tel que $0 \leqslant k \leqslant n$.
On a les résultats suivants :

- $\binom{n}{0} = 1$
- $\binom{n}{n} = 1$
- $\binom{n}{1} = n$
- $\binom{n}{n-k} = \binom{n}{k}$

DÉMONSTRATIONS

- $\binom{n}{0} = 1$ car il n'y a qu'un seul chemin réalisant 0 succès : celui ne comportant que des échecs. ■
- $\binom{n}{n} = 1$ car il n'y a qu'un seul chemin réalisant n succès : celui ne comportant que des succès. ■
- $\binom{n}{1} = n$ car il y a n chemins réalisant 1 succès. En effet, les n-uplets réalisant un seul succès ne diffèrent que par la place qu'occupe l'unique succès dans la liste des issues. Il y a n choix possibles pour placer S. ■
- $\binom{n}{n-k} = \binom{n}{k}$ car lorsqu'il y a $n - k$ succès, il y a k échecs. Compter les chemins menant à $n - k$ succès revient à compter ceux menant à k échecs. Dénombrer les façons de placer k échecs parmi n termes revient à calculer la combinaison $\binom{n}{k}$. ■

EXEMPLE

Ci-contre un schéma de Bernoulli pour $n = 3$.
On peut noter en rouge les chemins correspondant à la combinaison $\binom{3}{2}$ et en vert, ceux correspondant à la combinaison $\binom{3}{1}$.

On a $\binom{3}{2} = \binom{3}{1} = 3$.

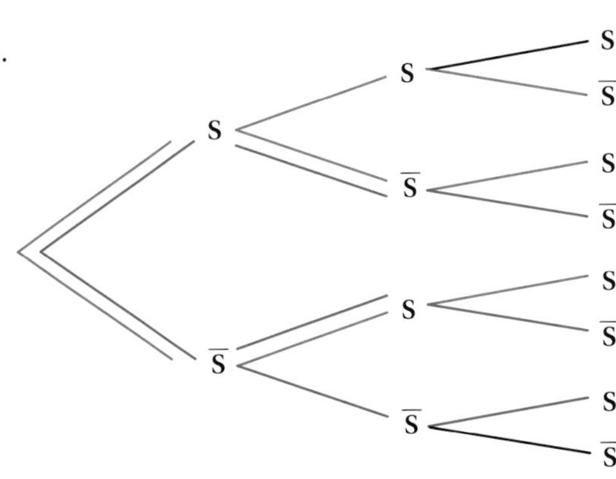

On retrouve aussi les résultats suivants :

- $\binom{3}{3} = 1$ en suivant le chemin (S ; S ; S).
- $\binom{3}{0} = 1$ en suivant le chemin ($\overline{\text{S}}$; $\overline{\text{S}}$; $\overline{\text{S}}$).

THÉORÈME

Une expérience suit un schéma de Bernoulli de paramètres n et p.
k est un entier naturel tel que $0 \leqslant k \leqslant n$.
On a la relation suivante : $\binom{n}{k} + \binom{n}{k+1} = \binom{n+1}{k+1}$.

DÉMONSTRATION

Les chemins comportant $k + 1$ succès après $n + 1$ répétitions de l'épreuve de Bernoulli sont de deux types : ceux pour lesquels la dernière épreuve ($(n + 1)^{\text{ième}}$) donne un succès et ceux pour lesquels la dernière épreuve donne un échec.

- Si la $(n + 1)^{\text{ième}}$ épreuve donne un succès, alors pour avoir un total de $k + 1$ succès, il faut que les n épreuves précédentes aient donné k succès. Il y a donc $\binom{n}{k}$ combinaisons possibles.
- Si la $(n + 1)^{\text{ième}}$ épreuve donne un échec, alors pour avoir un total de $k + 1$ succès, il faut que les n épreuves précédentes aient déjà donné $k + 1$ succès. Il y a donc $\binom{n}{k+1}$ combinaisons possibles.

Les ensembles de ces deux types de chemins sont disjoints, on en déduit donc que :

$$\binom{n+1}{k+1} = \binom{n}{k} + \binom{n}{k+1}$$ ■

EXEMPLE Pour calculer $\binom{4}{2}$, on utilise le schéma de Bernoulli ci-dessous avec $n = 3$.

Les chemins comportant 2 succès parmi 4 proviennent :

- des chemins en rouge comportant 2 succès parmi les 3 premières épreuves ; la quatrième épreuve sera alors un échec. Il y en a $\binom{3}{2}$.
- des chemins en vert comportant 1 succès parmi les 3 premières épreuves ; la quatrième épreuve sera alors un succès. Il y en a $\binom{3}{1}$.

On obtient $\binom{4}{2} = \binom{3}{1} + \binom{3}{2} = 3 + 3 = 6$.

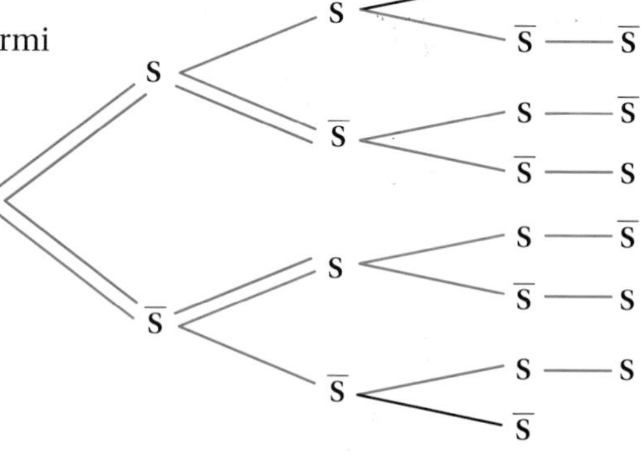

THÉORÈME

Une expérience suit un schéma de Bernoulli de paramètres n et p.
k est un entier naturel tel que $0 \leqslant k \leqslant n$.
On peut déterminer de proche en proche toutes les combinaisons à l'aide de la relation $\binom{n}{k} + \binom{n}{k+1} = \binom{n+1}{k+1}$, en construisant le **triangle de Pascal** partiellement représenté ci-contre.

n \ k	0	1	2	3	4	5
1	1	1				
2	1	②	①			
3	1	3	③	1		
4	1	4	6	4	1	
5	1	5	10	10	5	1

DÉMONSTRATION

Si l'on connaît tous les coefficients binomiaux pour une répétition de n épreuves de Bernoulli, on peut calculer tous ceux correspondant à $n + 1$ répétitions de l'épreuve grâce à la relation $\binom{n}{k} + \binom{n}{k+1} = \binom{n+1}{k+1}$. On peut donc calculer n'importe quel coefficient binomial en itérant le processus de 1 à n. On peut initier le processus car on sait que $\binom{1}{0} = 1$ et $\binom{1}{1} = 1$. ■

▶ Savoir-faire 1
Calculer des coefficients binomiaux, p. 322

EXEMPLE En prolongeant le tableau précédent, on peut calculer toutes les combinaisons correspondant à $n = 6$. On a par exemple $\binom{6}{4} = \binom{5}{3} + \binom{5}{4} = 10 + 5 = 15$.

Loi binomiale

DÉFINITION

Une expérience suit un schéma de Bernoulli de paramètres n et p.
k est un entier naturel tel que $0 \leqslant k \leqslant n$.
On associe à l'expérience la variable aléatoire X qui donne le nombre total de succès.
La loi de probabilité de X est appelée **loi binomiale** de paramètres n et p.

Notation

On la note $\mathcal{B}(n, p)$.

PROPRIÉTÉ

Si une variable aléatoire X suit une loi binomiale $\mathcal{B}(n, p)$, alors pour tout entier k compris entre 0 et n, la probabilité que X soit égale à k est :

$$p(X = k) = \binom{n}{k} p^k (1-p)^{n-k}$$

DÉMONSTRATION

On sait que tous les chemins comportant k succès sont équiprobables car, en faisant le produit des probabilités des n issues de chaque épreuve de Bernoulli, on obtient k facteurs p (pour k succès) et $n - k$ facteurs $1 - p$ (pour $n - k$ échecs). Leur probabilité est donc $p^k(1 - p)^{n-k}$.

Il suffit ensuite de compter les chemins menant à k succès ; il y en a $\binom{n}{k}$. On obtient donc :

$$p(X = k) = \binom{n}{k} p^k (1-p)^{n-k} \blacksquare$$

EXEMPLE

On lance 3 fois un dé équilibré à six faces et on considère comme un succès d'obtenir un 6.
En nommant X la variable aléatoire donnant le nombre de succès, X suit une loi binomiale $\mathcal{B}\left(3, \frac{1}{6}\right)$. On peut calculer $p(X = 1) = \binom{3}{1} \times \left(\frac{1}{6}\right)^1 \times \left(\frac{5}{6}\right)^2 = 3 \times \frac{1}{6} \times \frac{25}{36} = \frac{75}{216} = \frac{25}{72}$.

Nombre de chemins avec un seul succès. — Probabilité d'un succès. — Probabilité de deux échecs.

La probabilité d'obtenir exactement un 6 en trois lancers est $\frac{25}{72}$.

On peut de même déterminer la loi de probabilité de X :

x_i	0	1	2	3
$p(X = x_i)$	$\frac{125}{216}$	$\frac{75}{216}$	$\frac{15}{216}$	$\frac{1}{216}$

PROPRIÉTÉS (ADMISES)

Soit une variable aléatoire X qui suit une loi binomiale $\mathcal{B}(n, p)$.

- $E(X) = n \times p$
- $V(X) = n \times p \times q$ où $q = 1 - p$

EXEMPLE

En reprenant l'exemple précédent, on peut calculer l'espérance grâce à la loi de probabilité de X.

$$E(X) = 0 \times \frac{125}{216} + 1 \times \frac{75}{216} + 2 \times \frac{15}{216} + 3 \times \frac{1}{216} = \frac{75}{216} + \frac{30}{216} + \frac{3}{216} = \frac{108}{216} = \frac{1}{2}$$

On peut d'autre part vérifier que $n \times p = 3 \times \frac{1}{6} = \frac{1}{2}$.

REMARQUE On peut remarquer que la formule de l'espérance peut s'expliquer sans calcul. En effet, chaque épreuve de Bernoulli a pour espérance de succès p donc, en la répétant n fois, on peut espérer obtenir en moyenne $n \times p$ succès.
Dans l'exemple précédent, le 6 sort avec la probabilité $\frac{1}{6}$, donc on peut espérer tripler ce résultat en triplant l'expérience car ce sont des expériences successives et indépendantes et $E(X) = 3 \times \frac{1}{6} = \frac{1}{2}$.

▶ Savoir-faire 2
Calculer des probabilités dans une loi binomiale, p. 323

B. Échantillonnage

1 Échantillon

DÉFINITION

Un **échantillon** de taille n est obtenu en prélevant au hasard, successivement et avec remise, n éléments d'une population.

REMARQUES

• Après prélèvement d'un échantillon, on s'intéresse à la valeur d'un caractère des éléments de la population. Dans ce chapitre, nous nous restreignons à des populations dont le caractère étudié n'a que **deux valeurs possibles.**

Exemples de situations correspondant à un prélèvement d'échantillon :

– Prélever des pièces dans une production de manière identique et indépendante, noter à chaque fois si la pièce présente un défaut ou non et la remettre dans la production.

– Lancer plusieurs fois un dé et noter à chaque fois si la face supérieure est un 6 ou non.

– Lancer plusieurs fois de manière indépendante une pièce de monnaie et noter si elle affiche « pile » ou « face ».

– Sortir au hasard de manière indépendante une boule dans une urne qui ne contient que des boules rouges et des boules d'autres couleurs et noter à chaque fois si elle est rouge ou non.

• Souvent, il n'y a pas de remise lors du prélèvement. Mais lorsque l'effectif total est très grand par rapport au nombre d'objets prélevés, on considère néanmoins que l'échantillon est constitué, au sens de la définition donnée, avec remise.

Exemples de situations assimilées à un prélèvement d'échantillon :

– Lors d'un prélèvement de pièces dans une production, après avoir constaté qu'une pièce a un défaut, il n'est pas envisageable de la remettre parmi l'ensemble des pièces produites.

– Lors d'un sondage « sortie des urnes », on ne peut pas attendre que tout le monde ait voté et réunir toutes les personnes avant de choisir au hasard des individus pour obtenir un échantillon.

2 Intervalle de fluctuation

Il s'agit dans ce paragraphe de donner les caractéristiques d'un échantillon à partir de celles connues de la population dans laquelle il a été prélevé. C'est ce qu'on nomme l'**échantillonnage**.

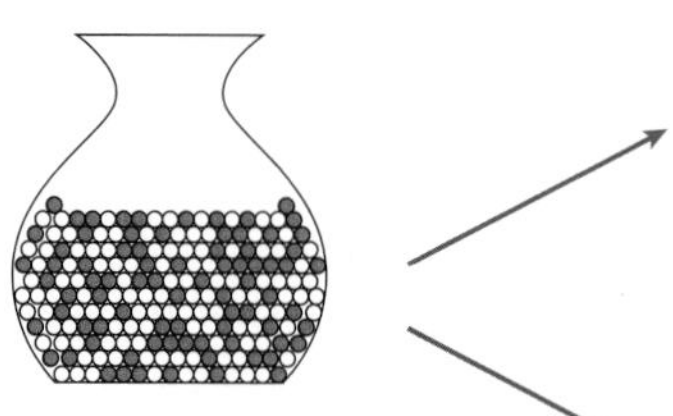

Urne avec 40 % de boules rouges. Le caractère « rouge » a, dans la population, une proportion de $p = 0{,}4$.

Premier échantillon de taille $n = 15$.
Nombre de boules ayant le caractère « rouge » : $k = 6$.
Fréquence observée : $f = \frac{6}{15} = 0{,}4$.

Deuxième échantillon de taille $n = 15$.
Nombre de boules ayant le caractère « rouge » : $k = 4$.
Fréquence observée : $f = \frac{4}{15} \approx 0{,}27$.

PROPRIÉTÉ

Soit une population dont une proportion p des éléments admet un caractère donné.
Dans un échantillon de taille n prélevé dans cette population, l'effectif des éléments qui présentent ce caractère est une variable aléatoire qui suit la loi binomiale de paramètres n et p.

DÉMONSTRATION

On rappelle que le prélèvement d'un échantillon de taille n peut être assimilé à un tirage successif avec remise dès lors que l'effectif de la population est assez grand par rapport à n. On peut donc considérer que l'expérience est une répétition de n tirages identiques à deux issues : avoir ou ne pas avoir le caractère choisi.

La variable aléatoire X donnant le nombre d'éléments qui ont le caractère choisi suit alors une loi binomiale de paramètres n (nombre de répétitions d'un tirage) et p (probabilité de prélever un élément ayant le caractère choisi). ■

REMARQUE Pour cette loi binomiale de paramètres n et p, la somme des probabilités $\sum_{k=0}^{n} p(X=k) = p(X=0)+p(X=1)+\ldots+p(X=n)$ vaut 1.

Sur la représentation graphique ci-contre :

- la somme des probabilités des parties vertes est inférieure à 0,025 ;
- la somme des probabilités des parties rouges est inférieure à 0,025.

Pour **que la somme des probabilités des parties bleues soit supérieure ou égale à 0,95 tout en étant la plus petite possible,** on détermine :

- a le plus petit entier tel que $p(X \leqslant a) > 0{,}025$.
- b le plus petit entier tel que $p(X \leqslant b) \geqslant 0{,}975$.

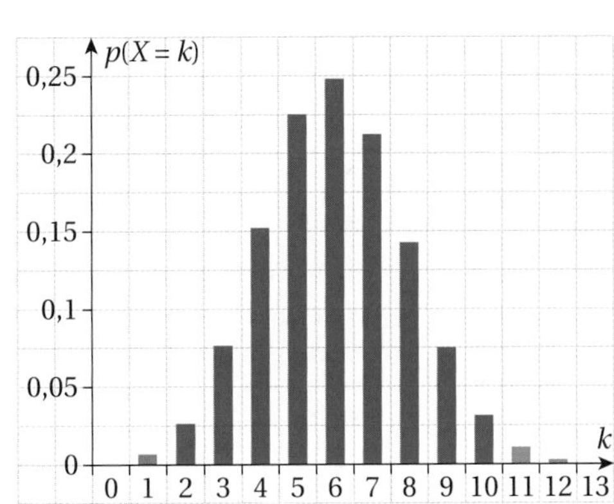

DÉFINITION

Soit X la loi binomiale qui correspond à la réalisation d'un échantillon de taille n dans une population ayant une proportion p d'éléments avec un caractère donné.

On s'intéresse aux fréquences de tels échantillons, c'est-à-dire aux proportions des éléments des échantillons ayant le caractère donné.

L'**intervalle de fluctuation au seuil de 95 % de la fréquence observée** est l'intervalle $\left[\frac{a}{n};\frac{b}{n}\right]$ où a est le plus petit entier tel que $p(X \leqslant a) > 0{,}025$ et b est le plus petit entier tel que $p(X \leqslant b) \geqslant 0{,}975$.

NOTE

Le seuil de 95 % choisi ici est le plus utilisé. Un seuil de 90 % ou de 99 % peut être rencontré.

REMARQUES

- L'intervalle $[a\,;\,b]$ est appelé **intervalle de fluctuation au seuil de 95 % de l'effectif**.
- On peut dire « au seuil de 95 % » ou « à 95 % » ou « au seuil 0,95 ».
- La probabilité pour que la fréquence d'un échantillon de taille n, pris parmi tous les échantillons de taille n, soit dans l'intervalle $\left[\frac{a}{n};\frac{b}{n}\right]$ est environ de 0,95.

EXEMPLE

Dans une urne contenant 40 % de boules rouges, on prélève un échantillon de taille $n = 15$.

Soit X la variable aléatoire qui compte le nombre de boules rouges dans l'échantillon prélevé.

Les valeurs possibles de X sont les entiers compris entre 0 et 15.

La loi de probabilité de X est donnée par :

←— Intervalle de fluctuation de l'effectif —→ (de $k = 2$ à $k = 10$)

Nombre k	0	1	2	3	4	5	6	7	8	9	10	11	12	13	14	15
Probabilité $p(X=k)$	0,000	0,005	0,022	0,063	0,127	0,186	0,207	0,177	0,118	0,061	0,025	0,007	0,002	0,000	0,000	0,000

←— 0,027 —→ (de $k = 0$ à $k = 2$)

←— 0,991 —→ (de $k = 0$ à $k = 10$)

$a = 2$ car $p(X \leqslant 1) \approx 0{,}005$ et $p(X \leqslant 2) \approx 0{,}027$. D'où $\frac{a}{n} \approx 0{,}13$.

$b = 10$ car $p(X \leqslant 9) \approx 0{,}966$ et $p(X \leqslant 10) \approx 0{,}991$. D'où $\frac{b}{n} \approx 0{,}67$.

L'intervalle $[0{,}13\,;\,0{,}67]$ est un intervalle de fluctuation de la fréquence observée au seuil 0,95.

NOTE

Cette propriété avait déjà été admise en classe de Seconde. Des activités de ce chapitre permettront de prouver cette propriété pour quelques valeurs de n et de p.

PROPRIÉTÉ (ADMISE)

Pour un échantillon de grande taille ($n \geqslant 30$) ayant une proportion du caractère p comprise entre 0,2 et 0,8, l'intervalle :

$$\left[p-\frac{1}{\sqrt{n}}\ ;\ p+\frac{1}{\sqrt{n}}\right]$$

est une bonne approximation de l'intervalle de fluctuation au seuil de 95 % de la fréquence observée f du caractère.

EXEMPLE

Dans l'exemple précédent, l'intervalle de fluctuation au seuil de 95 % de la fréquence observée du caractère est donc [0,13 ; 0,67].

L'intervalle donné par la propriété ci-dessus est :

$$\left[0{,}4-\frac{1}{\sqrt{15}}\ ;\ 0{,}4+\frac{1}{\sqrt{15}}\right]$$

ce qui donne ici [0,14 ; 0,66].

C'est une approximation de l'intervalle de fluctuation au seuil de 95 % de la fréquence observée. Mais cette approximation n'est pas très bonne car n n'est pas supérieur à 30 comme demandé dans les hypothèses de la propriété.

▶ Savoir-faire 3 Déterminer un intervalle de fluctuation à l'aide de la loi binomiale, p. 323

3 Estimation

Contrairement à l'échantillonnage, l'estimation consiste à induire des caractéristiques de la population à partir de celles d'un échantillon.

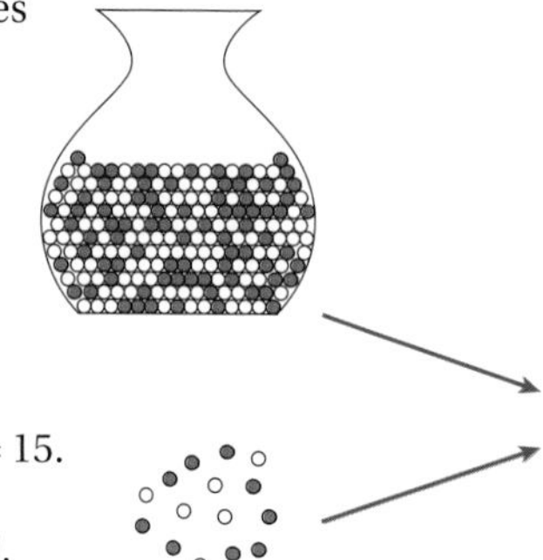

EXEMPLES

Voici quelques exemples de situations où une estimation est utile.

- Dans une production, on pense qu'il y a une proportion p de pièces défectueuses. Après un prélèvement de pièces, la proportion de pièces défectueuses trouvées dans l'échantillon peut permettre d'accepter ou de rejeter l'hypothèse, c'est-à-dire la valeur p.
- Après avoir lancé n fois un dé supposé équilibré, la proportion de « six » trouvée va permettre d'accepter ou de rejeter l'hypothèse que le dé soit équilibré.
- Avant une élection, on annonce qu'un candidat aura une proportion p de voix. Un résultat d'un sondage « sortie des urnes » permet d'accepter ou de rejeter l'hypothèse, c'est-à-dire que p % des voix se porteront sur lui.

Prise de décision

Situation :
Soit une population et un caractère présent ou non pour chaque individu. On émet l'hypothèse que la proportion d'individus de la population ayant ce caractère est p. On souhaite accepter ou réfuter cette hypothèse.

Démarche :
La loi binomiale de paramètres n et p permet de trouver l'intervalle de fluctuation I au seuil de 95 % de la fréquence observée.
Éventuellement, on peut prendre l'intervalle $\left[p-\frac{1}{\sqrt{n}}\ ;\ p+\frac{1}{\sqrt{n}}\right]$ comme intervalle de fluctuation.

Énoncé de la règle de décision :
Dans un échantillon, notons f la fréquence du caractère étudié.

- Lorsque f appartient à l'intervalle I, on dit qu'au seuil de 95 %, on accepte l'hypothèse que la proportion dans la population est p.
- Lorsque f n'appartient pas à l'intervalle I, on dit qu'au seuil de 95 %, on réfute l'hypothèse que la proportion dans la population est p.

Prise de décision :
On prélève un échantillon de taille n dont on détermine la fréquence f du caractère étudié.
On applique la règle énoncée ci-dessus.

Exemple

Une urne contient une proportion p de boules rouges.
On fait l'hypothèse que cette proportion vaut $p = 0{,}4$.
Pour accepter ou rejeter cette hypothèse, on prélève un échantillon de taille $n = 15$ et on constate que pour cet échantillon, la fréquence f de boules ayant le caractère « rouge » vaut $\frac{9}{15} = 0{,}6$.

▶ Savoir-faire 4
Rejeter ou non une hypothèse sur une proportion, p. 324

L'intervalle de fluctuation de f au niveau 0,95 est $[0{,}13\ ;\ 0{,}67]$ (cet intervalle a été obtenu à l'aide de la loi binomiale de paramètres $n = 15$ et $p = 0{,}4$ – *cf.* exemple p. 319).
Comme 0,6 se trouve dans cet intervalle, on peut, au seuil de 95 %, accepter l'hypothèse que p est égale à 0,4.

Remarques

- La méthode exposée ci-dessus repose sur la propriété suivante : la probabilité pour que la fréquence d'un échantillon de taille n, pris parmi tous les échantillons de taille n, soit dans l'intervalle de fluctuation I au seuil de 95 % est de 0,95. Donc f appartient à I avec une probabilité de 0,95 et f n'appartient pas à I avec une probabilité de 0,05.
- Il ne faut jamais affirmer que l'on est certain que l'hypothèse faite sur p est vraie car la probabilité de se tromper dans l'affirmation est de 0,05.

Savoir-faire

Savoir-faire 1 Calculer des coefficients binomiaux 

ÉNONCÉ **a.** Donner la valeur de $\binom{12}{1}$. En déduire celle de $\binom{12}{11}$.

b. On donne $\binom{12}{2} = 66$. En déduire $\binom{13}{2}$.

c. À l'aide de la calculatrice, déterminer $\binom{13}{6}$. En déduire $\binom{13}{7}$ puis $\binom{14}{7}$.

d. Recopier et compléter le tableau ci-contre avec la liste des coefficients binomiaux obtenus pour $n = 13$ en s'aidant de la calculatrice.

k	0	1	2	3	4	5	6	7	8	9	10	11	12	13
$\binom{13}{k}$	1	13												

SOLUTION

a. On sait que $\binom{n}{1} = n$ et $\binom{n}{n-k} = \binom{n}{k}$ donc :

$$\binom{12}{1} = 12 \text{ et } \binom{12}{11} = \binom{12}{1} = 12$$

b. On donne $\binom{12}{2} = 66$ et on sait que $\binom{12}{1} = 12$.

D'après la formule $\binom{n}{k} + \binom{n}{k+1} = \binom{n+1}{k+1}$, on a :

$$\binom{12}{1} + \binom{12}{2} = \binom{13}{2} = 12 + 66 = 78$$

c. Avec la calculatrice, $\binom{13}{6} = 1\,716$.
D'où :

$$\binom{13}{7} = \binom{13}{13-7} = \binom{13}{6} = 1\,716$$

et :

$$\binom{14}{7} = \binom{13}{6} + \binom{13}{7} = 1\,716 + 1\,716 = 3\,432$$

d.

k	0	1	2	3	4	5	6
$\binom{13}{k}$	1	13	78	286	715	1 287	1 716

k	7	8	9	10	11	12	13
$\binom{13}{k}$	1 716	1 287	715	286	78	13	1

MÉTHODE

c. • Avec la TI-83 *Plus*
La fonction s'appelle *Combinaison* ou *nCr*, où n est le nombre de répétitions et r joue le rôle de k, nombre de succès. Il faut saisir n avant la commande puis k après la commande.
On trouve cette fonction en appuyant sur **math** puis en choisissant le menu « PRB ».

```
13 Combinaison 6
            1716
```

```
13 nCr 6
            1716
```

• Avec la Casio *Graph* 35+
La fonction s'appelle *nCr*, où n est le nombre de répétition et r joue le rôle de k, nombre de succès. Il faut saisir n avant la commande puis k après la commande.

```
13C6
                1716

x!  nPr  nCr  RAND
```

On trouve cette fonction en appuyant sur le bouton **OPTN** puis en choisissant le menu « PROB » (bouton **F6** puis **F3**).

d. On utilise les résultats des questions précédentes et la symétrie établie par la propriété $\binom{n}{n-k} = \binom{n}{k}$. Ainsi seules les combinaisons $\binom{13}{3}$, $\binom{13}{4}$ et $\binom{13}{5}$ sont encore à déterminer avec la calculatrice.

▶ Exercices 8 à 13 p. 332 et 333

Savoir-faire 2 Calculer des probabilités dans une loi binomiale

ÉNONCÉ Une expérience consiste à lancer cinq fois un dé tétraédrique équilibré dont les faces sont numérotées de 1 à 4. Un lancer est gagnant si le 4 est sur la face cachée.

On appelle X la variable aléatoire qui associe à chaque issue de l'expérience le nombre de lancers gagnants.

a. Montrer que X suit une loi binomiale dont on précisera les paramètres.

b. Déterminer la probabilité d'obtenir un seul lancer gagnant.

c. Calculer l'espérance, la variance et l'écart-type de la loi de probabilité de X.

SOLUTION

a. On répète 5 fois une expérience à deux issues : obtenir 4 (succès) ou ne pas obtenir 4 (échec).

La probabilité de faire 4 sur un lancer est $\frac{1}{4}$ donc X suit une loi binomiale $\mathcal{B}\left(5, \frac{1}{4}\right)$.

b. La probabilité d'obtenir un seul lancer gagnant est : $p(X=1) = \binom{5}{1} \times \left(\frac{1}{4}\right)^1 \times \left(\frac{3}{4}\right)^4 = 5 \times \frac{1}{4} \times \frac{81}{256} = \frac{405}{1024}$

c. $E(X) = 5 \times \frac{1}{4} = 1{,}25$; $V(X) = 5 \times \frac{1}{4} \times \frac{3}{4} = 0{,}937\,5$; $\sigma(X) = \sqrt{0{,}937\,5} \approx 0{,}968$.

▶ Exercices 14 à 22 p. 333 et 334

Savoir-faire 3 Déterminer un intervalle de fluctuation à l'aide de la loi binomiale

ÉNONCÉ À la sortie d'un site de production de chaussures, 75 % des paires produites sont classées « premier choix ». Les autres seront vendues en « second choix » car elles comportent une petite imperfection.

a. Déterminer pour un échantillon de taille 150, un intervalle de fluctuation au seuil de 95 % de la fréquence des paires « premier choix ».

b. Déterminer pour une livraison de 150 paires, assimilée à une prise d'échantillon, un intervalle de fluctuation au seuil de 95 % du nombre de paires « premier choix ».

SOLUTION

a. Soit X la variable aléatoire qui donne, pour chaque échantillon de 150 paires, le nombre de paires « premier choix ». Elle suit la loi binomiale de paramètres $n = 150$ et $p = 0{,}75$.

À l'aide de la formule $p(X=k) = \binom{n}{k} p^k (1-p)^{n-k}$ et d'un tableur, on peut déterminer le plus petit entier a tel que $p(X \leqslant a) > 0{,}025$ et le plus petit entier b tel que $p(X \leqslant b) \geqslant 0{,}975$.

On obtient ainsi :

$$p(X \leqslant 101) \approx 0{,}021 \text{ et } p(X \leqslant 102) \approx 0{,}032$$

Donc $a = 102$.

De même : $p(X \leqslant 122) \approx 0{,}973$ et $p(X \leqslant 123) \approx 0{,}983$

Donc $b = 123$.

D'où $\frac{a}{n} = 0{,}68$ et $\frac{b}{n} = 0{,}82$.

Donc l'intervalle de fluctuation à 95 % de la fréquence des paires « premier choix » est [0,68 ; 0,82].

b. L'intervalle de fluctuation au seuil de 95 % du nombre de paires « premier choix » est [102 ; 123].

▶ Exercices 28 à 32 p. 335

MÉTHODE

a. Les formules mises dans les extraits du fichier tableur sont :

- en B102 : « =LOI.BINOMIALE(A102;150;0,75;0) »
- en C102 : « =LOI.BINOMIALE(A102;150;0,75;1) »
- en D102 : « =A102/150 »

Pour la fonction LOI.BINOMIALE, la syntaxe est :

LOI.BINOMIALE(***k*** ; ***n*** ; ***p*** ; ***c***)

où ***k*** est le nombre de succès obtenus, ***n*** le nombre de tirages, ***p*** la probabilité, ***c*** = 0 pour $(X = k)$ et ***c*** = 1 pour $(X \leqslant k)$.

	A	B	C	D
1	k	p(X = k)	p(X <= k)	k/n
102	100	0,005092625	0,013618601	0,66666667
103	101	0,007563304	0,021181905	0,67333333
104	102	0,010900055	0,032081961	0,68
105	103	0,015238912	0,047320873	0,68666667

	A	B	C	D
1	k	p(X = k)	p(X <= k)	k/n
123	121	0,021127519	0,958327019	0,80666667
124	122	0,015066345	0,973393365	0,81333333
125	123	0,010289211	0,983682576	0,82
126	124	0,006721178	0,990403755	0,82666667

Savoir-faire 4 *Rejeter ou non une hypothèse sur une proportion*

ÉNONCÉ Dans une classe, chacun des 30 élèves jette une fois la même pièce de monnaie dans les mêmes conditions. Sur les 30 lancers, il y a eu 19 fois « pile ».
Peut-on, à partir de ce résultat (19 « pile ») mettre en doute le fait que la pièce utilisée soit équilibrée ?
On énoncera la règle de décision.

SOLUTION

On émet l'hypothèse que la pièce est bien équilibrée, c'est-à-dire que la probabilité qu'elle indique « pile » est de 0,5.
On peut considérer que l'expérience est une répétition de 30 tirages identiques à deux issues : « pile » ou « face ».
Soit X la variable aléatoire qui donne le nombre de « pile » lors des 30 lancers.
X suit la loi binomiale de paramètres $n = 30$ et $p = 0,5$.

- Déterminons l'intervalle I de fluctuation à 95% des fréquences. La loi binomiale de paramètres 30 et 0,5 est donnée dans le tableau suivant.

k	$p(X = k)$	$p(X \leqslant k)$
0	$9,31323.10^{-10}$	$9,31323.10^{-10}$
1	$2,79397.10^{-8}$	$2,8871.10^{-8}$
2	$4,05125.10^{-7}$	$4,33996.10^{-7}$
3	$3,78117.10^{-6}$	$4,21517.10^{-6}$
4	$2,55229.10^{-5}$	$2,97381.10^{-5}$
5	0,000132719	0,000162457
6	0,000552996	0,000715453
7	0,001895986	0,00261144
8	0,005450961	0,008062401
9	0,013324572	0,021386973
10	0,027981601	0,049368573
11	0,050875638	0,100244211
12	0,080553093	0,180797304
13	0,111535052	0,292332356
14	0,13543542	0,427767776
15	0,144464448	0,572232224
16	0,13543542	0,707667644
17	0,111535052	0,819202696
18	0,080553093	0,899755789
19	0,050875638	0,950631427
20	0,027981601	0,978613027
21	0,013324572	0,991937599
22	0,005450961	0,99738856
23	0,001895986	0,999284547
24	0,000552996	0,999837543
25	0,000132719	0,999970262
26	$2,55229.10^{-5}$	0,999995785
27	$3,78117.10^{-6}$	0,999999566
28	$4,05125.10^{-7}$	0,999999971
29	$2,79397.10^{-8}$	0,999999999
30	$9,31323.10^{-10}$	1

$a = 10$ car $p(X \leqslant 9) \approx 0,021$ et $p(X \leqslant 10) \approx 0,049$.
$b = 20$ car $p(X \leqslant 19) \approx 0,95$ et $p(X \leqslant 20) \approx 0,978$.
Donc $I = \left[\frac{10}{30} ; \frac{20}{30}\right]$, soit environ $[0,33 ; 0,67]$.

- La valeur $\frac{19}{30} \approx 0,63$ se trouve dans l'intervalle I, donc on peut affirmer au seuil 0,95 que cette pièce est équilibrée.

▶ Exercices 33 à 37 p. 335 et 336

MÉTHODE

- Une première approche est la suivante : pour une pièce équilibrée, la probabilité d'obtenir « pile » est $\frac{1}{2}$. On s'attend donc à avoir $\frac{30}{2} = 15$ fois « pile ».
- Une deuxième approche est de dire qu'à chaque lancer tout peut arriver et on aurait pu avoir 0 fois « pile » comme 30 fois « pile » sur les 30 lancers. Admettons qu'il y ait eu 30 fois « pile », on aurait trouvé cela bien étrange.
- L'approche par intervalle de fluctuation permet de prendre une décision. Il est clair que l'on ne pourra jamais savoir si la pièce de monnaie est équilibrée ou non. Mais avec la méthode mise en œuvre ici (intervalle de confiance et prise de décision), on valide une hypothèse à un seuil de 95 %, ce qui signifie qu'il y a une probabilité de 0,05 que l'hypothèse contraire soit vraie.

L'intervalle de fluctuation est $\left[\frac{a}{n} ; \frac{b}{n}\right]$ où a est le plus petit entier tel que $p(X \leqslant a) > 0,025$ et b est le plus petit entier tel que $p(X \leqslant b) \geqslant 0,975$.

Règle de décision : Si le résultat (ici $\frac{19}{30}$) se trouve dans I, on acceptera au seuil 0,95 l'hypothèse que la pièce est bien équilibrée ; si le résultat ne se trouve pas dans I, on réfutera au seuil 0,95 l'hypothèse que la pièce est bien équilibrée.

Travaux pratiques

TICE 1 Le triangle de Pascal

Objectifs : • Construire le triangle de Pascal et utiliser ses symétries.
• Conjecturer des formules sur les coefficients binomiaux.

On a construit ci-dessous le triangle de Pascal à l'aide d'un tableur.

	A	B	C	D	E	F	G	H	I	J	K
1											
2		n \ k		1	2	3	4	5	6	7	8
3		1	1	1							
4		2	1	2	1						
5		3	1	3	3	1					
6		4	1	4	6	4	1				
7		5	1	5	10	10	5	1			
8		6	1	6	15	20	15	6	1		
9		7	1	7	21	35	35	21	7	1	
10		8	1	8	28	56	70	56	28	8	1

1 Identifier les cellules où une valeur a été saisie et celles où une même formule a été copiée.

2 Construire le triangle de Pascal jusqu'à $n = 12$.

COUP DE POUCE

Pour masquer les cellules contenant des zéros :
- avec **Excel**, il suffit de décocher « valeur 0 » dans *Outils – Options – Affichage.*
- avec **OpenOffice**, on peut utiliser une fonction conditionnelle du type SI(valeur=0;"";valeur_sinon).

3 On s'intéresse aux coefficients binomiaux $\binom{n}{n-2}$ pour $n \geqslant 2$.

a. Colorier cette suite de valeurs.

b. Où retrouve-t-on la même suite dans le tableau ? Justifier ce résultat.

c. En déduire que cette suite est la somme des termes d'une suite arithmétique et établir une formule permettant de calculer $\binom{n}{n-2}$ pour $n \geqslant 2$.

4 On souhaite étudier la somme des coefficients binomiaux :

$$\binom{n}{0}+\binom{n}{1}+\binom{n}{2}+\ldots+\binom{n}{n-1}+\binom{n}{n}$$

a. Compléter la colonne A avec cette somme.

b. Conjecturer une formule donnant cette somme.

c. Expliquer ce résultat en considérant cette somme avec un schéma de Bernoulli.

Vous avez dit triangle ?

Les nombres représentés dans la feuille de calcul ci-contre ne semblent pas former un triangle mais un trapèze. Pour former un triangle, il aurait fallu commencer avec un sommet, c'est-à-dire avec un seul nombre. Ce sommet correspondrait à la combinaison $\binom{0}{0}$. Or nous n'avons défini les combinaisons que pour $n \geqslant 1$, car il est difficile de compter les chemins sur un arbre à zéro branche !

Une nouvelle définition en Terminale permettra d'envisager ce cas, et on choisira $\binom{0}{0} = 1$.

Le saviez vous ?

Blaise Pascal (1623 - 1662) fut avec son contemporain Pierre de Fermat (1601 - 1665) un des grands hommes français ayant permis aux mathématiques un prodigieux bond en avant. De leurs échanges sont nées les bases du calcul de probabilités.

C'est par les jeux de hasard que Pascal s'intéressa aux combinaisons et publia en 1654 un *Traité du triangle arithmétique.* Le triangle qu'il y présente, désormais connu sous le nom de triangle de Pascal, était pourtant utilisé en Perse dès le Xe siècle.

De nombreux travaux chinois se sont appuyés sur cette représentation à partir du XIe siècle.

En Europe, plusieurs mathématiciens, allemands, italiens et français, l'utilisent à partir du XVIe siècle.

Mais c'est Pascal qui lui consacrera un ouvrage complet, démontrant ses nombreuses propriétés.

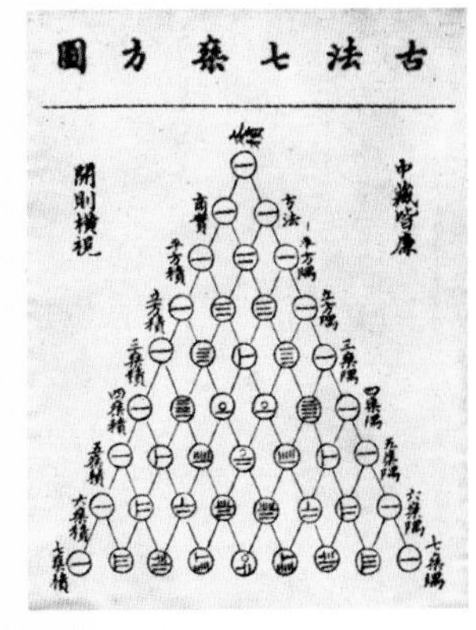

Triangle du chinois Yáng Huī (~1238 - 1298)

TP TICE 2

Probabilités d'une loi binomiale

Objectifs : • Construire les probabilités d'une loi binomiale.
• Interpréter graphiquement l'influence de ses paramètres.

On a construit ci-dessous, à l'aide d'un tableur, une feuille de calcul permettant d'afficher la loi binomiale $\mathcal{B}(n, p)$ pour n compris entre 1 et 20.

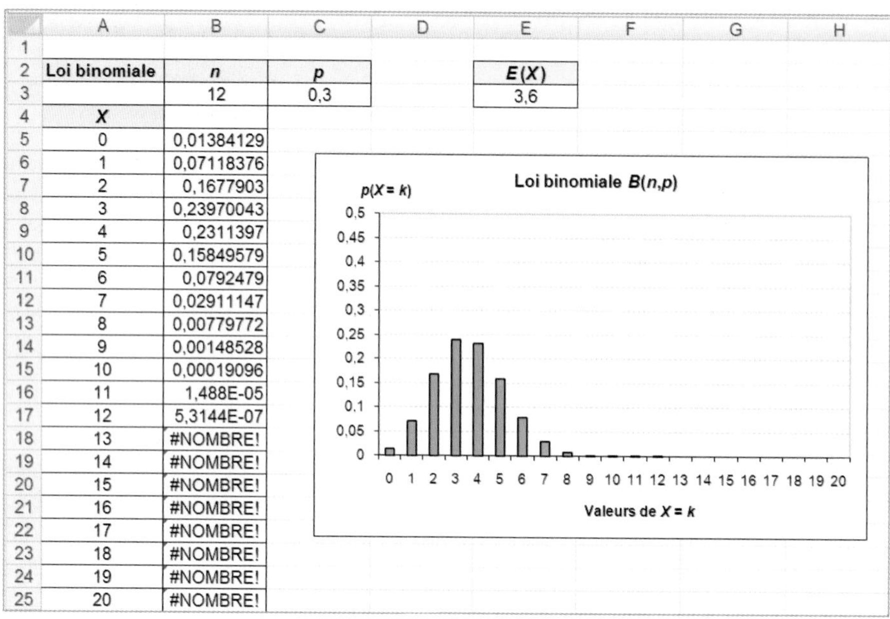

	A	B	C	D	E
1					
2	Loi binomiale	n	p		E(X)
3		12	0,3		3,6
4	X				
5	0	0,01384129			
6	1	0,07118376			
7	2	0,1677903			
8	3	0,23970043			
9	4	0,2311397			
10	5	0,15849579			
11	6	0,0792479			
12	7	0,02911147			
13	8	0,00779772			
14	9	0,00148528			
15	10	0,00019096			
16	11	1,488E-05			
17	12	5,3144E-07			
18	13	#NOMBRE!			
19	14	#NOMBRE!			
20	15	#NOMBRE!			
21	16	#NOMBRE!			
22	17	#NOMBRE!			
23	18	#NOMBRE!			
24	19	#NOMBRE!			
25	20	#NOMBRE!			

1 On a saisi dans la cellule B5 la formule calculant $p(X = k) = \binom{n}{k} p^k (1-p)^{n-k}$.

a. Dans quelles cellules se trouvent les valeurs de k, n et p ?
Préciser si ces cellules doivent être relatives ou absolues dans la formule saisie en B5.

b. À l'aide de la fonction COMBIN, écrire en B5 la formule permettant de calculer $p(X = 0)$ puis recopier cette formule vers le bas jusqu'en B25.
Justifier que certaines cellules sont en erreur.

2 Calculer $E(X)$ et construire l'histogramme de cette loi binomiale.

3 On étudie le cas où $p = 0{,}5$.

a. Tester plusieurs valeurs de n.

b. Quelle semble être la valeur de X donnant la probabilité maximale ?

c. Expliquer la symétrie observée et démontrer ce résultat.

4 On étudie maintenant le cas où $n = 12$.

a. Tester plusieurs valeurs de p.

b. Quelle est l'influence de p sur la valeur de X donnant la probabilité maximale ?

c. Déterminer la plus petite valeur de p telle que la valeur de X donnant la probabilité maximale soit $X = 0$.

5 On souhaite étudier pour différentes valeurs de n les situations où l'espérance vaut 1.

a. Que peut-on saisir dans la cellule C3 pour automatiser cette situation ?

b. En testant différentes valeurs de n, vérifier que la loi reste assez stable.

c. Quand n augmente, quel lien semble s'établir entre $p(X = 0)$, $p(X = 1)$ et $p(X = 2)$?

d. Démontrer que si $E(X) = 1$ alors $p(X = 0) = (1 - p) \times p(X = 1)$ et confirmer les conjectures de la question **5 c.**

TICE 3 Culture biologique

Objectifs : • Déterminer une hypothèse sur une proportion par un calcul de probabilité.
• Mettre en œuvre un intervalle de fluctuation.

Jean-Michel, le jardinier, cultive des pommes de terre. Pour lutter contre les larves de hanneton, il incorpore du mycélium de *Beauveria brongniartii*. Mais cette année, Jean-Michel pense que, jusqu'en juin, un tubercule sur 8 est rongé par ces larves.
Pour lutter contre les campagnols terrestres, il ne s'autorise que la mise en place de perchoirs pour favoriser la venue de rapaces et d'autres prédateurs. Les campagnols entament alors une quantité non négligeable de pommes de terre à partir de juillet jusqu'à la récolte. Jean-Michel estime que les tubercules grignotés représentent un tiers de ceux non rongés par les larves de hanneton et un dixième de ceux qui sont déjà rongés par ces larves.

Partie A

1 Considérons une pomme de terre prise au hasard dans la production.
Notons L l'événement « la pomme de terre est rongée par une larve de hanneton » et C l'événement « la pomme de terre est grignotée par un campagnol ».
Calculer la probabilité des événements suivants :
a. la pomme de terre est intacte ;
b. la pomme de terre est uniquement rongée par une larve de hanneton ;
c. la pomme de terre est uniquement grignotée par un campagnol ;
d. la pomme de terre est rongée par une larve de hanneton et grignotée par un campagnol.

COUP DE POUCE
On trouvera :
a. $\frac{7}{12}$; **b.** $\frac{9}{80}$; **c.** $\frac{7}{24}$; **d.** $\frac{1}{80}$.

2 Un autre jardinier fait un calcul similaire : il suppose que jusqu'en juin une proportion a est rongée par des larves de hanneton, qu'une proportion b parmi celle pas encore rongée est grignotée par les campagnols et qu'une proportion c parmi celle déjà rongée est grignotée par les campagnols.
Montrer que si les probabilités des 4 événements **1a** à **1d** qu'il obtient après calculs sont $\frac{7}{12}$, $\frac{9}{80}$, $\frac{7}{24}$ et $\frac{1}{80}$, alors $a = \frac{1}{8}$, $b = \frac{1}{3}$ et $c = \frac{1}{10}$.

Partie B

En novembre, Jean-Michel prélève chaque semaine 5 kg de pommes de terre dans son stock, ce qui représente 30 tubercules pris au hasard dans sa cave. On suppose que l'on peut assimiler son choix à une prise d'un échantillon au hasard avec remise. À chaque fois, sur les 30 pommes de terre, il note le nombre N_L de celles rongées par une larve de hanneton, le nombre N_C de celles grignotées par un campagnol ainsi que le nombre N_{LC} de celles rongées et grignotées. Ces quatre relevés sont indiqués dans le tableau ci-contre.

	N_L	N_C	N_{LC}
Semaine 1	8	2	3
Semaine 2	3	10	0
Semaine 3	4	3	0
Semaine 4	5	17	1

Jean-Michel aimerait savoir si les trois probabilités $\left(\frac{9}{80}, \frac{7}{24} \text{ et } \frac{1}{80}\right)$ qu'il a trouvées (question **1** de la **Partie A**) peuvent être acceptées.
Il s'intéresse au cumul des relevés des quatre semaines.

1 Déterminer les proportions f_L, f_C et f_{LC} pour les 120 pommes de terre.

2 À l'aide de la calculatrice ou d'un logiciel, en considérant les lois binomiales de paramètres respectifs $\left(120, \frac{9}{80}\right)$, $\left(120, \frac{7}{24}\right)$ et $\left(120, \frac{1}{80}\right)$, déterminer des intervalles de fluctuation des fréquences au seuil de 95 %.

3 Montrer qu'au seuil de 95 % les hypothèses de Jean-Michel peuvent être acceptées.

TP

Algorithmique

▶ Fiches Algorithmique p. 11

1 Loi binomiale et calculatrices

Objectifs :
- Interpréter un algorithme programmé sur calculatrice.
- Écrire un algorithme avec une boucle.

On souhaite réaliser un algorithme permettant de calculer certaines probabilités dans une loi binomiale $\mathcal{B}(n, p)$.

1 On a réalisé le programme ci-dessous avec une calculatrice.

```
PROGRAM:BINOMIAL
:Prompt N,P,K
:(N Combinaison
K)*P^K*(1-P)^(N-
K)→A
:Disp "P(X=K)=",
A
```

fig. 1. Avec la TI-83 Plus.

```
======BINOMIAL======
?→N↵
?→P↵
?→K↵
NCK×P^K×(1-P)^(N-K)→A
↵
"P(X=K)=",
A◢
CLR DISP REL I/O : ▷
```

fig. 2. Avec la Casio *Graph* 35+.

a. Que calcule ce programme ?

b. Expliquer le rôle et les contraintes de chaque variable pour que le programme fonctionne.

c. Réaliser ce programme et calculer la probabilité qu'en lançant 50 pièces de monnaie identiques, 25 exactement retombent sur « pile ».

2 On souhaite modifier le programme afin qu'il calcule la probabilité $p(X \geqslant k)$ pour k un entier quelconque compris entre 0 et n.

a. Modifier le programme à l'aide d'une boucle « Pour I allant de K à N ».

b. Vérifier son bon fonctionnement en calculant $p(X \geqslant 0)$. Quel devrait être le résultat ?

c. Calculer la probabilité qu'en lançant 50 pièces de monnaie identiques, 25 au moins retombent sur « pile ». Peut-on expliquer ce résultat ?

d. On lance désormais trois dés à 6 faces. Quelle est la probabilité d'obtenir au moins un 6 ? Combien de dés faut-il lancer pour que cette probabilité monte à 95 % ?

TP

Algorithmique

▶ Fiches Algorithmique p. 11

2 Intervalle de fluctuation

Objectifs :
- Mettre en œuvre la recherche de l'intervalle de fluctuation à l'aide d'une loi binomiale.
- L'utiliser pour l'acceptation ou le rejet d'une hypothèse sur une proportion.

On s'intéresse à l'algorithme qui donne au seuil de 95 % l'intervalle de fluctuation d'une fréquence.

1 **a.** Que faut-il connaître pour déterminer un intervalle de fluctuation à l'aide d'une loi binomiale ?

b. Décrire tout l'algorithme.

2 Programmer cet algorithme à la calculatrice ou dans un langage de programmation.

3 Modifier l'algorithme pour qu'il permette d'accepter ou de rejeter au seuil de 95 % une hypothèse sur la proportion d'une population.

Problème ouvert 1 New York, New York

Lola et Jérémy ont visité l'Empire State Building à New York et ils souhaitent retourner à leur hôtel à pied par le plus court chemin.
New York est quadrillée par seize avenues allant du nord au sud et cent cinquante-cinq rues allant d'est en ouest.
L'Empire State Building se trouve près du croisement de la 34e rue et de la 5e avenue et l'hôtel de Lola et Jérémy est à l'angle de la 24e rue et de la 1re avenue.
Combien d'itinéraires différents peuvent-ils emprunter ?

Problème ouvert 2 Palettes

Un matériel informatique est emballé en cartons de 40 × 30 × 20 cm. Ces cartons pèsent 20 kg et peuvent être stockés indifféremment sur chacune de leurs faces.
Ces cartons sont rangés dans des caisses-palettes pliables ajourées dont les caractéristiques sur catalogue sont les suivantes :

- Dimensions extérieures : 1 200 × 1 000 × 847 mm
- Dimensions intérieures : 1 120 × 920 × 654 mm
- Charge maximale : 600 kg
- Charge à l'empilage : 2 800 kg
- Couleur : vert

Ces palettes sont entreposées pour le transport dans des petits conteneurs « standard » dont les dimensions intérieures sont les suivantes :

- Longueur : 20 pieds (5,905 m)
- Largeur : 2,33 m
- Hauteur : 2,38 m
- Hauteur passage de porte : 2,30 m

Dans 5 % des cartons, le matériel est défectueux et on admettra que le contenu d'un conteneur peut être assimilé à un échantillon prélevé dans la fabrication.

1. Proposer une méthode de rangement pour mettre au moins 300 cartons dans un conteneur.
2. Donner l'intervalle de fluctuation au seuil de 95 % du nombre de cartons défectueux dans ce conteneur.

POUR ALLER PLUS LOIN

Statistiques extraterrestres

En 1961, Frank Drake a établit une équation statistique donnant le nombre de civilisations extraterrestres (évoluées technologiquement) dans notre galaxie, la Voie lactée, dont on peut espérer capter un signal avec nos radiotélescopes : la célèbre "équation de Drake".
Ce nombre N s'écrit :

$$N = R . f_p . n_e . f_l . f_i . f_e . L$$

Où :

- R est le nombre d'étoiles qui naissent dans la Voie lactée par an ;
- f_p est la proportion d'étoiles ayant des planètes ("systèmes stellaires") ;
- n_e est la proportion de planètes réunissant les conditions pour qu'une vie se développe ("planètes habitables") ;
- f_l est la proportion des précédentes (n_e) dans lesquelles la vie se développe effectivement ;
- f_i est la proportion des précédentes ($n_e.f_l$) où cette vie atteint un certain niveau d'intelligence ;
- f_e est la proportion des précédentes ($n_e.f_l.f_i$) qui sont capables technologiquement d'émettre des signaux dans l'espace ;
- L est le temps durant lequel ces civilisations émettent lesdits signaux.

Selon les astronomes et planétologues, N serait compris entre 2 et… 0.
Frank Drake, et d'autres scientifiques, ont toujours précisé que, la majorité de ces paramètres étant issus de pures spéculations, cette équation n'avait pour objectif que de lancer le projet de recherche de signaux extraterrestres : le projet SETI (▶ encadré).

Antoine Deparcieux (1703 - 1786). Lithographie du XVIIIe siècle.

Des statistiques économiques jusqu'aux extraterrestres…

« Essai sur les probabilités de la durée de la vie humaine, d'où l'on déduit la manière de déterminer les rentes viagères tant simples que tontines, précédé d'une courte explication sur les rentes à terme, ou annuités, et accompagné d'un grand nombre de tables, par M. Deparcieux, de la Société Royale des Sciences de Montpellier ». C'est avec ce titre, bien long, que les statistiques endossent, en 1746, leur premier grand rôle dans la vie moderne : celui d'un outil de prévision… Le mathématicien Antoine Deparcieux y établit le "profil" de la mortalité de popu-

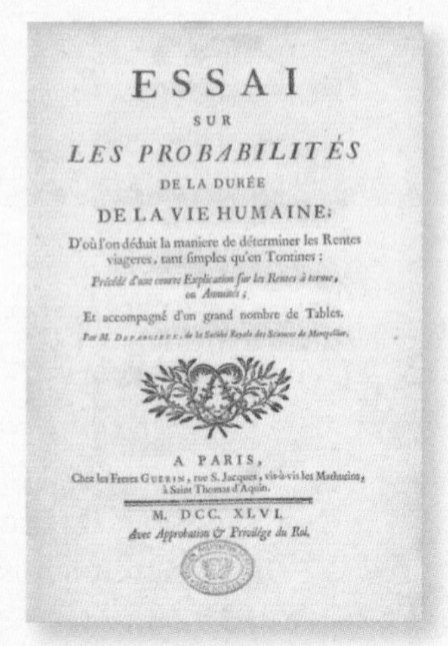

ESSAI
SUR
LES PROBABILITÉS
DE LA DURÉE
DE LA VIE HUMAINE :
D'où l'on déduit la maniere de déterminer les Rentes viageres, tant simples qu'en Tontines :
Précédé d'une courte Explication sur les Rentes à terme, ou Annuités ;
Et accompagné d'un grand nombre de Tables.
A PARIS,
Chez les Freres GUERIN, rue S. Jacques, vis-à-vis les Mathurins, à Saint Thomas d'Aquin.
M. DCC. XLVI.
Avec Approbation & Privilége du Roi.

Page de titre de *Essai sur les probabilités…*, d'A. Deparcieux, 1746.

Deparcieux y établit le "profil" de la mortalité à partir de données statistiques venant de registres et de nécrologies.

Le projet SETI

Mis en place par Frank Drake en 1961 et toujours très actif, le projet *Search for Extra-Terrestrial Intelligence*, scrute à l'aide de plusieurs téléscopes, dont le radiotéléscope géant d'Arecibo les milliards de signaux provenant du cosmos. De très puissants algorithmes de calcul statistique, mis en réseau dans l'Internet (plus de 5 millions d'ordinateurs du réseau SETI@home), analysent constamment ces signaux à la recherche d'un qui ne serait ni purement aléatoire (bruits statistiques – ▶ encadré –) ni trop simple et répétitif – pouvant provenir d'un processus cosmique purement physique. De fait, le 15 août 1977, les astronomes ont cru déceler un signal intelligent pendant 72 secondes – nommé signal "Wow !" à cause de la réaction de l'astronome qui l'a découvert – en provenance de la constellation du Sagittaire. Mais depuis lors, on n'a jamais plus capté ce signal, ce qui laisse penser qu'il s'agissait d'un "accident" statistique causé peut-être par des appareillages terrestres.

Bruits statistiques

Qu'il s'agisse de signaux cosmiques ou de tout autre succession de données dont on cherche à déterminer s'ils suivent une loi ou non (aléatoire) – signaux radio, succession d'atomes dans l'ADN, impulsions électriques, etc. – les ingénieurs possèdent parmi leurs outils d'analyse statistique un certain nombre de filtres distinguant une succession ordonnée d'une succession aléatoire ou non significative, que l'on nomme bruit statistique. On les classe en termes d'énergie du spectre, dont on distingue quatre types :
1) le bruit blanc, dont le spectre est plat (en moyenne) : il révèle un mélange de signaux constants indépendants l'un de l'autre – comme la lumière émise par le Soleil ;
2) les bruits roses et rouges, dont les spectres sont faiblement et fortement décroissants, qui révèlent des processus physiques de diffusion du signal ;
3) les bruits bleus et violets, croissant et très croissant, qui signalent un processus physique de concentration ;
4) enfin, le bruit gris, qui décrit une courbe de type parabolique. Ce bruit sert notamment en traitement informatique des images, à comprimer des images naturelles : ce filtre permet de remplacer la valeur de couleur d'un pixel par la valeur médiane de l'ensemble des pixels de son voisinage, ce qui fait gagner de la place en mémoire.

lations à partir de données statistiques venant de registres et de nécrologies. En se servant des méthodes d'échantillonnage, de calcul de moyennes et d'écarts-types (que vous avez rencontrées dans le cours), Deparcieux crée les premières "tables de mortalité" permettant d'évaluer le risque moyen de mort d'un individu en fonction de son profil (âge, profession, etc.). Ce risque est alors directement transformé en pécule, par exemple dans le calcul du montant de rentes viagères – rente versée à quelqu'un durant toute sa vie en contrepartie de l'acquisition de son bien à sa mort... Avec Deparcieux, la statistique fait son entrée dans l'économie.

Le crime au service de la statistique

Mais ce n'est qu'en 1835 que la statistique finit de prendre la place qui est la sienne aujourd'hui : celle d'une science mathématique mais aussi humaine, omniprésente dans le débat public. C'est Adolphe Quételet, astronome belge, qui dans son ouvrage *Sur l'homme et le développement de ses facultés, ou Essai de physique sociale*, intègre à la statistique toutes les lois de probabilités développées depuis Pascal et Fermat (▶ **Culture Maths** p. 300-301) : mesure des erreurs, méthode des moindres carrés, loi binomiale, etc. Quételet croit à la possibilité d'établir une science mathématique humaine capable de relier les phénomènes sociaux de masse à des lois. Ainsi, il tente d'établir des lois statistiques des suicides et des crimes en fonction de paramètres comme l'origine sociale, l'âge, le sexe, le climat, le niveau d'études, le revenu, etc. Mais Quételet se voit reprocher de faire de l'homme un être dont le comportement est prédéterminé par des lois mathématiques...

Sont-ce les statistiques qui déterminent nos comportements ou l'inverse ?

Et le libre arbitre ?

Car avec les statistiques sociales, une question se pose : sont-ce les statistiques qui déterminent nos comportements ou l'inverse ? Par exemple, si le taux de meurtriers dans la population d'une ville est de 5 % par an, cela signifie-t-il qu'il existe une sorte de loi qui nous dépasse et qui "oblige" 5 % de personnes à se transformer en meurtriers ? Ce type de questionnement hantera tout le XXe siècle – et conduira à de tragiques dérapages où l'on voudra "neutraliser" dès le berceau tout homme né avec les "paramètres statistiques du crime"...

Statistiques extraterrestres

Dans tous les cas, la statistique, armée des lois de probabilité, envahit le XXe siècle avec une force qui déborde la planète. Ainsi, depuis les années 1960, les astronomes se servent des statistiques pour pister... les extraterrestres : le projet SETI (*Search for Extra-Terrestrial Intelligence*) scrute depuis 50 ans tous les "bruits parasites" électromagnétiques (lumière visible, ondes radio, etc.) provenant du cosmos (▶ encadré). Grâce à l'outillage statistique, nos astronomes seraient ainsi capables d'identifier, au milieu de milliards de signaux cosmiques aléatoires, celui provenant d'un émetteur de séries télévisées sur la planète Gliese 581c...

Exercices d'application

Loi binomiale

1 Un sac contient trois jetons rouges numérotés de 1 à 3, quatre jetons verts numérotés de 1 à 4 et un jeton noir numéroté 1. À l'aide de l'expérience consistant à tirer un jeton au hasard dans le sac, on définit différentes épreuves de Bernoulli. Préciser dans chaque cas le paramètre p.

a. L'issue est un succès si le jeton tiré est rouge.
b. L'issue est un succès si le jeton tiré est numéroté 1.
c. L'issue est un succès si le jeton tiré est rouge ou numéroté 1.
d. L'issue est un échec si le jeton tiré est noir.
e. L'issue est un échec si le jeton tiré est vert ou numéroté 2.

2 Dans chaque cas, définir une épreuve de Bernoulli à l'aide de l'expérience proposée et préciser son paramètre p.

a. On choisit une personne au hasard dans un groupe de dix filles et sept garçons.
b. On choisit une carte au hasard dans un jeu de 32 cartes.
c. On tire au hasard une boule dans un sac contenant dix boules rouges, dix boules vertes et cinq boules blanches.

3 Dans une épreuve de Bernoulli, la probabilité d'un échec est quatre fois plus importante que celle d'un succès. Quelle est la probabilité d'un succès ?

4 Dans chaque cas, justifier si l'expérience décrite permet de définir un schéma de Bernoulli.

a. On lance six fois de suite un dé équilibré à six faces.
b. On lance une pièce de monnaie jusqu'à obtenir « pile ».
c. On tire au hasard dix boules dans un sac contenant dix boules rouges et dix boules vertes.
d. On tire, les yeux bandés, trois flèches dans une cible.

5 Un professeur pose trois questions sous forme de QCM. Pour chaque question, quatre réponses sont proposées dont une seule est correcte.
Irina décide de répondre au hasard. On note S une bonne réponse et $\overline{S}$ une mauvaise réponse.

a. Construire l'arbre de probabilité décrivant les issues du QCM.
b. Quelle est la probabilité d'obtenir 3 bonnes réponses ?
c. Quelle est la probabilité de l'issue $(S, \overline{S}, \overline{S})$?
d. Quelle est la probabilité d'obtenir une seule bonne réponse ?
e. Quelle est la probabilité d'obtenir au moins une bonne réponse ?

6 Construire un arbre afin d'illustrer les réponses aux questions suivantes.

a. De combien de façons peut-on choisir l'ordre des trois couleurs bleu-blanc-rouge pour colorier le drapeau ci-contre ?

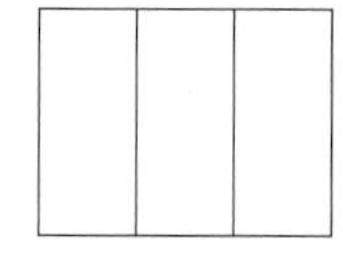

b. Combien le mot RAME a-t-il d'anagrammes ?
c. Combien le mot RARE a-t-il d'anagrammes ?

7 **a.** Brice veut emmener quatre amis à la plage, mais il n'a que trois places pour eux dans sa voiture. De combien de façons peut-il choisir les amis qu'il va emmener ?
b. Une fois à la plage, Brice et ses trois amis n'ont que deux planches de surf. De combien de façons peut-on choisir les deux premiers surfeurs ?

8 **1.** Déterminer sans calculatrice les coefficients binomiaux suivants.

a. $\binom{17}{0}$ **b.** $\binom{17}{1}$ **c.** $\binom{17}{17}$ **d.** $\binom{17}{16}$

2. On donne $\binom{17}{8} = 24\,310$.

En déduire les coefficients binomiaux suivants.

a. $\binom{17}{9}$ **b.** $\binom{18}{9}$

Savoir-faire 1 p. 322

9 **a.** Compléter à l'aide de la calculatrice le tableau suivant avec les coefficients binomiaux pour $n = 8$.

k	0	1	2	3	4	5	6	7	8
$\binom{8}{k}$									

b. Vérifier que $\sum_{k=0}^{8} \binom{8}{k} = 2^8$ et expliquer ce résultat en s'appuyant sur un schéma de Bernoulli.

10 La combinaison $\binom{n}{k}$ donne le nombre de façons de choisir k éléments parmi n.
Déterminer à l'aide de la calculatrice le nombre de façons de faire les choix suivants.

a. On désigne au hasard 2 délégués dans une classe de 35 élèves.
b. À la fin d'un match, on désigne au hasard 3 joueurs parmi les 11 d'une équipe de football pour un test anti-dopage.
c. On invente un accord au piano en jouant 3 notes au hasard d'une octave.
d. On sépare 20 enfants pour former 2 équipes de 10.

11 **a.** Voici la ligne du triangle de Pascal pour $n = 9$.

k	0	1	2	3	4	5	6	7	8	9
$\binom{9}{k}$	1	9	36	84	126	126	84	36	9	1

En déduire la ligne correspondant à $n = 10$.

b. Voici les données de la ligne du triangle de Pascal correspondant à $n = 14$.

k	0	1	2	3	4	5	6	7
$\binom{14}{k}$	1	14	91	364	1 001	2 002	3 003	3 432

k	8	9	10	11	12	13	14
$\binom{14}{k}$	3 003	2 002	1 001	364	91	14	1

En déduire la ligne correspondant à $n = 13$.

12 Problème ouvert

On a extrait ci-contre un bloc du triangle de Pascal. Déterminer n et k tels que $\binom{n}{k} = 171$.

171	969	3 876
190	1 140	4 845
210	1 330	5 985

13 On souhaite étudier les sommes alternées des coefficients binomiaux.

1. Calculer les sommes suivantes :

$\binom{3}{0}-\binom{3}{1}+\binom{3}{2}-\binom{3}{3}$ et $\binom{4}{0}-\binom{4}{1}+\binom{4}{2}-\binom{4}{3}+\binom{4}{4}$.

Que peut-on conjecturer ?

2. On choisit n pair.

a. Démontrer que :

$$\binom{n}{0}-\binom{n}{1}+\binom{n}{2}-\ldots+\binom{n}{n-2}-\binom{n}{n-1}+\binom{n}{n}=0$$

b. À l'aide de la relation $\binom{n}{k}+\binom{n}{k+1}=\binom{n+1}{k+1}$, montrer que :

$$\binom{n+1}{0}-\binom{n+1}{1}+\binom{n+1}{2}-\ldots-\binom{n+1}{n-1}+\binom{n+1}{n}-\binom{n+1}{n+1}=0$$

3. Conclure en donnant un résultat général sur les sommes alternées de coefficients binomiaux.

14 Au concours du saut en longueur, le sportif français sait qu'il mord la ligne aléatoirement une fois sur trois. Un saut est réussi s'il ne mord pas.

Une série de saut comporte trois tentatives.

1. Répondre aux questions suivantes à l'aide d'un schéma de Bernoulli.

a. Construire l'arbre de probabilité des trois tentatives en notant S un saut réussi et en précisant la probabilité de chaque issue.

b. Quelle est la probabilité que le sportif morde ses trois essais ?

c. Quelle est la probabilité qu'il réussisse au moins un essai ?

d. Quelle est la probabilité qu'il morde les deux premiers essais et réussisse le troisième ?

e. Quelle est la probabilité qu'il ne réussisse qu'un seul essai ?

2. On définit la variable aléatoire X donnant le nombre de sauts réussis.

a. Justifier que X suit une loi binomiale et préciser ses paramètres.

b. Retrouver alors la probabilité que le sportif ne réussisse qu'un seul essai.

Savoir-faire 2 p. 323

15 On lance deux dés cubiques bien équilibrés. On gagne si les chiffres des deux dés sont identiques.

1. Calculer la probabilité de gagner.

2. On répète quatre fois l'expérience et on définit la variable aléatoire X donnant le nombre de parties gagnées.

a. Justifier que X suit une loi binomiale et préciser ses paramètres.

b. Déterminer la probabilité de ne jamais gagner.

c. Déterminer la probabilité de gagner deux fois.

16 On lance une pièce de monnaie.

Est-il plus ou moins probable d'obtenir 3 « pile » en 7 lancers que 4 « pile » en 8 lancers ?

17 Chez un fabriquant de calculatrices, une étude a montré que 2 % des produits ont un défaut.

Un professeur a commandé 34 de ces calculatrices pour ses élèves. Les probabilités que ces calculatrices aient des défauts sont indépendantes.

On définit la variable aléatoire X donnant le nombre de calculatrices défectueuses.

1. Justifier que X suit une loi binomiale et préciser ses paramètres.

2. a. Déterminer à l'aide de la calculatrice (si elle n'est pas défectueuse !) la probabilité qu'aucune calculatrice de la classe ne soit défectueuse.

b. En déduire la probabilité qu'au moins une calculatrice soit défectueuse.

c. Déterminer la probabilité qu'au moins deux calculatrices soient défectueuses.

3. Calculer l'espérance et l'écart-type de cette loi. Interpréter ce résultat.

18 À la fête foraine, un jeu consiste à faire tourner une roue pour gagner un cadeau. La roue comporte seize secteurs identiques dont cinq seulement permettent de gagner. Dix joueurs consécutifs participent au jeu.

a. Quelle est la probabilité qu'un seul d'entre eux gagne ?

b. Quelle est la probabilité qu'au moins l'un d'entre eux gagne ?

19 Une urne contient une boule noire et des boules blanches. On tire 6 fois avec remise de la boule tirée et on définit la variable aléatoire X donnant le nombre de boules blanches tirées. X suit une loi binomiale $\mathscr{B}(6, p)$.

1. Exprimer $p(X = 6)$ en fonction de p.

2. a. Déterminer la valeur de p pour que la probabilité de ne tirer que des boules blanches soit supérieure à 0,5.

b. En déduire le nombre de boules blanches à mettre dans l'urne.

c. Que vaut alors $p(X = 6)$?

20 Problème ouvert

Au tournoi de Roland-Garros, Raphaël Nadal passe 85 % de premières balles au service.

Un de ses jeux de service s'est conclu en sept points.

a. Combien de premiers services pouvait-il espérer passer lors de ce jeu ?

b. Déterminer la probabilité qu'il ait réussi au moins cinq premiers services.

21 À un concours, un QCM comporte 8 questions. Pour chaque question, on propose quatre réponses dont une seule est correcte. Une bonne réponse rapporte un point, une mauvaise réponse enlève un demi-point.
Un candidat décide de répondre au hasard à toutes les questions.

1. On définit la variable aléatoire X donnant le nombre de bonnes réponses du candidat.

a. Justifier que X suit une loi binomiale et préciser ses paramètres.

b. Calculer la probabilité d'obtenir 4 bonnes réponses au QCM.

2. On définit la variable aléatoire Y donnant le nombre de points du candidat.

a. Établir la loi de probabilité de Y.

b. Calculer l'espérance et l'écart-type de Y et interpréter ce résultat.

3. Reprendre les questions **1** et **2** en considérant un « Vrai ou faux ? » et le même barème.
L'issue est-elle plus ou moins favorable pour le candidat ?

22 Au biathlon, les skieurs doivent réaliser des séries de cinq tirs couchés à 50 m sur des cibles de 45 mm de diamètre. Les meilleurs biathlètes mondiaux touchent leur cible 9 fois sur 10. On définit la variable aléatoire X donnant le nombre de tirs réussis dans une série.

1. Montrer que X suit une loi binomiale et préciser ses paramètres.

2. a. Dresser la loi de probabilité de X.

b. Déterminer la probabilité de toucher au plus 4 cibles.

c. Déterminer la probabilité de toucher au moins 3 cibles.

3. Calculer l'espérance de X et interpréter ce résultat.

23 Problème ouvert

Une variable aléatoire suit une loi binomiale $\mathscr{B}(n, p)$. Montrer que quel que soit n, la variance est maximale lorsque $p = \frac{1}{2}$.

24 Problème ouvert

Une variable aléatoire suit une loi binomiale $\mathscr{B}(n, p)$. Son espérance vaut 0,4 et son écart-type 0,6.
Déterminer n et p.

Échantillonnage

25 Une urne contient 100 boules dont 38 vertes. On effectue un tirage de 50 boules prises au hasard avec remise et on s'intéresse au nombre X de boules vertes tirées.

a. Quelles sont les valeurs prises par X ?

b. Quelle est la proportion p de boules vertes dans l'urne ?

c. Quelles sont les valeurs possibles pour f, proportion de boules vertes parmi celles qui ont été tirées ?

26 Un boulanger sait qu'à la sortie de son fournil 5 % des baguettes ne sont pas parfaites car leur couleur n'est pas homogène. À chaque cuisson, il met les 40 baguettes sortant de son terminal de cuisson dans un panier.

a. Quelles sont les valeurs possibles du nombre de baguettes parfaites dans un panier ?

b. Quelles sont les valeurs possibles de la fréquence f, proportion de baguettes parfaites dans un panier ?

27 La variable aléatoire X suit la loi binomiale de paramètres $n = 40$ et $p = 0{,}2$.

k	$p(X = k)$
0	0,0001
1	0,0013
2	0,0065
3	0,0205
4	0,0475
5	0,0854
6	0,1246
7	0,1513
8	0,156
9	0,1386
10	0,1075
11	0,0733

k	$p(X = k)$
12	0,0443
13	0,0238
14	0,0115
15	0,005
16	0,0019
17	0,0007
18	0,0002
19	0,0001
20	0
21	0
...	0
40	0

1. Combien vaut :
$\sum_{k=0}^{40} p(X = k) = p(X = 0) + p(X = 1) + \ldots + p(X = 40)$?

2. Calculer :
a. $\sum_{k=0}^{12} p(X = k)$ **b.** $\sum_{k=0}^{13} p(X = k)$
c. $\sum_{k=0}^{14} p(X = k)$ **d.** $\sum_{k=0}^{15} p(X = k)$

3. a. Déterminer un entier α tel que $p(X \leqslant \alpha) \geqslant 0{,}975$.
b. Déterminer le plus petit entier β tel que $p(X \leqslant \beta) \geqslant 0{,}975$.

28 Un véhicule automobile doit être présenté tous les 2 ans à un centre de contrôle technique. En 2006, environ 17 millions de véhicules ont été contrôlés en visite initiale. Environ 20 % d'entre eux ont dû être présentés à un contrôle complémentaire après réparation.
On s'intéresse à des échantillons de taille 100 pris parmi les véhicules contrôlés.
À l'aide de la loi binomiale de paramètres 100 et 0,2, donner l'intervalle de fluctuation au seuil de 95 % des effectifs de tels échantillons.

▸ Savoir-faire 3 p. 323

29 Dans une production, 5 % des pièces produites sont défectueuses. Dans un échantillon de taille 200, déterminer un intervalle de fluctuation au seuil 0,95 de la fréquence des pièces défectueuses.

30 Les œufs de poules sont classés en catégories selon leur taille : S pour un œuf de moins de 53 g, M pour un œuf de 53 à moins de 63 g, L pour un œuf de 63 à moins de 73 g et XL pour un œuf de 73 g et plus.
Dans un élevage de poules, les proportions des œufs S, M, L et XL produits sont respectivement 5 %, 50 %, 35 % et 4 %. Le reste de la production ne peut être vendu.
Pour des échantillons de taille 100, déterminer les intervalles de fluctuation à 95 % des fréquences pour les 4 tailles.

31 On prélève un échantillon de 50 boules dans une urne qui contient 25 % de boules vertes et on s'intéresse à la proportion f de boules vertes qui se trouvent dans l'échantillon.
a. Donner les paramètres de la loi binomiale qui modélise la situation.
b. Déterminer l'intervalle de fluctuation au seuil de 95 % de la fréquence f.

▸ Savoir-faire 3 p. 323

32 Un tableur permet d'obtenir les différentes valeurs de $p(X = k)$ où X est une variable aléatoire qui suit la loi binomiale de paramètres n et p (n entier naturel, p nombre réel appartenant à l'intervalle $[0 ; 1]$, k entier naturel inférieur ou égal à n). Il est également possible d'obtenir les valeurs de $p(X \leqslant k)$. L'extrait ci-dessous donne ces valeurs pour $n = 40$, $p = 0{,}15$ et k compris entre 0 et 6.

	A	B	C	D	E
1	k	p(X = k)	p(X <= k)	k/n	
2	0	0,001502301	0,001502301	0	
3	1	0,010604479	0,012106781	0,025	
4	2	0,036491885	0,048598666	0,05	a
5	3	0,081570096	0,130168762	0,075	
6	4	0,133151186	0,263319948	0,1	
7	5	0,169180331	0,432500278	0,125	
8	6	0,174156223	0,606656501	0,15	

1. a. Quel est le plus petit entier a tel que :
$$p(X \leqslant a) > 0{,}025 \text{ ?}$$
b. Dans les cellules E3 à E42, se trouve une formule qui permet au tableur d'afficher de manière automatique la lettre « a » dans la ligne qui contient, en colonne A, la valeur a cherchée dans la question **1a.**
Laquelle des formules suivantes, mise en E3 et copiée vers le bas, permet cet affichage :
- « =SI(C4>=0,025;"a";"") » ?
- « =SI(ET(C3>0,025;C2<=0,025);"a";"") » ?
- « =SI(OU(C3>0,025;C2<=0,025);"a";"") » ?
- « =SI(C3<0,025;"a";"") » ?

2. Soit b le plus petit entier tel que $p(X \leqslant b) \geqslant 0{,}975$.
Proposer une formule à saisir dans les cellules en colonne E qui permet d'afficher automatiquement la lettre « b » dans la ligne où en colonne A se trouve b.

3. Proposer une formule qui affiche à la fois « a » et « b » dans les lignes correspondantes.

33 Une production est réglée pour fournir 40 % de bonbons acidulés dans un mélange de bonbons.
a. Déterminer un intervalle de fluctuation au seuil de 95 % de la fréquence des bonbons acidulés dans un échantillon de taille 150.
b. Énoncer la règle de décision, à partir d'un échantillon, pour accepter ou réfuter l'hypothèse d'un réglage à 40 %.
c. Le contrôle d'un échantillon de 150 bonbons donne la répartition acidulés et autres respectivement à 45 % et 55 %. Peut-on, au seuil de 95 %, accepter l'hypothèse que le réglage est satisfaisant ?

▸ Savoir-faire 4 p. 324

34 Dans une production de bouchons en liège, la proportion de ceux d'entre eux qui sont qualifiés « premier choix » est de 35 %. Les autres sont dits de « second choix ». Les bouchons sont emballés par lot de 200. On note le nombre de bouchons « premier choix » trouvés dans chaque lot.

1. Combien de bouchons « premier choix » contiennent en moyenne les lots ?

2. Dans le premier lot du 1er juin, on ne dénombre que 60 bouchons de « premier choix ».
a. Donner l'intervalle de fluctuation au seuil de 95 % des effectifs pour ces lots de 200.
b. Énoncer une règle de décision pour confirmer ou infirmer l'hypothèse des 35 %.
c. Que peut-on conclure à partir du premier lot du 1er juin ?

3. Que peut-on conclure à partir du dernier lot du 1er juin où on dénombre 85 bouchons « premier choix » ?

35 Des paires de chaussettes taille 43 sont vendues en promotion dans un hypermarché. D'après l'affichage en tête de gondole, 90 % d'entre elles contiennent du coton. Un client, persuadé de faire une affaire, décide d'en acheter 50 paires prises au hasard.
a. Montrer que, dans un échantillon de taille 50, le nombre de paires qui contiennent du coton est une variable aléatoire qui suit une loi binomiale.
b. Pour ces échantillons, déterminer un intervalle de fluctuation à 95 % de l'effectif.
c. Arrivé chez lui, le client constate qu'il n'a que 40 paires qui contiennent du coton.
En supposant qu'il a été le premier client, a-t-il raison d'affirmer que l'affichage était mensonger ?

36 Un laboratoire pharmaceutique affirme que son nouveau médicament contre le mal des transports est efficace dans 85 % des cas.
Une association indépendante collecte des données lors de plusieurs traversées Les Sables-d'Olonne – l'île d'Yeu auprès de passagers qui ont pris ce médicament et qui étaient systématiquement malades lors de traversées antérieures. Parmi les 57 personnes interrogées, 42 n'ont pas été malades comme d'habitude.
Ces statistiques sont-elles conformes à l'affirmation du laboratoire pharmaceutique ?

COUP DE POUCE

On pourra :
(1) modéliser la prise d'un échantillon de taille 57 en utilisant une loi binomiale dont on précisera les paramètres ;
(2) énoncer la règle de décision ;
(3) calculer la fréquence de personnes non malades parmi les 57 ;
(4) conclure.

37 Au Canada, en 2009, une étude a montré que 51 % des femmes et 40 % des hommes consomment au moins 5 fois par jour des fruits ou légumes. Nous les noterons « 5FL ».
On suppose dans la suite que le choix des personnes peut être assimilé à des prises d'échantillons.

1. a. On interroge au hasard 100 canadiennes et l'on note X_F le nombre d'entre elles qui sont 5FL.
Déterminer au seuil de 95 % un intervalle de fluctuation des effectifs des 5FL.
b. Même question pour 100 canadiens en notant X_H le nombre d'entre eux qui sont 5FL.

2. En 2011, un échantillon de 200 personnes (100 canadiennes et 100 canadiens) est interrogé à ce sujet ; 55 hommes et 55 femmes se déclarent 5FL.
Les producteurs de fruits et légumes pensent qu'entre 2009 et 2011 la situation n'a pas changé.
Décrire puis mettre en œuvre une règle de décision pour accepter ou réfuter leur affirmation.

38 Théo lance 100 fois une pièce de monnaie supposée équilibrée.
Peut-on soupçonner Théo d'avoir triché s'il obtient 66 fois « face » ?

39 On considère une urne contenant des boules blanches et des boules noires selon les proportions respectives p et $1 - p$.
Pour des échantillons de taille n prélevés, on s'intéresse à la fréquence des boules blanches et des boules noires.
Soit $[a_1 ; b_1]$ l'intervalle de confiance au seuil 0,95 de la fréquence des boules blanches ; soit $[a_2 ; b_2]$ l'intervalle de confiance au seuil 0,95 de la fréquence des boules noires.
a. Démontrer qu'il existe n et p tels que :

$$[a_1 ; b_1] \cap [a_2 ; b_2] = \varnothing$$

b. Démontrer que, si $p = 0,5$, alors pour tout entier naturel non nul n, on a :

$$[a_1 ; b_1] = [a_2 ; b_2]$$

Raisonnement logique

▶ Fiches Raisonnement logique p. 8 à 10

Pour les exercices 40 à 42

Pour chaque affirmation, indiquer si elle est vraie ou fausse ; justifier.

40 Vrai ou faux ?

Une expérience consiste à lancer 3 dés cubiques.

a. La variable aléatoire X donnant le nombre de 6 suit une loi binomiale.

b. La variable aléatoire X donnant la somme des faces des dés suit une loi binomiale.

c. La variable aléatoire X donnant le nombre de multiples de 3 suit une loi binomiale.

d. La variable aléatoire X donnant la parité de la somme suit une loi binomiale.

41 Vrai ou faux ?

Une variable aléatoire X suit une loi binomiale $\mathcal{B}\left(2, \frac{1}{2}\right)$.

a. $p(X = 1) = \frac{1}{4}$ **b.** $E(X) = 1$ **c.** $\sigma(X) = \frac{1}{2}$

42 Vrai ou faux ?

a. Un échantillon comporte toujours plus de 3 éléments.

b. La fréquence de boules rouges dans un échantillon comprenant des boules de différentes couleurs est toujours comprise entre 0 et 1.

c. Dans des échantillons différents, les fréquences d'un caractère sont toujours différentes.

d. Un échantillon de taille n est prélevé dans une production qui contient 50 % de pièces défectueuses. L'intervalle de fluctuation à 95 % des effectifs a parfois comme centre $\frac{n}{2}$.

e. Dans des conditions similaires, le doublement de la taille d'un échantillon divise par deux l'étendue de l'intervalle de fluctuation au seuil de 95 %.

43 Quantificateurs universels et existentiels

Dans chaque cas, énoncer des propositions vraies en utilisant des quantificateurs universels (tout, pour tout, quel que soit) et des quantificateurs existentiels (il existe) ainsi que les groupes de mots proposés.

a. k compris entre 0 et n ; $\binom{n}{k} = \binom{n}{n-k}$.

b. X suit une loi binomiale dont n est un paramètre ; p compris entre 0 et 1 ; $p(X = k) = p(X = n - k)$.

c. k compris entre 0 et 2 012 ; $\binom{2012}{k} \leqslant \binom{2012}{1006}$.

Restitution des connaissances

44 On rappelle la formule suivante valable pour tout $n \geqslant 1$ et pour tout $0 \leqslant k \leqslant n-1$:

$$\binom{n}{k} + \binom{n}{k+1} = \binom{n+1}{k+1}$$

a. Démontrer que, pour tout $0 \leqslant k \leqslant n-2$:

$$\binom{n}{k} + 2\binom{n}{k+1} + \binom{n}{k+2} = \binom{n+2}{k+2}$$

b. Démontrer que, pour tout $0 \leqslant k \leqslant n-3$:

$$\binom{n}{k} + 3\binom{n}{k+1} + 3\binom{n}{k+2} + \binom{n}{k+3} = \binom{n+3}{k+3}$$

c. Les coefficients binomiaux pour $n = 4$ sont 1, 4, 6, 4 et 1. En déduire la valeur de $\binom{7}{3}$.

45 On rappelle que :

- si X suit une loi binomiale de paramètres n et p, $p(X = k) = \binom{n}{k} p^k(1-p)^{n-k}$.
- l'intervalle de fluctuation des effectifs au seuil 0,95 est l'intervalle $[a ; b]$ avec a le plus petit entier tel que $p(X \leqslant a) > 0{,}025$ et b le plus petit entier tel que $p(X \leqslant b) \geqslant 0{,}975$.

Montrer que si $p = 0{,}5$ et $a = 0$ alors $2^n < 40$.

CORRIGÉ P. 342

Pour chaque question, indiquer la (les) bonne(s) réponse(s).

Loi binomiale

46 Le nombre d'issues d'une épreuve de Bernoulli est :

A 1 B 2 C 3 D n

47 Le nombre d'issues d'une répétition de n épreuves de Bernoulli identiques est :

A 2 B n C $2n$ D 2^n

48 Le nombre de valeurs que prend une variable aléatoire suivant une loi binomiale $\mathcal{B}(n, p)$ est :

A 2 B n C $n+1$ D p^n

49 Une variable aléatoire X suit une loi binomiale $\mathcal{B}(n, p)$. Sa loi de probabilité X est donnée par :

x_i	0	1	2	3	4
$p(X = x_i)$	$\frac{16}{81}$	$\frac{32}{81}$	$\frac{24}{81}$	$\frac{8}{81}$	$\frac{1}{81}$

a. La valeur de n est :

A 3 B 4 C 5 D 81

b. La valeur de p est :

A $\frac{1}{3}$ B $\frac{2}{3}$ C $\frac{1}{9}$ D $\frac{1}{81}$

c. L'espérance de X vaut :

A 1 B 2 C $\frac{4}{3}$ D $\frac{8}{3}$

50 Le coefficient binomial $\binom{2012}{2011}$ vaut :

A 1 B 2011 C 2012 D 2011×2012

51 On note a le coefficient binomial $\binom{2013}{1006}$.

a. Le coefficient binomial $\binom{2013}{1007}$ vaut :

A a B $a+1$ C $2a$ D $2013 - a$

b. Le coefficient binomial $\binom{2014}{1007}$ vaut :

A a B $a+2$ C $2a$ D $2a+2$

Échantillonnage

52 Une urne contient 1 000 boules rouges et 1 000 boules vertes. On y prélève successivement et avec remise 100 boules. Soit N le nombre de boules rouges tirées.

A Il est certain que N est compris entre 25 et 75.
B Il peut arriver que N soit égal à 50.
C N est égal à 10.
D N est presque toujours compris entre 49 et 51.

53 Une urne contient 140 boules rouges et 60 boules vertes. On compte le nombre de boules rouges dans un échantillon de 50 boules prélevées de cette urne.

a. L'intervalle de fluctuation à 95 % des effectifs est :

A [9 ; 22] B [31 ; 39] C [15 ; 28] D [28 ; 41]

b. L'intervalle de fluctuation à 95 % des fréquences est :

A [0,4 ; 0,5] B [0,56 ; 0,82] C [0 ; 1] D [0,18 ; 0,44]

54 On jette un dé équilibré 60 fois. Il indique 15 fois le 6. L'hypothèse qu'il est équilibré est :

A vraie. B fausse. C vraie au seuil de 95 %.
D fausse au seuil de 95 %.

PRÊT POUR LE CONTRÔLE ?

55 Dans la population française, 6 % des personnes ont comme groupe sanguin O négatif (donneur universel). On suppose que 60 donneurs se présentent chaque mois au centre de transfusion et peuvent être considérés comme un échantillon prélevé dans la population.

a. Montrer que le nombre de donneurs O négatif par mois dans ce centre suit une loi binomiale dont on donnera les paramètres.

b. Quelle est la probabilité qu'au moins deux donneurs soient O négatif ?

c. Quelle est l'espérance de cette loi ?
Interpréter ce nombre.

56 D'après une publication de l'INSEE en 2004, parmi les personnes ayant été scolarisées en France, 9 % peuvent être considérées en situation d'illettrisme.

a. Pour un échantillon de 100 personnes pris parmi la population française en 2004, donner un intervalle de fluctuation à 95 % de la fréquence de celles qui peuvent être considérées en situation d'illettrisme.

b. Un publicitaire qui pense que la situation n'a pas évolué en 2011 réalise une enquête auprès de 100 personnes et en dénombre parmi elles 5 à considérer en situation d'illettrisme. En supposant qu'il s'agit d'un échantillon, peut-il accepter ou réfuter au seuil 0,95 ce qu'il pensait ?

Problèmes

57 Double face

Une expérience consiste à lancer deux pièces de monnaie. L'issue est gagnante si l'une des deux pièces au moins est retombée sur « pile ».

On répète n fois l'expérience et on définit la variable aléatoire X donnant le nombre de parties gagnées.

1. Déterminer la probabilité de gagner l'expérience.

2. Comment devrait-on choisir n pour espérer gagner six fois sur n répétitions de l'expérience ?

3. On étudie désormais la probabilité de gagner une fois sur n répétitions de l'expérience.

a. Montrer que $p(X = 1) = \dfrac{3n}{4^n}$.

b. Déterminer, à l'aide de la calculatrice, la valeur minimale de n telle que $p(X = 1) < 0{,}01$.

58 Hérédité

Un couple souhaite avoir des enfants. Leurs antécédents familiaux leur donnent un risque de 30 % d'avoir des jumeaux. Ce couple mène trois grossesses à leur terme.

1. On note X la variable aléatoire donnant le nombre de paires de jumeaux de la famille.

a. Montrer que X suit une loi binomiale et préciser ses paramètres.

b. En déduire la probabilité pour ce couple d'avoir deux paires de jumeaux.

2. On note Y la variable aléatoire donnant le nombre d'enfants de ce couple.

a. Déterminer la loi de probabilité de Y.

b. Calculer son espérance et son écart-type.

Interpréter ces résultats.

59 Jeu dangereux

On lance simultanément dix pièces de monnaie. Le lancer est considéré comme gagnant si le nombre de « pile » n'est pas compris entre 4 et 6 inclus.

1. On définit la variable aléatoire X donnant le nombre de « pile » obtenus sur 10 lancers.

a. Justifier que X suit une loi binomiale et préciser ses paramètres.

b. Montrer que $p(X = k) = \dfrac{\binom{10}{k}}{1024}$.

c. En déduire que $p(4 \leqslant X \leqslant 6) = \dfrac{21}{32}$.

d. En déduire la probabilité que le lancer soit gagnant.

2. On joue six fois de suite à ce jeu.

Quelle est la probabilité de gagner au moins une fois ?

60 My cup runneth over

Here is an ornamental fountain. Each cup holds 1 litre of water before it spills over equally into the two cups below it.

At the beginning the cups are empty.

How many litres of water need to be poured into cup 1 so that cup 5 can be completely filled up?

And how many so that cup 4 is completely full? and for cup 8?

Explain your answers.

D'après *Mathématiques sans frontières*, novembre 2009.

61 Les limites de la chance

Une variable aléatoire X suit une loi binomiale $\mathscr{B}\left(n, \dfrac{1}{n}\right)$ avec n un entier supérieur ou égal à 2.

a. Montrer que $p(X = 0) = \left(\dfrac{n-1}{n}\right)^n$.

b. Montrer que $p(X = 1) = \left(\dfrac{n-1}{n}\right)^{n-1}$.

c. En étudiant ces suites à l'aide de la calculatrice, déterminer leurs variations et une valeur approchée de leur limite.

d. Montrer que $\dfrac{p(X = 0)}{p(X = 1)}$ converge vers 1.

Interpréter ce résultat.

62 Tapisser

Dans une production de rouleaux de fibre de verre à tapisser, 15 % d'entre eux contiennent un léger défaut. Ces rouleaux sont livrés en magasin dans des cartons de 25 qui seront considérés comme des échantillons.

1. Soit X la variable aléatoire qui donne le nombre de rouleaux à défaut dans un carton.

a. Montrer que X suit une loi binomiale.

b. Déterminer son espérance $E(X)$ et son écart-type σ.

2. Déterminer les probabilités suivantes.

a. $p(E(X) - \sigma \leqslant X \leqslant E(X) + \sigma)$

b. $p(E(X) - 2\sigma \leqslant X \leqslant E(X) + 2\sigma)$

3. L'entreprise *Jetapisse* achète un carton de 25 rouleaux pour un chantier qui nécessite 15 rouleaux et pour lequel elle s'est engagée à ne pas poser de fibres à défaut. Y arrivera-t-elle ?

63 Étendue d'un intervalle de fluctuation

Il s'agit ici d'étudier l'étendue d'un intervalle de fluctuation en fonction de la taille de l'échantillon. Nous nous placerons dans le cas d'une prise d'échantillon de taille n dans une population dont un caractère est présent dans une proportion 0,5. Par exemple, n lancers d'une pièce de monnaie bien équilibrée pour lesquels on compte la fréquence de « pile ».

1. On suppose que $n = 10$.

a. Dresser le tableau de la loi binomiale de paramètres $n = 10$ et $p = 0,5$.

b. À l'aide de cette loi, déterminer l'intervalle de fluctuation à 95 % de la fréquence dans un échantillon de taille 10.

c. Montrer que l'étendue de cet intervalle est 0,6.

2. a. À l'aide d'un logiciel ou d'un tableur, déterminer l'étendue de l'intervalle de fluctuation pour différentes valeurs de n.
On pourra compléter le tableau ci-dessous où quelques résultats sont déjà reportés.

n	10	100	500	1 000	2 000	5 000
Étendue	0,6			0,062	0,044	0,028

b. Calculer pour ces différentes valeurs de n le rapport :

$$\frac{\textit{étendue}}{\frac{1}{\sqrt{n}}}$$

c. En déduire que $\frac{2}{\sqrt{n}}$ semble être une bonne approximation de l'étendue de l'intervalle de fluctuation au seuil de 95 % de la fréquence pour un échantillon de taille n.

d. À partir de la conjecture précédente, calculer la taille que devrait avoir l'échantillon pour que l'étendue de l'intervalle de fluctuation à 95 % soit inférieure à 10^{-2}.

64 Venez avec 4 €, repartez avec 100 € !

Une association souhaite organiser, chaque jour durant 20 jours, le jeu suivant :

- chaque participant verse 4 € et lance deux dés dont la somme des faces est S ;
- si S vaut 2, il gagne 100 € ; dans les autres cas, il ne gagne rien.

Le gain annoncé est impressionnant :

« Venez avec 4 €, repartez avec 100 € ! »

Les organisateurs pensent que 140 personnes participeront au jeu chaque jour.

1. Un joueur

Soit X la variable aléatoire qui donne, lorsqu'il y a un joueur, le gain algébrique en euros pour l'association.

a. Montrer que les valeurs possibles pour la variable aléatoire X sont -96 et $+4$.

b. Calculer l'espérance mathématique de la variable aléatoire X.

c. Conseillez-vous à cette association d'organiser le jeu ?

2. Une journée

Soit Y la variable aléatoire qui donne le nombre de gagnants par jour.

a. Montrer que Y suit une loi binomiale de paramètres $n = 140$ et $p = \frac{1}{36}$.

b. Donner $[a_1 ; b_1]$ l'intervalle de fluctuation au seuil de 95 % des effectifs des gagnants pour une journée.

c. Calculer le gain algébrique pour l'association s'il y avait a_1 gagnants cette journée.
Même question avec b_1 gagnants.

d. Conseillez-vous à cette association d'organiser le jeu durant une journée ?

3. Vingt jours

Soit Z la variable aléatoire qui donne le nombre de gagnants durant les 20 jours.

a. Montrer que Z suit une loi binomiale dont on donnera les paramètres.

b. Donner $[a_2 ; b_2]$ l'intervalle de fluctuation au seuil de 95 % des effectifs des gagnants durant les 20 jours.

c. Calculer le gain algébrique pour l'association s'il y a a_2 gagnants pendant cette période.
Même question avec b_2 gagnants.

d. L'association est-elle certaine de ne pas être perdante en organisant ce jeu durant 20 jours ?

65 Pointauto

Une grande station d'une enseigne franchisée, *Pointauto*, spécialisée dans la réparation de freins pour automobiles, s'est rendue compte que depuis de nombreuses années, 4 % des clients en moyenne se plaignent après l'intervention car le véhicule n'aurait pas été rendu avec l'intérieur dans l'état initial.
Après avoir embauché deux nouvelles personnes pour remplacer des départs à la retraite, une enquête de satisfaction auprès des clients montre que durant 8 mois (668 interventions), il y a eu exactement 12 clients mécontents par l'état intérieur du véhicule.
Peut-on, au seuil 0,95, faire l'hypothèse que le taux de clients insatisfaits par l'état intérieur après l'intervention chez *Pointauto* est resté à 4% ?

66 Élu !

Monsieur Bleu affronte monsieur Jaune aux élections nationales. Chacun est impatient de savoir s'il va être élu. Ils demandent donc à un institut d'organiser un sondage « sortie des urnes ».

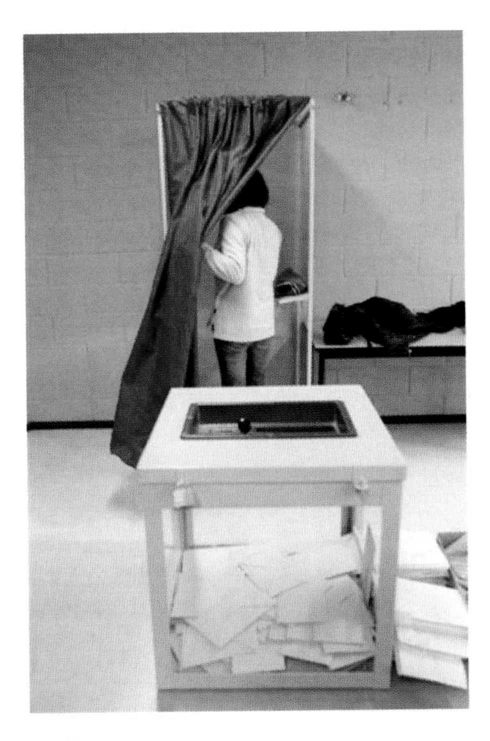

Partie A. *Étude théorique*

On suppose que parmi les bulletins de vote qui se trouvent dans une urne, exactement la moitié comporte une voix pour monsieur Bleu et l'autre moitié une voix pour monsieur Jaune. On prélève un échantillon de 150 bulletins dans cette urne.

1. Quelle loi suit la variable aléatoire X qui donne le nombre de bulletins de vote pour monsieur Bleu figurant dans de tels échantillons ?

2. Calculer la probabilité qu'il y ait exactement 75 voix pour monsieur Bleu dans l'échantillon.

3. a. À l'aide d'un tableur, donner les trois probabilités $p(63 \leqslant X \leqslant 87)$, $p(62 \leqslant X \leqslant 86)$ et $p(64 \leqslant X \leqslant 88)$.

b. Vérifier que pour ces trois intervalles $[a\ ;\ b]$, on a $p(a \leqslant X \leqslant b)$ proche et légèrement supérieure à 0,95.

c. Vérifier que pour un seul de ces intervalles, on a en plus les deux probabilités $p(X \leqslant a - 1)$ et $p(X \geqslant b + 1)$ qui sont inférieures à 0,025.

4. Déterminer, au seuil de 95 %, un intervalle de fluctuation de la fréquence des votants pour monsieur Bleu dans l'échantillon.

Partie B. *Le sondage*

On admet que la manière de choisir les personnes permet d'obtenir des échantillons et que toutes les personnes interrogées disent la vérité aux sondeurs.

Dans un sondage demandé par monsieur Bleu, sur les 150 personnes interrogées, 90 ont déclaré avoir voté pour lui.

a. Monsieur Bleu affirme : « On nous donnait à égalité, mais je suis certain de gagner ! ».
Qu'en pensez-vous ?

b. Rectifier la phrase de monsieur Bleu en utilisant l'expression « au seuil de 95 % ».

67 Série noire

1. Un site Internet qui archive les accidents aériens (incidents et catastrophes) donne le tableau suivant :

Année	Nombre d'accidents mortels	Taux (*)	Nombre de départs (en millions)
1995	51	3,4	15,1
1996	52	3,25	16
1997	40	2,45	16,3
1998	40	2,42	16,5
1999	43	2,29	18,7
2000	32	1,52	21,1
2001	34	1,68	20,2
2002	36	1,73	20,8
2003	19	0,87	21,8
2004	20	0,9	22,2

(*) Le taux est défini comme le nombre d'accidents mortels par million de départs.

a. Est-il exact que la proportion de catastrophes aériennes par vol a diminué deux fois plus que la proportion de catastrophes aériennes par jour ?

b. Calculer la proportion de catastrophes aériennes par jour au cours de ces 10 années.

2. Sur le même site, une autre page permet de produire les statistiques suivantes, différentes des précédentes car elles intègrent également les accidents sans gravité.

Année	2006	2007	2008	2009
Nombre d'accidents	13	11	15	14

On suppose :
- que les catastrophes aériennes sont indépendantes les unes des autres ;
- que la probabilité qu'il y ait un accident par jour durant les années post 2009 est égale à la proportion de catastrophes aériennes par jour durant les 4 années 2006 à 2009 ;
- qu'il n'y a jamais deux accidents le même jour.

Pour quel nombre de catastrophes aériennes en 2012 pourra-t-on penser que la proportion de catastrophes aériennes par jour aura sensiblement évolué ?

COUP DE POUCE

Pour répondre à cette question, on pourra :
(1) calculer p, la proportion de catastrophes aériennes par jour durant les 4 années 2006 à 2009 ;
(2) considérer que l'année correspond à une prise d'échantillon de taille 366 dans une population ;
(3) déterminer au seuil de 95 % l'intervalle de fluctuation des effectifs pour un tel échantillon.

Corrigés des exercices

Partie A ANALYSE

Chapitre 1 Second degré

QCM Pour bien commencer

1 a. B b. D **2** B **3** A
4 D **5** a. B b. D **6** C
7 B

Exercices d'application

5 a. $(x-3)^2-7$ b. $4x^2-3$
c. $3(x-2)^2+9$ d. $-(x-2)^2+1$

9 1. $\mathscr{A}(x) = x^2 + (10-x)^2 = 2x^2 - 20x + 100$
$= 2(x-5)^2 + 50$
2. L'aire $\mathscr{A}(x)$ est minimale pour $x = 5$.

12 1. a. $f(x) = -8x^2 + 6x + 5$ (forme A)
b. $f(x) = -(2x+1)(4x-5)$ (forme B)
c. $f(x) = -8\left(x - \frac{3}{8}\right)^2 + \frac{49}{8}$ (forme C)
2. a. $f(0) = 5$ (avec A) ; $f(5) = -165$ (A ou B) ;
$f\left(\frac{3}{8}\right) = \frac{49}{8}$ (C) ; $f\left(1+\sqrt{2}\right) = -10\sqrt{2} - 13$ (A).
b. Le maximum de f sur $\mathbb{R}$ est $\frac{49}{8}$ (C).
c. Les solutions de $f(x) = 0$ sont $-\frac{1}{2}$ et $\frac{5}{4}$ (B).
d. $f(x) = 5 \Leftrightarrow -8x^2 + 6x = 0$
$\Leftrightarrow x = 0$ ou $x = \frac{3}{4}$ (A).
e. L'ensemble des solutions de $f(x) \leqslant 0$ est
$\left]-\infty\,; -\frac{1}{2}\right] \cup \left[\frac{5}{4}\,; +\infty\right[$ (B).
f. La forme C donne les coordonnées du sommet de la parabole : $S\left(\frac{3}{8}; \frac{49}{8}\right)$.
On peut calculer les coordonnées de points de la courbe à l'aide la forme A.

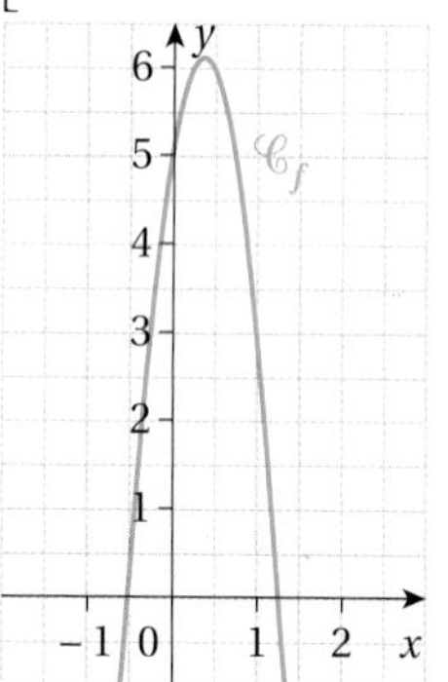

14 a.

b.

c.

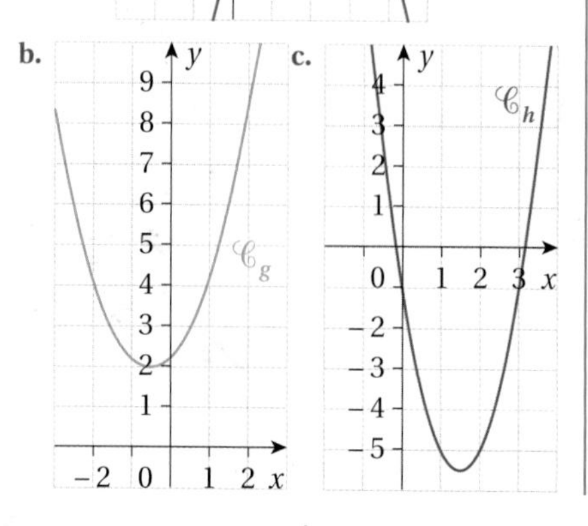

18 a.

x	$-\infty$		-3		$+\infty$
f		↘	1	↗	

b.

x	$-\infty$		3		$+\infty$
f		↗	-2	↘	

c.

x	$-\infty$		0		$+\infty$
f		↘	$-\pi$	↗	

23 a. L'équation $x^2 - 9x + 20 = 0$ a pour solutions 4 et 5 ($\Delta = 1 > 0$).
b. $2x^2 - 7x = x(2x-7)$ donc l'équation a deux solutions : 0 et $\frac{7}{2}$.
c. L'équation $3t^2 - 4t - 4 = 0$ a pour solutions $-\frac{2}{3}$ et 2 ($\Delta = 64 > 0$).
d. $-u^2 - 4 < 0$, donc l'équation n'a aucune solution.

32 Le trinôme $x^2 - (2m+3)x + m^2$ a une racine double si et seulement si son discriminant $\Delta = (2m+3)^2 - 4m^2$ est nul, c'est-à-dire $m = -\frac{3}{4}$. Dans ce cas, la racine double est $\frac{3}{4}$.

54 a. Pour tout réel x, on a :
$x^2 - x - 6 = (x-3)(x+2)$
et $2x^2 + 3x - 2 = (x+2)(2x-1)$.
b. $\frac{2}{x^2-x-6} + \frac{x}{2x^2+3x-2} = 0$
$\Leftrightarrow \frac{2}{(x-3)(x+2)} + \frac{x}{(2x-1)(x+2)} = 0$
$\Leftrightarrow \frac{x^2+x-2}{(x-3)(x+2)(2x-1)} = 0$
$\Leftrightarrow \frac{(x-1)(x+2)}{(x-3)(x+2)(2x-1)} = 0$
Sur $\mathbb{R} \setminus \left\{-2\,; \frac{1}{2}\,; 3\right\}$, cette équation équivaut à $(x-1)(x+2) = 0$.
L'unique solution de l'équation est donc 1.

58 1. Les ensembles de solutions sont :
a. $\left[-1\,; \frac{3}{5}\right]$ b. $\left]-\frac{3}{2}\,; 4\right[$ c. $\mathbb{R}$ d. $\left[-\frac{1}{5}\,; 4\right]$
2. Voici l'écran de calculatrice obtenu pour la vérification du résultat de la question a :

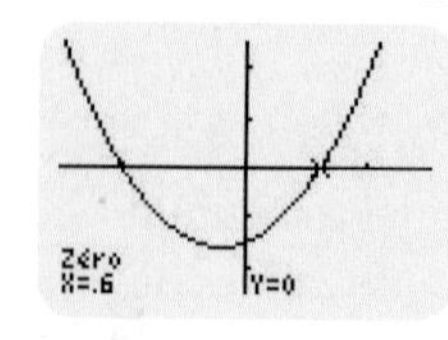

Se tester sur...

QCM

71 C **72** C **73** A **74** B
75 A **76** C **77** B **78** A
79 B **80** A **81** B

PRÊT POUR LE CONTRÔLE ?

82 a. $f(x) = -4\left(x - \frac{1}{2}\right)^2 + 3$
b. Le coefficient -4 est strictement négatif, donc f admet un maximum qui vaut 3.
On peut démontrer ce résultat en évaluant $f\left(\frac{1}{2}\right)$, puis en montrant que, pour tout réel x, $f(x) \leqslant f\left(\frac{1}{2}\right)$.
c.

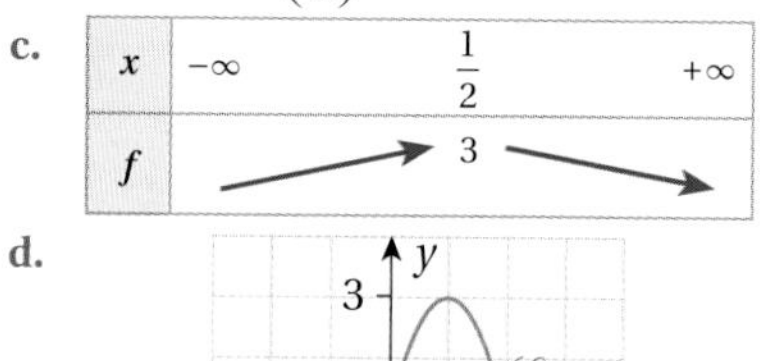

x	$-\infty$		$\frac{1}{2}$		$+\infty$
f		↗	3	↘	

d.

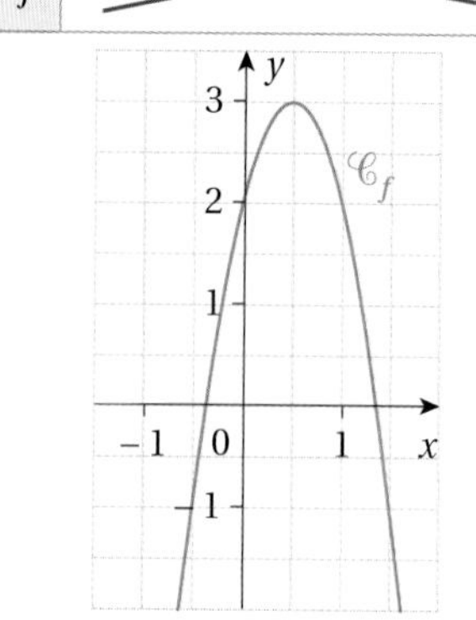

83 Les ensembles de solutions des équations et inéquations sont :
a. $\varnothing$ b. $\left\{-\frac{7}{3}\,; \frac{1}{3}\right\}$ c. $\varnothing$
d. $\left\{\frac{\sqrt{2}}{3}\right\}$ e. $\left\{-\sqrt{2}\,; \sqrt{2}\right\}$ f. $\left]-\frac{7}{3}\,; -1\right[$
g. $\left]-\infty\,; \frac{3-\sqrt{21}}{2}\right] \cup \left[\frac{3+\sqrt{21}}{2}\,; +\infty\right[$

84 a. Pour tout réel x,
$g(x) = (3x-2)(2x^2+x-1)$
b. Pour tout réel x, $g(x) = (3x-2)(2x-1)(x+1)$.
Les solutions de $g(x) = 0$ sont -1 ; $\frac{1}{2}$; $\frac{2}{3}$.
c. Un tableau de signes permet de prouver que les solutions de l'inéquation $g(x) \geqslant 0$ sont les réels de $\left[-1\,; \frac{1}{2}\right] \cup \left[\frac{2}{3}\,; +\infty\right[$.

85 Le discriminant de $x^2 - ax + 3$ est $\Delta = a^2 - 12$.
a. h admet deux racines distinctes si et seulement si $\Delta > 0$, c'est-à-dire :
$a \in \left]-\infty\,; -2\sqrt{3}\right[\cup \left]2\sqrt{3}\,; +\infty\right[$.
b. h admet une racine double si et seulement si $\Delta = 0$, c'est-à-dire $a \in \left\{-2\sqrt{3}\,; 2\sqrt{3}\right\}$.
c. h n'admet pas de racine si et seulement si $\Delta < 0$, c'est-à-dire $a \in \left]-2\sqrt{3}\,; 2\sqrt{3}\right[$.
d. Le minimum de h est atteint en $\frac{a}{2}$, et il vaut $h\left(\frac{a}{2}\right) = 3 - \frac{a^2}{4}$.
Et on a : $3 - \frac{a^2}{4} < -1 \Leftrightarrow 16 < a^2$.
Le minimum de h est donc strictement inférieur à -1 si et seulement si $a \in \left]-\infty\,; -4\right[\cup \left]4\,; +\infty\right[$.

Chapitre 2 Étude de fonctions

QCM Pour bien commencer

1 A, C et D **2** B, C et D
3 B et D **4** B et C
5 A, B et C **6** C
7 a. B b. A **8** a. C b. A, C et D

Exercices d'application

11 **a.** Soit a et b deux réels positifs tels que $a < b$. On a successivement : $a^2 < b^2$ puis $-\frac{2}{3}a^2 > -\frac{2}{3}b^2$ et enfin $-\frac{2}{3}a^2 + 4 > -\frac{2}{3}b^2 + 4$.
Ainsi $f(a) > f(b)$.
On en déduit que la fonction f est strictement décroissante sur $[0 ; +\infty[$.

b. Soit a et b deux réels négatifs tels que $a < b$. On a successivement : $a^2 > b^2$ puis $-\frac{2}{3}a^2 < -\frac{2}{3}b^2$ et enfin $-\frac{2}{3}a^2 + 4 < -\frac{2}{3}b^2 + 4$.
Ainsi $f(a) < f(b)$.
On en déduit que la fonction f est strictement croissante sur $]-\infty ; 0]$.

c.

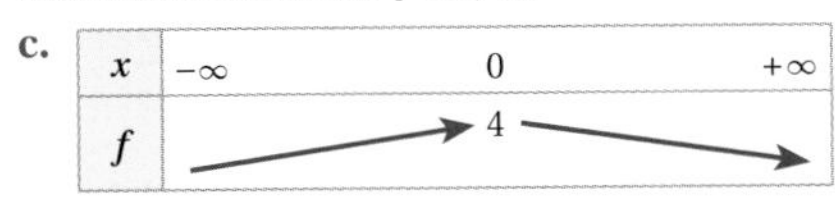

x	$-\infty$	0	$+\infty$
f	↗	4	↘

28 **a.** $f(x) = \begin{cases} 6 - x & \text{si } x \leqslant 6 \\ x - 6 & \text{si } x \geqslant 6 \end{cases}$

b. La fonction f est strictement décroissante sur $]-\infty ; 6]$ et strictement croissante sur $[6 ; +\infty[$.

c.

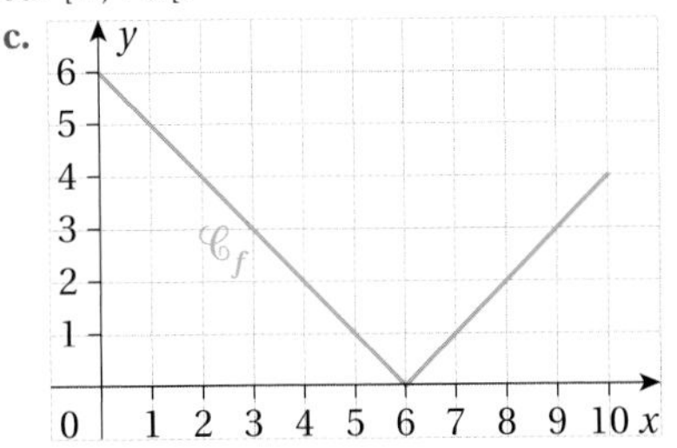

31 **a.** $\left|y + \frac{\sqrt{3}}{2}\right| \leqslant 1$

b. $|c - 3 \times 10^8| \leqslant 3 \times 10^5$

c. $\left|a - \frac{3}{2}\right| < \frac{5}{2}$

d. $|x - 2| \geqslant 1$

38 **a.** Pour tout x de $\mathbb{R}\setminus\{0\}$,

$f(x) - 4x = \frac{1}{x} - 4x = \frac{1-4x^2}{x} = \frac{(1-2x)(1+2x)}{x}$.

On obtient le tableau de signes suivant :

x	$-\infty$		$-\frac{1}{2}$		0		$\frac{1}{2}$		$+\infty$
$1-2x$		+		+		+	0	−	
$1+2x$		−	0	+		+		+	
x		−		−	0	+		+	
$f(x)-4x$		+	0	−	‖	+	0	−	

b. La courbe $\mathscr{C}$ est au-dessus de la droite d sur l'intervalle $\left]-\infty ; -\frac{1}{2}\right]$ et sur l'intervalle $\left]0 ; \frac{1}{2}\right]$.

La courbe $\mathscr{C}$ est au-dessous de la droite d sur l'intervalle $\left[-\frac{1}{2} ; 0\right[$ et sur l'intervalle $\left[\frac{1}{2} ; +\infty\right[$.

50

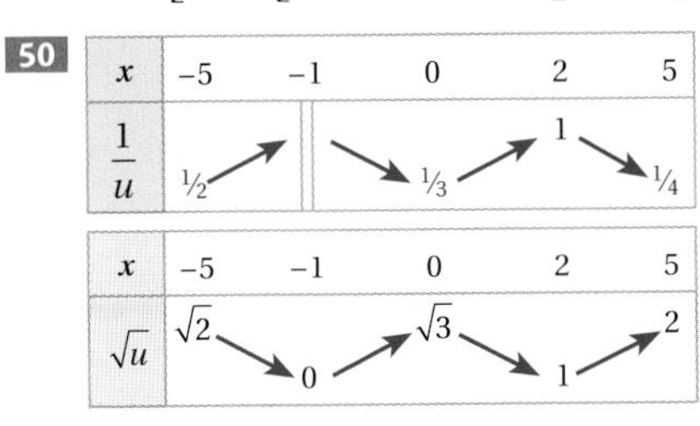

x	−5		−1		0		2		5
$\frac{1}{u}$	½	↗	‖	↘	⅓	↗	1	↘	¼

x	−5		−1		0		2		5
$\sqrt{u}$	$\sqrt{2}$	↘	0	↗	$\sqrt{3}$	↘	1	↗	2

59 **1.** Pour tout réel x différent de −1, on a :

$$4 - \frac{3}{x+1} = \frac{4(x+1)-3}{x+1} = \frac{4x+1}{x+1} = f(x)$$

et $1 + \frac{3x}{x+1} = \frac{x+1+3x}{x+1} = f(x)$.

2. a. Supposons que $2 < x < 3$.
On obtient successivement :

$3 < x+1 < 4$; $\frac{1}{3} > \frac{1}{x+1} > \frac{1}{4}$;

$-1 < -\frac{3}{x+1} < -\frac{3}{4}$ et $3 < 4 - \frac{3}{x+1} < \frac{13}{4}$.

On en déduit que, si $2 < x < 3$, alors :

$$3 < f(x) < \frac{13}{4}$$

b. Pour tout $x > 0$, $3x > 0$ et $x + 1 > 0$ donc $1 + \frac{3x}{x+1} > 1$, c'est-à-dire $f(x) > 1$.

c. On utilise la forme B.
Sur l'intervalle $]-1 ; +\infty[$, la fonction $x \mapsto x+1$ est strictement positive et croissante. On obtient donc successivement sur $]-1 ; +\infty[$:
- la fonction $x \mapsto \frac{1}{x+1}$ est strictement décroissante ;
- la fonction $x \mapsto -\frac{3}{x+1}$ est strictement croissante ;
- la fonction $x \mapsto 4 - \frac{3}{x+1}$ est strictement croissante.

Ainsi, la fonction f est strictement croissante sur $]-1 ; +\infty[$.
Sur l'intervalle $]-\infty ; -1[$, la fonction $x \mapsto x+1$ est strictement négative et croissante. On obtient donc successivement sur $]-\infty ; -1[$:
- la fonction $x \mapsto \frac{1}{x+1}$ est strictement décroissante ;
- la fonction $x \mapsto -\frac{3}{x+1}$ est strictement croissante ;
- la fonction $x \mapsto 4 - \frac{3}{x+1}$ est strictement croissante.

Ainsi, la fonction f est strictement croissante sur $]-\infty ; -1[$.

d. On construit le tableau de signes de f en utilisant la forme A.

x	$-\infty$		−1		$-\frac{1}{4}$		$+\infty$
$4x+1$		−		−	0	+	
$x+1$		−	0	+		+	
$f(x)$		+	‖	−	0	+	

Se tester sur...

QCM

73 C **74** A et C **75** B et C
76 B **77** B **78** B
79 C **80** B **81** A, B et C
82 C **83** B

PRÊT POUR LE CONTRÔLE ?

84 **1.** D'après le tableau de variations, le minimum de la fonction u sur $[-2 ; 6]$ est 1, donc u est strictement positive sur $[-2 ; 6]$.

2. a.

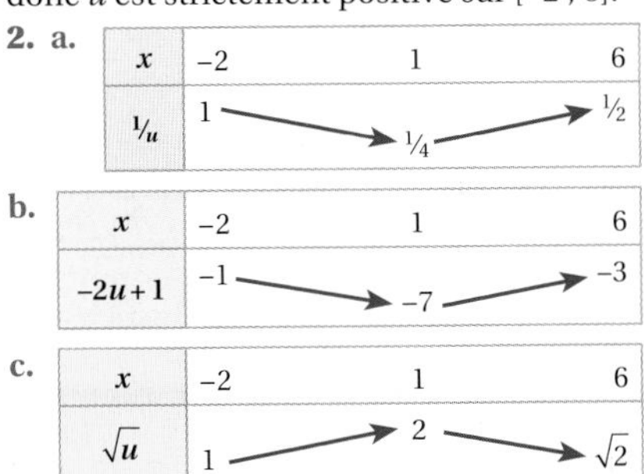

x	−2		1		6
$\frac{1}{u}$	1	↘	¼	↗	½

b.

x	−2		1		6
$-2u+1$	−1	↘	−7	↗	−3

c.

x	−2		1		6
$\sqrt{u}$	1	↗	2	↘	$\sqrt{2}$

85 **1.**

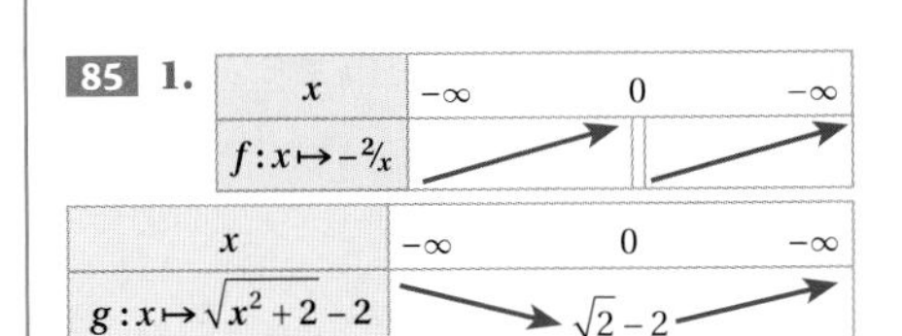

x	$-\infty$		0		$-\infty$
$f : x \mapsto -\frac{2}{x}$		↗	‖	↗	

x	$-\infty$		0		$-\infty$
$g : x \mapsto \sqrt{x^2+2} - 2$		↘	$\sqrt{2}-2$	↗	

2. a. $x + 5 = 0$ pour $x = -5$.
Donc $D =]-\infty ; -5[\cup]-5 ; +\infty[$.

b. On a : $a + \frac{b}{x+5} = \frac{ax+5a+b}{x+5}$.
Il suffit de prendre $a = 1$ et $b = -2$.
Pour tout réel x de D, $h(x) = 1 - \frac{2}{x+5}$.

c.

x	$-\infty$		−5		$+\infty$
h		↗	‖	↗	

d.

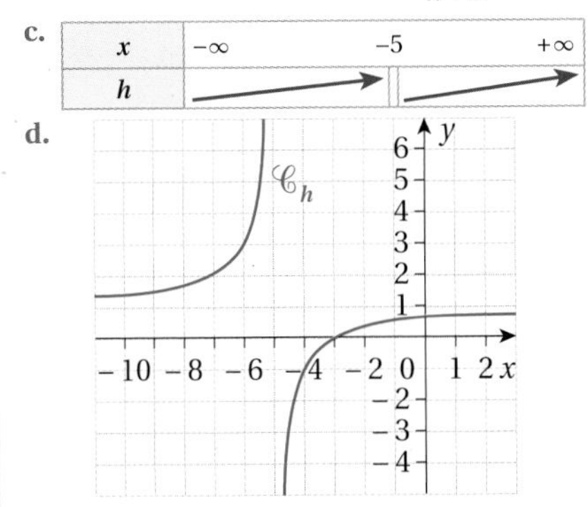

Chapitre 3 Dérivation

QCM Pour bien commencer

1 B **2** A et C **3** C et D **4** D
5 C **6** C **7** D **8** B et C
9 A, C et D

Exercices d'application

1 **a.**

h	−0,1	−0,01	−0,001	−0,000 01	−0,000 000 1
$f(h)$	2,102	2,01002	2,0010002	2,00001	2,0000001

h	0,000 000 1	0,000 01	0,001	0,01	0,1	1
$f(h)$	1,999 999 9	1,999 99	1,999 000 2	1,990 02	1,902	1,2

b. « Lorsque h tend vers 0, $f(h)$ tend vers 2 et $\lim_{h \to 0} f(h) = 2$. »

6 **a.**

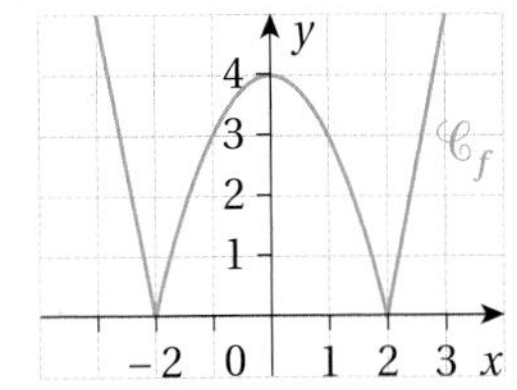

b. $A = \frac{f(2+h) - f(2)}{h} = \frac{|(2+h)^2 - 4| - 0}{h} = \frac{|4h + h^2|}{h}$

Si $h > 0$, $A = \frac{4h+h^2}{h} = 4 + h$.

Si $-4 < h < 0$, $A = \frac{-4h-h^2}{h} = -4 - h$.

A n'a pas de limite lorsque h tend vers 0 donc f n'est pas dérivable en 2.

8

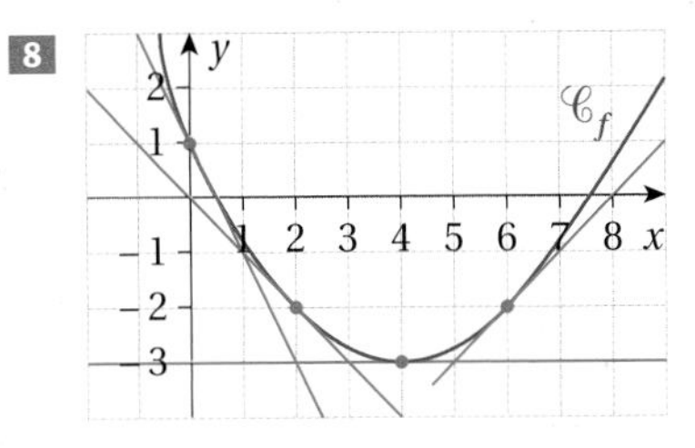

10

x	0	2	5
$f'(x)$	1	0	−1

12 Équation de la tangente au point A(2 ; 3) :
$y=-4x+11$

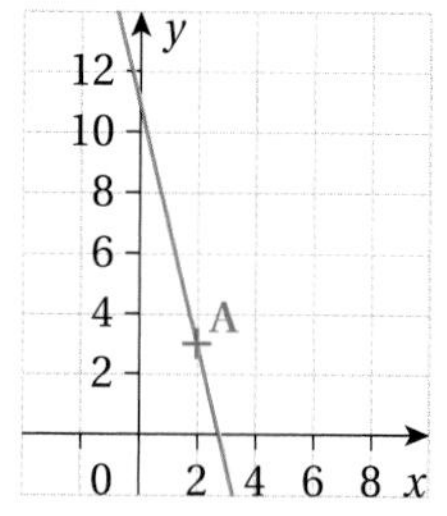

18 $f'(x)=70x^6-12x^3+5$

20 $f'(x)=\frac{1\times x-1\times(x-3)}{x^2}=\frac{3}{x^2}$

23 $f'(x)=\frac{(4x-5)(x^2+x+1)-(2x^2-5x+1)(2x+1)}{(x^2+x+1)^2}$
$=\frac{7x^2+2x-6}{(x^2+x+1)^2}$

29 **1. a.** $T_{fa}: y=-20x+26$

b. $T_{fb}: y=\frac{1}{6}x+\frac{3}{2}$ **c.** $T_{fc}: y=\frac{1}{3}x$

d. $T_{fd}: y=-1{,}25x+2{,}25$ **e.** $T_{fe}: y=-2x+5$

f. $T_{ff}: y=-\frac{1}{\pi}x+2$

2.

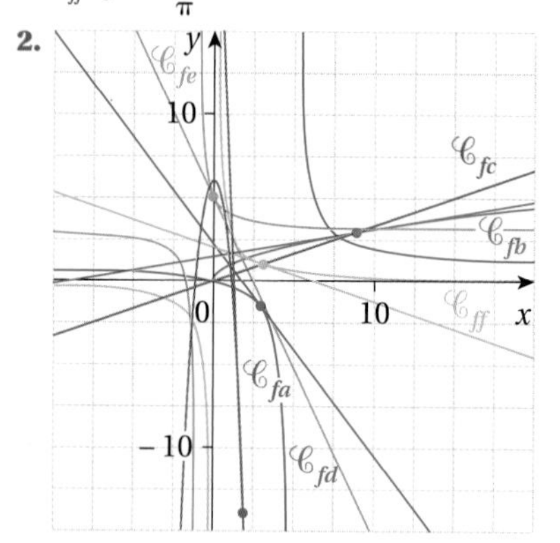

39 **a.** $f'(x)=2x-7$

b.

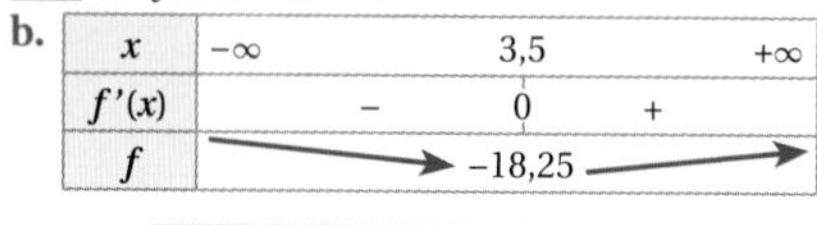

x	$-\infty$	3,5	$+\infty$
$f'(x)$	–	0	+
f	↘	–18,25	↗

c.

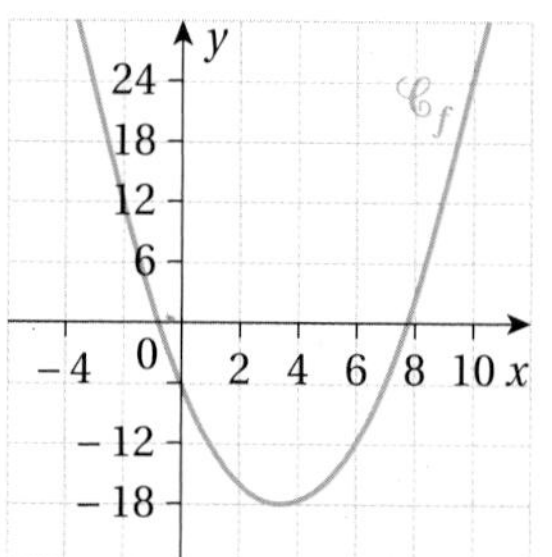

44 **a.** $f'(x)=\frac{-x^2+6x+1}{(x-3)^2}$

b.

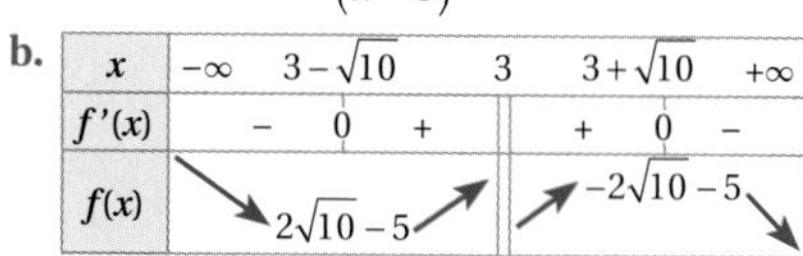

x	$-\infty$	$3-\sqrt{10}$		3		$3+\sqrt{10}$	$+\infty$
$f'(x)$	–	0	+	‖	+	0	–
$f(x)$	↘	$2\sqrt{10}-5$	↗	‖	↗	$-2\sqrt{10}-5$	↘

c.

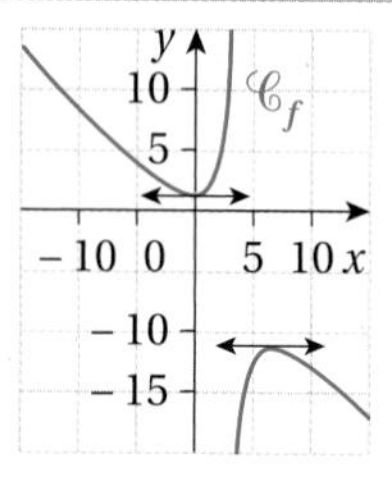

48 Sur [0 ; +∞[, la fonction $x\mapsto\sqrt{x}$ est croissante. Il en est de même pour $x\mapsto\sqrt{x+5}$.
Si $a<b$ alors $\frac{1}{a}>\frac{1}{b}$. Donc la fonction $x\mapsto\frac{1}{\sqrt{x+5}}$ est décroissante sur]0 ; +∞[.

55 Non $f'(1)=0$ ne suffit pas pour que f admette un extremum en $x=1$. La fonction $x\mapsto(x-1)^3$ est un contre-exemple.

Se tester sur...

QCM

70 C **71** B **72** a. C b. C
73 D **74** C **75** a. C b. D
76 C **77** C **78** B

PRÊT POUR LE CONTRÔLE ?

79 **a.** $f'_1(x)=2x+4$ **b.** $f'_2(x)=\frac{13}{(2x+1)^2}$

80 Une équation de la tangente à $\mathcal{P}$ au point d'abscisse 3 est :
$y=f'(3)(x-3)+f(3)=6x-9$

81 **a.** Pour tout x non nul :
$f'(x)=-\frac{1}{x^2}+4=\frac{(4x^2-1)}{x^2}$

b. Le signe de la dérivée est celui de $4x^2-1=(2x-1)(2x+1)$.
f est donc croissante sur les intervalles $\left]-\infty;-\frac{1}{2}\right]$ et $\left[\frac{1}{2};+\infty\right[$ et décroissante sur les intervalles $\left[-\frac{1}{2};0\right[$ et $\left]0;\frac{1}{2}\right]$.

c.

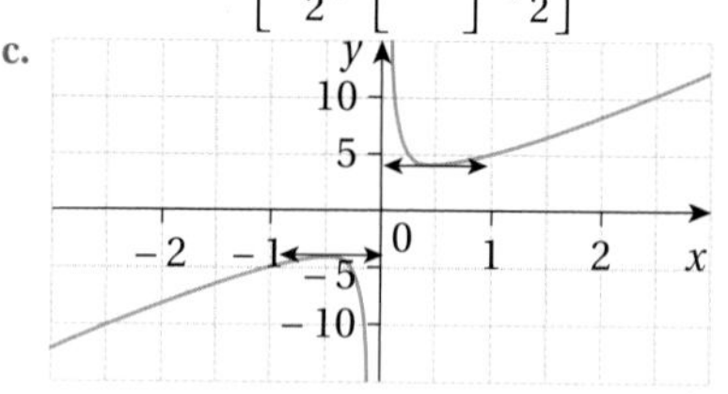

d. Le maximum de la fonction f sur l'intervalle $]-\infty;0[$ est atteint en $-\frac{1}{2}$ et vaut –4.

Chapitre 4 Les suites

QCM Pour bien commencer

1 a. D b. B **2** a. C b. B
3 a. A b. C **4** a. D b. B
5 C **6** a. B b. B c. C et D

Exercices d'application

1 **a.** $u_0=-2$; $u_1=4$; $u_2=6$; $u_3=7$; $u_4=7{,}6$.
b. $v_0=0$; $v_1=1$; $v_2=5$; $v_3=19$; $v_4=65$.
c. $w_1=3$; $w_2=\frac{9}{8}$; $w_3=1$; $w_4=\frac{81}{64}$; $w_5=\frac{243}{125}$.

3 **a.** $u_0=1$; $u_1=2\times u_0-3=-1$;
$u_2=2\times u_1-3=-5$; $u_3=2\times u_2-3=-13$;
$u_4=2\times u_3-3=-29$.
b. $v_0=3$; $v_1=\frac{1}{v_0+1}=\frac{1}{3+1}=\frac{1}{4}$;
$v_2=\frac{1}{v_1+1}=\frac{1}{0{,}25+1}=0{,}8$;
$v_3=\frac{1}{v_2+1}=\frac{1}{0{,}8+1}=\frac{5}{9}$; $v_4=\frac{1}{v_3+1}=\frac{1}{\frac{5}{9}+1}=\frac{9}{14}$.
c. $w_0=1$; $w_1=w_0+2\times1+3=6$;
$w_2=w_1+2\times2+3=13$; $w_3=w_2+2\times3+3=22$;
$w_4=w_3+2\times4+3=33$.

5 Les solutions données ne sont pas uniques.
a. 5 **b.** 125 **c.** –0,6. **d.** 19

6 **a.** $u_{n+1}=u_n+4$
b. $u_{n+1}=\frac{2}{3}\times u_n$
c. $u_{n+1}=u_n+2n+3$

8 **a.** $u_{10}=88\,574$
b. $v_{10}\approx1{,}000\,1$
c. $w_{10}=385$

10 **a.** $u_0=6$; $u_1=2\times u_0-5=7$;
$u_2=2\times u_1-5=9$; $u_3=2\times u_2-5=13$;
$u_4=2\times u_3-5=21$.
b. $u_0-5=1=2^0$; $u_1-5=2=2^1$; $u_2-5=4=2^2$;
$u_3-5=8=2^3$; $u_4-5=16=2^4$.
c. $u_{12}=5+2^{12}=4\,101$

14 **a.** $u_{n+1}-u_n=1+\frac{10}{n+1}-\left(1+\frac{10}{n}\right)$
$=\frac{10}{n+1}-\frac{10}{n}$
$=\frac{10n}{n(n+1)}-\frac{10(n+1)}{n(n+1)}$
$=\frac{-10}{n(n+1)}$

$u_{n+1}-u_n<0$ donc la suite (u_n) est décroissante à partir de $n\geqslant1$.
b. $f'(x)=-\frac{10}{x^2}<0$ pour tout x appartenant à]0 ; +∞[donc f est décroissante sur]0 ; +∞[.

16 $u_{n+1}-u_n=n^2-\frac{15}{2}$
$n^2-\frac{15}{2}\geqslant0$ équivaut à $n\geqslant\sqrt{\frac{15}{2}}$ car $n\geqslant0$.
Or $\sqrt{\frac{15}{2}}\approx2{,}7$ donc la suite (u_n) est croissante pour $n\geqslant3$.

24 **a.** La suite (u_n) converge vers 1.
b. La suite (v_n) diverge.
c. La suite (w_n) diverge.

28 **a.** $u_0=7$; $u_1=7+4=11$; $u_2=11+4=15$;
$u_3=15+4=19$.
b. $r=4$; $u_n=7+4n$.
c. $u_{84}=7+4\times84=343$

30 **a.** La suite (u_n) est arithmétique de premier terme $u_0=283$ et de raison –5.
La suite (v_n) est arithmétique de premier terme $v_0=147$ et de raison 5.
b. $u_n=283-5n$ et $v_n=147+5n$.
Au bout de 10 ans : $u_{10}=283-5\times10=233$ et $v_{10}=147+5\times10=197$.
c. $283-5n<147+5n\Leftrightarrow10n>136$
$\Leftrightarrow n>13{,}6$
Au bout de 14 ans, le village de Uhène comptera moins d'habitants que celui de Véhène.

32 **a.** $u_0=8$; $u_1=10$; $u_2=12$; $u_3=14$.
b. $u_n=(n+1)^2-n^2+7=n^2+2n+1-n^2+7=8+2n$
(u_n) est une suite arithmétique de premier terme $u_0=8$ et de raison 2.

34 **a.** $u_9-u_6=81-36=45=3r$, d'où $r=15$.
b. $u_n=u_6+(n-6)\times15$
$u_{20}=36+(20-6)\times15=36+14\times15=246$

39 **a.** $u_n=3+10n$
$u_{20}=3+10\times20=203$
b. $S_{20}=21\times\frac{(3+203)}{2}=21\times103=2\,163$
c. On peut calculer $u_{10}=3+10\times10=103$, d'où $S'_{20}=11\times\frac{(103+203)}{2}=11\times153=1\,683$.

On peut aussi calculer $u_9 = 3 + 10 \times 9 = 93$, d'où $S_9 = 10 \times \dfrac{(3+93)}{2} = 10 \times 48 = 480$, puis $S'_{20} = S_{20} - S_9 = 2\,163 - 480 = 1\,683$.

41 a. $r = 6$

$\dfrac{91-7}{6} = 14$ pas, donc il y a 15 termes.

b. $S = 15 \times \dfrac{(7+91)}{2} = 15 \times 49 = 735$

48 a. $u_0 = 3$; $u_1 = 6$; $u_2 = 12$; $u_3 = 24$.

b. $q = 2$ et $u_n = 3 \times 2^n$.

c. $u_{10} = 3 \times 2^{10} = 3\,072$

50 a. $u_0 = 1$; $u_1 = \dfrac{4}{27}$; $u_2 = \dfrac{16}{729}$; $u_3 = \dfrac{64}{19\,683}$.

b. $u_n = \dfrac{\left(2^2\right)^n}{\left(3^3\right)^n} = \left(\dfrac{4}{27}\right)^n$

(u_n) est une suite géométrique de raison $\dfrac{4}{27}$.

53 a. $\dfrac{u_2}{u_0} = \dfrac{\frac{1}{8}}{8} = \dfrac{1}{64} = q^2$, d'où $q = \dfrac{1}{8}$ car la raison est positive.

$u_0 = 8$; $u_1 = 1$; $u_2 = \dfrac{1}{8}$; $u_3 = \dfrac{1}{64}$.

b. $u_n = 8 \times \left(\dfrac{1}{8}\right)^n = \left(\dfrac{1}{8}\right)^{n-1}$

c. $u_5 < 10^{-3}$

d. La suite (u_n) est de raison $0 < q < 1$; elle converge donc vers 0.

62 a. $u_0 = 10$; $u_1 = 40$; $u_2 = 160$; $u_3 = 640$.

b. $S_{10} = 10 \times \dfrac{1-4^{11}}{1-4} = 13\,981\,010$

Se tester sur...

QCM

84 B **85** C **86** a. A et D b. B c. D

87 C **88** D **89** B **90** C **91** B

92 D **93** C **94** C **95** A

PRÊT POUR LE CONTRÔLE ?

96 a. $u_0 = 2^0 - 4 \times 0 = 1$; $u_1 = 2^1 - 4 \times 1 = -2$; $u_2 = 2^2 - 4 \times 2 = -8$.

b. La suite n'est ni arithmétique ni géométrique car $u_1 - u_0 \neq u_2 - u_1$ et $\dfrac{u_1}{u_0} \neq \dfrac{u_2}{u_1}$.

c. $u_{n+1} - u_n = 2^{n+1} - 4(n+1) - (2^n - 4n)$
$= 2^{n+1} - 2^n - 4 = 2^n(2-1) - 4 = 2^n - 4$

Or $2^n - 4 \geqslant 0$ pour tout $n \geqslant 2$, donc la suite (u_n) est croissante pour $n \geqslant 2$.

d. $u_4 = 2^4 - 4 \times 4 = 0$, or la suite (u_n) est croissante pour $n \geqslant 2$, donc pour tout $n \geqslant 4$, $u_n \geqslant u_4$ c'est-à-dire $u_n \geqslant 0$.

Partie B GÉOMÉTRIE

Chapitre 5 Vecteurs et droites

QCM Pour bien commencer

1 C et D **2** A, C et D **3** A

4 B **5** A, B, C et D **6** B et C

7 D **8** C et D **9** A, C et D

10 B et D

Exercices d'application

2 a. Non colinéaires car :

$\dfrac{-2}{33} \times \dfrac{-15}{4} - \dfrac{10}{7} \times \dfrac{7}{22} = \dfrac{5}{22} - \dfrac{10}{22} = \dfrac{-5}{22} \neq 0$

b. Colinéaires car :

$5\sqrt{6} \times \sqrt{2} - 2\sqrt{75} = 5\sqrt{12} - 2\sqrt{25 \times 3}$
$= 5\sqrt{4 \times 3} - 10\sqrt{3}$
$= 10\sqrt{3} - 10\sqrt{3} = 0$

c. Colinéaires car :

$3^{22} \times 9^{12} - 3^{71} \times \dfrac{1}{3^{25}} = 3^{22} \times (3^2)^{12} - 3^{71-25}$
$= 3^{22} \times 3^{24} - 3^{46}$
$= 3^{46} - 3^{46} = 0$

7 a. Les points A, B et C ne sont pas alignés car les vecteurs $\overrightarrow{AB}$ et $\overrightarrow{AC}$ ne sont pas colinéaires. En effet, $\overrightarrow{AB}(40 ; 5)$ et $\overrightarrow{AC}(45 ; 6)$ donc $40 \times 6 - 45 \times 5 = 240 - 225 = 15 \neq 0$.

b. Le quadrilatère ABCD est un trapèze. En effet, $\overrightarrow{AB}(40 ; 5)$ et $\overrightarrow{DC}(80 ; 10)$ donc on a clairement $2 \times \overrightarrow{AB} = \overrightarrow{DC}$ et par conséquent $\overrightarrow{AB}$ et $\overrightarrow{DC}$ sont colinéaires, ce qui implique le parallélisme des droites (AB) et (DC).

c. • ABCE est un trapèze avec les côtés [AB] et [EC] parallèles. $\overrightarrow{AB}(40 ; 5)$ et $\overrightarrow{EC}(65 ; 46 - a)$ sont colinéaires lorsque $40(46 - a) - 5 \times 65 = 0$, c'est-à dire $a = \dfrac{303}{8}$ et $E\left(-10 ; \dfrac{303}{8}\right)$.

• ABCE est un trapèze avec les côtés [AE] et [BC] parallèles. $\overrightarrow{AE}(-20 ; a - 40)$ et $\overrightarrow{BC}(5 ; 1)$ sont colinéaires lorsque $-20 - 5(a - 40) = 0$, c'est-à dire $a = 36$ et $E(-10 ; 36)$.

14 $d_1 : x + 2y - 8 = 0$ $d_2 : y - 1{,}5 = 0$

$d_3 : x + 3{,}5 = 0$ $d_4 : 3x - 5y - 24 = 0$

25 a. A n'est pas un point de d car :

$3 \times 2 + 9 \times (-1) + 4 = 6 - 9 + 4 = 1 \neq 0$

B est un point de d car :

$3 \times (-18) + 9 \times \dfrac{50}{9} + 4 = -54 + 50 + 4 = 0$

b. $C\left(-1 ; -\dfrac{1}{9}\right)$ et $D\left(-\dfrac{22}{3} ; 2\right)$.

c. Avec l'axe (Ox) : $X\left(-\dfrac{4}{3} ; 0\right)$.

Avec l'axe (Oy) : $Y\left(0 ; -\dfrac{4}{9}\right)$.

d. Ici, $a = 3$ et $b = 9$ donc $\vec{u}(-9 ; 3)$ est un vecteur directeur de d.

$-\dfrac{1}{9}\vec{u}$ a pour coordonnées $\left(1 ; -\dfrac{1}{3}\right)$; le coefficient directeur de d est donc $-\dfrac{1}{3}$.

e. d_1 a pour vecteur directeur $\vec{v}(9 ; -3)$ qui est égal à $-\vec{u}$. Donc d et d_1 sont parallèles.

d et d_2 n'ont pas le même coefficient directeur ($-\dfrac{1}{3} \neq -3$) donc elles ne sont pas parallèles.

36 a. $\overrightarrow{AB} = 2\overrightarrow{AI} + 0\overrightarrow{AD}$; $\overrightarrow{AE} = \overrightarrow{AI} + \sqrt{3}\overrightarrow{AD}$; $\overrightarrow{AD} = 0\overrightarrow{AI} + \overrightarrow{AD}$.

b. $\overrightarrow{AB} = -\overrightarrow{EA} + \overrightarrow{EB}$; $\overrightarrow{AE} = -\overrightarrow{EA} + 0\overrightarrow{EB}$;

$\overrightarrow{AD} = \dfrac{-1}{2\sqrt{3}}\overrightarrow{EA} + \dfrac{-1}{2\sqrt{3}}\overrightarrow{EB}$.

Se tester sur...

QCM

43 A et C **44** B et D **45** B et C

46 A et C **47** A

PRÊT POUR LE CONTRÔLE ?

48 1. (AB) : $-5x + 2y + 7 = 0$

2. $d : -5x + 2y + \dfrac{41}{2} = 0$

3. a. $D(7 ; 14)$

b. Méthode 1 : les coordonnées de $J\left(\dfrac{13}{2} ; 6\right)$ vérifient l'équation de la droite d :

$-5 \times \left(\dfrac{13}{2}\right) + 2 \times 6 + \dfrac{41}{2} = -32{,}5 + 12 + 20{,}5$
$= -20{,}5 + 20{,}5 = 0$

Méthode 2 : en appliquant la réciproque du théorème des milieux.

49 a.

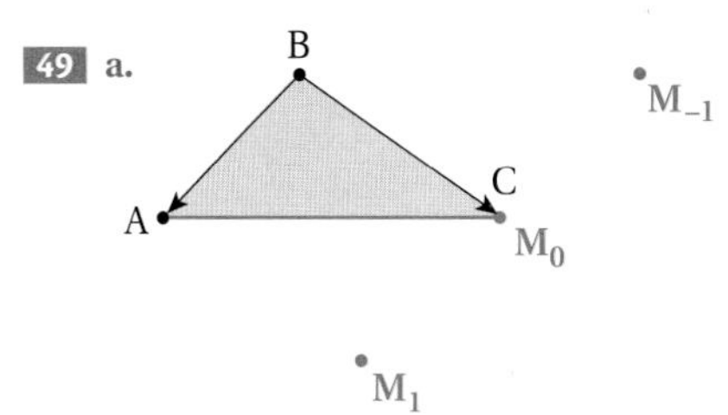

b. Dans le repère $(B ; \overrightarrow{BA}, \overrightarrow{BC})$, le point M_t a pour coordonnées $(t ; 1)$. Son abscisse est variable mais son ordonnée est fixée à 1. Le point M_t parcourt la droite passant par C de coordonnées $(0 ; 1)$ qui est parallèle à (AB).

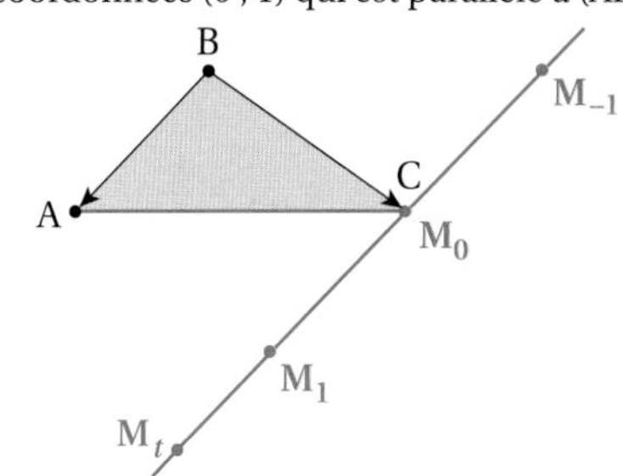

Chapitre 6 Trigonométrie

QCM Pour bien commencer

1 B et C

2 a. B b. B et C c. A et B

3 a. D b. C et D c. A

4 D **5** A et D **6** B **7** D

8 D **9** C **10** A

Exercices d'application

2 a. $\alpha = \dfrac{\pi}{4} = \dfrac{180°}{4} = 45°$; $\beta = 36°$; $\gamma = 70°$.

b. $\alpha = \dfrac{180°}{\pi} \approx 57{,}3°$; $\beta = \dfrac{2\,826°}{5\pi} \approx 179{,}9°$;

$\gamma = \dfrac{385°}{4\pi} \approx 30{,}6°$.

6 a. Mesure de l'angle $\widehat{OAB}$: $\dfrac{2\pi}{5}$.

b. Mesure de l'angle $\widehat{OBC}$: $\dfrac{\left(\pi - \dfrac{2\pi}{5}\right)}{2} = \dfrac{3\pi}{10}$.

Mesure de l'angle $\widehat{ABC}$: $2 \times \dfrac{3\pi}{10} = \dfrac{3\pi}{5}$.

c. Mesure de l'angle $\widehat{DBC}$: $\dfrac{\left(\pi - \dfrac{3\pi}{5}\right)}{2} = \dfrac{\pi}{5}$.

Mesure de l'angle $\widehat{ABD}$: $\dfrac{3\pi}{5} - \dfrac{\pi}{5} = \dfrac{2\pi}{5}$.

14 $S_1 = (\overrightarrow{AC}, \overrightarrow{AC})$ ou tout autre angle de mesure nulle.

$S_2 = (\overrightarrow{AC}, \overrightarrow{AD}) + (\overrightarrow{AD}, \overrightarrow{AB}) = (\overrightarrow{AC}, \overrightarrow{AB}) + 2k\pi$

$S_3 = (\overrightarrow{AD}, \overrightarrow{AB}) + (\overrightarrow{BA}, \overrightarrow{AB}) + (\overrightarrow{AB}, \overrightarrow{DA})$
$= (\overrightarrow{AD}, \overrightarrow{DA}) + (\overrightarrow{BA}, \overrightarrow{AB})$
$= (\overrightarrow{AD}, \overrightarrow{DA}) + (\overrightarrow{DA}, \overrightarrow{AD}) = (\overrightarrow{AD}, \overrightarrow{AD})$ ou tout autre angle de mesure nulle.

24 a. $\sin(\vec{i}, \vec{j}) = \sin\dfrac{\pi}{2} = 1$

b. $\cos(2\vec{i}, 3\vec{j}) = \cos\dfrac{\pi}{2} = 0$

c. $\sin(-\vec{i}, 5\vec{j}) = \sin\left(-\dfrac{\pi}{2}\right) = -1$

d. $\cos(\vec{i}, \vec{i} + \vec{j}) = \cos\dfrac{\pi}{4} = \dfrac{\sqrt{2}}{2}$

e. $\cos(-\vec{i}-\vec{j},\vec{j}) = \cos\left(-\frac{3\pi}{4}\right) = -\frac{\sqrt{2}}{2}$

f. $\sin(\sqrt{3}\,\vec{i}+\vec{j},-5\vec{j}) = \sin\left(-\frac{2\pi}{3}\right) = -\frac{\sqrt{3}}{2}$

car $(\sqrt{3}\,\vec{i}+\vec{j},-5\vec{j}) = \left(\frac{\sqrt{3}}{2}\vec{i}+\frac{1}{2}\vec{j},\vec{i}\right)+(\vec{i},-\vec{j})$

$= -\frac{\pi}{6}-\frac{\pi}{2}$.

g. $\cos(42\vec{i}-7\vec{j},\vec{j}-6\vec{i}) = \cos\pi = -1$

car $(42\vec{i}-7\vec{j},\vec{j}-6\vec{i}) = (6\vec{u},-\vec{u})$ avec $\vec{u}=6\vec{i}-\vec{j}$.

34 a. $\cos\frac{\pi}{5} = \sin\left(\frac{\pi}{2}-\frac{\pi}{5}\right) = \sin\frac{3\pi}{10}$

b. $x=\frac{\pi}{5}+2k\pi$ ou $x=-\frac{\pi}{5}+2k'\pi$

36 $\sin 2x+1=0 \Leftrightarrow \sin 2x=-1$

$\Leftrightarrow 2x=-\frac{\pi}{2}+2k\pi$

$\Leftrightarrow x=-\frac{\pi}{4}+k\pi$

Sur l'intervalle $[0\,;\,2\pi[$, on a les deux solutions suivantes : $\frac{3\pi}{4}$ et $\frac{7\pi}{4}$.

41 a. $2\cos^2 x-1=0$

$\Leftrightarrow \cos x=\frac{\sqrt{2}}{2}$ ou $\cos x=-\frac{\sqrt{2}}{2}$

$\Leftrightarrow x=\frac{\pi}{4}+2k\pi$ ou $x=-\frac{\pi}{4}+2k\pi$

ou $x=\frac{3\pi}{4}+2k\pi$ ou $x=-\frac{3\pi}{4}+2k\pi$

b. $4\sin^2 x-3=0$

$\Leftrightarrow \sin x=\frac{\sqrt{3}}{2}$ ou $\sin x=-\frac{\sqrt{3}}{2}$

$\Leftrightarrow x=\frac{\pi}{3}+2k\pi$ ou $x=\frac{2\pi}{3}+2k\pi$

ou $x=-\frac{\pi}{3}+2k\pi$ ou $x=-\frac{2\pi}{3}+2k\pi$.

Se tester sur...

QCM

52 B et C
53 A et B
54 a. A et B b. B et C
55 a. B et C b. A **56** A et D
57 A, B et C **58** A et D **59** D

PRÊT POUR LE CONTRÔLE ?

60 a.

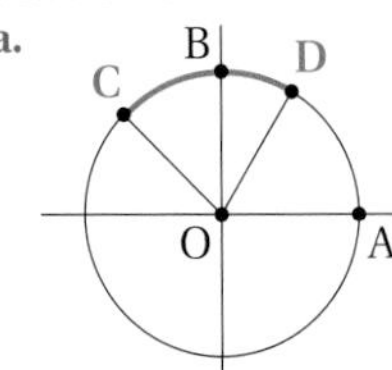

b. $(\overrightarrow{OC},\overrightarrow{OD}) = -\frac{3\pi}{4}+\frac{\pi}{2}-\frac{\pi}{6} = -\frac{5\pi}{12}$ qui est la mesure principale.

c. $\overset{\frown}{CD} = R\alpha = 1\times\frac{5\pi}{12} = \frac{5\pi}{12} \approx 1,31$

61 a.

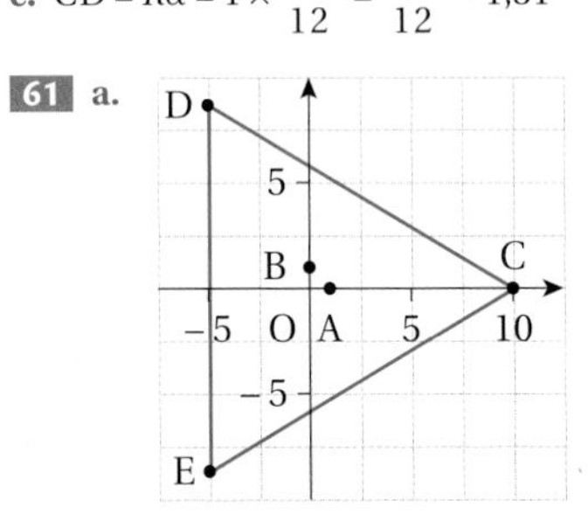

b. $(\overrightarrow{OA},\overrightarrow{OD}) = \frac{2\pi}{3}$; $(\overrightarrow{OA},\overrightarrow{OE}) = -\frac{2\pi}{3}$.

c. $D\left(10\cos\frac{2\pi}{3}\,;\,10\sin\frac{2\pi}{3}\right) = (-5\,;\,5\sqrt{3})$; $E(-5\,;\,-5\sqrt{3})$.

Chapitre 7 Produit scalaire

QCM Pour bien commencer

1 B **2** A, C et D **3** B et D
4 B et C **5** B et C **6** B, C et D
7 D **8** A et D **9** B et C

Exercices d'application

3 a. $\overrightarrow{AB}.\overrightarrow{AD}=10$ b. $\overrightarrow{DE}.\overrightarrow{EC}=-12$
c. $\overrightarrow{CB}.\overrightarrow{CD}=-2$ d. $\overrightarrow{DA}.\overrightarrow{BF}=-35$

8 a. $\overrightarrow{AB}.\overrightarrow{DE}=-a^2$ b. $\overrightarrow{CE}.\overrightarrow{BO}=a^2$
c. $\overrightarrow{OC}.\overrightarrow{ED}=a^2$ d. $\overrightarrow{AD}.\overrightarrow{FC}=2a^2$
e. $\overrightarrow{DO}.\overrightarrow{FC}=-a^2$ f. $\overrightarrow{DC}.\overrightarrow{AO}=\frac{1}{2}a^2$

17 $\overrightarrow{AB}.\overrightarrow{AC}=\frac{1}{2}(36+64-9)=\frac{91}{2}$

19 $\vec{u}.\vec{v}=k^2-k-2$
a. $\vec{u}.\vec{v}=10$ lorsque $k^2-k-2=10$, soit $k=-3$ ou $k=4$.
b. $\vec{u}$ et $\vec{v}$ sont orthogonaux lorsque $\vec{u}.\vec{v}=0$ donc $k^2-k-2=0$, soit $k=-1$ ou $k=2$.
c. $\vec{u}$ unitaire $\Leftrightarrow 2k^2+2k+1=1$
$\Leftrightarrow k=0$ ou $k=-1$.
$\vec{v}$ unitaire $\Leftrightarrow k^2+2k+5=1 \Leftrightarrow k^2+2k+4=0$: il n'y a pas de solutions réelles.
Donc $\vec{u}$ unitaire ou $\vec{v}$ unitaire lorsque $k=0$ ou $k=-1$.

34 a. $\frac{3\pi}{4}$ b. $\frac{\pi}{6}$ c. $\frac{\pi}{4}$

41 Une équation cartésienne de la droite d_1 est : $x+2y-8=0$.
Une équation cartésienne de la droite Δ_1 (passant par le point A et perpendiculaire à d_1) est : $-2x+y+5=0$.
Une équation cartésienne de la droite d_2 est : $3x-5y-24=0$.
Une équation cartésienne de la droite Δ_2 (passant par le point A et perpendiculaire à d_2) est : $5x+3y-7=0$.

50 $\mathscr{C}_1$ a pour équation cartésienne :
$(x-3)^2+(y-2)^2\leqslant 9$
$\mathscr{C}_2$ a pour équation cartésienne :
$(x-3)^2+(y-2)^2=18$
$\mathscr{C}_3$ a pour équation cartésienne :
$\begin{cases}2x+y+4=0\\(x+2)^2+(y+2)^2\leqslant 2\end{cases}$
$\mathscr{C}_4$ a pour équation cartésienne :
$\begin{cases}(x+2)^2+(y+2)^2\leqslant 2\\(x+4)^2+y^2\leqslant 4\end{cases}$

Se tester sur...

QCM

72 D **73** B et C **74** A et D
75 A et D **76** B, C et D **77** C **78** A

PRÊT POUR LE CONTRÔLE ?

79 a. $\overrightarrow{AB}.\overrightarrow{AM}+\overrightarrow{AB}.\overrightarrow{BM}=\overrightarrow{AB}.(\overrightarrow{AM}+\overrightarrow{BM})$
$=2\overrightarrow{AB}.\overrightarrow{IM}$ (règle du parallélogramme)
b. M est un point de $\Phi \Leftrightarrow \overrightarrow{AB}.\overrightarrow{AM}=\overrightarrow{AB}.\overrightarrow{MB}$
$\Leftrightarrow \overrightarrow{AB}.\overrightarrow{AM}-\overrightarrow{AB}.\overrightarrow{MB}=0 \Leftrightarrow 2\overrightarrow{AB}.\overrightarrow{IM}=0$
$\Leftrightarrow \overrightarrow{IM}.\overrightarrow{AB}=0$
$\Leftrightarrow \Phi$ est la droite passant par I et perpendiculaire à (AB).

80 a. Théorème de la médiane :
$EF^2+EG^2=2EK^2+\frac{FG^2}{2}$
D'où $EK=\sqrt{72}=6\sqrt{2}$.
b. $MF^2+MG^2=810 \Leftrightarrow 2MK^2+\frac{FG^2}{2}=810$
$\Leftrightarrow MK^2=324$
$\Leftrightarrow MK=18$
$\Leftrightarrow$ M est sur le cercle de centre K et de rayon 18.

81 1. a. $\mathscr{C}_1 : (x+2)^2+(y+3)^2=9$
b. $\mathscr{C}_2 : \left(x+\frac{13}{22}\right)^2+\left(y-\frac{7}{22}\right)^2=\frac{3145}{242}$
c. $\mathscr{C}_3 : (x-0,5)^2+(y-2,5)^2=12,5$
2. Vérifier que le point D(–2 ; 0) est bien un point de $\mathscr{C}_3$.

Partie C STATISTIQUES ET PROBABILITÉS

Chapitre 8 Statistiques

QCM Pour bien commencer

1 C **2** a. C b. D c. A
3 A **4** B et D
5 C et D **6** A et D **7** A, C et D

Exercices d'application

2 • Moyenne :
$\frac{100,6+100,1+100,6+\ldots+100,3}{20}=100,29$
• Écart-type :
$\sqrt{\frac{100,6^2+100,1^2+100,6^2+\ldots+100,3^2}{20}-100,29^2}$
$\approx 0,25$

4 a.

	Moyenne	Écart-type
Sem 1	8 049,86	3 025,73
Sem 2	8 191,14	3 386,03
Sem 3	8 265,14	3 738,08

b. Pour les différentes semaines, les montants dépensés semblent similaires : grande dépense mardi et jeudi, forte dépense le vendredi et le samedi. Les moyennes sont en légère augmentation mais similaires.
La forte augmentation de l'écart-type s'explique par une augmentation de la dispersion des valeurs par rapport à la moyenne.

10 1.a et b.

	A	B
Moyenne	200	200
Écart-type	1,414	0,775
Médiane	200	200
Q_1	199	199
Q_3	201	201
Intervalle interquartile	2	2

2. Le couple (moyenne ; écart-type) paraît le plus approprié s'il s'agit de montrer que la production de l'entreprise B semble meilleure « meilleure » car les longueurs des poteaux produits sont plus resserrées autour de la longueur « standard » qui est de 2 m.

13

	Min	Q_1	Méd	Q_3	Max
Janvier	–6	–1	4	7	11
Juillet	12	15	18	22	27

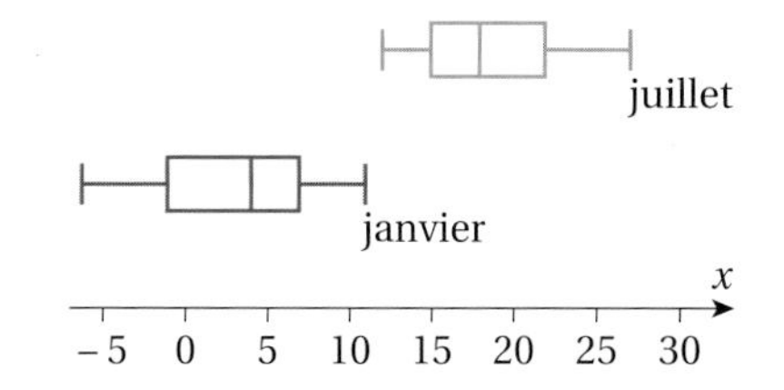

15 **a.** On ne peut pas connaître le nombre d'abonnés.
b. Un emprunteur adulte sur 2 a pris plus de 12 livres par an, mais pas un emprunteur sur 2 parmi les enfants. Donc globalement moins d'un emprunteur sur 2 a pris plus de 12 livres par an.
c. Certains adultes ont emprunté plus de livres que chacun des enfants, mais il est possible que globalement les enfants aient emprunté plus de livres car le nombre d'enfants inscrits était peut-être supérieur à celui des adultes inscrits.
d. Il existe au moins un adulte et au moins un enfant qui n'a emprunté aucun livre cette année-là car le minimum dans chaque catégorie est nul.
e. Environ la moitié des adultes ont emprunté entre 4 et 34 livres par an, c'est-à-dire $\frac{135}{2} \approx 68$.

20 **a.** Le salaire moyen des femmes de *Soclim* est 2 % plus élevé que le salaire moyen des femmes de *Sophare*.
b. Le salaire moyen des hommes de *Soclim* est 2 % plus élevé que le salaire moyen des hommes de *Sophare*.
c. Le salaire moyen des personnels de *Soclim* est $\frac{(91\times1730+19\times1943)}{91+19} \approx 1\,766{,}80$.
Le salaire moyen des personnels de *Sophare* est $\frac{(46\times1695+39\times1904)}{46+39} \approx 1\,709{,}90$.
Le salaire moyen des personnels de *Soclim* est 1,3 % plus bas que le salaire moyen des personnels de *Sophare*.

Se tester sur...
QCM

25 C
26 **a.** B et D **b.** B **c.** C **d.** C **e.** A
27 D **28** A, B et D

PRÊT POUR LE CONTRÔLE ?

29 • Moyenne : $\frac{104}{3} \approx 34{,}7$
• Écart-type : $\frac{\sqrt{1634}}{3} \approx 13{,}47$ calculé avec

$$\sqrt{\frac{1}{15}\left(15^2+7\times25^2+2\times35^2+2\times45^2+2\times55^2+60^2\right)-\left(\frac{104}{3}\right)^2}$$

ou $\sqrt{\frac{1}{15}S}$ avec $S=\left(\left(15-\frac{104}{3}\right)^2+7\left(25-\frac{104}{3}\right)^2\right.$
$+2\left(35-\frac{104}{3}\right)^2+2\left(45-\frac{104}{3}\right)^2+2\left(55-\frac{104}{3}\right)^2$
$\left.+\left(60-\frac{104}{3}\right)^2\right)$

30 **a.** 3 ; 4 ; 5 ; 6 ; 12 ; 12 ; 13 ; 15 ; 15 ; 15.
b.

x
0 5 10 15 20

Chapitre 9 Probabilités

QCM Pour bien commencer

1 **1.** C **2. a.** A **b.** C
2 **a.** C **b.** C **c.** B **d.** B
3 **a.** D **b.** D **c.** C **d.** D
4 **1.** D **2. a.** C **b.** B
5 **a.** B **b.** C

Exercices d'application

1 **a.** Les valeurs possibles de X sont : 0 ; 2 ; 4 ; 5 ; 7 ; 10 ; 12 ; 15 ; 20.
b. Les valeurs possibles de Y sont : 0 ; 2 ; 4 ; 5 ; 6 ; 7 ; 9 ; 10 ; 12 ; 14 ; 15 ; 17 ; 20 ; 25 ; 30.

5 **a.** Les issues équiprobables sont : (1 ; 2), (1 ; 3), (1 ; 4), (2 ; 3), (2 ; 4), (3 ; 4).
b.

x_i	3	4	5	6	7
$p(X=x_i)$	$\frac{1}{6}$	$\frac{1}{6}$	$\frac{2}{6}$	$\frac{1}{6}$	$\frac{1}{6}$

c. $p(X \leqslant 4) = \frac{1}{3}$.
La probabilité que la somme des valeurs inscrites sur les cartons soit inférieure ou égale à 4 est $\frac{1}{3}$.

6 **a.** Suivent exactement une option : $(12-3)+(5-3)=11$ élèves.
b.

x_i	0	1	2
$p(X=x_i)$	$\frac{18}{32}$	$\frac{11}{32}$	$\frac{3}{32}$

10 **a.**

x_i	5	10	20
$p(X=x_i)$	$\frac{36}{52}$	$\frac{12}{52}$	$\frac{4}{52}$

b. $E(X)=5\times\frac{36}{52}+10\times\frac{12}{52}+20\times\frac{4}{52}$
$=\frac{380}{52}=\frac{95}{13}\approx 7{,}3$
c. Cette valeur signifie que l'on peut espérer obtenir 7,3 points lorsque l'on tire une carte.

16 **1. a.** Les gains varient de 1 à 6 € mais il faut retrancher la mise de 3 € pour calculer le bénéfice. Les valeurs de X varient donc de −2 à 3 €.
b.

x_i	−2	−1	0	1	2	3
$p(X=x_i)$	$\frac{6}{21}$	$\frac{5}{21}$	$\frac{4}{21}$	$\frac{3}{21}$	$\frac{2}{21}$	$\frac{1}{21}$

c. $E(X)=-\frac{1}{3}<0$ donc le jeu est plutôt défavorable au joueur.
2. $E(X)=-2\times\frac{6}{21}-1\times\frac{5}{21}+0\times\frac{4}{21}$
$+1\times\frac{3}{21}+2\times\frac{2}{21}+G\times\frac{1}{21}=0$
$\Leftrightarrow -\frac{10}{21}+G\times\frac{1}{21}=0 \Leftrightarrow G=10$

18 **a.** $\frac{X}{24}$ représente le nombre de jours écoulés pendant ce mois. Y est le nombre de jours au-delà de 30.
b. Y prend les valeurs −2, 0 ou 1 avec les probabilités correspondantes.

y_i	−2	0	1
$p(Y=y_i)$	$\frac{1}{12}$	$\frac{4}{12}$	$\frac{7}{12}$

c. • $E(Y)=\frac{5}{12}$ • $V(Y)=\frac{107}{144}\approx 0{,}743$
• $\sigma(Y)\approx 0{,}862$
d. $X=24\times(Y+30)=24Y+720$
donc $E(X)=24\times E(Y)+720=730$,
$V(X)=24^2\times V(Y)=428$
et $\sigma(X)=24\times\sigma(Y)\approx 20{,}69$.
Il y a en moyenne 730 heures par mois.

21 **a.** $p(\text{V})=\frac{20}{60}=\frac{1}{3}$; $p(\text{O})=\frac{5}{60}=\frac{1}{12}$; $p(\text{R})=\frac{25}{60}=\frac{7}{12}$.
b.
- V ($\frac{1}{3}$) : V ($1/3$) → $1/9$; O ($1/12$) → $1/36$; R ($7/12$) → $7/36$
- O ($\frac{1}{12}$) : V ($1/3$) → $1/36$; O ($1/12$) → $1/144$; R ($7/12$) → $7/144$
- R ($\frac{7}{12}$) : V ($1/3$) → $7/36$; O ($1/12$) → $7/144$; R ($7/12$) → $49/144$

c. Probabilité d'un seul arrêt : $\frac{4}{9}$.
Probabilité de deux arrêts : $\frac{4}{9}$.
d. Probabilité d'un seul arrêt : $\frac{35}{72}$.
Probabilité de deux arrêts : $\frac{49}{144}$.

23 **1. a.** $p(6\,;6\,;6)=\left(\frac{1}{6}\right)^3=\frac{1}{216}$
b. $p(\text{3 chiffres identiques})=6\times\frac{1}{216}=\frac{1}{36}$
c. $p(\text{3 chiffres 2 à 2 différents})=\frac{6\times5\times4}{6^3}=\frac{5}{9}$
2. a.

x_i	−1	2	9
$p(X=x_i)$	$\frac{120}{216}$	$\frac{195}{216}$	$\frac{1}{216}$

b. $E(X)=\frac{279}{216}=\frac{31}{24}\approx 1{,}29$
c. Un joueur peut espérer gagner 1,29 €.

Se tester sur...
QCM

31 **a.** B **b.** D **c.** D
32 **a.** D **b.** B **c.** B
33 **a.** D **b.** D **c.** D **d.** C **e.** A

PRÊT POUR LE CONTRÔLE ?

34 **a.**

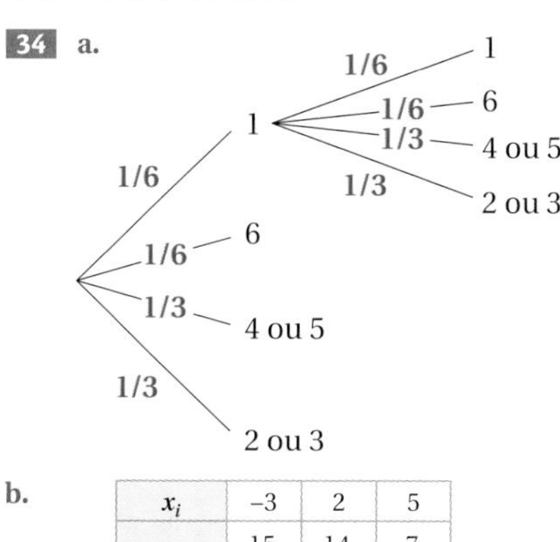

b.

x_i	−3	2	5
$p(X=x_i)$	$\frac{15}{36}$	$\frac{14}{36}$	$\frac{7}{36}$

c. $E(X)=-3\times\frac{15}{36}+2\times\frac{14}{36}+5\times\frac{7}{36}=0{,}5$
Le joueur peut espérer gagner 0,5 € en moyenne par partie.

Chapitre 10 Loi binomiale. Échantillonnage

QCM Pour bien commencer

1 a. D b. A c. D

2 1. a. B b. A 2. a. B b. C

3 C et D

4 a. A et D b. D c. A et B d. B

5 A et B

6 A

Exercices d'application

1 a. $p = \frac{3}{8}$ b. $p = \frac{3}{8}$ c. $p = \frac{5}{8}$

d. $p = \frac{7}{8}$ e. $p = \frac{3}{8}$

3 $p + 4p = 1$, donc $p = 0{,}2$.

4 a. Oui, car il y a six répétitions d'expériences identiques. Il suffit de définir les deux issues.
b. Non, car le nombre de répétitions dépend des résultats de l'expérience.
c. Non, car le tirage sans remise ne correspond pas à une répétition d'expériences identiques.
d. Oui, car il y a trois répétitions d'expériences identiques. Il suffit de définir les deux issues.

6 a. De 6 façons :

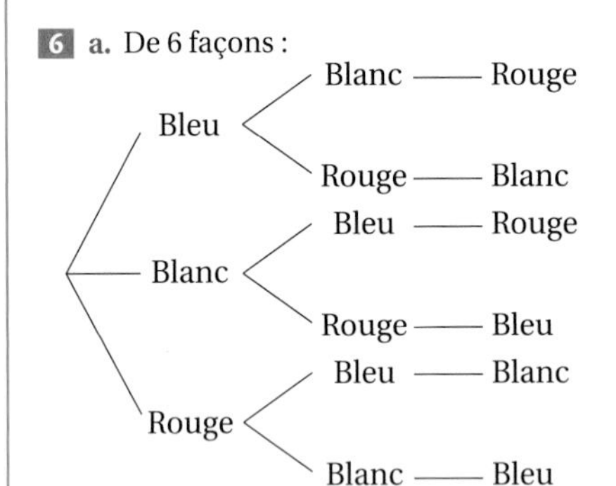

b. $4 \times 3 \times 2 \times 1 = 24$
c. En distinguant les deux R, on retrouve $4 \times 3 \times 2 \times 1 = 24$, mais les mots seront alors comptés en double (même mot en intervertissant les R) ; il y a donc 12 anagrammes.

8 1. a. $\binom{17}{0} = 1$ b. $\binom{17}{1} = 17$
c. $\binom{17}{17} = 1$ d. $\binom{17}{16} = 17$
2. a. $\binom{17}{9} = \binom{17}{8} = 24\,310$
b. $\binom{18}{9} = \binom{17}{8} + \binom{17}{9} = 48\,620$

10 a. $\binom{35}{2} = 595$ b. $\binom{11}{3} = 165$
c. $\binom{8}{3} = 56$ d. $\binom{20}{10} = 184\,756$

15 1. $p = \frac{6}{36} = \frac{1}{6}$
2. a. X suit une loi binomiale $\mathscr{B}\left(4, \frac{1}{6}\right)$ car l'on répète 4 fois la même expérience dont le succès a pour probabilité $\frac{1}{6}$.
b. $p(X = 0) = \binom{4}{0} \times \left(\frac{1}{6}\right)^0 \times \left(\frac{5}{6}\right)^4 = \frac{625}{1296} \approx 0{,}48$
c. $p(X = 2) = \binom{4}{2} \times \left(\frac{1}{6}\right)^2 \times \left(\frac{5}{6}\right)^2 = \frac{25}{216} \approx 0{,}116$

17 1. X suit une loi binomiale $\mathscr{B}(34,\ 0{,}98)$ car l'on répète 34 fois la même expérience (commander une calculatrice) dont le succès a pour probabilité 0,98.
2. a. $p(X = 34) = \binom{34}{34} \times 0{,}98^{34} \times 0{,}02^0 \approx 50{,}3\ \%$
b. $p(X < 34) = 1 - p(X = 34) \approx 49{,}7\ \%$
c. $p(X = 33) = \binom{34}{33} \times 0{,}98^{33} \times 0{,}02^1 \approx 34{,}9\ \%$
D'où $p(X < 33) = 1 - p(X = 34) - p(X = 33) \approx 14{,}8\ \%$
3. $E(X) = 34 \times 0{,}98 = 33{,}32$
$\sigma(X) = \sqrt{34 \times 0{,}98 \times 0{,}02} \approx 0{,}82$

25 a. X prend comme valeurs les entiers 0 ; 1 ; 2 ; 3 ; … ; 50.
b. $p = 38/100 = 0{,}38$
c. f peut prendre comme valeurs 0 ; 1/50 ; 2/50 ; 3/50 ; … ; 49/50 et 1.

28 L'intervalle de fluctuation des effectifs au seuil 0,95 est [12 ; 28] car :

k	$p(X \leqslant k)$
11	0,012 6
12	0,025 3

k	$p(X \leqslant k)$
27	0,965 8
28	0,980 0

34 1. X, variable aléatoire qui donne le nombre de bouchons « premier choix » dans un lot, suit la loi binomiale de paramètres $n = 200$ et $p = 0{,}35$. Un lot contient en moyenne $E(X) = 200 \times 0{,}35 = 70$ bouchons « premier choix ».
2. a. L'intervalle de fluctuation des effectifs au seuil 0,95 est [57 ; 83] car :

k	$P(X \leqslant k)$
56	0,021 3
57	0,030 5

k	$P(X \leqslant k)$
82	0,966 9
83	0,976 3

b. 57/200 = 0,275 ; 83/200 = 0,415.
Soit p la proportion dans un lot. Si $0{,}275 \leqslant p \leqslant 0{,}415$, on accepte l'hypothèse au seuil 0,95, sinon on la réfute.
c. $p = 60/200 = 0{,}30$. Au seuil de 0,95, on accepte l'hypothèse que la proportion dans la production est 0,35.
3. 85/200 = 0,425. Au seuil de 0,95, on rejette l'hypothèse que la proportion dans la production est 0,35.

Se tester sur…

QCM

46 B

47 D

48 C

49 a. B b. A c. C

50 C

51 a. A b. C

52 B

53 a. D b. B

54 C

PRÊT POUR LE CONTRÔLE ?

55 a. On répète 60 fois de manière indépendante la même épreuve de Bernoulli : la personne est O^- avec la probabilité 0,06 (succès) ou la personne n'est pas O^-. Le nombre de donneurs O^- par mois suit donc la loi binomiale de paramètres $n = 60$ et $p = 0{,}06$.
b. $p(X \geqslant 2) = 1 - p(X = 1) - p(X = 0)$
$= 1 - \binom{60}{1} \times 0{,}06^1 \times 0{,}94^{59}$
$- \binom{60}{0} \times 0{,}06^0 \times 0{,}94^{60} \approx 88{,}2\ \%$
c. $E(X) = 60 \times 0{,}06 = 3{,}6$
En moyenne il y a 3,6 donneurs O^- par mois.

56 a. Pour un échantillon de taille 100, l'intervalle de fluctuation des fréquences des personnes considérées en situation d'illettrisme, au seuil de 0,95, est [0,04 ; 0,15] car :

k	$p(X \leqslant k)$
3	0,017 3
4	0,047 4

k	$p(X \leqslant k)$
14	0,965 9
15	0,983 1

b. La proportion de personnes considérées en situation d'illettrisme dans l'échantillon est 0,05.
Comme 0,05 appartient à [0,04 ; 0,15], il peut accepter au seuil de 95 % ce qu'il pensait.

Édition : Hélène Fortin-Servent - Gwenn Alvarez
Maquette : Nicolas Balbo - Laurent Romano - Lauriane Tiberghien - Graphismes
Mise en page : Vincent Caronnet (Domino)
Illustrations : Laurent Bourlaud
Infographie : Domino
Iconographie : Nelly Gras (Hatier Illustration) - Piérangélique Schouler

TABLE DES ILLUSTRATIONS

INDEX